ISBN 978-0-331-81964-9
PIBN 11208814

1 MONTH OF
FREE
READING

at

www.ForgottenBooks.com

By purchasing this book you are eligible for one month membership to ForgottenBooks.com, giving you unlimited access to our entire collection of over 1,000,000 titles via our web site and mobile apps.

To claim your free month visit:

www.forgottenbooks.com/free1208814

Deutschland,

oder

Briefe

eines

in Deutschland reisenden Deutschen.

Von

Carl Julius Weber.

Dritter Band.

Zweite, vermehrte und verbesserte, Auflage.

Dulce et decorum est pro Patria — scripsi!

Mit königl. württemb. Privilegium.

Stuttgart,
1834.

Hallberger'sche Verlagshandlung.

May. 19 08

Inhalts-Anzeige
des dritten Theils.

Erster Brief.
Das Königreich Sachsen.

Große Erinnerungen knüpfen sich an den Namen
Sachsen. Der Name ist, nächst dem von Baiern, der
einzige, der aus dem höchsten deutschen Alterthum auf
unsre Zeiten übergegangen ist, während andere Volksnamen
erloschen sind, wie selbst der von Sachsen in denjenigen
Gegenden, wo er eigentlich einheimisch war, d. h. an der
Nordsee, und in den Ländern zwischen Elbe und Weser.
Sächsische Volksstämme schifften hinüber nach England,
und die zurückgebliebenen Brüder zerstörten im Bunde mit
den Franken das Königreich Thüringen, und zerfielen miteinander. Die Britten, von Römern verlassen, hatten die
Sachsen gerufen zum Schutz gegen Pieten und Schotten,
aber England gefiel ihnen, und sie stifteten die Heptarchie;
noch heute würden es die Bewohner des alten Sachsen-
landes so machen, wenn man sie nach dem schönen Großbritannien riefe. Bonifacius und die Päpste nannten
England Saxonia transmarina*).

Carl der Große unterjochte nach 30jährigem Kampfe
die Sachsen (eigentlich Saxen) durch das Schwerdt der

*) Das überseeische Sachsen.

Religion, und das Herzogthum Sachsen war nun die wichtigste deutsche Provinz, deren Herzoge späterhin mit Ruhm die deutsche Krone trugen. Der mächtigste Sachsen-Fürst war Heinrich der Löwe, mit dessen Achtserklärung das alte Herzogthum sich auflöste, und Sachsens Name überging auf Bernhardts von Ascanien Besitzungen, die sein Vater Albrecht der Bär den Slaven entrissen hatte. Erst dieses askanische Geschlecht herrschte im jetzigen Sachsen; Wittenberg war die Residenz, und Sachsen, immer größer auf Kosten der Sorben-Wenden, kam 1442 an Friedrich den Streitbaren, Markgrafen von Meißen und Thüringen aus dem Hause Wettin — einen der merkwürdigsten Fürsten Sachsens, der trotz seiner Händel, die ihm den Beinamen der Streitbare gaben, die Universität Leipzig stiftete. Unsere ältern Genealogen ließen Wettin von Wettekind abstammen, der Name kommt aber von der Burg Wettin, in der Nähe von Halle.

Die Churwürde und das Reichs-Erzmarschall-Amt gab dem Hause höhern Glanz, aber unseliger Weise theilte es sich 1485 in die Albertinische und Ernestinische Linie, woraus neue Linien hervorgingen. Die Churlinie allein theilte sich in vier, die Chur, Merseburger, Zeizer und Weisenfelser Linie, die erst im achtzehnten Jahrhundert wieder zusammenstarben, und noch haben wir die königliche, die großherzogliche, und drei herzogliche Linien — immer noch zuviel Linien! Die Vereinigung der Lausitzen mit der Churlinie (1635) war eine ansehnliche Vergrößerung — aber die Krone Polens (1697) für Sachsen ein so großes Unglück, als die römische Krone für Deutschlands Kaiser — Schein statt Seyn! Die Chur-Fürsten Sachsens, sonst die muthigsten Stützen des Protestantismus, nahmen die katholische Religion an, verwickelten sich in unglückliche Kriege, vergaßen über Polen ihr Erbland und glaubten auch in Sachsen eine — polnische Wirthschaft führen zu müssen.

Schrecklich litt Sachsen im dreißigjährigen, wie im siebenjährigen Kriege, im nordischen, wie im Revolutionskriege. In den Greueln des dreißigjährigen Krieges können jedoch die Unglücklichen unserer Zeit einen Trostspiegel erblicken, denn die Schweden und kaiserlichen Völker waren Türken und wahre Teufel gegen die Preußen und Franzosen. König Friedrich August, einer der würdigsten deutschen Fürsten, erzogen in der Schule des Unglücks, heilte die Wunden des siebenjährigen Krieges, und brachte die vierzig Millionen Staatsschulden herab auf zehn, als eine noch unglücklichere Epoche eintrat, die der Mann nicht verdiente, der die Sünden des Ministers Brühl und der beiden Auguste auf seine Schultern nahm. Der Minister-Sünder Brühl verschwendete wie ein Louis XIV. — und zu Zeithayn an der Elbe bezeichnet eine Pyramide die Stelle des berühmten Lustlagers Augusts II., das 980,780 Thaler kostete, und vom Hofpoeten König besungen wurde, wie das Bebenhauser Dianenfest von Matthison. Niemand in Europa hatte eine solche Garderobe, wie Brühl, die man Fremden zu zeigen pflegte; Cäsar hätte ihm nur nach dem Kopfe gesehen, und nicht mehr gefürchtet, ein Franzose aber sahe die Garderobe genug, und sagte: montrez moi des vertus et non pas des culottes *)!

Friedrich August war 1791 klug genug, die dargebotene Krone Polens auszuschlagen — lebhaft war sein Antheil an der Coalition gegen Frankreich, und seine wackern Sachsen kämpften noch 1796 an der Lahn und in der Wetzlarer Schlacht in der deutschen Reihe, wo die Preußen längst die Sache des Vaterlandes aufgegeben hatten — aber 1806 wurde das Kurfürstenthum zum Königreich, der Cotbuser Kreis auf Kosten Preußens erworben, das Herzogthum Warschau schien neuen Glanz über die neue Krone zu verbreiten, während Preußens Glanz ver-

---

*) Zeigt mir Tugenden und keine Hosen.

losch. — Napoleon wurde der erste Ritter der Rautenkrone — was ließ sich nicht von der Freundschaft
eines solchen Ritters erwarten? mehr als von Kaiser
Friedrich I., der nach Heinrichs des Löwen Sturz dem
Grafen Bernhard das Herzogthum Sachsen, und zur Ver-
zierung des Wappens den Kranz vom Kopfe nahm,
und auf dessen Schild legte! — aber die Gallier waren
Danai dona ferentes*), und der Corse Meister — in leeren
Versprechungen, daher übersetzte auch einer seiner Marschälle,
der etwas deutsch konnte, seine Anrede an die Sachsen:
Saxons! je me mets à votre tête: „Sachsen! ich trete
euch auf den Kopf!“

Das Kurfürstenthum zählte auf 725 Quadratmeilen fast 2½ Millionen Seelen mit 11 — 12 Millionen
Thaler Einkünfte, und war bis in die Mitte des siebzehnten Jahrhunderts der mächtigste deutsche Staat nach dem
Kaiser, bedeutender als Brandenburg, gerundeter und von
der Natur weit gesegneter, mit einer Armee von 50,000
Mann. Noch vor der Revolution war Sachsen wichtiger,
als Baiern, und jetzt, wo es Königreich heißt? Das
Königreich Sachsen zählt nur noch 500 Quadrat-Meilen
(ein neuer Statistiker nimmt gar nur 271⅓ an) mit
1,200,000 Seelen, (London zählt allein so viel)! und wird
jetzt neben einer Schuldenlast von dreißig Millionen etwa
zehn Millionen Gulden Einkünfte haben. Die Beschlüsse
des Wiener Congresses nahmen ihm die Hälfte des Landes, und das ganze gebildete Deutschland bezeugte innigen
Antheil an diesem Opfer der Politik!

Und wer sollte nicht innigen Antheil nehmen an dem
Schicksal eines fleißigen, häuslichen, stillen Volkes, das
mitten in der Revolution und unter Franzosen nie aufhörte
deutsch zu denken und deutsch zu handeln? Sachsen ist
der freundlichste Name unter allen deutschen Bundes-Na-
men, wenn wir an die Cultur denken, die von hier

---

*) Freunde, deren Geschenke man fürchten muß.

ausging. So: erzeugte das kleine Athen mehr Künstler,
Gelehrte, Helden und Weise, als die weltgebietende Roma!
Und der sächsische Kunstfleiß und die Genügsam=
keit der Sachsen? Seegen dem König, daß er die Armee
auf 12000 Mann herabgesetzt, und damit die Hauptlast
eines treuen Volks erleichtert hat! Nur die Ritter=Guts=
Besitzer scheinen nicht von ihren Ritterpferden d. h.
unbedeutenden Donativ=Geldern herunter, und die
Staatslast mit dem Bürger theilen zu wollen! Aber
groß ist die Entsagung und das Vertrauen des Volks auf
den Regenten, und so kauft man Steuer=Scheine mit
Agio, und Cassenbillets al pari. Papier=Geld,
dessen Mißbrauch so verderblich werden kann, wirkt bei
einem weisen Gebrauch höchst wohlthätig — dieses Surro=
gat ersetzt den Mangel der Metall=Münze, und verhindert
das Thesaurisiren des Geizhalses, was in unserer Zeit viel
werth ist, wo es dem Publikum fast gehet, wie vor dem
Tische eines Taschenspielers — er drückt einem oder dem
andern ein Stück Geld fest in die Hand — man hält die
Hand fest zu, um das Geld fest zu halten und das Geld
ist eigentlich in der Hand — des Taschenspielers!

Sachsen mußte an Preußen mehr als die Hälfte
seiner Länder abtreten — in Ansehung der Bevölkerung $2/5$,
in Beziehung auf die Einkünfte aber $2/3$. Es entbehrt jetzt
sogar drei unentbehrliche Bedürfnisse — die Kornkammer
Thüringens — das Holz der Lausitz, und seine Salinen,
daher es von Preußen für 150,000 Thlr. Salz um festge=
setzten Preiß nehmen muß. Die producirende Provin=
zen sind verloren, die fabricirende geblieben, beschränkt
durch die preußischen Gränzen, worüber man Leipziger
hören muß. Sachsen behauptete zwar den vierten Rang
unter unsern Bundesstaaten, aber Würtemberg ist den=
noch mehr, und selbst Hannover in Ansehung des Flä=
chenraums. Friedrich, der sich nach Unfällen immer wieder
in Sachsen zu erholen suchte, sprach: „nehmet Sachsen
alles, aber seinen Segen könn't ihr ihm nicht

nehmen," man nahm also 1815 lieber die Hälfte, und zwar die beſſere Hälfte Sachſens ganz hinweg, und wie ſoll es nun möglich ſeyn, den Wunſch zu erfüllen:

Gott laß' Sachſen
blüh'n und wachſen?

„Preußen, heißt es in einer Berliner Erklärung vom 16. Februar 1815, hat nicht angeſtanden, ſein Polen aufzugeben in Zeiten, wo der Volks-Geiſt ſo kräftig und achtbar ſich gezeigt hat, um es zur Entwicklung ſeiner Nationalität in eine günſtigere Lage zu bringen. Baireuth und Ausbach konnten nicht zurückgenommen werden ohne die Verhältniſſe Baierns und ſelbſt Würtembergs zu zerrütten, ein Theil Sachſens aber dient zur beſſern Verbindung der Mark mit Schleſien, zur Sicherung der Gränzen der erſtern, vorzüglich Berlins und Potsdams, namentlich aber zur Behauptung der Saale, deren Wichtigkeit die letztern verhängnißvollen Jahre ſo dringend gezeigt haben." — So mußte dann die Hälfte Sachſens preußiſch werden — aber die Sachſen werden noch in hundert Jahren keine Preußen ſeyn! und was Preußen auch thun mag, ſchwer wird es ihm werden den Wunſch der Tabacksbriefe zu erfüllen: „Es blühe Sachſen!"

Schon vor der Theilung herrſchte Abſtoßung zwiſchen beiden Völkern, und ein alter Haß, der ſich aus dem ſiebenjährigen Kriege erklären läßt. Dieſer Haß iſt durch die Theilung natürlich geſtiegen und ſcheint ſelbſt blind zu machen gegen beſſere Einrichtungen, die Preußen trifft. Unſtreitig iſt die preußiſche Gerechtigkeits-Pflege beſſer als die ſächſiſche — die Staatslaſten werden ſchwerlich größer ſeyn und auf jeden Fall ſind ſolche gleicher vertheilt — Preußen iſt doch ein größerer ſelbſtſtändiger Staat — der König human, gleicher Religion und erhaben über die ſteife Etiquette — die Regierung unterſtützt Wiſſenſchaft, Kunſt, Gewerbfleiß und Volksbildung auf das rühmlichſte und hat die hellſten Anſichten. — Am beſten

wäre es für Sachsen, wenn es ganz preußisch geworden wäre!

Sachsen bleibt eine der merkwürdigsten Provinzen
Deutschlands, der Freund der Natur findet hier entzückende
Gegenden, der Kunstfreund weiß in Dresden nicht fertig
zu werden, und der Menschenfreund bewundert die Bildung, Biederkeit, Genügsamkeit und Deutschheit des Volkes. Harte Schicksale trafen Sachsen in ältern Zeiten,
wie in den neuern, aber der Sachse ward nie entmuthet;
man hörte nichts von sächsischen Auswanderern,
der Sachse ringt mit dem Schicksal, und arbeitet von
neuem darauf los; Sachsen gleicht einem wahren Bienen-
korbe. Bewundernswerth ist sein Fleiß, und dieser Fleiß
steht am höchsten im dürftigen Erzgebirge; Sachsenland ist
Deutschland en miniature — es hat seine drei Erdstriche
— Hochgebirge im Süden — in der Mitte Hügel . . im
Norden Flachland, aber fruchtreicher als der eigentliche
Norden. Die Luft ist milde, der Boden fruchtbar, und
Genügsamkeit und Sittlichkeit überall. Das unfruchtbare
sächsische Siberien enthält gerade den Haupt-Reich-
thum, die Metalle. Kein Land ist verhältnißmäßig so
reich an Metallen und man hat die Mineral-Production
auf vier Millionen Thaler geschätzt. Hätten die Sachsen
noch, wie ihre Ahnen, das heilige Meer und Brittanniens
dädalische Flügel — wahrlich! sie überflügelten die luxuriosen
Nachkömmlinge der Saßen in Old England weit, denn
neben ächt deutschem Fleiß thronet ächt italienische Genügsamkeit! Molti Pocchi fanno un Assai *)
denkt der frugale Sachse ohne zu murren, wie der berühmte
Gouverneur von der Insel Barataria über die strenge Diät,
die ihm der Arzt vorschrieb! Hat nicht überall der Staat
den großen Freitisch der Natur aufgehoben? In unsern Zeiten ist es doppelt weise, sich an Socrates Lehre zu
halten: „Nichts bedürfen ist göttlich, und je we-

---

*) Oefters ein klein wenig genossen, macht zuletzt auch satt.

niger wir bedürfen, desto mehr nähern wir uns
den seligen Göttern."

Angebetet ist der König von Sachsen vor wie nach der
traurigen Catastrophe. Der sächsische Bauren-Auf-
ruhr 1792 galt dem Adel, höchstens noch Jägern und
Unterbeamten, wenige Dragoner brachten die Brauße-
Görgen wieder zur Ordnung und einer derselben, in dessen
Dorfe die Dragoner gerade die Menschenrechte vor-
oder wegdemonstrirten, lief zu den Nachbarn, um
die Rebellion abzustellen. Reformen stellen Re-
bellionen am besten ab. Gott bewahre das Vaterland, daß
nie ein Ceremonien-Meister die widerspänstigen Stände
auseinander gehen heiße im Namen des Königs, und nie
ein Mirabeau erwiedere: nous sommes ici par la volonté
du peuple, et nous n'en sortirons que par la puissance
des bayonettes *)! — Groß ist die Ehrfurcht vor dem
Herrn; worunter nicht Gott, sondern der König zu verstehen ist — und ich will es Niemand rathen zu Dresden
ein Wörtchen von der Klugheit, den Mantel nach dem Wind
zu hängen, oder gar ein Quidquid delirant reges plectuntur Achivi **) fallen zu lassen. Diese Anhänglichkeit
der guten Sachsen hat gewiß viel Gutes — aber wozu
noch die mechanische Ehrfurcht gegen alles, was vom Hofe
ist, gegen Ordensbänder, Uniformen, Staats-
lakaien — und selbst Hoflivrée? Zu Dresden wimmelt es von Hofräthen — und selbst der Handwerker
dünkt sich selig, der das Wörtchen Hof vor sein Handwerk
setzen kann. Die Schüler oder Alumni singen in den Straßen Kirchenlieder nach Verlangen, laufen schwarz gekleidet
im Mäntelchen, kaum befreit von der Last der Perücken,
mit denen einst offenbar der Satan in die Prediger fuhr;

---

*) Wir sind hier durch den Willen des Volks und werden
nur den Bajonetten weichen.

**) Für die Sünden der Könige müssen die Völker büßen.

feit fie ſchlichte Haare tragen, gibt es weit weniger Don-
nerpredigten, die Dünſte zerſtreuen ſich. Häufig ſiehet man
die Bildniſſe der Prediger in den Kirchen. Sollen
dieſe ſteifen ſtrafenden meiſt ſchlecht gemalten Geſichter
Surrogate der ſchönen, das Gemüth erhebenden, Gemälde
katholiſcher Kirchen ſeyn? und kann es dieſe Diener des
Worts, unter denen ſich ſo mancher Bruder Stanzius,
Truliber und Gerundio befindet, nicht verleiten ſich für
lauter kleine Luther zu halten, und für große Männer?

Nirgendswo in Deutſchland iſt die Etiquette noch ſo
abgemeſſen, wie am Hofe zu Dresden. Man kann faſt
jeden Tag im Jahr vorausſagen, was am Hofe zur beſtimmten Stunde vorgenommen wird, und der Hof ver-
wechſelt Sommer- und Winter-Reſidenz am beſtimmten
Tage, ohne ſich um den Himmel oder die Meteorologie zu
kümmern. Der König iſt der wahre Mann nach der
Uhr, und ſeine Pünktlichkeit wirkt zurück auf die Dresdner; um zehn Uhr iſt ganz Dresden wie ausgeſtorben,
oder wie ein Haus, in dem der Hausvater mit ſeinen
Kindern nach alter Weiſe ſchlafen gegangen iſt. Ich glaube,
wenn auch der König ſo populär ſeyn wollte, wie man
im Süden iſt, ſein Adel würde es nicht leiden. Die An-
weſenheit ſeines Schwagers, des populären Königs von
Baiern, im Jahr 1820 fiel zu Dresden ſo auf, daß ſie
noch 1823 davon ſprachen — vielleicht wirkt ſie Gutes *).
Kein Wunder! wenn der Ton bei der ſtrengen Abſonder-

---

*) K. Friedrich Auguſt entſchlief zu Dresden am fünften May
1827 allgemein aufrichtig betrauert von den Sachſen. Der
würdige Fürſt war 1750 geboren, und die Regierung, die
er 1768 angetreten hatte, gieng über auf ſeinen Bruder
Anton Clemens, der aber kinderlos iſt, daher der Bruder
Maximilian ſuccedirt, der zwei Prinzen hat. Die Nieder-
ſchießung des unmäßig gehegten Wildes iſt der erſte Seegen der neuen Regierung, und das Geld für Jagd-Depar-
tement und Wildſchadens-Erſaz wird nuzlicher verwendet
werden können. Anmerkung des Verfaſſers.

ung der Stände und der scharfen Rang-Ordnung etwas Steifes hat, fast mehr noch als zu Hannover. Der Preußische Adel ist auch stolz, aber viele hundert Jünglinge aus den ältesten Geschlechtern zogen als Gemeine in den Befreiungs-Krieg, von Sachsen aber habe ich nichts gehört. Madame de Stael will zu Leipzig eine philosophische Vorlesung gehört haben, wo Leibnitz öfters angeführt wurde, aber nie anders als Herr Baron von Leibnitz!

In Sachsen ist noch manches gute Alte — aber wahrlich auch viel Veraltetes, und noch heute nimmt der Bürger den Herren mit einem funkelnden Sterne auf dem Rock, den Damen mit roth angestrichenem Leder, und den Uniformen nicht leicht etwas übel. Vor der Revolution konnte man sicher in Sachsen zwei Drittel aller Haarbeutel Deutschlands beisammen finden, daher man auch im anatomischen Kabinette ein Mädchen zeigt mit einem Fleischgewächse im Nacken gerade wie ein Haarbeutel. Anselmus Rabiosus der Jüngere will Herren gesehen haben, die mit Haarbeuteln, den Porzellandegen an der Seite und den Chapeau-bas unter dem linken Arme — tegelten! Während im Süden Zöpfe vorherrschten, Zöpfe bis auf die Fersen, herrschten in Sachsen die Haarbeutel, die in unsern windigen Zeiten ganz an ihrer Stelle wären — drey leere Beutel in Einer Person — Windbeutel, Geldbeutel, Haarbeutel!

Von Sachsen war einst die kirchliche Reformation ausgegangen, und ohne Kurfürst Friedrich den Weisen, der die Kaiser-Krone ablehnte, und die Universität Wittenberg stiftete, wäre Luther und sein Werk wahrscheinlich der Gewalt, und dem Geiste der Lüge und des Truges unterlegen — Niemand wundert sich daher — überall Luthers Bild zu finden, wie das des großen Königs (die Natur gab beiden ein Gepräge, das auch in der elendesten Kleckserey kenntlich ist) ja selbst die alte Orthodoxie. Vor der Revolution hätte schwerlich einer gewagt, die Kanzel zu besteigen, ohne Perücke, obgleich weder Jesus noch Luther Perücken hatten. — Mich wunderte in der That so wenig Perücken mehr in Sachsen zu finden. Sollte es vielleicht daher kommen, daß einst ein Fürst Sachsens sich Mehrere vorstellen ließ, die sich zu einer Amts-Vogtey gemeldet hatten. „Die Hundsfötter haben alle Perücken" sagte er unwillig, mit großer Geistes-Gegenwart steckte einer von ihnen die Perücke in die Tasche. „Was macht er da?" ich stecke den Hundsfott ein. „Er soll Amtsvoigt seyn!"

Aber warum hängt Sachsen auch noch so fest an veralteten politischen Formen? Warum auf den Landtagen, die nichts mit VIII. Ahnen zu schaffen haben, nicht mehr Rede von gleicher Besteurung, gleicher Repräsentation, Gleichheit vor dem Gesetz? So sollen die begüterten Grafen v. Hohenthal noch nicht landtagsfähig seyn, weil ihnen noch VIII. Ahnen abgehen, und wie viele Rittergüter befinden sich nicht in ganz bürgerlichen Händen? und der Bürger- und Bauernstand ist er nicht die Grundlage des Staates, und trägt die eigentliche Staatslast? Warum keine Oeffentlichkeit unter einem so patriotisch denkenden Volke? nur das Kriegswesen erhielt wesentliche Verbesserung. Landtage, wie sie zur Zeit des Feudal-Wesens waren, und noch hie und da sind, sind keine wahren Landtage, und nur unter einem so gutgesinnten Regenten, als Sachsens König ist, ohne Folgen. Zwei gewaltige Riesen stellten sich dem Genius der Menschheit in Weg, der Pfaff und der Ritter, Luther stürzte den ersten, von Napoleon glaubte man, daß er den zweiten stürzen werde, er half ihm aber wieder aufs Pferd. Indessen hatte doch Sachsen noch Stände, die anderwärts ganz eingegangen waren, und eine Art Freiheit, wo anderwärts nur Freiheiten waren, welche Töchter des Despotismus sind. Es ist ein alter wahrer Reim:

das, was ein Landtag ist, schließt sich in diesen Reim,
verfammlet euch, schafft Geld, und packt euch wieder heim!

und diesen Reim muß auch der Jörg von Dipplis-
burg gekannt haben, der da fagt, „Jo! gau lau fott
ma's, s'würd oanerley fey" Recht hat der Mann
wenigstens, wenn er die Urfachen der harten Lage des Volks
nicht blos in der Zeit fucht, fondern „au in de Leut!"

In Sachfen fcheint aus lauter Patriotismus und All-
genügfamkeit, die auf Lorbeern ruht, die längst dürres Laub
geworden find, noch viel Schlendrian zu herrfchen, wo
es Religion, Politik und freie Anfichten gilt.
Die Gefetzgebung ift nichts weniger als mit der Zeit
fortgefchritten, der fächfifche Prozeß bekannt, furchtbar die Maße von Beamten, und Vice-Beamten! Je einfacher die Rechtspflege, defto weniger Rechts-Gelehrte, je
einfacher der Meufch, defto weniger Aerzte. Seit wir to-
leranter und aufgeklärter find, haben felbft die Theologen weit weniger zu thun mit den Dingen in jener
Welt, und hörte der fächfifche Prozeß auf, fo würde
es auch fo gehalten werden können mit den lieben Juriften — hienieden — par nobile fratrum *). Doch —
die gottgeheiligte Juftiz fcheint auch andern Orts mit der
Zeit eben nicht fortzufchreiten, fie allein behält ihren un-
deutfchen fteifen und groben Styl bey — ihre veralteten
Formen geben zu erkennen, daß es ihr mehr — um Formen zu thun fey!

In Sachfen fcheint man einmal zu glauben, manches
dürfe und könne nicht anders feyn, und fo gehet alles im
gemeinen Leben, wie in Schriften — auf den Zehen. Das
Mißfallen drückt der Sachfe lieber durch Achfelzucken, als
durch Worte aus, gerade als ob die Nähe Böhmens auf
ihn einwirke; die Sachfen find klug und viel zu höflich,
um Dinge gerade herauszufagen, die man nicht gerne hört,
fie ftellen lieber alles der allerhöchften Willens-Meinung

---

*) Pfaffen und Juriften, ein edles Brüder-Paar.

allerunterthänigst anheim. Es mag sein Gutes haben, aber ich wünschte nicht, daß diese Art Patriotismus in meinem Vaterlande, dessen Wahlspruch furchtlos und treu ist, allgemeine Marime würde. Indessen tritt fast bei allen Rathsversammlungen ein, was in der Rathsversammlung der Ratten und Mäuse eintrat, es wurde zwar einstimmig beliebt, der Katze eine Schelle anzuhängen, aber beim Anhängen gerieth die Sache in's Stocken, — hic labor, hoc opus*). Aber bewies nicht Pölitz in einem eigenen Programm 1818, daß das sächsische Volk — mündig sey?

Es soll jetzt weniger Studierende geben als sonsten, (die alten Stipendien waren Veranlassung) und der studierte Papa, der mit Stolz sagte: „Ich bin ein Studierter," wenn er gleich mehr geraucht und Bier getrunken, als studiert hatte, und die Mama, die sich schon der Seligkeit halb theilhaftig glaubte, wenn das liebe Söhnchen auf der Kanzel stand, oder gar schon gepredigt hatte, ohne noch studiert zu haben, sind vernünftiger geworden. Sie widmen jetzt ihre Erstgeburt und selbst nachfolgende Lieben auch dem Handel, Militär, den Künsten 2c., und wenn wir einst so weit seyn werden, als Britten, so werden wir uns auch nicht mehr vor dem Handwerk schämen, das goldenen Boden hat, oder ein kleines Gütchen selbstständig zu bearbeiten, das nicht mehr kostet, als das studierende Söhnchen verjubelt hat. —

Ist es nicht eine zweite Adelskaste, wenn der Sohn eines Rathes auch wieder Rath, und ein Sohn eines Predigers auch wieder Prediger werden muß? und ist nicht ein Kleidermacher vulgo Schneider nach der Mode besser daran, als ein Büchermacher? Man sagt, der verwickelte sächsische Prozeß, und die Streitsucht der Bauern erfordern mehr Juristen denn anderer Orten, und nach den vielen Buß- und Bettagen

*) Da liegt der Hund begraben.

außer den gewöhnlichen Festen zu schließen, müssen die
Sachsen auch größere Sünder seyn, denn Andere, folglich
brauchen sie auch mehr Theologen. Wenn ich nach
einigen Dorfpredigten, die ich hörte, urtheilen darf, so
schildert man noch gehörig Hölle und Himmel, das jüngste
Gericht und die Ungläubigen Verdammten, daß es zum —
Erbarmen ist! Die Volksbildung ist der edle Wirkungs-
Kreis der Geistlichen, die man nicht mehr Pfarrherrn,
sondern Lehrer heißen sollte — aber es scheint, man habe
in Sachsen noch nicht an das Mißverhältniß gedacht zwischen dem ruhigen Geschäfts-Kreise des Geistlichen, und
dem mühe- und sorgenvollen Leben des weltlichen Ge-
schäfts-Mannes, betäubt von dem alten Schlagworte
Seelsorge? Uebrigens scheint der Stamm Levi bei der
vierten Bitte zu kurz gekommen zu seyn, die sächsische
Genügsamkeit aber überwindet alles, und alle dürfen sich
mit Jesus trösten, der einmal gewiß weniger Einkommen
hatte, als der schlechtbesoldetste Dorfpfarrer!

Rökl in seiner pädagogischen Reise durch Deutschland (1808) übertreibt, wenn er sagt: an National-
bildung läßt sich in Sachsen nicht wohl denken, der Hof
ist erzkatholisch, das Land erzlutherisch, und das
Ministerium erzpietistisch. Indessen wurden Falks
heilige Gräber zu Com romschim, weil man gelesen
hatte Rom, und so viel scheint richtig, da jeder Sachse
gehört hat, die Bildung sey von hier ausgegangen, gleich
der Reformation, daß falsche Ergo gezogen werden. Je
weniger ein Staat-Körper hat, desto mehr muß er Geist
haben. Das Gezwungene oder wenn man will, das
Elegante fällt jedem Fremden auf, und kommt vom
Zuviel bestreben, wie bei Schauspielern, Sprach- und
und Tanzmeistern. Selbst beim Militär, das sonst am
natürlichsten zu seyn pflegt, scheint mir so etwas Galan-
tes zu herrschen, wie bei den Franzosen vor der Revolution, wo man Offiziere auf der Parade sehen konnte mit
Regenschirmen und seidenen Strümpfen!

Sonderbar bleibt einmal der Contrast, den die Elbe macht; und die zwanzig Meilen zwischen Berlin und Dresden. Der Pas de Calais und die Tweed machen kaum einen größern Unterschied! Der Berliner ist lebhaft, voll Suade, (πολύμυθός) zuvorkommend, eitel, absprechend, und recensirend — der Dresdner bedachtsam, wortkarg, verschlossen, aber bescheiden und lobend — jener ist für das Neue, dieser für das Alte — jener liebt öffentliche Orte, dieser Eingezogenheit — jener will stets glänzen, dieser genießt lieber im Stillen. Der Berliner ist ein Mann für Welt und Leben, der Dresdner für Familie und Haus — jener freigeisterisch, dieser orthodox — jener schweizerisch, dieser höchst frugal. In Dresden mag der Klingelbeutel noch etwas abwerfen, zu Berlin sollte man ihn im Thiergarten und Theater herumgehen lassen. Der Sachse ist ein Altdeutscher gegen den Preußen, der so vielseitig ist, daß man oft gar keine Seite mehr findet, bei der man ihn fassen könnte. — Wer nicht in Familien-Cirkel kommt und Kunstfreund ist, hat in der Hauptstadt Sachsens Langeweile; höchstens in der Bade-Zeit ist Dresden lebhaft, wo sich böhmische und sächsische Kurgäste durchkreuzen, und schaulustiger von den Reizen der Stadt gefesselt, die Bäder vergessen hat. Sachsen und Preußen werden sich so schwer amalgamiren, als Deutsche und Franzosen. Ich kenne keine große Hauptstadt, wo die Häuslichkeit so an der Tages-Ordnung wäre, und lobe es. Wo würde auch der Reisende Zeit hernehmen zum Genusse der Natur und der Kunst-Schätze, wenn hier die Zerstreuungen großer Städte wären? Wiener und Prager nennen das bleiche Leben ärmselig, wollen kaum glauben, daß es erst seit 1819 Plakate gibt, an der Stelle der Söhtern, und wenn man von da nach Sachsen kommt, oder aus dem Reiche, so findet man sich wirklich in einer — andern Welt!

Der Hof oder der Herr lebt einfach, folglich auch der Adel, und das Geschlecht der Rennthiere in Men-

schengestalt, wie Lichtenberg die Läufer nennt, die
ich noch zu Wien und Prag sahe, kennt man hier nicht.
Aber mit dieser Einfachheit ist eine gewisse Einförmigkeit im geselligen Leben entstanden, die selbst zu Gotha
und Weimar nicht herrscht. Die Oekonomie der Mittel-
Classe ist noch auffallender, als zu Berlin, aber in Hinsicht
der, bis über die niedrigsten Stände verbreiteten Reinlichkeit glaubt man in England oder Holland zu seyn,
zumal wenn man aus Böhmen kommt. Diese Reinlichkeit
und die reinere Sprache ist es wohl zunächst, was die
Sächsinnen in so großen Ruf gebracht hat, die ich nicht
schöner finde, denn anderwärts, ja weniger schön als im
Süden. Zur Frau würde ich mir indessen eher eine Dresd-
nerin als eine Berlinerin wählen. Wir Deutsche treiben
mit dem Wort Schön wahren Unfug — in den meisten
Fällen wäre Hübsch übrig genug! und wenn wir ein
Aghaia καλλγύναικα *) haben, so ist's Östreich eher
als Sachsen!

Die magern, kleinen, blassen und sentimentalen Damen scheinen dem Norden anzugehören, es herrscht da
mehr Sinn für das Tragische, als für das Komische,
und Hypochondrie bei Männern und Nervenschwäche
bei Weibern ist weit mehr Modekrankheit als im Süden;
Damen, die irgend auf guten Ton und Erziehung Ansprüche machen, müssen durchaus über schwache Nerven
klagen, und französische Bücher lesen — es giebt, wie in
den Feen-Mährchen, Fein-Ohrchen, die das Gras
wachsen hören. Wenn man von München, Wien oder
Prag kommt, so findet bei Sächsinnen auch noch etwas
von dem statt, was Lady Montague vor hundert Jahren
so unartig war, in die Welt hineinzuschreiben, jedoch englisch: very genteely dressed — pretty faces, — aber
the most determined Minaudieres —, they all affect

---

*) Eine Provinz, die sich durch Schönheit der Weiber aus-
zeichnet.

a little soft lisp and a pretty petty pat step *).
Ich glaube dies sogar bei Männern gefunden zu haben!
aber die niedliche Fußbekleidung, und die reinliche Schürze
machen alles wieder gut. Die Schürze hat mit Recht
die Ehre als pars pro toto zu gelten, denn es ist nicht
nur das erste Kleidungs-Stück aller Kinder der Natur,
die weder Schneider noch Moden kennen, sondern auch das
erste Kleidungsstück, womit Adam und Eva sich kleideten,
als sie sich schämten, und daher greifen so viele Adams
gleichsam mechanisch nach der Schürze, und so viele Evas
nehmen solche vor die Augen, wenigstens zum Schein!

Das Volk ist dienstfertig, traulich, fast allzuhöf-
lich, während die Märker stille, mürrisch, unzuvorkommend
erscheinen. Die Höflichkeit der Sachsen mag der Grund
seyn, daß man sie der Falschheit beschuldigt — Meißner, Gleißner... Es scheint aber damit zu gehen, wie
mit dem guten Kopf, den man gerne eines bösen
Herzens beschuldigt, oder dem freisinnigen, geraden
Mann (Plean Dealer) der als Grobian, oder gar
unruhiger Kopf verschrieen wird. Die Schweiz, das
reichste Butterland, verzehrt sicher nicht den zehnten
Theil Butter, der in Sachsen und Brandenburg und überhaupt im deutschen Norden verzehrt wird. Morgens Butterbemme — Mittags zum Desert Butterbemme,
Nachmittags Butterbemme, und Abends muß Butterbemme gar die Stelle des Bratens vertreten. Viele
träumen sogar nur von Butterbemme, und müssen sich
mit Cartoffeln, Salz und Brod begnügen lassen. Die
Einladung in Sachsen geschieht auf ein Butterbrod,
und Butterbrod ist bei Kindern der Anreiz zum Fleiß und
Gehorsam, wie bei uns der Zucker. Die Butterbem-

---

*) Sie sind niedlich gekleidet — hübsche Gesichtchen — aber
dabei große Zieraffen, sie affectiren alle eine sanfte, lis-
pelnde Stimme und einen zimpferlichen Gang.

men können, den Süd-Deutschen im Norden zur Verzweiflung bringen; Wiener und Prager einmal gewiß, die in den ersten Tagen glauben, man wolle sie aushungern. Gewiß hat schon Mancher nach einer Einladung gemurmelt, wie der Sohn des göttlichen Julius: „non putabam me tibi tam familiarem *)." Wenn man gerade aus Oestreich kommt, glaubt man sich unter lauter — Cornards oder Diogenes, der sich in seiner Genügsamkeit bestärkte beim Anblick einer Maus, die noch von seinem einfachen Mahle Brosamen sammeln konnte. Sachsen und Preußen ist mehr für den Geist, und bekanntlich rühmte man von den Gastmahlen Platos, daß die Gäste gleich darauf immer besondern Appetit verspüret hätten, wie man an Friedrichs Festen tadelte, daß immer — ein Thier fehle!

Sachsen ist meist Gebirgs-Land von der Elster bis zur Elbe, und seinen Süden decken die Zweige der Sudeten oder das Erzgebirge, dessen Vorberge sich in wellenförmigen Flächen nach dem Elbethal verlieren, welches sich durch das ganze Königreich hinzieht; alle anderen Thäler fallen dem schönen Elbethal zu, sind aber diesseits auffallend fruchtbarer, als jenseits. Wo nur irgend die Natur des Bodens Anbau verstattet, hat der fleißige Sachse gebauet, selbst die Elbe-Hügel bekleidet die Weinrebe, vorzüglich von Meissen bis Dresden — die schönste Partie der Elbe. Die Reben sind aus Würtemberg, aber ich habe meine Lands-Leute nicht recht an ihren Früchten erkennen können. Ein alter Meißner geht noch an, und da der Sachse so genügsam ist, so ersparet dieser Weinbau dem Lande bedeutende Summen. Der Getraide-Bau im Meißner, Leipziger und voigtländischen Kreise reicht gerne für diese Kreise zu, aber nicht für die Lausitz und das

---

*) Ich glaubte nicht, daß er mich für einen so gewöhnlichen Hausfreund halten — und mit Hausmannskost regaliren werde.

Erzgebirge, wenn auch gleich die Kartoffel viel thut. Die Waldungen sind zahlreich, sollen aber doch nicht das Bedürfniß decken, vorzüglich beim Bergbau. Die Schaafs-Zucht ist ausgezeichneter, als die übrige Viehzucht, und Federvieh wird, glaube ich, nirgendswo weniger verzehrt, als unter den Sachsen, den wahren Antipoden der Oestreicher. Sachsen liefert die feinste Wolle (Electoral-Wolle), die sonst stark nach Holland und England ging = drei Millionen Thaler, von wo sie dann wieder nach Deutschland zurückkam, als feines englisches Tuch. Ob wohl die Ausfuhr dieser Electoral-Wolle noch immer Vorrecht des Adels ist?

Bereits vor der unglücklichen Theilung Sachsens rechnete man, daß zwei Fünftel der Bewohner sich blos von Kunstfleiß ernähren, jetzt darf man wohl drei Fünftel annehmen. Es wird wenig Manufactur-Zweige geben, die der fleißige Sachse sich nicht angeignet, und vervollkommnet hätte. Die Lausitz ist der Sitz der Leinweberei und der Bienenzucht, und das Erzgebirge und Voigtland könnte uns alle englische Baumwollen-Waare entbehrlich machen, wenn wir deutscher dächten; die englischen Fabrikate sind nicht besser, aber die wohlfeilern Preise und fast verschleuderte Waare machen dennoch den deutschen Fabrikanten muthlos. Sachsen hat gegen siebenzig Papiermühlen, aber der Schmierer sind soviel, daß sie nicht ausreichen, Leipzig allein verbraucht fünftausend Ballen. Die Hauptreichthums-Quelle Sachsens ist der Bergbau, der auch nirgendswo auf einer so hohen Stufe der Vollkommenheit steht. Trotz des Verlustes einiger thüringischen und hennebergischen Bergwerke darf man immer noch den Ertrag zu zwei Millionen Thaler annehmen, der Bergbau nähret noch immer zehn tausend Menschen, und die Fabrikation und der Handel mit Mineralproducten immer noch fünfzig tausend Familien. Schon Kaiser Max I. sagte:

2 *

Was des Sachsen Auge schaut
seine Hand auch schafft und baut.

Sachsens Ausfuhr besteht in Wolle, Wollenwaare, Linnen, Spitzen, Garn, Meißner Porzellan, Mineral-Produkten, Büchern ꝛc., und hatte die Bilanz für sich — jetzt aber, wo es Korn, Holz und Salz vom Auslande nehmen muß, wie Weine, Colonial-Waaren, Tabak, Seefische ꝛc. muß es nothwendig verlieren. Die Kassenbillets stehen zwar al pari — aber man sieht nur preußisches Geld — so wie bei uns nur östreichische Zwanziger und Brabänter, die sich aber immer mehr vor einheimischen Sechsern verstecken, als ob es Ephraimiten wären, oder die berüchtigten Achtgroschenstücke Friedrichs, mit sächsischen Wappen von den Juden Ephraim und Itzig. Ich konnte deren keines habhaft werden, so wenig als der schlechten Scheidemünze August II., die das Volk Seufzer nannte, (zwei Pfennig) und so könnte es auch viele Groschen und Kreuzer nennen! Alle öffentliche Stellen und so auch die Post verlangen sächsisches Geld, wie Göttinger Professoren einst Casse-Geld — aber man muß es erst beim Banquier mit Verlust holen. Ob noch keiner, wie jener Bauer dem großen König, als er seine sechs Pfennig-Stücke lobte, gesagt hat; Herr König nimmt bei sei: Klotz schrieb ein Buch über Schand-Münzen, war aber viel zu gelehrt, um Notiz zu nehmen von deutschen Scheide-Münzen!

Das Königreich Sachsen zerfällt jetzt in fünf Kreise, die wieder in Aemter getheilt sind, Meißen, Leipzig, Erzgebirg, Voigtland und Lausitz. Im Erzgebirge liegen auch die ansehnlichen Standesherrschaften der Grafen Schönburg, und die Herrschaft Wildenfels der Grafen Solms, und zu diesen mittelbaren Ländern gehört auch die Universität Leipzig und die Stifter. Das Ganze bildet auf den Landtagen ein Amalgama von Körperschaften, das dem Ganzen unmöglich gut seyn kann, jede vertritt nur sich — nur Ritter, Städte, Stifter, und

das Volk — die Nation — ist ohne alle Vertretung.
Sollte man dieß in dem Lande glauben, wo so viele
Haupt=Volksfeste sind, genannt Vogelschießen?
Sie schießen nach dem Symbol deutscher Nation, dem Ad=
ler, als ob er eine Gans, oder ein gemeiner Raubvo=
gel wäre! Käme diese alte Sitte nicht von den rebellischen
Schweizern, so glaubte ich, es geschähe Preußen zum
Possen. Sie sollten eher nach dem Hahn schießen, der sie
verrathen hat.

Die Wege in Sachsen sind berüchtigt, aber ich habe
sie nach zwanzig Jahren besser gefunden, wie die Post=
wagen auch, die kein Frauenzimmer besteigen konnte, ohne
roth zu werden, oder Hosen anzuhaben. Das Schnapsen
geht crescendo, so wie man im Norden höher steigt, und
man thut am besten, statt sich zu ärgern, mitzuschnap=
sen, so wie man unter Rauchern am besten wegkommt,
wenn man selbst raucht. Immer aber sind sächsische
Wege und Posten noch lange keine süddeutsche, und
ich wäre in Versuchung, einige Körbe voll des kostbaren
Plunders im grünen Gewölbe auf Kunstwege zu ver=
wenden, da in Sachsen ja ohnehin so viel Kunst herrscht.
Seit die Franzosen den Norden mit ihrer Gegenwart be=
ehrten, trifft man denn doch Post=Expeditionen, wo
sonst nur Post=Cunctationen und Post=Vexatio=
nen waren, die indessen auch wieder ihr gutes hatten.
Die Stöße machten doch auf manche schöne Gegend auf=
merksamer, und ein Landschaftsmaler frohlockte sogar über
den umgeworfenen Wagen, der ihn auf den Kopf stellte,
wo er denn zwischen seinen Füßen hindurch einen so in=
teressanten Standpunkt fand, daß er solchen sogleich auf=
nahm, da nur seine Rippen etwas gelitten hatten, keines=
wegs aber seine Meisterhand!

Noch muß ich des sächsischen Dialekts erwäh=
nen, da es dem Dictator unserer Sprache Adelung beliebte,
seinen Meißner=Dialect zum Original=Dialekt hoch=
deutscher Sprache zu erheben, wie die Académia della

Crusca oder die Klaten=Academie zu Florenz den ihri=
gen. Dem Sachsen sind J und G, G und K, D und T
ganz gleich und er sagt Julden jut Jeld, statt Gulden
gut Geld — Gesauk statt Gesang, Rang Rank ꝛc. Viele
thun, als ob es gar keine G gäbe, und sprechen: „Jut
Jebraten — ich klaubte, daß Sie zur Karten=
thür gommen würden,“ und jehen statt gehen. Man
hört häufig Jott statt Gott, Beene, Kleeder, Ogen
und Herr Gesus! ich meene, und andere Provinzia=
lismen, die nicht viel besser sind als der Westphälinger
Chrosgen, Wissengaft, Mensk, und des Hannovera=
ners Chold, Chott, Chutt ꝛc. In Sachsen kann man es dem
angehenden Lateiner weniger übel nehmen, als anderwärts,
wenn er die schöne Junschrift eines Gottes=Ackers De Mor-
tuis nil nisi bone übersetzt: „Von den Todten nichts
als Beene!“ Die Norddeutschen sprechen unendlich besser
als die Süddeutschen, sollten sich aber doch ein bischen an
der Nase zupfen, wenn sie über das süddeutsche halt, —
noch noni — was nit, ob i über d'Graniz rasen
thu, lachen. Noch widriger ist das Affectirte und
Singende in der Sachsensprache. Man kann indessen
Adelung verzeihen, wenn man an Kant denkt, der die ersten
Gesetze der Sprache am gröblichsten verletzte, und dennoch
fand das imitatorum pecus *) sogar Schönheiten, wie
unsere Geschäftsmänner in den nun ausgestorbenen Spra=
chen — der Wetzlarer R. K. Gerichts, Regensburger=
Reichtags und Wiener Reichshofraths=Sprache!

Nicht=Deutschen, und die ihr Deutsches nur aus Bü=
chern haben, muß es ungeheuer auffallen, wenn sie aus
dem Süden kommen, und das Volk zum erstenmale eigent=
lich Deutsch sprechen hören — thut es ja selbst dem
gebildeten Deutschen wohl, ohne noch den höhern Grad
von Bildung und Sinn für das Geistige anzuschlagen, und
selbst die Artigkeit. Der Sachse begnügt sich nicht mit

*) Die dummen Nachbeter.

einem guten Morgen oder Abend; es muß ein schöner guter Morgen oder Abend seyn. Das Andenken des sächsischen Militärs, seine Bescheidenheit, Genügsamkeit und Höflichkeit ruhet im Reiche noch heute im Seegen, wie die Devise seiner grünen Rautenkrone Providentia memor*). Doppelt genießt man daher die schöne Natur Sachsens — aber — da wir noch hienieden im Fleisch wandeln — so belästigen uns doch die Thaler und Gro= schen, die höhern Preise der Dinge, die schlech= ten Wege, die man der Zeit, die alles ebnet, doch nicht so schlechterdings überlassen sollte, und so manche andere Kleinigkeiten. Und erst jenseits der Elbe? da geht alles so crescendo, daß ich diesen Fluß nicht mehr zu über= schreiten gesonnen bin — es wollte mich 1825 ooch jar nischt mehr jefallen — ich eilte, daß ich wieder in mein Reich kam, rufe aber aus vollem dankbarem Her= zen: Es blühe Sachsen!

––––––––

Zweiter Brief.

Dresden

hat eine herrliche Lage an den beiden Ufern der Elbe, und eine der schönsten Brücken verbindet die Neustadt und den neuen Anbau mit der Altstadt und ihren vier Vor= städten, der Friedrichs= Wilsdrufer=See= und Pirnaer= Vorstadt. Der Name, den man sonst von Drusus ablei= tete, kommt wahrscheinlich von dem wendischen Träß Fähre oder Drodzin trotzen, und erscheint nicht vor dem Jahr 1206 in den Urkunden. Alles ist von massiven Steinen — nicht Berliner Backsteinen — gebaut, die aus den reichen und nahen Pirnaer Steingruben leicht auf der Elbe hieher gebracht werden — alles groß, städtisch, impo=

––––––––

*) Eingedenk des Waltens der Vorsehung.

niremd, und von dunkler Haltung wegen der grauen
Steine. Gewiß wäre Dresden nicht bald so schön ohne
Friedrichs Bombardement 1760, und jetzt! wo die Festungswerke abgetragen sind, ist es noch schöner geworden, und
macht den angenehmsten Eindruck, wie nicht leicht eine
andere Stadt.

Dresden ist wenig lebhaft, und so auch die Elbe.
Sächsische Schiffe durften bisher nur bis Magdeburg
fahren, wo sie ihre Waaren preußischen Schiffen übergeben
mußten — es waren nicht weiter als sechszehn Zölle zwischen beiden Städten, was nun wohl nicht mehr ist. Noch
bedenklicher ist die Versandung der Elbe, und der verarmte Staat entbehrt der Hülfsmittel zur kostspieligen
Reinigung des Strombeetes; man soll einst das Doppelte
haben laden können. Es fällt auf, daß die Hauptstadt,
wo der Reisende doch am längsten weilet, mitten in einem
Natur-Paradiese, so viele verschlossene, steife, kalte Bewohner zählt. Man glaubt sich über ihrem Formen-Wesen
und ihrer oft komischen Feierlichkeit in eine alte Reichsstadt
versetzt. Im Jahr 1823 fiel mir dies weniger auf, als
im Jahr 1802 — vielleicht haben Franzosen und Russen vortheilhaft eingewirket, und ich selbst bin steifer geworden.

Wenn man von Berlin her über die herrliche Brücke
fährt, imponirt alles, und so auch die vergoldete Reuterstatue Augusts II. in der Neustadt am Eingange der
schönen Linden-Allee. Sie wird an Kunstwerth soweit von
der des großen Kurfürsten auf der langen Brücke Berlins
übertroffen, als dieser Regent jenen übertroffen hat; das
Pferd, dessen Schweif breit wie ein Brett ist, greift aus,
und August im Römer-Costüme mit einer zierlichen Per-
rücke gleicht einem Kunst-Reuter, Friedrich Wilhelm aber
ist in ruhiger Haltung. Alle neuen Reuterstatuen, die ich
kenne, Zauners Meisterstück nicht ausgenommen, hätten
schwerlich Michel Angelo zu dem Ausruf vermocht, als er
Marc Aurels Reuterstatue auf ihr Fußgestell gebracht hatte,

Riccordati che sei vivo e camina*)! Canovas coloffale
Pferde habe ich nie gefehen, wovon das eine beftimmt war
nach und nach drei Fürften zu tragen, die alle drei ihren
Thron räumen mußten, ehe der Praxiteles unferer Zeit fie
konnte auffitzen laffen! Man findet keine Innfchrift
an Augufts Denkmal, was bei Friedrich, Joseph oder
Peter erhaben wäre — aber hier muß man fragen:
„Warum hat Auguft diefe Statue?" er, der fich
in Wollüften wälzte, während feine armen Sachsen für
fremde Sache ihr Blut verfpritzten? er, der den Schatz
leerte, Schulden machte, weder Fürft noch Krieger war?
und warum noch die Statue vergolden, da er das Gold
wie Sand verfchwendet hatte? Nichts zeichnet diefen Augu-
ftus aus, als eines der Talente des Herkules, der aber
mehr als diefes Talent noch hatte! Auguft II. foll 352
natürliche Kinder erzeugt haben, Pöllnitz Saxe galante
ift zwar halb Roman, hat aber hiftorifche Grundlage,
und der große Friedrich, deffen erfte Reife mit feinem
Vater nach Dresden ging, wurde an diefem galanten
Hofe angeftedt!

Die Elbebrücke 1420' lang und 36' breit mit 16
Bogen ift der vortheilhaftefte Standpunkt, und fchwerlich
geht ein Naturfreund darüber, ohne auf ihr zu weilen.
Herrlich ift der Anblick der fchönen Elbufer — fie erregen
eine Ahnung des Rheins, das ift der höchfte Lobfpruch.
In den älteften Zeiten war hier eine hölzerne Brücke, von
der die Dohna Zoll erhoben, im vierzehnten Jahrhundert
baute man eine fteinerne, wozu fogar der heilige Vater
mittelft Butterbriefe fteuerte d. h. die verkäufliche Erlaubniß gab in den Faften die eigene Milch, Butter, Eier
und Käfe verzehren zu dürfen — und die jetzige Brücke
wurde erbauet 1727 — 1730. Sie hatte 24 Pfeiler und
1800' Länge, wurde aber verkürzt, weil man Platz zum
Bau der Kirche brauchte. Sander meint, diefe Brücke fey

---

*) Erinnere Dich, daß Du lebendig bift, und bewege Dich.

weit schöner, als der Pontneuf zu Paris — das sollt ich
meynen, werther Herr Professor. von Carlsruhe! ist es ja
schon die Frankfurter Brücke — der Regensburger, Prager,
Pauffauer ꝛc. nicht zu gedenken — und architektonisch ist
sie schöner denn alle genannten. Man sagt auf dem Pontneuf könne man binnen drey Tagen seinen Mann gewiß
finden — dies gilt eher vom Palaisroyal — aber hier zu
Dresden an einem schönen Sonntag findet man seinen
Mann gewiß, und auch die Frau!

Diese Brücke hat schöne Eisengeländer und Trottoirs,
und zwischen jedem Pfeiler einen Halb-Mond mit Ruhe-
bänken. Das Natur-Panorama ist herrlich, aber das vom
Rheingau würde es dennoch übertreffen, wenn die Mainzer
Schiffsbrücke so hoch wäre als die Dresdner Steinbrücke.
Unter einem der Pfeiler ist das Wahrzeichen Dresdens,
ohne welches man das Sprüchwort „Matz-Fotz von
Dresden" nicht verstehen kann — ein kleines sitzendes
Männchen mit eingezogenen Füßen, untergestämmten Armen und einer Schlafmütze, Sir Matthäus Fotzins. Es
ist eine Künstler-Laune, deren Beziehung sich nicht mehr
enträthseln läßt. Davoust, der zwei Pfeiler sprengen
ließ ohne besondern militairischen Zweck, worüber Volks-
Aufruhr entstand, sollte an der Stelle des Männleins seyn,
oder noch besser unter ihm, denn es hat eine Verrichtung,
die man nur im Verborgenen vornimmt, aber dem Ehren-
Marschall ganz wohl hätte gelten mögen. Vielleicht dachte
Blücher gerade an Dresden, als er zu Paris die Brücke
von Jena durchaus sprengen wollte. — Graf Golz, preuß.
Gesandter bat es nicht zu thun — bat darum im Namen
Talleyrand's, und Blücher entgegnete „die Brücke wird
gesprengt und es soll mir lieb seyn, wenn Tal-
leyrand sich zuvor darauf setzen wollte. Die
Ankunft von Friedrich Wilhelm rettete die Brücke.

Recht vernünftig ist die auch anderwärts eingeführte
Sitte den Fußpfad rechts und links einzuhalten, und fehlt
ein Fremder, so weist ihn die Wache zurück. Eine fran-

zöfifche Wache würde fagen de l'autre coté Mr., si vous
plait *) — die deutfche aber, die vielleicht dadurch fchon
manchem allzuempfindlichen Reifenden den Genuß verbit-
terte, ruft „Will Er da herunter" im galanten Sachfen! Das königliche Veto, oder brittifche j'aviferai —
fchwäbifch „weiß nicht zu willfahren" ift doch höflicher, als fein Synonym „Ich mag nicht" und die
brüllenden Worte der Schweizer Garde vor den Tuilleries
„On ne paffe pas!" **) — An dem wiederaufgerichteten
fchön vergoldeten Kreutze auf der Brücke liefet man: Galli
dejecerunt die 19. Mart. 1813 Alexander I. reftituit die
natali 24. Dec. 1813 ***). Diefes Kreutz fcheint mir hier
zu ftören, und da man es auf eine fo gute Manier losge-
worden war, fo hätte man es dabei belaffen können!

Das königliche Schloß ganz in der Nähe, das
groß, und vermuthlich im Innern auch recht fchön ift,
macht von außen eine fchlechte Figur, halb verftckt hinter
der herrlichen katholifchen Kirche, die weit mehr die Augen auf fich zieht. Sonderbaren aber nicht unangenehmen
Eindruck macht der fogenannte Zwinger im altfranzöfi-
fchen Gefchmack, der nur einftweilen Vorplatz eines neuern
prächtigern Schloffes feyn follte, das die Augufte im Sinne
hatten. In den zum Theil verfallenen fechs Pavillons
werden verfchiedene koftbare Sammlungen aufbewahret, die
reiche Kupferftichfammlung — das naturhiftorifche, mathe-
matifche und mechanifche Cabinet, wo das Modell vom
Tempel Salomons allein 50,000 Thaler gekoftet haben foll..
mir wäre der Bär lieber in feinem natürlichen Pelz und
mit einer Trommel, den Auguft II. als Wecker gebraucht
haben foll. Bei dem Schreibzeug Kurfürft Chriftians

---

*) Seyd fo gut! und geht auf die andere Seite.
**) Man darf hier nicht durchgehen.
***) Die Franzofen zerftörten diefe Brücke den 9. März 1813.
Alexander I. ftellte fie wieder her an feinem Geburtstag
den 24. Dez. 1813.

II., das zwei Ellen hoch und 1 ½ Ellen breit ist, wäre ich sicher, wenn es nur Platz bei mir hätte, nie das Dintenfaß mit der Sandbüchse zu verwechseln!

Im naturhistorischen Cabinet können Pferd-Liebhaber ein Isabellpferd bewundern, dessen Schweif 12 ½ Ellen und die Mähne 6 Ellen hat; wenn August II. dieses Pferd bestieg, so trugen Pagen die Mähne und Stallmeister den Schweif. Damen können den Haarwuchs einer Hofdame von 4 ½ Ellen bewundern, werden sie aber schwerlich beneiden, denn es ist ein scheußlicher Weichselzopf! In der Kunstkammer zeigt man auch den berühmten Kirschkernern mit 120 Gesichtern, das Vaterunser in drei Sprachen auf einem Blättchen, groß wie ein Groschen ꝛc. und auch das Hufeisen das August mit den Worten zerbrach „das ist kein gut Eisen“ der Schmidt brachte ein stärkeres, erhielt einen Thaler und zerbrach ihn „das ist kein gut Geld!“ Wer war der Stärkere? mich interessirte in diesem Zwinger mehr als alles die Orangerie, und das frohe Leben der Kinder mit ihren Wärterinnen (in Sachsen Muhmen genannt) in diesem kleinen Hesperien. Größere Kinder ermangelten nicht, kleine Dütchen mit Orangeblüthen den Spaziergängern speculirend anzubieten.

Die katholische Kirche mit ihren 64 gutgearbeiteten Bildsäulen auf dem platten Dache, und über dem Portale Christus, hat mir so wohl gefallen, daß ich mehr u m sie, als in ihr gewesen bin; die hölzerne bedeckte Luftbrücke, die sie mit dem Schlosse verbindet, hat den Genuß nicht stören mögen. Hinter dieser Kirche liegt das italienische Dorf, ursprünglich eine Ansiedlung der beim Kirchenbau gebrauchten italienischen Künstler. Noch schöner ist die Frauenkirche aus Pirnaer Quadersteinen nach S. Peters Muster, die Kuppel hat alle Bomben Friedrichs wie Erbsen zurückgewiesen, aber das Innere entspricht so wenig dem Aeußern, daß ich hinaufeilte auf die Zinne des Tempels — der Teufel hat Jesu gewiß nichts so Schönes

weisen können! hier ist mehr als Brücke und brühli-
sche Terrasse! der Baumeister dieses Tempels Behn, dem
man an der accordirten Summe einen Abzug machen wollte,
soll sich durch die Kuppelöffnung hinabgestürzt haben in die
Kirche! Er hätte die Unredlichen verklagen oder —
bloß verachten sollen. Wenn ich die Predigten,
die ich als Schüler ex officio hören mußte, abrechne, so
werden die übrigen leicht zu zählen seyn, und darunter gehören zwei zu Dresden, eine von Reinhardt, den ich
wegen seines Systems der christlichen Moral schätze,
und die andere von seinem würdigen Nachfolger Ammon,
wodurch ich wieder gut gemacht zu haben glaube, was ich
40 Jahre früher an seinem Ammonius sündigte!

Schön ist auch die Kreutzkirche mit Schönaus Altarblatt, einer Kreutzigung, und Schade daß sie auf einem
so beschränkten Platz steht. An dieser Kirche stand der
Superintendent Greserus, der 1559 die Sperlinge in
der Kirche förmlich in Bann that, und der Kurfürst erließ ein Rescript, damit dieser „ärgerlichen Vöglerei und
Geschrei im Hause Gottes, zur Beförderung der Kirchenzucht gesteuert werde,‟ — die Spatzen halten sich gerne in
Gottes Häusern auf, müssen also doch nicht so gottlos
seyn. — Die Hauptkirche bleibt stets die Hofkirche. Bei
einem Hochamt, wo alle Macht der Vocal- und Instru-
mental-Musik aufgeboten wird, die Sinne zu bezaubern,
wo die herrlichsten Sopranstimmen Italiens sich hören
lassen, und selbst viele der Hof interessirt, der nie fehlt,
sind mehr Protestanten da, als Katholiken, die sich dann
wieder entfernen, und dem frommen Hofe die Feier der
Mysterien überlassen. An der Spitze der wahrhaft königl-
lichen Kapelle standen einst Hasse, Naumann und Schuster.
Die Aufseher in königlicher Livrée mit langen Stäben sind
stets beschäftigt die Böcke von den Schafen zu scheiden,
und wiesen auch mich recht höflich zurück, als ich auf die
weibliche Seite gerieth, aber über meine Augenglä-
ser — (worüber frühere Reisende klagten) hatten sie nichts

zu erinnern, und mochten auch bemerkt haben, daß ich ſie
wirklich nach den Gemälden der Kirche richtete, und nicht
nach den Schafen, oder ſündhaften Abkömmlingen Hevas!

Das erſte Gemälde dieſer Kirche iſt die berühmte Auferſtehung von Mengs, die für ſein Meiſterſtück gilt. Es
gibt zwar Leute, die Rottaris Tod des heiligen Xa-
vers der Auferſtehung vorziehen könnten — aber die Wirkung iſt doch groß, wenn man in den Tempel tritt, und
durch die Glasthüre jenes Gemälde des Hochaltars zuerſt
in die Augen fällt. Der Gegenſtand iſt ſo oft gemahlt,
als die Entzückungen der Andacht, aber ſo wie die heilig-
ſten Heiliginnen ſtets an die Entzückungen profaner Liebe
erinnern, und Gott Vater in den Wolken an den Groß-
vater im Lehnſtuhl, ſo liegt auch in den Himmel-
fahrten Chriſti und Mariens etwas Tanz-Artiges,
denn wir hangen noch zu ſehr am Geſetz der Schwere
bey allen Loßreißungen von dieſem Jammerthale. Ich wenigſtens muß immer an einen Salto mortale denken, ſelbſt
bey Raphaels Verklärung, ſo ſchön und ſymmetriſch auch
Chriſtus, Elias und Moſes — in der Luft baumeln.
In einer Seiten-Kapelle des heiligen Benno iſt auch
dieſer abgemahlt, wie er die Kirchenſchlüſſel in die Elbe
wirft, um ſie den Sorben zu entziehen, und auch der große
Karpfe, der ſolche verſchlang, und zu Hamburg gefangen
wurde — ein Gegenſtück zum Ringe des Polykrates!

Auf dem Kirchhofe zu St. Johann oder der böhmiſchen
Kirche in der Pirnaer Vorſtadt ruht Freund Rabener
unter einem ganz einfachen Grabſteine, und ich hätte es
für Sünde gehalten, dieſem ſtets heitern und ehrlichen La-
cher, deſſen Geißel ſanfter iſt, als die brittiſche —
deutſch beſcheiden — nicht anzuwarten. In dem ſchreck-
lichen Bombardement der Stadt verlor er alle ſeine Haabe,
ſeine Perücken und Handſchriften, letztere wollte er nicht
wieder ſchreiben, um den Narren die Freude nicht zu verderben, die ihnen das Bombardement zufällig gemacht
habe, und meldete Freund Gellert, „der König hat mit

Ihnen gesprochen?" höre ich — der König hat mir mein
Haus abgebrannt, das will mehr sagen." — Rabener ist
mir noch heute ehrwürdig, wenn er gleich nur gemeine
Leute, höchstens die Thoren der Facultäten geißelte, und
sich nicht an die größern aber gefährlichern, die Palläste
bewohnen, wagte. — Er war nicht bloß Schöngeist, sondern auch tüchtiger Geschäftsmann — und vergebens blicke
ich — nach Deutschen, die auf seinen Schultern stünden
bei weit reicherem Stoffe! Man behauptet unter verwach-
senen und übel gestalteten Personen fänden sich die meisten
Spötter, wie Thersites im Alterthume. Rabener gehörte
nicht darunter — ich sahe deren Mehrere zu Dresden —
aber wo sind die Satiriker.

Auf dem Gottes-Acker der Neustadt, wo Adelung ruht,
und ein schönes Leichenhaus steht, wie es in jedem bedeutenden Orte seyn sollte, verdient ein Todtentanz vom
Jahr 1534 Betrachtung. Es sind siebenundzwanzig steinerne Gestalten, die mich, nächst dem gerade nicht geschmackvollen Denkmal des Kurfürsten Moriz an
der Ecke des academischen Pflanzen-Gartens mehr interessirten als das hochberühmte grüne Gewölbe. Grün ist
die Nationalfarbe der Sachsen, daher auch viele Kir-
chendächer grün sind (vielleicht vom Kupfer) was für mein
Auge etwas Angenehmes hat, aber die rothen sieht man
weiter. Grün ist daher auch das Gewölbe, das in sieben
Zimmern einen ungeheuren Schatz von Gold und Silber,
Edelsteinen, Perlen, Bernstein, Elfenbein ꝛc. enthält, der
mehr innern Werth als Kunstwerth hat; man könnte ein
neues Jerusalem damit ausstaffiren, wie es die Offenbarung Johannis schildert. Es ist mehr für Damen und
Gaffer, als für Männer, denen ich die Rüstkammer
empfehlen will. —

> si je ne savais pas que les hommes sont fous
> je l'apprendrais du prix, quils mettent aux bijoux!*)

---

*) Wüßte ich nicht schon zum Voraus, daß die Menschen Thoren

Nie habe ich so viele gerüstete Männer, so viele gerüstete Pferde, und so viele interessante Waffen beisammen
gesehen, als in dieser Rüstkammer, die ich fast der Sammlung vom Ambras vorziehen möchte. Mir schauderte vor
dem Richtschwerdte, das 1400 Köpfe abgeschlagen hatte,
vor dem, das Kanzler Crell enthauptete, auf dem Cavo
Calviniane! *) steht, und vor der ganzen Zeit, wo der
Scharfrichter nach hundert abgeschlagenen Köpfen — sich
zum Doctor richten konnte, als ob er dadurch ein hundertfaches Gehirn erhalten hätte. Das grüne Gewölbe aber
erinnert an die gleich furchtbaren Zeiten der Verschwendung
unter Brühl, und dann hat die Imagination freies
Spiel... Wahrlich! es ist nothwendig, daß die Minister
der Nation verantwortlich gemacht werden! Ohnlängst
las ich im Ammianus Marcellinus, wo er vom Kaiser
Constantius, und dem verschnittenen Eusebius bei-
ßend bemerkt, „über den der Kaiser selbst nichts
vermochte," und dachte an — nun ja an Brühl, der
todt ist! Im siebenjährigen Krieg war dieser Schatz ver-
pfändet, und was im Revolutionskriege daraus geworden
ist? weiß ich nicht, denn zum zweitenmale gelüstete mich
nicht ihn zu sehen. Es mochten aber leicht so viel Edelsteine, Gold und Silber beisammen seyn, um daraus im
Kleinen das neue Jerusalem zu bauen, wie es der Apoca-
lypsen-Hans geschildert hat. Johannes war ein Hebräer,
die noch heute große Vorliebe für solche Dinge haben, obgleich in den Augen des Philosophen ihr Werth so sonderbar bleibt, als kaum etwas Aehnliches den edlen Steinen das Zeugniß gibt, wie stark leere Einbildungen
seyn können!

Der interessanteste Pallast Dresdens war mir der Japanische Pallast, und die Gemälde-Gallerie, daher

---

sind, so müßte mich ihre Verehrung für Juwelen davon
überzeugen.

**) Hüte dich, du Anhänger Calvin's.

ich von beiden zuletzt spreche, wenn ich gleich, wie Tausende
vor mir, gleich nach dem ersten Frühstück in Dresden zu
ihnen eilte. Die Stadt hat noch gar viele Häuser, die für
Palläste gelten könnten, und mehrere wirkliche Palläste,
unter denen sich der Marcolinische, den Napoleon
bewohnte, und der Brühl'sche mit der herrlichen Terrasse
auszeichnen. Letzterer gehört jetzt dem Hofe, keine Spur
mehr von der Rache, die der Philosoph von Sanssouci
hier genommen hat, und verschönert durch die stattliche
Treppe, die der russische Commandant machen ließ, und
die hinab führt zur Brücke. Auf dieser brühl'schen Terrasse
ist eine Restauration, die mein Lieblingsplatz wurde gegen
Abend, wenn die Sonne ihre letzten Strahlen sandte, der
Farbenwechsel der Luft und des Wasserspiegels der Elbe
begann, und die rückkehrende Menge über Strom und
Brücke nach den Wohnungen zog.

Der Jägerhof ist ein ungeheures Gebäude, das
kein Nimrod ungesehen lassen darf, denn hier sind Jagd-
Gemälde, wo ihm das Herz hüpfen muß, und auch ein
Verzeichniß, nach welchem Kurfürst Johann Georg I. von
1611 — 1653 nicht weniger, als 113,629 Stück Wild
erlegte, worunter zwanzig Bären und 3543 Wölfe! Man
zeigt auch seinen Jagdpokal mit der Inschrift: „Ich
hoffe auf Gott, gut Glück und Hallalli!"

Unter die Dinge, die nicht mehr sind, gehört die sogenannte Schweizer-Garde von 150 Mann, die ich
1802 noch sähe, und die mir so burlesk vorgekommen ist
— in gelb und blau besetzter Livrée, blauen Westen, Hosen,
Strümpfen, in Schuhen und mit Hellebarden und einem
breiten blauen Bandelier und Seitengewehr. Sie glich
einem Haufen Bedienten, denen man zum Spaß Brat-
spieße gab, und Soldaten spielen ließ. Desto schöner ist
die Leibgarde, die Uniform roth und gelb, die auch
meist der König oder Herr zu tragen pflegt. Die Besatzung,

sonst sechstausend Mann, (die Uniform der Infanterie ist weiß), ist bedeutend vermindert, und mit ihr wird Dresden schwerlich viel über 50,000 Seelen zählen, das zur Zeit der Auguste wohl 80,000 hatte. Im Winter ist im Hoftheater deutsches Schauspiel, mit dem die italienische Oper wechselt, die trefflich ist, im Sommer aber, wo der Hof in Pillnitz weilet, greift man sich weniger an, und das Publikum muß sich mit dem Theater im Linkischen Bade begnügen, das so mittelmäßig ist, als das Bad und der Garten selbst, den ich aber stark besucht gefunden habe. Die Italiener kosten mehr als die Deutschen, und Sachsen sollte billig Baiern nachahmen, da es sich um die Hälfte verkleinert, Baiern aber um ⅓ vergrößert hat.

Gegen öffentliche Orte der Liederlichkeit war man in Dresden stets strenge, und hielt auf große Decenz. Von dem Aufenthalt der Franzosen und Russen, wo die sächsische Polizei nicht mehr Herr im Hause war, mag es daher rühren, daß die Liederlichkeit, die im Stillen getrieben keine Polizei hindern kann, am hellen lichten Tag in einer kleinen Nebengasse, die zur Brücke führt, so weit getrieben wird — diese Gasse liegt ganz recht beim — Klepperstalle! Mehrere Reisende wollen auch zu Dresden, im Tempel des Schönen, eine Menge verwachsener Personen gesehen haben, konnten sich aber nicht nach der Ursache erkundigen, weil in der Gesellschaft stets dergleichen Personen zugegen waren, und diese Bemerkung muß ich bestätigen. Im Linkischen Garten sahe ich gewiß ein Halbdutzend — mochte aber auch nicht die Frage stellen, so wenig als Bucklichte selbst, deren größtes Kreuz zu seyn pflegt, daß sie dem Geschlecht mißfallen — die Frage: „Sind sie verheirathet?" die Frage ist auch überflüssig, denn sie tragen ja ihren Korb zur Schau. Es war gerade Königsschießen, und da lief mir wieder wenigstens 1½ Dutzend Gezwerg in Weg, meist weibliche Wesen, deren Untergestelle zu kurz gerathen war. Ueberhaupt habe

ich mich in ganz Sachsen vergebens nach den Bäumen
umgesehen, worauf die hübschen Mädchen wachsen — doch
ich kam gerade von den Ufern der Donau, und allzugroße
Erwartungen erzeugen gerne das Gegentheil des Erwarteten, wie selbst der Baum des Erkenntnisses im Paradiese. Alle Aesope können sich in unserer Zeit mit dem
großen Naturphilosophen Oken trösten, der da sagt: „Je
vollkommener ein Wesen, desto mehr nähert es sich der
Kugelgestalt, Gott ist die allervollkommenste Kugel, die
Weltkörper sind Kugeln, der Mensch, das edelste Geschöpf,
ist nach der Kugel gebildet!" Die Verzierungen, die wir
in der Kunst- und Mode-Welt Buckel nennen, sind
besser ausgearbeitet, als gemeine Waare — unsere schönen
Gebirge, was sind sie anders als Buckel der Erde?
krumme Bäume tragen oft die meisten Früchte, und wie
viel trägt nicht das Kameel? Welche Reize haben nicht
die Halbkugeln des Weibes? und ein tüchtiger Höcker
nähert sich noch mehr Okens Kugelgestalten. Die Buckeln
des Frauenzimmers kommen aus der Mode, und so hätte
es denn, wenn sonst alles in Ordnung ist — nichts Falsches mehr!

Küttner setzt Dresden gleich nach Wien, und dann
kommt erst Berlin und Cassel. Was schöne Natur und
Kunst betrifft, geht Dresden allerdings Berlin vor — aber
sonsten? und Cassel? Schon zu Küttners Zeiten war München mehr als Cassel. Mit der Natur steht es da, fast
wie zu Berlin, aber in der Kunst dürfte München bald
mit Dresden wetteifern, und sonst findet ohnehin keine
Vergleichung statt, und neben Cassel kann sich gar wohl
Stuttgart stellen. Dresden ist bis jetzt für Kunst das
deutsche Florenz, darum sind aber Dresdner oder
Sachsen noch keine Toskaner. Keine deutsche Stadt kommt
Dresden gleich in Ansehung der Antiken, selbst nicht die
Kaiserstadt! Nur Eins fehlt — die kaiserliche Libe-
ralität, wie sie zu Wien und Paris herrscht. Hier

3*

kostet jede Sammlung einen Ducaten für den Herrn
Professor, und einen Gulden für einen Aufwärter, dem ächten Jünger der Kunst fehlt aber gerade auf
der Welt nichts mehr, als Ducaten! Doch — in dem reichen England und Holland ist's nicht besser, auch in Italien nicht, und oft noch in gröberer Manier. Zu Dresden
steht doch noch für Ducaten alles offen — nicht so ist Old-
England, das den höhern Sinn für Kunst zu entbehren scheint, und oft nur aus Nationalstolz Kunstsachen
kauft. Die Sucht zu besitzen ohne eigentlichen Genuß
für sich oder gar für Andere ist — wo nicht National-
tugend, doch wenigstens fashionable!

Nie vergesse ich den wackern nun verewigten Becker,
der mir die Antiken mit viel Belehrung zeigte — durch
meinen geschwätzigen Lohnbedienten und gewisse Verhältnisse verleitet, hielt er mich für mehr, als ich war — für
einen vornehmen Incognito — ich gab meinen Dukaten,
deren ich schon mehrere den Merkwürdigkeiten Dresdens
geopfert hatte, und der Mann schnitt ein Bocksgesicht, das
ich noch heute zeichnen könnte, unwürdig des Gelehrten
und eines königlichen Dieners. Damals konnte ich nicht
wissen, daß ich Dresden je wieder sehen würde, und so
verließ ich es in künstlerischer Verzweiflung, daß ich seinen
Schätzen nicht mehr Zeit widmen konnte, und erheiterte
mich endlich durch den Gedanken, daß mir in meiner Kna-
ben-Zeit ein Nürnberger Husar eben so viel Freude
machte, als diese Antiken und Gemälde — oder meine
ausgeschossene Schweizerbilder meinen Freunden,
die wenig gesehen haben!

Der Japanische Pallast in herrlicher Lage an der
Elbe, der die Bibliothek, die Münzsammlung und
die Antiken enthält, ist ein Musen-Tempel, wie es gewiß
— in ganz Japan keinen gibt. Der Name kommt von
dem hier aufbewahrten Japanischen Porcellain, und
die Sammlung bleibt stets merkwürdig, wenn gleich die
Mode und Wedgewoods Straffordshire ware, oder das

Steingut das Porcellain in's Fallen gebracht hat. Wir
können jetzt Japan und China in Ansehung des Porcellains
entbehren, wir erzeugen selbst Seide, und fabriciren Nan=
kins, obgleich erstere nicht so recht weiß sind, und diese
nicht so recht Farbe halten wollen... Sollten wir nicht
auch den Thee entbehren können? Die Chinesen trinken
ihn, wie die Stuttgarter Caunstadter Mineral=Wasser,
weil — ihr Wasser nichts taugt, und soll durchaus war=
mes Wasser getrunken werden müssen, so hätte die natu=
ralisirte Pflanze gewiß so viel Kraft, als die über's
Meer verführte, verfaulte und verschimmelte, da selbst in
Schweden Versuche mit Thee=Pflanzung dem Linné gelun=
gen sind. Das sinesische Unkraut kostet Europa jährlich
gegen zwanzig Millionen Gulden, und gewiß würden die
Sinesen uns auslachen, wenn wir ihnen, statt Sil=
ber, mit unsern gleich kräftigen Kräutern kommen woll=
ten, mit Ehrenpreis, Pfeffermünz, Erdbeer=
kraut, Schlüsselblumen, Salbey und Kirschen=
Stielen.

Jene Porcellain=Sammlung, einzig durch indische und
majolica — japanische und chinesische Gefässe, ungeheure
Vasen, ist noch interessanter durch die ersten Proben
von Böttchers Erfindung bis zur höchsten Vollen=
dung in Meißens Fabriken, vorzüglich was die Antiken in
verjüngtem Maasstabe en biscuit betrifft, die ich sämmtlich
ohne die Protestation meines Beutels gekauft hätte. Au=
gust II hatte sich so sehr in's todte Porcellain verliebt,
daß er von Brandenburg japanische Vasen einhandelte
gegen — Soldaten! Ist es ein Wunder, wenn Branden=
burg Herr wurde über Sachsen? Uebrigens sollte man jetzt
den japanischen Pallast lieber Augusteum nennen, und
so nannte auch Becker sein Prachtwerk über die Antiken,
dessen vorausgegangenes Studium den Genuß erhöhet.
Neun Zimmer umfassen in der Bibliothek blos das
Fach der Geschichte, vielleicht wie keine andere Biblio=
thek Europens.

Die herrliche Antiken-Gallerie in zehn großen hellen Sälen bewachen drei Löwen von röthem Granit von ägypti- scher Kunst, wie der Kopf der Sphinx und die vier Mumien, oder ägyptischen alten Wickelkinder, die aus der Wiege der Kunst kommen, folglich immer festhalten. Wir haben nur wenige gut erhaltene Mumien, denn man gebrauchte einst ihre Theilchen selbst — in Apotheken. Dann kom- men treffliche griechische Basreliefs, auf deren einem ein Satyr abgebildet ist, der mit einer Ziege zu thun hat, worauf Becker die Liebhaber aufmerksam machte, und selbst in seinem Werke eine getreue Abbildung lieferte, we- niger eckel als Eckhel in seiner bekannten Cameensamm- lung. Die griechischen Künstler liebten allzusehr das Na- ckende — aber muß man ihnen nicht verzeihen, wenn man lieset, daß selbst der erste Areopag die Phryne frei- sprach, beim Anblick ihres schönen Busens? — Sie liebten Nuditäten, gewiß aber hätte keiner die alte dürre Pavians- Gestalt Voltaires abgebildet, wie Pigal that, als ob er einen Antinous meißelte!

Ein Candelaber, der vielleicht von Delphos kommt, hat die schönsten Basreliefs — Pallas und Aesculap ver- gißt man über der sitzenden herrlichen weiblichen Figur mit dem aufgestemmten Arme auf ihrem rechten Schenkel, sey es nun Agrippina, Niobe, oder Ariadne auf Naxos — und noch herrlicher sind die in Herculanum gefunde- nen Vestalinnen mit der unvergleichlichen Draperie, durch welche die Körperform so schön durchscheint! Sie sind auch historisch merkwürdig, als die ersten entdeckten Spuren der verschütteten Stadt (1706). Schön ist die Jünglings-Gestalt zum Ideal veredelt, ein Bacchus, der mit erhabener Rechte ein Gefäß ausgießt, und das schönste Gegenstück eine Venus, die sich neben die Mediceerin stellen darf. Der Neptun ist der schönste, den wir bis jetzt kennen, und der sterbende Sohn der Niobe von hohem Werthe — die Muskeln spielen noch, und noch hebt sich seine Brust — zum letzten Athemzuge!

Mehrere der Statuen sind *associamente* *) restaurirt
z. B. Diana, Perseus, Apollo, und nur der Leib antik,
dafür ist aber wieder von hoher jugendlicher Schönheit die
dahin schwebende Canophora, und die sitzende Venus, der
Amor die Psyche zuführt. Nicht ohne Lächeln kann man
die überhängende Gestalt des alten Silens betrachten, sein
Kopf voll Weindunst sinkt auf die Brust, voll Uebersätti-
gung und Schlummer, ohne den vollen Weinschlauch gestützt auf einen Baumstamm würde er längst das Gleichgewicht verloren haben. Neben ihm steht ein jugendlich
heiterer Bachus mit Trauben in der Hand und einem Gefäße, das gleichfalls Trauben füllen. Gleich schön ist
Bacchus, der mit Löwen spielt und Ariadne, die aus
dem Traume erwacht, voll Liebe und Furcht — sie spricht
mehr noch an, als des Danneckers Meisterstück. Der tan-
zende Satyr gibt dem zu Florenz nichts nach, und die
Gruppe des Fauns und einer Bacchantin erregt mehr als
komischen Effect. Es gibt Sculpturen, die so viel Böses
stiften können, als die Aloysia Sigaea und Dom B. . .!
      Kühn, schwer und daher meisterhaft ist die Gruppe
des Satyrs, der mit einem Hermaphroditen ringet, und
das sitzende Mädchen, das mit Knöcheln (talis) spielt, eine
der anmuthigsten Bildungen der alten Kunstwelt. Einige
treffliche Athleten über Lebens-Größe ziehen die Augen auf
sich, noch mehr die Venus — und den Beschluß machen
Büsten, deren Originale so ungewiß zu seyn pflegen, als
die Statuen, die man Senatoren zu nennen beliebt.
Die Büste des Caligula schien mir Aehnlichkeit mit Napoleon zu haben, noch mehr aber das Relief der Artemisia
mit Louise Königin von Preußen. München ist reicher an
Büsten als Dresden. Auch Gebilde neuerer Sculptoren
Bologna, Bernini, Algardi, Donner rc. sind vorhanden,
und eine Menge kleinerer Bildwerke von Bronz. Diese
Antiken-Sammlung wird in der ganzen Welt nur durch

*) Auf elende Weise.

die zu Florenz und Rom übertroffen, und durch das einzige nun ausgeleerte Musée Napoléon.

Mit diesen wirklichen Antiken muß man die Sammlung von Gyps-Abgüssen (im Schloffe unter der Gemälde-Gallerie) verbinden, die von Mengs herrührt und einzig ist, die schönsten Antiken, die in Rom, Florenz, Neapel, selbst in Frankreich und Spanien zerstreut sind. Leicht könnte man dieser einzigen Sammlung die höchste Vollendung geben, wenn man die noch fehlenden wenigen Abgüsse zu bekommen suchte (in beffern Zeiten) den farnesischen Stier, Herkules, die Versailler Diana, Flora, Pallas von Velletri und den größern Löwen. Mengs wollte sie vermuthlich nicht wegen ihrer coloffalen Größe, vielleicht auch darum nicht, weil sie in der That nicht unter die Besten gehören — aber sie vollendeten doch das einzige Ganze (nebst den neuerdings aufgefundenen Schätzen) und es wäre des deutschen Florenz würdig.

Wenn man auch das Papstthum und die Päpste noch so sehr haßt, so muß man ihnen als Kunstfreund doch gut seyn, da sie so viel für Kunst thaten, und nicht auf brittische Weise. Leider! aber haben wieder fanatische Christianer und Mönche uns um gar viele Kunstwerke gebracht, wie die deutschen Barbaren. Casanova nahm nur zwölf Hauptwerke an, und etwa noch hundert auserlesene Stücke, die wir haben, alles übrige ist nur Mittelgut. Aber wer weiß, was sich noch findet? „Zu Rom sind zwei gleich zahlreiche Völker, Menschen und Statuen" sagt Cafsiodor von Italien, und die Päpste beschützen die Künste, wenn sie auch Ackerbau und so manche Zweige der Industrie und des Handels unbegreiflicherweise ruinirt haben. — Und wenn erst in Griechenland freie und ungestörte Nachgrabung erlaubt seyn wird? Ich beneide die Nachwelt — vielleicht findet sie noch Phidias Minerva und Jupiter Olympicus, Praxiteles Satyr und Gnidische Venus nach dem Muster seiner liederlichen Phryne! Schon bei den Griechen diente

die Kunst der Religion, daher ist sie so groß, und
dies war auch der Fall bei den Italienern, und selbst
unsern alten deutschen Meistern. Und war nicht Sokrates
selbst ein Bildhauer, was mehr sagen will, als Zimmermann?

Antiken und Ruinen nehmen sich im Sonnenglanz
lange nicht so gut aus, als im Mond- oder Fackellicht.
Das Gestirne der Nacht, um dessen Genuß die Siegwarts-
Männchen früher den gesetzten Mann gebracht hatten, ist
wieder zu Ehren kommen, und so suche man diese Antiken-
Hallen im Fackelschein zu sehen. Die Nacht und der
Fackelschein wirft Geisterglanz über diese Versammlung der
Götter und Heroen, die Phantasie erwärmt sich, und ergriffen von der Nähe des griechischen Genius wandelt man
bebend durch die hochgewölbten Hallen, in jener feierlichen
Würde und Ruhe, die Winkelmann als Charakter classischer Kunst bezeichnet. Wir wissen, in welchem vortheil-
haften Lichte die Gnidische Venus stand — im Fackelschein
ist sie noch schöner, schöner kann sie Paris, Adonis und
Anchises nicht gesehen haben, und dem Praxiteles erschien
sie in Gestalt der geliebten Phryne, wie noch heute unsere
Marien und Magdalenen den Malern erscheinen. Die
schönste Gemälde-Gallerie wirket nicht so mächtig auf die
Phantasie, als dieses Heiligthum classischer Kunst, und
diesen Hochgenuß verdanken wir dem Florentiner Verocchio,
dem Wiedererfinder der Gyps-Abgüsse. In diesem Tempel plastischer Kunst hält Böttiger seine archäologischen
Vorlesungen, die mehr sagen wollen, als die, welche
Heyne auf der Göttinger Bibliothek zu halten pflegte,
und auch mehr als Millins zu Paris!

Und nun zur ersten Bilder-Gallerie in Deutschland — im Schlosse — wo man Argus seyn, und Jahre
lange weilen möchte — gegen fünfzehn hundert Gemälde
— nichts Schlechtes, wenig Mittelmäßiges, Gutes in
Menge und Unübertroffenes viel! Sie besteht aus drei
Abtheilungen: 1) der äußern Gallerie, die um die

vier Flügel des Gebäudes läuft., meist Niederländer,
2) innere. Gallerie der Italiener, und 3) dem
Pastell-Cabinet. Unter den Niederländern erblicken
wir zuerst Meister Rubens große.Löwenjagd, und seinen
Neptun, der den stürmenden Winden sein Quos ego *)!
zuruft, was auch Windbeuteln und windigten Critikern. gelten mag. — sed præstat motos componere
fluctus **) — wenn nur seine schäumenden Wellen nicht
so faunisch um die Najaden koßten, die gar nichts verstecken! Rubens war ein Löwe unter den Malern, daher
gelangen ihm die Löwen so gut, und das ächte Bild der
Jovialität ist sein eigenes, die Frau auf dem Schooße,
und in der hoch aufgehobenen Rechten ein volles Glas —
Vivat die ganze Welt!

Schön sind van Dyks Carl I., Cromwell, der büßende
Hieronymus, und der 150 Jahre alte Thomas Parker, der
sich erst an der Hoftafel den Magen verdarb, und in seinem hundertsten Jahr — Kirchenbuße thun mußte., die
Mancher recht gerne für ihn thun würde. Aecht niederländisch ist Rembrandts Ganymed — ein weinender plumper Junge, der aus Angst das Wasser läßt — aber dem
Adler könnte man die Federn ausrupfen, so natürlich sind
sie; desto ästhetischer ist seine schöne Tochter mit der Nelke.
Bols Joseph, der Pharao seinen alten Vater vorstellt,
Dows Zahnarzt und Einsiedler, Mieris Mädchen; das nach
einer Traube am Fenster greift, und Er selbst in seiner
Werkstatt — van der Werfs Urtheil des Paris ꝛc. sind
allerliebste Stücke. Man sieht die herrlichsten Landschaften,
von Breughel, Everdingen, Berghem, Ruisdael ꝛc. mehrere
ausgesuchte Wouvermann, wo überall sein Schimmel angebracht seyn muß, Snyders und Houdecoeters muthvollen
Hahn und Henne, die ihre Küchlein vor einem Raubvogel
sammelt unter ihre Flügel. Oftades und Teniers Tabagien

---

*) Ha euch soll!
**) Doch besser, ich zähme das Toben der Wellen.

sind so natürlich, daß man sich unter die Bierlämmel
versetzt fühlet, und ihr Tabaksqualm die Augen verdunkelt
— allerliebst ist des letzten Kesselflicker. Niederländern
darf man ihr Naturalia non sunt turpia *) so wenig verargen, als den Griechen die Nada — ächt holländisch ist
ihr Fleiß, ihre Treue und Geduld — ächt holländisch, daß
Dow seine Preise nach dem Zeitaufwand machte —
die Stunde à 30 kr. und das leibhafte Bild der niederlän-
dischen und auch sächsischen Genügsamkeit Kalfs Apotheose des Herings, neben Butterbrod, Bier, Käse
und Zwiebel! Alle Niederländer scheinen bei ihrer Venus
die fette Melkkuh vor Augen gehabt zu haben, ihre Venus
ist stets Mammosa!

In der deutschen Schule ist die Gallerie am ärm-
sten, jedoch finden sich einige Dürer, darunter mich der
betende Greis angesprochen hat, und einige Holbein, eine
Madonna und Heinrich VIII. Auch die französische
Schule ist schlecht besetzt, doch sind mehrere Poussin, le
Brun, Moucheron, und zwei treffliche Claude Lorrain vorhanden. Wo ich nicht irre, sahe ich auch einen Mignard,
der Louis XIV. öfters malte, „Nicht wahr, Sie finden mich gealtert?" Ja Sire, ich erblicke die
Spuren vieler Schlachten," erwiederte der ächte
Hofmaler! In einer Ecke lehnt ein Gemälde ohne Rahmen, überdeckt mit einem Milchflor — man will den
Schleier lüften und findet, daß Rottari so gut uns zu
täuschen wußte, als im Alterthume Zeuris die Sperlinge!

Aber lassen Sie uns das Innere des Heiligthums
betreten, und vor Raphaels Madonna, — anbeten!
Diese Madonna mit dem heiligen Sixtus und der heiligen
Barbara zur Seite ist die Erste aller Madonnen,
für die auch August 18000 Ducaten soll bezahlet haben.
Maria ganz in der Ruhe, die in den Bildern der Alten
herrscht, das Kind in den Armen, hat etwas Göttliches

---

*) Was natürlich ist, ist nie schändlich.

im Blick, wie es nur der malen konnte, der glaubte — Sixtus und Barbara blicken voll Ehrfurcht nach ihr, und die beiden Engel im Vorgrunde — so und nicht anders müssen die Engel aussehen. — Die Gebenedeite, der heilige Vater und die heilige Barbara müssen verzeihen, wenn mein Blick auf diesen Cherubs am längsten weilte; der eine hat seine kleinen Arme in einander geschlungen, und der andere stützt sein Köpfchen auf die Hand, und beide sind voll kindlicher Unschuld und Himmels-Schöne. Diese Madonna di Sisto ist die eigentliche Apotheose Raphaels — nicht die Verklärung — und hätte sie Corregio sehen können, wer weiß, ob er sein Anch'io ausgerufen hätte? Ich habe Gemälde gesehen, die im Himmel gemalt seyn sollten, und so schlecht waren, daß man es schon darum nicht wohl glauben konnte — bei einem Raphael aber könnte man es glauben. Es gibt nur Einen Homer, nur Einen Phidias, nur Einen Raphael — Göttlicher Meister! warum warst Du so — liederlich, daß schon im 37sten Jahre deine Kraft vertrocknete? Verwünscht sey deine bella Furnaia, und ihr furno °)!

Vom Maler der Grazien — von Corregio sind sechs Gemälde hier — die sogenannte Nacht — der heilige Georg, Sebastian, Franciscus — das Bildniß eines ernsten Mannes, und die heilige Magdalena, ein Lieblings-Stück Augusts, auf Kupfer gemalt, in silbernen mit Edelsteinen besetzten Rahmen, und von 1½′ Ein gewisser Wogatsch entwendete es nebst einigen andern, wurde aber entdeckt, und in's Zuchthaus gesteckt, nachdem man zuvor das Diebs-Gesicht für die Gallerie gemalet hatte. Correggios Meisterstück bleibt aber die Anbetung der Hirten, oder die berühmte Nacht. Vor diesem Bilde schwärmte ich beinahe, wie einst am Vorabend des Christfestes, wenn in der Vesper das Lied vom Himmel hoch da komm'

°) Die schöne Beckerstochter (Raphaels Geliebte) samt ihrem — Ofen.

ich her ꝛc. gesungen war, und wir Knaben dann vor
Begierde zitternd nach Hause eilten, um zu sehen, was
das Kindelein so löbelich bescheeret hatte! Schon die Idee
das Licht allein von dem Jesuskinde ausgehen zu lassen,
ist erhaben, und meistermäßig verwirklicht zur Verzweiflung der Nachahmer. Der Mond im Winkel aber, der
nichts beleuchtet, hätte dieser Theater-Mond nicht wegbleiben sollen? — Mich sprach die Nacht mehr an, als
die Verklärung, und mehr als alle Werke Correggios
freuet mich seine Rede, „Dichter malen mit Worten, Maler reden durch Werke!"

Correggio erhielt für diese göttliche Nacht 208 Lire
= vierzig Thaler, wie der Contract beweist, der noch zu
Modena aufbewahret ist. Aber die Sage, daß er unter
der Last der Kupfer-Münze so geschwitzt habe, daß er krank
geworden sey, ist wohl bloße Allegorie, da die Kunst gewöhnlich nach Brod geht, und unter Nahrungssorgen erlie-
get. Auch Correggio wurde nicht alt, aber so berühmt,
daß gar viele Copien für Orginale gelten müssen, wie
bei Raphael. Keiner kam ihm näher, als Schidone,
von dem eine allerliebste Madonna hier ist, der aber nur
wenig malte, weil er zuviel spielte. Nur Guido scheint
ihn noch zu übertreffen, lieblich und sanft wie Albanis
Liebes-Götter, aber auch er war Spieler, und verlor einst
in einem Sitz 4000 Pistolen mit den Trostworten: „Jeder Verlust ist ersetzlich, so lange ich die Hand
nicht verliere," daher malte er so schnell, als Giordano, dem der Vater stets zurief: Luca fa presto*),
daher es sein Beiname geblieben ist. Die Gallerie hat
sechszehn Giordano, darunter der sterbende Seneca oben
ansteht, aber sonderbar bleibt es, daß sie keinen einzigen
Dominchino hat!

Julio Romano's heilige Cäcilia, Pan, Simson
hinter den Philistern her, vorzüglich aber seine heilige

*) Lucas mach' schnell.

Familie beweisen, daß er der würdigste Schüler Raphaels
gewesen ist. Andrea's del Sarto Opfer Abrahams
sollte König Franz I. versöhnen, da der Meister das für
Gemälde erhaltene Geld geniemäßig verputzt hatte, der
König nahm es aber nicht an. Berühmt ist Titians
Christo della Moneta, ein Pharisäer reicht dem Heiland
den Zinnsgroschen — und Tosses Copie hängt daneben,
schwer vom Original zu unterscheiden. So copirte auch
Sarto Raphael so täuschend, daß selbst Julio Romano
hintergangen wurde, und der Unterschied zwischen Albanos
schöner Copie von Correggios Magdalena ist wahrlich —
eingebildet. Sollte bei dem Kunstgeschrei von Original und Copie nicht oft dieser Fall eintreten?

Titians liegende Venus hat hohe Schönheiten, aber
ich könnte ihr seine Maitresse in weißer Kleidung und
Cyperns Königin, die schöne Cornara in Trauer, vorziehen.
Titian ist auch darum mein Mann, weil er einst auf
eines seiner Gemälde ohne Namen, nachdem der Unverstand es getadelt hatte, hinschrieb! Titianus secit, fecit!
Berühmt ist auch Paul Veronese ungeheures Stück die
Hochzeit von Cana, wobei die Verwandlung des Wassers
in Wein nicht vergessen ist, und Annibale Carraci S. Ro-
chus, der Almosen spendet. Geschichtlich muß auch Da
Vinci's Franz Sforza ansprechen. Garofolos vier große
Kirchenlehrer sitzen im tiefsten Nachdenken über die unbe-
fleckte Empfängniß — wie Duval auf der Dose, die
ihm ein Britte verehrte, philosophirend vor einem — Pantoffel! Nirgendswo werden so viele Feigenblätter verbraucht als bei diesem delicaten Punkte — ich gestehe, daß
ich im Musée Napoleon zwar die Venus Medicis bewunderte, aber doch immer länger bei der Capitoline-
rin verweilte. Hält sie nicht die goldene Mittelstraße zwischen Venus Urania, und Venus Pandemos?
und so ging es mir auch mit Battonis Magdalena, und
der von Correggio!

Battonis Magdalena sieht nicht so heilig und

entschädigt aus, als die von Correggio (eine dritte von Fran-
ceschini, der den Moment des Losreißens wählte, steht
ohnehin beiden nach, und die Büßerin von Canova habe
ich nicht gesehen) sie liegt reizend wie Cythere in Lebensgröße
hingegossen, die Lilien-Arme vor einem Gebetbuch faltend,
das lange blonde Haar wallet über den vollen Busen —
nur Absalon muß einen noch üppigern Haarwuchs gehabt
haben, denn wenn man es beschoor, wog sein Haupthaar
zweihundert Seckel! — lichtblaues Gewand umhüllet die
schöne Gestalt — vergebens warnet der Todten-Kopf —
Titians Venus läßt kalt, Battonis Magdalena fesselt und
reizt zur Sünde, die sie büßet, und ist der Reiz einmal
da, so hält der todte Schädel so wenig ab, als Galgen
und Rad die Diebe und Räuber. Die Meister der Kunst
urtheilen bekanntlich anders, aber ich bin blos Dilettant,
der seinem Gefühle folgt. Die bildende Kunst hat das
Eigene, daß das natürliche Gefühl weniger Stimme hat,
als bei Musik und Poesie, und Raphael bleibt immer
Raphael, wenn ihn auch gleich eine Frau einen Esel nannte,
weil sein kleiner Johannes, dem Maria das bedeckte Kind
zeigt, einem Knaben von 4 — 5 Jahren gleiche, da doch
Maria und Elisabeth zugleich schwanger gingen. So
feine Bemerkungen wie diese, und die einer andern Frau,
die bei Carracci's Silentio bemerkte: „Wie eine so
delikate Mutter und ein solcher Bengel!" verderben nur den Genuß.

Die heilige Büßerin, meint der leichtfertige Thümmel,
habe mehr schöne Mädchen nm ihre Unschuld gebracht, als
alle Domherren zusammen, und es kann seyn, denn um
im Alter eine reuige Sünderin zu werden, wie sie, muß
man zuvor die Jugend genossen haben. Battonis — Magdalena macht die Hauptzierde meines nicht besonders eleganten Zimmers, und der große Friedrich steht auf meiner
Seite. Er ließ sie zu Dresden vor allen andern Gemälden
copiren — blos copiren ließ sie der Besieger Sachsens,
Napoleon schlug kürzere Wege ein; auf der brühl'schen

Terraffe und zu Hubertsburg zeigte sich jedoch der Philo-
foph von Sanffouci weniger philofophisch. Ueber unfer
deutsches Florenz scheint ein eigener schützender Genius der
Kunst zu wachen — Friedrichs Bomben schlugen in die
Säle ohne Schaden — Sachsen verlor in unferer Zeit die
Hälfte des Landes, aber Dresden auch nicht ein einziges
Gemälde!

Dolces zarte Cäcilia ist das Bild der höchsten
jungfräulichen Reinheit, der Blick ist auf die Orgel gesenkt,
neben der eine Lilie liegt, und der Geist steigt in Himmel
auf der Leiter harmonischer Töne. Guidos Venus, die
der Titianischen viel Abbruch thut, und sein Ecce homo,
Tintorettos Parnaß, Albanis Liebesgötter, die um den
Altar des Amors tanzen, dürfen wir nicht vorübergehen,
und da spanische Meisterwerke in Deutschland selten
sind, auch nicht die lieblichen Murillos, und Velasquez
Mann mit dem Zwickelbart und einem Papier in der Hand.
Und nun noch die letzten Blicke auf Raphaels Madonna,
Correggios Nacht und Battonis Magdalena — mit
diesen Italienern wird man nie fertig — mit Gewalt muß
man sich losreißen — das Pastell-Cabinet ist noch
zu sehen, wo der deutsche Mengs diese Italiener fast
übertroffen hat mit Pastell!

Die Mehrzahl dieser Pastell-Gemälde sind Stücke der
Venedigerin Rosalva — schöne Gesichtchen des galanten
Hofes der Auguste — Liotards Stubenmädchen mit der
Chocolate-Taffe ist berühmt, weil die Falten ihrer Schürze
beweisen, daß der Herr nicht sogleich — nach der Taffe
griff — vorzüglich aber sind Mengs Bildniffe König Auguste III., des Marschall von Sachsen, der Sängerin Min-
gotti, und sein eigenes; alle seine Stücke sehen gegen die
der Rosalva wie Oelgemälde aus. Sein Triumph ist
Amor, der einen Pfeil schärft. Der Kupferstich,
den ich kaufte, vermag natürlich die Schlauheit im
Auge so wenig auszudrücken, als den magischen Rosenkranz, der den schlimmen Jungen verklärt. Gerade

in solchem Rosenlicht sahe ich einst im electrischen Jugend-
feuer auf einem Balle die Geliebte — gerade in solchem
Heiligenschein, den ich mir nur durch Electricität
erklären kann, denn sie war nichts weniger als eine Heilige —
und gerade so läßt auch Virgil die Venus erscheinen seinem
pius Aeneas!

Mengs ist unser größter deutscher Maler, der größte
nach Raphael, Correggio und Titian. Seine Geburt
Christi darf sich neben Correggios Nacht stellen, und in
seiner heiligen Familie — seinem ersten Oelgemälde, das er
zu Rom malte, ist Madonna die leibhafte Guazzi, in die
er sich, da sie ihm zum Modell diente, verliebte, und dann
zur Frau nahm. Es ging Mengs hinderlich zu Rom, als
durch den siebenjährigen Krieg die sächsische Pension ver-
siegte, aber Spanien entschädigte den großen Meister, daher
man auch seine Hauptwerke nur dorten findet. Wenig
bekannt ist der grobe literarische Betrug, den der Britte
Webb an seinem Freund beging, denn sein bekanntes
Werkchen: Ueber die Schönheiten in der Malerei, ist
Mengs Werk, das der Britte blos mit einigen Stellen
aus Pausanias und Plinius ausschmückte. Mengs starb
1779 zu Rom über seinem unvollendeten Gemälde der
Verkündigung, wie Apelles über seiner Venus, und Raphael
über der Transfiguration. Sie wollten sich in diesen ihren
letzten Werken selbst übertreffen, und daher blieben sie —
unvollendet... Azara sammelte Mengs Schriften, und
setzte ihm neben Raphael ein Denkmal: Pictori Philoso-
pho*)! Aecht philosophisch war wenigstens Mengs Verachtung des Reichthums, und noch philosophischer die
Antwort, die er Papst Clemens XIV. gab. Dieser hatte
unbedeutende Gemälde gekauft und sagte zu Mengs: „Aber
ein berühmter Maler hat sie mir gelobt.“ „Nun ja,“

*) Dem philosophischen Maler.

erwiederte dieser: „er und ich sind beide Professoren, der eine lobt, was er über seine Kräfte findet, und der andere tadelt, was unter den seinigen steht!"

So ist einmal die liebe Natur des Menschen! Viele Recensenten fragen gar nicht einmal nach Kräften — sie recensiren. Die sieben Weisen Griechenlands weigerten sich, den goldenen Dreifuß anzunehmen, jeder unsrer Weisen nähme ihn auf der Stelle, und balgte sich darum mit dem Andern. Goldene Dreifüße gibt es nicht mehr, wohl aber Ordensbänder, goldne Uhren, Dosen, Ringe, Medaillen 2c., und daher überhäufen unsere Weisen mit ihren Producten dermaßen die Großen, daß diese erklären müssen, sie werden nichts mehr annehmen von diesen Weisen!

Noch verdienen des Hofmalers Thiele und Dietrichs Landschaften unsere Blicke. Auf der Staffelei stand ein großes Gemälde, die berühmte Zusammenkunft zu Pillniz, der König Sachsens im Vorgrunde, der den König von Preußen dem Kaiser Leopold II. vorführet; alle und auch das Gefolge sind lauter Portraite. Der melancholische Maler Friedrich ist wie gemacht für Melancholiker. Mich fesselte eine runde Scheibe in Finsterniß, Nebel und Wolken gehüllt, blos eine Eule fliegt auf. Vermuthlich soll das Gemälde unsere politisch-mystische Zeit vorstellen, und die Eule vertritt die Stelle der ridiculus Mus. Eulen pflegen übrigens nur aufzufliegen, wenn sie in ihrem dunklen Treiben verscheucht werden — in der Nacht sehen sie scharf — der Tag aber macht sie blind, und unangenehm ist es auf jeden Fall, wenn einem eine Eule aufsitzt, was gegenwärtig leicht geschehen kann, wo so viele Eulen selbst am Tage herumzufliegen sich nicht scheuen, der ächte Vogel der Minerva aber lieber in seiner Einsamkeit stille sitzt!

Im Brühl'chen Garten ist eine zweite Gemälde-Gallerie, der sogenannte Dubletten-Saal von etwa 250 Stücken, die aber keineswegs lauter Dubletten sind,

und manches Gute enthalten — Niederländer — hübsche
sächsische Landschaften von Thiele, mehrere Canaletto, dem
Meister des Perspectives c. Hier ist auch die Academie
der Künste.

Die Vorliebe zur Kunst hat mich wohl ein bischen
zu weit geführt? Ihr Zauber erhebt den Menschen über
das Thier, ihre Meisterwerke versetzen in Extasen, wie eine
Geliebte, und unter den Antiken wandelt man im Fackelschein in den Olympos, wie die Griechen, wenn sie Phidias Jupiter zu sehen nach Olymp reißten. „Zu sterben
ohne ihn gesehen zu haben, galt für ein Unglück," sagt selbst ein Stoiker Epictet! Hoch fliegt die
Einbildungskraft der Künstler, und doch — wenn sie Heilige, Engel und Götter machen, machen sie — Menschen,
daher ein Perser bei den russischen Geschenken fragte: Ob
es in Rußland Menschen gäbe mit Flügeln? Die
Ideale der Kunst geben uns den Himmel, wenn Dogmatik, Pandecten, Recepte und Zahlen das Gemüth nicht
so vertrockneten, daß für das Schöne kein Platz mehr übrig
ist, und man sich spartanisch blos an die illiberale,
d. h. unmittelbar nützende Kunst hält, und nicht an die
liberale, d. h. nicht so nützende Kunst, daß sie Brod
und Besoldung abwirft .. das Schöne

> schwebt mit gesenktem Fluge
> um seinen Liebling, nah' am Sinnenland,
> und malt mit lieblichen Betruge
> Elysium an seine Kerkerwand!

Künste sind unserm Leben, was die Blumen unsern
Gärten sind, und wer sie liebt, hat einen Sinn weiter,
als andere Menschenkinder. Aus den Gemälden oder Kupferstichen im Wohnzimmer eines Mannes läßt sich oft
richtiger auf seinen Charakter schließen, (daher es mir
einst angenehm war, wenn ein bedeutender oder mir interessanter Mann nicht sogleich erschien) als aus dem Bildnisse desselben, da die Schattenrisse aus der Mode

4*

gekommen sind, welche die Physiognomien noch getreuer
gaben; die bürgerliche Welt ist nicht mehr so einfach und
gemüthlich, als zur Zeit der Schattenrisse, und die Heiß=
geliebte erwartet jetzt, statt eines Schattenrisses, wenigstens
einen Shawl, oder ein Miniatur=Gemälde in Gold gefaßt!

Es gibt neben der Sprache der Worte noch zwei
wunderbare Sprachen, die der Natur, die nur die Gott=
heit spricht, und die der Kunst, die nur höhere Men=
schen zu sprechen pflegen. Die Nubier, die Rigo zu
Cairo abmalte, erschraken, flohen vor dem Zauberer, und
erzählten ihren Landsleuten, daß sie bei dem Franzosen
eine Menge abgeschnittener Köpfe und Glieder der Nubier
gesehen hätten — wie viele Nubier unter uns! Es gibt
sogar Menschen, die nicht einmal die Farben zu unterschei=
den vermögen, wie die Töne, und etwas Alltägliches sind
Leute, die Raphael, Correggio und Mengs kritisiren, ohne
nur eine Hand, einen Fuß oder Busch selbst zeichnen zu
können. Die Meisterwerke der Malerei und Plastik ver=
alten nicht, während die Tonkunst sich der Mode unter=
werfen muß. Tonstücke, welche die Seelen unserer Alten
schmelzten und zu Thränen rührten, machen ihre Enkel —
lächen! Die neuen guten Gemälde werden auch alt, wie
neue Rhein=Weine, und die Liebhaber dunkler und brauner
Bilder, die behaupten, daß nur dadurch ein harmonischer
Ton in's Ganze komme, dürfen nur — warten lernen!

Ich bin vor dem Höchsten in der Kunst gestanden, und
habe genug, bedaure aber alle Krebel, die so sprechen
können, wie er in seinen bekannten Reisen unter dem Ar=
tikel Florenz: „Hier steht auch die Venus Medicis
von weißem Marmor, die alle Vollkommenhei=
ten eines wohlgebildeten Körpers haben soll!"
und Punktum! Michael Angelo, der die Kunst seine Frau
nannte, und seine Werke seine Kinder, ließ sich, neunzig
Jahr alt des Augenlichts beraubt, zu den Antiken noch
hinführen, und vergnügte sich an ihnen, solche — zu be=
tasten.

Blühe deutsches Florenz! mit deinen Schätzen der Kunstwelt,
still gesichert sey Dresden Olympia uns!
Phidias Winkelmann erwacht' an deinen Gebilden
und an deinem Altar sproßete Raphael Mengs!

Dritter Brief.

Dresdens Umgebungen, und die sächsische Schweiz.

Den Spaziergängern fehlt es nicht an Abwechslung
in den nächsten Umgebungen der Stadt, im Zwinger
und Brühlischen Garten, in den schönen Gärten der
Prinzen Anton und Maximilian, im vormaligen Co-
selschen und im Marcolinischen Garten mit der
schönen Neptuns-Gruppe. Die Linden-Allee in der
Neustadt fand ich gegen Abend stets stark besucht, wo auch
Erfrischungen zu haben sind, und auf der Ostrawiese,
oder dem großen Gehege, durch die Weiseriz vom kleinen Gehege getrennt, bewunderte ich altdeutsche Linden, wie man sie selten im deutschen Süden mehr siehet;
drei Linden-Alleen laufen hinunter bis zur blonden
Elbe, wo jenseits ein altes Schlößchen Uebigau liegt, aber
selten traf ich Menschen im Schatten dieser herrlichen
Bäume, deren Balsamblüthe ich allem vorziehe. Wo ich
diesen herrlichen Baum in einem Dorfe sehe, hat das Dorf
mich schon zu seinem Patron — eine schöne Linde ist das
Natur Cassino, die Harmonie und Resource der Bewohner, die wir, verglichen mit Städtern, immer noch Arca-
bier nennen mögen. Anmuthig und schön heißt in
spanischer Sprache lindo.

Der große Garten vor dem Pirnaer Thor ist ein
schöner Kunstwald, in dessen Mitte ein leerer Pallast steht,
mit Mooß, wie mit Verzierungen überladen, und dem Zahn

der Zeit Preis gegeben — die ehemaligen Höflinge scheinen in Dohlen verwandelt zu seyn, die besser als Salomon krächzen — Alles ist eitel! Es sind hier mehrere Wirthschaften, aber selbst an einem schönen Sonntag traf ich höchstens zwanzig Menschen, die in ländlicher Stille Caffee, Bier und Kuchen genoßen. Ich sahe hier viele Eichhörnchen, die gar nicht scheu sind, und auch mehrere bei uns so seltne Goldbrosseln, deren Gefieder mit jedem tropischen Vogel wetteifern darf. Diesen Garten sollen einst gegen 1500 Bildsäulen geziert haben, die von den Preußen zertrümmert oder nach Potsdam gebracht wurden, erhalten haben sich nur die beiden am Eingange ominös genug stehenden Alabaster-Gruppen Corradinis — nymphenraubende Centauren!

Linkensbad ist der besuchteste Ort, wohin schon außer dem Schauspiel und Concert, die schöne Lage an der Elbe einladet. Die Dörfchen Loschwitz und Blasewitz, die neue Welt und grüne Wiese werden stark von den untern Classen besucht. Eine Delicatesse scheint hier das Cottbußer Bier mit Zitronen und Zucker zu seyn à vier Groschen das Fläschchen, wie in Breslau das Stettiner.. Das Denkmal Moreaus zog mich auf die Höhen von Rakenitz, am Wege nach Plauen, eine Stunde von Dresden. Bekanntlich zerschmetterte in der Dresdner Schlacht eine Kanonenkugel Moreau beide Beine, und diese sind begraben unter dem großen Granit-Würfel, auf dem ein Helm und lorbeerbekränztes Schwerdt von Gußeisen liegt mit der Inschrift: „Moreau der Held fiel hier an der Seite Alexanders den 27. August 1813. Drei junge Eichen umschatten das einfache Denkmal. Moreau, der Scipio unserer Zeit, der so strenge Disciplin hielt, daß er selbst einen allzu Louis liebenden General von der Armee entfernte, und nie eine Beschwerde mit dem Napoleonischen Laconismus c'est la guerre*) zurückwies —

*) So ist es Brauch im Kriege.

Moreau, dew so viele Kugeln und die Wogen des Meeres geachtet hatten, fiel hier von der ersten französischen Kugel an der Seite Alexanders, der ihn liebte wie einen gleichgesinnten Freund, und von ihm wieder geliebt wurde; Sire, sagte er nach der Amputation, die er wie ein Held ertrug, ein Cigaro räuchend — il ne vous reste que le tronc, mais le coeur y est, et il est tout à Vous.*) Der Edle, der aus seiner Einsamkeit an den Ufern des Delaware und aus den Armen einer geliebten Gattin nach Sachsen eilte, da er hörte, daß auch Bernadotte, der alte Waffengefährte, dabei sey — nicht um gegen das Vaterland, sondern für dasselbe und für die gute Sache zu kämpfen, fiel — man hoffte ihn noch zu retten, aber er starb zu Laun in Böhmen am zweiten September, gelassen, ruhig, groß, im Tode wie im Leben. Wer trauerte nicht um diesen Mann? und doch — mich tröstet, daß er gleich Anfangs fiel, sonst hätten gewiß die gallischen Helden abermals behauptet, „Franzosen können nur durch Franzosen geschlagen werden!" Alexanders' Freundschaft ehrt hoch — den Mann von Talent und hoher Tugend — aber vielleicht ehrt ihn noch mehr — Napoleons Haß und Groll! — Mag man auch an Coriolan und Bourbon denken —

intaminatis fulget honoribus. **)

In dieser berühmten Schlacht lächelte Napoleon das Glück zum letztenmale — des Brudergestirn der Verbündeten verdunkelte den unverdienten Glücksstern des Corsen, der ihn zur historischen politischen Größe führte, aber so wenig zur physischen als moralischen Größe verhelfen konnte, die allein die wahre Größe des Menschen ausmacht. Schon in Schlesien waren ihm die Maßregeln der Alliirten zu energisch, und fest — ganz

*) Es bleibt Ihnen nichts übrig als der Rumpf, aber in diesem wohnt das Herz, das Ihnen ganz angehört.
**) Unvergänglich strahlt sein Ruhm.

andere Preußen — an Oestreichs ernster Theilnahme glaubte
der Tochtermann nicht eher, bis die Oestreicher vor Dres=
den standen, war nun noch mißtrauischer gegen Deutsche
und Italiener, und unzufrieden mit sich selbst, war er es
bald mit Allen. Das Schicksal, das ihn bei Leipzig ereilte,
stand vor ihm, er nöthigte zwar die Oestreicher zum Rück=
zug nach Böhmen mit Verlust von zwanzigtausend Mann
— benützte aber den Sieg nicht, wie er sonst pflegte, und
Vandammes Corps ward in Böhmen selbst zernichtet bei
Culm. Er verlor den Kopf, wie 1799 zu Saint=Cloud.
Sonst haranquirte er die Truppen vor der Schlacht wie
Cäsar, jetzt verheimlichte er die Nähe des Feindes, sonst
wären die meisten ausgerissen. Seit dem russischen Feldzug
gab es keine alten Franzosen mehr, sie ruhten jenseits des
Niemens im Frieden, und mit ihnen der Glaube an des
Schrecklichen Genie und Unüberwindlichkeit. Es gab aber
eine Zeit, wo selbst Verwundete und Sterbende ein fanati=
sches Vive l'Empereur brüllten. Moreau sagte vom russi=
schen Feldzug c'est un folie, et inhumaine ambition, le
grand homme s'y est bien rapetissé.*) Ob Moreau
ihn wohl je für einen großen Mann gehalten hat? und
auch Bernadotte, Augereau und andere, die ihn näher kann=
ten, als wir Zeitungsleser?

Allerliebst ist der Landsitz des Britten Findlater,
(jetzt Krebsischer Weinberg) der in der Dorfkirche zu
Loschwitz ruht, und seinem Sekretär und Reisegesellschafter
dieses Erbe hinterlassen hat. Man kann längs der Elbe
auf die Anhöhe gelangen, und nimmt dann den Rückweg
über die Bautzner Straße. Es ist die schönste, daher auch
stark besuchte Partie um Dresden, und ich ziehe die Aus=
sicht in Hinsicht des ländlichen Naturanblickes noch der
Brühlischen Terrasse vor, wenn die Abendsonne die Felsen=
wände am Eingange der sächsischen Schweiz, und die Kup=

---

*) Dieß ist die That einer tollen unmenschlichen Ehrsucht, der
große Mann ist zum Zwerg geworden.

peln und Zinnen der Stadt vergoldet — Findlater wußte,
zu wählen, vergebens aber suchte ich nach einem Denkmale
vom dankbaren Erben. Ich hätte ihm die schönste Mar-
morurne mit Thränenweiden und goldener Lobschrift setzen
lassen, weil ich travelling tutors*) deutscher Klein-Großen
kenne, die ihrem erlauchten Telemaque etwas ganz anderes
aufs Grab — machen würden, wenigstens einen Gukguk
— daß dich der Gukguk!

Der nächste entferntere Ausflug ist natürlich Pillnitz,
der Sommeraufenthalt des stillen Hofes, zwei Stunden
von der Stadt. Ich ging an einem schönen Morgen zu
Fuße dahin, und fuhr Abends auf der Elbe wieder zurück.
Höchst freundlich ist die Landschaft an der Elbe hin über
Loschwitz (Blasewitz gegenüber, Geburtsort Nau-
manns, der sich ganz in Italien gebildet hatte, und von
dessen Cora und Titus einst so viel Gerede war, als von
Don Juan, Zauberflöte, Freischützen, Affen Joko — Pre-
tiosa —) Wachwitz, Boiritz, Hosterwitz — lauter
Witz bis Pillnitz, das sich durch eine schattige Kastanien-
allee ankündigt. Vier Pavillons und ein altes Schloß, an
dem zu verschiedenen Zeiten gebaut war, konnten unmöglich
ein schönes Ganzes machen — seit dem Brande 1818 ist
es daher schöner. Hinter dem Schlosse ist der reiche Pflan-
zengarten, da der verstorbene König Botanik vorzüglich
liebte, und selbst an einem botanischen Werke arbeitete.
Hier steht auch Trippels Vestalin und die Gondeln
auf der Elbe machen einen lieblichen Eindruck.

Mich interessirte zunächst der Borsberg, wohin man
durch den Pillnitzer Grund auf dem sogenannten Fried-
richswege durch schattige Thäler und Anlagen längs einem rauschenden Waldbache fast unbemerkt gelangt. An
einer Eiche las ich: „Zeuch deine Schuhe aus, Wanderer! denn die Stätte ist heilig!" das dünkte mich
denn doch zu viel verlangt bei den spitzen Kieseln, und ich

---

*) Hofmeister, welche einen Prinzen auf Reisen begleiten.

behielt sogar meine Stiefel an. Auf dem höchsten Gipfel
ist eine Einsiedelei und Grotte in einer künstlichen Felsen-
masse, und auf dieser ein Altar, von dem sich ein Landschaftsgemälde dem entzückten Auge darbietet, das einzig
ist. Von dieser Höhe, etwa 1000' über der Elbe, kann
man sich für seine Wanderung in die sächsische Schweiz
vorläufig orientiren, und hier oben dichtete Stollberg sein
Lied:

> In deinen Tempel tret ich hier
> Natur! und bete an —

Wer sich von da hinab zum Hofe begeben mag, und
unter die lange, gelbe, hagere, nur leise flüsternde Livrée,
mag es thun, und ist er Freund von Etiquette, so ist er
ganz an Ort und Stelle. Sonst pflegte man im Pavillon
der Venus sich die Maitressen Augusts II. zeigen zu
lassen, der König hat sie aber selbst im todten Bilde besei-
tigt. Indessen waren auch honette Personen darunter,
die schönsten Schönen ihrer Zeit, selbst polnische und englische, wie Maria Stuart und die reizende Brünette, Aurora Königsmark. Carl XII. sagte zwar von ihr:
„Sie ist eine Hure,“ und da Piper entgegnete: „Sie
ist doch aus einem berühmten schwedischen Hause und
Maitresse des Königs“ blieb er auf seinem Satz,“ das ist
gleich viel, sie ist eine Hure — ich aber sprach beim Anblick der Maria und Aurora im bloßen Bilde: „Weib!
deine Sünden sind dir vergeben!“ Wahrscheinlich
sind diese Bildnisse jetzt anderwärts zu sehen, vorher muß
man aber la Saxe galante lesen, um die Damen Kessel,
Königsmark, Esterle, Fatime, Lubomirsky, Teschen, Hoym
oder Cosel, Denhof und Diskau besser würdigen zu können.
August sagte: „hätte die Diskau so viel Verstand als
Schönheit, so würde ich sie Lebenslang lieben,“ und sein
Liebling Vißthum erwiederte: „Gott bewahre! wir
liefen Gefahr Eure Majestät bald zu verlieren“
— es folgten daher auch bald genug die Osterhausen und
andere ꝛc., alle aber kosteten vielleicht doch nicht so viel,

als die berüchtigte du Barry dem alten Sünder Louis XV.
oder eigentlich Frankreich kostete! Von mir würde die Au=
rora das Taschentuch erhalten haben, indessen sind Portrait=
mahler so galant, daß sie stets das Original verschönern,
und der gerade Gegensatz der Moralisten, die als Pre=
diger in der Wüste häßlichere Gemälde liefern, als in der
Natur gefunden werden!

Ganz Europa sprach im Jahr 1791 von Pillnitz
und der berühmten Zusammenkunft Kaiser Leopolds II. mit
Friedrich Wilhelm II., Artois, Calonne und vielen berühm=
ten Heerführern. Hier wurde der berüchtigte Kreuzzug
gegen die Neufranken beschlossen, dessen letzte Scenen
so verderblich geworden sind, und hier das berühmte Ma=
nifest zu Faden geschlagen von einem Emigranten,
das die französische Nation mit Recht erbitterte! der
Herzog von Braunschweig unterzeichnete es, weil es einmal
den Beifall des Kaisers und des Königs erhalten hatte.
Hätte man, statt Krieg, bewaffnete Neutralität be=
schlossen — was gewiß geschehen wäre, wenn man Rei=
sende und nicht befangene Emigranten hätte hören
wollen — ce n'est qu'une promenade *) sagte Emigrant
Bouillé, elle sera un peu longue **) bemerkte der Deut=
sche Lascy — hätte man Frankreich nicht wie Holland
angesehen, dessen Gegenrevolution zwanzig tausend Preußen
binnen drei Wochen gemacht hatten — oder wie die Un=
ruhen Belgiens, — hätte man zwischen Faktion und
Nation gehörig distinguiret — und zwischen Aufstand
und Revolution — welcher Jammer wäre nicht Deutsch=
land, ja ganz Europa ersparet worden, dem nun die Bar=
barei des Mittelalters drohte, und zuletzt das Sklavenjoch
eines orientalischen Despoten zum Lohne wurde!

Napoleon soll 1812 zu Pillnitz gesagt haben „Hier
bin ich geboren worden!“ traurige Geburt, bei der

---

*) Es ist eine bloße Spazierfahrt.
**) Ich fürchte, sie wird ein wenig lange dauern.

schwerlich die Engel Hosianna gesungen haben! Hier feierte
der Unhold seinen größten Triumph, mehr noch als zu
Erfurt. Nicht blos ein Heer von sechsmalhunderttausend
Mann fast aus allen Völkern Europens stand bereit auf
seinen Wink — so nahe war er der Universalmonarchie —
sondern bei seinem Levée erschien der Kaiser Oestreichs, der
König von Preußen, und die Fürsten des Rheinbundes ꝛc.
alle vermischt unter seinen Höflingen, Marschällen und
Generalen, fast wie alltägliche Höflinge! Rußland legte
die stolzen Wellen — Hunger, Kälte und das Feuer von
Moskau waren die Alliirten, der neue Attila machte seine
berühmte rückgängige Schlittenfahrt nach Paris — vom
Erhabenen zum Lächerlichen ist nur ein Schritt,
— er sprach am Camin-Feuer der Tuilleries, sich die
Hände lustig reibend, il vaut mieux ici qu'a Moscau!*)

Und nun nach der berühmten sächsischen Schweiz.
Sie erstreckt sich von Pillnitz bis Hermsdorf fünf Meilen,
und von Falkenberg und Hochwald bis Höllendorf in gleicher Länge, etwa fünfzehn Quadratmeilen im Umfang.
Es ist nur eine Pseudo-Schweiz oder Nachdruck,
verdient aber schon eine kleine Wanderung. Die höchsten
Berge werden kaum achtzehnhundert haben, und nach Gletschern, Wasserfällen, Alpen und lieblichen Seen sucht das
Auge vergebens. Aber wer heißt uns die Schweiz in Sachsen suchen? der Reisende, der jene verlangt, handelt so lächerlich, als der, der auf Vulkane oder an das Meer bauet,
und wenn die Natur ihren großen Gang gehet, und das
Menschenwerk umstürzt oder verschlinget, die Natur anklagt,
die Platz genug gelassen hat, anderwärts hinzubauen. Diese
Schweiz ist ein Theil des sächsischen Berglandes — ein
sächsischer Tempel der Natur — warum den Genuß
durch unpassende Vergleichungen stören? Er bietet interessante Naturscenen — hat gute, freundliche, gesprächige,
gebildete und genügsame Bewohner — basta!

———————————

*) Hier ist's besser als in Moskau.

Man durchlauft die sogenannte sächsische Schweiz in
vier — fünf und mit aller Bequemlichkeit in acht Tagen;
Entomologen, Mineralogen und Botaniker werden aber
schwerlich so bald fertig. Ich habe sie in fünf Tagen
durchwandert, süß ist mir die Erinnerung — aber ich glaubte
mich an der eigentlichen Schweiz, und an unsern süddeutschen Alpen zu versündigen, wenn ich sie auch nur die k l e i n e
S c h w e i z nennen wollte. Man nennt Leipzig K l e i n
P a r i s, Gera K l e i n L e i p z i g, Weimar das d e u t s c h e
A t h e n, Lindau K l e i n V e n e d i g, Künzelsau gar K l e i n
N ü r n b e r g, was der Nürnberger Polizeimann nicht wußte,
der mir sagte „es ist ein rechtes D r e c k n e s t." Es heißt
auch Klein Nürnberg, erwiederte ich. — In diesem Sinne
mag man auch von einer s ä c h s i s c h e n S c h w e i z sprechen.
Bald werden wir über diese s ä c h s i s c h e S c h w e i z so viel
Bilderchen haben, als über die s c h w e i z e r i s c h e S c h w e i z!

Der L i e b e t h a l e r Grund nahm mich zuerst auf —
kein Thal der Liebe, sondern ein Thal der S t e i n b r ü c h e,
von der Weseritz durchrauscht. Der L o h m e r-G r u n d ist
die Fortsetzung, die Felsenmassen sind hier höher und wilder,
und führen nach dem freundlichen Lohmen, dessen altes Schloß
die Gegend verschönert. Aus diesen Thälern kommen eigentlich die P i r n a e r s t e i n e, die manchem armen Steinmetzen das Leben kosten, oder doch vergebene Mühe, wenn
sie in die Elbe hinabrollen. Ein großes Felsenstück, S a t z
genannt, wird nach und nach von dem Hauptgestein gelöset
— senkt sich der Block, so empfangen die Arbeiter den
Sturz mit Jubel, und fällt solcher gut aus, d. h. zersplit-
tert die Masse nicht in allzu kleine Stücke, rollt sie nicht
in die Elbe, und schlägt keine Arbeiter todt — so ist man
auf lange geborgen. Man feiert das Steinmetzenfest. Eine
Inschrift an der letzten Hausthüre zu Jessen warnt Fremdlinge, daß sie weder die Werkzeuge berühren, noch weniger
daran werfen, daß es klingt, sonst koste es — Bier-
geld. Noch mehr Sinn hat das Verbot „L a u f zu!"
zu rufen. Es ist der Nothruf der Arbeiter, und wer sich

das Späßchen macht, auch so zu rufen, oder es einem
trägen Begleiter unwissend zuruft, darf laufen, wenn er
nicht von Steinmetzen gepfändet seyn will!

Diese armen fleißigen Steinmetzen schlagen auf die
sich trennen sollenden Massen so unbekümmert los, als ob
sie in sicherer Werkstatt säßen. Die Hitze macht sie leicht
zu Säufern, und der feine Staub, daß fünfzigjährige Stein-
brecher selten sind. Sie begleiten eine Menge Brüder zum
frühen Grabe, oder sehen sie hinwelken, widmen sich dennoch dem Handwerke mit einer Gleichgültigkeit, die der
Gesellschaft zu gute kommt. Sie sind frei vom Soldaten-
dienst, und daher fehlt es nie an Arbeitern, die etwa wöchentlich zwei Thaler verdienen können. Die Innung besteht aus sechshundert Personen, und es wimmelt von jungen Wittwen und Waisen in diesen Thälern der Steine.
Diese Steine, die als Mühl- und Bausteine auf der Elbe
nach Holland und Dänemark, und selbst nach dem höhern
Norden gehen, mögen leicht so viel Geld bringen, als gegenwärtig die Silberminen Freibergs; die feinsten zur
Sculptur brauchbaren Steine brechen bei Cotta, und bei
Pirna stehen zwei Wassertröge von 14 — 16' Länge und
8' Breite, das Thor mußte erweitert werden, um diese
Steinmassen auf den Markt zu bringen. Schon seit
tausend Jahren sind Paläste und Häuser, Brücken und Festungen, Kirchen und Statuen aus diesen Sandsteinbrüchen
hervorgegangen, aber sie sind unerschöpflicher als die Erz-
gruben. — An den großen Häusern von Stein hängt so
viel Schweiß und Blut der armen weißen Neger, als
Schweiß und Blut der Schwarzen an dem schönen weißen Zucker Westindiens!

Im Ottowalder Grunde ist eine Stelle, wo
die Felsen so zusammentreten, daß ein lieber Dicker leicht
stecken bleiben könnte, wie der Vielfraß, wenn er sich
zwischen zwei Bäume drängt. — Hier werden die Parthien am malerischten, und eine griechische Phantasie würde
wie in Thessalien das Schlachtfeld der Giganten mit den

Olympiern erblickt haben; ich erblickte einige Kreuze, die nur Unfällen armer Holzhauer galten. Mein Führer erzählte mir, daß jeder Mann zu Lohmen, deffen Frau niedergekommen sey, das Recht habe, sechs Wochen lange Bier zu verzapfen, folglich halten die Weiber recht gerne ihre sechs Wochen, richtiger als Stadtdamen. Ueber dem Dörfchen Vogelsang ragt eine Felsenspitze hervor, die Kaisers= oder Königs=Nase genannt, verschieden von der bei Rathen, in der man das Profil Louis XVI. sehen will. Die Nase ist allerdings königlich, und Wahls große Nase nur ein Näschen!

Die Schatten des Lohmer Waldes führen nach Rathewalde, und überraschend ist die Aussicht von dem hohen Felsen bei Rathen, wo eine Burg stand. Das freundliche Wehlen mit seiner Burgruine liegt an der Elbe, an deren lebendigen Ufern man gerne wandelt, wenn man lange unter den Felsen, wie in zerstörten Städten gewandelt hat, und wenn es auch die große und kleine Gans und die Schneiderlöcher gewesen sind. Man übernachtet zu Wehlen und dann führt ein bequemer Weg über die Vogeltelle auf einem weit vorspringenden Felsen, wo sich das reichste Landschaftsgemälde entwickelt — auf die sogenannte Bastei! — Von Rathen aus besucht man auch den Amselgrund, wo sich der Grünbach herabstürzt, und eine Grotte ist, das Amselloch, die beide mir den Gang nicht belohnten.

Von Rathewalde wanderte ich nach Hohenstein und Schandau. Malerisch ruht die alte Burg auf ihrem Felsen mit dem kleinen schmutzigen Städtlein zwischen uralten Bäumen, und war ehemals Gefängniß, das in schlimmem Rufe stand: „Wer da kommt nach Hohenstein, der kommt selten wieder heim;" man zeigt noch die schauerliche Marterkammer. Vor dem siebenjährigen Krieg war hier noch ein Bärengarten, die Petzen pflanzten sich lustig fort, kletterten aber auch manchmal über die Mauern, und so mußte man sie niederschießen

Vernünftiger war eine Gemsenkolonie, aber sie gedieh
nicht, und einsperren ließen sich die luftigen Springer weniger noch als die schwerfälligen Bären. Manche rap-
peln, wie mein Führer sprach, von hier nach dem Hoh-
stein, ich zog Schandau vor, wohin man über Waiz-
dorf und den tiefen Grund in zwei Stunden gelangen
kann. Hier las ich an einem Felsen die Zahl 1699, daneben
ist eine Sense eingehauen, denn hier duellirten sich zwei
Bauernbursche wegen eines Mädchens, und bewiesen, daß
man auch mit Sensen die Unvernunft des Zweikampfes
üben könne. Die ganze wilde Gegend muß einst ein wahrer Lustwald nicht nur für Bären, Wölfe, Luchse ꝛc., sondern auch für noch weit gefährlichere Thiere gewesen
seyn, denn man zählt gegen sechzig Burgen in dieser
kleinen Schweiz, ihre noblen Bewohner bildeten den schwarzen Bund, dessen noch hier und da sichtliches Wappen
ein Dreiblatt war mit einem Dolch!

Schandau, dessen Name dem deutschen Ohre so häßlich klingt (Ischand, böhmisch Grund, An am Grunde)
liegt gar lieblich an der Elbe, nachdem man aus dem
Kirnitz-Grunde an einigen mahlerischen Mühlen vorüber,
getreten ist. Das kleine Bad, das sehr wirksam seyn soll,
aber wenig besucht scheint, führt die alte römische Inschrift:

Balnea, vina, Venus corrumpunt corpora nostra,
conservant eadem, Balnea, vina, Venus *)!

Ist hier nicht schon das leibhafte Brownische System?
Ein kleines Felsen-Rondel mit Sonnenschirm und lieblicher
Aussicht heißt Carlsruhe, und ist, nächst der Höhe von
Ostrau, ein Lieblingsspaziergang; in einer Felsenblende steht
Luthers Büste mit der Unterschrift: „Eine feste Burg ist
unser Gott, den 31. Oktober 1817 geweihet,“ und hin-
ter dem romantischen Ostrau steigen der Falkenstein und
Schrammstein hervor. Schandau ist, gleich Warmbrunn

---

*) Bäder und Liebe und Wein verderben die Blüthe des Leibes,
doch sie stärkt auch zugleich Bäder und Liebe und Wein!

am Fuße des Riesengebirges, wie gemacht zum Ruhepunkte des Wanderers, der die Gebirge bereisen will.

An einem schönen Morgen, gestärkt durch das Bad, wandern wir durch das Kirnitschthal nach dem Kuh=stall, den beiden Winterbergen und dem Prebisch=thor, von wo man durch den anmuthigen Bielgrund wieder herab nach Hirnis=Kretschen kommt, die Forellen und der Melniker behagen doppelt nach solchem Marsch und so auch den Füßen die abendliche Rückfahrt auf der Elbe nach Schandau. Man muß gute Füße haben und nicht weich seyn, wenn man alle jene Punkte in einem Tage abmachet. Man fährt auch Stromaufwärts nach Teschen in Böhmen, nach dem Zschand und dem Raub=stein, aber ich habe satt. Nach Neustadt und dem Falkenberge (1800'), von dem man die ganze Lausitz übersehen soll, und nach dem Städtchen Sebnitz, dessen fünfundzwanzighundert Seelen fleißig Sebnizer=Zeuge fertigen, bin ich auch nicht gekommen. Nur wenige Rei= sende scheinen in die sogenannte hintere Schweiz, nach dem großen Zschand und und den Thorwalder Wän= den mit der großen Höhle ohne Namen zu kommen, und die Wege sollen erbärmlich, aber alles weit wilder und koloffaler seyn, als in der vordern Schweiz. Mein Füh= rer nannte den Zschand die Krone der sächsischen Schweiz. Die Gränze Böhmens erkennt man sogleich an den vielen Herrgotts, an der größern Armuth und Bettelei — eine Folge der Indolenz und Faulheit, und diese wieder Folgen der — Herrgotts!

Durch dichte Wälder führt der Kirnitsch=Grund auf= wärts binnen 2½ Stunde nach dem Kuhstall, nach dem ildenstein und feiner Grotte, und zu den wilden Gestalten des Affensteins. Es gehört viel Phantasie dazu in diesen Felsenmassen einen predigenden Mönch, nd vor ihm die als Zuhörer andächtig sitzenden Af=

fen herauszufinden, Copien des Herrn der Schöpfung.
Auf dem Hausberge blickt endlich aus dem Dunkel des
Nadelholzes die Halle des prächtigen Felsentempels, der
Tempel der Isis heißen sollte, und nicht Kuhstall
(die Umwohner flüchteten ihre Heerde hieher), denn hier
wölbte die Natur eine ungeheure Felsenhalle, die wirklich
erhaben ist. Ein Reisender, von dem Anblick dieses Felsentempels bezaubert, schrieb am Eingang desselben auf einen
Felsen:

> Ich hab ihn gesehen, ich hab ihn gesehen,
> ich habe den göttlichen Kuhstall gesehen!
> Freiherr von ❊❊❊

Ein nachgefolgter Reisender schrieb darunter:

> Ich hab es gelesen, ich hab es gelesen,
> und ist ein Ochs im Kuhstall gewesen.

Einzelne Theile der weiten Höhle heißen Kanzel, Tauf-
stein, Wochenbett, Pfaffenloch, Schneiderloch ꝛc.,
man scheint hier während der Emigration alles getrieben zu
haben, und noch heute ist in der schönen Jahrszeit Wirthschaft hieroben, und wenn man da heraufgestiegen ist, kann
man auch Erquickung brauchen!

Vom Kuhstall herab und über den Habichts-Grund
erreicht man in einer Stunde den kleinen Winterberg,
wo an dem sogenannten Winterhäuschen eine steinerne
Tafel das Jagdabentheuer Kurfürsts Augusts 1558, verewigt. Der Fürst verfolgte einen schönen Hirsch bis auf
die steilste Klippe, das Thier wandte sich zuletzt gegen ihn
— „Ich oder du“ rief August, und ein glücklicher Schuß
stürzte den Hirsch in Abgrund. In diesem Winterhäuschen
rumoren Geister, und das Volk sieht am hellen Tage Gespenster in blauen Mänteln und Federhüten auf Schimmeln
herumreiten — dieß sind die Geister der Steuerbeamten
und Höflings — die Auguste da herumwandeln zu lassen,
wäre gegen den Respekt gewesen in jenen Zeiten der
Anbetung!

Interessanter ist der große Winterberg, denn hier

ist vielleicht die schönste Aussicht des ganzen Gebirges, vorzüglich gegen Böhmen hin, wo der hohe Rosenberg sich erhebt, und die ganze Gegend vom Riesengebirge bis zum Colmberg bei Oschatz sich darbietet — überall liegen schwarzbraune Basalt-Massen zerstreut — herrlich sind die Buchenwälder, und in einer Stunde ist man auf der Kuppe. Das Prebischthor und der Prebischkegel ist eine Stunde entfernt davon — ein malerisches Felsenthor, durch welches man in die lachenden Fluren Böhmens blickt — eine Riesen-Rahme um ein Riesen-Gemälde, von dem ich entzückt herab stieg nach dem malerisch liegenden Hirnischkretschen — Dämmerung ruhte schon auf der Elbe, aber der Lilienstein glänzte noch im Abendroth, und Schandaus Bad stärkte die ermatteten Glieder.

Von Schandau wanderte ich nach dem Königsstein, vorüber am Fuße des Liliensteins, den man schon zu Schandau siehet. Dieser ist 200' höher als der Königsstein, einst zierte eine Burg der Dohna seinen Scheitel, jetzt eine Pyramide zum Andenken Augusts III. die von unten einem Signum exclamandi *) gleicht. Diese Pyramide trug sonst auch, neben dem Kurhute die Krone Polens, die aber noch früher herabfiel als die wirkliche. Die Aussicht soll die vom Königsstein weit übertreffen, der Weg aber ist nicht unterhalten, und höchst beschwerlich. Hier streckte die ganze sächsische Armee von 17000 Mann 1756 vor Friedrich das Gewehr, und König August mit seinem Brühl mußten die ganze Scene vom Königsstein aus mit ansehen, und erhielten Pässe nach Polen. Die Armee stand in der festesten Stellung hinter Redouten, Verhauen und Palissaden — sie hätte, ohne Brühls Leichtsinn und die Verschwendung des Hofes, leicht 50—60000 Mann stark seyn können — hier stand sie ohne Proviant, und viele starben den Hungertod. Brown rückte zwar aus

---

*) Einem Ausrufungszeichen.

Böhmen vor: — aber der Sieg von Lobositz vereitelte den
Entsatz, so zweideutig auch dieser war, denn sonst hätte
Friedrich Winterquartier in Böhmen gemacht. Die Oestreicher nannten das unglückliche Armee-Corps nur das
sächsische Piket, aber dieses brave Piket hielt fünf
Wochen lang die Preußen ab, sich nach Böhmen zu wenden, wo man noch gar nicht bereit war, und leistete inso-
ferne Oestreich den größten Dienst, wie Augusts Stand-
haftigkeit. Nicht gar ferne von diesem Orte mußte auch
Friedrich eine Scene der Trauer erleben, fast eben soviele
Preußen streckten unter Fink das Gewehr vor den Oestreichern, und die Oestreicher nannten es den Finkenfang.
Fink war weniger Schuld, als Friedrich, und somit hätte
dieser, als der unglückliche General aus der Gefangenschaft
kehrend sich meldete, und zur Tafel geladen wurde, die
Worte nicht von sich kommen lassen sollen: „Ich habe
nicht Ihn, sondern den Minister Finkenstein
einladen lassen!" Louis XIV. war artiger und sagte
Villeroi, nach der verlornen Schlacht von Ramillies: Mr.
le maréchal à votre âge on n'est plus heureux *)!
Das Städtchen Königstein liegt am Fuße des
isolirten Bergkegels von 1400', der die Veste trägt; wegen
seiner quirlförmigen Gassen, auch scherzweise Quirle-
quitsch genannt, deren Belustigungs-Ort der Diebs-
Keller ist, einst Aufenthalt einer Räuberbande, wo vielleicht der Invalide, den wir sogleich näher kennen lernen,
erzeugt wurde. Auf der Höhe ist die neue Schenke;
wo man sich mit einem Trunk Bier laben kann, und
dann eilet man nach dem Wunder Sachsen's, läßt dem
Commandanten seinen Namen melden, und in der Regel
ertönet ein: „Kann passiren!" Durch ein langes Gewölbe und Zugbrücke gelangt man in die Veste, die ½
Stunde Umfang, ein hübsches Buchwäldchen, Aecker, Wiesen,

---

*) Herr Marschall! in Ihrem Alter macht man kein Glück
mehr.

Weinberge und Gärten hat, einen Brunnen von sechshundert Ellen Tiefe, der nicht abgegraben werden kann — bombenfeste Casematten, und drei Jahre Proviant in der Regel, folglich nächst der Höhe, unüberwindlich ist. Es gibt hier allerlei Merkwürdigkeiten — sehr unmerkwürdige Merkwürdigkeiten um des — Trinkgelds willen — höchst interessant aber bleibt die Runde um den Felsen, in Begleitung eines Invaliden, wie der meinige, der mit im Lager von Pirna war, und Friedrich in's Auge gesehen haben wollte.

Recht gerne gab ich ihm den verdienten sächsischen Conventions-Thaler — aber nun begannen beispiellose Prellereien! der Kerl muß in London Führer in S. Paul oder im Tower gewesen seyn, oder gar zu Oxford studiret, und geglaubt haben, meine Achtgroschenstücke seyen Steinchen, die ich in seiner sächsischen Schweiz aufgelesen hätte. Ich mußte das Zeughaus sehen, ob ich gleich versicherte, daß ich von Berlin käme, und gab 8. gr. „Ja Herr! unter 16 gr. nicht!" stolz gab ich noch zwei Achtgroschenstücke: „Nun haben Sie einen Thaler, und mehr kostet mich das Berliner Zeughaus nicht!" am Brunnen wurde mir ein Glas Wasser gereicht — 4 gr., ob ich gleich erst in der neuen Schenke Wasser in Biergestalt genossen hatte — das große Faß mußte ich auch sehen — 4 gr., ob ich gleich das große Heidelberger und Neuburger Faß gesehen zu haben äußerte, und daß ich kein Faßbinder sey; hätte ich gar noch etwas im Keller berühret, so hätten sie mich vielleicht gar über das Fäßchen gelegt, wo eine hölzerne Pritsche lag, und mir drei Pritschen gegeben — eine für Sr. Kurfürstliche Durchlaucht, die zweite für des Herrn Commandanten Gnaden, und die dritte für das löbliche Keller-Recht — so löblich als das alte Jäger-Recht! — ich mußte in die neuen Casematten, ob ich gleich sagte, daß ich alte genug gesehen hätte, und da man hier nichts forderte, so glaubte ich, sie gehörten in das Departement meines

Führers, irrte mich aber sehr. Wir kamen an einen
Opferstock: „Legen Sie doch einen Groschen
ein," gut! wir kamen zu einigen Arbeitern; „Geben
Sie einige Groschen, wenn Sie nicht geschnürt
seyn wollen;" gut! aber bin ich nicht schon genug geschnürt? Ein Soldat, der den Schlüssel geholt hatte, erwartete seine 4 gr. — die Wache, die meinen Namen hinaufgerufen,
auf- und zugeschlossen, und das Kann passiren gerufen
hatte, erwartete Gleiches, was noch passiren konnte — aber
nun kam mein Meister Prellhans mit einer Nachforde-
rung, als ich ihm ohne Dank den Conventions-Thaler
in die Hand drückte: „Für die Casematten, mein
Herr!" Wie? nun hier sind noch 4 gr. „Wenigstens
Acht Groschen, mein Herr!" So unverschämt geplün-
dert, wie nirgendswo vor und nach, eilte ich vom Königsstein herab, und der Brast, und die Idee, ein Hamballe
gewesen zu seyn, wie man in Schwaben spricht, obgleich
honoris gratia, brachte mich wahrscheinlich schneller, als
sonst geschehen wäre, nach Pirna — kaum, daß mich die
schöne Natur mit der Menschheit versöhnte! In solcher
Gemüthsstimmung mag Gilblas gewesen seyn, als er das
Wirthshaus zu Pennaflor verließ, es war aber der erste
Ausflug des achtzehnjährigen Gilblas.

Königstein war einst auch eine der Burgen der
mächtigen Dohna, wie das sonderbar gebaute Weesen-
stein und Dohna bei dem Städtchen d. N.; die Nachkommen dieser berüchtigten Raubritter hausen jetzt in
Pommern. Vom Reiche geächtet war Markgraf Wilhelm
von Meißen kräftig hinter ihnen her, zerstörte ihre Burgen,
und befriedigte zugleich persönliche Rache. Nach der Sage
tanzte er mit der schönen Gemahlin eines der Burggrafen
von Dohna — die Bewegung löste das Halstuch — er
küßte den schönen Busen, und nun gab es — allerlei
Fehden! Die Markgrafen Meißens setzten sich in Besitz
des Königsteins — die Hussiten zerstörten die Burg, die
sich in ein Cölestiner-Kloster umwandelte, aber zur Zeit der

Reformation liefen die Mönche alle fort nach **Witten-**
berg — der Königstein wurde abermals Veste, Staats-
Gefängniß und Asyl für Schatz und Archiv in Kriegs-
Zeiten.

Auf dem Königstein saß zehn Jahre lang Kanzler
Crell, und wurde schuldlos (1601) enthauptet. Der
Hof-Adel haßte den bürgerlichen Liebling des Fürsten,
und als er den Exorcismus abstellte, schrieen auch die
orthodoxen Sachsen über Irreligion! Die Procedur mit
ihm empöret! Damals sprachen Lutheraner so viel von
Cryptocalvinismus, als jetzt Protestanten von Crypto-Ca-
tholicismus — die Welt wird schwerlich je klug werden!
Herr Kanzlist Menzel saß auch hier, der Friedrich die
Abschriften des gegen ihn geschlossenen Allianz-Tractats
mittheilte; der preußische Gesandschafts-Secretär zu Dresden verleitete ihn zu Ausschweifungen, und unterstützte
ihn so lange mit Geld, bis er nicht mehr zurücktreten
konnte. Man zeigt mehrere Stellen, wo Soldaten auf
unglaubliche Art vom Felsen hinabgeklettert sind, und so
auch der Goldmacher Klettenberg, der entkommen wäre,
wenn er nicht rothseidene Strümpfe mit silbernen Zwickeln getragen hätte, die sich für keinen Candidaten Theologiæ schickten, für den er sich ausgab. Das
sogenannte Pagen-Bette, wo ein trunkener Page von
Grünau sich schlafen legte, den man mit Stricken fest
machte, und dann aufweckte (Unkraut verdirbt nicht, derselbe Page stürzte mit dem Pferde von der Elbebrücke,
kam auch davon, und wurde 103 Jahre alt) interessirte
mich weniger, als die Stelle, wo ein Soldatenknabe ohne
Schaden hinabstürzte, und seinem oben jammernden Vater
zurief: „O Vater! nehm' Er's ja nicht übel." Auf
dem Königstein war auch General von Kyau Commandant, bekannter durch seinen stets lustigen Humor, als
durch Kriegsthaten. Wenn er einem prellenden Wirth einen
glühend gemachten Thaler in die Hand druckte, so mag
es noch angehen, die Laufer-Probe aber macht dem

besonnenen Laufer mehr Ehre als dem Herrn Commandanten — wie die Bedienten-Probe, ob er auch stehen
gelernt habe — sie sind im Geschmack der alten unsaubern
Zeit Taubmanns und seiner Erdbeere!

Die Garnison — etwa zweihundert Mann — wird
steinalt da oben, was dem guten Wasser zugeschrieben
wird, die reine Luft aber, und das ruhige einfache
Leben hat wohl mehr Antheil daran, und wenn sie alle
Reisenden so bedienen, wie mich, so können sie sich auch
manchmal einen guten Tag machen. In allem mögen
mit Weib und Kind fünfhundert Menschen auf Königstein
leben. Im Jahr 1802 sahe ich solchen ohne alle Umstände,
jetzt soll aber der Zutritt sehr erschweret seyn, was mir für
die Herren Invaliden leid thut, die ich aber 1823 auch
mit königlicher Equipage schwerlich zum zweitenmal besucht
hätte. Uebrigens war unser Hohentwiel wohl soviel
als Königstein, und auf jeden Fall die Aussicht reizender
und erhabener, die noch vorhanden ist!

In dem niedlichen, reinlichen, gewerbfleißigen Pirna
im freiern Elbethal mit 4500 Seelen, war es mir ganz
wohl unter Menschen, nachdem kahle Felsen so lange
meine Begleiter gewesen waren, und die Invaliden vergaß
ich über den freundlichen Honoratioren im Forsthause,
die mir als doppelte Honoratioren erscheinen nach
der Action von Königstein. Ueber der Stadt liegt der
Sonnenstein, wo der unglückliche Liefländer Patkul
saß, den König August der unedlen Rache Carls XII. nicht
überliefert hätte, aber über dem Eigennutz des Commandanten ging die glückliche Stunde der Entwischung verloren,
und der edle Patriot wurde gerädert und geviertheilt als
— Landes-Verräther! Das Irrenhaus ist eine der best-
eingerichteten Anstalten Deutschlands, die unheilbaren
Irren sind zu Waldheim, hier aber die heilbaren, und
auch Thunichtguts aus den besten Familien, die ja
auch Irren sind. Napoleon ließ 1813 mit empörender

Härte alle fortjagen: „Qu'on chasse ces Fous *)!“ Es
fehlt uns ein Howard, der sich nicht blos um die Gefäng-
nisse, sondern auch um unsere Zucht- und Arbeits-
häuser bekümmerte, aus denen die meisten nicht gebes-
sert, sondern wohl verschlimmert wieder in die Gesellschaft treten. In diesen Gefängnissen herrscht wie
in Klöstern und auf Schiffen eine eigene Moral, eigene
Logik, und eigene Art zu empfinden. Unsere Gelehrten
haben uns mit Lesebüchern für alle Stände und Alter
schon überschwemmt, aber ich kenne keines für Züchtlinge? Sollte es recht zweckmäßig seyn, so müßte freilich
der Autor selbst einige Jahre im Zuchthaus gewesen seyn,
als Züchtling und dann als Aufseher!

Vom Sonnenstein sahe ich die Königin des Tages
die herrliche Umgegend beleben, und so oft ich auch schon
dieses erhabenen Morgenschauspiels genossen hatte, so schien
es mir doch prächtiger als ꝛc, vielleicht rührt auch der
Name Sonnenstein daher. In der schönen gothischen Kirche
zu Pirna sahe man sonst ein Gemälde, das den berüchtigten Ablaß-Krämer Tetzel (eigentlich Dietz dimin.
Dietzel, Tetzel) auf seinem mit Vergebung der Sünden
belasteten Esel vorstellte, in der Rechten eine Tafel, worauf
dreimal steht: „Leg' ein,“ und unter dem linken Arm
einen Bündel Fuchsschwänze, am Schweife hing als Appen-
dir ein Ablaßbrief, um des Dominicaners Kopf schwärmte
Ungeziefer aller Art, und unten standen lange Reime, deren
Schluß war: „Sobald der Gulden im Becken klingt, die
Seele sich in Himmel schwingt!“

Auf dem Rückwege nach Dresden (vier Stunden)
ruhte ich zu Laubegast bei dem Denkmal der Neube-
rin, die dreißig Jahre lang Deutschlands Bühne Ehre
machte, verarmt und krank aus dem eingeäscherten Dresden lieber auf's Land flüchtete, und elend starb 1760. Sie
ruht hier, weil die Bewohner sie nicht auf ihren Gottes-

*) Man jage die Narren fort.

Acker wollten begraben laſſen! **Morizburg** drei Stunden
von der Stadt, ein altes Jagdſchloß mit vier Thürmen
und See umgeben, iſt für einen Sohn Nimrods keine kleine
Merkwürdigkeit, im großen Saale ſind einige ſiebenzig
ſeltene **Hirſchgeweihe** von 24 — 60 Enden, neben einer
Menge alter Gemälde, berühmten Hunden, wilden Thieren,
großen Jagden, Jägern und Wilderern; für Nichtjäger iſt
die wunderſchöne Ausſicht von dem **Japaniſchen Schlöß-**
chen. In dieſem Dianentempel, wo Auguſt III., der das
Wild ſo zunehmen ließ, daß die armen Sachſen 6000
Mann weiter zu ſtellen boten, wenn der Landsjäger das
Wild auf die Hälfte reduciren wollte — die prächtigſten
Dianenfeſte feierte, vergaß er keineswegs der Aphrodite zu
opfern — ließ ſich die keuſche Luna nicht ſelbſt auf Endi-
mion herab? — und ſo opferte er hier Aurora von Königsmark, an die ich ſo lebhaft denken mußte, als ob
es meine Aurora geweſen wäre!

Beckers pomphafte Schilderung des **Seiferdorfer Tha-**
les, der Familie Brühl gehörig, verleitete mich zu einem
Gang dahin (2 Stunden). Es liegt in der Nähe des
Radeberger Bades, oder des Auguſtus Brunnen,
wo der heitere Langbein (ſolche Langbeine ſind noch
immer ſelten unter uns) das Licht dieſer Welt erblickte —
aber mein Gang gereuete mich, denn Anlagen und Bad
wollen wenig bedeuten. Ich verhehlte Becker meine Täu-
ſchung nicht — ihm, der doch Schweiz, Frankreich, Italien,
und den deutſchen Süden kenne — und er entſchuldigte
ſeine Schilderung mit gewiſſen Verhältniſſen! Auf
ſolche Täuſchungen muß ſich ein Reiſender gefaßt machen
— die Badeärzte ſchreiben ebenſo von ihren Bädern, und
dahin gehört auch Beckers gleich pomphafte Beſchreibung
des Plauergrundes; ſelbſt das Converſationslexicon
vergißt darüber Maaß und Ziel! Wollten Süddeutſche die-
ſelben Farben auftragen, wie viel Plauen'ſche Gründe hätte
man nicht zu ſchildern, ohne noch den Fuß nach Frankreich,
Schweiz und Italien geſetzt zu haben? Ich will nur eines

Thales, das gewiß viele überraschet hat, des Thales von
Cerdon auf der Straße von Genf nach Lyon gedenken.
Wo hätte Becker Farben hernehmen wollen, die er an
Plauen und Seiferdorf bereits verschwendet hatte?

Der Plauen'sche Grund beginnt eine halbe Stunde
von Dresden, und ziehet sich zwei bis drei Stunden weit
nach Tharand an einem See, mit einer Burg-Ruine
und Heilbad. Es ist jetzt eine Forstacademie hier, von
hundert Zöglingen, die Erziehungsanstalt des Heilbronner
Lang aber nach Wakerbartsruhe verlegt. Die Wei-
seritz durchrauscht das Thal — Felsenparthien — Pot-
schappel, dessen Steinkohlengruben eine jährliche Ausbeute
von 400,000 Scheffel geben, und 500 Arbeiter beschäftigen,
einzelne Mühlen verschönern den Grund, und der anmu-
thigste Punct ist wohl der an der steinernen Brücke. Gleich
hinter Tharand verliert die Gegend alle Reize, Tannen und
Fichten geleiten auf dem Wege nach Freiberg über Gril-
lenburg; und man kann hier leicht Grillen fangen,
statt ihrer los zu werden. Der Grund von Plauen hat
etwas Idyllenartiges, und so ist Geßners Büste
in Tharands Anlagen an rechter Stelle, aber offenbar viel
zu viel Wesens davon nach norddeutscher Sitte — Beckers
Beschreibung ist weit schöner, als der Plauen'sche Grund!
Und wer vollends diesen Grund mit einem Alpenthale vergleicht, versündigt sich so sehr an Natur und Wahrheit, als
der, welcher der gelben Elbe Silberwogen zuschreibt,
wie unserm Rhein!

Im Seiferdorfer Thal ist man schon auf der Hälfte
des Wegs nach Stolpen, und Stolpe bedeutet in slavischer Sprache auch Säule, und so stolperte ich vollends
dahin, um die schwarzbraunen Basaltprißmen von 20
— 30' zu sehen, die um die alte Veste herum lagern;
Mauern, Pflaster, Fenstergesimse ꝛc. im Städtchen sind von
diesem Basalt. Hier kann man sich eine anschauliche Vor-
stellung machen von dem berühmten Riesendamm im
Norden Irrlands, der 600' Länge und 120' Breite ha-

ben soll, von lauter Basaltsäulen, mehr als 30,000 — und
von der Insel Staffa und ihrer Fingalshöhle, ganz
aus Basaltsäulen bestehend von 60 — 70' Höhe. Todesstille herrschte um die alte verfallene Burg seit dem siebenjährigen Krieg, aber der Dämon Napoleon kam dennoch
auch hieher, und befahl sie von Neuem zu befestigen. Er
entwarf hier den Plan zur Dresdner Schlacht, Berthier
wußte viel von der Gräfin Kosel, aber er achtete nicht darauf, und neigte nur seine Ohren, als er hörte, daß hier
im siebenjährigen Kriege der erste Schuß geschehen sey!
Warnery überrumpelte mit seinen Husaren die Veste, der
alte Commandant von Liebenau kam herab in den Schloß-
hof um seinen Degen zu überreichen, und Warnery — jagte
dem Greis eine Kugel durch den Leib!

Hier lebte und starb die schöne und geistvolle Gräfin
Kosel, die sich zehn Jahre lang in der Gunst Augusts II.
zu erhalten wußte, die größte Gewalt ausübte, und die
größten Summen kostete. Alle stürzte sie, die ihr mißfielen, endlich aber stürzten sie Flemming und Fürstenberg.
Augusts erste Liebeserklärung bestand darin, daß er ihr mit
der einen Hand einen Sack mit hunderttausend Thaler
reichte, und mit der andern ein Hufeisen von einander
brach, wie einen Kuchen — welches Weib widerstände solchen Liebeserklärungen, zumal wenn sie von einem König
kommen? Nach ihrem Sturze 1716 brachte man sie hieher,
sie fiel in Ohnmacht, gewöhnte sich aber bald so an diesen
Aufenthalt, daß sie daselbst erst nach fünfundvierzig Jahren
starb — Beweiß, daß weibliche Ohnmachten nicht so gefährlich sind. Sie hatte jedoch zu Zeiten Anwandlungen
von Wahnsinn — schrieb zahllose Briefe an den König,
die ungelesen verbrannt wurden, und als dieser einst nach
Stolpe kam, redete sie ihn vom Fenster herab an, der
galante August grüßte sie mit dem Hute — sprengte aber
davon. Friedrich, im Besitze Sachsens, zahlte ihre Pension
richtig aus, aber in Ephraimiten, womit sie ihre Zimmer
tapezirte, sie nannte jeden Du, ließ vornehmen Reisenden

ihre Gnade vermelden, und nach ihrem Tode fanden sich
vierzig Kosler Gulden (August ließ solche Gulden einst
mit ihrem Wappen prägen) die sie eingewechselt hatte, als
Erinnerung ihres vormaligen Glanzes. Es soll eine Spottmünze geben, eine ungeheure Vulva, und der Name Gräfin Kosel umher!

Die besten Wegweiser durch die sächsische Schweiz
und Dresdner Umgegend sind Grötzinger und Lindau,
aber man nehme ja noch einen lebendigen Wegweiser
mit. Zu jenen zwei muß ich noch einen dritten setzen, den
ich zu Dresden mit Vergnügen laß: „Ysop la Fleur
Erbedienten und Schriftsteller romantische
Reise in die sächsischen Sandsteingebirge.
Halle 1798. 8..“ Für wakere Fußgänger füge ich noch
bei, daß mir, als Emeritus, die angenehmste Erinnerung
die Bitte meines Bedienten ist, der ein Herkules gegen
mich war, ihm zu erlauben von Schandau nach Dresden
auf der Elbe zurückzufahren, und mich da erwarten zu
dürfen, denn es sey ihm unmöglich mein Laufen und
Klettern länger auszuhalten!

Vierter Brief.
Reise nach Leipzig.

Herrlich ist die Gegend von Dresden bis Meissen,
wohl der schönste Theil des Elbethales, links den Strom
mit den Gebirgen und Schlössern Scharfenberg und Sie-
beneichen, rechts Weinberge, und überall schöne reinliche
Dörfer; zu Miltiz ist sogar ein Kastanienhain, und in einem romantischen Seitenthal ½ Stunde von Meissen, das
Buschbad. Am überraschendsten ist die höchst malerische

Lage des alten Meissen, mit dem hohen Felsenschloß, Dom, bedeckter Elbebrücke, und ganz alterthümlichem Ansehen. Die sogenannte Albrechtsburg war einst die erste Burg Meissens, aus der jetzt schwarze Rauchsäulen emporwirbeln, denn hier ist die berühmte Porzellainfabrik, dicht neben der schönen gothischen Kirche v. Jahr 954, welche die Gräber vieler Fürsten des Hauses enthält, und auch eine Geburt und Kreuzigung von Cranach und Dürer. Eine steinerne Brücke führt nach dem Porphyrfelsen, wo das alte in eine der berühmten Fürstenschulen verwandelte Kloster S. Afra steht, aus der die Gellerte, Rabener und Lessing hervorgingen. Hinter den finstern Mauern dieser Fürstenschule, wie in denen zu Grimma und Pforte, soll noch viel Klösterliches herrschen? Die alte pedantische Strenge und Lehrform, das ewige Griechisch und Latein, das nicht einmal den Kopf, nur das Gedächtniß füllet, Wörter an die Stelle der Ideen setzt, das Herz und den Charakter leer ausgehen läßt, und alles Neue pedantisch ignorirt, wie die Sitten der Welt, taugt so wenig als das entgegengesetzte System der Philanthropisten und Turner! Es war recht gut, daß man Klöster in Schulen verwandelte, da die faulen Bäuche die Kirche bequemer fanden, als die Schulen, aber daß man Klostersitten beibehielt, taugte in Sachsen so wenig als in Schwaben!

Zu Meißen ruhet auch der Erfinder des Porzellains Böttger, und das Meißner Porzellain, das erste in Europa (1706), ist noch das erste in Ansehung der Masse, sonst aber scheinen Berlin und Wien den Vorsprung gewonnen zu haben, und die strenge Bewachung der Fabrike könnte man scheint's aufgeben, da Sachsen längst das Monopol entrissen ist. Böttger aus dem Voigtlande, ein Apotheker, mußte von Berlin fliehen, weil er durchaus Gold machen sollte — er sagte zu Dresden, daß er die Kunst nicht verstehe, aber um so weniger glaubte man ihm, der arme Mann mußte nach Königstein wandern, Versuche machen, und statt Gold — fand er Porzellain, wie der Hamburger Brand, der im Urin Gold suchte (1669), den Phosphor! Er stand nun der Meißner Fabrik treulich vor bis an sein Ende 1719.

Der alte Spruch: „du sollst zur Erde werden!
geht keinen Meißner an,
ein schöneres Loos winkt ihm im Schooß der Erden,
er wird — zu Porzellan!

‚Die Schönen Sachsens scheinen schon bei Leibesleben etwas Porzellainartiges an sich zu haben!'

Die Straße läuft nun durch Meißens reiche Korntenne, über Lomatsch und Oschatz, ausgezeichnet durch seine Tuchfabriken, Wermsdorf und Wurzen — aber die freundliche Gegend hört hinter Oschatz auf bis nach Leipzig, und auch hier ist alles flach, eintönig und ohne Charakter. Zu Wermsdorf machte mir wegen des dritten Pferdes der Postmeister nicht wenig warm, und war der gröbste nach dem zu Westufeln in Westphalen. Wermsdorf am nächsten liegt das verfallene Hubertsburg, das die Preußen aus Rache wegen Charlottenburg, oder doch mehr ein Jude, dem es General Lentulus verkaufte, so übel zurichteten. Wer gedächte hier nicht des so einfachen Congresses, den (1763) die einfachen Männer hielten — Fritsch, Collenbach und Herzberg, Friedrichs Sully und Orenstierna, und der Worte des großen Königs: „Er hat einen guten Frieden gemacht, fast so wie ich den Krieg geführt, Einer gegen drei!

Noch mehr seitwärts bleibt Strehla an der Elbe, wo viele Töpfer wohnen, und einer davon zur Büßung seiner Sünden contra sextum*) die Kanzel — von lauter Kacheln baute, ein wahres Meisterstück! Weiter gegen die preußische Gränze liegt das gewerbsame Grosenhain, wo das sächsische oder Hainer Grün und Blau erfunden wurde, und noch gefertiget wird. (Hier war auch

*) Gegen das sechste Gebot.

Hederich Rector, der sich so lange auf unsern Schulen
erhalten, als Rector Hübner, der noch heute in manchem
Landstädtchen und bei manchem Dorfprediger leben mag!
Mühlberg liegt am entferntesten, berühmt durch die
Schlacht von 1547, von der die Spanier damals eben
so viel Lärmen machten, als die Napoleoniden von Austerlitz und Jena!

Das Heer Carls V. war noch einmal so stark, als
das des Kurfürsten Johann Friedrichs; während dieser im
Lager Gottesdienst hielt, und der Hofprediger viel vom
guten Hirten wußte, machte Carl weltliche Generals-
anstalten, setzte mit der Reiterei durch die Elbe, während
das Fußvolk eine Brücke schlug, und griff an. Johann
Friedrich an der Tafel glaubte bloß mit Moriz zu thun
zu haben, wurde gefangen und vor den Kaiser gebracht:
„Großmächtigster allergnädigster Kaiser" sprach
er auf den Knieen, und Carl unterbrach ihn: „Bin ich
nun Euer Kaiser?" Er nahm ihm zwar nicht den
Kopf, aber den Kurhut, Land und Freiheit. Soviel
kostete eine Betstunde zur Unzeit! Die Spanier zeigten
nicht nur einen eroberten Stiefel des Kurfürsten so groß,
daß ein kleiner Spanier darin Platz gehabt hätte, sondern
behaupteten auch die Sonne sey stille gestanden,
wie dorten — Alba aber erwiederte: „Ich hatte an diesem Tage so viel auf Erden zu thun, daß ich
keine Zeit hatte mich um den Himmel zu bekümmern!"

Vor Wurzen, Lichtwers Vaterstädtchen, erblickt
man Leisnig auf einem Felsen und Colmberg, wo im
Mittelalter die Landtage zu Pferd abgehalten wurden, und
zu Wurzen, dessen Bier Namen hat, setzt man in einer
Fähre über die Mulde (seit 1830 auf einer Brücke, was
bei einer so stark besuchten Handelsstraße längst hätte seyn
sollen) an welcher aufwärts die Fürstenschule Grimma,
Coldiz und Rochlitz liegen, und nun ist Dorf an Dorf bis
Leipzig — aber gute Nacht Schönheiten Sachsens!

Preußen nahet! Wurzen hat nach sein Stift, und ist in der Geschichte berühmt durch den sogenannten Sau-krieg, eine der letzten Fehden Deutschlands 1555, also 60 Jahre nach dem allgemeinen Landfrieden! Die edlen Ritter von Carlowitz und Haugwitz befehdeten sich, und letzterer trieb aus Wurzen 700 Schweine weg, gleichviel wem sie gehörten. — Quidquid delirant reges, plectuntur Achivi. *) Wo ich nicht irre, lebte hier D. Luthers Bürgermeister, dem die Wohlweisheit nicht abgesprochen werden kann, da er bei der Prophezeiung von der Sündfluth — einige Fässer Wurzer Bier unter Dach bringen ließ!

Leipzig in seiner weiten Ebene erscheint recht reizlos, wenn man von Dresden und Meissen kommt (nicht so von Berlin her) ist aber die erste Handelsstadt des Königreichs, wenn gleich ein schiffbarer Fluß fehlt, die nahen Gebirge die Landzufuhr erschweren, und preussische Mauthen den Handel beschränken; es ist auch die erste Manufaktursstadt Deutschlands — in Büchern. Leipzig, ursprünglich Lipzk, erbaut von Sorben, die eine Linde Lip, Lipa, nannten — ist lebhafter und reicher als Dresden, daher zwischen beiden ein komischer Haß, Dresden hat den Hof, Leipzig aber das Geld. Leipzig zählt 40,000 Seelen und zur Messezeit wohl 10,000 weiter. Der Verkehr mit dem Auslande und der höhere Wohlstand macht, daß hier nothwendig mehr Luxus und Fröhlichkeit herrscht als zu Dresden, und weit weniger Steifheit. Das Sprüchwort: „Wenn Leipzig mein wäre, wollte ich's in Freiberg verzehren," muß folglich sehr alt seyn, denn jeder würde doch Dresden vorziehen, wenn er in Sachsen bleiben müßte. Carpzov schrieb in viele Stammbücher: Extra Lipsiam non est vita, si est vita, non est ita**) (wie

---

*) Für die Sünden der Fürsten müssen die Völker büßen.
**) Außer Leipzig gibt es kein Leben, und wenn man auch anderswo lebt, so lebt man doch nicht so gut, wie dort.

die Ungarn) — er war Profeffor und das letztere mag
gelten!

Noch habe ich den erſten weltgebildeten Reiſenden zu
ſprechen, dem der Leipziger Ton ſo recht gefallen hätte.
Und doch war es Sachſen, und zunächſt Leipzig, von wo
die deutſche Cultur ausgieng? Da liegt gerade der
Haſe im Pfeffer. In Leipzig will alles elegant ſeyn —
in allem zierlich, und ſo wird es geziert! Gibt es
irgendwo recht gebildete Handelsherren, ſo iſt es
hier — aber auch hier zeigt ſich das, was Handelsſtädte
Nichtkaufleuten ſo leicht verleidet — Egoismus, und
der Maßſtab der Britten, der an alles gelegt wird
— he is worth — der Mann iſt gut, d. h. er iſt
reich.

Napoleon ſoll einen deutſchen Reitknecht zum Teufel
gejagt haben, weil er auf die Frage: „Wo wird das
beſte Deutſch geſprochen?" erwiederte: „zu Leipzig!" Es war ein Leipziger! Das Sprüchwort ſagt:
„Aus Leipziger Kindern wird entweder was
rechts, oder nichts," und das Letztere trifft in der
Regel zu! Die Leipziger ſagen nicht Thee, ſondern Deh,
nicht gehen, ſondern kehen, nicht gewiß, ſondern kewiß
— nicht Nadel, ſondern Nattel — halten aber ihre Sprache
für das Muſter Deutſchlands und ihre Complimente
für feine Lebensart! Eine ihrer erſten Fragen iſt:
„Sie ſeyn ja ooch wohl ſchon um's Thor ru m
kekangen?"

Bürgermeiſter Müller hat ſich große Verdienſte um
die Stadt erworben, daß er die Wälle und Gräben in ge-
ſchmackvolle Anlagen und Gärten verwandelte, für welche
letztere die Leipziger ungemein viel Sinn haben — Aus-
ſichten konnte er natürlich nicht ſchaffen; er hat in ſeinen
Anlagen ein verdientes Denkmal erhalten. Man kann d
Stadt bequem in einer Stunde umgehen, was hier u m'
Thor gehen heißt. Der Markt iſt groß und ſchö
umgeben von ſtattlichen Gebäuden, mit dem alten Ra

hause, dessen fromme Inschrift auf gar viele Rathhäuser paßte: „Wo der Herr nicht wachet, da wachen die Wächter umsonst." Auf dem Naschmarkt steht die im italienischen Geschmack erbaute Börse — das Decken-Gemälde des Saals — der Rath der Götter macht hier doch lächlen. Der Brühl ist die längste und lebhafteste Straße, und das schöne Eckhaus war einst das berühmte Richterische Caffeehaus, erbaut von Bürgermeister Romanus 1702, worüber ein neidischer Professor eine jetzt seltene Dissertation schrieb: „De stultitia in ædificandis ædibus apud Romanos" *)!

Leipzig ist trotz der starken Bevölkerung und des Verkehrs eine höchst reinliche Stadt, die alte Pleissenburg, zum Getraidemagazin, und der Thurm zum Observatorium eingerichtet, von dem man die Umgegend am besten übersieht. Der Auerbachhof, dem ächten Leipziger soviel als das Palais-royal, ist mehr als das Braunfels zu Frankfurt, obgleich letzteres schöner gebaut ist. Dieses Bazar, wo mehr angegafft als gekauft, und eben so viel gestohlen wird, ist in letzterer Hinsicht ein wahres Palais-royal. Ein reichgekleideter Herr mit einigen Bedienten nahm einst in einem Seidenladen für einige 1000 Thaler Waare aus, und schickte sie sogleich durch seine Bedienten fort — eine von Gold strotzende Börse lag vor ihm — wie er zahlen will, kommt ein anderer reich gekleideter Herr, sie sprechen miteinander, treten vor das Gewölbe — der Kaufmann beschäftigt sich indessen mit ändern — die Geldbörse liegt ja noch da — die beiden Herren sind fort — er schließt die Börse in seinen Pult — der Abend nahet, Niemand kommt — er sieht die Börse näher an — es sind lauter Nürnberger Ducaten!

Auf der mit Linden besetzten Esplanade steht die Fuß-

*) Ein Wortspiel: „Ueber die Tollheit der Römer — oder der Romanus — im Häuserbauen."

Antal des Abguß von Marmor, die Fürst Jablonowsky
von Oeser fertigen ließ; und die vortheilhaftern Eindruck
machen würde, wenn das Fußgestell im Verhältniß zur Figur
stände, oder umgekehrt. In der Stadt ist auch ein Esels-
platz, und in einer der vier Vorstädte, die bedeutender
sind als die Stadt, ein Hahnreigäßchen. Leipzig heißt
auch wegen seiner Universität Pleisseathen, die Pleisse
aber ist ein so armseliges Wässerlein, daß es eher Elster-
athen heißen sollte — aber die Elster ist ein ergefräßi-
ger Vogel, und noch nebenbei ein so verderblicher schlauer
Vogel für andere Vögel, ihre Eier und Jungen, und für die
ganz niedere Jagd, daß die Jäger auf ihn Jagd machen
sollten, wie Recensenten auf schlechte und gute Bücher. — Die
Elsterbrücke in der Nähe der Funkenburg bleibt merkwürdig, weil die zu frühe Sprengung derselben 16,000
Franzosen und 100 Kanonen den Alliirten in die Hände
lieferte — was Napoleon aber nach seiner Gewohnheit weit
folgenreicher darstellte.

Leipzig muß man zur Zeit der Messe besuchen, die
mehr sagen will, als die Frankfurter; sie ist für Leipzig
das, was die Messen sind für den katholischen Priester-
stand. Die Stadt hat große Privilegien, z. B. eigene Gerichtsbarkeit, Vorrang, Befreiung von Einquartierung,
Spruch-Collegium rc. und zählt, ohne die Buchhandlung,
an 400 Handelshäuser. Das bunte Messegemenge in a
Nationaltrachten und Sprachen findet sich nicht an den U
des Mains — Deutsche aus allen Gegenden — Franzo
Britten, Holländer, Italiener, Böhmen, Ungarn, Polen,
nen, Schweden, Russen, Griechen, Raizen, Türken, Arm
aus Tiflis — Nordamerikaner — selbst tartarische S
händler aus dem fernsten Hochasien, und zuletzt an 400 Her
Buchhändler. Vorzüglich sind es Russen, Polen und Gr
chen, die den Pelzhandel treiben, der oben ansteht, da
kommt Schafwolle, Baumwolle, Colonialwaaren, franzö
sche, englische und sächsische Fabrikate, und zuletzt — B
cher. Der Handel erzeugt Wohlstand, Wohlstand Lur

und Luxus verliebte Complexionen. Zur Meßzeit ist das Berliner Theater hier, Leipzig besitzt seit mehreren Jahren ein stehendes Theater, und auch manche schöne Berliner'in soll hier ihr Theater aufschlagen, wo der Natur der Sache nach, nur einer nach dem andern zugelassen werden kann, dafür aber meist das Stück desto länger im Andenken bleibt!

Leipzig ist der Stappelplatz des ganzen deutschen Buchhandels, der jetzt freilich auch unter der allgemeinen Noth leidet, die so manche Liebhaberei beschränket, jedoch mehr durch die Säcularisation, Mediatisation, Lese-Cabinette ꝛc., vorzüglich aber durch die vielen elenden Scribler, deren Motto ist: Fami non Famae *) — nicht Druck des Geistes sich nützlichen Ideen zu entledigen — sondern Magendruck — daher sich so viele Verleger nur als Fabrikherren denken, gegenüber armen Fabrikarbeitern, ganz ihre Mäcklerstellung vergessen und Voltaires Aeußerung wahr machen: Les libraires sont les creatures des auteurs, qui traitent très mal leurs createurs **)! Der Buchhändler verschreibt seine Bücher, nicht vom Verleger, sondern von dessen Commissionär zu Leipzig, und auf der Messe tauschen die Herren, die sich lieber Besitzer der N. N. Buchhandlung nennen hören, als Buchhändler, ihren Verlag gegen einander aus. Sonst war Frankfurt der Sitz des Buchhandels, die Censur vertrieb ihn, dafür ist die Stadt Stappelplatz des Weinhandels, der solider ist. Sachsen soll zwar, wie mich ein Recensent belehrte, durch den Buchhandel vier Millionen umschwingen, was glaublich ist, darum bleibt aber doch meine Aeußerung richtig, und der Weinhandel solider — es ist vom Handel die Rede — doch steht bei mir der geistige

---

*) Für den Hunger, nicht für Ruhm.

**) Die Buchhändler sind die Geschöpfe der Schriftsteller, aber die Geschöpfe, die ihre Schöpfer schlecht behandeln.

Verkehr über dem Weinhandel, was Herr Recensent nicht so wissen kann, und daher von burschikosem Wesen mit grauen Haaren zu sprechen beliebte, und mich dadurch in meiner Meinung vom deutschen Recensentenwesen bestätigte, daß ich bei meiner Liebe zum Vaterlande, besser gestellt noch erleben möchte, um mit weniger Indignation davon zu reden, oder gar mit Beifalllächeln und den Lobreden eines Höflings, oder nach alter Burschen Sitte mit ihnen — anzustoßen!

Was zu Leipzig binnen Jahr und Tag nicht abgesetzt wird, läuft dem Verleger wieder zurück, und heißt nicht unschicklich Krebs. Viele tausend Krebse machen ihren Krebsgang, nur das Publikum kann die gekauften Krebse nicht rückwärts laufen lassen, ungenießbarer als die Leipziger Lerchen, die meist von Lützen, Merseburg und Halle kommen, und in die Millionen gehen. In einer Nacht fängt man Lerchen, fett wie Pfaffen, in der andern mager wie Soldaten — oder Recensenten — woher kommt das? Die Borsdorfer Aepfel (ihr Name soll vom Dorfe Borstdorf bei Leipzig rühren, nach andern vom leichten Bersten, und nach noch größern Gelehrten von dem ersten Abt zu Leutbus, der von Porta solche nach Schlesien brachte, die polnisch da porta hießen) sind gleichfalls hundertmal genießbarer, als die Leipziger Bücher.

Die Buchhändlermesse ist Etwas Nationelles, wie es nur Deutschland aufzuweisen hat — denn im Ausland handelt jeder Verleger nur von Haus aus mit seinem Verlage, und der Bücherfreund muß erst den Verleger ausfindig machen, von einer Büchermesse oder Leipziger Stapelplatz ist keine Rede — der eine wahre Bequemlichkeit, aber doch für den Sachverständigen ein wahrer Jahrmarkt von Plundersweiler ist! das fünfte Element, die Dinte, ist zu Leipzig das Erste. Mit Recht ist Schwarz das Modekleid der Gelehrten, und man hätte es auch den Geschäftsmännern lassen sollen, die gleichfalls weit mehr schreiben als — handeln! jedoch nicht drucken lassen

wie die Gelehrten. „Iſt der ſelige Mann geſtorben,"
pflegte jener Prediger bei Leichenanzeigen zu ſagen, „ſo
iſt's auch billig, daß er begraben werde." Sie
aber halten ſich für unſterblich, und ſchenken dem
Publikum die Arbeit ihrer Hände! Keiner erwägt
Montesquieus Worte in ſeinen Lettres persannes: „Wenn
ihr immer überſetzt, ſo werdet ihr nie überſetzt
werden!"

Einer der berühmteſten Buchhändler Leipzigs bleibt
Reich († 1787) und einer der edelſten aller Verleger,
denn er gab nicht ſelten wackern Gelehrten mehr, als ſie
forderten. Er war es, der die Weidmanniſche Buchhandlung wieder empor brachte, zunächſt durch — Pepliers
franzöſiſche Grammatik (ſo war der hinkende Bote,
ein Kalender, der beſte Verlagsartikel der Decker'ſchen Buchhandlung zu Baſel) nicht beſſer als die elenden Grammatiken Meidingers! und tauſend Gelehrte freuen ſich auf
das halbjährige Bücherverzeichniß dieſer Handlung wie
Kinder auf Weihnachten, auf das Oſtermeß- oder Jubilate-
Heu und Michaelis- oder Herbſtgrummet. Die Verleger,
die die ſchlechteſten Bücher haben, ſind am beſten daran,
denn ſie ſind gewiß, etwas beſſeres zu bekommen, und
Sortimentshändler können ihren Laden verlaſſen, ſo
oft und viel ſie wollen, denn nie fehlt es ihnen an Laden-
hütern. Keine Nation hat einen Meßkatalogen auf-
zuweiſen, wie der Leipziger, der jedes Halbjahr erſcheint —
in dieſer Hinſicht ſind wir die Erſte Nation!

Göſchens Druckerei verdient einen Beſuch, denn ſie
hat Deutſchland Bücher geliefert, die dem Auslande zeigten,
daß wir doch nicht lauter Sudeleien drucken, und die
Breitkopf'ſche Schriftgießerei iſt wohl die erſte Deutſchlands, die jährlich mehr denn 300 Centner Schrift liefert;
früher auch — Gedankenſtriche und Frag- und Aus-
rufzeichen ??!!! nach Pfunden — die jedoch ſeit der
vorübergegangenen Empfindſamkeits-Epoche weniger
wiegen. Tauchnitz dürfen wir nicht vergeſſen als Typo-

wünschte ein ächt klassisches Buch: Ueber den Umgang mit Büchern, denn wenn man des erstern mit den Jahren satt wird, schätzt nichts besser in der Einsamkeit gegen Ekel des Lebens als — Bücher!

Die Universität, 1409 gestiftet, war von hohem Einfluß auf Deutschlands Cultur, und ist reich dotiret; zahlreiche Convictische waren schon vielen die vocatio divina *) zum Studiren. Selten ist hier ein Professor, der nicht ein Sachse wäre, und der Studirenden mögen gegen 1500 (sonst wohl 4000) seyn, die stets den Ruf sittlicher Aufführung behaupteten, ja so galant waren, daß sie nicht selten beweibt nach Hause kamen. Komisch kontrastirte die elegante Studentenkleidung und das kleine sächsische Geniehütchen mit dem großen Preußenhute, schweren Steifstiefeln und zerlumpten langen Ueberrock der Hallenser und Jenenser. In dieser Merkuriuswelt bemerkt man jedoch diese Söhne Minervens kaum, desto geringer ist ihre Zerstreuung und desto ungestörter können sie ihrem Berufe obliegen. Ob noch die pedantische Eintheilung in Vier Nationen herrscht, Sachsen, Meissen, Baiern und Polen? Den Helm der Minerva sollte nicht der melancholische Nachtvogel zieren, sondern die Lerche oder Nachtigall. Unsere Universitäten haben immer noch zu viel Aehnliches mit den Zünften und Handwerksinnungen, der adeliche Adel hat die Ritterinnung aufgegeben und herabgestimmt — der gelehrte Adel sollte nachfolgen. Unsere Universitäten gleichen alten Häusern, und es wäre wohl einmal Zeit den Tempel der Wissenschaften von altem Plunder zu reinigen, und diesen nach der Rumpelkammer oder auf den Trödelmarkt zu schicken, und selbst die guten Alten darinnen auf den Ausding und in die Hinterstübchen zu setzen! Ars longa vita brevis **) sagte Hippocrates, und seit ihm

---

*) Der himmlische Ruf....
**) Kurz ist das Leben, lang die Kunst.

ist die Kunst noch länger, und das Leben noch kürzer geworden!

Nirgendswo kann man sich leichter eine Bibliothek sammeln, als hier im Mittelpunkte des Buchhandels, und nirgendswo wird wohl mehr gelesen, als hier, was man vorzüglich an den Damen merkt. Sie sind artig, witzig, geschmackvoll — belesen, aber gerade darum halte ich's lieber mit der natürlichen Coquetterie der Damen an der Donau. Eine hysterisch empfindsame Frau, eine Dame vom großen Ton, eine Betschwester sind wahres Hauskreuz — das größte aber eine — Gelehrtin! Sie ist eine wahre Desertio malitiosa*), die zur Scheidung berechtiget. Die Anzahl der gelehrten Schreiber ist hier furchtbar, und ich habe natürlich Magistri nostri nicht aufgesucht. Sie klemmen sich wie die Nachtvögel an den Helm Minervens, aber die Hauptsache ist unterm Helm — sie sitzen hier und schreiben um Löhnung des Buchhändlers, und dann um Lärmen zu machen — man sollte sie requiriren zu Pfeiffer und Tambours, so hätten sie doch gesichertes Brod. Ich dachte an Kästner, der hier geboren ist, wie Leibnitz und Thomasius, und bei der Belagerung Göttingens und der Furcht ausgehungert zu werden, sagte: „ich fürchte mich nicht, ich war viele Jahre Leipziger Magister! Man schreibt nicht aus Genie-Drang, oder Lust und Liebe, sondern aus Hunger — die Vielleserei hat nicht Geistes-Bedürfniß zum Grund, sondern eitel Zerstreuungssucht, man sieht daher mehr auf Quantität, als Qualität, folglich ist ein recht blühender Buchhandel oft auch Zeichen des Verfalls der Literatur!

Man hat Leipzig sogar das Hirn Deutschlands genannt; Dieß glauben wohl nur jene Büchermacher, und höchstens hie und da ein Professor. Wenn ich das Hirn

---

*) Böswilliges Verlassen des Mannes, nach der juridischen Kunstsprache.

auf Universitäten suchte, im Gehirne noch alles suchte, was ältere Physiologen darin suchten, und jedem Professor, statt der gewöhnlichen 3 — 4 Pf. noch einmal so viel beilegte — ja den Göttingern 10 Pf. (der größte Ochs hat nur 1 Pf.) — so würde ich doch solches nicht an Orten suchen, wo so viele Salmafii noch leben, die in fünfzig Sprachen den Stuhl zu nennen, aber nicht darauf zu sitzen wissen, und von denen geschrieben steht: hors leur Science, ils ne savent rien du tout*)! Ich würde es eher in großen Städten bei den praktischen Männern höheren Ranges suchen, die ihre Zeit zwischen Berufs-Geschäften, Wissenschaft, Kunst und geselligem Leben zu theilen wissen; auf Universitäten fand ich mich in reifern Jahren fast so beengt, als unter den Söhnen des Merkurs in reinen Handelsstädten!

Auf Universitäten — machen Bücher und variantes lectiones leicht den Kopf enger noch, als er bei blosen praktischen Mechanikern zu seyn pflegt, die doch noch mit der Welt leben. Ehemals entschieden die ansehnlichsten Collegien nichts ohne ein Universitäts-Orakel, ob sie gleich Männer hatten, mit weit praktischern richtigern Weltblicken, als jene exteri impartiales **). — Eine Reliquie dieser sonderbaren Zeit scheinen mir die Recensions-Orakel, die nicht begreifen, daß das Votum des Autors caet. paribus so viel gelten muß, als das Votum des Recensenten, und beide Ansichten eines Einzelnen sind — der Kopf einer Universität ist darum noch kein Universal-Kopf, und wenn die hochzuverehrende Herrn Zuhörer auch so andächtig glauben, als die Päbstler an ihren Vice-Gott — so erblickt die Welt oft nur einen Johannes, dem der Engel Bücher reicht, die er hastig verschlingt, Grimmen bekommt, und dann — weissaget. Jedoch gibt es noch gar viele, die den für keinen rechten

---

*) Außer ihrem Fache verstehen sie gar nichts.
**) Unpartheiische Fremde.

Gelehrten halten, der nicht Professor ist, und das Recensenten-Orakel verehren, wie der Aberglaube das Orakel zu Delphos oder zu Rom. — Ich ziehe einmal die Docteurs in der Welt, den Docteurs der Universitären vor. Selbstdenken, Seelenstärke und Lebens-Weisheit lernt sich ohnehin nicht in Hörsälen und aus Büchern, im Schlafrocke und Pantoffel, sondern im Drang der Geschäfte, in der Reibung mit andern, und nur in den Stürmen des Lebens. Unter allen sieben Weisen Griechenlands war kein Professor!

Unter den Gelehrten Leipzigs besuchte ich blos einen meiner philosophischen Lieblinge Plattner, der die Physiologie in die Philosophie einführte, während Andere dunkeln metaphysischen Räumen umherschwirrten wie Fledermäuse; nie wäre die Philosophie so bodenlos und toll geworden, wenn man sie nicht von Mathematik und Physik getrennt hätte, von der sie die Alten nie trennten. Sodann machte ich Gellert meine Aufwartung in der Johannis-Kirche. Die Freunde setzten ihm hier ein Monument, die Religion übergiebt sein Bild der Tugend, und sein Verleger Wendler setzte ein zweites in seinem Garten, wo ich auch in einer einsamen Laube einen Stein mit der Inschrift fand: „Oft saß ich bei diesem Stein, eingedenk der Stunde, nach welcher ich unter ihm ruhen werde. Ob Deutschland wohl noch solche dankbare Verleger zählt? Wendler durfte es schon thun, denn er wurde reich durch Gellert, der stets arm blieb; für seine Fabeln, die man einst auswendig wußte, erhielt Er — 3 fl. Trinkgeld, wie Gleim sich ausdrückte — O Verleger!

Der hypochondrische Gellert war kein Genie, wie Göthe — über sein Komisches könnte man weinen, bei seiner Moral und schwedischen Gräfin einschlafen, und wenn wir so tändelnd und weitläuftig in Briefen seyn wollten, wüßte Mancher nicht das Papier und Porto aufzutreiben — aber seine Fabeln und geistliche Lie-

der werden leben. Gellert lehrte Religion und Tugend,
denn er hatte selbst Religion und hohe Tugenden —
er stiftete ungemein viel Gutes, und war einst den Deutschen das, was Homer den Griechen. Gellert war mir
als Knaben alles, unendlich oft malte ich sein Bildniß
und daher kein Wunder, daß ich zu Leipzig in einem alten
kränklichen lateinischen Reuter Gellert reiten sahe, auf der
von Prinz Heinrich erhaltenen Schecke, so fromm als
Fürchte-Gott Gellert... Wer vor fünfzig Jahren auch
noch so wenig Bücher besaß, hatte doch gewiß Gellert und
Rabener. Meines Vaters — persona honoratior —
ganze Bibliothek, bestand aus Gellert, Rabener, Friedrichs
Feldzügen, einem Morgen- und Abendsegenbuch, und einem
Predigt-Quartanten, der zugleich zum Geburts-Register
seiner Kinder diente. Könnte er wiederkehren, und die
Bücher-Sammlung seines geliebten Erstgebornen sehen, ich
glaube er vergäße sich, und griffe nach seinem alten Erzieh-
ungs-Scepter — der Elle. Wie er zu dieser Elle kam
weiß ich nicht, und meines Wissens hat er nie etwas damit gemessen, als meinen armen oft unschuldigen Rücken!

Und wer gedächte zu Leipzig nicht auch Weisens,
des Kinderfreundes und Dichters der Amazonen-
liebet — und — Maler Oesers, dessen Meisterwerke
hier zu suchen sind? In der schönen Nicolai-Kirche ist,
neben andern biblischen Gemälden, seine Samaritanerin
nachdenkend auf ihren Wasserkrug gestützt herrlich, wie
die Auferstehung am Hoch-Altar; das Licht strömt aus
den Wolken, und der Seraph zur Rechten des Erstandenen
ist himmlisch. Unter den vielen geschmacklosen Denkmälern
des Kaufmannsstolzes habe ich mich vergebens nach dem
Grabsteine eines Buchhalters umgesehen, dessen mehrere
Reisebeschreibungen erwähnen, „N. N. soll 1,000,000 Thaler für Sünden, hat 1,000,000 Verdienst Jesu Christi, so
wie nach dem Wechsel, ausgestellt von Jesus Christus
an Gott den Vater.“ — Ich habe auch an Gottscheb
gedacht, das Muster aller Pedanten, die doch nach und

nach unter uns aussterben, und an Rabeners Worte:
„Man muß den Namen Gottes nicht mißbrau-
chen, sondern den Mann kurzweg Schek nennen!" Und doch war Gottsched, einst der Sultan
unserer Literatur, wie Johnson, nicht ohne Verdienste,
und seine Frau Professorin weit lächerlicher, wenn sie unter
ein Werkchen schrieb: Concepi absente marito *)!

Eines wahren Originals, nicht ohne Witz und Laune,
muß ich noch erwähnen, des 1818 verstorbenen Juristen
Rau, der ganz Romanist war, und nur wenig schrieb.
Im Alter hatte er so wenig Zuhörer als Rudolph zu Erlangen — einst meldeten sich für die Institutionen nur
zwei; die dem Greise selbst bemerkten, daß ihr Honorar ja
kaum das Einheizen bezahlen würde — aber er sagte:
Tres faciunt Collegium **), und las vor diesen zwei mit
allem Eifer, deren Zahl jedoch mehrere Hospites vermehrten
bei den Titeln de Sponsalibus et nuptiis ***). Rau hatte
die ächte philosophische Gleichgültigkeit Pyrrho's,
der seinen Lehrer Anaxarches im Graben liegen sahe, aber
vorüber wandelte wie eine Levite, ja im furchtbarsten Seesturm auf ein Schwein hinwieß: „Sehet hier die
Gleichgültigkeit des Philosophen! Zur Zeit der
Kantlinge war es in der That schön auf den Vorwurf:
„Aber für einen Philosophen machen Sie sich
doch recht wenig aus der Philosophie!" zu erwiedern: „das ist eben Philosophiren!"

Leipzig hat allerliebste Gärten, Reichels Garten,
Löhrs Garten, Boses Garten, Reichs Garten zu
Gellershausen, wo Gellert und Sulzer ein verbrüdertes
Denkmal haben von Oeser — c., darunter der Reichen-
bachische wohl der schönste ist mit dem Denkmal Ponia-
towskys, der hier in der Elster sein Ende fand. Die

---

*) Ich hab' es empfangen in Abwesenheit meines Gemahls.
**) Drei machen ein Collegium.
***) Von Verlöbnissen und Heurathen.

Funkenburg, die Dörfer Delitz, Mökern, Lindenau mit schönen Landhäusern reicher Leipziger, Eutritsch,
Schönefeld, Machern, ein Park des Grafen von Lindenau, sind stark besucht. In dem entferntern Grimma,
in Göschens Druckerei lebte als Corrector mein lieber
Seume, und mußte sich in seinen letzten Jahren noch
ärgern über die — preußischen Ysenburger! Großen
Namen hat das Rosenthal zwischen Parde und Elster,
das sich nach Gohlis hinzieht, aber der Mama ist das
schönste, denn die Flüßchen treten gerne aus, verbreiten
nichts weniger als Rosengerüche, und die Mücken machen
sich noch fühlbarer, wenn man keine Stiefel trägt, was in
dem eleganten Leipzig nicht immer angeht. Zu Stötte-
ritz wird ungemein viel Tabak gebauet, und zu Leipzig
sogleich verarbeitet — er heißt Landtabak, und sein
Wohlgeruch darf sich messen mit jenem Wohlgerüchen
der Parde und Elster! Im Rosenthal ging einst Leibnitz
als Student oft ganze Tage einsam umher, und dachte
darüber nach, ob er die substantiellen Formen annehmen solle oder nicht?. jetzt versteht man darunter ganz
andere Substanzen, und die Spaziergänger im Rosen-
thale sind auch keine Leibnize . . . .

Die Studenten zeichneten sich an diesen öffentlichen
Orten durch nichts aus, waren aber beim Tanze doch leicht
von den Ladendienern zu unterscheiden, die weit anma-
ßender, besser gekleidet, und auch lieber gesehen waren, aus
begreiflichen Gründen; sie breiteten die Arme gegen ihre
Dame gerade so weit aus, als erforderlich ist Stoffe
oder Bänder nach der Elle abzumessen. — Die Kleider
und die Schneider haben viel zu verantworten, und daher
gab es im Paradiese auch höchstens Feigenblätter, u
keine Schneider. Sie haben jedoch schon manche S
kuriret, an der Mann und Arzt alle Künste vergebens v
schwendet hatten. — Einer meiner Freunde nennt d
Ladendiener Lattiers — vielleicht sind sie ihm in
Gehege gekommen — sie selbst aber nennen sich Com

toir-Gehülfen, denn unsere Zeit veredelt alles — Abschreiber nennen sich Amts-Gehülfen — Schullehrer können das Wort Schulmeister so wenig ausstehen, als Gymnasiums-Rectoren das Wort Schul-Rector, und ich habe selbst Züchtlinge ihr Zuchthaus unser Institut nennen hören!

Nirgendswo habe ich gefunden, daß Reisende, die nach Vaucluse und Montmorency, nach der Peters-Insel und Ferney gewandert sind, nach Zeilsdorf kämen, vier Stunden von Leipzig? Hier hatte aber doch der Mann Gottes Luther ein kleines vom Kurfürsten geschenktes Gütchen. Freilich ist nur noch ein berastes Viereck da, wo das Häuschen stand, und nicht einmal ein bemooster Stein, „Ici J. J. Rousseau aimait à se reposer"*) — also gehen wir lieber nach dem Monarchen-Hügel, unweit Propstheide, der näher an Leipzig ist. Dieser Hügel ist jetzt Eigenthum der Fürstlichen Schwarzenbergischen Familie — es stand ein † auf dem Hügel und junge Eichen — hoffentlich werden sie nicht das Schicksal des October-Feuer haben? Hier erwarteten die verbündeten Monarchen die frohe Sieges-Nachricht, die Fürst Schwarzenberg brachte, fielen nieder, und brachten Dank dem Gott der Heerschaaren. Es war eine der folgenreichsten, wichtigsten Schlachten, die Schlacht vom 16 — 18ten October, von deren Donner drei Tage der ganze Umkreis zitterte, die indessen weit weniger Köpfe gekostet, als verdrehet hat!

Leipzigs weite Ebene muß fruchtbar seyn, denn fünf Schlachten haben sie gedünget. Bei Breitenfeld schlug 1631 Gustav Adolph den bösen Tilly. Das Dörfchen Nebelessen soll von dem Ausruf des Königs, dem eine Kugel den Braten wegschlug: „Hier ist übel essen," herrühren — 1632 wurde leider wieder geschlagen bei Lützen. Gustav Adolph fiel wie Epaminondas bei Man-

*) Hier pflegte Rousseau der Ruhe.

C. J. Weber's sämmtl. W. VI.
Deutschland III.

tinea und Nelson der Sieger von Abukir bei Trafalgar —
dann schlug 1642 Torstenson, der würdigste Zöglings Gustav Adolfs nach Banner, die Kaiserlichen unter Piccolo-
mini, und Gallas wußte sich nicht anders zu helfen, als
seinen Kummer täglich zweimal — im Weine zu ersti-
cken — dann folgte in unserer Zeit die Schlacht von
Groß-Görschen bei Lützen, das Vorspiel der Riesen-
schlacht von Leipzig, wo eine halbe Million Gewapp-
neter sich balgte unter der Höllen-Musik von 1500
Feuerschlünden! Mich wundert, daß diese Menschenschlach-
tungen nicht Wölfe und Raubvögel herbeigezogen
haben, wie in Süd-Amerikas Ebenen, wenn die Spanier
über die wilden Viehheerden à 30 — 40,000 Stück
herfallen, lediglich um der Häute willen, daher ihre
liegen bleibenden Aeser die Luft mit Pest erfüllen müßten,
wenn die wilden Hunde und Geyer nicht bessere Polizei
hielten, als Spanier!

Napoleon hatte Deutschland neue Fesseln bereitet nach
seiner berühmten russischen Winter-Reise, 150,000 neue
Schlachtopfer standen da, denen die Russen und Preußen
nur 70,000 entgegenzustellen hatten, und so zogen sich diese
zurück in stolzer Haltung und ließen den Helden von Siegen sprechen. Schade nur! daß Scharnhorst tödtlich
verwundet wurde, und auch der Prinz von Hessen Hom-
burg fiel, dessen ruhmvolles Grab eine junge Eiche mit
Innschrift überschattet.

Man begreift kaum, wie ein Mann von hohem Genie,
der so viele Schlachten geschlagen, und drei Millionen
Franzosen à la gloire éternelle *) geführet hatte, seine
Armee in eine so ungünstige Stellung zusammendrängen
lassen, und so lange bei Dresden ausharren mochte, beherrscht von den Bewegungen der Gegner, die er zu beherr-
schen gewohnt war, während kleine Gefechte sein Heer
schwächten? der böse Geist umschwebte ihn wie Brutus zu

---

*) Zum ewigen Ruhm.

Philippi. Ohne die vielleicht zu große Behutsamkeit der
Alliirten, ohne die zu große Meinung von ihm, und ohne
die unterbliebene Besetzung der Anhöhen von Kösen hätte
der Weltüberwinder Macks Schicksal erleben, und seine
windigten Leib-Phrasen écraser, pulveriser, exterminer *)
erfüllt werden müssen. Die Welt konnte die Nachricht von
der Niederlage Napoleons kaum glauben, und das Sprüchwort aus der Schweden-Zeit erneuerte sich: „Es ist richtig mit Leipzig!

Vor dem Grimmaer Thor zeigt man den Platz, wo
der Held des Tages an einem Tischchen und auf einem
Stuhle saß, die aus einem Gartenhause herbeigeholt wurden — ein Höllenfeuer zur Seite, vor sich eine Karte, und
neben sich Berthier, links und rechts seine Garden, umgeben von den letzten Resten der Kraut- und Kohlstrünke,
die ihre Cameraden verzehret, und darüber die bündigsten
Quittungen Tausendweise auf dem Platze gelassen hatten
— Adjutanten kamen und gingen — lebhaft war das Gespräch mit Berthier, aber die Miene unverändert wie eine
Maske — keine Minute auf einer Stelle — krampfhafte
Griffe in die Dose, in's Taschentuch oder an den tubus
— Bien! allez! war alles, was man den Kommenden
und Gehenden sagen hörte. Die Prieße war stark, ung-
wohnt, ächter Helleborus! und doch wie viele Schlacht-
opfer lieferte er noch zu jenen drei Millionen, die Krüppel
und durch den Krieg Unglücklichen nicht angeschlagen? die
Alten würden ihm, wie dem Stifter Roms, Mars zum
Vater, und eine Wölfin zur Säugamme gegeben haben
— doch der herzlose Menschen-Würger, der Blut verg ß,
so schaamlos, wie das Schreiber-Heer zu Leipzig, die
Dinte — der Mann, dem das Schicksal alles gab, nur nicht
— Mäßigung, steht jetzt vor dem großen Weltenrichter!

Wir haben noch keine recht bündige Beschreibung der
Leipziger Entscheidungsschlacht, und Webers Gedicht in

---

*) Erdrücken, zu Pulver verreiben, vernichten.

7*

26 Gesängen: die **Völkerschlacht** Berlin 1827 ist — ein zweiter Todtschlag verübt an Leipzigs Helden. Die Berichte der Feldherrn gleichen gar sehr den Krankheits-Geschichten der Aerzte, die alles gethan und vorausgesehen haben, wenn der Kranke genesen ist — starb er, so war es seine Schuld und die der Krankheit; sie sind einverstanden, daß der Todte — todt ist, aber über die Ursachen seines Todes können sie streiten, so lange sie leben. Napoleon warf die Schuld auf den Sappeur, der eine Brücke zu frühe sprengte, und Prince de Ligne sagte: c'est la premiere fois que Bonaparte parle de Sapeur*)! In Aegypten führte Hitze und Pest die Unfälle herbei — in Spanien die feuchten Nebel — in Rußland verminderte Schnee, Eis und Flammen — die ungeheure Armee von 600,000 Mann auf 50,000, obgleich Staatsrath Regnault von einem glorreichen Rückzug aus Moskau sprach! Hier war die Brücke, Mangel an Munition und der Uebergang der Alliirten (deutsch Angebundenen) Sachsen und Würtemberger Schuld! Die Schlacht war aber schon zuvor so gut als entschieden — die Schlacht, von der Talleyrand sagte: C'est le commencement de la Fin**)! Frankreich war geschwächt, wie der Tyrann selbst, durch seine zunehmende Corpulenz — der russische Feldzug scheint auf sein Gehirn gewirkt zu haben, wie bei vielen andern — wie hätte er auch sonst sechs Wochen in dem abgebrannten Moskau verlieren mögen? — und gar vieles verdankt Europa seinem lange verheimlichten Uebel der Dysurie (Harnzwang) und den Leibärzten, die es nicht zu heilen vermochten. Auf den Höhen von Wachau, der Wiege Rabeners, wurde der Sieg entschieden, und der Welteroberer — eine Satire!

Ruhend auf der heiligen Stätte gedachte ich des

---

*) Ein unübersetzliches Wortspiel. „Es ist dieß das erstemal, daß Napoleon von seiner Furcht — oder von einem Sappeur — spricht.

**) Sie ist der Anfang des Ende.

neunundzwanzigsten Bulletin, und weilte in die buntesten Betrachtungen verloren bis zum spätesten Abend. Hier näherte sich endlich die erbärmliche Zeit — die Epoche Napoleons des Großen genannt — ihrem Ende, die noch heute ihre Bewunderer hat — hier kämpften leider! abermals Deutsche gegen Deutsche, wie schon unter Attila in den Catalaunischen Feldern — (der sich jedoch selbst die Geißel Gottes nannte, und nicht, wie unser Attila, von Freiheit, Beglückung, und großen erhabenen Plänen sprach) das Schicksal ereilte hier den tollgewordenen Despoten, der oft wie der Welt-Geist sprach: „das Verhängniß reißet sie hin, ihr Schicksal werde erfüllet! Sein Schicksal hätte schon in Deutschland erfüllt werden müssen, wenn die Verbündeten ihn lebhafter verfolgt und so zwischen zwei Feuer gebracht hätten, zwischen die Sieger von Leipzig und das östreichisch-bairische Heer, das ihm durch Franken entgegenzog. Sein Schicksal wurde erst erfüllet zu St. Helena — am 5. Mai 1821.

Heilig sey der achtzehnte October jedem Deutschen, wie der achtzehnte Junius, oder die Schönbunds-Schlacht — Gott machte sie! der Herr ließ donnern einen großen Donner über die Philister desselben Tages, und schreckte sie, daß sie von Israel geschlagen wurden. Jeden heiligen Dreikönigs-Tag sollte man die Geschichte von der Kanzel lesen — da die Oktober-Feuer verloschen sind, die auf die englische Waaren-Feuer folgten, welche der Wahnsinn des Despoten befohlen hatte, um das Eigenthum einheimischer Kaufleute zu zerstören, damit Platz werde für neue englische Fabrikate! Die drei vereinten Monarchen leitete der Stern des Himmels, und sie brachten Gold, Weihrauch und Myrrhen dem Vaterlande! Zu Leipzig dämmerte der schöne Morgen nach der schrecklichen siebenjährigen Nacht. Ein trüber Himme klärt sich nur allmälig auf — der volle Tag wird schon kommen — Genug —

Drei Tag. und drei Nacht
hat man gehalten Leipziger Messen,
mit eiserner Elle die Franzen gemessen,
die Rechnung in's Gleiche gebracht.

So lange die Leipziger Messe ist, hat noch kein Handels-
mann so viel Waare abgesetzt, als der große Mann des
Jahrhunderts, aber auch noch keiner so viele barbarische
Abnehmer gefunden!

Traurig — durch Sand und Tannenwälder. — führt
der Weg über die Tuchmacher-Städtchen Düben und Kemberg nach Wittenberg. Alles ist jetzt schon Preußisch,
selbst Eulenburg und Schilda, wird aber noch lange
gut Sächsisch gesinnt bleiben. Taucha, nur zwei Stunden von Leipzig, ist das letzte sächsische Städtchen. Der
magre unfruchtbare Boden hinter Wittenberg bietet
noch traurigere Gegenden, und die flachen Ufer der Elbe
vermögen nicht, die Natur zu verschönern — Sand, Kie-
sern,- Heiden; die elenden Nester Treuenbritzen und Beliz
— und so geht es fort bis Berlin; nie ist mir ein Weg
langweiliger vorgekommen! — Nicht minder langweilig und
widrig ist der Weg nach Berlin von Dresden über Großen-
hain, Elsterwerda, Sonnenwalde, Luckau, Baruth und Mitte-
walde. Treuenbritzen war die vormalige preußische
Gränzstadt, berühmt durch seine Anhänglichkeit an Brandenburg bei Erscheinung des falschen Woldemars (daher
aus Britzen (Preußen) Treuenbritzen wurde), noch berühmter aber durch Kotzebues Lustspiel: „das Posthaus zu
Treuenbritzen. Jetzt sind die Mauthner ziemlich weit
bis vor Leipzig vorgerückt, und diese Gegenden eben nicht
geeignet, sie heiterer zu stimmen.

Der erste schwarzweiße Schlagbaum ruft uns Halt!
und sagt uns, wir sind in Preußen. Schwarz und
Weiß sind eigentlich keine Farben, folglich hätte Preußen
keine Nationalfarben, aber das Farbenlose hat
auch seine Bedeutung. — Schwarz und Weiß sind mehr
abstrakte Farben — sie deuten auf das Allgemeine,

das das Concrete sich unterordnet, auf Totalität, worauf sich Friedrich vollkommen verstanden hat, daher tragen sich auch gerne die Männer schwarz, die Frauen weiß — aus der Mischung entsteht Grau. Schwarz und Weiß sind die Bilder des Lichts und der Finsterniß, des Tages und der Nacht, aus der die Welt hervorgegangen — alles was ist, ist aus Leben und Tod zusammengesetzt — Schwarz und Weiß sind nicht die Farben der Freude, des Scherzes, sondern des hohen Ernstes und tiefen Gefühls — daher geistliche Farben — die vom Tode zum Leben führen. Tod oder Leben! Preußen ging aus dem Tode in ein neues Leben ein, dessen sich jeder Deutsche erfreuet, und die Farben erinnern die Preußen stets an Tod und Leben und an ein höheres Vaterland!

Wir stoßen jetzt überall an schwarzweiße Gränzpfähle, wo man jene Betrachtung weiter verfolgen mag, dürfen sie aber nicht überall überschreiten, denn wir haben noch zuviel in Sachsen zu thun, und in dem schönen Thüringen. Selbst in dem ehemaligen Kurkreis, den man die wahre Vorrede zu den fünf Brandenburgischen Sandmarken nennen könnte, daher er auch meist Preußisch geworden ist, müssen wir noch von Eulenburg und Schilda, von Torgau und Wittenberg sprechen . . Eulenburg ist ausgezeichnet durch sein altes Schloß, wo der Minister Sünder Graf Brühl den Satiriker Liscov gefangen hielt, großes Spital und Bier, und Schilda — darf man nur nennen. Dieses sächsische Abdera liegt unweit Torgau gegen Oschatz hin, ein Oertchen von 7 — 800 Seelen. Langner schrieb eine Ehrenrettung desselben Leipzig 1747, 8, die ich nicht auftreiben konnte, und daher vermag ich auch nicht zu entscheiden, woher der üble Ruf, und ob er auch gegründet sey? Man sagte ihnen nach, daß sie am Rathhause die Fenster und die Treppe vergessen hätten, und das ist nicht wahr, wie ich selbst sahe, und so mag es auch mit andern gottlosen Nachre-

den stehen. Der Reisende machte selbst einen Schildaer-
Streich, wenn er die Schildaer befragen wollte; ob das
Wetter-Dach noch über ihrer Sonnen-Uhr, der große Kür-
bis als Elephanten-Ei noch auf dem Rathhause, oder die
schöne Innschrift, die man 1625 dem Eis ihres Teiches
zum Andenken des harten Winters eingraben ließ, noch zu
sehen sey? Ob die Stadt jetzt Canonen habe, damit die
Männer nicht wieder beim Einzug des Königs von den
Mauern herab blos Bum — bum brüllen müssen, zumalen das Feuerwerk zuvor schon in die Luft geflogen, weil
man es habe probiren wollen? und ihr Brunnen wirklich dreißig Mannslänge habe, da bekanntlich nur sechs
Stadträthe erst an des Herrn Bürgermeisters Füßen hingen,
als dieser in die Hände spuckte, und so die Messung samt
den Herrn verunglückte? — Im glücklichsten Fall erwiederte
vielleicht ein gesetzter Schildaer: „Wir haben Narren,
wie andere Orte, die meisten reisen aber blos
durch." An denjenigen Orten, wo Sonntags der Teufel
los ist, nehme ich aber stets an, daß das Schildaer Sena-
tus consultum*) durchgegangen sey: „der Sonntag,
wo man ohnehin nicht arbeitet, soll auf den
Samstag verlegt seyn, und der Sonntag für
den blauen Montag gelten." Der Name blauer
Montag wird wohl am besten von blauen Augen und
blauen Rücken, die vom Montag datiren, abzuleiten
seyn. Laukhardts Annalen der Universität zu
Schilda wird erst die Nachwelt recht zu würdigen wissen,
und die Wahrheit des Gemäldes kaum glauben!

Torgau an der Elbe ist groß, aber schlecht bevölkert,
voll gothischer Gebäude, und im Schlosse das Zucht- und
Arbeits-Haus. Vor der Stadt ist ein großer fischreicher
See, Heiden und Brüche, die man im preußischen
Sachsen noch nicht suchte, obgleich der Boden fruchtbarer
scheint, als in den Marken, wo Friedrich Colonien anlegte

---

*) Raths-Edikt.

— diese werden hier wohl auch nachkommen unter preußischer Staatswirthschaft. General und Commandant Thielemann verdient hier unser Andenken, mehr aber noch der alte Ziethen, der von den Höhen zu Siptiß herabdonnerte, und die berühmte Schlacht begann, die Friedrich schon für verloren gegeben hatte. Hier muß man Archenholz lesen. Man zeigt in der Kirche die Spuren von Friedrichs — Caffee=Feuer — Er saß auf den Stufen des Altars, verloren in bangen Gefühlen, ungewiß des Sieges, aber gewiß des Verlustes von vierzehntausend Mann — mit seinem bisherigen Freund Georg II. und dessen Subsidien stand es auch bedenklich — er dachte nach, wie er den Kampf auf Leben und Tod mit der Sonne erneure — siehe! da griff Husar Ziethen nochmals an, und der einfache Adler besiegte den Doppel=Adler — Hazard! Hazard! Dieu de la guerre*)! Ziethens Rede glich den Reden des alten Dessauers: „Meine Herren!" sagte er seinen Offizieren, „heute haben wir Bataille, es muß gehen, als wenn es mit Butter geschmiert wäre!" Man fand die Rede so erhaben als Henri IV. Worte: „Je suis votre Roi, vous êtes Francais, voilà l'Ennemi**)!" Hatte nicht selbst Friedrich seinem Ziethen geschrieben: „Man muß dem Feind immer in den Hosen seyn?"

Wittenberg, von den weißen (wit) Sandhügeln Weißenberg genannt, aber nicht Weisheitsberg — die Stadt Luthers, das sächsische Mecca und Jerusalem — nicht blos bei Theologen, sondern bei allen recht eifrigen Protestanten, wie die Sachsen, ist ein häßliches Nest, recht widrig und todt, so, daß schon gar viele Reisende nicht einmal über die lange hölzerne Brücke nach der Stadt gehen mochten. Aber es war eine Zeit, wo der für keinen

---

*) Zufall! Zufall, du Gott des Kriegs.
**) Ich bin euer König, ihr seyd Franzosen, und dort ist der Feind.

rechten Theologen galt, der nicht auf Luthers Kanzel die Weihe erhalten, und an dem Orte studiert hatte, wo ja selbst Shakespear Hamlet und Horatio studieren läßt — es waren Leute, von denen schon Horaz eine Ahnung hätte, qui jurant in verba Magistri *), dessen Cathechismus selbst sich gar oft nach seiner Cholera richten mußte, wie sein aus dem Papstthum beibehaltenes Amt der Schlüssel! Vor vielen alten Streitschriften steht: ex cathedra beati Lutheri **), als aber die Klopffechtereien mit dem frommen Spener anfingen, der Manschetten, Haarpuder und Tanz für sündlich erklärte, trugen die Wittenberger Orthodoxen ungeheure Manschetten, die sie nur vor Tische aus begreiflichen Ursachen abnahmen, und fuhren dann mit schneeweiß gepuderten Perücken nach Kemberg, wo sie tanzten, und vom Tanze gar oft heimkehrten als ungepuderte Spener, ja oft ohne — Perücken!

Noch sahe ich zu Wittenberg Spuren des siebenjährigen Kriegs, während anderwärts schon die Spuren des neuesten Krieges verlöscht sind. 1813 — 14 litt die arme Stadt noch weit mehr — sie ist jetzt eine preußische Festung, die in Verbindung mit Torgau und Magdeburg von hoher Wichtigkeit ist zur Vertheidigung der Elbe, und Preußen schützt, wie Finnland S. Petersburg. Die Universitäts-Gebäude sind Casernen, wie zu Mainz, und die Militär-Garnison macht den Ort gewiß lebhafter, als die ehemalige schwache Studenten-Garnison von 200 — 300 Mann, die blos Stiftungen und Freitische hieher zogen. Die Herren stachen sehr grell ab mit den Leipzigern, zum neuen Beweise, daß kleine Universitäts-Orte nichts taugen, excellirten blos im Kukuk, wie das Bier heißt, und das neuerrichtete Predigerseminar ist besser! In der nicht bedeutenden Universitäts-Bibliothek war ein Brief vom Jahr 1700 an den Bibliothekar

---

*) Die auf die Worte ihres Meisters schwören.
**) Nach der Lehre des seligen Luther.

angeschlagen: „Denselben kann nicht verhalten, daß ich
gegenwärtiges Büchlein mitgenommen, weil mich nun
mein Gewissen getrieben, solches nicht länger zu behalten,
als restaurire solches mit schuldigstem Dank und der Bitte
das darunter versirende Crimen *) zu verzeihen." Im
Mittel = Alter galt der Diebstahl von Reliquien für eine
fromme Handlung und seit unsere Criminalgesetzgebung
so human geworden ist, macht sich das Gewissen noch
weniger aus so kleinen bloß literarischen Criminibus —
sie sind bloße — Liebhabereien! Es steht damit, wie
mit den besiegelten Sechser = Rolllen à 15 fl., wo manch=
mal Ein Sechser fehlt — wie leicht übersieht man
Einen unter so Vielen!

Schon früher, ehe noch das schöne Luther Denkmal
stand, verdienten die Gräber Luthers und Melanchtons
den Gang in die Stadt, wie ihre Bildnisse von Cranach,
nach welchen wahrscheinlich alle andern copiret sind. Un=
ser guter Luther hatte doch ein recht gemeines, grobes
Gesicht — aber Muth .. Festigkeit liegt darinnen, und
noch mehr im Nacken und der ganzen gedrungenen
Gestalt, wie beim farnesischen Stier oder Her=
cules! Mich freuet, daß beide hochverdiente Deutsche,
der sanfte gelehrte Melanchton, und der heftige Luther, der
aber sicher nicht so kühn und fest aufgetreten wäre, wenn
er so gelehrt gewesen wäre als jener — in Nord = Ame=
rika sogar Denkmale haben. Deutsche bauten in Ober=
Canada zwei Orte, die sie Luther und Melanchton nann=
ten, und hatten wahrscheinlich nichts von dem Voltaire
jener Zeit gehöret, der wohl ebensoviel für Reformation
wirkte, von meinem lieben Erasmus? Würdige Gegen=
stücke jener beiden Männer bleiben auch die Fürsten und
Beförderer der Reformation, Friedrich der Weise und
Johann der Beständige, die neben ihnen ruhen, wie
die Marmorstatuen in betender Stellung auf ihren Gräbern,

---

*) Vergehen.

die ein patriotischer Preuße hat restauriren, und — blau
anlaufen lassen! Die lebendige Merkwürdigkeit Witten-
bergs war Schrökh, wie zu Erlangen Meusel, neben
Chladni, dem tiefen Naturforscher des Klanges und der
Töne. Schrökh starb an den Folgen eines Sturzes von
der Bücher-Leiter, als er das Nöthige zum 44sten Bande
seiner K. G. zusammen suchte. Im 76sten Jahre muß
man das Steigen bleiben lassen!

Man zeigt Luthers Museum, wo Peter der Große
seinen Namen mit Kreide hinschrieb, worüber man ein
Glas machte — seine Mobilien, sein Bild von seiner
Catharine gestickt, seinen Rosenkranz, sein Trinkglas, ja
selbst seinen Abtritt, wo er bekanntlich oft meditirte,
so wenig in der Regel der Kopf hier zu thun hat, und
einst vom Teufel auch da versucht wurde, daher ich hoffe,
daß seine Jünger die ohnehin unfeine Sitte unterlassen
werden, da nicht alle Luthers sind, und den Bösen mit
den spitzen Worten abfertigen können: „Was von oben
kommt, ist für Gott, das von unten für Dich
Teufel!" Man zeigt den Luthers-Brunnen (eine
Stunde von der Stadt), wohin er oft mit den Freunden
Melanchton und Bugenhagen gemüthlich wandelte, und
vor dem — Elster-Thore bezeichnet auch eine Eiche mit
Gitter umgeben den Ort, wo der eiserne Mann die päpst-
liche Bulle samt dem Corpus Jur. Canonici dem
Feuer übergab im heiligen Eifer — es geschahe 1520, und
billig sollte man 1820 weiter seyn — die Hussiten sogar
hatten schon hundert Jahre früher etwas Aehnliches verfüget. Wir Deutsche wurden die Märtyrer der kirch-
lichen Revolution, sowie Franzosen die der politischen!
Nach Werners Weihe der Kraft saugen die Studenten:

> Der heilige Vater treibt's zu bunt,
> er will uns schier kuranzen,
> Vernunft soll wie ein Pudelhund
> nach seiner Pfeife tanzen!

Doch brave Bursche preßt man nicht!
wir lachen ihm in's Angesicht
Bravo! Bravissimo! Bis! Bis!

Zu Wittenberg denkt ein tüchtiger Jurist auch wohl
an den wackern Leyser mit Vergnügen, aber auch an den
schrecklichen Criminalisten Carpzow, der den Menschen
so wenig kannte, und doch 20,000 arme Sünder vom Leben
zum Tode brachte, wobei er noch Zeit fand, die Bibel
samt den besten Auslegern 53mal zu lesen, und jeden Monat zu — communiciren! Beccaria hätte er wenigstens
in's Zuchthaus geschickt, Lavatern aber ein Doctors-Diplom
zugehen lassen, der eine Physiognomia forensis wie
eine Medicina forensis*) wünschte, neben welcher Carpzow
wahrscheinlich noch die Tortur beibehalten hätte, wo es
dann gar nicht gefehlt, und die gottgeheiligte Justiz bei
den anderwärtigen vielen gedruckten Subsidien federleichtes
Spiel gehabt haben würde. Aber wer dächte da nicht
lieber an den lustigen Professor Taubmann, der oft
durch seinen drolligten Witz den Kurfürsten milder stimmte.

Das Interessanteste bleibt Luthers Denkmal von
Schadows Meisterhand, wobei sich der gediegene deutsche
Erfahrungs-Grundsatz: „Was lange währt, wird
gut" erfreulichst bewähret hat. Der große freisinnige
Deutsche steht da im Priesterrock seiner Zeit, sehr ähnlich,
die aufgeschlagene Bibel in der linken Hand, und mit der
rechten auf das Buch der Bücher deutend. An den vier
Seiten des Fußgestelles stehet: Glaubt an das Evangelium.
— Eine feste Burg ist unser Gott. — Ist's Gottes Werk,
so wird's bestehen, ist's Menschen Werk, so wird's vergehen — vom Mannsfelder Verein und durch König Friedrich Wilhelm III. 1822. — Das bekannte für die Cha-
rakteristik Luthers bedeutende Reimlein, ohne das Er nicht
gewesen wäre, was Er war: „Wer nicht liebt Wein,

---

*) Ein Lehrbuch der gerichtlichen Physiognomik, wie eines
der gerichtlichen Arzneikunde.

Weiber und Gesang, der bleibt ein Narr sein
Leben lang" war freilich nicht schicklich anzubringen,
und hätte auch manchen, die nicht so kernfest sind, wie
Luther, schaden mögen, wie sein ähnliches Dictum: „Die
Woche zwier, schadet weder mir noch dir!"

~Bei Wittenberg muß ich doch des seitwärts liegenden
Jüterbok (Dennewitz) erwähnen, wo nicht nur Torstenson 1643 Gallas schlug, sondern auch 1814 Ney einen
juten Bock machte. Das kleine Städtchen muß übrigens
so traurige Erfahrungen als König Lear gemacht haben,
denn unter dem Thore hängt als Wahrzeichen eine starke
Keule mit der Innschrift:

> Wer seinen Kindern gibt das Brod,
> und leidet darnach selber Noth,
> den schlage man mit der Keule todt!

Wer kinderlos, und bloß Onkel oder Tante ist, kann sich
das Wahrzeichen auch merken!

Fünfter Brief.

Reise nach der Lausitz.

Ziemlich einförmig ist der Weg dahin, sobald man vom
Elbethal auf der Höhe Abschied genommen hat, und vom
schönen Dresden. Von Meissen her entzückt die Lage der
Stadt lange nicht so sehr, als von Bautzen her, denn die
traurige Sandgegend und einsamen Kieferwälder der Lausitz, selbst die wendische Sprache erhöhen die Reitze des
Elbethales. Meist durch Wälder und Heiden gelangt man
nach Schmiedefeld, und Bischofswerda, Geburtsort
des berüchtigten Doctor Bahrdts (das die Gallier recht

muthwillig abbrannten, daher Napoleon auch 100,000 Frcs.
steuerte) ist jetzt ein allerliebstes Städtchen geworden, Bautzen (Budissin) bleibt aber die erste Stadt der Lausitz mit
12,000 Seelen. Sie liegt auf einer Anhöhe an der Spree,
die bei Gernsdorf entspringt, hat schöne massive Häuser,
gutes Pflaster, hübsche Promenade auf den Wällen, und ist
der Sitz der Strumpfwirkerei, Gerberei und des Tuch- und
Linnenhandels der Lausitz. Das Gymnasium ist berühmt,
aber es steht auch am Eingang: ουδεις αμουσος εισιτω *)...
Bautzen ist die Vaterstadt des Philosophen Carus, für
den es in der That Schade ist, daß er in der Blüthe seines
Lebens dahin starb (1807), und unweit Bischofswerda liegt
Rammenau, Geburtsort Fichtes, dessen Princip A = A
Ich bin Ich, oder strenger Idealismus immerhin miß-
verstanden worden seyn dürfte, wenn nur seine, mitten un-
ter Napoleoniden gehaltene Reden an die deutsche
Nation besser wären beachtet worden!

Zu Bautzen wüthete 1813 die Schlacht, die auch die
von Wurschen heißt, zwei Tage lang, die Verbündeten
wichen, wie bei Lützen, der Uebermacht, sie konnten schon
damals auf Oestreichs Beitritt hoffen, und zogen nach
Schlesien. Der Große schüttelte bedenklich den Kopf, wie
bei Lützen, und merkte wohl, daß er die alten Feinde nicht
mehr vor sich habe. Die Franzosen hatten 30,000 Mann
verloren, die Verbündeten kaum die Hälfte, aber der Mann
prahlte nach gewohnter Weise, wieß 25 Millionen Frcs. an
zu einem Denkmal auf Mont Cenis, das nie errichtet
wurde, und auch eine gewisse Summe zu einem Monumente
Durocs, der aber noch heute keines hat. Stolz war die
Haltung der nach Görlitz ziehenden Verbündeten, der Held
verfolgte sie mit seiner schlechten Reiterei, und eine der
letzten Kugeln traf bei Markersdorf, unweit Reichenbach,
seinen Liebling Duroc. Während Blücher die Gallier an
der Katzbach schlug, ging Napoleon nach Dresden, nachdem

---

*) Kein Ungebildeter trete hier ein.

er zuvor mit seinem sterbenden Freund ein Gespräch abgehalten hatte — über Unsterblichkeit und Ewigkeit,
Bourienne will, daß kein wahres Wort an dem sey, was
Duroc sterbend dem Kaiser gesagt habe, aber Napoleon
war es wichtig, den General sagen zu lassen: „Wir sehen
uns wieder in dreißig Jahren, wenn Sie alle
Hoffnung der Welt werden erfüllet haben." — So
ließ er auch schon Desair auf dem Schlachtfeld von Marengo
sprechen, er hatte vielleicht bei Homer gelernt, daß sterbende
Helden Reden halten!

Bei Bautzen liegt das Felsenschloß Ortenburg, die
alte Residenz der Markgrafen, die en basreliéf von dem
Saale des Schlosses herabschauen, die Markgräfinnen aber
amusirten sich mit einem großen schief geschliffenen Spiegel, wenn sie fremde Damen empfingen. Gewöhnlich schenk-
ten diese vor dem Eintritt in den Saal dem Kopfputze
noch einige Blicke, und nun stand der Kopfputz erst recht
schief, zur Verzweiflung. Damen und Baumeister verlieren durch schiefe Ordnung, wo die Friedriche und Nelsons gewinnen. Im Landhause zeigt man die Rüstungen moderner Ritter, die den Vorritt machten — eine
Lehns-Gerechtsame der letzten Vasallen, um das Lehn auf
Töchter übertragen zu dürfen. Der Vorritt sollte beweisen,
daß im Nothfall der Ritter Mannskraft genug habe auch
noch einen Sohn zu zeugen, und den letzten Vorritt machte
(1777) ein Graf Hoym, dessen Harnisch doch 56 Pfund
wiegt. Unter Gedike blühte das Gymnasium, eine interessante Parthie ist das Grabschützerthal, und Herrnhuter wandeln auch nach dem nahen Kleinwelka. Hier
in Bautzen sind die meisten Dienstmädchen Wendinnen,
und sie erinnern an die Passauerinnen und Linzerinnen!

Sachsen, das die beiden Lausitzen besaß, und damit noch 1807 den Cottbußerkreis vereinte, auf Kosten
Preußens, mußte 1815 die ganze Niederlausitz und die
Hälfte der obern an Preußen abtreten. Reichenbach ist
jetzt das erste preußische Städtchen, wenn man von Dres-

den kömmt, sonsten war es erst Greiffenberg. Die Lausitz, nach dem Leipzigerkreise die beste Gegend des Königreichs, mit 400,000 Seelen, besaßen schon in den ältesten Zeiten die Markgrafen Meissens, unter Carl IV. kam sie an Böhmen, im Prager Frieden 1636 aber wieder als böhmisches Lehen an Sachsen, bis zu der unglücklichen Catastrophe, die Sachsen nur 75 Quadratmeilen mit 170,000 Seelen davon übrig ließ.

Die ganze Lausitz ist eine große aneinanderhängende Manufactur von Linnen, Tüchern und Strümpfen, — höchst fruchtbar sind die Gegenden um Bautzen, Zittau und an den Ufern der Spree, aber es gibt auch viele Sandgegenden, trostlose Heiden und Sümpfe, die an die Abstammung des Namens Lausitz erinnern, slavisch Luse ein Sumpf, und gegen Böhmen hin rauhe Gebirge. Die Niederlausitz nennt man daher auch die wendische Tartarei. Im Ganzen habe ich mir die Lausitz weit schöner vorgestellet. Die Ueberreste der Leibeigenschaft sind bekanntlich der Cultur nicht günstig, und in der Lausitz gibt es noch gar viel aufzuräumen in theologischer, und was wichtiger ist, selbst in politischer Beziehung. Fast überall sahe ich in den Dörfern kleine hohle Holzklötze an den Bäumen, es sind Nester für die Staaren, deren Junge dann die Leibeigenen der Leibeigenen werden. Junge Staaren mit eingeschlagenen Eiern sind keine üble Speise, und abgerichtete Alte gewähren Manchem Vergnügen, da sie die Papageien Deutschlands sind. Wenzel weiß von einem Staaren, der den Umgang eines Kammermädchens verrieth, indem er rief: „Lisette, Kuß, Lisette, Kuß!" die boshafte Creatur vernähete ihm den Steis, und nun rief er traurend: „Lisette genähet! Lisette genähet!"

Die sogenannten sechs Städte — Bautzen die schönste, Görlitz die größte, Zittau die reichste, Lobau die älteste, Lauban die kleinste, Camenz die ärmste, die aber Geburts-

ort Lessings ist, dessen Büste von Bronz bei seiner Sä-
cularfeier 1829 in dem Armenhaus oder Lessingsstift aufgestellt wurde unter einem kleinen Tempel — hatten vormals so große Privilegien, daß ihnen zu Reichsstädten
nichts fehlte, als der Name, und noch haben sie viele Vorrechte. Görlitz und Lauban gehören jetzt Preußen, und
mit den sonderbaren Beinamen steht es gerade wie mit
den bekannten Beinamen der Städte Italiens. Der Name
sechs Städte rührt von ihrer Verbindung gegen den
Raubadel, der hier zahlreich war, und es so bunt trieb
als anderwärts; daher verdienen jene Städte ihre Vorrechte
weit eher, als die Nachkömmlinge jener Raubritter die
ihrigen!

Zwischen Bautzen und Lobau, Geburtsstadt Meißners,
eines der Väter jener lieblichen Zwitter, historische Romane genannt — liegt Hochkirchen, wo die schreckliche
Nachtschlacht 1758 wüthete, in der Keith fiel. Sein gleich
trefflicher Bruder, Lord Marschall, errichtete ihm ein Denkmal in der Kirche, der Berliner Academie aber, die nähere
Nachrichten vom Leben seines Bruders wünschte, schrieb er
ächt brittisch: „probus vixit, fortis obiit" *) — Lord
Marschall war der Beschützer Jean Jaques, und da er
solchen nicht mehr zu Neuchatel schützen konnte, empfahl
er ihn Friedrich, der auch bereit war seine Gelehrten-Me-
nagerie mit diesem Sonderling zu vermehren, ob er ihn
gleich ziemlich unartig zur Gerechtigkeit vermahnt hatte,
zur Erleichterung der Auflagen seines Volks, und zur Abschaffung der Armee, da nun Friede sey — der Sonderling
selbst wollte nicht!

Noch erkennt man die Schanzen, die Grabhügel der
Erschlagenen, und die Spuren der Kugeln an dem Kirch-
lein, wo Keith ruhet. Er hatte den König gewarnet:
„Wenn uns die Oestreicher hier ruhig lassen, so

---

*) Als ehrlicher Mann hat er gelebt, als ein unerschrockener
ist er gestorben.

verdienen sie den Galgen," und Friedrich nur lächelnd
erwiedert: „Ich hoffe sie fürchten sich mehr vor
uns, als vor dem Galgen," er rechnete aber dießmal
zu viel auf Dauns Schlachtenscheue. Daun verdiente den
Sieg nicht, weil er ihn so wenig zu nutzen wußte, und
nie etwas von dem verstanden zu haben scheint, was Friedrich seinem Ziethen schrieb: „Recht so! einige Tage
Fatiguen bringen hundert Ruhetage, nur immer dem Feind in die Hosen gesessen." Zu Wien
war ungeheure Freude, es regnete Geschenke auf Daun,
und selbst der heilige Vater steckte sich in Unkosten, und
sandte den geweiheten Hut und Degen, die Friedrich
so viel zu lachen machten. Im Jahr 1806 zog das hohen-
lohische Armeecorps vorüber, und brachte den gefallenen
Brüdern eine rührende Nachtmusik, nicht von Ferne ahnend,
daß Jena das Andenken an Hochkirchen verlöschen würde.
Das Denkmal Keiths steht im Verhältniß zu dem, was
der Bruder an Madame Geoffrin schrieb: „denken Sie
nur, welche Erbschaft mir mein Bruder, der
Böhmen brandschatzte, hinterlassen hat — siebenzig Ducaten!" Keith war preußischer Feldmarschall,
Minister, Höfling, Gelehrter, trefflicher Mensch, aber kein
— Maréchal de France!
    In diesen Gegenden fiel auch Winterfeld. Bevern
stand hier mit 36,000 Mann, unter ihm Winterfeld mit
10,000 vorwärts gegen Moys. Prinz Carl von Lothringen, dem denn doch seine Schwägerin Maria Theresia zu
verstehen gab, daß er thätiger seyn könnte, grief Winterfelds
Corps an, der, so was erwartend, zu Görlitz war, um
Unterstützung zu begehren, die aber nicht eintraf. Der
Tapfere fiel, und man sagt, Bevern, der ihn als controlli-
renden Vertrauten Friedrichs haßte, habe die Schlappe
nicht ungerne gesehen, er, der bald darauf bei Breslau eine
weit größere erleiden sollte. Friedrich rief schmerzhaft:
„Vor meinen Feinden hoffe ich mich zu retten,
aber wer gibt mir einen Winterfeld?

8*

Görlitz an der Neisse zählt 8000 Bewohner, könnte aber wohl noch einmal so viel fassen, wenn der Tuchhandel wieder blühte, wie sonsten. Man kann die Stadt mit ihren breiten Straßen und Plätzen schön finden, schön fand ich ihre Spaziergänge um die Mauern, und ein Meisterstück alter Kunst ist die Hauptkirche, wohl die größte Sachsens, auf einem hohen Felsen mit herrlicher Aussicht; auch die Orgel ist kolossal, und die in Felsen gehauene unterirdische Georgskapelle sehenswerth. Görlitz hat wunderschöne Dinge aufzuweisen — nicht blos die schönen Sammlungen von Mineralien, mathematischen Instrumenten, Kupferstichen ꝛc. die Gersdorf hieher stiftete — nicht blos die seltenen Bücher auf der Rathsbibliothek, darunter sogar ein gedruck= tes Buch sich findet vor Erfindung des Buchdrucks (gedruckt 1400, die Dekaden sind nämlich leer gelassen) sondern auch das heilige Grab, dessen Stifter alles aufs genaueste nach dem Originalgrabe zu Jerusalem eigenhändig abgemessen hat. Nach seinem Maßstabe muß der Erlöser noch einige Zoll mehr gehabt haben, als der größte Potsdamer!

Und wer sollte zu Görlitz (dessen Tücher immer die solideste Merkwürdigkeit bleiben, so gut als englische, daher sie auch nach der Levante gehen) des phantastischen Schusters und Poeten Jacob Böhms nicht gedenken, der sich vom Stiefel=Wundarzt, wie Stilling vom Schneider, emporschwang zum Seelenarzt? Se[ine] Schriften werden noch heute in Deutschland und Frankrei[ch,] wo sie sein Geistesbruder S. Martin übersetzte, vorz[üg=] lich aber in — England mehr gelesen, als die grün[= li=] chen historischen Werke seines Landsmannes, des hiesi[gen] Rathsconsulenten Anton. Der große Newton las Mei[ster] Böhms Werke sehr fleißig, und viele Britten lernten Deu[tsch] um the teutonic Theosopher *) im Original lesen können, wie ich einst Spanisch — Don Quixotte zu li[esen]

_____

*) Den deutschen Theosophen.

Viele besuchen seyn Grab, auch Stilling besuchte es, und
fand da zwei Britten, die ihre Dosen ausleerten, und statt
des Tabaks mit Erde füllten von Böhms Grabe! Sonderbar
bleibt es doch, daß Schuster, Schneider, Weber ꝛc., so
gerne den Theologen ins Handwerk pfuschen! Ihr Gewerbe
preßt den Unterleib, und läßt den Geist leer — sie studiren die Bibel, die schon so viele Narren gemacht hat, und
hängen ihr Handwerk an Nagel, ob sie gleich besser thäten
Sohlen und Kleider zu bessern, als Seelen; vielleicht könnte man sie davon abbringen, wenn ihnen eine
einzige Idee recht klar gemacht würde: „Unsere Erde,
die wir so komisch Welt nennen, ist in Gottes
großem Weltall kaum so viel, als eine Fenster-
scheibe mehr oder weniger im Escurial!" Aber
Leuten, die nur in Gefühlen leben, ist schwer etwas begreiflich zu machen — hiezu noch das viele Sitzen —
sie sind verloren, so wie sitzende und schwärmerische Mädchen weit eher Gefahr laufen, als springende und lachende!
vorzüglich — Näherinnen!

Die Schuster haben den Dreifuß vom Orakel zu
Delphi geerbt, daher Böhm und Consorten prophezeiten,
glücklicherweise aber ist die Mehrzahl nur begeistert —
an Jahr- Sonn- und Feiertagen! Ich finde die Schwärmer
auf Böhms Grabe übrigens leidentlicher noch, als das
heilige Ministerium zu Görlitz, dessen Pastor primarius
Meister Böhmen den Pantoffel an den Kopf warf, und
ihn nicht auf dem Kirchhofe wollte beerdigen lassen. Das
Oberconsistorium zu Dresden befahl Beerdigung, wie bei
andern, und daß Ehren-Geistlichkeit die Leiche begleiten
solle — die Leviten gingen aber nur bis ans Thor — dieß
war 1624. Hätte dieser Schuster, statt aufgedingt zu
werden, Schulen und Universitäten durchlaufen können, wie
seine hochwürdigen Leviten — er hätte sie mit Recht auslachen mögen, denn in ihm wohnte wunderbare Fülle der
Phantasie und Tiefe des Gefühls, die ihn unter andern

Umständen zu einem Dante, Milton und Klopstock gemacht
hätten, erhaben über alle Leviten Sachsens!

Wer mit seiner Zeit zu geizen hat, wird allen Wun-
derdingen zu Görlitz — die Landeskrone vorziehen, eine
Stunde von der Stadt. Der Berg ist zwar nur ein norddeutscher Berg von 1300′ und ich war in einer halben
Stunde oben — aber er steht isolirt, und so krönt dennoch der Hügel die ganze flache Gegend, da stehend wie
der große Mann eines kleinen Städtchens! Oben,
wo sich noch Spuren einer Burg zeigen, ist ein Häuschen
und die Aussicht weit — ich genoß sie in der Abendsonne,
wo stets die Beleuchtung am reinsten ist — fand sie aber
nicht so schön, als ich erwartete — es fehlen Flüsse und
Seen. Mir scheint auch, von dieser Landeskrone haben die
Norddeutschen zu viel Wesens gemacht!

Weit interessanter ist der Gang nach den Felsenparthien von Königshain, nach dem Fürstenberg,
Todtenstein, Hohenstein ꝛc. und wie die Berge weiter
heißen — diese nackende einzeln stehende Granitmassen sind
eine wahre Vorbereitung auf die höhern Wunder im Riesengebirge und Adersbacher Felsenlabyrinthe. Man hat
viele Gefäße gefunden, die beweisen, daß hier die Sorben
Gottesdienst hielten — es sind keine Aschenkrüge, sonder
schlüsselförmige Schalen. Weitere Nachrichten findet ma
in Schachmanns Beobachtungen über das Königshain
Gebirge, und die daselbst gefundenen Alterthümer, 1780.
mit Kupfern. Der heutige Aberglaube ist vielleicht n
drastischerer Natur, und wallfahrtet nach dem nahen Ja u
nik, das so glücklich ist, einen Arm des heiligen Wenz
zu besitzen. Ich wandelte nach dem alten ganz hinter
geln versteckten Lauban (6000 Seelen), dessen schönstes
bäude das Spital ist, sonst die letzte sächsische Stadt, die
dauern mag, daß nun das Schmuggeln nicht m
recht gehen will. Für ein Glas Bier forderte man e i
Pfennige, zwei Böhmen. „Aber warum rechnen
nach Böhmen, da wir ja in Schlesien sind? „W

sind noch immer Sachsen," erwiederte die Wirthin. Daher heißt auch das Königs-Schießen noch immer Augustus-Schießen!

Hinter Lauban beginnt der malerische Weg nach dem Hirschberger Thale, immer am Saum der Riesengebirge — eine der drei Schönheiten Preussens, die den beiden andern, Rheinpreussen und Rügen, nichts nachgibt — aber auch recht schlechter Weg. Sachsen ist eben nicht berühmt wegen guter Wege, aber hier waren sie bis ins Hirschberger Thal abscheulich — selbst die gelbblauen Pfosten vermißte ich bei den blau orangefarbenen, wie die grünweißen Pfähle bei den schwarzweißen — es geht über Stock und Stein, über bloße Feldwege, Bäche, und selbst über die Queis hinweg ohne Brücke. Ich kam über Seidenberg, die Standesherrschaft des Grafen Einsiedel, der einen sehenswerthen Landsitz zu Reibersdorf hat, mit einer berühmten Bierbrauerei (die Brauer haben in England gelernt, und Nordamerikanische Nadelholzbäume pflanzen lassen, deren Rinde unumgänglich dazu nöthig ist, wie die Fichtensprossen), und Marienthal, vormals Cisterzienser-Nonnen-Kloster, dem die Städtchen Ostritz und Hirschfeld nebst 22 Dörfern gehörten, (gleich reich war ein anderes Cisterzienser-Nonnen-Stift der Lausitz Marienstern!!) nach Zittau, in meinen Augen der schönste Winkel der ganzen Lausitz. In diesen Gegenden wird der Gruß: „Gelobt sey Jesus Christ!" das christliche Salam aleikum *) dermaßen contrahiret, daß man ihn kaum wieder erkennt „Seis Christs!"

Ueberall sieht man, daß die Bienenzucht in der Lausitz zu Hause ist. Man erzählt von dem Bienenvater Schirach, Prediger zu Kleinbautzen, daß er über treueifriger Bienensorge selbst die Seelsorge hintangesetzt, und einst auf die Nachricht, daß einige Stöcke schwärmten, aus der Beichtkammer ohne Absolution fortgeeilt sey. Es war

---

*) Arabisch: Friede sey mit Euch.

ſtark in einem Lande, wo der Sonntag ſo traurig gefeiert iſt, als nur immer in England, und die Frömmelei
weit gehet .. Ich habe ſelbſt einen Bienenvater näher
kennen lernen, und ihn, der Virgils Georgicon recht gut
kannte, auf Rucellais Lehrgedicht, le Api *), aufmerk-
ſam gemacht; er dankte mir, verſprach auf der Stelle italieniſch zu lernen, hat mir aber ſchwerlich die Frage verziehen: Ob das Bienenſchwärmen nicht einigen Einfluß
habe auf die Schwärmer in der Lauſitz?

Laß meine Seel ein Bienelein
auf deinen Roſenwunden ſeyn!

Man erzählt, daß Zittau den Befehl erlaſſen habe,
Sonntags auch unvernünftige Thiere einzuſperren,
und da einige brutale Enten ſich darüber hinwegſetzten,
ſogar auf der Straße ſchnatterten, ſo ſeyen ſie als Sab-
bathsſchänder eingeſteckt worden, und der Eigner habe ſie
löſen müſſen. In einer andern Stadt ſoll man beim Früh-
gottesdienſt die Thore geſchloſſen haben, und die armen
Frauen mußten — den Kaffe ſchwarz trinken ohne Milch!
Noch werden die Predigten mit mehr Aufmerkſamkeit
nachgeſchrieben, als manche Jünger die Vorleſungen
der Meiſter zuſammen heften. Man erzählte mir von
einem Prediger, der bei Leichenanzeigen fragte: Wollt ihr
den Hirſch, das Leben oder die Angſt? ſo hießen drei
Leichenpredigten, die er hatte, nach den Texten: Wie der
Hirſch ſchreiet nach friſchem Waſſer ꝛc., Chriſtus iſt mein
Leben ꝛc., die Angſt meines Herzens iſt groß ꝛc., die Preiſe
waren gleich, und wie man behauptet, auch der innere
Werth!

Zu Zittau und in ſeiner Umgebung, ſächſiſcher und
böhmiſcher, gefiel ich mir ſo wohl, daß ich darüber die Zeit
verlor auch die Niederlauſitz kennen zu lernen. Ich
kam nicht nach Rothenburg, Nitſchky, einem Pädagogium der Herrnhuter mit einer gerühmten Naturalienſamm-

*) Die Bienen.

lung — **Muscau**, Standesherrschaft der Grafen Pückler
mit dem Bade Herrmannsbad und dem Monumente
von Gußeisen, das der vorige Besitzer, Graf Callenberg,
den Wohlthätern errichtete, die Muscau in dem Hungerjahr
1772 unterstützten, das doch schrecklicher gewesen ist, als
das Hungerjahr 1817 — nicht nach Sorau, Lüben, Luckau,
Lubenau, Cotbus und Guben, und auch nicht nach Kö-
nigsbrück (Standesherrschaft des Grafen Hohenthal),
Forst und Pförtchen, wo sich Friedrich so unphilosophisch an Brühl rächte, daß man noch die Spuren sehen
soll. Zu Forst schlummert der übel berüchtigte Minister,
wie zu Amtitz, unweit Guben, der nicht besser berüchtigte
älteste deutsche Epopeendichter Schönaich, der das Land
indessen weniger kostete. Friedrich benahm sich auf Brühls
Gütern so wenig attisch als Alexander zu Persepolis —
aber was ist das gegen die Gräuel des Großen Louis in
der Pfalz? Zu Lüben privatisirte und starb 1811 der
östreichische Veteran Cogniazo.

Zu Guben im Neißethal wird viel rother Wein gebaut, und seine Trinkbarkeit beweist, daß man nach Pit-
scheln zu sieben Kannen rechnet — ein Zecher heißt Pitsch-
ler, das Wort ist uralt, und hat sich im englischen pitscher
(Krug) erhalten. Ob das auffallende östreichische Wort
Plutzer nicht daher rührt? Unweit Lübbenau, berühmt
durch Gurken- und Gemüßbau, hat ein Graf Lynar ein
Denkmal, das wie ein Galgen läßt. Die Stadt ist ganz
von der Spree umgeben, mit Kanälen durchschnitten, und
mag leicht so viel Kähne zählen als Seelen, denn hier ist
der große Spreewald, von mehr als 300 Spree-Armen
umfaßt — ein ungeheurer Morast von Lüben bis Cotbus;
eine starke Imagination möchte hier an Venedig denken,
wenn die Spree-Gondeln mit etwas anders beladen wären,
als mit Holz, Gras und Heu — Gartengewächsen. In
der Kirche hat der dänische Minister und Schriftsteller Graf
Lynar ein Monument, der keines haben wollte, daher liest

man: Roch. Fried. Comes Lynariae n. 1708 den. 1781 monumentum sibi poni vetuit *)!

Cotbus ist berühmt durch sein Bier, das ich nie zu kosten unterließ, wo ich es haben konnte. Melanchton leitete scherzweise den Namen von Gutbiß ab, andere von quot bos? er kommt aber wohl von dem wendischen chyt-s.he Butky, schöne Häuschen, her, also Schönhausen, was freilich beim Anblick des Orts einem Deutschen nicht recht einleuchtet. Die Brauereien sind nicht mehr was sie waren, im 16ten Jahrhundert wurden jährlich 37,000 Tonnen gebraut, jetzt ungefähr 16,000 — aber die Tuchfabriken blühen. Cotbus, eine Stadt von 6000 Seelen, ist jetzt auch wieder preußisch, und scheint nicht umsonst den Krebs im Wappen zu führen. Es soll auch schöne Krebse da geben, und so können sie lachen, wenn man sie Krebsfresser genannt hat.

Zu Lübben lebte und starb der als geistlicher Liederdichter berühmte Prediger Gerhard. Als er wegen seines allzu lutherischen Eifers zu Berlin seine Stelle verlor, dichtete er „Befiehl du deine Wege ꝛc." und in der Ruhe zu Lübben „Nun ruhen alle Wälder ꝛc.", was ich nicht so lächerlich finde, als es Friedrich gefunden hat. Die Wälder sind am Tage oft sehr lebhaft durch die Stimmen der Wälder, die Vögel, und selbst durch Holzhauer und Holzdiebe. Ein gewisser Edelmann, Nachfolger seines Oheims, der gar übel in den Waldungen gewirthschaftet hatte, ließ das Lied sogar an dessen Grabe singen! Wir Deutsche sind vor andern Nationen reich an geistlichen Gesängen, ein gewisser von Frankenau hinterließ 1749 eine Bibliothek von 300 Bänden geistlicher Lieder, J. J. Moser hat fünfzigtausend Lieder gesammelt und ein Prinz von Hohenlohe ein Gesangbuch drucken lassen. Wie sich die Zeiten ändern!

*) R. Fr. Graf zu Lynar geb. 1708 gestorben 1781, hat verboten, daß ihm ein Denkmal gesetzt werde.

In der Lausitz verdienen die Wenden die Hauptauf-
merksamkeit des Reisenden, deren Anzahl man mir zu
fünfzigtausend angegeben hat. Sie haben noch viel Eigenthümliches in Sprache, Sitten und Aeußerem, und während
die Deutschen mehr den Gewerben leben, treiben sie mehr
den Ackerbau. Ihre Sprache, in der noch geprebigt wird,
klingt so sanft, wie das Italienische. Sie sind abergläu-
bisch, ungebildet, aber unverwüstlich scheint ihr slavischer
Frohsinn. Sie lieben lange weite Kleidung, meist schwarz,
tragen runde Hüte, und sollen gute Soldaten geben. Die
Deutschen nennen diese Wenden diebisch, wollüstig, trotzig,
hartnäckig, gehässig — sind sie nicht Leibeigene? Mir
scheint, es geschehe ihnen so viel Unrecht als den Böhmen
auch, und so wie man sie ehemals behandelte, durfte man
es ihnen wahrlich nicht verargen, wenn sie tückische gehässige Gesinnung bekamen, selbst wenn sie den Teufel in
Gestalt eines Deutschen gemalt hätten, wie die Neger in
der Gestalt eines Europäers. Man sollte diese Wenden
schon darum höher achten, weil Brandenburg und Mcklen-
burg in ihren Titeln sich Herzoge der Wenden nennen!
Und woher soll Bildung kommen, da noch vor einer Generation das Schulamt vom Schweinhirten bekleidet
wurde, und zwar nur im Winter, weil er im Sommer
das wichtige Amt der Aufsicht über die vierbeinige Heerde
zu besorgen hatte?

Das weibliche Geschlecht trägt faltenreiche schwarze
Röcke, die nur bis ans Knie gehen, blaue weißgeblümte
Schürzen, rothe Strümpfe, und schwarze unter dem Kinn
gebundene Sammthäubchen, die recht gut lassen. Die
schwarze knapp anschließende Kleidung steht diesen vollen
Blondinen vorzüglich, verliebter Natur scheinen alle, ihre
Augen sprechen, und wer vollends ein bischen Wendisch
kann, bekommt die freundlichsten Gesichter. Mädchenkenner
ziehen sie in der antiplatonischen Liebe den Deutschinnen
vor, daher man es den Gutsherrn nicht so ganz verüblen

kann, wenn sie das alte jus praelibatus *) noch manchmal
— heimlich exerziren mögen. Ich weiß nichts — aber
das sahe ich, daß sie schön sind, — diese schlanke, große,
volle, runde, blühende und blonde Wendinnen! So wie
man die schönsten Donaunymphen zu Linz und Wien siehet,
so jene zu Bautzen und Dresden. Die Aerzte empfehlen
sie auch gerne zu Säugammen wegen ihrer Sanftheit,
gesunden Blutes und voller Brust, und solche Eigenschaften
— empfehlen dann schon weiter. Der Mangel des Selbst-
stillens hat bekannte Folgen — aber noch größere das
behagliche Ammenwesen — es verleitet zunächst zu dem,
wodurch Ammen gemacht werden, und dann die Wechsel-
bälge, vielleicht gar in hochadeligen Wiegen? Nur
Jupiter konnte seine Säugamme unter die Sterne versetzen
— die Ziege Amalthea — sie nahm ihr Horn des
Ueberflusses mit sich, daher Erzieher und Säugammen selten — im Ueberfluß leben!

Zittau, ganz nahe an der böhmischen Gränze (Gabel ist schon böhmisch), in seinem Kranze von Bergen hat
mich, wie schon gesagt, am meisten gefesselt. Die Stadt
liegt in einem fruchtbaren getraidereichen (Zito, böhmisch Getraide) Thale an der Mandau, die sich hier in
die Neiße ergießt, ist gut gebaut, Dank dem Bombardement
Dauns 1757, und zählt über 10,000 Seelen. Die Menschen scheinen in dieser Gegend so fruchtbar zu seyn, als
der Boden, denn man rechnet 8000 auf die Quadratmeile.
Die niedliche reinliche Stadt liegt ganz in Gärten. — Die
Städter sind Tuchmacher, Garn- und Linnenhändler, die
Vorstädter Gärtner, und das Landvolk Weber. Von dem
ehemaligen starken Linnenhandel kommt ihr Beiname, die
Reiche, was jetzt wohl unter die leeren Titel gehört.
Ein fleißiger Weber, der für den Faktor arbeitet, verdient
die Woche kaum einen Thaler — ist aber zufrieden, wenn
er Kartoffeln hat, und noch etwas zum Caffee. Diese

---

*) Das Recht der ersten Nacht.

Leute glaube ich, könnten fünfzig Tassen hintereinander weg
trinken, so stark als sie Voltaire trank, wenn sie so reich
wären, als dieser Spötter. Religiöser sind sie einmal
gewiß, und da sie viel sitzen, so nimmt ihre Religion
die Richtung nach dem Unterleib, wie die Krankheiten
der Gelehrten. Mysticismus ist ein wahres Unterleibs-
übel, das den Kopf ansteckt durch den Hintern!

Die Johanniskirche ist eine der schönsten Kirchen
Sachsens, aber man hat sie zu groß angefangen, daher ist
sie unvollendet, die Aussicht vom Thurme aber köstlich.
Um die Stadt ziehen sich Alleen. — Das Zuchthaus ist
eine ihrer Merkwürdigkeiten, und der hochverdiente Orien-
talist Michaelis hier geboren, wie der Barde Kretschmann, der aber zu Zittau als Rathsaktuar bekannter war,
denn als Dichter. Er fiel in die Zeit, wo Ossian Mode
war, der die Bardenpoesie erzeugte, und alles bardelte
— wie Denis, und selbst Klopstock! Groß-Schönau
mit 5000 Seelen, der Sitz der Damastweberei, liegt
nur eine Meile von der Stadt, man kann hier Tafelzeug
haben à 300 Thaler, und das ist im Munde unserer heutigen Damen, wie Shawl à 1000 Thaler — nur Kleinigkeit! Der Maler Schönau zu Dresden verehrte diesem
seinem Geburtsort das schönste seiner Gemälde, eine Auferstehung, und die Rathsbibliothek soll interessante Handschriften zur Geschichte der Lausitz haben.

Wem es zu Zittau und in seiner Umgegend zu merkantilisch oder mystisch zugeht, der wandere nach dem
Oybin (zwei Stunden), wo er aber freilich auch wieder
Zittauer antrifft. Malerisch ist das Thal — der isolirte
Sandsteinkegel in Gestalt eines Bienenkorbes in einem
schönen Wiesengrund überrascht, denn die Krümmung des
Thals verbirgt solchen dem Auge, bis man davor steht;
seine Höhe wird kaum 1600' betragen, und die Aussicht
ist beschränkt durch höhere Berge. Von der alten Raubburg, die da oben stand, zertrümmert von Zittaus Bürgern,
sind nur wenig Ueberreste — aber desto interessanter ist

die Klofterruine. Kaifer Carl **IV.** baute das Klofter
für Cöleftiner (1370). Pefchek leitet den Namen Oybin
von dem Ruf der Stürmenden Wien! Wien! her —
eben so gut kann man es von Carl ableiten, der auf die
Frage des Baumeifters: „Ob die Stelle recht gut fey?"
geantwortet haben foll: Oui bien! da er fo lange zu Paris gelebt hatte!

Am Fuße des Kegels fteht das Schulhaus, und der
Schullehrer wartet nicht nur mit Schlüffel, Belehrungen und
zierlich geftellten Reden auf, fondern er fordert felbft
das Echo heraus mit feinem Böller. Wo einft die Ke-
gelbahn der Mönche war, ift jezt eine Schießftätte,
und man kann fich den Lärmen denken, den das Echo macht.
Steinerne bequeme Stufen führen nach der kleinen Kirche
mit Gottesacker, wozu die Klofterruine trefflich paßt.
Der Jungfernfprung über eine Felfenfpalte fchien mir
nicht fo gefährlich — Alpenjäger machen noch ganz andere
Sprünge, und felbft Jungfern beim — Langaus! Der
gute Schullehrer macht für Reifende Pefchecks Werklein
über den Oybin nicht entbehrlich, aber leid follte mir thun,
wenn Pefchek den Schullehrer entbehrlich machte, denn der
Oybin fcheint 'maxima pars Salarii *) zu feyn. Doch —
der Mann hat die Schlüffel zum Himmelreich — viva
vox docet **) — nur foll er nicht auf den Einfall kommen, das Fremdenbuch drucken zu laffen!

Eine ganz andere Ausficht als vom Oybin, hat man
vom Hochwalde, von wo ich über böhmifch Zwickau
nach dem Birkftein ging, auch ein ifolirter Sandftein-
felfen, in ein feftes Schloß verwandelt, in der mühfamen
Manier von Wefenftein bei Dresden und Regenftein im
Harze. Und nur eine halbe Stunde weiter noch die fchö-
nere Ruine Habichtftein. — Aber was wollen diefe von
Menfchenhänden aufgethürmte Maffen, verglichen mit den

---

*) Der größte Theil feiner Befoldung.
**) Mündliche Belehrung wirkt mehr als fchriftliche.

Felsenparthien von Johnsdorf, von der Natur gebildet? Birkstein und Habichtstein sollen den Templern gehört haben — Templer hatten in Böhmen bedeutende Besitzungen — und mögen hier wie anderwärts Schätze vergraben haben. So soll 1770 zu Blattna ein Beamter ein Wandgemälde entdeckt haben — ein Wald, ein Templer, ein Mohr mit einer Laterne, deren Strahlen auf einen großen Stein fallen, auf den der Mohr mit dem Finger zeigt — der Beamte verstand das Symbol — hob den Stein und fand einen reichen Schatz, mit dem er sich entfernte. Templer hatten auch Mysterien — aber in diese Mysterien einzudringen halte ich für opus operatum, überlasse solches bekannten größern Gelehrten, und gehe lieber nach Herrnhut, das nur zwei Meilen von Zittau liegt, wo es auch Mysterien genug gibt!

Nach dem weltberühmten Herrnhut, an der Straße nach Dresden, führt der Weg über Groß-Hennersdorf, das auch der Brüdergemeinde gehört. Es liegt höchst angenehm am Fuße des Hutbergs, mit vier Straßen, zwei Nebengäßchen, 1200 Bewohnern, reinlich und wohlgebaut, wie alle Städte der Brüder. Bertholdsdorf, Sitz der ältesten Gemeinde mit 1500 Seelen, ist ganz nahe, Herrnhut aber der lebhafteste Ort der Brüder, an der Landstraße, der Centralpunkt der Regierung und des Handels, und doch herrscht Todesstille in den Straßen, jeder geht in sich gekehrt, wie die Juden, und um zehn Uhr war alles wie ausgestorben; außer stillen Nachtwächtern, sichern noch freigelassene große Hunde den Ort gegen nächtlichen Einbruch. Ein Denkstein bezeichnet die Stelle, wo Zinzendorf den ersten Baum fällen ließ zum Bau von Herrnhut den 21. Juni 1722. Seine Gemeinde verbreitete sich so, daß nothwendig der Gemeingeist nicht mehr so eifrig seyn kann, gieng es ja selbst dem Christenthum nicht besser. Zinzendorf sagte: „Ich habe nur Eine Passion — Er, nur Er," sie trieb ihn überall hin bis nach Süd- und Nordamerika — aber Zinzendorfe sind selten... Manches

setzte mich zu Herrnhut unwillkürlich in eine gewisse religiöse Stimmung — mehrere Innschriften sprachen mich
an; desto komischer war mir auf der Straße nach Löbau
die Innschrift einer Branntweinschenke: Amice! patet tibi
aditus atque lectus, qui vino adusto es obrutus *)!

Die böhmischen und mährischen Brüder verließen, verfolgt von Jesuiten, ihr Vaterland im 17ten
Jahrhundert, und wanderten nach Brandenburg und Sachsen, zufrieden sich unter Protestanten zu finden — die zu
Bertholdsdorf aber, einem Gute Zinzendorfs, sonderten sich
1722 ab von andern, durch strengere Kirchenzucht und
schwärmerische Ideen, und da fanden sie ihren Mann.
Graf Zinzendorf war schon in früher Jugend unter Er-
weckte gerathen, die um so fester schlafen, jemehr sie zu
wachen glauben, hatte schon als Knabe mit dem Heiland
Stundenlange sich unterredet, und ihm Briefchen geschrieben, vom Jesulein sogar den Stühlen gepredigt, die er
im Zimmer um sich herstellte — und wäre ohne seine hohen
Anverwandte Landprediger geworden, folglich waren
ihm die Brüder höchst willkommen. So wie Moses das
Volk Israel absonderte im Namen Jehovas, daß es sich
noch heute für das Volk Gottes hält, so sonderte Zinzendorf die Brüder im Namen Jesus, und gab ihnen,
mit seinem Watteville religiöse und politische Verfassung —

> daß sie als das Salz der Erden
> nützlich ausgestreuet werden!

Alles geschieht im Namen des Heilandes, der als
Ober-Aeltester der Gemeinde sich um ihre geringsten Angelegenheiten kümmert, und seinen Willen durch das Loos
verkündiget. Dieses Loos (ist nicht mehr) war jedoch nicht
unwiderruflich, fiel es gegen Erwartung, so ließ sich der
Heiland nach einiger Zeit ein zweites Responsum gefallen.

---

*) Freund, hier steht Dir Obdach und auch ein Bette zu
Dienste, im Fall Du voll Branntwein bist.

Herrnhut hat die Direction der über die ganze Erde verbreiteten Gesellschaft; die jetzt wohl 500,000 Seelen betragen mag, dreizehn gewählte Mitglieder regieren sie, und Deutsche scheinen das Uebergewicht zu haben, wie im Cardinal-Collegium die Italiener, was aber für deutsche Nation rühmlicher ist... Jede Gemeinde hat wieder ihre Aeltesten — die Geschlechter sind strenge abgesondert, die Arbeiter arbeiten um Lohn zum Vortheil der Gesellschaft, die Fabrikate kommen in's Waarenlager, und der Stand der Staatskasse — der sogenannten Heilands-Kasse — ist natürlich Geheimniß. Herrscht nicht selbst in manchen constitutionellen Staaten um die Staatskasse mystisches Dunkel? weiß man nicht hinter Sustentations-Credit und andere Cassen, Ausgaben zu verstecken, wie Hoflöche Einnahmen hinter Vorräthe? und macht man nicht ungefragt Ausgaben, die wohl bewilliget werden müssen, weil die Gelder einmal ausgegeben sind. Mit der Heilands-Casse mag es stehen, wie es will, so steht es immer besser mit ihr, als mit der — Kasse des Heilandes!

Die Herrnhuter haben Missionen in allen Welttheilen, vorzüglich unter den Negern Westindiens — in Süd- und Nord-Amerika, unter Grönländern und Esquimaur, auf dem Cap und in Australien. Zinzendorf selbst reiste viel nicht nur in Deutschland umher, sondern auch nach dem Norden — nach Holland und der Schweiz, Frankreich und England, und zweimal nach Amerika... Er hatte nur Eine Passion, wie er sich selbst ausdrückt — Er — nur Er! Manche sind überzeugt, daß die Vorsehung die Brüder bestimmt habe, die Lehre Jesus zu bewahren, wenn solche unter andern Christen nichts mehr seyn sollte, als die Lehren des Pythagoras und Socrates; andere sehen in ihnen nur protestantische Jesuiten! Offenbar gehen letztere zu weit, denn die schwarzen Herren

waren weit mehr als Kaufleute unter dem Mantel
der Religion — sie waren politische Macchia-
vells und pfiffige Schurken und Majestäts-
Verbrecher, gefährlicher als Türken, vor deren Mord
man in der Kirche betete!

Die Herrnhuter hören sich nicht gerne so nennen,
und es ist auch gerade so, als wenn man Lutheraner —
Wittenberger nennen wollte, sie nennen sich evangelische Brüder. Aber da in unsern Zeiten die Aufklärung so entsetzlich weit gediehen ist, daß sich Lutheraner und
Reformirte vereint haben, und auch Evangelische nennen,
so wird man wohl zur Vermeidung des Mißverständnisses
Herrnhuter sagen müssen, wenn man nicht Zinzen-
dorfer vorziehen will. Fromm sind diese Brüder, aber
ihr dem Himmel allein zugewandt scheinendes Herz ist
nicht so ganz mit dieser argen Welt abgeschlossen — es
schlägt ja noch hienieden. Bei allen Stillen im
Lande denke ich immer — nicht an die stillen Hunde,
die gefährlicher sind als die Belferer — sondern an Ma-
gelhans; der gute Mann nannte das Südmeer das stille
Meer, weil er keinen Sturm erfuhr — und doch ist
das unruhigste und stürmischste aller Meere!

In den Brüder- und Schwester-Häusern geht a
nach dem strengsten Takt — Beten, Singen, Arbeit, E
Trinken und Schlafen. Im Schlafsaale wachen stets
Brüder, um bei der Hand zu seyn, wenn einer krank w
um aufzuwecken, ja, Schnarcher werden auch gewe
„Bruder! schnarche nicht, deine Brüder könn
nicht schlafen." Schön! die Schnarcher sollen in
That das Schnarchen lassen, wie Kinder, wenn sie
der Stelle bedient werden, das Bettpißen im Schl
Ungehorsame werden ausgestoßen, vorzüglich die
der contra sextum*). Man könnte ihre Häuser pro
stantische Klöster nennen, wenn sie nicht durch Arb

---

*) Gegen das sechste Gebot.

sich von Mönchen und Nonnen so vortheilhaft unterschieben. Man darf die Brüder, so wenig als die Klösterlinge nach der Welt beurtheilen, oder nach den Gesetzen der Natur — sie leben, wie alle Mystiker, unter dem Gesetz der Gnade, und Jesus ist ihrer Phantasie gerade das, was Catholiken die Madonna... Auf die Enthaltung von Tanz und Spiel setzen sie einen pedantischen Werth, so wie auf andere nur durch Mißbrauch verdammliche Freuden, dafür haben sie Musik, Caffee-Visiten und Spaziergänge. Einer aus meiner Gesellschaft spielte auf einem Clavier einen Walzer, und sogleich schnitt unser Führer ein Heiligen-Gesicht, und machte St! St! Vous abusez du present *), sagen sie den Kindern dieser Welt, und diese ihnen et vous de l'avenir **). Luther hat Recht: Wie einer lieset in der Bibel, so steht am Haus sein Giebel!

Die Kleidung ist höchst einfach, meist dunkle Farben, das Geschlecht aber zeichnet sich durch Bänder aus — Mädchen rosenroth, gestandene Jungfrauen höheres Roth, Frauen blau, Wittwen grau oder weiß — so kann sich keiner vergreifen. Sie nennen sich untereinander Bruder und Schwester, folglich auch Du — und führen das langweiligste einförmigste Familien-Leben der Welt, selbst für den, der Eingezogenheit und Einsamkeit zu schätzen weiß. Ihre schmerzlich süße Sprache von der Unseligkeit ohne Ihn — von dem Gnadensuchen in seinen Wunden — vom Ausruhen in den Seitenhöhlen des Lammes — von dem Einen, das Noth — von Blut und Wunden, Lamm und Kreuz, Nägelmahlen, Backen- und Ruthen-Streichen, Seitenschrein und durchgrabene Seite ꝛc. muß dem geraden Verstande zum Eckel werden, wie das A

---

*) Ihr treibt Mißbrauch mit der Gegenwart
**) und ihr mit der Zukunft.

9*

und. O du liegst auf Heu und Stroh! Sicher hörte man zu des Psalmisten Davids Zeiten, der doch, so gut als Stilling, auf die Hülfe von Zion hoffte — nicht soviel von zerknirschten und zerschlagenen Herzen zu Jerusalem, als hier zu Herrnhut, und ich begreife nicht, wie die Leutchen dabei noch so gesund und zufrieden aussehen können?

Von Spener und Frank scheint der Satz ausgegangen zu seyn, daß der von Natur sündhafte Mensch keine Besserung aus eigner Kraft vermöge, sondern nur durch die Gnade von oben! Zinzendorf, ihr Freund ging noch weiter, und verlangte Zerknirschung und Buße. Der bösen Menschen-Natur ist es nie rechter Ernst, folglich erreicht sie nur im rechten Feuer den Grad, wo die Gnade zum Durchbruch kommt, und mitten unter den Schlacken sich der Regulus der Wiedergeburt zeigt — oder der neue Mensch mit dem gebenedeiten Gesicht, das mir so widrig ist, als das von Mutter-Natur bestrafte Gesicht des wilden Bacchus, oder Venus Ritters! Das Gebet ist das Athmen der Seele, sagte S. Martin, daher unterhalten sie sich mit Jesu, wie Verliebte, und bekommen am Ende gar Antwort, wie selbst Mönche und Nonnen Besuche, von Gott Vater, Sohn und Geist, Marien, Engeln und Heiligen!

Interessant ist der Gottes-Acker auf dem Hutberge, wo Menschen aus allen Weltgegenden schlummern, weit verschiedenern Stammes als auf dem Schlachtfelde von Leipzig — ein wahrer Garten mit Bäumen, ihr Jerusalem. Alle Gräber sind gleich, auf allen nichts als der Name, das Geburts- und Sterbe-Jahr, nur Zinzendorfs Grab ist ausgezeichnet durch einen größern Stein. „Zinzendorf geb. Dresden 1700, der unvergeßliche Mann, einging zu seines Herrn Freude den 9ten Mai 1760. Er war gesetzt, Frucht zu bringen, und eine Frucht, da bleibet." Am Eingange liest man: „Christus ist erstanden von den Todten," und auf der Kehrseite: „

ist der Erstling worden unter denen, die schlafen" — am Gottes-Acker zu Gnadenfrei in Schlesien aber steht: „Hier ruhet das Gebeine, der Geist ging zur Gemeine." — Gemüthlich ist, daß sie den Hintritt ihrer Lieben nicht durch die stürmende Artillerie der Glocken, sondern durch die sanften Klagetöne der Flöte verkündigen, höchstens durch die Posaune. Die strenge Absonderung beider Geschlechter, die im Leben schon durch Wohnung, besondere Kirchenthüre und selbst Abtritte gesichert wird, zeigt sich auch noch nach dem Tode — rechts ruhen männliche, links weibliche Leichen — aber ächt classisch sind sie, wie die Alten, die den Tod verschleierten mit einem abiit, vixit — oder ihn unter dem Bilde des Schlafes oder eines Genius mit verlöschter Fackel vorstellten — sie gehen heim zu Jesus, und über dem Grabe flimmert der Stern der Hoffnung, wenn sie nicht auf das alte Lied verfallen:

> Seine Augen, seinen Mund,
> seinen Leib für uns verwundt,
> ist er ganzen schauen!

Die Herrnhuter sterben nicht, sondern gehen heim, denn sie sind in der Gnade — wir andere sterben und sind höchstens in der Gnade des armen Schächers — am Hofe zu Marocco aber — und an dem des großen Corsen — hat man sein Schicksal erfüllet! Obwohl noch kein Herrnhuter so weit gegangen ist, zu glauben, daß er nicht sterbe? „Wer an mich glaubt, stirbt nicht." Ein Methodist ging wenigstens so weit; glaubte ob er gleich alle um sich her sterben sahe, daß sie alle nicht genug Glauben gehabt hätten, und als auch er daran mußte, so glaubte er, daß auch er nicht Glauben genug gehabt habe! Lakington, der reiche Buchhändler zu London, schlug als Methodist bei einem kritischen Fall die Bibel auf, las die Worte: „Er wird seinen Engeln befehlen, daß sie dich auf den Händen tragen, damit du deinen Fuß nicht an einen Stein stoßest" — und sprang frisch

zum Fenster hinaus — da er aber die Beine brach, nahm
er sich doch vor, sein Vertrauen künftig nicht
mehr so weit zu treiben!

Schön ist die Aussicht vom Hutberge, noch besser
aber hat mir die vom Heinrichsberge (Graf Reuß)
gefallen. Hinter der schönen Reußischen und Wattevill-
schen Wohnung (das Archiv) sind Gärten, und im letzten
steht über einer Hütte ein Obelisk. „Es ist noch eine
Ruhe vorhanden.“ Herrnhut ist in der That, so ge-
fallend, reinlich, einfach, daß man leicht dieser argen Welt
entsagen, hier sein Tabor bauen, und in den Wunden des
Heilands auszuruhen versucht werden kann. Mir ging es
hier, wie früher in Klöstern — aber ein bischen Nachdenken — und die Versuchung vergehet. Man zählte vierhundert Brüder und eben soviele Schwestern, worunter nur
siebzig — achtzig Ehepaare! Natur bleibt Natur, und die
strenge Aufsicht sollte sie nicht Heuchler machen? Die
Heurathen sind erschwert, und nicht jedem und jeder ist
gedient mit der Wahl des Lammes. Viele Schwestern
sollen an der Auszehrung sterben! die stets gespannte
Einbildungskraft magert ab — mehrere Schwestern hatten ein recht blasses leidendes Aussehen, und erregten in mir Gefühle des Mitleidens, wie früher in Nonnen-
Zwingern, wo Nonnen oft wahre Kleinigkeiten
beichteten, von denen sie träumten, ja ein Wiedergeborner
beichtete sogar von Anfechtungen, die ihm das Vater
Unser mache, weil er bei dem Worte Vater an allerlei
denken müsse!

Jean Jaques behauptete, wenn man zehn Franzosen kenne, kenne man alle; dieß gilt weit mehr von Herrn-
hutern. Hat man Ein Haus gesehen, hat man alle gesehen, überall dieselben Physiognomien, derselbe fatale heilige
Blick — sie haben sich selbst verschnitten, um des Himmel-
Reichs willen. Alle gleichen sich, wie die Tücher einer
Fabrik. Es ist Gesetz der Brüder, nie die Waaren zu
überbieten, und nicht zu handeln — es geht da

135

nichts vom Preise ab, und die Waaren sind in der That gut, aber — theuer. Sie nehmen keine Trinkgelder, rechnen aber auf die honetteté des Fremdlings, daß er etwas kaufe. Mein Gasthaus war schön, reinlich, recht gut — aber in der ganzen Lausitz — das theuerste; doch — es kommt ja alles der Heilandskasse zum Besten. Das Genießbarste, was ich Weltkind unter den Frommen gefunden habe, war — der delikate Zwiebak zum Caffee!

Herrnhut verdient die Aufmerksamkeit des Philosophen, wie sich diese Zinzendörfer so weit haben ausbreiten und wurzeln können, da das System so große Verleugnung Seiner selbst, und Enthaltung von Dingen fordert, die ganz gleichgültig, aber gerade darum vielen wichtig sind, wie Tanz und Spiel. Die Leutchen nehmen überall die Phantasie in Anspruch, und recht eigentlich die Vernunft gefangen unter dem Gehorsam des Glaubens. Sie sind versiegelt an der Stirne mit dem Siegel des lebendigen Gottes, wie in der Offenbarung, Engel versiegelten die Knechte Gottes, in weißen Kleidern, obgleich gewaschen im Blute des Lammes. Mich wundert, daß die Schlüsselblume nicht Wappen oder Symbol der Brüder ist, da in ihrem Kelche sich fünf blutrothe Fleckchen finden, die leibhaften Fünf Wunden. Die Britten nennen den Irrwisch oder Ignis fatuus, Jack with a Lantern, Hans mit der Laterne, und so auch, wegen des innern Lichtes die Methodisten!

Nirgendwo wären unsere alten Theologen besser aufgehoben, als unter den Brüdern. Sie könnten sich hier alle Aergernisse der naseweisen Vernunft ersparen, und Landprediger, die sich's gerne bequem machen, brauchten nicht einmal zu studieren, sie dürften nur predigen, wie sie der Geist treibt, a tort et a travers*), alles untereinander — denn hier denkt man nicht, man fühlt blos und

---

*) Bunt durch einander, in Kreuz und Queere.

schwärmet! So wenig bei der alten Dogmatik von Moral die Rede war, so wenig ist hier von Vernunft die
Rede — alles Liebe zum Heilande — nur Er! Er!
Nichts beweiset, wie abentheuerlich und kindisch Mysticismus oder bloße Gefühle, ohne Ideen (der gerade
Gegensatz der alten Sophistik oder Dogmatik — Ideen
ohne Gefühl; nur beide vereint bilden reine aufge-
klärte Religion) werden kann, als das süßliche Bil-
derspiel der Brüder und Schwestern in dem Herrn, und
die tändelnden Lieder des alten Gesangbuches,
weit tändelnder als Vater Gleims Liederchen. Indessen
wie lange ist es, daß Protestanten solche Lieder ausge-
merzet haben? Herrnhuter thaten es auch, und nur im
alten Gesangbuch findet man noch:

> Jesus mit dem duftigen Leichelein
> umarm', umfaß' dein Bräutchen,
> mach' dich mit uns heut so gemein,
> als wären wir lauter Seit'chen!

> Es sey zum Spinnen gehen,
> zum Kochen, Waschen, Nähen,
> zum Stricken überall,
> zum Backen, Pressen, Plätten,
> zum Scheuren, Kehren, Betten,
> Bedarf man der fünf Wundenmal.

> Gott Papa, Mama und Bruder-Lamm,
> blas' auf dreieinig deine Flamm'!

> Pendens cum latronibus[*]
> als ein Galgenschwengel,
> his de nebulonibus[**]
> ward einer Engel.

> Gott in Palästina wandelte,
> ganz menschlich handelte,
> aß, trank, schlief, und seine Nothdurft macht,
> und weint und lacht
> und als Handwerksbursche sich
> mühete emsiglich!!

[*] Hangend mit den Schächern.
[**] Aus diesen Schuften.

Man sollte es kaum glauben, was in den Sammlungen der Brüder zu Herrenhag gedruckt zu lesen
ist (daher ich citire: Büdinger Sammlungen VIII. St.
p. 275) „Seelen, die sich nicht so ganz in das evangelische Wesen verloren haben, daß sie ihren Bissen Brod nur
im Heilande essen, und denen das im Namen Jesu
auf den Abtritt gehen noch ein Geheimniß ist, verfallen in allerlei Zweifel“ — Theologen nennen Zweifel
Anfechtungen des Teufels, wer denkt — zweifelt,
wer aber die Vernunft gefangen nimmt unter dem Gehorsam des Glaubens, den läßt der Teufel in Ruhe, wie die
Theologen. — Denken strengt an — Glauben ist bequem und macht fett, und gibt es eine Universal-Arznei
für Ruhe jeder Art, so liegt sie in der Enthaltung —
vom Denken! und noch mehr vom Sprechen!

Gemeinsinn, Fleiß, Ordnung, Reinlichkeit
und Einfachheit zeichnen aber von der andern Seite
die Brüder und Schwestern aus, und das verdient das
höchste Lob. Was uns anekelt, das Schwärmerische,
Mystische, Vernunftwidrige fühlen diese deutsche
Quäcker nicht, es macht sie vielmehr glücklich. Scrivers
Seelenschatz — Arndts Paradies-Gärtlein. — Prinz Eberhard von Hohenlohe Gesangbuch, Eberhards himmlische
Nachtigall — Riegers Herzpostille und Salzbund Gottes,
das goldene Schatzkästlein, die Seelen-Apotheke c. machen
solche Leutchen glücklicher, als alle Schriften Kants einen
Philosophen je machen können! Fleischlich gesinnte Menschen verstehen nichts von dem, was des Geistes Gottes
ist — sie aber — sind schon hienieden selig im Glauben, noch ehe sie zum Schauen gelangen, wie Jung
Stilling mit seinem Heimwehe, das Weltkinder Hirn-
weh genannt haben. Man könnte über allen Mysticismus blos lachen, wenn diese Gefangennehmung der Vernunft nur nicht einen so zeitgemäßen Fußschemmel des
schändlichsten Ultramontanismus abgäbe, der endlich
gar politische Verbrecher macht!

Was die Predigt zu Herrnhut bei mir verdarb, machte der sanfte Gesang wieder gut, wobei man doch noch eher an Musik denken kann, als in unsern prote- stantischen Kirchen, vorzüglich Dorfkirchen, wo sie zu Gott schreien, wie der Hirsch nach frischem Wasser, der Schulmeister ärgere Grimacen schneidet, als Casperle im Doctor Faust, und alle, desto — andächtiger und in- brünstiger zu seyn glauben, je mehr sie sich rothbraun brüllen, wie Rinder. Zu Herrnhut aber hätte Lichten- berg, der so gerne: In allen meinen Thaten rc. sang, gewiß herzlich mitgesungen. Wenn ich Spangenbergs Gesicht ansahe, und die Gesichter der Herrnhuter, wünschte ich mir ihre Seelen-Ruhe; diese Ruhe und Heiter- keit, ihre Seelenstärke in Leiden und Schmerz, sind doch Folge ihrer religiösen Grundsätze, und zu benei- den: Sie gleichen Sadrach, Mesach und Abednego im glühenden Ofen, Daniel in der Löwengrube, und Obereit, der da sagte: „die Welt erscheine ihm umgekehrt, fast wie Nichts, wie sein eigen Nichts" — Träu- mer haben ihre eigene Welt und sind glücklich. Ich rief zu Herrnhut, wie Alexander vor der Tonne des Diogenes: „Wäre ich nicht Philosoph," d. h. fände ich nicht in der Herrschaft der Vernunft über Sinnlichkeit, über Nach- beterei, über bloße Gefühle und heilige Betäubung die höchste Würde der Menschheit — so möchte ich Herrn- huter seyn!

Sechster Brief.

Reise nach dem Erzgebirge und Voigtland.

Der Weg von Dresden nach Freiberg ist wenig inte- ressant, die Aussicht von der Höhe bei Korbitz auf Dresden

ausgenommen, man kommt an Kesselsdorf vorüber, wo
der alte Dessauer 1745 die verschanzten Sachsen schlug,
während die verbündeten Oestreicher auf den Höhen hinter
Plauen standen. Die Straße zieht sich immer höher und
höher in das romantische Thälchen von Herzogswalde,
Nossen bleibt seitwärts, aber die ehrwürdigen Ruinen
von Altenzelle müssen wir besuchen. Diese Cisterze verbreitete das Christenthum unter die Sorben, Otto der Reiche,
der sie 1170 stiftete, ruhet hier mit seinen Nachkommen
bis auf Friedrich den Streitbaren. Pappeln und Linden
beleben und schützen die wohlerhaltene Begräbnißkapelle,
die Ruinen umgeben kleine Anlagen, und im Vorwerke ist
eine Stutterei.

Von Nossen aus besucht man am besten Waldheim,
wo das große Irrenhaus ist, und wird überrascht von
der alten Burgruine Kriebenstein, die Friedrich der
Streitbare zerstörte, der Edelfrau aber erlaubte, ihr Bestes
mit sich zu nehmen — und sie trug ihren Gemahl auf
dem Rücken herab. Wer ist Original Kriebenstein oder
Weinsberg? Nach Rochlitz an der Mulde kam ich nicht,
habe aber in Estor (Bürg. R. G. S. 1208) gelesen, daß
im vorigen Jahrhundert der dasige Arzt wegen eines Bein-
schadens, mit einem großen schwarzen Bock, mit dem
seine Kinder herum zu kutschiren pflegten, zur Kirche
fuhr — es machte Aufsehen beim Volk, das noch heute
Bock, Hexen und Teufel zusammen reimt, Se. Hochwürden thaten den Mann in Bann, und den Bock in
Stall, das Consistorium sahe aber die Fahrt im mildern
Lichte, und glaubte sogar, daß einem Arzte noch am ehesten, aus mehr als einem Grunde — eine Bocks-Equi-
page nachgelassen werden könne!

Je näher wir Freiberg, der Hauptstadt des Erzgebirges, rücken, desto öder wird die Gegend, und die mit
Schlacken ausgebesserte Straße erhöhet das düstere Gemälde;
kaum daß die Mulde die Einförmigkeit etwas unterbricht,
nur zu Dannemora und Fahlun mag es noch wilder aus-

sehen — ob man hier wie dorten die Schlacken benutzt,
daß man sie in Formen auffängt, und wie Backsteine
gebraucht? Der Hüttenrauch ist Stunden weit zu riechen,
die Schwefeldünste verdorren Blätter und Gras, überall
sind Grubenhäuser, und nun kommen noch die alten mit
Epheu überzogenen Mauren, Thürme, Wälle, und finsteren
Häuser des großen aber todten Freibergs. Die Stadt war
einst Residenz und fest, zählte über 30,000 Bewohner, und
jetzt, sammt der Garnison, den dritten Theil. Das alte
Schloß, genannt Freistein, ist Getraidemagazin, und im
Dom, wo mehrere Fürsten Sachsens ruhen, verdient das
alabasterne Denkmal Moritzens unsern Besuch. Er kniet in
Lebensgröße, das Schwert in der Hand, auf seinem Grabe,
über demselben hängt die Rüstung, die er in der Schlacht
von Sievershausen trug, zwanzig schwarze Marmortafeln
verkündigen uns seine Thaten, aber die Trophäen oder
Fahnen umher sind halb vermodert!

Hier ruhet auch der große Mineralog Werner, unter
einem einfachen Sandstein mit einer Marmortafel: „Hier
ruht A. G. Werner, geb. 1750, gest. 1817, das Denkmal errichtete die schwesterliche Liebe, ein bleibenderes er
sich selbst,"- und weiter unten liest man: ··

Nosse metalliferæ genus et discrimina terræ,
hunc natura docet, vivere fama jubet. *)

Werners gut getroffenes Bildniß von Kügelchen, ziert die
Bergakademie, Werner aber behauptete, der Künstler, der
ihn in einem kalten Zimmer malte, habe ihm zu viel
Frost ins Gesicht gemalt .. wie mein Apelles zu viel —
Satyre, was schlimmer ist. Schon als Knabe verdarb
er manches Unterfutter durch sein Steinsammlen — als
Jüngling bildete er sich in der erst durch ihn recht gebilde-
ten Bergakademie Freibergs — die Wissenschaft war seine
Frau, die Schüler seine Kinder, und sein Geschäftseifer,

---

*) Wesen und Art zu erforschen der Erze spendenden Erde
Hat die Natur ihn gelehrt, immerfort dauert sein Ruhm.

seine Sammlungen und eine jährliche Reise nach Carlsbad entschädigten ihn für den Mangel häuslicher Freuden. Er starb zu Dresden, vermachte seine zwanzigtausend Bände starke Bibliothek, seine herrliche Mineralien, Münzensammlung und Modelle zum Bergbau der Akademie, und feierlich war sein Leichenzug von Dresden nach Freiberg auf Kosten des Staates. Werner lebte vierzig Jahre zu Freiberg, treu dem Vaterlande. Zu Freiberg wurde ich alter Knabe wieder zum A B C verwiesen, so hieß der Gasthof, mit dem ich aber wohl zufrieden war als Mann, wenn ich beim A B C keine Fehler machte!

Die Bergakademie mit ihren Sammlungen ist das Interessanteste zu Freiberg, nicht älter als 1767, und ihren Ruf gründete vorzüglich Werner. Diese Akademie, die in der Regel 50 — 60 Zöglinge zählt, gehört ganz Europa an, sie hat überall ihre Schüler, selbst Amerikaner, die die Natur befragen in Werners Namen, wie Botaniker im Namen Linnés. Das Berg- und Hüttenwesen verdankt Sachsen ungemein viel, überall findet man Sachsen angestellt, oder doch Zöglinge Sachsens. Liebhaber können mineralogische Sammlungen hier zu kaufen finden von 150 bis 500 Thaler. Ueber dieser Akademie vergaß ich mir auf dem Markte die mit einem † bezeichnete Steinplatte zeigen zu lassen, oder die Stelle, wo Kunz von Kaufungen, der Prinzenräuber, mit seinen vier Gefährten hingerichtet wurde — für viele die Hauptmerkwürdigkeit Freibergs — und ein rechter Mineralog glaubt ohnehin, daß die ganze Erde, die Menschen darauf, und Freiberg lediglich da seyen — um der Mineralien willen. Wir sind kaum 500 Klafter tief in die Erde eingedrungen = $\frac{1}{6000}$ bis zum Mittelpunkt — folglich kennen wir und selbst Mineralogen die Erde nur — oberflächlich, wie so viele Räthsel der Natur, und des Universums!

Freiberg hat eine berühmte Lyonische Gold- und Silberfabrik, eine Tuch- und Casimirmanufactur, aber die Oberwelt ist hier dem Reisenden weniger interessant als

die Unterwelt, und wegen dieser und damit er keinen
Schleichhandel mit ihr und der Oberwelt treibe, darf sich
kein Jude blicken lassen. Ich fuhr gegen einen Fahr-
schein, à 8 gr., in die alte Elisabeth in der Nähe der
Stadt, und dann in den bedeutenden Himmelsfürsten
und Beschertglück, eine der ergiebigsten Silbergruben,
½ Stunde von Freiberg. Es war nicht das Erstemal, daß
ich solche Gruben befuhr, ich verstehe nichts vom Bergwesen, aber ich bin noch jedesmal, wo es seyn konnte, in die
Grube gefahren, weil es eine ganz eigene Empfindung ist,
wenn man wieder zu Tage gefördert wird ans Licht und
in die freie Luft. Jener Britte konnte nicht satt werden
bei Laneburg sich — ramaßen zu lassen — auch ich habe
es versucht — aber jenes Vergnügen ist größer, denn die
Phantasie ist dabei weit mehr beschäftigt, man gedenkt der
Grube, aus der man nicht wieder kommt, und der Kuxen
(dieses bergmännische Wort kommt vom böhmischen Kukus
Antheil) woran wir alle Antheil nehmen müssen!

Das Amalgamirwerk, wo das Silber vom Erz
mittelst Quecksilbers geschieden wird, sahe ich auch und
lernte so viel, daß diese Bornische Methode bedeutenden
Vorzug vor der alten Methode des Schmelzens hat, indem
man dabei blos an Holz jährlich zehntausend Klafter ersparet, die übrigen zum Schmelzen erforderliche Stoffe
nicht gerechnet. Born selbst gibt in einem Briefe an G.
Forster die Ersparniß zu 60000 Thaler an — unterrichtete
nach Wien geschickte Freiberger Bergbeamte in seiner Methode, und der Kurfürst sandte ihm eine goldene Dose
— Born sandte sie wieder zurück, weil er nichts ohne Vor-
wissen des Kaisers annehmen dürfe, und wegen einer solchen
Kleinigkeit doch nicht anfragen möge. — In Oestreich bezog Born den Drittel des Nutzens von seiner Erfindung —
da mußte ihm denn freilich das sächsische Geschenk sehr
nordisch vorkommen. Schon im zwölften Jahrhundert
bauten hier Bergleute vom Harz — aber die Kobald-
Gruben, welche die blaue Farbe liefern, sollen jetzt so

viel abwerfen, als die erschöpften Silbergruben. Die Silbererze heißen in der Bergsprache — die auch ihre Keile und Hämmer Fimmel und Fäustel, ihre Gruben Zechen, ihre Luft Wetter und das unnütze Gestein alten Mann nennt wie ihre Karren Hunde — edle Geschicke, die übrigen grobe Geschicke, als ob es nicht auch edle Geschicke gäbe, die recht grob seyn können!

Die Gefilde, wo Ceres und Flora leben, machen heiter, die Gefilde des Plutus und Mulciber so traurig als der Ofendampf, das dumpfe Stampfen der Pochwerke, die schwarzen aufgehäuften Schlacken und Holzstöße, und die grau bleichen Gesichter, die stets in Gruben leben bei Kerzenlicht, und in vergifteter Luft, ohne je das Glück des Landbauren kennen zu lernen, der in freier Gottesluft lebt, und im Anblick der Sonne. Der Gesang der Vögel begleitet den Landbauren, den Bergmann aber necken Gnomen und Bergmännlein in der Stille des Grabes — jener genießt die Früchte seiner Arbeit, diesem gewährt sein Gold und Silber kaum spärliches Brod — dorten heiteres Alter, hier frühes Hinwelken ins Grab! Selten werden diese Armen alt, 50 Jahr ist das Höchste, und 60 ein halbes Wunder! Das meiste Unglück geschieht bei der Sprengarbeit und Maschinenwartung — es gibt Todte und noch mehr Verwundete — sie werden unentgeldlich geheilet oder begraben, und die Hinterbliebenen bekommen vierwöchentlichen Lohn. Noch übler daran sind die Hüttenleute, welche die Dämpfe beim Bleischmelzen und den Erzstaub verschlucken müssen, daher die Müller und Sieber mit verbundenem Munde arbeiten — das größte Unglück aber ist, nicht die verpestete Luft, sondern das Wasser — ersoffene Minen machen — Bettler. Selten bereichern die Gold- und Silbergruben den arbeitenden Bergmann selbst trotz aller Mühen und Gefahren, und er mag sich mit den Autoren trösten!

In den Minen zu S. Domingo oder Haiti, wo die

barbarischen und fanatischen Spanier die unglücklichen sanften Bewohner, die ihr Schwert nicht tödtete, ihre Fleisch-
hunde nicht zerrissen, und der Hunger nicht verzehrte, zur
ungewohnten Arbeit zwangen, soll sich die Syphilis erzeugt
haben. Die Alten und die Severambes schickten in die
Bergwerke (ad metalla) nur Verbrecher, wie sie Rußland schickt nach den Nertschinskyschen Gruben Siberiens,
und auf den Zobelfang.

Das Leben der Erzgebirger ist überhaupt hart, hart
ihre Arbeit, groß ihr Fleiß, und nur dürftig die Nahrung
— Kartoffel, Haferbrod, Milch, Obst, Pilze, Schwämme
und Beeren. Eine Lieblingsschüssel ist Preißelbeeren
mit Rahm und Zucker, und die gemeine Melde (Che-
nopod. virid) wird als Gemüße genossen. Ich habe mir
im Erzgebirge Schwämme und Morcheln schmecken lassen,
und eine neue Speise und neuen Trank kennen lernen —
Tannenzapfen in Zucker eingemacht, und Liqueur über
Tannenzapfen abgezogen! Und dennoch leben in diesen armen Gebirgen gegen 500,000 Menschen, die Bergbau
und Fabriken, Flachsbau und Spitzenklöppeln
nähren. Es kommen auf die Quadratmeile 3800, im
Amte Schwarzenberg 5000, und um Chemnitz gar 12,800
Seelen, fast Uebervölkerung, und doch hört man nichts von
Auswanderungen, wie in Würtemberg. Wenn Preußen, Böhmen und Baiern sperrten, müßten sie alle Hun-
gers sterben. Auf dem Harze hat Hannover Kornmaga-
zine, warum nicht auch Sachsen hier in den gleich dürftigen Gebirgen, da man auf der Elbe Ostseegetreide
wohlfeil herbeischaffen könnte? Die Freiheit des Getrei-
dehandels ist in der Theorie richtig — wenn aber d
Praxis der drei Nachbarstaaten Sperre anlegt, so m
das arme Erzgebirge über der Theorie — verhungern!
Die Kartoffel ist im Gebirge Altes, aber zu Anfang des
vorigen Jahrhunderts hieß man sie spottweise in Meißen nur
vogtländische Knollen, und die Prediger, die sie so vernünftig von der Kanzel verkündigten — Knollenprediger

Je mehr sich das Erzgebirge Böhmen nähert — und ein Drittel gehört davon zu Böhmen — desto rauher und hoher wird es, daher man diesen Theil auch das sächsische Sibirien nennt. Nicht selten werden einzelne Wohnungen so mit Schnee bedeckt, daß die Bewohner sich Lichtlöcher und Ausgänge graben müssen, und um nicht zu versinken sich hölzerne Brettchen unter die Füße binden, wie die Lappen .. Getreide kommt hier nicht fort, desto besser aber scheint es mit der Viehzucht zu stehen, und der Kunstfleiß hat den höchsten Grad erreicht. Um den sächsischen Fleiß und die Tugenden des Sachsen ganz schätzen zu lernen, muß man nach dem Erzgebirge kommen!

Der Anblick dieser Gebirge ist weit weniger imposant, als der Anblick des Harzes, oder des Fichtelgebirges — kahle Hügel und Flächen, aber allerwärts Dörfchen und Einzelhöfe, mühsam bebaute Felder, Wiesen und Wälder, Flüsse und Bäche, Ackerbauer und Bergleute, Handwerker und Fabrikanten — nur die rauhe Luft erinnert uns, daß wir in hohen Gebirgen wandeln. Die Einwohner sind keine rohen Harzer, sondern artig, zuvorkommend, aufgeklärt, selbst Lektüre ist verbreitet. Welcher Abstand von den östreichischen Älplern, ja selbst jenseits der Thüringer Wälder in Franken, wo wenigstens der sächsische Fleiß fehlet. Im ganzen Gebirge ist Spitzenklöppeln an der Tagesordnung, Weiber und Kinder beschäftigen sich damit, selbst Männer, wenigstens Greise, und wenn die guten Leute sonst nichts anzufangen wissen, so richten sie Dompfaffen ab, die nach Norden gehen, oder bereiten Zunder, der dem Tabaksraucher nicht gleichgültig ist. Die meisten Arbeiten sind auf Bestellung, vorgeschrieben von Kaufleuten, die auch die Materialien liefern, Spitzenherren heißen, und es auch sind! Pauper ubique jacet *)!

*) Ueberall liegt der Arme darnieder.

Die Hauptsache bleibt der Bergbau. Gold wird nur wenig gewonnen, desto reicher ist Sachsen an Silber und ungeheuer war der Schatz bei Entdeckung der Frey= berger Bergwerke 1167 — die reichste Silbergrube ist der Himmelsfürst bei Freiberg, und der ganze Bergbau soll 1½ Millionen Thaler abwerfen. Natürlich sind die Gru= ben nicht mehr, was sie waren — wie im Harze, Fichtelberge und in den Böhmer Alpen auch, denn man kann alles er= schöpfen — man findet keine gediegene Silbermasse mehr, wie 1477 zu Schneeberg, die 400 Centner wog, und 80,000 Mark gab; sie diente zum Tische des Markgrafen, Stühle und Bänke hatte der Bergmeister aus Erz hauen lassen, und selbst die Bergleute wurden bezahlt mit reinen Silberkuchen. Annaberg ist auch erschöpft, und Gold ganz selten. Im Mittelalter aber war Deutschland das Peru und Mexico der Europäer. Nach den Silberberg= werken folgen die Zinn=, Blei=, Eisen= und Kobalt=Gruben, selbst Edelsteine werden gefunden wie in Böhmen, und ver= arbeitet. Wenn auch der Ueberschuß in der Staatskasse noch geringer werden sollte, so nähret doch der Bergbau die Mehrzahl der Erzgebirger direkte und indirekte, die i der That dicht genug aufeinander sitzen!

Man rechnet das Personale des Berg= und Hütt wesens zu 12,000 Seelen, und zählt über 600 Grub Es sind zwölf Bergämter, alle unter dem Oberbergamt Freiberg, die Leute haben eigene Gerichtsbarkeit, sind cise= und Conscriptionsfrei, und tragen Uniform und g Mützen, die Offiziere eisenfarb und roth — alles b lockt an, so, daß es nie an Bergleuten fehlt, ja viele a ins Ausland gehen. Sie erhalten wöchentlich 24 Gr. Steiger (Corporal) 30 Gr., und haben Kinder ü Kinder, die auch etwas verdienen. Die Kartoffel Früh, Mittag und Abends auf dem Tisch, kaum, daß der Sonntag durch Fleisch auszeichnet. Glück auf! ihr gewöhnlicher Gruß, ein sehr natürlicher Gruß, gar Mancher bleibt in der Zeche — und ich wette,

Bergmann zu Klein-Waltersdorf, bei Freiberg, dem der liebe Gott 1826 Fünflinge bescheerte — drei Knaben und zwei Mädchen wohlgestalt und ganz reif — hat gerufen Glück auf!

Diese Leute haben ihre eigene Sprache, eigene Bergparaden, Bergfeste, Bergmärsche, Berglieder und selbst Bergpredigten. Christus ist der oberste Bergfürst, und die Christenheit die geistliche Bergstadt Gottes, auf Felsen gegründet, und mit herrlichen Freiheiten begnadiget. Jesus ist der oberste Hutmann, die Engel die rechten Schlegelgesellen, die die Herzen mit dem Pochstempel der Reue und Buße zerknirschen, und auf der Wäsche des Glaubens das Silbererz der Frömmigkeit reinigen von allen Schlacken der Sünde, damit sie das Gepräge der Kinder Gottes empfangen — Buße und Glaube bleiben das ächte Pochwerk, und die wahre Wäsche des Christen. — Der Knabe, der sich dem Bergwesen widmet, wird zuerst Scheide-, Poch- und Waschjunge, dann Grubenjunge, der die losgearbeiteten Erze im Karren führt — hierauf wird er Lehr- oder Schrammhauer, dann Doppelhauer — endlich bringt er es zum Steiger oder Aufseher. Zwischen Gruben- und Hüttenleuten herrschen Neckereien, wie zwischen Civil und Militär, und doch ist reingewaschenes Erz noch lange kein Gold und Silber, und wenn die Grube stille steht, so steht auch die Hütte stille, wie der Magen des Wehrstandes ohne den Nährstand!

Gewöhnlich wird das Erz durch Menschen in Kübeln aus der Teufe (Tiefe) heraufgehaspelt, es gibt aber auch Maschinen (Göpel), wo mittelst der Pferde das Erz in weit größern Gefäßen zu Tage gefördert wird, und wenn der gefüllte Kübel auf einer Seite heraufsteigt, so geht ein leerer auf der andern hinunter. Die Breite der Gänge heißt ihre Mächtigkeit, zuweilen 20 Lachter (3½ Elle) zuweilen nur wenig Zoll, und wo gar kein Erz ist, ist der

10 *

Gang taub. Die Pferde, welche stets in demselben Kreise
sich bewegen müssen, werden davon so dumm, daß es
Sprüchwort ist: „dumm, wie ein Göpelpferd," denn
man hat gleiche Erscheinung auch bei Menschen. Die Gö-
pelpferde drehen sich immer im Kreise ohne weiter zu
kommen — ist dieß nicht mehr oder weniger auch der
Fall in der Geschichte der Menschheit?

Nie hat es noch an zweibeinigen Maulwürfen gefehlt, so viel wirken Freiheiten, noch mehr aber Armuth, da die Leute selten ihre Kinder etwas anderes
lernen lassen können, am meisten aber die Macht der
Gewohnheit. Selten wählt Sohn oder Enkel einen andern Stand, und doch sind, nächst Dürftigkeit und Müh-
seligkeiten aller Art, Schwindsucht, Bleichsucht, Blindheit,
Hüttenkrätze seine gewöhnlichen Begleiter! Aber man gewöhnt sich an Alles. — Der arme Bergmann denkt gar
nicht an den Mißbrauch des Goldes und Silbers, das er
mit Gefahr seines Lebens zu Tage bringt, um die Ueppigkeit und Schlechtheit der Reichen zu befördern — er arbeitet, ißt, trinkt, singt, liebt und tanzt. So tanzt der Sklave
in den Colonien am Sonntage, wenn er gleich die ganze
lange Woche unter der Peitsche des Aufsehers gearbeitet
und geseufzt hat, und weiß, daß er am Montage gleichen
Kreislauf beginnen muß. Glück der Gewöhnung!

Nichts scheint auffallender als die Lustigkeit dieser
armen Bergleute — Gesang und Zitterspiel gehören
zum Leben des Bergmannes. Sie sind in der Regel mun-
terer als unsere Landbauern, denn sie haben weniger Sorgen, die Witterung kann ihnen gleichgültig seyn, jeden
Sonnabend erhalten sie richtig den Wochenlohn, so wie sie
jede Woche Einmal richtig tanzen, sie arbeiten stets in Gesellschaft, die Kinder schon verdienen Brod, und sie haben
Freiheiten, worunter die vom Soldatenstande nicht die
geringste ist. Gewohnheit macht, daß man so leicht
unter der Erde arbeitet, als auf ihrer Oberfläche im
Angesicht der Sonne, und wie viel Tausende in großen

Städten arbeiten nicht auch unter der Erde? Novalis läßt seinen Bergmann singen:

Der ist der Herr der Erde
wer ihre Tiefen mißt,
und jeglicher Beschwerde
in ihrem Schooß vergißt!

Er reichet treu dem König
den glückbegabten Arm —
doch frägt er nach ihm wenig,
und bleibt mit Freuden arm.

Sie mögen sich erwürgen
am Fuß um Gut und Geld,
er bleibt auf den Gebirgen
der frohe Herr der Welt!

Bei Freiberg muß ich noch Prinz Heinrichs gedenken, der im ganzen Krieg nie einen Fehler machte, und hier 1762 die hochlöbliche Reichsarmee aufs Häupt schlug, die ihn in der Falle zu haben glaubte. Das Reich bequemte sich zur Neutralität um so mehr, als Kleist in Franken brandschatzte, und jene Schlacht war der letzte Act in dem siebenjährigen Trauerspiel, das Friedrich spielte, wobei wenigstens eine Million Menschen und viele Gegenden des Vaterlandes zu Grunde gingen. Friedrichs Worte beim Anfang bewahrheiteten sich: „der bleibt Meister, der den letzten Thaler hat" — Marien Theresiens Tasche war früher leer. Aber auch das bleibt wahr, was der große Mann dem Schmeichler Lentulus sagte: „Gestehe Er nur, daß ich viel Glück hätte."— Ob Napoleon je diese Sprache führte?

Rechts und links von Freiberg bleiben uns Dippoldiswalde und Hainchen, das uns Gellert gab, und wir gelangen über Oedernau nach Chemnitz, wo die Gegend angenehmer wird. Die Stadt ist nicht so groß als Freiberg, aber eben so alt, und weit lebhafter und bevölkerter, denn sie ist eine der bedeutendsten, wo nicht die erste der Manufacturstädte des Königreichs, mit 16000 Seelen. Der

Name ist wendisch — zum Stein, und Steinbrüche
sind auch noch jetzt eine ergiebige Nahrungsquelle. Chemnitz liegt in einer fruchtbaren Ebene, ausgezeichnet durch
seine Baumwollenzeuge, Cattune und Spinnmaschinen. Eine
Menge Strumpfwirker leben in und um die Stadt, un-
weit derselben liegt der schöne Landsitz des Grafen Vitzthum
Lichtenwalde, und weiterhin Lichtenstein mit dem
schönen Bergschloß des Fürsten von Schönburg Waldenburg.
Die Gegend um Chemnitz ist sicher die volkreichste Gegend
Sachsens, auch viel Flachsbau, und man findet Jaspis,
Carniol, Amethyst und die bekannten Chemnitzer Achate.
In der Hauptkirche sind zwei schöne Gemälde Oesers, eine
Auferstehung und heilige Magdalena, welche die Füße des
Heilandes salbet. Chemnitz ist auch die Vaterstadt Heyne's,
unseres ersten Philologen (die ich aber nicht gerne.—
Humanisten nenne), Sohn eines armen Leinewebers,
lange in den gedrücktesten Umständen, und dieß scheint ihm
sein ganzes Leben lang nachgegangen zu seyn! Die Han-
delssperre Napoleons wirkte vortheilhaft auf Chemni-
tzens Kunstfleiß. Möchten die Fürsten Deutschlands über
ihre Stellung gegen das Ausland einig werden, und zu
einer Zeit, wo so viel Morsches gefallen ist, auch die alten
Schlagbäume fallen — aber leider haben wir sogar
neue erhalten vom frischesten Eichenholz und von den
glänzendsten Farben!

Um Zwickau, den nächsten bedeutenden Ort hinter
Chemnitz, schien mir die Gegend noch heiterer, fruchtbarer und
lachender, wenn gleich die Stadt uralt und ziemlich öde ist.
Es sind hier bedeutende Tuch- und Ledermanufacturen, viel
Getreidehandel, im alten Schloß Osterstein ein Zucht-
und Arbeitshaus, viel Steinkohlen, und in den Dörfern
umher wimmelt es von Leinewebern, Strumpf- und Mü-
tzenfabrikanten. Die Stadt soll 5000 Seelen zählen. Zwickau's Wohlstand ruhte sonst auf Brauerei, Gerste wird
viel gebaut und der böhmische Hopfen ist in der Nähe —
sie sank mit dem leidigen Caffee, aber die Menge der in

die Felſen an der Mulde gehauenen Bierkeller predigen die Größe des frühern Handels. Hier leben auch die Gebrüder Schumann, die uns niedliche wohlfeile Ausgaben ausländiſcher Claſſiker verſprachen, aber vor lauter Walter Scott nicht dazu kommen können — doch konnten ſie wiſſen, daß dieſer Vielſchreiber gleichſam Mode in Deutſchland werden, und ſelbſt eine Ueberſetzung (wo das Beſte verloren geht) die andere jagen würde? Corsaires attaquant Corsaires ne font pas leurs affaires. *) — Ich kann den breiten Vielſchreiber nun gar nicht mehr leiden, ſeit er in ſeinen Crusaders ſo ungerecht und ſo unhiſtoriſch mit Leopold und ſeinen — Deutſchen umgegangen iſt, ja ſich ſogar an Napoleon gemacht hat, als ob von einem hochſchottiſchen Baron die Rede wäre! Zu Zwickau lebte auch als Schulmeiſter Peter von Dresden, der Verfaſſer des Kirchenliedes:

In dulci jubilo
nun ſinget und ſeyd froh
O puer optime!
trahe me post te
in coelorum Gaudia
Eja! wären wir da:

Von Zwickau aus verdienen Schneeberg, wo der erſte Bergbau war 1471, und Annaberg beſucht zu werden. Erſteres iſt reich an Kobald, zwanzigerlei Arten Farben, die weit verführt werden und rentiren wie ein Silberwerk; der Schneeberger Schnupftabak aber wird zu Bokau aus Kräutern und Wurzeln fabriziret, welche die Weiber und Kinder ſuchen, die Männer verarbeiten, und damit hauſiren. Das Altarblatt in der Kirche, die Kreutzigung, iſt von Cranach, und auch das Abendmahl, wo Melanchton und Luther unter den Apoſteln ſitzen. Annaberg iſt berühmt durch ſeinen Spitzenmarkt, und hier

---

*) Wenn ein Freibenter den andern beſtehlen will, ſo kommen ſie auf keinen grünen Zweig.

lehrte auch im sechszehnten Jahrhundert Barbara Uttmann das Spitzenklöppeln, die als Heilige des ganzen Erzgebirgs verehrt zu werden verdiente, weit eher als die alte hergebrachte Anna, die so vielen Schönen den Namen gibt, und auch der Kirche zu Annaberg, wohl der größten in ganz Sachsen. Auch Weisse, der Kinderfreund, ist hier geboren, und der Rechenmeister Adam Riese — aber die Wege konnten sie nicht ebenen, die so steil und steinigt sind, als der Himmelsweg vor Arndts wahrem Christenthum!

Man darf diese Gegenden zu den malerischsten im Erzgebirge rechnen, überall sieht man den Pöhlberg, den Greiffenstein und den Riesen dieses Gebirges, den Fichtelberg à 3400' bei Wiesenthal, die höchste bewohnte Gegend. Von dem Schrekenberg haben die bekannten Groschen ihren Namen, wie die Batzen von Berner Bären oder Bätzen. Eine Stunde von Annaberg liegt das Wiesenbad, vormals Hiobsbad, und noch eine Stunde weiter Bad Wolkenstein, wohin ich nicht gekommen bin. Auch die berühmte Gifthütte bei Geyer, wo rings umher Blätter und Gras verdorren und kein Vogel zu sehen seyn soll, habe ich nicht gesehen; schwarze Giftdünste durchziehen die Luft, das wahre Bild des Neides, der überall sein Gift verbreitet, und zuletzt sich selbst verzehret, wie die Gifthütte die armen Arbeiter. Zu Zöblitz wird herrlicher Serpentin gebrochen, der viele Steindreher nährt, und Johann Georgen und Eibenstock, ganz an Böhmens Gränze, sind der rauheste Theil des Erzgebirges. Hier gedeihet nicht nur kein Obst, sondern nicht einmal Hafer und Cartoffel mehr — überall nur Wälder, und außer dem Bergflecken Carlsfeld, nur einzelne Hammerwerke, Kohlenbrennerhütten, und zerstreute Holzhauer, die sich von Viehzucht nähren. Diese Gegend ist es eigentlich, die man das sächsische Siberien nennt, was aber wohl ein Pleonasmus ist, so gut als der Name sächsische Schweiz!

Im Erzgebirge und zunächst im Amte Zwickau liegen die ansehnlichen Schönburgischen Herrschaften,
längs der Mulde, in fruchtbarer Gegend. Sie umfassen
zwölf Städte, 140 Dörfer und Weiler und 80,000 Seelen
mit etwa 200,000 Thaler Einkünften. Die unteren Gegenden haben Getraide und Obst im Ueberfluß, und die höhern
Linnen= und Wollenfabriken, und Handel. Das Haus
theilt sich in die obere und untere Linie, oder die fürstlich
Schönburg Waldburgische Linie, der Hartenstein und
Stein heimgefallen ist, und in die gräflich Schönburg
Penigische Linie, die wieder in Penig, Glaucha und
Rochsburg zerfällt, in Allem also vier Linien. Glaucha
ist die Hauptstadt, Sitz der Regierung, angenehmer ist aber
Waldenburg, das sich allerliebst vom Berg herunter
nach der Mulde zieht, gegenüber liegt der Park Greenfield.
Das Haus steht zwar unter K. sächsischer Hoheit, hat aber
viele Vorrechte, und jetzt werden wohl die Prozesse wegen der Landeshoheit ein vernünftiges Ende genommen haben bei so vielen sociis malorum *). Ich weiß
nicht, ob zu Penig noch der Riesentopf zu sehen ist?
Ein Fürst Sachsens stieg mit einer Leiter in diesen Topf
hinein, da es ihm aber nicht gefiel, gleich andern die Leiter
wieder hinaufzuklettern, so schlug er sich ein Loch in den Topf,
und geruhte zu ebner Erde wieder herauszugehen! Hartenstein im schönen Muldethal ist auch die Wiege Paul Flem-
mings (+ 1640), eines unserer frühesten Dichter, dessen
Lied: In allen meinen Thaten ꝛc., noch heute im
Andenken ist, womit er sich zu seiner Reise nach Rußland
und Persien stärkte.

Fast ganz von schönburgischen Gütern umgeben ist die
Standesherrschaft Wildenfels, 2½ Quadratmeilen mit
5500 Einwohner, Solms=Laubach angehörend. Der
letzte Wildenfels fiel 1602 trunken aus dem Bette und
starb. Das Städtchen ist nur klein, und über ihm liegt

---

*) Da es so vielen Andern nicht besser ging.

das Schloß mit Garten, wo die besten Feigen Sachsens
in Menge gezogen werden sollen. Die Herrschaft Solms-
Baruth, der nördlichste Theil Sachsens, mit dem Städtchen Baruth und Sonnenwalde ist jetzt preußisch. Ein
Graf Solms Baruth zu Sachsenfeld besaß eine Biblio-
theca horatiana, 800 Bände — nichts als Ausgaben und
Uebersetzungen von Horaz, und was sich auf ihn bezog.
Kein Classiker zählt so viele Liebhaber, Horatio Horatio-
res *) als Er, und mit Recht, obgleich sonsten die Magistri pomposi **) einem auf der Schule denselben hätten
auf immer verleiden mögen, wie dem Lord Byron. Wenn
Horaz verloren ginge, könnte er aus den Motto, die aus
ihm genommen sind, wieder hergestellt werden. Und doch
ging der Britte Unterwood († 1790) noch weiter als der
deutsche Graf. Auf sein Grab mußte gesetzt werden: non
omnis moriar ***), bei der Leiche der letzte Vers der Ode
XX Buch IV, und beim Leichenschmauß die XXX. Ode des
I. B. gesungen werden. Unter dem Kopf hatte er einen
Horaz, in der Hand einen Horaz, zu den Füßen einen
Horaz, und einen Horaz unter dem — Hintern! Hätte
Unterwood gewußt, daß die Deutschen Ramler ihren
Horaz nennen, wahrscheinlich hätte er diesem die letztere
Stelle angewiesen!

Bei Reichenbach betreten wir den Voigtländischen Kreis, der nur einen Theil des alten Voigtlandes
ausmacht. Die Natur gleicht ganz dem Erzgebirge —
Bergbau vorzüglich auf Eisen, Holz, das auf der Elster
bis nach Leipzig geflößt wird, und ächt sächsisch ist auch
der Kunstfleiß. Die Musselin-Weberei allein beschäftigt über 50,000 Menschen, $\frac{1}{3}$ der Bevölkerung. Eine

---

*) Größere Anhänger von Horaz, als Horaz selbst.

**) Polternde Schulmeister.

***) Ich sterbe nicht ganz (die Anfangsworte einer Ode des
Horaz).

Merkwürdigkeit ist die Perlenfischerei, vorzüglich zu
Oelsnitz, die Perlenbank erstreckt sich vom Ursprung der
Elster bis Elsterberg, 14 Stunden. Es ist zwar keine Perlenbank wie die von Bahra, und nur in der Apocalypse
lesen wir: „daß die zwölf Pforten des himmlischen Jerusalems zwölf Perlen waren, und jegliche Pforte war aus
einer einzigen Perle" — aber im Voigtlande herrscht auch
nicht die morgenländische Sitte, die dem Perlenfang so
günstig ist — die mystische Sitte, am Hochzeittage
eine Perle anzubohren! Man fand jedoch schon Perlen zu 1500 Thaler, und sie werden in das grüne Gewölbe geliefert, wohin sie auch gehören! Das sinesische
Sprüchwort ist richtig: Ein Scheffel Perlen hat weniger Werth als ein Scheffel Reis, oder deutsch
als ein Simri Cartoffel, daher größeres Andenken verdient der junge Mann von Würschnitz unweit dem Schloß
Voigtsburg, der die erste Cartoffel aus England nach
Sachsen brachte.

Plauen ist die Kreisstadt, eine tüchtige Fabrikstadt,
die recht angenehm im lachenden Elsterthale liegt. Die neue
Cottunfabrik nimmt sich vorzüglich aus im Vordergrunde,
wenn man von Dresden kommt, und schöne Wälder bilden
den Hintergrund. — Baumwollen-Weberei ist die Haupt-
manufactur, wie in dem kleinen Städtchen Pausa, beide
machen wenig Pausen. Die Stadt von 5000 Seelen ist zwar
bergigt und gerade nicht schön, aber der Markt eben, und
auf sie blickt das alte Schloß Ratschauer herab. In dem
kleinen Städtchen Neuenkirchen gegen Böhmen hin, wohnen
fast lauter musikalische Instrumentenmacher aller Art, und
der letzte königlich sächsische Ort an Baierns Grenzen ist
Sachsengrün, und der erste baierische Steinwesen.

Den Fürstenthümern Reuß im Voigtlande, und
Schwarzburg in Thüringen müssen wir als souverai-
nen Staaten pflichtschuldigst einen besondern Brief widmen. Alle Staaten, die nicht zu den fünf Hauptmächten
Europas gehören, zählt man unter die Staaten zweiten

Ranges, eine Bevölkerung von 1 — 4 Millionen macht die Staaten dritten Ranges, und Staaten, wie Schwarzburg und Reuß sind nur — Mächte des vierten Ranges!

Siebenter Brief.

Thüringen.

Thüringen macht den Uebergang vom Süden zum Norden, der Thüringer Wald, oder die schöne Bergkette, die sich von Lobenstein und Cronach bis Eisenach hinzieht, 15 Meilen lang und 2—3 breit, scheidet Franken von Sachsen, und die Thüringer sind halb süddeutscher, halb norddeutscher Natur. Gewöhnlich nennt man das Land zwischen jenem Waldgebirge, der Werra, Saale und Unstrut — Thüringen, das alte Thüringen aber, einst ein Königreich, das die Franken unterjochten, erstreckte sich viel weiter und über Hessen hinaus. Der Eisenacher Bürger, Wolf Beer, der Thüringen nicht getheilt haben wollte, war ein doppelter Patriot in Zeiten wo man Länder theilte, wie Privaterbschaften und Heerden, denn selbst noch in der Wurfmaschine, die ihn von der Wartburg nach Eisenach schleuderte, rief er: Thüringen gehört doch dem Kinde von Brabant!

Die Hermunduren waren nebst den Catten die ältesten Bewohner, die wir kennen, von denen auch der Name Thüringen schicklicher abgeleitet wird, als von Gott Thor oder gar Thörichte und — duri homines *), denn im Norden gibt es gar viele duri, und wo gäbe es Menschen ohne Thorheit? Aber richtig ist, dem Süddeutschen, der

---

*) Harte Menschen.

hier zuerst in den Norden eintritt, will die rauhere Luft, härtere Kost und so manches Härtere nicht recht behagen — er spricht von duri homines, und so mag die alte Neckerei mit dem Häring entstanden seyn:

Halec assatum Thuringis est bene gratum,
de solo capite faciunt tibi fercula quinque *)!

Etwas ist daran, und führten nicht selbst mehrere Landgrafen Thüringens den Beinamen Raspe, d. h. der Rauhe? Aber aus diesem Thüringen voll Wälder und Moräste ist durch Cultur ein so gutes Land geworden, daß die Alten von acht W sprachen, die Thüringen auszeichnen: Wälder, Wasser, Wein, Waizen, Waid, Weiden, Wiesen, Wolle. Der Waid fällt jetzt weg, und den Wein sollte man auch weglassen. Schade, daß die Kartoffel nicht mit einem W anfängt, diese steht oben an, und die niedern Klassen müßten auswandern ohne diese wohlthätige Frucht, das Mittag- und Abendbrod der frugalen Wäldner! Ein neuntes W hat man vergessen, das von Ameisen gesammelte Fichtenharz, genannt Weihrauch Thüringens.

Thüringen mit seinen herrlichen Auen, lachenden Thälern, üppigen Buchenwäldern und Burgruinen ist wie gemacht für Landschaftsmaler, und der Preiß gebührt dem Saalthale, dann kommt das Thal der Schwarza. Hier ist klassischer Boden, voll Spuren gewaltiger Vorzeit, so gut als an den Rhein- und Donau-Ufern. Thüringen gehört durch seine schöne Natur mehr dem Süden als dem Norden an, und mir war hier recht wohl, als ich den eigentlichen Norden hinter mir hatte. Für eine Geviert-Meile hiesigen Landes gäbe ich die ganze Lüneburger Heide, die Marken und Pommerland! Schon die Bäume haben ein eigenes üppiges Grün, und kühne Felsen und Berge mit unverwüstlichen Wäldern predigen die Allmacht der Natur, wie die Burgruinen das Nichts menschlichen Stol-

---

*) Ein gebratener Häring ist für den Thüringer ein leckeres Mahl, an dem Kopf allein, essen ihrer Fünf.

zes. Altdeutscher schlichter Sinn, Gastlichkeit und Freund-
lichkeit der einfachen Wäldner gewinnen den Fremdling,
und überall tönet Musik wie in Böhmen, was immer auf
gemüthliche Menschen deutet; Thüringen hat fast so viele
musikalische Bache aufzuweisen, als Bäche. Die Geister
der Vorzeit schweben über dem ganzen Lande!

Thüringen ist ein kleines Arkadien, das mehr als eine
goldene Au aufzuweisen hat, und die vielen Burgruinen machen es zu einem romantischen Lande. Thüringen hat seine Ilm- und Saalnixe, wie die Donau,
und noch eine Trutina oder Wunderfräulein vom Berge,
reitend auf einem Hirsch mit goldenem Geweih. Es gibt
selbst eine Porta Thüringica, die sich der Porta Westpha-
lica *), wenigstens gleich stellt, sie führt von der Wartburg nach Eisenach in einem Naturgarten, wie ihn
Westphalen doch nicht aufzuweisen hat. In Thüringens Wäldern fehlen nichts als die bunten Vögel und Schmetterlinge, das Geschrei der Papageyen mit Federn, und
der Muthwille der vierfüßigen Affen, um sich in die Urwäl-
der Amerikas zu träumen — dafür haben aber die duri homines meines Wissens nie — Menschen gefressen, oder
hinter einem Baume lauernd dem Fremdling das Lebens-
licht ausgeblasen. — Die einfachen deutschen Singvögel
singen, die buntgefiederten Stimmen tropischer Wälder
schreien bloß, oder sind ganz stumm, und dafür brüllen und zischen Löwen, Tiger und Schlangen. Kurz, Thüringen bleibt einer der lieblichsten Striche Deutschlands,
und hat, zumalen wenn man sich durch die Sandmark und
die traurigen Flächen des Leipziger Kreises oder des Eichs-
feldes durchgearbeitet hat, etwas Heimisches, wie die
Rheinlande!

Der berühmte Thüringer Wald, den wir durch
Hoffs und Jakobs Bemühungen in allen seinen Thälern
näher haben kennen lernen, ist eine Fortsetzung des Fichtel-

---

*) Pforte Thüringens Westphalens.

gebirges bis ins Thal der Saale, und seine Gebirge sind
ganz bewaldet, nordwestlich die schönsten Buchen und Eichen, östlich mehr Fichten und Tannen. Die Palmen
des Morgenlandes erfüllen eine lebhafte Imagination mit
den lieblichsten Bildern, wie die Pinien Italiens — aber
kaltblütig betrachtet sind unsre Eichen, Buchen und
Linden doch schöner, denn ihre Formen sind mannichfacher
— sie gewähren Schatten, welchen jene hohen kahlen Stämme
mit den schwankenden kleinen Kronen nie gewähren können!
Nur drei kahle Gipfel ragen aus den bewaldeten Bergen
hervor, der Gerberstein bei Altenstein, der Töchberg und
Hermannsberg, und die höchsten Punkte sind der Ki-
kelhahn bei Illmenau, und der malerische Inselberg,
der zwar nur 2604' hat, während die Schneekoppe zu
2760' angenommen wird, darum aber doch der Montblanc
der Thüringer ist! Brockes würde von Thüringen singen:

Hier wird mit Millionen grünen Zungen
Des Schöpfers Lieb' und Macht besungen!

Das Clima ist ziemlich rauh und unbeständig genug,
gar oft macht es dem Frühling seine Rechte streitig, und
mit Oktober — ist der Winter vor der Thüre. Der Jn-
felberg und die Schneekoppe sind die Wetterpropheten, wenn Wolken sich um ihre Scheitel sammlen, und
Nebel, wie Rauchsäulen um ihre Seiten ziehen, so giebt
es sicher Regen. Die Gebirgsart ist meist Porphyr,
und das Produkt ihres Eingeweides Eisen. Das Erzgebirge und der Harz sind metallreicher, aber lange
nicht so fruchtbar und holzreich... Eine besondere
Merkwürdigkeit der Thüringer Gebirgskette ist der sogenannte Rennweg, eine Straße mit Marksteinen, die über
den ganzen Gebirgsrücken läuft, wahrscheinlich die alte
Gränze zwischen Franken und Sachsen, — daher man besser
Rainweg schriebe. Die Thüringer nennen noch den südlichen Theil des Gebirges den Frankenwald.

Die Thüringer scheinen mir kein schöner, aber ein kraft-
voller Menschenschlag zu seyn, fleißig, genügsam, religiös,

fröhlich, und daher auch freundlich gegen den Reisenden —
einfach und dürftig, und doch reinlich und ordentlich. Sie
haben sich in blaue und grüne Jacken verliebt, und das
blaue Ueberhemd oder den Fuhrmannskittel, kennet
ganz Deutschland und Reisende ahmen nach. Die Weiber
tragen dagegen schwarze Regenmäntel, eingedenk der
Veränderlichkeit der Witterung, doch bin ich auf wenig
hübsche Gesichter gestoßen, aber auf viele gesunde freundliche
— und das ist eben so viel werth. Unangenehm ist der
singende Accent, worin ich wenigstens keine Musik
finden kann. Die meisten Wäldner sind fast das ganze
Jahr mit Roggenbrod und Kartoffel zufrieden, und trinken
mehr Wasser als Bier. Trotz dieses harten Lebens aber
darf man 200,000 Seelen für das Gebirge rechnen, als
Mittelzahl 3200 auf die Geviertmeile, folglich zwar weniger als im Erzgebirge, aber auch wieder mehr als im
Harze. Der Landbau muß natürlich der Viehzucht
nachstehen (das Vieh ist lange kein Fränkisches), und das
Holz ist die erste Nahrungsquelle, das auf der Ilm und
Werra geflößt wird; Thüringen war stets die Bildungs-
schule guter Forstmänner und Bechsteine, aber auch der
Holzdiebe und Holzfrevler. Es wäre recht gut,
wenn die sonst religiösen Thüringer auch noch an Drya-
den und Hamadryaden Glauben hätten, sie glauben
aber ihr natürliches Recht zum Holz selbst in der Sprache
zu finden — Hohl's! und unbegreiflich ist mir, wie Dr.
Luther, ein armer Thüringer, in seiner vierten Bitte —
das Holz hat vergessen können, das nicht blos nothwendig und theuer, sondern auch noch im Hause, wenn man
es auch glücklich aus dem Walde gebracht hat, nicht sicher
ist vor getreuen Nachbarn und dergleichen!

Der zweite Nahrungszweig ist der Bergbau, vorzüglich auf Eisen — überall Schmelz- und Hammerwerke,
Gewehr-, Stahl- und Messerfabriken, Glashütten ꝛc. Flachs-
und Tabaksbau nährt Viele, Manche leben selbst vom Samm-

len der Beeren, vom Abrichten der Singvögel, vom Zunder ꝛc., die Sonnenwalder Holzwaaren sind bekannt, Gewerbfleiß überall — sie sind Sachsen. Schade! daß der Schweiß so vieler guter armen Menschen nicht ihnen zu gute kommt, sondern dem Großhändler!

Nichts beweiset mehr für die Güte des Landes, als die zahlreichen Burgruinen hohen und niedern Adels, und die gleich zahlreichen Klöster und Stifter. In Thüringen muß es einst so bunt zugegangen seyn, als in Schwaben, bis die Landgrafen erstarkten, und viele Familien ausstarben, z. B. die Grafen von Beichlingen, Bucha, Gleichen, Hohenstein, Kirchberg, Lobdaburg, Orlamünde ꝛc. Wer wollte den niedern Adel aufzählen, die Klöster, Stifter, Städte, unter denen Erfurt die glänzendste Rolle spielte? Der Landgraf Ludwig machte Thüringen wieder zu einem Ganzen 1130. — Der Hof zu Wartburg unter Herrmann war einer der gebildetsten seiner Zeit, aber mit Heinrich dem Erlauchten, Markgrafen von Meißen, wurde Thüringen mit Meißen vereint, von Hessen getrennt, die Vasallen benutzten die Uneinigkeiten möglichst, und zuletzt kamen noch Theilungen, wie die von 1485. Gute Nacht Ganzes!

Viele thüringische Ortsnamen enden mit leben und hausen, wie in der Lausitz mit Itz, in Franken und Schwaben mit ingen, in der Pfalz mit heim, in Holstein mit büttel, und im Harz mit rode. Es muß ehemals in Thüringen viel Leben, und ein recht wildes Leben und Hausen gewesen seyn, da König Rudolph nicht weiter als 66 Raubschlösser zerstören mußte, um Ordnung und Ruhe herzustellen. Da Landgraf Friedrich durch Erfurt ritt, rief Graf Orlamünde zum Fenster heraus: „Fritz! wo willst du hin?" „Warte!" sagte der Landgraf „du sollst mich wohl noch Herr heißen!" und hielt Wort. Von demselben Landgrafen sagte auch Graf Schwarzburg, wie manche spätere Reichsfürsten noch vom Kaiser: „da drehe ich mich nicht darum um!" Dieses Ritterleben hat sich jetzt in das schönste Leben des Kunstfleißes verwandelt — alles ist rege und lebendig, wie in ganz Sachsen, daher heißen auch hier die Spitze — Fire!

In Thüringen tobten auch die Bauern, wie in Franken und Schwaben, unter ihrem schwärmerischen Prediger Thomas Münzer, der zuletzt in einen Aufwiegler und Räuber ausartete. Noch zu Frankenhausen, wo vor den heranziehenden fürstlichen Kriegsschaaren den Bauern das Herz in die Hosen fiel, versprach er die Kugeln mit seinem geistlichen Mantel aufzufangen, und die Bauern glaubten; statt ihre acht Kanonen abzubrennen, sangen sie hinter der Wagenburg: „Nun bitten wir den heiligen Geist" und fünf tausend gaben ihren Geist auf! Münzer flohe, steckte sich als Kranker in ein Bette, aber seine Brieftasche verrieth ihn, und er wurde er, wie Pfeiffer, zu Mühlhausen enthauptet. _. bekannte sich schuldig, und hielt muthig noch eine Abschiedsrede an die umstehenden Fürsten und Ritter, worin er sie zu Menschlichkeit und zum Rechtthun ermahnte, u Aufruhr zu verhüten, er empfahl ihnen Samuel u das Buch der Könige, und ich kann nicht umhin, s ches gleichfalls zu empfehlen. Die Unglücklichen reklam ten Menschenrechte, reklamirten sie aber als wil losgelassene Bestien, wozu sie lange Mißhandlu gen gemacht hatten!

In Thüringen ist noch heute der Vielherrscha genug! Preußens und Sachsens Könige haben Besitz gen, dann kommen die vier sächsischen Herzoge — K hessen, selbst gewissermaßen Baiern, zuletzt noch die sou rainen Fürsten Schwarzburg und Reuß, es fehlt ni als noch eine freie Stadt Erfurt. Der Reisende erf in Thüringen, was er sonst nur im sogenannten Re erfuhr — jeden Fingerslang einen andern Herrn, an

Münze, andere Postknechte, die aber alle schlecht fahren. Diese Eyer legte zum Theil die alte schwarze Henne im goldenen Felde, ehe sie 1538 starb. Im Mittelalter ging jedoch die Kleinstaaterei noch weiter, die Vielherren mehrten sich wie die Hamster, die eine der Landplagen Thüringens noch heute sind, wie hätten sonst 18¹⁷/₁₈ allein um Gotha herum 200,000 eingeliefert werden können? In Thüringen und Sachsen dachte ich an unser altes Schwaben, das jetzt einen König und einen Großherzog hat, so einfach könnte es auch hier seyn, ein Königreich Sachsen und ein Großherzogthum Weimar. Henneberg wäre wohl nicht ausgestorben, wenn die Niederkunft der Hennebergischen Gräfin mit 365 Kindern — keine Legende wäre. Gott bewahre uns vor solcher Fruchtbarkeit der Herrscherfamilien!

Nach dem Erlöschen der erblichen thüringer Landgrafen mit Heinrich Raspe 1247, fiel Thüringen an den Markgrafen Heinrich den Erlauchten von Meißen, von dem das ganze Haus Sachsen abstammt, und mit der berühmten Theilung zwischen den Brüdern Ernst und Albrecht 1485 gab es eine Kur und eine herzogliche Linie, die sich 1572 wieder in Weimar, Eisenach und Coburg theilte. Die Grafen von Henneberg, die sich von den alten Sangrafen des Grabfeldes aus der Carolinger Zeit her schrieben, und gerne Poppo nannten, starben 1583 aus, und nun fiel die bedeutende Grafschaft, vermöge Erbvertrags, an Sachsen, nachdem Hessen und Würzburg Stücke davon abgerissen hatten — es gab abermals Theilungen, und daher sind die Besitzungen der Herzoge so zerstückelt und bunt untereinander. Das Ganze mag 180 Quadratmeilen mit 550,000 Seelen betragen, und steht seit dem Gothaer Heimfall etwas geordneter da.

Herzog Ernst der Fromme von Gotha († 1675), Stammvater des Gothaer, Coburger, Meininger und Hildburghäuser Linien, war ein preiswürdiger Regent, hatte aber unter neunzehn Kindern sieben Söhne, er hielt es für

11 *

Sünde (das Erstgeburtsrecht einzuführen, und befahl, daß
sie gemeinschaftlich regieren sollten! Nur zu bald
zeigte sich die Communio mater discordiarum *) — sie
theilten sich in Gotha, Coburg, Meinungen, Römhild,
Eisenach, Hildburghausen und Saalfeld, nur dem Aeltesten
blieb ein Voraus. Ja Eisenach allein zählte einst vier
Linien — Eisenach — Weimar — Marksuhl und Jena!
Die Natur machte die politische Sünde wieder etwas
gut, drei Linien starben aus, jedoch gab es beim Reichs-
hofrathe genug zu zahlen — das Jahr 1815 machte Weimar zum Großherzogthum, durch den königlich-
sächsischen Neustädter Kreis und kleinere preußische, fuldi-
sche und hessische Parzellen, Coburg bekam einen Landstrich in der Pfalz, und 1825 starb Gotha aus, in das sich
die drei andern herzoglichen Häuser, unter königlicher sächsischer Vermittlung theilten. So sieht es doch weniger
bunt aus in Thüringen, und die Herzoge können jetzt
eher Etwas Souveraines vorstellen!

Es ist schön, daß sich stets sämmtliche Häuser als
ein Ganzes betrachteten — wäre dieß nur weiland im
heiligen römischen Reich überall der Fall gewesen — sie
hatten ein Senioratsamt Oldisleben (ehemals Benedictinerkloster, jetzt Weimarisch, unweit dessen auf preußischem Gebiete die alte Sachsenburg liegt —) und haben noch ein Oberappellations-Gericht zu Jena, Jena die
Universität selbst ist gemeinschaftlich, gewissermaßen auch
das Gymnasium zu Schleusingen als Hennebergische
Stiftung — ein gemeinsames Archiv, gemeinsame Gold-
und Silberbergwerke — wenn solche nämlich noch
gefunden werden, für jetzt ist keine Spur — aber Geschäftsmänner gehen vorsichtig, und blicken auch in die
Zukunft — und was die Hauptsache ist, sie haben a gn..
tische Zusammensicht, die in andern Häusern selten
war; auch besteht eine Erbverbrüderung zwische..

*) Gemeinschaft ist die Mutter der Zwietracht.

Sachsen, Brandenburg und Hessen. Der Gothaer Heimfall
beweißt es neuerdings, wo sie gemeinschaftlichen Besitz ergriffen, und beschlossen, bis zur Abtheilung die Verwaltung den bisherigen Gothaer Behörden zu überlassen,
Solche Zusammensicht herrscht oft kaum in bürgerlichen
Familien, mit der Theilung erlöscht die Geschwister-
Liebe ohnehin, von Vettern und Basen nicht zu sprechen
— sie haben abgetheilt — und die Redens-Art brüderlich theilen, brüderlich leben, wie unter
Brüdern 2c. will wenig sagen, es müßte denn im Per-
spectiv eine gute Erbschaft zu sehen seyn!

Die sämmtlichen herzoglichen oder Ernestinischen
Lande fallen meist in die schöne Bergkette Thüringens,
halb fränkisch, halb sächsisch, und wenn die Waldstrecken
rauh sind, so sind die schönen Thäler der Saale, Iß,
Werra, Unstrut, Ilm 2c., desto fruchtbarer und lieblicher.
Das Großherzogthum Weimar besitzt den bedeutendsten Theil, 66 Quadrat-Meilen mit mehr als 200,000
Seelen und gegen zwei Millionen Gulden, liegt aber ziemlich zerrissen. Es zerfällt in zwei Theile Weimar
und Eisenach; jener theilt sich in die zwei Kreise Wei-
mar-Jena und Neustadt an der Orla, das von
Kursachsen abgerissen wurde; dessen Hauptstadt mit 4000
Seelen stark Wollenweberei treibt; Eisenach ist noch weniger geschlossen, das Amt Ostheim liegt ganz in der
baierischen Rhön mit der Burg-Ruine Lichtenberg, und
seinen berühmten Zwergkirschen, die ein Feldarzt einst
aus Spanien hieher gebracht haben soll. So liegt auch
das Amt Alstädt, die Kornkammer, ganz abgesondert in der goldenen Aue mit einem Gestüte, das sich
durch Isabell-Pferde auszeichnet, und eben so liegt
Ilmenau zwei Meilen entfernt im Süden. Bei Kreuz-
burg ist die Saline Glücksbrunn, und zu Lengs-
feld, das den Boyneburg gehört, und zu Vacha leben
sehr viele Juden.

Weimar ist ein Fruchtland, Getraide und Wolle,

getrocknetes Obst, Ilmenauer Fabrikate, Weimarer Bücher
und Landkarten, Meerrettig und Wachholderbeeren sind
sein Reichthum. Es hat zwar Schulden, (vier Millionen
Thaler) aber der Staatshaushalt ist geregelt, die Stände
geben Credit, und der Großherzog gehört zu den geachtet-
sten Fürsten Deutschlands, nicht wegen Quadrat-Meilen
und Millionen, sondern wegen persönlicher Verdienste; er
ist angebetet von seinem Volke, und wird nie nöthig haben,
eine Verordnung zu erlassen, wie sein Ahnherr 1736: „Das
vielfache Raisonniren der Unterthanen, wird hiemit bei halb-
jähriger Zuchthausstrafe verboten, und haben die Beamten
solches anzuzeigen, maßen das Regiment von Uns, und nicht
von den Bauern abhängt, und wir keine Raisonneurs zu Unterthanen haben wollen!" Les Raisons ne sont pas la Raison!
    Weimar hat zweitausend Mann Contingent zu stellen,
unterhält aber, löblichst nur die Stämme, und ein kleines Husarencorps für öffentliche Sicherheit. Unter
allen verheißenen landständischen Verfassungen trat
die Constitution Weimars zuerst in's Leben (1816) und
Deutschland zollte ihren Grundsätzen, wie dem edlen Geber,
würdiges Lob. Die 31 Abgeordneten sind nicht allein vom
Adel und den Stiftern, sondern auch vom Bürger-
und Bauernstand genommen, und bilden nur Eine
Kammer. Aber die Oeffentlichkeit ist verworfen
worden! dieß ist nicht im ächt constitutionellen Geiste!
wie Blüchers Vorwärts die Zaudernden über Elbe u
Rhein trieb, so löste Weimar zuerst das in der Wien
Bundes-Akte gegebene Fürstenwort, und daher beschl
auch die deutsche Burschenschaft, daß bei festlich
Gelegenheiten stets der erste Trinkspruch seyn soll Blüche
und Weimar, und die Devise des Weimar'schen weiße
Falken-Ordens ist: Vigilando ascendimus *)!
    Gotha und Altenburg, das der Weimarer un
Erfurter Kreis von einander trennten, — Römhild lie

*) Durch Wachsamkeit steigen wir aufwärts.

sogar tief in Franken = 55 Quadratmeilen 200,000 Seelen, 1½ Million Einkünfte — ist jetzt bekanntlich unter die
drei übrigen herzoglichen Häuser getheilt; Gotha kam mit
Ausnahme Cranichfeldes an Coburg, Altenburg aber an
Hildburghausen mit Ausnahme Camburgs, und Hildburg-
hausen an Meinungen. Die Gegenden um Gotha gehören
zu den besten von Thüringen, obgleich gegen das Gebirge
hin etwas rauh, Altenburg aber darf sich mit den fetten
Gegenden Magdeburgs und den Elbe-Marschen messen.
Die Altenburger Bauern gelten für die reichsten in
Sachsen, und im Gebirge wohnen fleißige Garnspinner,
Leineweber und Fabrikanten. Getraide, Wolle, Holz,
Linnen, Ruhlaer und Schmalkhalter Fabrikate sind die
Hauptausfuhr-Artikel, und die Wäldner hausiren durch
ganz Thüringen. Die beiden Heerstraßen von Frankfurt
und Nürnberg nach Leipzig geben bedeutenden Gewinn,
und die Einwohner sind im Wohlstande. Gotha hatte 1856
Mann Contingent zu stellen, das nun den drei Erben zu
stellen bleibt, und die ständische Verfassung war noch
— die alte, als das Haus ausstarb, folglich gibt es hier
neue Lorbeeren für die Erben!

Coburg-Saalfeld zählte sammt dem neu erworbenen
Fürstenthum Lichtenberg jenseits des Rheins 28 Quadratmeilen mit 90,000 Seelen (26,000 davon kommen auf
Lichtenberg) und 600,000 Thaler Einkünfte, Contingent
achthundert Mann — jetzt aber nach dem Gothaer Heimfall
wird es siebenundvierzig Quadratmeilen mit 154 000 Seelen mit fast ½ Million Einnahme und doppelt so viel
Schulden, zählen. Der Itzgrund bildete recht eigentlich das Herzogthum Coburg — ein herrliches Thal und
der beste Theil des Landes — denn Themar und Saalfeld
sind gebirgig, selbst Lichtenberg in den Vogesen — aber der
Itzgrund ist fränkischer Natur. Coburg kann Vieh, Wolle
und Linnen, Saalfeld Holz, Pech, Schiefer und Eisen aus-
führen, selbst Korn und Wein, und Bratwürste. Coburger Biere haben sogar Namen im Auslande. Coburg hat

1806 die alte ſtändiſche Verfaſſung aufgehoben, aber 1821
eine neue eingeführt nach heutigem Fuße, aber in dem
größten Landestheile, im Gothaiſchen, gilt noch der alte, wo
der Bauernſtand ganz ausfällt und bürgerliche Gutsbe-
ſitzer ihre Stimmen Adelichen übertragen müſſen!! Doge-
gen unterhält es löblichſt ſtatt 800 Mann Contingent nur 300.

Meinungen war auch in zwei Fetzen und noch
geringere Theilchen zerriſſen — in das Oberland, ein
wahres Fabrikland, das ſeinen eigenen Schwarzwald
und eine Bergſpitze hat von 2598′, und das Unter-
land, wo die Landwirthſchaft blühet, zuſammen zwanzig
Quadratmeilen mit 60,000 Seelen und 350,000 fl. Einkünften, Contingent 540 Mann. Jetzt hat es noch durch
den Heimfall ganz Hildburghauſen, ganz Saalfeld, das
zwar rauh, aber reich an Mineralien iſt, Kranichfeld und
Camburg hinzugefügt = 43 Quadratmeilen mit 130,000
Seelen, und über 600,000 Thaler. Das iſolirte Römhild
iſt ein wahres Fruchtland, reizend das Werra-Thal,
und Holz, Flachs und Tabak Stapelwaare; es wird auf
Eiſen gebaut, und bei Salzungen iſt eine bedeutende
Saline. Berühmt ſind die Sonnenberger Waaren
d. h. Holzwaaren aller Art, Schachteln, Spielſachen, Dreh-
Orgeln, Schiefertafeln, Wetzſteine, Griffel ꝛc., wozu noch
Marmor-Kugeln zu Millionen kommen, hier Mär-
meln genannt — die Porcellain-Fabrik zu Limbach und
Rauenſtein, und die Schalkauer Wolle gehört mit zu
der feinſten Wolle Deutſchlands. Meinungen unterhält
löblich nur den Stamm ſeines Contingents von 544 Mann
neben einer Leibwache, und einem kleinen Feldjäger-Corps
zur Handhabung der Polizei — und hat 1824 dem Lande
Stände gegeben, 21 Abgeordnete vom Ritter-, Bürger-
und Bauernſtande, die ſich hoffentlich in Eine Kammer
werden bringen laſſen. Nach dem Gothaiſchen Heimfall
ſtellt nun Sachſen-Coburg und Gotha 1416 Mann, Mei-
nungen-Hildburghauſen 1150, und Altenburg 982.

Hildburghauſen war das kleinſte der Herzog-

thümer, zehn Quadratmeilen, 32,000 Seelen, 200,000 fl.
Einkünfte und dreihundert Mann Contingent. Das ganze
Herzogthum bestand aus den sechs Aemtern Hildburghausen,
Behrungen, Eisfeld, Heldburg, Königsberg und Sonnen-
feld — jetzt ist dieses Herzogthum an Meinungen abgetreten, wogegen Hildburghausen das treffliche, volkreiche
Altenburgische erhalten hat, mit Ausschluß Camburgs
= 24 Quadratmeilen, und 108,000 Seelen. Der höchste
Berg des Hildburghäuser Ländchens ist der Bleß bei
Stelzen, 2760', wo aus einer mit stattlichen Buchen über-
schatteten Grotte die Itz hervorrauscht; bei Lindenau ist
die Saline Friedrichshall, und bei Friedrichshöhe
entspringt die Werra. Holz, Salz, Wolle, Leder, Vieh
und Zunder sind die Ausfuhr-Artikel. Hildburghausen hat
ständische Verfassung, achtzehn Abgeordnete, sechs Ritter,
fünf Städte, sechs Bauern und einen Pfarrer. Rühmlichst
hat sich das Haus aus seinen schweren Schulden heraus-
gearbeitet, die vier Millionen betrugen — die Haushaltung
war so schlimm, daß die Stände 1770 bei der K. K.
Debit-Commission sogar die Erziehung der Fürstlichen
Kinder übernehmen mußten! Am ersten wäre zu helfen
gewesen, wenn die goldführende Schwarza sich nach den
Umständen hätte bequemen wollen, denn 1716 wurden Ducaten aus dem Waschgolde geschlagen mit der Innschrift:

> der Schwarzbrunn gibt Gold,
> dergleichen auch Schalkau,
> das Salz schenkt Lindenau
> Gott ist dem Lande hold!

aber gerade dieses Vertrauen auf Gott, und diese Jovialität mag Schuld gewesen seyn an den Schulden! Vor
dem Gothaer Heimfall nannte die böse Welt ein scharfes
Gebot, über das nicht gehalten wird, „ein Meininger
Gebot," und von Hildburghausen hieß es: „Hildburg-
hauser Gebot, geht bis Roth (½ Stunde) da hat's
'n Krümm, da kehrt's wieder üm," das kam bei
unsern weiland Duodez-Staaten heraus!

Achter Brief.

Wenn man aus Franken kommt, betritt man Coburg zuerst — Reichs-Posten, Reichsmünze, selbst die
Stunden hören auf, es geht nun alles in's Schwere,
statt Gulden und Kreuzer, Thaler und Groschen, statt
Stunden Meilen; gleich schwer werden Posten, Wege
und Preiße. Nie vergesse ich den Jubel des Bedienten,
als er wieder nach Gulden, Kreuzer und Stunden zählen
konnte!
Die Lage Coburgs am südlichen Abhange des Thüringer Waldes, der es gegen die rauhen Winde schützt, hat
wenig Reize, desto angenehmer ist der Itzgrund, die
angenehmste Parthie aber war — das gastfreie Kloster
Banz. Die alte Stadt, deren Mauern schon so lange
gestanden haben, daß sie sich nach dem Niederlegen selbst
sehnten — die Menschen, der noblen Ritterzeit entfernt
brauchen sich ohnehin nicht mehr einzumauren — ist jetzt
sehr verschönert — sie zählt achttausend Seelen, das Schloß
ist sehr geräumig, Ehrenburg genannt, aber finster, daher
ein neues Palais erbauet ist — das Casimirianum oder
Gymnasium berühmt, und unweit steht die alte Bergveste
Choburg (Hoheburg), die dem Lande den Namen gab ...
diese Ableitung ist wenigstens vornehmer, als die von
Kuhberg, und die Veste verdient wegen der Aussich
bestiegen zu werden. Das Ganze der Stadt hatte für
mich Etwas Finsteres, vielleicht bleibt aber Coburg benno
Residenz, ich aber würde Gotha weit vorziehen. D
Päsfe gehören mit zu den Beschwerden der Reisende

zu Coburg aber scheint man nachsichtiger geworden zu seyn, seit Musäus der Welt erzählte, daß er ohne seinen Paß vor's Thor spazieren gegangen, und zu keinem Thor mehr hereingelassen worden sey, bis der Paß aus seinem Gasthause beigeschafft gewesen wäre!

Der Philosoph denkt zu Coburg an — Feder, der sich zuerst den Titel Excellenz verbat, womit damals die Casimirianer ihre Lehrer beehrten — der Krieger an den Türken- und Franzosenbesieger bei Fokschan und Martinesti, Aldenhoven und Neerwinden (Coburg und Pitt stellten einst die Republikaner komisch genug zusammen, denn mit dem Ruf der Minister und Generale geht es gerade, wie mit dem der Regenten!) der Staatswirth an das Herzogliche Schulden-Wesen und Kretschmann — ich dachte an Thümmel, diese Zierde Coburgs, die seit 1817 nicht mehr ist, und an seine Marmorsteinmühle, wo er gerne weilte, denn es ist ein reizender Winkel am Fuße eines Waldberges mit der Burg Rosenau in kleinen Anlagen, und über derselben die Ruinen der Lauterburg, eine Stunde von Coburg. Die Mühle lieferte jährlich — gegen drei Millionen Kügelchen oder Schussel nach Holland, von wo sie nach dem Orient gehen; die Morgenländer spielen mit seinen Schussern, wir mit seinem Geiste. Ich wallte nach Neuses, wohin ein angenehmer Weg führt, zum Grabe unseres Sterne, das eine Spitzsäule bezeichnet mit Kernsprüchen aus seinen Schriften, die diese Spitzsäule überleben werden. Gleich seinem erklärten Liebling Voltaire schrieb er seine Reisen, Verse und Prosa im 65sten Jahr mit unverwelkter Jugendkraft, und mir ist kein deutsches Werk bekannt, wo deutsche Gemüthlichkeit, französische Leichtigkeit, und brittischer Humor so schön gepaaret wären, als in jenen Reisen, gleich den drei Grazien. Coburg hatte noch einen Humoristen, aus dem viel hätte werden können, wäre er nicht ein Tischler geworden — Geuß. Er verdarb es mit zwei Pfarrern, von dem einen sagte er: „Auf den Vogelheerd kommt

er zu frühe, und zu den Kranken zu späte," und dem
andern antwortete er auf die Frage: Wie viel Stücke gehören zum Sacrament der Taufe? drei — besinnt euch
Geuß — zwei — Wa — Wasser und das Wo — Wort
Gottes. — „Wohl! wo bleibt aber das Kind?" Er verdarb es selbst mit dem Herzog, als die schlechten Groschenstücke erschienen, erzählte er, daß er seine Schaafe mit
einem solchen Stück gerötheth habe, wie mit Röthel!

Lebhaft dachte ich auch zu Coburg an Prinz Leopold, dem ein unglücklicher Augenblick eine geliebte Gattin, einen ersehnten Sohn, und mit ihnen — die Krone
Großbrittanniens raubte. Mit wahrem Aerger eines Deutschen las ich die Memoires d'une jeune Greque ou
Madame Panam *) — die Französin wirft sich mächtig
in die Brust, macht Ansprüche an den Herzog, wie keine
Deutsche solche zu machen vermöchte, und wie sie nur
Franzosen und Französinnen im Auslande machen, das
sie tief unter ihrem la France erblicken, zu Hause aber en
France mit dem Zehntel seelenfroh zu seyn pflegen!

In allen sächsischen Residenzen sieht man die Bildnisse
sächsischer Fürsten, Bernhard von Weimar mit dem vollsten
Recht, und hier auch den humoristischen Herzog Johann
Casimir, der so zweideutige Münzen schlagen ließ. So
ließ er auf den traurigen Vorfall mit seiner Gemahlin
Anna, die er wegen Verdachts eines Liebeshandels nach
der Veste bringen ließ, die Münze prägen: auf einer Seite
ein liebendes Paar: „Wie küssen sich die Zwei so
fein," und auf der andern eine Nonne: „Wer läßt
mich armes Nönnelein?" — Auf eine Schießscheibe
ließ er eine Frau malen in puris naturalibus**), und das
Centrum — läßt sich leicht errathen!

Von Coburg nach Hilbburghausen über Rodach

---

*) Denkwürdigkeiten (Memoiren) einer jungen Griechin, oder
der Madame Panam.
**) Faselnakt.

ist der Weg eben nicht interessant zu nennen, das kleine
Städtchen aber mit 3500 Seelen hat eine freundlichere
Physiognomie als Coburg, Dank einigen Feuersbrünsten;
auch sind wir jetzt im Werrathal. Das Schloß ist modern, und um das Städtchen geht eine Allee, aber was
wird aus solchem werden, wenn die Residenz nach Altenburg verlegt wird? Nicht ferne ist der sogenannte Gleich-
berg, der aus zwei Spitzen besteht, und das alte Schloß
Heldenburg, vulgo Heidenbau, soll aus dem neunten
Jahrhundert seyn. Hinter Hildburghausen beginnt erst der
Thüringer Wald, und mit ihm Teufelswege, wenn
man nach Ilmenau fährt, Dörfer und Menschen werden
seltener, nur hie und da hört man aus den Tiefe den Schall
eines Eisenhammers. Ich blieb im Werrathal am Fuße
des Gebirgs, um nach Meinungen zu gehen, hatte aber
dennoch überall Erinnerungen, daß das freundliche, den Körper berücksichtigende Franken hinter mir, und das mehr auf
den Geist einwirkende Sachsen vor mir sey — auch gedachte ich Roßbachs, des Generalissimus der Reichsarmee,
und an Friedrichs Räthsel: Welcher deutsche Fürst hat
die meiste Pracht? Hildburghausen, denn er hat allein —
50,000 Läufer!

Schleusingen blieb mir Rechts, Römhild links,
wo nicht nur viel Gewerbe, sondern neben Obst- und Gartenbau auch Weinbau ist, und das vormals mit $\frac{2}{3}$ Meinungen
und mit $\frac{1}{3}$ Gotha angehörte; die Stadtkirche soll interessante Grabmäler der alten Henneberger haben. Schleusingen hat, neben seinen Wollfabriken, ein Gymnasium,
das stets Ruf hatte. Ich bin blos durch Themar
gekommen, das uralt seyn muß, mit dem Schloß Oster-
burg, und eilte Meinungen zu erreichen, das in einem
waldumkränzten Thale an der Werra liegt mit 4400 Seelen, die Einwohner sind fleißige Barchet-, Tuch- und Zeug-
macher. Das Städtchen hat etwas Freundliches, Schloß
und Markt sind geräumig, und der Park vor der Stadt ist
lieblich, mit schöner Orangerie und einer von der Werra

gebildeten Insel, auf der einige Grabmäler sind. Herr Heß muß bei seinen Durchflügen entweder sehr flüchtig, oder sehr hypochondrisch gewesen seyn, Er — oder der Thorwart grob? Seinen Thorwart sahe ich nicht, vermuthlich weil ich mit Extrapost in Meinungen einfuhr, und nicht einging, und da ich gesund war, so lernte ich auch seinen Doctor Jahn nicht kennen, sonsten aber freilich Manches, was einem, der aus Hamburg oder aus dem Reiche kommt, auffallen mag, mir aber weniger, der ich Sachsen und Hannover kannte. Heß erinnert an jenen Hofprediger aus den Zeiten, wo sie die kleinen Propheten spielten, an Herrn Cyprian Hochwürden zu Gotha, der unzufrieden mit der Meinungenschen Gemahlin seines Herzogs, über die Verschiedenheit der Meinungen predigte, und öfters ausrief: „Ja, Ja, meine Geliebte in dem Herrn! aus Meinungen kommt alles Unheil!"

Hätte Heß den (1803) verstorbenen Herzog Georg gekannt, so würde er anders geurtheilt haben. Der Herzog regierte sein Ländchen mit musterhafter Sorgfalt, verschönerte Meinungen und Alles um sich her, errichtete die Forstacademie zu Dreißigacker unter Bechstein, und seine Sorgfalt für Viehzucht erstreckte sich bis auf Esel, die er aus dem Hohenlohischen kommen ließ; der Mann, der die Sache zu besorgen hatte, glaubte es gegen den Respect, wenn er bei deren Uebersendung von Eseln spreche, und nannte sie — orientalische Thiere mit langen Ohren. — Das herrliche Bad Liebenstein verdankt Herzog Georg Alles — hier lernte ich ihn selbst kennen, und er war unendlich herablassender, als einer seiner Herren Hofcavaliere, den ich nicht nenne! Georg war der wahre Freund seines Landes, wie sein Nachfolger es ist, den er Bernhard Erich Freund taufen ließ. Dieses Liebenstein interessirt den Reisenden mehr als Meinungen. Auf der Straße, die nach Mellrichsstadt und Franken zieht, liegt die alte Burg Henneberg, und von Meinungen nach dem Sauerbrunnen, wie das Volk Liebenstein nennt, kommt man über Wasungen, das wie ein Judenort zur Zeit des Laubhüttenfestes aussahe, so voll hiengen alle Wohnungen mit Tabakblättern. Die Ruine Liebenstein ist sehr bequem zu ersteigen und interessant, aber hohe poetische Kühnheit ist es, solche mit dem Colisaeum zu vergleichen, ja nur daran zu denken! Lieblich sind die Kastanienschatten vor dem Gasthause im Thale, die Grotte, wo man speist, und das Haus der Herzogin — aber die Hauptpartie bleibt der Altenstein!

Dieser ½ Stunde entfernte Altenstein, wo einst die Burg der Hunde von Wenckheim stand, mit seinen herrlichen Wäldern und Felsenparthien, mit dem neuen Schloß und schönen Park, mit der Teufelsbrücke und dem hohlen Stein, wo die Geistertöne der Aeolsharfe in süße Melancholie versenken, und die in seinem Innern befindliche Höhle — das Interessanteste von Altenstein — sich findet mit fossilen Knochen der ausgestorbenen Höhlenbären, denen Esper eine Länge von 10 — 12' gibt, ist einzig. Gewiß hat Davids Harfe nicht so schön getönet als die des Kapellmeister Wind, deren Wiedererfindung wir Pope verdanken, der im Eusthatius las: daß der auf gespannte Saiten stoßende Wind harmonische Töne erzeuge. Das Kreuz auf dem Bonifaciusfelsen mit den Worten: „Gott, Vaterland, Freiheit, Friede 1814," vor allen Dingen aber die erst 1799 entdeckte Höhle, wo man, wie in Baumanns und Biels Höhle und der Muggendorfer, eine Menge riesenhafter Thierknochen fand, verdienen unsere ganze Aufmerksamkeit. Diese prächtige Grotte, von hoher Wölbung und etwa 500' Länge, wird zur Badezeit jeden Sonntag, der ein Sonnen-Tag ist, beleuchtet, die gewölbten Hallen wimmeln von Gästen, Musik-Chöre ertönen, in der Tiefe rauscht ein Bach, der einen Teich bildet, auf dem man im Kahne fährt — das Ganze ist ein Bild der mythischen Unterwelt, und um so schöner, da man kein Orpheus oder Hercules zu seyn braucht, um

wieder nach der Oberwelt zu kommen, wenn man da unten
nicht besser seine Rechnung findet, oder nicht an eine Eu-
rydice oder Alceste gebunden ist, die den Orcus zu
lieben scheinen!

F. Sickler hat Liebenstein in Hexametern besungen, aber
Liebenstein verdiente einen begeisterten Sänger; die in den
Meininger Taschenbüchern zerstreuten Abhandlungen ver-
dienten gemeinnütziger gemacht zu werden in einem eigenen
Werke, denn dieser Park kommt gleich nach der Wilhelms-
höhe, und scheint mir schöner als das berühmtere Wörlitz,
wo die Natur wenig und die Kunst zu viel gethan hat.
Die Hauptsache bei einem Kunstgarten bleibt doch die, die
Tassos Gärten hatten —

l'Arte che tutto fa, nulla si scopre. *)

Zu Liebenstein fand ich (1802) kaum vierzig Curgäste, das
Wasser ist eisenhaltig, nervenstärkend, und der Glaube,
der schon vor viel tausend Jahren das wirksamste Wasser
und officinellste Kräutchen gewesen ist, thut, wie in allen
Bädern, das Beste. In einer — so interessanten Gegend
nimmt man mit jeder Gesellschaft vorlieb, wenn man nicht,
nächst dem Körper, auch noch an Verstopfung des innern
Sinnes für Naturzauber leidet. Ich war hieher gekommen mit zwei Pferden durch schlechte Wege — hier wollte
man mir wegen schlechter Wege einen Postzug aufhängen,
endlich kam ich mit drei ab — und dieß schien mir eben
keine Empfehlung für ein Bad, das damals erst im Werden war, und verstimmte mich, bald aber erheiterte mich
wieder der schöne Werragrund, die gute Straße und die
ganze gut gebaute Gegend.

In der Tiefe des schönen Altensteiner Waldes steht
auch die Luthersbuche. Hier wurde der von Worms
kehrende Mann Gottes mit seinem Wissen vom Wart-
burger Schloßhauptmann von Berlepsch aufgefangen — der
Bruder Jacob flüchtete in den Wald, ein anderer Gefährte

---

*) Daß die Kunst, die Alles thut, verborgen bleibt.

durfte weiter fahren, Luther aber wurde als Ritter Görge
maskirt auf die Wartburg gebracht. Der Kurfürst wollte
seinen Aufenthaltsort nicht wissen, um Kaiser und Reich
sagen zu können: „er wisse nicht, wo Luther hingekommen." — Bei dieser Luthersbuche feierten die Gäste
und Umwohner Liebensteins 1817 das Reformationsfest mit
Reden und Liedern, man trank aus dem Luthersbrunnen,
schmückte sich mit Zweigen von der Luthersbuche, und stärkte
sich so im — alten Lutherthum!

Vom Bade aus macht man Ausflüge nach Stein-
bach, wo man das freundliche Grimbachthal übersieht —
nach Barchfeld, Ruhla, Salzungen und Smalcalden. Ruhla
liegt in einer solchen Bergschlucht, daß es um zwei Stunden früher Nacht wird; denn anderwärts, die Häuschen
lehnen rechts und links an der Felsenwand 1½ Stunden
hin, ein Waldbach rauschet mitten durch den Ort von 3000
Seelen, die in Gothaer und Eisenacher sich theilen, ihre
besondere Kirchen, Schullehrer, Prediger und Förster haben,
was nun wohl jetzt aufhören wird, und auch ein Bad.
Die Ruhlaer sind ein ganz eigenes Völkchen, das vorzüglich
Singvögel liebt, und den Distelfinken. Schon mancher arme Messerschmidt hat 20 — 30 Thaler für einen
guten Schläger (nicht in academischer Bedeutung) hingegeben, oder ist nach dem Harz gelaufen, um sich einen
zu holen. Hierunter kann ich aber unmöglich die Wach-
tel meines Nachbar-Beckers rechnen, die mich zwar umsonst morgens wecket, deren sechs Paar Weck aber, die
den Meister erfreuen, mir einmal zuwider sind; indessen da
ein Heker behauptet sie singe: „bück den Rück," und
der Herr Cantor seine Schüler auf ihr Dic cur hic aufmerksam macht, so muß ich mich bei dieser Meinungs-
verschiedenheit beruhigen um so mehr, als alle Stu-
benvögel große Privilegien haben, wie das Rothkehlchen,
das sich mitten in einen Hirsebrei setzte, und etwas fallen

ließ, was die Frau stillschweigend heraus nahm, und wozu der Mann weiter nichts sagte, als: „Hätte ichs gethan, welcher Teufelslärm!"

Ruhla ist der Sitz der meerschaumenen Pfeiffen-köpfefabriken, die rohe Masse bringen die Griechen nach Leipzig, die Ruhlaer verarbeiten sie, und von den Abfällen werden die geringern und unächten Köpfe gemacht. In Griechenland entstand aus Meerschaum die Venus — zu Ruhla Tabakspfeiffenköpfe à 2 gr. bis zu 30 Carolins. Unter der Menge Klibbeter, Klemperer und Messerschmidte, zeichnet sich der aus, der dem Landgrafen Ludwig dem Eisernen hämmernd vorsang: Landgraf werde hart! Die armen Leute, die Schleifer, leiden an einer eigenen Krankheit, der Schleifer-krankheit, d. h. Lungensucht, die auch Andere durch andere Schleifereien sich holen, und alle Ruhlaer sol-len sich durch ein eigenes Schnarren im Sprechen auszeichnen? ich habe 3 — 4 gesprochen, die wirklich schnarr-ten — aber alle 3000? Eine Menge Kämme werden gefertiget — die Möde der langen Rohre und Porcellain-Pfeiffenköpfe hat dem Meerschaum Eintrag gethan, aber Kämme werden bleiben, so lange es — Läuse gibt — Läuse — die beißendste Satyre auf den Herrn der Thiere!

Möhra ist der eigentliche Entstehungsort Luthers, und Salzungen mit seinen Sälinen und 2800 Seelen liegt ganz anmuthig an seinem See mit dem Schlosse Schnepfenburg. Sein Salzbrunnen, der lange unbe-nutzt lag, ist wieder in Gang gekommen und wird auch zu Soolbädern benutzt. Smalcalden ist nach Cassel, Marburg und Hersfeld die volkreichste, größte und gewerb-samste Stadt Kurhessens mit 7000 Seelen, und recht gut gebaut. Die Wilhelmsburg liegt auf einer Anhöhe in der Stadt, und ein zweites Schloß ist der Hessenhof. Fast alle Häuser haben im Erdgeschosse Schmieden, welche die Eisen- und Stahlwaaren liefern, die als Smal-calderwaaren durch Großhändler und Hausirer in alle

Welt gehen; Messerklingen allein sollen jährlich zwei Millionen gefertiget werden. Der benachbarte Stahlberg,
mit Recht die Brodkammer genannt, liefert das Mate-
rielle und scheint so unerschöpflich, als der steyrische Erz-
berg, das ganze Thal ist nur eine Schmiede, der Horizont
gehüllt in ewige Rauchwolken, ewige Hammerschläge, das
Rauschen der Wasser, das Klappern der Mühlen betäuben
die Ohren, wie Kanonendonner. Smalcalden, die Hauptstadt des hessischen Thüringens, (5 Quadratmeilen, 20,000
Seelen) hat eine Saline, und ist Geburtsort des Philologen Cellarius zu deutsch Keller, der auch die Bahn
zu zweckmäßigem Unterricht in der Geschichte brach —
kurz ein so nützlicher Schulmann war, als die Hübner
und Hederiche.... Durch das Thal wo auch Barchfeld liegt, die Residenz einer hessischen Nebenlinie, ziehet
die Landstraße von Braunschweig und Gotha nach Nürnberg, folglich ist es den Reisenden wohl bekannt, und sollten sie die Anmuth des Werrathales über höheren Schönheiten vergessen, so werden sie gewiß die Stöße nicht vergessen, die sie in diesen Gegenden empfunden haben. Zu
Klein-Smalcalden werden eine Menge Blasbälge
gefertiget, groß und klein, und hieher sollte man alle lustige Windmacher schicken, um ihrer Luft eine nützlichere
Wendung zu geben! Es gibt auch ein Mittel-Smal-
calden, und auf einem Berge liegt ein adeliches Schloß
mit einem einzeln Wirthshause, genannt die Zwick!

Noch geräuschvoller mag Smalcaden zur Reformationszeit gewesen seyn, wo die protestantischen Fürsten häufige Versammlungen hier hielten, das sogenannte smal-
caldische Bündniß schlossen, und die Theologie Luthers bestätigten, wie das nicäische Concilium das ὁμοου-
σιος! Vor Kaiser Carl V. durfte man das Wort Smalcalden nie aussprechen. Die Protestanten hielten ihre
Sache für die Sache Gottes, und da man gewöhnlich
eine gute Sache mit weniger Vorsicht betreibt als eine

böße — Wachsamkeit ist die Tugend des Lasters
— so säete der Teufel Unkraut unter den Waizen! Zur
Ehre unserer Zeit hat sich doch das Sprüchwort der Catho-
liken verloren: „Ehe ich das thät, lieber nach
Smalcalden!" Aber wer hätte glauben sollen, daß wir
im neunzehnten Jahrhundert Luthers Worte, mit denen er
Smalcalden verließ, wiederholen müßten: „Impleat vos
Deus odio Papæ et Satanæ *)? Sie klingen hart diese
Worte — aber blicket um euch — ist Satan nicht überall
los und ledig? Mundus vult decipi, decipiatur ergo **).

Suhl, nach Smalcalden die ansehnlichste Stadt des
Gebirges mit 6000 Seelen, liegt malerisch im Lauterthal
am Fuße des hohen Domberges, die überhangenden Wände
des Ottilienberges drohen den Hütten Verderben, aber kein
Suhler denkt daran, sein Auge ist daran gewöhnt. Weit
nach Franken verliert sich das Auge vom Domberge aus,
und Abends machen vom Ottilienstein die lodernden Feuer-
eßen die Wirkung einer Illumination. Der Kopfputz des
weiblichen Geschlechts fällt auf — die Grenadiermütze, wie
der blaue Reitermantel mit goldenen Borden. Suhl soll
jährlich über 20,000 Gewehre und 60,000 Stück Barchent
liefern. In einem alten Gedicht auf die Zerstörung Suhls
durch Isolanis Croaten 1634 heißt es: Suhl handle

> mit Waaren mannichfalten,
> bevoraus hier das Buchsenwerk,
> getrieben wird mit Macht und Stärk,
> von Jungen und von Alten!

Die interessanteste aller Parthien aber, die man von
Liebenstein zu machen pflegt, ist nach dem Inselberg,
(eigentlich Enseberg, da hier die Ense entspringt) auf dem
jetzt, neben dem alten Häuschen, auch eine Wirthschaft
ist, wo man übernachten kann. Selten ist man an Sonn-

---

*) Gott erfülle euer Herz mit dem Hasse — des Papstes und
des Teufels.

**) Die Welt will betrogen seyn, darum werde sie auch betrogen.

liegen hier allein, die Fernsicht groß, man überblickt nicht
blos den größten Theil des Thüringer Waldes, sondern
auch die Rhön, den Meißner, Kyffhäuser und Harz, und
weit über den Etterberg hinweg die fetten Auen Sachsens;
Schwarzburg, Paulinzelle, Wartburg und Liebenstein hat
man gleichsam zu seinen Füßen, und nur gegen Südost
verdirbt die höhere Schneekoppe die Fernsicht. Wir lesen
von tönenden Bergen des Morgenlandes, und sie sind
keine Mährchen, wenn gleich die poetischen Araber den
Reisenden erzählen, daß im tönenden Berg Nakus ein
Kloster versunken sey, dessen Glocken sammt den Psalmodien
der Mönche periodisch erschallen. Die Hirten wissen auch
die Thüringer Berge tönend zu machen, oder die Berg-
Glocke zu läuten — ein Stein im möglichst spitzen
Winkel die Fläche abwärts mit Kraft geworfen, und der
Berg tönet wie ein Kräusel; und um so stärker, je trockner
die Oberfläche ist, was wohl mehr oder weniger von den
meisten Bergen gilt. Ich übernachtete im Dörfchen Win-
terstein, in dessen Nähe das Ruinen-Stammschloß der
Wangenheime, um noch vor Sonnenaufgang auf dem
Scheitel dieses Königs der Thüringer Berge, 2856' über
dem Meer, zu stehen, war auf ziemlich unbequemer Pfade
in zwei Stunden richtig oben, und der erste Sonnenstrahl
— lohnte die Mühe! Der Inselberg ist mehr als der
Stauffen. Mein Führer steckte seine Pfeiffe an —
„Woher hat er den Lausewenzel?" er zeigte auf das zunächst zu unsern Füßen liegende Broterode, das den
berühmten Kneller liefert, den man höchstens auf dem
Inselberg zu rauchen verstatten sollte, der aber ganz Thüringen, Hessen, Franken und Sachsen durchstinket!

Von Altenstein nach Eisenach (4 Stunden) kommt
man durch Wilhelmsthal, ein allerliebster Landsitz des
Großherzogs — reine Natur, und nur durch Kunst leise
nachgeholfen, worüber ich vergaß, mich nach dem Land-
grafenloch, verfluchten Jungfernloch und der
Frauenburg umzusehen. In zwei Stunden ist man in

Eisenach, das uns schneeweiß entgegentritt, seit der Pul-
verkarren in die Luft geflogen und der Explosions-
platz entstanden ist (1810). Man sollte nie Artilleriezüge
durch die Städte lassen, Artilleristen denken so wenig an
Gefahr, als Fleischer an Leben und Schmerz der Thiere
unter ihrem Messer, machen es ja selbst viele Chirurgen
und Aerzte nicht besser mit Menschen, so hartleibig als
die Bauern in dem nahen Pfarrode, die den guten
Musäus nicht zum Prediger nahmen, weil er einmal
— getanzt hatte, als ob er — ein Loch in die Kanzel gebohret hätte, wie man ehehin eine gewisse Tem-
peramentssünde zierlich zu nennen pflegte! Zu Eisenach
starb 1788 der von den Holländern mit schnödem Undank
gelohnte Herzog Ludwig Ernst von Braunschweig, der den
Abend seines Lebens hier vollbrachte, und in der Gruft seiner Väter ruhet. In den Wäldern um Eisenach befreite
Lieutenant Helwig 1806 über 8000 Preußen, escortirt
von 600 Franzosen. Eisenach, ob es gleich wohlhabender,
gewerbsamer, vielleicht selbst volkreicher scheint (10,000
Seelen) als Weimar, bietet nichts Merkwürdiges, aber
dorten aus den schönsten Buchenwäldern blickt eine Burg
herab, die interessanteste aller Burgen Thüringens — die
Wartburg!

Groß und herrlich ist die Natur umher, ein bequemer
Weg führt durch englische Anlagen zur Wartburg, und
eine weite Fernsicht nach Thüringen und Hessen lohnet.
Hinter ihr erblickt man auch die beiden Felsen Mönch
und Nonne genannt, die jeder aus seinem Wieland kennet, und die noch heute dem Witz der Eisenacher dienen bei ihren Hochzeitgedichten. Ludwig der Springer
baute die Wartburg, 300 Jahre lang die Residenz der
Landgrafen, der Sitz der Musen, der Minnesänger und
eines gebildeten Hofes, Aufenthaltsort der frommen Schwärmerin Elisabeth, und der zärtlichen Mutter Margaretha,
die von einer Buhlerin aus dem Herzen ihres Gemahls
verdrängt, so daß er sie morden lassen wollte, — bei ihrer

Flucht ihren kleinen Friedrich dermaßen herzte, daß ihm
ein Mahl blieb, daher sein Zuname Friedrich der Ge-
bissene; sie starb bald darauf im Catharinenkloster zu
Fränkfurt of broken heart*)! — Die Wartburg ist — das
Pathmos Luthers, die Bastille Weimars, der Versamm-
lungsplatz der Burschenschaft am 18. Oktober 1817,
und jetzt allgemeiner Belustigungsort der Gegend; der Teufel hat demnach über Luther den Sieg davon getragen!

Luther saß zehn Monate auf der Wartburg, und lieferte
die verdienstlichste aller Uebersetzungen, das neue Testament, das alte folgte nach, und 1534 war die Bibel
ganz in den Händen der Layen. In seiner Einsamkeit
und im Umgange mit Rittern lernte er noch Manches
— jene stimmte seine Heftigkeit herab, und dieser gab ihm
Welt, die dem Mönch und Gelehrten durchaus gefehlt zu
haben scheint, wie hätte er auch sonst an Fürsten schreiben können, wie er schrieb, Papst und Cardinäle in einem
Paket ins tuscische Meer werfen, und einen zweiten —
Hildebrand vorstellen mögen? Selbst sein Reitknecht,
wenn er bei Ausflügen sogleich über ein daliegendes Buch
herfiel, mußte ihm sagen: „Herr! das thut kein Ritter! Luther war so ganz Theologe, daß er selbst die Jagd
von der theologischen Seite nahm, in den Hunden Bischöfe und Pfaffen sahe, welche die unschuldigen Thiere
jagen und fangen, und bei dem gefangenen Hasen, den die
Hunde selbst in seinem Rockärmel noch zerbissen, dachte er
wieder an Papst und Teufel, die auch gerettete Seelen
noch verderben. — Der Teufel, den er so verächtlich behandelte, als der englische Mönch S. Dunstan, mit Dinte,
Feder und Streusand, ja mit Weihrauch, womit man eben
nicht zu räuchern pflegt, und dem er das Dintenfaß an den
Kopf warf, war nur eine große — Schmeißfliege. Luther
war weniger sanftmüthig als Onkel Toby, oder andere
Gelehrte und Ungelehrte, die schon schreibend über Fliegen

---

*) An gebrochenem Herzen.

zwar geflucht, aber höchstens — Säure auf ihr Papier haben fallen lassen. Sollte je ein Teufel im Spiele gewesen seyn, so war es der Teufel der — Hypochondrie, den er gar wohl Beelzebub, den Gott der Fliegen oder Grillen nennen durfte, oder eine Maus, die da glaubte, daß Gott die Haselnüsse auch für sie erschaffen habe.

Luthers Stübchen auf der Wartburg mit seinem Bilde würde sicher Tausenden interessanter seyn, als der ganze Rittersaal mit den alten Waffen und Ritterbildnissen, wenn man es gelassen hätte, so wie er es verließ, wie die Zimmer Friedrichs oder Voltaires. Sein Schreibtisch kann nicht mehr da seyn, da die Späne davon so gut gegen Zahnwehe halfen, daß endlich nichts mehr davon übrig blieb, daher man den jetzigen Tisch aus Möhra herbei holte, der nun nachhalten wird. So siehet man nur den Dintenfleck, der sich immer erneuert, woran der Kastellan unschuldig ist, denn der Stein ist schwärzlichter Granit, und der Weißtüncher verliert seine Mühe. In der Rüstkammer sahen wir die eiserne Hülle Friedrichs mit der gebissenen Wange, seines Bruders Diezmann, des Vaters von Albrecht dem Unartigen, und seiner Buhlerin Kunigunde, selbst des Pabst Julius II. und unter den Bildern der alten Landgrafen interessirte mich am meisten Ludwig der Eiserne. Es ist ein Mährchen, daß er seine Edelleute an Pflug spannte, und mit ihnen ackerte; den Ochsenziemer in der Hand, verdient hätten sie es, aber er steuerte doch mit der Kraft Kaiser Josephs ihren Bauernschindereien! Unter den Rüstungen — der alten Landgrafen zeichnen sich durch Größe die von Friedrich dem Gebissenen und von Kunz von Kaufungen aus — dann die Fahnen, die Bernhard von Weimar dem Waldstein abnahm, und einige vollständige Damenrüstungen! Was ist unweiblicher, solche Rüstungen der Damen des Mittelalters, oder der literarische Apparat der Damen unserer Zeit, ihr Schreib-

tisch und ihre Dintenflecken? ich sehe sie noch lieber
— reiten à califourchon und à poil *)!

Luther hat endlich zu Wittenberg ein würdiges Denkmal erhalten, und so wollen wir das natürlichste Denkmal,
jenes Zimmerchen der Wartburg lassen, wie es ist. Luther
ragt über tausend Männer mit Prachtmonumenten hervor,
wie der Inselberg über die übrigen Berge Thüringens.
Er machte Anstalten, das Christenthum mit der Vernunft zu versöhnen, und das Reich des Teufels, oder
die Pfaffheit, welche Religion nur zu weltlichen
und politischen Absichten mißbrauchet, auf immer zu
zerstören. — Er ist unschuldig, wenn nach drei Jahrhunderten noch das Alte ist, ja seine treu gehorsamste Jünger
selbst einen protestantischen Papismus an die Stelle
der Moral Jesus sezten, so daß Hudibras sagen konnte:

> Ein Pfäfflein wohnt in jedem Dorf,
> und lebt da, wie die Laus im Schorf,
> und ist so stolz auf seinem Plaz
> als Gregor oder Bonifaz!

Von der Wartburg eilte Landgraf Friedrich, während
der Belagerung, mit seinem Neugebornen nach Tenneberg
zur Taufe, und da das Kindlein schrie, so ließ er, troß der
Verfolger, halten, „das Kind muß trinken, und
sollt' es ganz Thüringen kosten.“ Auf der Wartburg lebte die fromme Königstochter Elisabeth, einer
der herrlichsten weiblichen Charaktere des Mittelalters, den
Justi geschildert hat. Oft mag sie ihren sie herzlich liebenden Ludwig durch ihre Schwärmereien verstimmt haben,
wie manche Meßlauferin und Wallfahrerin den ihrigen —
oft ging ihre Wohlthätigkeit bis zur Verschwendung, aber
Ludwig sagte den Höflingen: „Wenn sie mir nur die
Wartburg nicht verschenkt.“ Wie fest er an ihr
hing, beweist, daß er dem Ritter, der ihn bat, ihm in der

---

*) Rittlings (wie die Männer mit aus einander gestreckten
Beinen) und ohne Sattel.

Stille zu einem Erben zu verhelfen, nur aufwärtete mit einer stärkenden Latwerge!

Die Wartburg wurde in unsern Tagen berühmt durch das Burschenfest am 18. Oktober 1817. Es war ein Fest religiöser und politischer Freiheit, das die Studierende mehrerer Universitäten gaben im Hochgefühl feuriger Jugend — Kinder einer bewegten Zeit — (es waren auch Professoren dabei, Fries, Oken, Kieser, Schweizer; und es geschahe mit Erlaubniß der Regierung). Das Fest zeugte von seltenem deutschen Gemeingeist, da 500 Studenten von zwölf Universitäten, die meisten vom nahen Jena, sich zu Eisenach versammelten, und in Procession nach der Wartburg zogen. Im Rittersaale wurde das Lied angestimmt: „Eine feste Burg ist unser Gott," Reden gehalten, gebetet, und zum Schluß gesungen: „Nun danket alle Gott." Manche Zähre der Rührung schlich über die Wange, hohe Andacht herrschte in der Versammlung, die Geister des grauen Alterthums, der edlen im Staube ruhenden Vorfechter der Geistesfreiheit und Menschenrechte, und aller Opfer, die für des Lebens Ideale sich dem Tode weiheten, umschwebten die Versammelten, in deren Mitte viele waren, die selbst den Kampf für Vaterland, Freiheit und Recht gegen Ariman — Napoleon (der von Enfanterie *) höhnisch sprach) gefochten hatten in jenen Tagen, die Deutschland stets heilig bleiben sollen — und solchen Jünglingen, die sich zu Männern durch That emporgehoben hatten, wollte man zumuthen sich wie die alten Bierlümmel, nichts um Welthändel zu kümmern, um Wohl und Wehe des Vaterlandes? Reine heilige Begeisterung glühte in allen für die ewigen Ideen des Rechts und der Tugend, der Wissenschaft und Kunst, eine millionen mal edlere Begeisterung als auf Bierbänken und in Tabagien bisher herrschte, und wer wird Begeisterung — in Hörsälen suchen? Man tafelte froh

*) Kinderei — statt Infanterie.

mit den Freunden, die das Fest herbeizog, und Abends lo-
derten die Siegesfeuer zum Andenken der Leipziger Be-
freiungsschlacht, auf den Höhen des gegenüber liegenden
Wartenberges, zum Andenken des Ehrentages deutscher Nation, wie die Hermannsschlacht. Wie mochte
man dieses Fest so ungleich deuten?

Jünglinge, denen Aufwallung, Gefühl und Einbildungskraft näher sind, als Besonnenheit und Erfahrung. — Tu-
gendbilder des Alterthums näher, als Gegenwart, und
Ideale näher, als prosaische Wirklichkeit, Verkehrtheit und
Schlechtigkeit der Welt, erinnerten sich Luthers Auto da fé
zu Wittenberg, und warfen 28 Bücher, die sie gegen
den Geist der Zeit glaubten (die Bücher stehn verzeichnet in Kiesers Wartburgsfest, Jena 1818, 8., und die
Auswahl war in der That nicht übel) in die Flammen,
noch beifügend Zopf, Schnürleib und Corporalstock!
Einflußreiche Männer betrachteten das Ding nur von der
Schattenseite, fanden in einem kindischen Studenten-
Pereat — Majestätsverbrechen, Aufruhr und
demagogische Umtriebe, und viele Cabinette geriethen in Brand über das jugendliche Auto da fé auf der
Wartburg! Man schwieg, als Jesuiten in Wallis einige
tausend Exemplare des Evangeliums, welche die Berner Bibelgesellschaft dahin spedirt hatte, verbrannten, als
ob diese Grundlage des Christenthums — Pasquille
wären! Man schwieg, als der zwölfte Löwe der Kirche
in erbaulichen Breven gegen Bibel und Bibelgesell-
schaften wüthete, und ein ultramontanischer Esel
in Baiern beide für ein Werk des Teufels erklärte!!

Das Burschenfest bleibt in den Augen des ruhigen
unbefangenen Denkers sinnvoll, würdig der großen Dinge
unsrer Zeit; das Ganze war ehrenvoll und ruhig, der Gemeinsinn eine der schönsten Erscheinungen im deutschen
Vaterlande (den man 1814 zu schätzen wußte) ohne welchen sich kein deutsches Vaterland denken läßt! Alles Uebrige — lag nicht im Plane, und man muß jungen

Leuten etwas zu Gute halten. Wollten ja diese Jünglinge
sich auch vereinen zur Abstellung der Krähwinkelichen
Landsmannschaften, selbst des elenden Zweikampfes, in der Burschensprache genannt Paukerei, Scan-
dal! Selbst die vorgefallenen Kindereien und Albernheiten
waren sie nicht besser, als wenn sie sich von Buchhändlern
aufdingen lassen zu recensirenden Dintenknechten,
oder einen bloßen wilden Commerce und Saufgelage
gefeiert hätten? Trieb nicht schon zu Luthers Zeit auf
der Wartburg — der Teufel sein Spiel? und was
hat er ausgerichtet? Hans und Grete glauben nicht mehr
an ihn, und antworten, wenn der Schulmeister fragt:
„Nun! was macht der Teufel?“ „Teufelsdreck.“
Der Teufel scheint sich zwar mehr an Pulver und Geld
zu halten, als an Dr.., den er Doctoren und Apothekern
überläßt, aber die Antwort bleibt dennoch die beste. —
Schade nur, daß wir das altprotestantische Sprüchwort
wieder hervorsuchen müssen: Laß den Teufel in die
Kirche, so will er sogleich Messe lesen!

Neunter Brief.

Gotha und seine Umgebungen.

Gotha liegt an einer Anhöhe in schöner Gegend, und
imponirt mehr als Weimar, weithin in die fruchtbare
Ebene strahlet das Schloß Friedensstein, sonst Grim-
menstein, mit seiner Terasse, erhaben, wie die Terrasse von
Windsor, wenn hier gleich der schöne Park von Windsor
und die stattliche Themse fehlt mit ihren reinlichen Dörfern
und geschmackvollen Landhäusers, und nur die Leina trübe

vorüberſchleichet. Die alten Wälle haben Alleen und Gärten Platz gemacht, der Markt iſt ſchön und geräumig, aber
die Straßen ſind freilich winklicht, denn Gotha iſt alt,
und gehörte einſt dem Stift Heersfeld, daher ſein Schutz-
patron St. Gotthard, der auch wohl der Stadt den
Namen gegeben hat. Vom Styl und der Herrlichkeit go-
thiſcher Bauart, die jener Major, getäuſcht von der
Aehnlichkeit des Worts, hier ſuchte, iſt nichts zu ſehen. —
Die Waſſerleitung der Leina, und eines andern Flüßchens nach dem waſſerarmen Gotha möchte eine Merkwürdigkeit ſeyn, daher auch einige den Namen der Stadt davon
ableiten wollten „Gut a ha.“ Mich erinnert Gotha ſtets
an das welthiſtoriſche Volk, das 500 Jahre hindurch Europa mit dem Rufe ſeiner Thaten füllte, ſich an die Stelle
der entarteten Römerwelt ſetzte, und Gothicus zum Ehren-
namen machte. Theodorich oder Dietrich iſt ſoviel als
der Carl der Franken!

Gotha's Hauptmerkwürdigkeit bleibt das gewaltige
Schloß, genannt Friedenſtein, erbaut 1645, 150' über
dem Markte — wo der Hof wohnte, die Collegien ſich noch
heute ſammlen, und die Bibliothek, das Archiv, das durch
Seezen aus Aegypten noch bereicherte Naturaliencabinet,
und die reichſte Münzſammlung Deutſchlands zu ſehen
ſind. Hier iſt ein ſeltenes Werk von zwanzig Folianten,
lauter Münzzeichnungen von Jakob de Strada, 9000 an
der Zahl, und für jede ſoll der Mann einen Dukaten erhalten haben! Mir wären die vierzehn Folianten, die H.
Bernhards Briefwechſel enthalten, lieber. Wann werden
wir doch über dieſen deutſchen Heros ein gutes Werk erhalten? In der Antikenhalle ſind mehrere Werke
Dölls, neben einem ſeltenen Abguß vom farneſiſchen
Herkules, und in der zahlreichen Bildergallerie
viele und merkwürdige Cranachs. Es ſind auch 500 ara-
biſche Handſchriften hier, worüber ein gedruckter Ka-
talog vorhanden iſt. Wird man bald das Vorurheil ganz
ablegen, daß man arabiſch nur zum Behufe der Bibel

studieret? Doch — das Griechische wurde ja lange auch
mit dem neuen Testament begonnen, und viele, die
sich des Griechischen rühmen, ja sogar ihre Augen darüber
verdorben haben wollen, sind nie über das Juden-Grie-
chisch hinaus gegangen im neuen Testamente!

Seit dem Tode des Herzogs werden wohl die Schildwachen nicht mehr so ängstlich thun, wenn sich der Reisende der Seite nähert, wo der Herzog wohnte? Bürger,
sagte man mir, waren sogar ausgeschlossen, und nur Cavaliers durften auf dieser Seite spazieren, gerade die schönste
Seite. Das Schloß liegt so hoch, daß man wohl sieht,
es sey mehr für die Ritterzeit, die nichts vom Fahren
wußte und für Grumbachs Zeit gebauet, der bekanntlich
den Herzog so irre leitete, daß es zur Belagerung kam.
Johann Friedrich der Großmüthige wurde unglücklich im
Kampfe für Wahrheit und Recht, sein Sohn aber durch
eigene Schuld, daß er sich einem zwar mißhandelten, aber
doch allzu rachelustigen Fehdehelden, Mörder und geächteten
Landfriedensbrecher so ganz hingab! Wenn der Herzog in
vollem Trabe vom Schloß herabfuhr, muß es gewesen seyn,
als ob ein Gott herabdonnerte von seiner Höhe. Ich hätte
Soubise und seinen Stab sehen mögen, als sie vor Seidlitz und seinen Reutern da herabstürzten, und gönne den
Preußen die für Soubise und seine Gallier bereitete Hoftafel.

Das Gothaer Gymnasium behauptet seinen Ruf,
und wem wäre der herzogliche Park nicht wenigstens
aus Hirschfeld bekannt, da der Zutritt nicht jedem erlaubt
war? Auf dem Gottesacker der Garnisonskirche sind
mehrere geschmackvolle Denkmäler von Döll, und am
Rathhause verdienen die alten naiven Reimlein noch
immer Beherzigung —

> Wo der Bürgermeister schenket Wein,
> die Fleischer mit im Rathe seyn,
> und der Becker wiegt das Brod
> da leidet die Gemeinde Noth —

denn es scheint mir nicht, daß der höhere Titel Stad

Rath höhere Gesinnungen erzeuge. Das Theater ist natürlich nicht mehr, was es einst unter Eckhof, unserm Garrik, unter Böck, Iffland, Beck und Beil gewesen ist, wo Gotter schrieb, Schweitzer und Benda componirten; es wandelte schon 1779 nach Mannheim und der literarische Ruf Gothas unter der Herzogin Louise, der Freundin Friedrichs und Voltaires, und der Ober-Hofmeisterin von Buchwald ging nach Weimar über. Benda, von dem man sich die komischsten Zerstreuungs-Auftritte erzählt (†1795) ist noch nicht vergessen. Aus Grille und vermeinter Zurücksetzung verließ er Gotha und zwölfhundert Thaler Gehalt, trieb sich in der Welt herum, und war zuletzt froh mit vierhundert Thaler Pension wieder im schönen Thüringen zu leben. „Jede Wiesenblume, sagte er, macht mir jetzt mehr Vergnügen als alle Musik. — So gut wird es nicht jedem, und Gothaische Häuser sind seltner, als Gothische — „Dort schläft er — dort holen Sie die Pension!"

Ettinger, der kein gemeiner Büchermäckler war, und dem ich viel Genuß verdanke, führte mich zu Thümmel, und in die Mohrengesellschaft, d. h. in's Casino im Gasthause zum Mohren. Sein Gothaischer Hofkalender 1774 war der erste seiner Art, erzeugte aber leider! unsere Sündfluth von Almanachen. Ettinger war ein galanter Mann — ob er nicht auch gegen die Jahre mancher Dame galant war? Gleich merkwürdig bleibt Beckers Reichsanzeiger (1791) und deutsche Nationalzeitung (1796), so hatten wir doch, so leise er auch auftreten mußte, eine Idee des Gemeinsamen, und hörten wieder einmal Etwas von deutscher Nation. Noch merkwürdiger in seiner Art bleibt dessen Noth- und Hülfsbüchlein nebst dem mildheimischen Liederbuch zur Belehrung des Volks, von dem wenigstens eine Million Exemplare abgesetzt wurde. Mir bleibt Becker auch persönlich merkwürdig — ich war genöthigt in seine Nationalzeitung eine lange Selbstvertheidi-

digung einzuschicken — er nahm nichts für den Druck:
„bin ich ja Schuld, schrieb er, daß Sie schreiben und dru»
cken laſſen mußten!“

Wahrlich das kleine Gotha von zwölftauſend Seelen
darf ſich nicht nur mit ſeinen Methwürſten neben Göt»
tingen, und mit ſeinen Gänſeleber»Paſteten neben
Straßburg ſtellen, ſondern ſelbſt neben ſeine berühmtere
Schweſter Ilm»Athen. Grimm brachte hier den Abend
ſeines Lebens zu — und wie hätte ich den Guide
Voyageurs vergeſſen können, den ich gedruckt mit
mir führte? Thümmel wog hundert Schöngeiſter auf,
Zach iſt einer der erſten deutſchen Aſtronomen — Gotter
als Dichter gar nicht zu berachten, wie der fleißige
Galetti als Hiſtoriker*) — Blumenbach iſt hier gebo»
ren — und auch Grabner, der als Hauptmann im
holländiſchen Regiment Sachſen»Gotha uns die trefflichen
Briefe über die Niederlande gab — Döll war
einer der erſten Künſtler, und Schlichtegrolls Nekro»
log? wer bedauerte es nicht, als er aufhörte? die lieben
Zeitgenoſſen lehren, was wir an ihm verloren haben.
Meine Wenigkeit weilte weit lieber unter dieſen Gothen,
als unter den Athenern an der Ilm!

Herrlich iſt die Sternwarte auf dem Seeberg, die
leider verlaſſen ſteht. Von dieſem Tempel Zachs hat man
eine der unumſchränkteſten Fernſichten über ganz Thürin»
gen, ſeine fetten Gefilde, reiche Dörfer und maleriſche Rui»
nen, belebt durch die Landſtraße, die von Gotha nach
Erfurt führt. Hoch erheben der Schneekopf und Inſelberg

---

*) (Fleißige?) Ihr ſcheint ihn für einen bedeutenden Hi-
ſtoriker zu halten, ſetzt Dr. Recenſus Altſeweißnus bei
Pfnj! Doch ein Recenſent muß ſtets den Schein wahre
über ſeinem Autor zu ſtehen, und wenn dieſer auch ein
ergrauter Gelehrter und jener nur Burſche oder Dr. Legens
wäre! das majeſtätiſche anonyme Wir begünſtigt
die Sottiſen. »

ᵗ   Anmerkung des Verfaſſers.

ihre Häupter in die Wolken über den Thüringer Wald,
und im Vorgrund erblicken wir Ohrdruff, Waltershausen,
Tenneberg und Schnepfenthal, selbst Ettersberg und Bro=
cken bei hellem Horizont. Und wer erst mit Zach und Bode
der *Ουρανία* *) der Himmlischen in's Auge blicken konnte,
der blickt auf die Erde und das Menschengetreibe, wie auf
das, was die Griechen *ουρανη* nannten — Nachttopf!
Urania kostete Archimedes das Leben, Kaiser Rudolph II.
das römische Reich, Tycho Brahe, wenigstens die Nase,
und gar vielen die Augen — aber Urania bleibt dennoch
Urania

> — — Urania
> mein schwacher Geist in Staub gebeugt,
> faßt deine Wunder nicht, und — schweigt!

Gerne besucht man auch die mit Recht berühmte Er=
ziehungsanstalt zu Schnepfenthal, die noch fortdauert.
Salzmann bebaute den vormals öden Hügel, zwei Stunden
von Gotha, und errichtete da 1784 seine Anstalt, die zwölf
Lehrer und etwa fünfzig Zöglinge in rother Uniform zählte;
man zählte sechszig Friedrichsd'or. Salzmann starb 1811,
und hat seine Verdienste, namentlich um p h y s i s c h e Erzie=
hung, es war vielleicht das beste aller Philanthropine —
wäre es nach ihm gegangen, er hätte aus der Erde einen
H i m m e l, gemacht — er lehrte aber doch, wie mich dünkt,
z u v i e l — seine Schüler sollten alles wissen, aus Schnep=
fenthal sollten lauter S c h n e p f e n ausfliegen, und doch
hat die Natur mehr Gänse, Enten und Hühner geschaffen,
die auch rein p r a k t i s c h e r sind. Es war die G e n i e=
E p o c h e. — Eine gewisse M i t t e l m ä ß i g k e i t, die nicht
zum Genie erhebt, aber auch nicht zur dummen Dorfteu=
felei herabsinkt, liefert die brauchbarsten Männer. Dieß waren
die Ansichten der Gothaer, die mich dahin begleiteten. (Einem

---

*) Die Muse der Astronomie.

Schüler Salzmanns mag es anders dünken — aber er
hätte seine Meinung äußern können, ohne mit Oberfläch-
lichkeit und Witzhascherei auf Kosten der Wahrheit
um sich zu werfen; (zu Schnepfenthal muß der höfliche
Schüler nicht gelesen worden seyn) — aber die Würde
eines deutschen Bücherrichters scheint einmal nicht
zu erlauben, seine Meinung auszusprechen ohne Ausfälle
— Seitenhiebe und Unurbanitäten; und Fleg-
leyen wie zur Zeit von Gellerts Bauernrichter! doch
— Ihre Recensität von Sondershausen geruhten noch
massiver zu seyn).

Von Waltershausen aus besteigt man die Ten-
neburg, die reizend aus den Fichtenwäldern auf das
gewerbsame Städtchen herabblickt, und noch bewohnt wird.
Oefters haußten hier die Fürsten, und im Jahr 1557
erschien eine schöne geheimnißvolle Dame mit viel Pomp,
sie und ihr Gefolge sprachen nur englisch, sie galt für
Anna, Kaiser Heinrichs VIII. verstoßene Gemahlin, die
Herzoge erkannten sie an, und siehe! es war nur eine
Zofe der Königin! Sie hatte ihre Rolle lange gut gespielt,
und lebte als Staatsgefangene auf Tenneberg, stets gekleidet in ein langes weißes Gewand mit schwarzen Schleifen,
und starb auch hier mit dem Anstand einer Lady. Es ließe
sich ein weit interessanteres und komischeres Buch: „über
die Kammerjungfern" schreiben, von den Kebswe-
bern Salomons an, die ein Prinzenerzieher seinem Zögling
für Kammerjungfern erklärte, bis herab auf unsere
Zeiten, als das englische Produkt: „Uebez alte Jun-
fern" ist, und ich erbiete mich zu Beiträgen.

Nicht ferne liegt das ansehnliche Dorf Hörselg-
mit einer uralten Kirche, wo man nicht nur die Bildni
Luthers und Herzog Ernst I. vulgo Bet-Ernst, seh
kann, sondern auch S. Bonifacius in Lebensgröße, zwisch
dem Erzengel Michel, S. Cyriacus und sechs Aposteln
ja das Bild des Heilandes selbst mit der Innschrift:

Dieſes Bild Chriſti iſt geſtalt,
wie es Lentulus abgemalt,
und von Jeruſalem dem Senat
gen Rom geſchicket hat —

Unſere Künſtler thun aber doch beſſer, ſich nichts um dieſes vera icon *) zu kümmern — der herkömmliche Kunſtſtyl iſt beſſer. Jener Bet-Ernſt war ein wahrer Popanz für die Landprediger, die er alljährlich heim-ſuchte, ja ſogar ihre Studierſtube in ihrer Abweſenheit. Einſt fiel ihm eine Handbibel durch ihre große Reinlichkeit auf, er legte ein Goldſtück hinein, und fand das folgende Jahr ſein Goldſtück noch am nämlichen Ort! Wie gut, daß dieſer Bet-Ernſt todt iſt! In hebräiſche Bi-beln, und griechiſche Teſtamente getraute ich mir ſelbſt Goldſtücke, ſo ſelten ſie auch bei mir ſind, hineinzu-legen, und ſie wären gewiß beſſer verwahret, als in eigener Taſche!

Die nächſten Vergnügungsorte um Gotha ſind Rem-ſtädt und Siebeleben, mit den Grabmälern des Baron Grimm und der Frau v. Buchwald, aber der Ruf des Epicuräers Grafen Gotter, der an Friedrichs Tafel viererlei Arten Faſanen zu unterſcheiden, und zu ſagen wußte, woher ſie kamen? führte mich nach Molsdorf. Am Schloßportal ſteht: Præter omnes hic mihi ridet terra-rum angulus **) der Geſchmack iſt verſchieden. Der Garten iſt im alt fränkiſchen Styl und verödet, die Gemälde meiſt Bildniſſe von Fürſten, Miniſtern und Generälen ſeiner Zeit, mehrere von Kupezky, wie das Bild Gottes ſelbſt, jedoch auch einige Italiener, unter denen der ſterbende Cato, ein heiliger Franz, und Kupezkys alte Frau, die Nohet, ſich auszeichnen, ſie ſoll fünfzig Thaler erhalten haben, um bei dieſer Jagd zum Modell zu dienen. Die

---

*) Wahre Bild.
**) Dieſer Ort iſt mein Lieblingsaufenthalt. (Aus einer Ode von Horaz).

13*

Bildnisse von Gotters Freundinnen sind in ziemlicher Anzahl, worunter auch die schenkelreiche Barberini — und lächeln macht gewiß jeden der alte preußische General, der vor einem Horaz sitzt, wo die Ode aufgeschlagen ist: Vixi puellis nuper idoneus etc. *)!

Von Molsdorf führt eine Allee nach Ichtershausen, in dessen Park eine Pappel der Adam aller Pappeln Thüringens seyn soll, und im Schlosse ist ein Meistergemälde des Rugendas, Wiens Entsatz 1683. Neben dem Sitze des deutschen Apicius haben sich auch die Frommen Hütten gebauet zu Neudietersdorf, oder in geweihter Sprache Gnadenthal, das aus einer langen Reihe schöner reinlicher Häuser besteht mit der Aussicht auf eine Wiese, durch die sich ein Bächlein schlängelt. Die Waaren der Brüder kamen mir theurer vor — nicht alle haben wohl gleichen Lammsinn, und der Führer hielt mir eine salbungsvolle Rede über die Textes Worte: „der Tod ist des Schlafes Bruder," als ich beim Anblick einer Grablegung im Schlafsaale äußerte, daß sich dieß Stück besser zu einem Altarblatt schicke. Die Brüder kamen mir ungezwungener vor, als die Schwestern, vermuthlich, weil sich diese mehr zwingen; jene grüßten sehr freundlich, diese schlugen verzwickt die Augen nieder zur Erde! In der Nähe Gothas liegt auch Butleben mit dem neuen von Herrn Glenk angelegten Salzwerke.

Am interessantesten ist der Gang nach dem berühmten Kloster Rheinhardtsbronn durch reizende Waldung, das in finsterer Bergschlucht, am Fuße des Inselberges liegt, wie gemacht zu einem la Trappe. Das alte Kloster ist längst nicht mehr, aber die alten Linden, und die Hirschgeweihe sind sicher noch aus der Ritterzeit, so kräftig und groß wie sie. Das neuere Schloß steht auf einer andern Stelle, und so sind die zehn Grabsteine der alten Landgrafen, von Ludwig dem Springer und seiner Adelheide

---

*) Ich habe neulich mit Mädchen mich vergnügt.

an, die man außen an der Kapelle sieht, wohl neuere Nachbildnngen, wenn wir etwa Friedrich mit der gebissenen Wange und seine Gemahlin ausnehmen — aber romantisch und heilig ist die Stätte, ein wahrer Sitz der Ruhe und des Friedens. Rheinhardsbronu lieferte dem Gothaer Hofe die Butter, was ich gelegenheitlich einer Buttermilch erfuhr, mit der ich weiter zog nach dem lieblichen Georgenthal, dessen Gestütte eingegangen seyn soll. Wer nicht in der Schweiz oder auf den deutschen Alpen war, mag auch nach dem Splttenfall à 60 gehen. Ludwig, der Springer, dem ein Töpfer Reinhardt mitten im Walde, als er einst gedankenvoll von der Schauenburg ritt, eine Stelle zeig., wo sich Nachts schon öfters zwei schöne Lichter hätten sehen lassen, vielleicht aufgestellt von listigen Mönchen — baute dahin sein Kloster, um Ruhe zu finden — für seine Seele, wie viele vornehme Sünder des Mittelalters, am Abend ihres wüsten Lebens — man ist jetzt aufgeklärter, stirbt wie man gelebt hat, und viele machen sich so wenig aus dem Gestank, mit dem sie verlöschen, als das schlechteste Kreuzerlicht!

Ein rüstiger Fußgänger wandelt noch über den Berg nach dem nahen Friedrichsrode tief im Thale, die Hauptbleiche Thüringens, daher man in dem großen Dorfe gar kein Geflügel sieht, und der Führer zeigt auf der Höhe die Stelle, wo die berühmte Schauenburg stand — ipsæ periere ruinæ *)! Diese Schauenburg ist das eigentliche Stammhaus der Landgrafen Thüringens, erbaut 1040 von Ludwig dem Bärtigen. Ludwig der Springinsfeld liebte diese tiefe Einsamkeit nicht, und baute die Wartburg, und so verfiel Schauenburg, die Wiege seines Geschlechts. Gottschalk meinet, daß man, sollten einmal Ruinen erneuert werden, weit eher etwas für diese Schauenburg, wo Ludwig der Bärtige so ruhmvoll regierte, hätte thun sollen, als für die alte Kapelle S. Bonifacius bei

*) Selbst die Ruinen sind verschwunden.

Altenberga, wo 1811 ein 30' hoher steinerner Cande=
laber errichtet und eingeweihet wurde, was freilich from=
mer ließ! Den heiligen Candelaber, der auf acht Kugeln
ruhet, seine Flamme, umschwebt von drei Engelköpfchen,
habe ich nicht gesehen — er lag zu weit aus meinem
Wege — und auf Bonifacius bin ich aus triftigen Grün=
den nicht gut zu sprechen — der Mönch meinte es
zwar gut; er glaubte uns aus der heidnischen Finsterniß
zum Licht zu führen, und führte uns in die Finsterniß des
Papstthums — und vertrieb uusern armen National=
teufel uur durch den Obersten der Teufel — Beel=
zebub!

Die intereffanteste Gegend Thüringens, so weit ich
solches kennen lernte, schien mir das Dreieck, welches Er=
furt, Ohrdruff und Arnstadt machen, wo die drei Glei=
chen liegen. Man erblickt diese zwar auch von der Leip=
ziger Straße, aber ungleich schöner liegen sie da auf dem
Wege von Gotha nach Ohrdruff zu Schwabhausen.
An einem schönen Sommerabend stand ich bezaubert hier
an der Hand eines alten Universitäts=Freundes, den ich
überraschte, und der wohl zehnmal sein altes „auf meine
Ehre!" keuchte, ehe sich mit ihm ruhig sprechen ließ. Der
silberne Mond hing über dem stillen von der Ohr durch=
rauschten Thale, Wechmar und die drei Gleichen ruhten
im Schatten, aber ehe die Sonne des andern Tags ihre
Zinnen vergoldete, war ich mit dem nun heimgegangenen
Freunde oben, entzückt wie Paulus — nicht bis in den
dritten Himmel, aber bis zu den drei Gleichen!

Die Geschichte dieser Burgen verliert sich in das grauefte
Alterthum. Sie gehörten nicht einem Herrn allein, hatten
aber 1230 das sonderbare Schicksal, alle drei vom Blitze
des Himmels getroffeu zu werden in Gleichheit. Mühl=
berg ist jetzt Ruine bis auf eine Warte, Gleichen hat
noch einige Gebäude unter Dach, und da steht auch die
berühmte Bettstatt des Grafen von Gleichen, (S.
Musäus Volksmährchen), worin er nicht blos mit zwei,

sondern mit einem Halbdutzend Frauen hätte schlafen können — die Wachsburg aber ist ganz im baulichen Stande.
Es gab hier sogar einen Commandanten, da ich aber
keine Soldaten sahe, so hatte er wohl nur das Commando
über Weib, Kind und Magd, wenn solche ihm gehorchen
wollten, denn sie schienen mir nichts Invaliden-Artiges
zu haben — und sein Feuer concentrirte sich in seiner
Tabakspfeife, die nie kalt wird. Das hohle Thal bei
Gleichen, genannt Freudenthal, war sonst das Theater
vieler Zweikämpfe, und ein Weg heißt noch der Türken-
weg. Aus beiden Namen wollte man gleichfalls Beweise
hernehmen für die berühmte Gleichische Doppel-
Ehe, als ob der Fall außer Europa und selbst in Europa
nicht etwas Alltägliches wäre!

Unter französischer Zwangsherrschaft sollten die Burgen verkauft werden, aber niemand meldete sich; da trat
der General-Domainendirector Gentil, ganz seinem Namen
entsprechend, in die Mitte, kaufte sie, und machte der Universität Erfurt damit ein Geschenk, nebst vielen Gemälden
aus der Peterskirche und der Statthalterei Erfurts, unter
der Bedingung die Burgen zu erhalten. Die
Universität Erfurt ist nicht mehr, und ich weiß nicht, ob
Preußen an die Stelle getreten ist. Die Gemälde verdienten dorten aufgestellt zu werden, aber oben an des wackern
Gentils Bildniß, den ich selbst als Gentil*) kennen lernte,
wo er noch Obrist-Lieutenant war, und seinen barschen
gegen mich aufgebrachten Obersten besänftigte... Wachsburg wäre am geeignetsten dazu, ob sie gleich die unan-
sehnlichste scheint, denn sie ist die höchste der Burgen und
und ganz bewohnbar. Von dieser allerliebsten Gegend Thüringens kenne ich zwar einige Kupferstiche, aber sie verdiente bessere, und selbst Gemälde! In dieser Gegend liegt
auch Erawinkel von tausend Seelen, das vielleicht zu

---

*) Einen Ehrenmann.

der berühmten Benennung Krähwinkler Anlaß gab, der Name entstand aus Gravincelle oder Grafen-Zelle! Die alte Grafschaft Gleichen zerfiel nach dem Absterben der mächtigen Grafen von Gleichen und Herren zu Tonna (1631) in Obergleichen, das kraft Erbverbrüderung an Hohenlohe kam, unter Gothaischer Landeshoheit, mit der Stadt Ohrdruff und sechs Dörfern = sechstausend Seelen, und in Untergleichen, das Schwarzburg-Sondershausen erbte. Die Stadt Ohrdruff hat eine heilige Entstehung. Hier an den Ufern der Ohr hatte der Apostel der Deutschen Bonifacius eine Erscheinung vom heiligen Michael, oder einen Traum, gleichviel. Sein Mundvorrath war rein aufgezehrt, er befahl aber dennoch seinem Diener den Tisch zu decken mit dem impertinenten Glauben eines Stillings oder Jungs, und siehe! ein Raubvogel ließ einen herrlichen Karpfen mitten auf den Tisch des Heiligen fallen — zum Dank baute Bonifacius an die Stelle Kirche und Kloster. Ohrdruff liegt ganz angenehm, hat ein Schloß, die fürstliche Kanzlei, 3500 Seelen, und die schreckliche Feuersbrunst 1808 ist verschmerzet. Der Ort ist ein Hauptsitz des Frachtfuhrwesens, hat einen ganz eigenen Nahrungszweig, die Fabrik der Peitschenstiele, und Belustigungsort der genügsamen Bewohner ist der Birnbaum!

Die Fürsten von Hohenlohe schreiben sich auch Herrn zu Cranichfeld, das ein armseliges Städtchen an der Ilm ist, die Gränze zwischen dem ehemaligen Gothaer- und Weimarergebiet, und auf vielen Karten gar nicht gefunden wird. Es erhielt Ruf durch den Aufenthalt einer heiligen Schwärmerin — höchst wahrscheinlich ein Werkzeug in der Hand unbekannter aber leicht zu errathender Oberen, ein trauriges Zeichen der Zeit — der Madame von Krüdener. Sie hielt sich mit Gefolge länger hier auf, als der Beutel erlaubte, machte zweihundert Thaler Schulden, der Wirth war von so wenig lebendigem Glauben, daß er von Auflegung der schönen

Hände und ihrer Heilung gar keine Begriffe hatte, und noch weniger von höherer Sendung — er hielt die Heilige fest — eine ächte Wirthsseele! nichts vom Leben im Geist, nichts von Religion — nicht einmal Galanterie — Cranichfeld liegt aber auch im sogenannten kalten Grunde!

Der andere Theil der vormals Gothaischen Besitzungen, Altenburg liegt ganz entgegengesetzter Seite, an der Straße von Dresden nach Gera, an der Pleiße, und die Stadt zählt zwölftausend Seelen, und seit sie den Hof hat, wahrscheinlich mehr. Hoch über der hügeligten Stadt steht die alte Burg, malerisch auf Porphyr-Felsen, und da ich in der Dämmerung ankam, so schien mir das berühmte Unternehmen des Kunz von Kauffungen die Prinzen da oben herunter zu holen, doppelt kühn. Altenburg hat viel Handel und Gewerbe, sein Bier, Butter und Käse sind so berühmt, als seine Waaren von papier maché, und sein Gymnasium, der Damm ist ein recht angenehmer Spaziergang, aber die Aufschrift auf dem schönen wohlthätigen Hause vor der Stadt verdient doch wohl Tadel: Dem hülflosen Alter Ernst! Es ist der Stifter Herzog Ernst gemeint. Im Altenburgischen liegt auch die schöne Villa der gastfreien Herzogin von Curland Löbichau und das Rittergut Meiselwitz, berühmt durch den den K. K. Feldzeugmeister von Seckendorf, der hier seine Tage vollendete, zuvor aber noch durch preußische Husaren nach Magdeburg abgeholt wurde, weil er mit Oestreich — correspondire — der alte schwache Greis! O Friedrich! du warst ein großer, aber ein harter Mann! — Gegen Zeitz und Pegau hin findet man das Schlachtfeld von Lucka 1307, das einem Schwaben nicht gleichgültig seyn kann wegen des Sprüchworts: „Es wird dir glücken, wie den Schwaben bei Lücken!" Das ganze Herzogthum ist in fünf Aemter getheilt, Altenburg, Ronneburg, Eisenberg, Roda und Kahla, und zählt 150 Patrimonialgerichte! was doch auffallend

und immer traurig ist für die Bewohner wie für Nationalökonomie, so wie siebzig Advokaten — doch gibt
es dafür im ganzen Herzogthum keine — Juden! Die
Stände bestehen aber noch heute nur aus Ritterschaft
und Städten, und die Staatseinnahme steht zwischen
6—700,000 fl. die Schulden betragen zwei Millionen. Das
Bergschloß Leuchtenberg ist das Staaats-Gefängniß
des Landes und zugleich Zuchthaus, was sich besser reimet, als Zucht- und Irrenhaus zugleich.

Alles ist hienieden dem Wechsel und der Mode unterworfen, im Morgenlande weniger als im Abendlande, weil
dorten — die Weiber wohl verwahret sind, und
bei den Altenburger Bauern, gar nichts Mode, als
deren Wohlstand, der Sprüchwort ist; kein Wunder!
der Seegen des Getraides woget hier so üppig, daß die
Aehren die Schultern des Postknechts auf dem Bock erreichten, wie ein gewisser Reisender erzählt — vielleicht war
der Wagen eine Drotschke, und da geht an, was auf
einem modisch hohen Bock wohl unglaublich wäre.
Der Wohlstand macht, daß sich die Abkömmlinge der Sorben auch um die Bücherwelt bekümmern, und Musik,
Tanz und Gesang lieben sie wie die Böhmen; ihre
Kirmes heißt recht charakteristisch — das Landfres-
sen, sie lieben biblische Vornamen ... und haben
den Frohsinn der Slaven-Völker von der Pleiße bis zum
Dnieper. Noch tragen sie ihre kleine runde Schelmen-
deckel, und weite Pumphosen, vom rothen Hosenträger
fest gehalten, und Stiefel zu ihrem schwarzen Rock mit
Grün; ihre Weiber haben einen Rock über den andern,
und wahre Sturmhauben wie Ritterhelme, die sonst vierzig
bis fünfzig Thaler Werth waren — jetzt nur von vergoldetem Tombak sind, so wie der Vorstecker oder die Schnürbrust
auch nicht mehr so hoch geht, daß man Mund und Nase
hineinstecken könnte, so wie auch bei Hochzeiten keine Paßgläser mehr an die Wand geworfen werden à fünfzig Thaler Schaden. Die Röcke gehen nicht weiter als die Röcke

der Operntänzerinnen — aber diese haben keine Elephan-
tenfüßchen und wissen, daß ihr Gesang, Tanz und
Musik weniger anziehen, als ihre Schenkel, und wenn
die Polizei auch Einsehen nimmt, und Hosen verordnet,
wozu sich Manche, die von der Natur stiefmütterlich behandelt, und bereits an Ausstopfungen gewohnt sind, recht
gerne verstehen, so wählen sie Fleischfarbe, und das
Parterre läßt sich täuschen. — Je länger die Ballette,
und je kürzer die Röcke, desto besuchter ist die Oper.
Alle diese Gründe fallen bei den Altenburger Bäuerinnen,
unter denen es allerliebste Blondinen gibt, mit reincrem
Blute als Theater-Prinzessinnen und Stadtdamen zu haben
pflegen, hinweg, folglich sollten sie sich längerer Röcke
bedienen, so wie sie auch nicht die leichten Schuhe jener Tän-
zerinnen tragen. Indessen hat es hier wohl weniger auf
sich, da sie ihre alten Sitten und Sprache und alles Alte
beibehalten haben, und hoffentlich auch die alte Züchtigkeit
und Biederkeit (ihren Nationaltanz Rumpuff ausgenommen). Wohl ihnen! wenn noch die alte Genügsamkeit
des Köhler Schmidt herrscht, der Kunzen prügelte — solches blos Trillen nannte, — daher sein späterer Name
Triller — und zur Belohnung weiter nichts verlangte, als
freien Kohlenbrand! Ich brauchte hier eine Bürste,
und so erfuhr ich vom Bürstenmacher, daß er seine Kunden bedienen könne mit 75 Arten von Bürsten; wenn
sie alle so lange Dienste thun, wie die meinige, so war
der Mann ein Meister Bürstenbinder, seine Bürste ist mir
noch heute der Repräsentant Altenburgs, das jetzt als Residenz gewiß noch gebürsteter seyn wird.

Mir hat es zu Altenburg gefallen, und die Hildburghäuser dürfen es ihrem Herzog nicht übel nehmen, wenn
er den Umständen nachgab, und Altenburg zur Residenz
wählete. Sein Einzug war mehr als feierlich, wenn alles
sich benahm, wie die Altenburger Bauern. Sie empfingen
ihn in ihrer festlichen Tracht, 1000 an der Zahl, alle gut
beritten, vertheilt in drei Corps, und vor jedem Corps —

zwanzig Trompeter! die Pferde mit bunten Bändern
geziert und am Schweife ein grüner Strauß von Buchs. —
Den Zug führte der Altenburger Postmeister mit zwölf
Postillions, und nun die Musikchöre, die Glocken
und Kanonen Altenburgs! Es muß ein Charivari gewesen seyn, wie zu Wien, wenn ein Siegscourier einreitet!
Wehe! den alten Mauern, wenn Josuas Posaune dabei
gewesen wäre! In Sachsen herrscht Bildung, und ein
neuer auffallender Beweis ist gewiß der Scharfrichter
Altenburgs, der nach der ihm wohlgelungenen Hinrichtung des Mörders Georgi im Jahr 1828 in den Altenburger Nachrichten, zwölftes Stück, die Gefühle seines
Danks für die innige Theilnahme des Publi-
kums' ausspricht und sich fernerem gütigen
Wohlwollen bestens empfiehlt!

Zehnter Brief.

Jena — Weimar.

Zu Rudolstadt war es, wo alte Erinnerungen an das
schöne Thal der Saale und an Saal-Athen in mir erwachten,
ich ging längs der Saale nach Jena, und der Gang hat
mich nicht gereuet. Die schönen Ufer der Saale haben in
unserer Zeit hohe historische Wichtigkeit erhalten, Preußen,
die mächtige Stütze Deutschlands ging hier zu Grabe, die
Monarchie, an deren Größe Friedrich ein halbes Jahrhundert eifrig gearbeitet hatte, löste sich auf in Nacht und
Graus binnen acht Tagen, und ich sprach mehr als
einen Preußen von Bedeutung, der an ihrer Wiederauf-
erstehung verzweifelte! das Vaterland war nun Preis gegeben den Kanonen Napoleons und dem Golde Englands.
In diesem Thale einsam wandelnd schämte ich mich recht
meiner Zeit, und meiner Zeitgenossen!

Vier Stunden von Rudolstadt, Saale aufwärts liegt Saalfeld (sonst Coburgisch jetzt Meinungen gehörig), das sich durch ein schönes neues Schloß auf einer Anhöhe und durch Alterthümlichkeit auszeichnet, Semmlers Geburtsort, und früher ein Sammelplatz vieler Pietisten, an deren Spitze der Hof stand; es ist die Universität der Schornsteinfeger, wie Lehsten die der Schieferdecker, wo man aus Schiefer Geld und Brod macht; noch weiter an der Straße nach Franken liegt Gräfenberg in den malerischen Vorbergen des Thüringer Waldes mit dem Schloß Wespenstein. Ganz nahe bei Saalfeld ist das Schlachtfeld — wo am 10. Oktober 1806 der hochbegabte, aber in allem excentrische und verwöhnte — Prinz Louis von Preußen fiel. Schade! Offenbar war der preußische Heldenmuth hier zu weit getrieben, da er ohne alle Ordre angriff, nicht einmal sein Vorhaben Hohenlohe meldete, weil er Widerspruch fürchtete — ja sogar mit einem französischen Wachtmeister sich herumhieb, nicht nur nutzlos, und zu seinem Unglück, sondern auch selbst zum Unglück des Ganzen; er verschmähte es, Pardon anzunehmen. — Sein Corps löste sich auf, und entmuthigte das Hauptcorps unter Fürst Hohenlohe. Der Prinz hat ein Denkmal an der Stelle, die sein Blut trank, beim Dörfchen Möhlsdorf — ein antiker Cippus 26′ hoch, ohne Fußgestelle, von Gußeisen, auf der einen Seite ein Genius, der traurend auf die Waffen des Gefallenen blickt, einen Lorbeerkranz darüber senkend, und auf der andern Seite die Inschrift: Hier fiel kämpfend für sein Vaterland Prinz Ludwig von Preußen am 10. Oktober 1806. Madame de Stael behält Recht, wenn gleich die Pariser Censur die Stelle gestrichen hat: „l'Heroisme du Prince Louis doit jetter encore quelque Gloire sur ses compagnons d'armes *)!"

---

*) Der Heldenmuth des Prinzen Louis wirft noch einigen Glanz auf seine Waffengefährten.

Abwärts im Saalthal kommt man von Rudolstadt zuerst nach Orlamünde, der alte Graf rief mir aus der Ruine seiner Burg: „Und wenn ich so adelich wäre, daß mir die Rebhühner aus der Nase flögen, was wär es ohne Geld und Verdienste;" und ich wünschte, daß man seine Stimme, zunächst in Sachsen, und dann in ganz Deutschland vernommen hätte, vorzüglich die Damen! Sein berühmtes Geschlecht starb schon 1476 aus. Am Ufer der Saale und zu den Füßen der Felsenburg liegt Naschhausen, wo es aber nichts zu naschen gibt, vielleicht sollte es Naßhausen heißen. Zu Kahla, dem die alte Leuchtenburg gegenüber liegt, traf ich schon Jenische Musen, denn das Bier war trefflich; die alte Burg ist jetzt ein Zuchthaus, aber die ganze Umgegend ein wahres Tempe, auch wenn man längst die Studentenschuhe ausgetreten hat. — Zu Lobda begrüßte mich die Burgruine Lobdaburg, und die Jahresmesse wird wohl nicht mehr den Namen Maulschellenmarkt tragen, weil die häufig sich einfindenden Musen hier nie auseinander gingen ohne Schlägereien. In dem nahen Drakendorf hat der Gothaische Minister von Ziegesar aus Felsen und Steinhaufen einen schönen Landsitz geschaffen, dessen Reize jene Ruine erhöhet. Er ruht hier im Schatten der von ihm gepflanzten Bäume, wirkte auch noch am Abend seiner Tage wohlthätig für das Land, und sein geliebtes Jena, wie jetzt Göthe, und vernahm noch die frohe Kunde von dem Siege bei Leipzig.

Jena hat eine höchst romantische Lage in seinen Bergen, aber die Stadt selbst, die mit den Studirenden 7000 Seelen zählt, ist ein so altes häßliches Nest, Tübingen als den Markt etwa ausgenommen, wo das Rathhaus steht mit der berühmten Uhr. So oft es schlägt, sperrt ein Kopf das Maul auf, und eine Figur schlägt ihn eben so oft darauf, und eben so oft hebt auch ein singender Engel sein Notenbuch — eines der acht Wunder von Jena! Der Name Jena soll von oinos (Wein) herrühren — Wach-

holberbeere gedeihen hier beffer als Weinbeere —
ich möchte ihn lieber von Gähnen ableiten, wahrscheinlich
kommt er aber von Johann, oder der uralten Gottes-
ackerkirche zu St. Johann. So viel Ortschaften um Jena
herumliegen, so vielerlei Namen hat das Bier, und man
kann es dem Jenenser nicht verargen, wenn er es wie
Waffer trinkt, denn dieses soll sehr schlecht seyn — und
der Wein? liebster Gott! Jener Professor hatte vollkom-
-men recht, der da sagte, zu Jena bringe man die Kinder
zum Schweigen mit der Drohung: „Still! oder du
mußt Wein trinken!"

Jena hat die Ehre, die erste protestantische Uni-
verfität zu seyn vom Jahr 1558. Carl V. verweigerte die
Bestätigung, Ferdinand I. aber bewilligte fie, jedoch ohne
Promotionen der theologischen Fakultät, was
damals so gut als abgeschlagen war — aber (wenn wir
dem Spötter Nicolai glauben) eine kaiserliche Indigestion,
die Schröter von Jena heilte, brachte die Doctores Theo-
logiae nach, die so derbe in Dogmatik und Polemik auf-
traten, als ob es gar keine Indigestionen gäbe. Jena wurde
nun im 17ten Jahrhundert das, was Bologna im Mittelalter war, und soll öfters 4 — 5000 Studierende gezählt
haben, Wiedeburg will aber nur 3000 gelten lassen als
Maximum; jetzt zählt es nur 6 — 700. Zu jener Zeit
hieß das sogenannte Wucherische Haus Klein-Altdorf,
weil es allein so viel Bursche zählte als Altdorf. Zu meiner Zeit war Jena die Stütze der Kantischen Philosophie durch Reinhold, seine Briefe haben Tausende
in die abschreckenden Mysterien Kants eingeweihet, die
nicht persönlich hören konnten — Reinhold, der mir als
Mensch noch werther ist, denn als Gelehrter, war geliebt,
wie Eichhorn, und daher allgemeine Trauer, als jener nach
Kiel zog, und dieser nach Göttingen.

Jena sank durch das Renommée seiner Renomisten,
und mit Recht, denn Wildheit und Unsittlichkeit herrschte
hier länger; denn anderwärts, weil hier alles abhängiger

war von den jungen Herrn, die dem faulen Habakuk wie die Raben das Futter brachten. Jetzt verdient Jena empfohlen zu werden, auch schon wegen der Wohlfeilheit und gesunden Luft, denn die Leutra schwemmt aus Saal-Athen alle Unreinigkeiten der Simsons und Philister wöchentlich zweimal hinaus in die Saale, und Zacharias Renomist ist veraltet, wie die sieben Wunder —.

Ara, caput, draco, mons, pons, vulpecula turris
Weigeliana domus, septem miracula Jenae!

wahrer Plunder, wie alle Wunder! Aber mit aller Wahrheit sagte man früher:

Wer von Leipzig kommt ohne Weib,
Von Wittenberg mit gesundem Leib,
Von Jena ungeschlagen,
Der hat von Glück zu sagen.

Die Jenenser rauften und soffen mit den Wittenbergern in die Wette, während die Leipziger so galant waren, daß ihnen die Brüder ihrer Mädchen wohl hätten nacheilen mögen, wie die Gebrüder Hamilton dem Grafen Grammont: N'avez vous rien oublié a Londres? Oui! j'ai oublié d'épouser votre soeur *)! Bei allen kleinen Universitäten, wo zwar der Bursch nie weit in seine Collegien zu gehen hat, und so viele Zeit gewinnt, der Bürger aber wieder vom Herrn Bursch allein abhängt, und sich seinem rohen Willen fügen muß, ist die Frage würdig einer akademischen Preisaufgabe: verderben die Philister die Bursche, oder die Bursche die Philister?

Von Loen schilderte vor hundert Jahren Jena, oder das Jahr 1704. Sie schleppten lange schwere Degen wie. Spieße hinter sich her, die gleichsam jeden fragten: „Soll ich vom Leder ziehen?" ihre Kleider, Schuhe und Strümpfe waren von der übelsten Beschaffenheit, denn ihre Philosophie kümmerte sich wenig um solche Kleinigkeiten — alles roch nach Taback, Bier und Branntwein — Tag und

---

*) Haben Sie nichts zu London vergessen? O ja! ich habe vergessen, Ihre Schwester zu ehelichen.

Nacht schwärmten sie, commercirten mitten auf dem Markt,
und die Bürger konnten selten ruhig schlafen. Nach der
bekannten Makaronischen Versen des Predigers Albanus —

   Gassatim laufunt Geigis, Citharisque spilentes.
  bauuntque in Steinis, ut Feuer raus springat ab illis,
   tunc xeniunt Schnurri, cum Spiesibus atque reclamant:
   Ite Domum Domni! jam schlaxit zwelfius Ura *).

Tumulte gab es häufig, und Faßnachtsmummereien das
ganze Jahr. Man ging spazieren, im Schlafrocke mit umgeschnalltem Hieber, und schlug sich auf öffentlichem Markt,
die Stichblätter waren aber von Teller Größe, daher hießen
sie auch Suppenteller der Ehre! Noch heißt ein
Platz der Schluck ein, und in der Saalvorstadt ein altes
Badehaus Saalbaderei, wo ein Sqalenbad gestiftet,
und Hans Cranich (wie Baur sagt, 1620) Bader war,
der allerlei alberne Possen machte, (das Wort salbadern
soll daher rühren). Hans Cranich kannte seine Leute!

Die Altburschen oder bemoosten Herrn führten
die Jungen, die krassen Füchse und Brandfüchse
(auch Maulesel genannt) nach dem Fuchsthurm, wo
sie Schnurrbärte bekamen, gekämmet und besoffen
gemacht, dafür aber auch mit dem traulichen Du der Alten und dem Titel Herr Bruder! beehret wurden, nachdem des Herrn Präses Excellenz das erhabene Lied angestimmt hatten:

    Was kommt da von der Höh?
    was kommt da von der ledernen Höh?
    ça ça ledernen Höh,
    was kommt da von der Höh?

Zwanzig Paßgläser hinabzustürzen war einem alten Jenenser

---

*) Sie laufen durch die Gassen mit Geigen und Cithern spie-
lend, hauen auf die Steine, daß das Feuer davon fliegt,
kaum kommen die Schnurren mit ihren Spiesen, und rufen: Nach Haus ihr Herrn, es hat 12 Uhr geschlagen.

ser Kleinigkeit, während der Fuchs schon beim zweiten —
den Herrn Rector von sich geben mußte. Mit seinem
trocknen Brodstudium wußte der ächte Jenenser stets die
begeisternden Bierstudien zu verbinden — ein Birkenmayer
in einem Zug geleeret, machte gelehrt — zwei zum
Doctor, und drei gar zum Papst. Senior und Sub-
senior mußten alle heruntersaufen können, und so habe ich
Mehreren schon vor zwanzig Jahren in meinem Stammbuch
ein † machen müssen, mit dem Sit tibi levis terra *)!
Wer in keiner Landsmannschaft war, hieß ein Wilder,
man durfte ihn bolzen (prügeln) oder den Hetzer (Hetz-
peitsche) geben ohne Verruf. Wer fleißig studierte hieß
Büffel, wer eingezogen lebte Fink, und der, der in der
ganzen Welt für einen liederlichen Schlingel galt,
war in der Burschensprache ein flötter Kerl und fideler
Knochen, keine Facultät flötter und fideler, als die
werthe theologische! Jetzt gibt es zur Ehre der Universität recht viele Büffel und Finken, die das Die cur
hic **) löblichst erwägen, jedoch sahe ich noch 1802 die
Herren mit schwarzledernen Helmen und hohen rothen Fe-
derbüschen rappiren auf öffentlichem Markte!

Vormals beseelte die Landsmannschaften derselbe
armselige Geist, der die deutsche Völker und Völkchen trennte;
bis mit der größen Consolidation des Vaterlandes auch die
Landsmannschaft sich zur Burschenschaft consolidirt
Die Grundidee bleibt schön, scheint aber zuerst von de
Burschen wieder verkannt worden zu seyn, und dann selb
von den Regierungen. Wir dürfen auch in Hinsicht d
Universitäten vernünftigern Zeiten entgegen sehen, a
Laukhardts Annalen der Universität Gött
werden stets ein komisches Denkmal des alten academi
Unsinnes bleiben, daher mich auch das Stammbuch ei
Ungarn, der hier im 17ten Jahrhundert studierte, auf

---

*) Ruhe sanft.
**) Bedenke, warum du hier bist.

Nacht schwärmten fie, commercirten mitten auf dem Markt, und die Bürger konnten felten ruhig fchlafen. Nach den bekannten Makaronifchen Verfen des Predigers Albanus —

> Gassatim laufunt Geigis, Citharisque spilentes,
> hauuntque in Steinis, ut Feuer raus springat ab illis,
> tunc xeniunt Schnarri, cum Spiesibus atque reclamant:
> Ite Domum Domni! jam schlaxit zwelfius Ura *).

Tumulte gab es häufig, und Faßnachtsmummereien das ganze Jahr. Man ging fpazieren im Schlafrocke mit umgeschnalltem Hieber, und fchlug fich auf öffentlichem Markt, die Stichblätter waren aber von Teller Größe, daher hießen fie auch Suppenteller der Ehre! Noch heißt ein Platz der Schluck ein, und in der Saalvorftadt ein altes Badehaus Saalbaderei, wo ein Sgalenbad geftiftet, und Hans Cranich (wie Baur fagt, 1620) Bader war, der allerlei alberne Poffen machte, (das Wort falbadern foll daher rühren). Hans Cranich kannte feine Leute!

Die Altburfche oder bemoosten Herrn führten die Jungen, die kraffen Füchfe und Brandfüchfe (auch Maulefel genannt) nach dem Fuchsthurm, wo fie Schnurrbärte bekamen, gekämmet und befoffen gemacht, dafür aber auch mit dem traulichen Du der Alten und dem Titel Herr Bruder! beehret wurden, nachdem des Herrn Präfes Excellenz das erhabene Lied angeftimmt hatten:

> Was kommt da von der Höh?
> was kommt da von der ledernen Höh?
> ça ça ledernen Höh,
> was kommt da von der Höh?

Zwanzig Paßgläfer hinabzuftürzen war einem alten Jenen

---

*) Sie laufen durch die Gaffen mit Geigen und Cithern fpielend, hauen auf die Steine, daß das Feuer daraus fliegt, dann kommen die Schnarren mit ihren Spiefsen, und rufen: Nach Haus ihr Herrn, es hat 12 Uhr gefchlagen.

da diese einmal Philister hießen, so war der witzige Name
Fuchs nicht ferne, da. Simson durch Füchse (Schakals)
den Philistern Schaden that. Diese Vergleichungen sind
ein Fingerzeig, daß bibelfeste Theologen die Hauptrollen
bei diesem Unsinne spielten. — sey es! wenn nur nicht auf
diesem Berge der schlaueste aller Füchse am 14. Okt.
1806 gestanden wäre, und hier sein wahrheitsvolles „Il
se trompera furieusement oes Perruques là *)!" hätte
rufen können.

Hier und auf den übrigen Bergen, auf der Kuniy
burg (ehemals Glißberg) und im Mauthale muß man
an die Schlacht von Jena denken, ein Gegenstück zu
Roßbach — aber von weit schrecklicheren Folgen — Preußen mit einem Schlage vernichtet; und sieben ägyptische
Dienstjahre für Deutsche! Auf dem Landgrafenberg
bivouaquirte der Würgengel in der Nacht vom 15. bis
14. Oktober, schon frühe um 3 Uhr in voller Thätigkeit, um
frist't und ohne Frühstück, das er erst hinter der Linie
einnäh maus freier Hand, nachdem er die preußische Avant-
garde geschlagen hatte, während tief unten in der B
schlucht zu Capellendorf Hohenlohe ruhig lagerte.
Preußen waren schon dadurch geschlagen, daß sie dem F
verstatteten, jene Anhöhen zu besetzen, während sie Napole
hätten schlagen können, wie Daun bei Hochkirchen Friedr
schlug, denn mehr als kühn hatte er sich wieder vorgewa
wie 1797 in Oestreichs Alpen — er kannte seine Geg
dem preußischen Heere fehlte nur noch ein Mann um
siegen, und dieser eine war bei den Franzosen. Zum
denken pflanzten Deutsche Bäumchen hieher; die abe
wenig wurzelten, als der Name Napoleonsberg
Napoleonshöhe — Napoleonsgestirn. Gegen
führte durch das Mauthal der Seelenhirt von Wenigen
die Franzosen den Preußen in die Flanke; der Name
Undeutschen sey vergessen — wenn auch gleich Herodot!

*) Diese alten Perücken werden sich furchtbar täuschen.

Verräther Epialtes nennt) der Xerxes Persern durch die
Gebirge den Weg zeigte — wie der Name Napoleon auf
deutscher Erde!

Gott! wie war es möglich ohne Alliirte, mit einem
nicht mehr geübten Heere, an die sieggewohnten Franzosen,
ein Militär-Genie an ihrer Spitze, sich zu wagen, da man
es ein Jahr früher nicht wagte in Gesellschaft Oestreichs
und Rußlands! Wäre ja selbst das mächtige Rußland verloren gewesen ohne den Eigensinn des modernen Carl XII.
alles in einem Feldzug abzumachen, und ohne den trefflichen Alliirten Winter, der plötzlich aufstat mit allen
Schrecken des Nordens. Die Schlacht von Jena war schon
vor der Schlacht verloren! die Anführer weder unter sich,
noch über einen festen Operationsplan einig — der bessere
Plan Hohenlohes verworfen — man wollte jenseits des
Thüringer Waldes vorbrechen, und sah sich plötzlich in der
linken Flanke und im Rücken angegriffen, aller Magazine
und Verbindungen beraubt, die Elbe im Antlitz, den Rhein
im Rücken — es herrschte leiblicher und geistiger Nebel —
der Oberfeldherr, der Herzog von Braunschweig alt, und
bald gar noch in die Augen geschossen — die Leute hungrig (ambulante Regiments-Galgen für die Commissärs
könnten nie schaden!) es scheint sogar die Franzosen kannten das Terrain besser, als die Deutschen in Deutschland
— man glaubte den Feind nicht so nahe, man glaubte er
würde nicht angreifend zu Werke gehen — und noch
weniger an die Möglichkeit einer Schlappe, als ob schon
die großen Preußenhüte allein dem Feind Ehrfurcht
einflößten. Man kennt die Antwort Kalkreuths auf dem
Rückzuge: „Hat der König Hohenlohe das Commando übergeben, so mag er auch sehen, was er
an ihm hat." Welcher Zusammenhang der traurigsten
Umstände! Friedrich selbst hätte da nicht siegen können, und
die Fabii und Minutii finden sich nur in der römischen
Geschichte! Der Rückzug der Athener aus Sicilien, den
Thucydides schildert, war eine Kleinigkeit gegen diesen,

die preußischen Generäle kamen aber besser ab, als Nicias und Demosthenes! Man hätte nach Berlin schreiben kön- nen, was man nach der Niederlage bei Cicycos nach Sparta schrieb: Wir sind besiegt, Mindaurus todt, (Braun- schweig in die Augen geschossen) das Heer hungert, wir wissen nicht, was zu thun!"!!

Jena war schon berühmt genug, auch ohne diese schreckliche Catastrophe — aber Auerstädt, ein Dorf in einem Defilé mit einer Poststation, zuvor nur Reisenden von Frankfurt nach Leipzig bekannt — hier sollten nicht nur Braunschweigs Lorbeeren welken, sondern selbst ein Duc d'Auerstaedt *) hervorgehen, Ehren Davoust! Wer weiß, ob nicht umgekehrt Braunschweig oder Hohen- lohe dieser Titel zuständs, wäre Rüchel zu rechter Zeit erschienen? Fürst Hohenlohe benachrichtigte ihn Morgens 7 Uhr daß ein Angriff drohe, und erst um 10 Uhr setzte er sich in Marsch, und alle spätern Anstrengungen, wobei er selbst verwundet das Commando niederlegen mußte, ka- men zu spät. Rüchel war weder feig noch unverständig, wohl aber stolz und etwas roh; vielleicht konnte auch er Hohenlohe nicht leiden? Unglückliches Preußen! Unglückli- cher Friedrich Wilhelm! Tausende von Preußen wünschten sich dahin, wo Friedrich lebt mit seinen Helden unter den Helden der Vorzeit! Prinz Louis war der Glücklichste!

Wenn in einer Schlacht von zwanzig einer todt, und von zehn zwei verwundet sind, so ist sie sehr blutig — aber die übrigen neunzehn und acht könnten sich noch immer schlagen und siegen — wenn nicht die Unordnung die Armeen schlüge. Il n'y a plus rien à faire **)! rief selbst Napoleon in der Schönbunds-Schlacht, und lief wie die Andern. Bei Jena war die Masse noch weit chaotischer, und gar viele kamen gar nicht zum Schlagen. Die Schlacht von Jena gleicht gar sehr der von Tanneberg, einer der

---

*) Herzog v. Auerstädt.
**) Alles ist verloren.

blutigsten in der Geschichte. — nicht daß die von Jena so
blutig gewesen wäre — sondern sie löste Friedrichs Monarchie auf, wie jene den Deutsch-Ordens-Staat, auf den
Preußen gegründet ist. Hier wie dorten war der Geist
verflogen, das Heer ohne Uebung, und noch gefährlicher
der Wahnglaube an die alte Unüberwindlichkeit. „Sie
werden und müssen siegen, meinte auch ich in Schwaben an einer französischen Generalstafel, aber der Sieg
wird ihnen schwer werden, es sind Preußen,“
und siehe ein Schlag vernichtete die Monarchie Friedrichs,
und den Ruhm der Preußen!

Apolda, ein der Universität gehörendes Städtchen
von 4000 Seelen, soll jährlich über 600,000 Paar Strümpfe
versenden, und die Töpfer zu Bürgel lassen sich nicht
träumen, daß sie einen Abt haben, und kennen weit besser
Falk Schmidt von Apolda als ihren Abt. Wer
wohl jetzt zu Bürgel (das einst Benedictinerkloster war,
daher die hübsche gothische Kirche) Abt seyn mag? Zu
Rom weiß man es besser, als zu Bürgel, dessen Töpferwaaren, wie die Strümpfe von Apolda, der Meerrettig von
Jena, die Kirschen von Ostheim, das Holz, Getreide und
die Eisenwaare dieser Gegend, selbst die Wachholderbeeren
und Zunder, sicher nützlicher sind, als alle geistliche
Waare, womit der heilige Vater die Bürgler Ungläubigen versehen könnte, und besser als alle Bischöfe und Aebte
in partibus infidelium *); wir müssen wünschen, daß diese
partes immer zahlreicher werden möchten; die heilige
unveränderliche Kirche aber behält neben ihrem ganz
eigenen Primat und jus circa sacra auch ihre ganz eigene Geographie und Statistik, wie ihre eigene Natur-Ge-
schichte, nach welcher Wasserhühner, Biber und Ottern zu
den — Fischen gerechnet werden. Warum sollte sie nicht
auch Bischöfe und Aebte in partibus ernennen können —

---

*) Im Lande der Ungläubigen.

sie, die bei den großen Weltentdeckungen den halben noch
unentdeckten Erdball großmüthig verschenken könnte? ·····
···· Höchst malerisch liegt eine Meile, von Jena, hinter
Lobstädt und Zwetzen — Dornburg auf seinen Felsen am
Ufer der Saale, wo man die Stelle zeigt, von der Tillys
Croaten im dreißigjährigen Kriege mit Beute beladen flüch-
tend herabstürzten, die Abconterfeiung in Merians Topo-
graphie Obersachsens ist jämmerlich anzuschauen, und die
schönen Anlagen existirten damals noch nicht, wo sich der
Nestor unserer Literatur am Abend seines Lebens wohlgefiel
— Göthe. Ich halte die Aussicht von der Höhe Dorn-
burgs herab in das stille Thal der Saale für eine der
schönsten, aber es gehört doch die weibliche Imagination
der Dame Schoppenhauer dazu, um solche mit der von
Richmondhill zu vergleichen! Es gibt noch mehrere wild-
schöne Gegenden um Jena, z. B. bei den Ruinen von
Rudolsburg, Salek, Kösen ꝛc. die ich, ohne zu ermüden,
nicht aufzählen kahn, und da Gegenden entschiedenen Einfluß auf den Charakter der Bewohner haben, so muß man
den Jenensern manches verzeihen. Vielleicht hat manche
kahle und wilde Stelle sogar Einfluß auf die Literatur-
Zeitung? vielleicht zerstreut das schöne Saalthal manchen
der Herren so, daß sie keine Zeit sich nehmen, die Vor-
reden, vielgeschweige das Ganze zu lesen, oder abzuwar-
ten — und noch weniger das von sich zu geben, was
sie besser wissen. „Neues haben wir nicht gefunden,“ klingt auch schöner, und der Respect geht weniger verloren, mit dem es ohnehin so bedenklich aussieht,
trotz des majestätischen Wir — als mit der Untrüg-
lichkeit des heiligen Vaters — seit die aufgeklärt sich dün-
kende Welt glaubt, daß man ein wackerer Gelehrter
seyn könne ohne Profession! Manchmal schleichen sich
Unberufene ein, die natürlich die schöne Stelle bei Voltaire nicht kennen Il faut prendre le parti de la Vé-
rité, mais faut il blesser pour céla l'honnetteté? et si
l'on se flatte de savoir écrire, faut — il renoncer

à savoir vivre **) ? Da liegts! Dr. Stauzius führte
eine ganz andere Sprache gegen Sebaldus Nothanker, als
ihn der Major — mores gelehrt hatte!

Sunt odiosa **) — wir verlassen sie mit der Saale,
um Weimar an der Ilm, die Hauptstadt des Großherzogthums kennen zu lernen. Wenn irgend eine Stadt der
Imagination Streiche spielt, so ist es Weimar, man möchte
lachen, wie die Aegypter über den Spartaner König Age-
silaus. Sein Ruf geht vor ihm her, wie vor großen Männern, und man findet ein kleines, todtes, schlecht gebautes,
recht widriges Städtchen, das Schloß ausgenommen, fast
gar nichts Ausgezeichnetes, neben dem ein alter unverwüst-
licher Thurm auffällt — das sind die ältesten Bautrümmer
der Stadt, nämlich der alten Burg Hornstein — und mit
der Vergrößerung des Staats vergrößert und verschönert
sich in der Regel auch die Hauptstadt. So wie man die
Bergschluchten Jenas verlassen hat, und das schöne Thal
der Saale, erscheint eine wahre Sierra Morena, kahle dürre
Berge, dann die Schnecke, die Phantasie tröstet sich mit
Weimar, und findet sich schrecklich getäuscht. Gotha ist
weit mehr als Weimar, dessen Name bald von Wi bei,
und Mar Morast, bald von Weihmärkt, geweihte
Gränze, bald von Weinmarkt abgeleitet wird. Indessen
machen doch die Saalgegenden und der Ettersberg, Jena,
Naumburg, Weissenfels, Pforte ec. die Lage Weimars angenehm, so wie das nahe Gotha, Erfurt, Leipzig, Merseburg,
Halle ec., der schöne Park, der humane Hof und das gute Theater. Die Stadt, die ehemals weit größer gewesen seyn soll,
und das freundliche Dörfchen Oberweimar zu ihren Vorstädten zählte, hat 10,000 Seelen, aber es scheint, Bertuchs Industrie-Comtoir, das für Literatur, Geo-

*) Man muß der Wahrheit das Wort reden, ohne darum
grob zu werden, guter Ton verträgt sich vortrefflich mit
der Schriftstellerei.
**) Beispiele sind verhaßt.

graphie, Naturgeschichte, Kunst ꝛc. so viel wurde, als für
Luxus und Moden, sey das einzige, was sich von Industrie hier findet. Man scheint sich auf den Hof zu
verlassen. Meine Wirthsrechnung war übrigens auf diesem
Boden, den die Heroen unserer Literatur klassisch gemacht
haben — recht klassisch!

Schon im 17ten Jahrhundert zeichnete sich das kleine
Weimar durch Teutleben aus, der den Palmenorden
1617 stiftete, oder die fruchtbringende Gesellschaft,
die für die Cultur unserer Sprache Früchte brachte, daher
es unartig war, sie unter einer Gesellschaft Esel mit
Mehlsäcken zu parodiren. Aber das 18te Jahrhundert
sahe ganz andere Wunder! Hier an der Ilm sollten sich
die schönen Zeiten des Dante, Petrarca und Boccaccio, des
Ariosto und Tasso erneuern — Göthe, Wieland, Schiller, Herder verbreiteten einen Nimbus um Weimar, verstärkt durch die Dii minorum gentium *), Musäus, Bode,
Falk, Mayer, Fernow, Bertuch, Kotzebue ꝛc., die nun meist
dahin sind, aber noch schwebet der Nimbus um Weimar
— Göthe lebet noch — und bei vielen aus der bartlosen
Hälfte des Menschengeschlechts steht Rinaldo Rinaldini
oder Vulpius über allen. Schwerlich begreifen die Philister zu Weimar, wie auf unsern Universitäten, diese großen
Männer, da sie solche täglich am Fenster oder auf der
Straße sehen, denn die menschliche Erbärmlichkeit kann
nun einmal keine Größe neben sich leiden, und kein Prophet gilt etwas in seinem Vaterlande —

> O Weimar! dir fiel ein besonder Loos,
> wie Bethlehem in Juda, klein und groß!

Viel literarisches Wild lief einst nach Weimar, um
da gefüttert zu werden, und da dieß unmöglich seyn konnte,
indem selbst die Heroen nicht von den Musen allein lebten
— so verlief es sich bald wieder, und schrie: „Verdienst
geht nach Brod.“ Wer aber arbeiten mag, findet

*) Götter niederer Art.

überall Brod, obgleich Schöngeister nicht die besten Arbeiter zu seyn pflegen, nicht gerne den Dreschflegel führen,
womit einmal die fruchtreichen Garben des Berufs gedroschen seyn wollen, und dafür lieber leeres Stroh dreschen
und hungern. Viele wollten jedoch blos die berühmten
Männer Weimars von Angesicht zu Angesicht sehen, oder
„das Handwerk begrüßen," Herder schrieb an Hä-
mann: „Weimar ist ein Taubenhaus, wo Fremde
aus- und einfliegen, selten mit einem Oelblatt
im Schnabel," und Wieland zog gar aus, wie Danisch-
mende, in die Einsamkeit seines Osmannstädt, war aber
auch da nicht sicher! Nur Göthe wußte sich von der Be-
gukung loszuwickeln, und so wenig ich seinen Vertheidiger machen will, so möchte ich ihn doch hier von Stolz
freisprechen. Wieland klagte: „Man hält uns für
fremde Thiere, an deren Käfig man ohne Umstände hintreten kann," und hätte es machen sollen
wie Voltaire, mit dem man ihn so oft verglichen hat.
Voltaire ließ sich von einem ungeleckten Bären aus Old-
England einige Augenblicke begaffen, ohne ein Wort zu
sagen, dann drehte er sich um, und sagte: „Nun sehen
Sie mich auch von hinten, à Dieu Monsieur!"

Die Wallfahrten zu diesen Heiligen in Apollo mögen
einst in der That ihre Ruhe nicht wenig gestöret haben,
und wenn es schon ein Unglück ist, merkwürdige Dinge zu
besitzen, so mag es ein noch größeres Unglück genannt werden, selbst die Sehenswürdigkeit zu seyn. (a rary
Show) Es wäre besser sich an die Werke berühmter Männer zu halten, welche gar oft mit ihrer werthen Person
im umgekehrten Verhältniß stehen, um ihnen und dem Reisenden selbst Visiten zu ersparen, die oft beiden peinlich
werden — aber Göthe, Schiller, Wieland, Herder waren
einmal die Heiligen der Zeit, und da sie sich so vortheilhaft von herkömmlichen Heiligen unterschieden, so wollte
man sie lebendig verehren, und nicht wie die andern erst
nach dem Tode. Celebrität ist einmal der sonderbare

Vorzug, denjenigen bekannt zu seyn, die uns nicht kennen, und wir nicht sie!

Man nannte daher auch Weimar das deutsche Athen, wie man früher Berlin und auch Mannheim nannte, denn wir Deutsche haben eine Menge Athene; die Acade-miker Münchens machten München zu Athen, ehe noch die Landshuter Universität dahin verlegt war — jeder Musen-sohn nennt seine kleine Universität Athen mit dem Bei-namen des Flüßchens, wenn sie eines hat, das Originalathen war ja schon gestraft mit — Fröschen und Nachteulen, und um den Atticismus scheint man sich so wenig be-kümmert zu haben, als in unsern deutschen Atheneu. In Weimar-Athen scheint noch am meisten durch den Zusam-menfluß so vieler berühmter Männer der Geist des Volks erweckt worden zu seyn, wozu das Theater, so lange es unter Göthes Leitung war, viel mit beigetragen haben mag. Schade! daß er das Directorium niederlegte, wie man behaupten will, über dem Hund des Aubry —

> Dem Hundestall soll nie die Bühne gleichen,
> und kommt der Pudel, muß der Dichter weichen!

Fehlen kann es nicht, daß auch Ueberbildung und Ver-bildung sich einschleicht, und z. B. bei Dienstmädche wenn sie Verse aus Schiller anwenden, komische Scen erscheinen, wie bei Juden, wenn sie aesthetisire Dieß war sicher auch der Fall im alten griechische Athen, darum bleibt aber doch Weimar jedem gebildet Deutschen heilig, wie dem Britten Stratford, und sich lich wirkte es auf Jena, daß hier weniger Pedanteri herrschte, als auf andern kleinen Universitäten, die mit d Hauptstadt und dem Hofe in weniger Berührung stehe

Es gehört zu meinen angenehmsten Erinnerungen, meisten dieser Männer gesehen und gesprochen zu ha Göthe, der Hochmeister deutscher Dichtung, und au tig das größte Genie unter allen, wenn es auch gleich manchen Dingen stehen sollte, wie mit seiner Farbe

theorie, die Newton schwerlich Schaden thun wird (die
Zeit allein vermag Gleichgewicht herzustellen) — mag
man auch mit Herder spaßen: Du stammest von Göttern,
von Gothen oder vom Kothe .. Göthe, vor dem
schon mancher Fremde, der nur den Dichter im Kopf
hatte, staunend stand, wenn er in der höchst eleganten
Wohnung einen stattlichen Weltmann vor sich sahe, den
glänzenden Ministerstern auf der Brust — Göthe, den viele
anbeten (daher der Verleger seiner Werke von letzter
Hand sich schwerlich verrechnet haben dürfte, trotz des in
Deutschland ungewöhnlichen Honorars von 100,000 Thlr.)
und den andere wieder das verzogene Kind deutscher
Literatur nannten — Herder trotz seiner Artigkeit, und
Schiller, der ganz den schwäbischen Charakter beibehalten hatte, interessirten mich doch weniger als Wieland, was von Jugendeindrücken herrühren mochte.
In der Jugend hält man sich an seine Erotica, und denkt
nicht daran, daß Er noch 1780 die Origo Majestatis a
Deo*) in Schutz nehmen konnte, noch weniger an die
breite, weit ausgesponnene Redseligkeit und Schach-
telperioden — so wie man Herders Wortgewäsche selbst
schön findet!

Göthe steht aber doch immer am höchsten, schon
dadurch, daß er als Dichter ein bürgerliches Glück machte,
wozu mir kein Gegenstück bekannt ist. Die deutsche literarische Welt feierte 1830 seinen achtzigjährigen Geburtstag, und zu Berlin wurde folgender Toast ausgebracht:

> Er ist ein Einziger,
> Er werd' ein Neunziger,
> Er ist ein Bewunderter,
> Er werd' ein Hunderter!

Wieland ist der Voltaire der Deutschen, ungleich gelehrter, solider, gemüthlicher, als der Franzose,
dieser aber offenbar lebhafter und witziger; in Freibeuterei

---

*) Das System „von Gottes Gnaden.“

mögen sich beide gleich seyn, wie in Wiederholungen. Mich wunderte nicht, daß die Franzosen Wieland hofirten, und selbst Napoleon eine Unterredung mit ihm hatte, so berühmt, als die Unterredungen Friedrichs mit Garve, Gellert und Zimmermann, schade! daß er weniger eitel, als der Letztere, nicht mehr davon bekannt machte!

Napoleon war gegen Wieland ein ganz anderer, als 1806 nach der Schlacht von Jena, wo er sich gegen die Herzogin, die ihn empfing, unartiger benahm, als die gemeinste französische Einquartirung sich gegen eine Dame benommen hätte. Sie stand auf der Treppe: Qui êtes Vous? Ah je vous plains, j'écraserai votre mari — qu'on me fasse diner dans mes appartemens*) — der Morgen brachte etwas geschliffenere Sitten: a cause de Vous, Madame, je pardonne Votre mari, ce fou, qui croit me faire la guerre — c'est un mauvais sujet**)! — Man gab Voltaires Cäsar, der schöne Greis mit der schwarzen Sammtmütze im Theater fiel dem Kaiser auf, Dalberg hatte ihn bereits mit der frühern Aeußerung des Dichters, daß nur eine Dictatur Frankreich retten könne, bekannt gemacht, und so unterredete sich dann Napoleon auf einem Hofball gegen zwei Stunden mit Wieland. Die merkwürdigste Rede war wohl: „Cäsar wäre wohl der größte Mann in der Geschichte, hätte er nur einen Fehler nicht begangen." Wieland rieth hin und her: „Cäsar kannte die Leute, die ihn auf die Seite schaffen wollten, und so hätte er sie auf die Seite schaffen sollen." Der Greis mußte den Kaiser bitten, ihn zu entlassen, weil er das Stehen nicht mehr länger aushalten könne, und Napoleon sagte allergnädigst, „Allez donc,

*) Wer sind Sie? ach ich bedaure Sie, ich werde Ihren Gemahl vernichten. Man bringe mir das Mittagessen auf mein Zimmer.
**) Ich verzeihe Ihrem Gemahl um Ihretwillen, Madame, er ist ein Thor, daß er sich heraus nimmt, gegen mich Krieg führen zu wollen, ein elender Mensch!

bon soir*).“ Friedrich aber hätte, wie bei dem eitlen Raynal, zwei Stühle geholt, „A votre age et au mien on ne peut pas causer debout**)!“

Welcher Reisende wandelte nicht gerne nach Oßmannstadt (drei Stunden) im Amthale, wo der Sänger des Oberons neben seiner Gattin und Sophie Brentano ruhet. Ihm ward der Wunsch seines Freundes Horaz gewährt — ein Landgut, gesundes Alter, Stärke der Seele und jeden Tag Musik — auf seinem Fortepiano. Wieland erhielt den Orden der Ehrenlegion, und wo ich nicht irre, auch einen russischen Orden — aber der Deutsche hatte keinen deutschen Orden; und war auch keiner deutschen Academie Mitglied. Er starb am 20sten Jänner 1815 alt achtzig Jahr, phantasirend von Ariosto und Shakespear, und vernehmlich hörten die Seinen noch die Worte: to be or not to be***). — Ein einfaches Denkmal deckt sein Grab mit der selbst verfertigten Innschrift:

Lieb' und Freundschaft umschlang die verwandten Seelen im Leben,
und ihr Sterbliches deckt dieser gemeinsame Stein.

Auf dem Gottesäcker zu Weimar aber sind die einfachen Grabmonumente des Musäus, Bode und des in der Schlacht von Jena tödtlich verwundeten General's Schmettau. Der gute Musäus mußte sehr spärlich leben, Niemand that was für ihn, selbst nicht der Oberaufseher der Schulen Herder, dieser hielt ihm aber eine recht schöne Leichenrede. Ein Grabmal hat mich vorzugsweise angesprochen, das weder einem Heros im Felde, noch einem im Cabinet angehört — eines Zimmermanns, das ihn und noch mehr seinen Fürsten ehrt, der es setzen ließ: ein Obelisk, ruhend auf vier Zimmeräxten, hier ruhet F. A.

*) So gehen Sie, guten Abend.

**) In Ihrem Alter wie in dem meinigen, kann man sich nicht mehr stehend unterhalten.

***) Zu seyn oder nicht zu seyn. (Aus dem Hamlet).

Zimmermann, Zimmermanns-Geselle aus Ilmenau, der beim Schloßbrand 1774 das Leben verlor.

In der Stadtkirche ist das Monument der drei Söhne Friedrichs, das Cranach ihnen, und noch mehr sich selbst setzte. Lucas Cranach ruht auf dem Kirchhofe der Schloß-kirche, und neben ihm mehrere verdienstvolle Künstler, Kraus, Jagemann ꝛc. auf seinem Grabsteine steht: pictor celer-rimus, was wohl celeberrimus*) heißen soll. Herder hat ein Denkmal in der Stadtkirche, und Schiller? Er ruht auf dem neuen Gottesacker außerhalb der Stadt, neben der Fürstengruft unter einem einfachen Denkmal, umschat-tet von einem Trauerhain, sein Schädel aber ward, wie der Raphaels, im Fußgestelle seiner Marmorbüste von Dan-necker auf der Bibliothek aufbewahret, als heilige Reli-quie, ist aber jetzt wieder mit den Ueberresten vereint. Weimar bleibt einmal ein literarischer Wallfartsort für Deutsche, wie Stratford für Britten, obgleich niemand recht die Stätte kennt, wo Shakspears Gebeine ruhen — aber seine elterliche Hütte steht noch mit der Bett-statt, in der er geboren war, und mit dem Lehnstuhl und ernähret noch den jetzigen dürftigen Bewohner der Hütte!

Weimar hat die Ehre, 1791 ein Haus errichtet zu haben, das an jedem etwas bedeutenden Orte sein soll — ein Leichenhaus, denn gewiß gibt es mehr Sch..e todte als Selbstmörder, und lebendig begraben w den bleibt der Schrecken alles Schreckens. Die Fäulniß ist das einzige sichere Kennzeichen des Todes, ist Electricität und Galvanismus sind es nicht, und so haben wir noch so wenig Leichenhäuser? Wäre di Geld, das sie kosten, nicht unendlich vernünftiger verw det, als auf Leichenpomp und Trauerkleider — (Grabmäler, Seelenmessen, ja selbst Leichen den? die Ehre des Weimarer Leichenhauses, wodurch

---

*) Der hochberühmte Maler.

wichtige Gegenstand wieder zur Sprache kam, gebührt
Hufeland, und Oestreich folgte 1797 nach, aber nicht
andere Staaten, die sich doch dünken — weiter zu seyn!
Es ist vielleicht gut, wenn man todt in die Welt kommt,
gewiß aber schrecklich, lebendig von ihrer Oberfläche zu
verschwinden, schrecklicher noch, als wenn man bei der
Section — wieder aufwacht, wie Prévost d'Exiles,
der Romandichter! und wenn in hundert Jahren nur Ein
Scheintodter gerettet wird, so hat doch das Leichenhaus
drei Generationen beruhiget!

Vergebens suchte ich nach dem Denkmal Herzog
Bernhards von Weimar, weil ich ein fürstliches
Prachtmonument suchte — er ruhet aber unter einem ein-
fachen Steine mit einer Metallplatte, und ganz alltäglichen
ellenlangen Innschrift. Bernhard war nach Gustav und
Wallenstein der größte Held des dreißigjährigen Kriegs,
der keine üble Lust gehabt zu haben scheint, in Wallensteins
Fußstapfen zu treten, und am Rhein sich ein eigenes Für-
stenthum zu gründen, daher er auch wahrscheinlich an Gift
Richelieus gestorben ist. Noch fehlt uns eine gehaltvolle
Biographie des großen Mannes, ob es gleich nicht an
Materialien fehlt, ein zweiter Cyprian — Schröth
und Meusel hatten so etwas im Sinne, Hellfeld
schrieb sie — aber Göthe, oder Luden wären die rechten
Biographen! Wir müssen uns begnügen, im Schlosse seine
Rüstung und andere Reliquien von ihm zu betrachten,
worunter auch der ihm abgeschossene Zeigefinger.
Nichts freuet mich mehr von Bernhardt, als daß er bei
seiner Audienz zu Paris, als der König sich bedeckte, sich
auch bedeckte—; der ganze Hof erblaßte und Louis XIII.
eilte murmelnd nach seinem Boudoir! Friedrich, König von
Würtemberg dachte und handelte ebenso zu Erfurt.

In dem schönen neuerbauten Schlosse, das aber nicht
den Umfang des alten abgebrannten hat, ist die vorzügliche

an Prachtwerken reiche Bibliothek, ohne welche die Professoren zu Jena schlecht fahren würden. Mich hat als
Reisenden, der die Bibliothek zwar sehen, aber natürlich
nicht benutzen konnte, ein Automat angesprochen, ein
Hanswurst, der trommelt, und dabei vornehmschalt-
haft die Augen verdreht — Hört ihr's? Es ist von jeher
in der Welt viel getrommelt worden, — auch zu Weimar,
die Trommel war fünfundzwanzig Jahr lang unsere Haupt-
musik, noch wird mehr getrommelt, als seyn sollte, indessen
da es Friede ist, so fangen nun auch die Gelehrten wieder
an zu trommeln, und noch mehr ihre Mäckler, die auf
ihren Markt trommeln lassen durch Journalisten, Zeitungs-
schreiber und Recensenten — eintrommeln und austrommeln
— lügen und bettrügen! Hanswurst trommelt doch in
Uniform, macht uns zuweilen lachen, und ist eine
ehrliche Haut!

Der Kunstgarten oder Park Weimars hat in dieser Gegend doppelten Werth, und der edle Großherzog
gönnt Allen diese verschönerte Natur. Schade! daß der
Garten in seiner Vertiefung keine Aussichten gewährt, daher mich der Garten zu Tiefurt mehr erfreute, den die
Ilm durchschlängelt — der Hain, wo Amor mit seinem
Pfeil einer Nachtigall Futter reicht, Prinz Leopolds Denkmal, der als Menschenretter in den Fluten der Oder selbst
umkam, so rühmlich als auf dem Schlachtfelde, Mozarts
Denkmal, und das Andenken an die Herzogin Amalia,
Wieland und Herder. Die Wohnung Bertuchs ist ein
kleiner Palast mit einem schönen Garten, wo er nun selbst
ruhet; Bertuch, der sich aus sehr beschränkten Umständen
empor hob, war ein Muster von Thätigkeit, bei seinen
glücklichen Speculationen sahe er nicht selten mehr auf die
Sache, als auf sein Interesse, menschenfreundlich unterstützte
er die Armuth, und war Einer der ersten, der uns wieder
auf die reiche spanische Literatur aufmerksam machte.
In einem Bosket seines Gartens stehen die Büsten der
vier Heroen Weimars, und Amaliens, und auf einem

andern Plätzchen: eine Ara mit einer Sphinx, und den Worten: Vergiß nicht Gestern, genieße Heute, denke auf Morgen!

Das Theater Weimars wäre ziemlich leer, wie die Gasthäuser, ohne die Herren Jenenser, man sieht ihnen durch die Finger, wie den Göttingern zu Cassel. Vormals kündeten sie ihre Ankunft durch einen wahren altdeutschen Barritus an, und durch eine Peitschenmusik, wogegen Curierd, Thüringer Fuhrleute und baierische Schweintreiber wahre Stümper waren; seit aber die Laubfrösche (so heißt in academischer Sprache die grün montirte Garnison) mehrere schleppten, hat der wilde Lärmen nachgelassen. Wenn Schillers Räuber gegeben wurden, war gewiß die halbe Universität zu Weimar, als ob Studentenwesen und Banditenwesen in einer gewissen Wahlverwandschaft stünde. Doch — es war eine Zeit, wo diese Räuber in Deutschland beinahe soviel Unfug anstellten, als Gays berühmte Beggars Opera in Großbritannien!

Nichts ist komischer, als so einen Jenenser Musenpult über den Markt galoppiren zu sehen — die lateinischen Reuter, forteilend wie Feuerreuter — und die noch lateinischern Gäule, deren Galopp im Fallen und Aufstehen zu bestehen scheint, während der Lateiner auf der Mähne liegt, die Sporen tief versenkt in die Seiten des unglücklichen, steifen und marklosen Pegasus, der Gott weiß wie lange keinen Hafer gesehen hat, kaum geben ihm die Peitschenhiebe soviel Kraft wieder, um noch bis zum Stalle und zur Streue fort zu keuchen! Wahrlich ein Gott waltet über den Musen, wie über Kindern, sonst müßten sie alljährlich zu Dutzenden die Hälse brechen! Falk hat vor seinen bekannten satirischen Almanachen einen solchen jammervollen Philistergaul abbilden lassen, der die ganze Humanität der Academiker in Anspruch nehmen könnte — aber die Abbildung einer Cavalcade über den Weimarer

Markt wäre noch köstlicher gewesen, in dem ganzen drolligten Costume, wodurch sich die Herren allerwärts unterscheiden zu müssen glauben, und vor der vernünftigen Welt lächerlich machen. Kaiser Philipp schloß aus der Art, wie sein junger Alexander den Bucephal ritte, daß er einst mehr seyn würde, als der Vater, und so läßt sich aus der Art, wie der Sohn in Apollo seinen Bucephal reitet, vieles schließen; vielleicht entstand bei einer solchen Reuterei das bekannte: „Gott segne deine Studia, mein Sohn! aus dir wird — Nichts!"

Unferne des Parks liegt Oberweimar, das der Oekonom wegen der Merinos, Büffelzucht und Bierbrauerei auf englischem Fuß nicht unbesucht lassen wird, und auf die Höhe von Belvedere führt eine stundenlange Allee, wo Emigrant Mounier eine Erziehungsanstalt hatte, die nur für — reiche Britten paßte. Hier ist auch eine schöne Orangerie und viele exotische Gewächse. Nicht weiter entfernt liegt der Ettersberg, der wegen seiner trefflichen Aussicht einen Besuch verdient. Zwei Stunden von Weimar, Ilm aufwärts, liegt Berka mit einem Schwefelbad, das erst 1812 entstanden ist, und Aufnahme verdiente, sammt der unbedeutenden Burgruine der Grafen von Berka, die schon im vierzehnten Jahrhundert ausstarben. Vach, sonst Hessisch, ist das letzte Weimarische Städtchen, lebhaft durch die Handelsstraße, und nur ¼ Stunde davon Philippsthal, Sitz einer paragirten Hessischen Linie; der brave Vertheidiger der Festung Gaeta lebt in der Geschichte und wir müssen seiner um so mehr gedenken, da er in einer Zeit lebte, wo so viele Festungs-Commandanten ächte — H...f.. waren; Prinz von Hessen Philippsthal erwiederte auf die Aufforderung: „Gaeta ist kein Ulm, und ich kein Mack!" In den 1770ger Jahren sprach ganz Deutschland von Berka, denn hier war ein Hirte, der aus reiner Lüsternheit, — Menschenfresser wurde! Das Städtchen Ilm, und das gewerbsame Ilmenau am Fuße des Kickelhahns machen den südlichsten Theil des Großherzogthums. Das einst reiche Silberbergwerk soll in neuerer Zeit wieder betrieben werden, recht artig ist des offenen Ilmenaus Felsenkeller, und unweit davon liegt das Schwarzburgische Dorf Langenwiesen, Geburtsort des genialen Heinse, von dem er eben nicht sehr patriotisch in seinen Briefen sagt: „daß die Nachtigallen daselbst die gescheutesten Einwohner seyen!" Ardinghello fand zu Langenwiesen keine Hildegard, und keine Laidion!

Eilfter Brief.

Die souverainen Fürstenthümer Reuß und Schwarzenburg.

Die Reußischen Länder erstrecken sich längs dem voigtländischen Kreis des Königreich Sachsens, und machten einst einen Theil des alten Voigtlandes aus, dem die Reuße von Plauen schon im zwölften Jahrhundert als Reichsvögte (Advocati Imperii) vorstanden. Das kleine Fürstenthum besteht aus zwei getrennten Theilen, der nördlich liegenden Herrschaft Gera, gemeinschaftlich zwischen Schleiz und Ebersdorf, und dem südlichen Theile, der unter nicht weniger als vier Linien getheilt war, Greiz, Schleiz, Ebersdorf und Lobenstein, wovon aber letzteres 1824 Ebersdorf heimgefallen ist. Der ganze souveraine Staat besteht in dreißig Quadratmeilen mit 80,000 Seelen und drei Souvrains, von denen die Wiener sagen würden: „sie sind auf ihren Gütern;" vom Sieglitzberg bei Lobenstein, 2300' Höhe, kann man bequem den ganzen Staat übersehen, und noch die Nach-

barn. Der Prinz von Monaco sagte: „Si mon état est
petit, ce n'est pas ma faute*)."

Bei diesen und ähnlichen kleinen sich souverain
erhaltenen Häusern kann man es doch wahrlich den Media-
tisirten, die mediatisirt wurden, gerade weil sie beim
Schlusse des schmählichen Rheinbundes fester am Vaterland hiengen als andere, nicht verargen, wenn sie über
Willkühr und Partheilichkeit klagten! bei Gott! es
war Zeit — Deutschland bedurfte einer Consolidation! so
hätte man denn alle kleinen Häuser consolidiren sollen,
und sie hätten sich ohne Eifersüchteleien unter einander desto
leichter getröstet, als Opfer für das Gesammtwohl des
Vaterlandes, vielleicht gar gedacht: haben wir nicht weit
länger die Feudalzeiten überlebt als unsere Brüder in
England, Niederlanden, Frankreich, Italien und Spanien?
Danken wir für das Genossene!

Die ältere Linie ist Reuß-Greiz, und soll 130,000 fl.
Einkünfte haben, Schleiz nicht weniger, und Ebersdorf wäre durch jenen Heimfall die reichste mit 200,000 fl.
Es gibt noch eine paragirte Linie Köstritz, und wenn
niemand den ungemein freundlich an der Straße von Gera
nach Jena an der Elster liegenden Ort mit Schloß und
Garten kennen sollte, so kennen ihn desto besser die Jene-
ser. Die Kirche steht auf Felsen, in deren Hallen ein
herrliches Lagerbier geschenkt wird, und um diesen Nektar an der Quelle zu trinken, reiten die Musen die vier
Meilen ab wie Cosaken, und sollten billig ihren Philister-
gäulen auch etwas zu Gute kommen lassen mit der Gutmüthigkeit jener Naturvölker!

Das Fürstenthum Reuß, obgleich sehr gebirgigt — und
fast Erzgebirger Natur — hat guten Ackerbau und noch
besseren Horn- und Schafviehzucht, Flachs- und Hopfenbau,
Waldungen, Holzarbeiten und Eisenhüttenbau, Wollen-

*) Es ist nicht meine Schuld, daß mein Staat so klein ist

und Garnspinnerei, Mützen und Strümpfe werden in Menge verfertiget, denn die Bewohner sind fleißige und frugale Sachsen, und die durch Wälder und Gebirge beschränkte Landwirthschaft erreget den Kunstfleiß. Die Für-sten haben die alte Verfassung beibehalten, die Stände, aus Ritterschaft, Städten und Pflegen bestehend versam-meln sich von Zeit zu Zeit, sehen die Rechnungen durch und bewilligen die neuen Steuern. Die Abgaben sind mäßig — ein Vorzug kleiner Ländchen, den man jetzt erst schätzen lernt, und die Bewohner zufrieden, wenn auch die Verfassung gerade nicht nach dem neuesten Zuschnitt ist. Die Verwaltung ist gut, die Fürsten üben löbliche Zusammensicht, und halten noch löblicher keine stehende Truppen — nur Leibwachen, Landwehr und Landsturm aber sind organisirt, und das Contingent beträgt 750 Mann. Die Apellation geht nach Jena, und die vielen Ortsnamen, die auf itz ausgehen, beweißen, daß einst hier Sorben oder Slaven haußten.

Gera ist die vorzüglichste Stadt, eine der wichtigsten Manufacturstädte Sachsens, an der Straße von Leipzig, auch Kleinleipzig genannt, und zwei Posten davon die Stadt Zeitz, die Napoleon 1813 recht unschuldig böse machte — er erkundigte sich öfters nach Zeitz und niemand wußte ihm etwas zu melden — denn er fragte immer nach Siss — Siss! Gera liegt im lieblichen Elsterthal, zählt neuntausend Seelen, und ist seit dem schrecklichen Brande (1780) eine recht schöne Stadt geworden. Zeug- und Leder-fabriken, Wagenbau und Claviere zeichnen sie aus, wie auch das Gymnasium — und vor der Stadt liegt auf waldigter Anhöhe das leer stehende Schloß, Osterstein genannt, da Gera nicht mehr zum Voigtlande, sondern zum sogenannten Osterlande gerechnet wurde. Gera ist die Vaterstadt des genialen nicht sattsam bekannten Bret-schneiders, dessen Heiligenalmanach wenigstens eine neue Auflage verdiente in unserer sonderbaren Zeit — das Geraer Bier hat Namen, Dinz, Zwetzen und Pöppeln sind Vergnügungsorte der Bewohner, sowie das Jagdschloß Neuärgerniß. Man konnte mir nicht sagen, ob dieser Name vom Herrn oder von den Unterthanen herrühre? 1½ Stunden davon liegt das Altenburgische Bad Ronneburg, nebst dem Städtchen gl. N., von viertausend Seelen, das aber 1829 eine schreckliche Feuersbrunst fast ganz in Asche legte, über vierhundert Wohnungen! Das Bad scheint wenig besucht, Thümmel hat es aber in seinen Reisen verewigt, als er die Galeeren zu Toulon besuchte — die Büßenden ihm klagten, beichteten, und zuletzt —

noch ein Gespenst zu Füßen sank —
Ein Wort — Gott segne Sie — ein Wörtchen nur zur
Gnade,
Mein Herr! wer hält denn wohl seit mir im Schlangen=
Bade,
zu Ems und Ronneburg die Bank!

Greitz ist weniger bedeutend als Gera, aber seine sechstausend Bewohner sind gleich fleißige Wollen= und Baumwollenfabrikanten, die Märkte besucht, und mehrere Handelshäuser von Bedeutung. Das alte Schloß auf dem Berge ist für die Landescollegien, das untere 1802 abge= brannte Schloß ist wieder auferbaut und Residenz. Ebenso gewerbsam sind die Städtchen Zeulenrode und Burgk, die auch noch aus bedeutenden Eisenhütten, Oefen, Kessel, Töpfe und Mörser liefern. In der Residenz Schleiz (4500 S.) kommt zu den Baumwollenfabriken noch ein eigener Handel mit Karpfen, Forellen und Lebkuchen. Un= weit davon liegt das Lustschloß Louisenburg und Hein= richslust — die Gegend darf sich aber lange nicht mit Gera oder Plauen messen, und ist höchst eintönig. Das Schloß auf dem Berge macht zwar Figur, dafür ist das Städtchen desto trauriger — nur Weida mit der Oster= burg, das aber Weimar gehört, liegt noch trauriger in seinem tiefen Kessel, halb in Ruinen, desto lachender aber ist das Thälchen, wo ein fürstlicher Landsitz Reibers= dorf liegt. Hinter Schleiz bei Oettenitz begann der

Prolog des großen Trauerspiels von 1806 — hier stand Tauenzien, und zog sich geschlagen am 9. Oktober jedoch fechtend ohne den Kopf zu verlieren, zurück zum Hauptcorps des Fürsten Hohenlohe.

Saalburg scheint die fruchtbarste Gegend zu seyn, schon weniger ist es die um die Residenz Ebersdorf, und am allerwenigsten um Lobenstein, das um einen kegelförmigen Berg, mit einer Burgruine, sich lagert und 2800 Seelen zählt. Lobenstein liegt am südlichsten, hier scheidet der Frankenwald Sachsen von Franken, der Siegliz und der Culmberg sollen gegen 2300′ sich über das Meer erheben — die Nadelhölzer geben ein finsteres Ansehen, aber die Ziegenkäse kann ich loben. Unter den tausend Einwohnern von Ebersdorf sind viele Herrnhuter, da die gräfliche Familie ehemals sehr für sie gestimmt war, folglich darf man annehmen, daß der Ort auch gewerbsam sey. Das Schloß liegt ziemlich hoch und — der vernachläßigte Park im Triesathal heißt Tempe; wir wissen, daß die Einbildungskraft der Griechen alles verschönerte, Tempethal, durch welches der Peneus sanft wie Oel floß, war „ein Fest für das Auge" — vielleicht ist das Reußische Tempe eben so schön — im Tempe der alten Griechen aber gab es — keine Herrnhuter!

Die Reuße führen ihre Genealogie zurück bis auf den Grafen Sizo von Gleißburg (950), der eine Tochter Jornanda hatte, die sich mit einem sächsischen Herrn Ekbert vermählte, der Stammvater der Reußen. Sie nannten sich auch Herrn von Weida, und zu Ehren der Kaiser Heinrich IV. und VI., die ihr Geschlecht begünstigten, Heinrich. Seit Heinrich von Weida sind sie lauter Heinriche, durch Zahlen unterschieden, und im Jahr 1700 beschlossen sie bis auf Hundert fortzuzählen — ein schöner Zeitraum! Ob sie an dessen Schluße wieder von vorne anfangen werden? Das Reich Haiti zählt 1400 Quadratmeilen und 600,000 Seelen, und hat nur Einen Heinrich. Sonderbarer noch scheint es, daß ein bloßer Bei-

name eines dieser Herrn, der in Rußland gewesen seyn
mag, oder vielleicht eine Ruffin zur Gemahlin hatte, zum
Familiennamen Ruß, Reuß geworden ist!

Die Reuße waren früher dem deutschen Orden
so ergeben, als die Hohenlohe, und in der Ordensgeschichte
kommen drei Reuße vor, die große Männer waren.
Einer war Groß-Comthur des Ordens, und begeisterte 1530
das Ordensheer — der zweite rettete den Orden nach der
Schlacht von Tanneberg, ward Hochmeister, aber in Ruhe
und Frieden mit schnödem Undank belohnt — und der
dritte, lange die rechte Hand des Hochmeisters, starb selbst
als Hochmeister 1470. Neben diesen edlen Rittern wollen
wir auch Henricus Posthumus († 1635) nicht vergessen, einen der würdigsten kleinen Regenten, und den
östreichischen General unserer Zeit. Wir haben so
viele Heinriche auf Königsthronen, daß darüber natürlich
die Reußischen Heinriche in Schatten gestellt werden!

Das Haus Schwarzburg stammt von den alten
Grafen von Käfernburg, und stand, wie andere nun
ausgestorbene thüringische Grafenhäuser unter den Landgrafen Thüringens, obgleich Schwarzburg späterhin diese
Hoheit bestritten hat. Die Grafen waren mächtige Fehdehelden — theilten sich nach löblicher Sitte der Zeit in
mehrere Linien, die der liebe Gott zu sich nahm. Ein Graf
Heinrich verlor sein Leben auf dem Erfurter Reichstag
1184, als der Saal einstürzte, bleibt aber doch der Urvater
von 41 Heinrichen und 43 Günthern, und seit 1599
blieb es bei den zwei Linien Sondershausen und Rudelstadt. Das Fürstenthum beträgt 40 Quadratmeilen
mit 116,000 Seelen und 600,000 fl. Einkünften und ganz
unbedeutenden Schulden. Der Fürst von Schwarzburg-
Rudelstadt besitzt auch noch Privatgüter in Holstein.
Der südliche oder obere Theil ist auf sechs Meilen getrennt
von dem nördlichen oder untern Theile, der als Theil der
goldenen Aue fruchtbarer ist. Berge und Thäler wechs-
len, und man kann das Ländchen schön nennen, vorzüglich

das romantische Schwarzathal. Es erzeugt Korn und
Flachs, zu Günthersfeld sind bedeutende Eisenhämmer,
in Hinsicht der Gußwaaren vielleicht die ersten Thüringens,
zu Gehren ist ein Alaun- und Vitriolwerk, zu Frankenhausen eine Saline und besuchtes Soolbad, und Volksstädt liefert das bekannte Rudolstädter Porzellan. Zu
Frankenhausen wächst sogar Wein, den aber die
Franken unmöglich für ihren Bruder erkennen können.
Das Kontingent, welches Weimar zu stellen übernommen
hat, beträgt hundert Mann, die Fürsten halten nur eine
geringe Leibwache, und die Appellation geht nach
Zerbst. In beiden Fürstenhäusern herrscht löbliche Ordnung, die Schulden sind unbedeutend, ja der Fürst von
Schwarzburg S. — es verdient Erwähnung — verwandte
alle Vergütungs- und französische Contributionsgelder ge-
wissenhaft auf deren Tilgung — und so mag das Land
die Stände allenfalls entbehren (wozu jedoch Anstalten
gemacht sind, Rudelstadt hat seit 1818 fünfzehn Abgeordnete des Adels-, Bürger- und Bauernstands alle sechs
Jahre), da die Regierung alles gar wohl übersehen kann;
der Fall tritt nicht ein, daß die Repräsentanten auf besondere Lokalitäten entfernter Gegenden aufmerksam zu machen
hätten; und die Dukaten können nützlicher verwendet
werden.

Die Schwarzburge, denen Kursachsen lange die
Landeshoheit streitig machte, gehörten nicht nur unter die
Vier-Grafen des Reiches (Quaterniones, neben
Cleve, Grätz und Savoyen) sondern waren auch Reichs-
erzstallmeister, daher sie Mistgabel und Striegel
im Wappen führen, und im Mittelschilde den Reichsadler
und eine Krone, zum Andenken König Günthers, Ge-
genkönig Carls IV. Günther ist der berühmteste der
Schwarzburge, daher auch dieser Name Lieblingsname der
Familie geworden ist, wie Heinrich bei den Reußen, und
Götz bei Berlichingen. In der deutschen Spezialge-
schichte ist so ein Mann stets willkommen, um Wechsel

in die tödtende Langeweile zu bringen und in die Einför‐
migkeit der kleinen Häuſer, da nur wenige Mitglieder in
die allgemeine Geſchichte eingreifen. Die meiſten
Zweige ſind höchſt gewöhnliche Zweige, die in der Burg
ihrer Väter lebten, im dolce farniente *) heuratheten,
jagten, tafelten, bevölkerten und begraben wurden neben
den Gebeinen ihrer Väter in der Stadt Davids — und der
Geſchichtſchreiber iſt in weit größerer Verlegenheit, als der
Leichenredner, wenn er nicht die Kunſt zu Hülfe zu nehmen
verſteht. Glücklich, daß den Geſchichtforſchern dieſer Häuſer
jede Kleinigkeit wichtig iſt, ſelbſt ein tobtgebornes Herr‐
lein, und ſo fördern ſie denn doch gelegenheitlich auch
manchmal ein Goldkörnlein zu Tag, brauchbar für das Ganze.

Günther, den ganz Deutſchland als tapfern Ritter
und biedern Mann kannte, geſchätzt von Freund und Feind,
treuer Anhänger des König Ludwigs des Baiern, wurde
gewählt um Gottes‐Willen (d. h. nicht durch Be‐
ſtechungen) und ſein Bild bezeugt ſchon, daß er ein ganz
anderer Mann für das Reich geweſen ſeyn würde, als
Carl IV., leider! war er aber nur fünf Monate lang Ober‐
haupt, und ſtarb zu Frankfurt (ſchwerlich an Gift) im
fünfundvierzigſten Jahr. Günther wäre vielleicht ein zwei‐
ter Rudolph geworden, und Schwarzburg ſpielte wohl
jetzt eine andere Rolle. Neben ihm verdient Catharina,
Graf Heinrichs Wittwe, unſer Andenken. Sie beförderte
die Reformation, Alba frühſtückte mit ihr nach der Schlacht
von Mühlberg, ſeine Spanier trieben Vieh aus Rudelſtadt,
und ſie verlangte Abhülfe, Alba ſprach wie Napoleon,
Madame c'est la guerre — und Gewappnete traten mit
dem Frühſtück in Saal, die Gräfin rief: „Fürſtenblut
für Ochſenblut" und dieſer ernſte Schetz half!

Von Gotha aus war ich in vier Stunden zu Arnſtadt,
die fruchtbarſte Gegend des Fürſtenthums, obgleich das Amt
Arnſtadt nebſt dem Amte Gehren (die beide Sonderhauſen
gehören) an den Thüringer Wald gränzen, und ſehr gebirgig

*) Süßem Müßiggang.

find. Das gewerbfame Städtchen von 4600 Seelen an der Gera, mit Schloß und Lyceum, ist einer der wichtigsten Korn- und Holzmärkte Thüringens, und die größte Stadt des Fürstenthums, deren schon im Jahr 704 urkundlich gedacht ist, und recht thätig im Fabrikwesen; interessanter als die bänderreiche europäische Staatskanzlei, die hier von Leuchs unter dem Namen Fabri geschrieben wurde, ist Neubecks treffliches Gedicht: die Gesundbrunnen, das hier entstanden ist. Der Dichter ruft die Nymphe der Gera an; um ihn in das Reich der Mineralquellen einzuführen, und sie hat ihm redlich beigestanden. In der Nähe Arnstadts liegt — die fast verschwundene Ruine Käfern- burg, deren letzter Graf schon 1385 im gelobten Lande starb, ein Lieblingsplatz der Arnstädter ist Günthers- höhe; von wo man den Plaue'schen Grund übersieht, der wohl mit dem berühmten Planeschen Grund Dresden riva- lisiren darf. Nach Arnstadt muß man zur Zeit des Vo- gelschießens kommen, wie nach Leipzig zur Zeit der Messe; man findet dann wohl 10,000 Menschen. Ich weiß nicht, ob im Tanzsaale noch die Inschrift hangt: „Hier darf niemand Punsch trinken, als von Frede- king," ein Spottvogel hatte das von ausgelöscht, was ich als ein Avis au lecteur *) ansahe, und daher nicht sagen kann, wie der Arnstädter Punsch beschaffen ist.

Rudolstadt mit dem hohen Schlosse Heydekburg und 4000 Seelen liegt höchst anmuthig im reizenden Thale der Saale, der ganze Berg hat englische Anlagen, die Aus- sicht ist trefflich, und die Residenz enthält manche Kunst- merkwürdigkeit, so wie das Städtchen manchen Freund der Wissenschaften und Künste; die Wollenzeugweberei steht hier wie auch im Städtchen Ilm in großem Flor, die Olitäten- oder Balsamkrämer aber, die sonst überall hausirten — und die Gegend um Königsee zu einer allgemeinen deutschen Apotheke machten — klagen. Zur Zeit des Vogelschießens ist auch die Stadt

*) Eine Warnung.

Rudolphs am lebhaftesten. Am Gymnasium steht eine
griechische Inschrift — sollte das nicht ein bischen pedantisch seyn? Der Jurist und Geschäftsmann wird hier
an Kanzler Fritsch denken († 1701), der neben seinen
vielen Geschäften Opuscula schrieb, die noch heute lesens-
werth sind, und den praktischen Mann verrathen, vorzüglich
das de peccatis principum, ministrorum, advocatorum etc.,
der Mehrzahl ist aber freilich das vier volle Wochen dauernde
Vogelschießen interessanter, und die Rudolstädter Bratwürste, nach welchen ganz Thüringen der Mund wässert!
Man findet Schützen, die es mit Kaiser Commodus und
Tyrolern aufnehmen dürften!

Das Interessanteste ist der Gang nach Schwarzburg,
im Thal der Schwarza. Dieses drei Stunden lange Thal
ist ächt schweizerisch, bei Volksstädt, (wo Schiller eine
Zeitlang lebte) breit und freundlich, dann kommt man
nach Schwarza und die Papiermühle, wo das Flüßchen Schwarza hervorbricht, das Gold mit sich führt, und
unter der Ruine Greifenstein liegt das Städtchen Blan-
kenburg. Aus wilder Bergschlucht bricht die Schwarza
hervor — die schwarzen Schieferwände beengen die Brust
des Wanderers, wie das Engthal — keine Menschenwoh-
nung 1½ Stunden weit, bis man Schwarzburg erblickt,
mit Recht die schwarze Burg genannt!

Romantisch steht die ehrwürdige Stammburg da —
hohe mit Tannen und Fichten bedeckte Gebirge umschließen
das schauerliche Thal, und mitten darinne auf scharfen
Felsen thront kühn die Burg, um welche sich fünfzig Häuser gruppiren. Hier stand schon 796 Schwarzburg, brannte
aber ab, und ein neueres Schloß mit langer Façade steht
an der Stelle. Man sieht hier die Bildnisse der Kaiser
von Julius Cäsar an, und der alten Grafen, in einem besondern Zimmer finden sich Gemälde von 146 Pferden, alle
selbst gemacht von Fürst Ludwig Günther, in einem andern
sind alte Waffen, und im Park grasen ungestört Rudel
von Rothwild. Die Phantasie muß hier ihren Flug in

die alten noblen Ritterzeiten nehmen, sie erinnert an das
Castle of Otranto *) — und um ihr nachzuhelfen, gehe
man drei Stunden weiter nach der Klosterruine Paulinzelle, dann fehlt durchaus nichts, als daß uns noch
ein schwarzer Ritter begegne, und eine Kutte, oder
wenigstens ein Köhler. Zu Schwarzburg sollen auch die
Schuhe aufbewahret werden, in welchen Maria über das
Gebirg Endelich wanderte — aber wer wird nach alten Schuhen fragen? Noch hat der Aberglaube mit
dieser Wanderung der heiligen Jungfrau viel zu schaffen!

Paulinzelle, eine von Paulina Reclusa 1106 gestiftete Cisterze ist sicherlich das malerischste Denkmal der Thüringer Vorzeit, denn die vielen Burgruinen sind lange nicht
so imposant und so gut erhalten. Die Ruine liegt in
dichten Fichtenwäldern, neben einem Dörfchen am heiligen Teiche, das Portal und viele Kirchenpfeiler stehen
noch 275' lang und 70' hoch — Gesträuche und Bäume
drängen sich aus den Gesimsen, der Boden ist begraset,
Säulen und Quader liegen zerstreut umher, und auf einem
der Grabsteine ist noch das Bild eines Abts kenntlich, und
die halbverwitterten Worte Witzleben. Kein Wunder!
wenn wir von dieser herrlichen Ruine gute Kupferstiche
haben, noch mehr aber freuet mich, daß solche von May
in Kork abgebildet ist, und deutsche Ruinen einmal so
viel galten, als — römische!

Ruinen sollte man nie Morgens, sondern stets gegen
Abend besuchen — oder im Geisterglanze des Vollmonds,
die Ruhe des Abends ist analoger mit den Empfindungen
der Vergangenheit, Einsamkeit und Vergänglichkeit, als
der Morgen, die Sonne, und der Tumult der Welt —
kaum konnte ich mich von dieser Ruine trennen. Auf einem
halbversunkenen Grabsteine sitzend verlor ich mich in Erinnerungen vergangener Tage, und gedachte der bereits schlum-

---

*) Das Schloß von Otranto (Gegenstand und Titel eines
englischen Romans).

mernden Freunde in jener süßen melancholischen Stimmung,
die mehr Vergnügen gewährt, als aller Sinnenrausch, die
Erinnerung an sie schwebte um mich, wie die Rosenwölk-
chen am Horizont, wenn die Sonne hinabsinket — die
Vergangenheit ist dem Sechziger, was dem Jüngling
die Zukunft ... als Jüngling freuten mich Träume,
die meist verliebten Inhalts waren, jetzt Träume, wo
ich mit geliebten Todten mich unterhalte, deren mir
leider! nur allzuviele schon zuwinken im dunklen Lande
der Seelen. Das Abendglöckchen mußte mir sagen, daß
ich noch unter den Lebendigen wandle, und daß es Zeit sey
zu gehen. Wahrlich! die Erinnerung macht einen Haupt-
theil der Lebensfreuden — die Vergangenheit hat eine
wahre Zaubergewalt, der zitternde Greis lebt neu auf in
Erzählung muthwilliger Jugendstreiche, die Vergangenheit
wird zur Gegenwart! Auf diesem rein menschlichen sympathetischen Gefühl beruht das Hauptinteresse an der Geschichte und an den Monumenten im dunklen Tempel
der Clio! Sie macht auch oft redseliger, als seyn
sollte, das Alter langweilt leicht die Jugend, zumalen wie
sie jetzt ist — und wenn das auch bei mir der Fall seyn
sollte, so bitte ich hiemit alle meine Leser, nach Stand,
Alter und Würden, um Verzeihung!

Der andere Theil des Fürstenthums liegt mitten im
preußischen Herzogthum Sachsen, und man kommt von
Gotha aus über Langensalza und Tennstädt zuerst
nach Greußen. Langensalza, früher Salza, vormals
Hauptstadt des chursächsischen Thüringens, wo die Salza
in die Unstrut fällt, hatte einst, nebst der Dryburg, eigene
Besitzer, und war mir wichtig, weil hier wahrscheinlich der
größte Hochmeister des deutschen Ordens, Herrmann
von Salza, das Licht der Welt erblickte, der kluge
Mittler zwischen Kaiser und Papst, und einer der herrlichsten Charaktere des Mittelalters. Die Familie starb aus
1409. Die alte Stadt zählt 7000 Seelen, hat Tuchfabriken, und Waidbau, und ist auch die Wiege Hufelandes,

und eines minder bekannten aber hochverdienten Arztes,
Meth, Erfinder's der Gradierhäuser. Noch hat sich die
Stadt von dem schrecklichen Wolkenbruch 1815 nicht erholt
der 300 Häuser beschädigte, alle Gärten verwüstete, und
tausend Morgen Wiesen verschwemmte. Tennstadt ist
eine wahre Leinenweber-Residenz, und zu Greussen,
dessen schöne Kirche malerisch auf einem mit Linden beseß-
ten Platze steht, mag man sich Langweile vertreiben, wenn
man, während des Umspannens, den Wartehügel besteigt, in das anmuthige Thal blickt, und auf das Waldgebirge Hainleuten, mit den Ruinen der Sachsenburg
und Beichlingen, einst Wohnsitz mächtiger Grafen!

Sondershausen, ist ein Städtchen *) von 5000
Seelen, wo man keine Residenz suchen sollte, und die Lage
im Wipperthale nicht unangenehm. Das Schloß ist groß,
auf leichter Anhöhe und schön, mit Anlagen, an die sich das
sogenannte Loh, Vergnügungsort, anschließet, und hat
vielleicht eben so viele Uhren als Zimmer. Fürst Günther
ist in Wetzels Roman: Herrmann und Ulrica nach
dem Leben gezeichnet als Graf Ohlau, vor der Stadt ist
ein Schwefelbad, Günthersbad, der Vergnügungsort
Loh, und mitten in Wäldern das Jagdschloß Possen, ein
Name, der mir wohlgefällt. Der Fürst hält sich auch viel
zu Ebeleben an der Helde auf. Im Naturalien-Cabinet
kann man neben dem Rattenkönig — einer alte Ratte
mit sechs Jungen, deren Schwänze in einander geschlungen

---

*) Das Wort häßlich in der ersten Ausgabe lasse ich weg,
weil ein gewisser Sondershäufer G. im Reichsanzeiger vom
Jahr 1828 Nro. 280 Aergerniß daran genommen hat,
und da ich blos passirt bin, so will ich sogar zugeben,
daß ich nicht da gewesen, was gewiß alles Mögliche ist,
da Herr G. so viel Unverstand gezeigt hat, daß er vor
Wetzels Schicksal vollkommen gesichert ist.
Anmerkung des Verfassers.

sind, wie ein Weichselzopf — den berühmten Püstrich sehen. Es ist eine verstümmelte ellenhohe Statue von Metall, die einen dickbäuchigten auf einem Knie ruhenden baußbackigten Jungen vorstellt mit hohlem Bauche, der mehrere Maaß hält, die rechte Hand auf dem Kopf, die linke auf dem Knie. Wenn man solche mit Wasser füllt, auf Kohlen setzt und den Mund und die auf dem Kopfe befindlichen Löcher zustopft, so springt der Propf mit einem Knall hervor, der den Champagnerliebhabern eine so angenehme Musik ist; das Wasser sprudelt (püstet) heraus in Dünsten, fällt auf die Kohlen, und macht neue Spektakel. Professor Imanuel Weber zu Gießen, der stets sonderbare Gegenstände zu seinen Dissertationen wählte, schrieb auch eine dicke Dissertation: de Pustero vetere Germ. ad Herciniam idolo. *) Gies. 1723, 4. wo man den Abgott getreu von Vorn und von Hinten abgebildet findet, wie Schwanz-Kapuziner. Wohl mag Püstrich mehr als bloße physikalische Spielerei, und ein — heidnisches Götzenbild gewesen seyn, zum Schrecken des Volks, denn die Druiden waren wohl so schlau, als ägyptische, griechische und römische Priester, unsre christlichen Pfaffen und Mönche nicht zu vergessen, und alle die hochwürdigen Präsidenten der Gnadenorte, die ja noch in unsern Zeiten die Mutter der Gnaden, wenn gleich von Holz, sich wenden, lächeln und weinen ließen, selbst im 19ten Jahrhundert solche Versuche machen, und nie über die Frage der Akademie im Widerspruch mit einander waren: Ist es erlaubt, das Volk zu betrügen?

Zu Sondershausen ruhet auch der einst berühmte Schriftsteller Wezel (geboren 1747, † 1819), der schwermüthig über fehlgeschlagene Hoffnungen sich 1786 nach seinem Geburtsort zog, neun Jahre lang von seinem Schatze (220 Thaler), und zuletzt von der Gnade des Hofes (5 Gr. täglich) lebte, nachdem er sich lange eigensinnig blos mit

---

*) Ueber den Püstrich, ein altes Götzenbild am Harz.

Kartoffel und Branntwein das Leben gefristet, und als ihm
sein Tabak ausging, Papierschnittel rauchte, zuletzt aber
gar nicht mehr, was er vor dem Papierschnittel schon hätte
thun sollen. Tagelang streifte er barfuß aber gekleidet in einen
scharlachnen Rock und Hosen in Wäldern umher, Scripto-
rum chorus omnis amat nemus et fugit urbes *), sprach
mit Niemand, reinigte seine Kammer so wenig als Bart
und Nägel, ließ nie einheizen, blies die Trompete zum
Fenster hinaus — und ging zuletzt gar nicht mehr hervor
aus dieser Kammer, die Speisen mußten ihm vor die Thüre
gestellt werden. Er hinterließ einen Stoß Papiere mit der
Aufschrift: Opera Dei Wezelii ab a 1786 usque **) —
Deus will hier so viel sagen, als Genie oder — Narr,
jedoch wäre möglich, daß der arme Wezel an Virgils schöne
Stelle, wobei Dido ausrief: „Ich verachte die Welt,
und mich, wenn ich sie übersetzen will!" gedacht hätte:

> Aude Hospes contemnere opes et te quoque dignum
> Finge Deo ***). . . .

Viele Sondershäuser mögen wohl (sammt und son-
ders war mir in der ersten Ausgabe in die Feder gekommen, woran Sondershausen selbst Schuld seyn mag
— und das war dann wieder Schuld an der böotischen
Critik jenes Sonderhäusers, der mit Verläumdung um
sich warf. Ich sprach im Allgemeinen — gewiß gibt es
auch gebildete Sondershäuser, zumalen ein Hof da ist,
worunter aber Hr. G. nicht zu gehören scheint, es müßte
ihn denn ein ächt krähwinkelischer amor patriæ — aus dem
Gleichgewicht gebracht haben) gar keinen Begriff davon
gehabt haben, wie ein Mensch den Verstand verlieren könne!
Wezel, dessen Romane, selbst einige seiner Lustspiele und

---

*) Die Schriftsteller lieben die Wälder und fliehen die Städte.
**) Werke des Gottes (Deus) Wezel vom Jahr 1786 —
***) Gold zu verachten o Freund! und nach Götter Würde zu
                                  ringen,
    Wage getrost!

fein philofophifdhes Werk über den Menfchen, gar manche
neue Probucte übertroffen — hatte aber viel Verftand, defto
fchlimmer! Unter unglücklichen unerwarteten Verhältniffen,
getäufcht von üneblen Menfchen, denen man fich mit vollem
Vertrauen hingab, und von erbärmlichen Mißgeburten, denen man es aber doch nicht fagen darf — umlagert —
bei erlittenem Unrecht und der felbft gemachten Erfahrung:
„Freund in der Noth, gehn zehn auf ein Loth,"
in langen Kämpfen mit groben Egoiften oder ganz demo-
ralifirten Schurken, erhalten Seines Gleichen, die in der
Regel noch mit großer Reitzbarkeit und einer guten Dofis
Stolz verfehen find, am allerehcften — den Narren-
Orden!

Links von Sondershaufen 1½ Stunden, an den Gränzen des Fürftenthums, liegt die wohlerhaltene Ruine Straus-
berg mitten in Wäldern, was ihr doppelt melancholifchen
Charafter gibt, und vom obern Stock genießt man der
herrlichften Fernficht nach Nordhaufen und dem Harz; noch
jetzt wird in dem alten Kirchlein alle vierzehn Tage Gottes-
dienft gehalten, und auf dem alten Thurme drehet fich noch
die Wetterfahne der Ritter. In gleicher Ferne rechts gegen
Frankenhaufen liegt eine zweite Ruine Arnsburg, noch
einfamer in Wäldern, und nur im Thälchen der Wipper
erinnert eine Mühle, daß hier noch Menfchen find. Fran-
fenhaufen mit ergiebigen Salzquellen — Bürgergut, und
4000 Seelen, ift befannt durch die fchreckliche Niederlage
der von Th. Münzer irregeführten Bauern, der nicht blos
die Kugeln in feinem Aermel auffangen wollte, fondern
auch auf den Regenbogen als Gnadenzeichen hinwieß, fo, daß fie das Lied: Komm heiliger Geift an-
ftimmten, und angriffen, ob ihnen gleich die Fürften Gnade
angeboten hatten; Münzer hatte fie verfichert, daß keine
Kugel die Auserwählten treffen werde — der Auserwählten
auf den Beinen wurden aber immer weniger, und fo wichen fie — 5000 aber blieben, und der Regenbogen
wurde für fie, wie in der nordifchen Mythologie — die

Brücke zum Himmel! Der Berg, wo sie lagerten, heißt noch der Schlachtberg. Ob das Wort Rädelsführer nicht älter ist, als das Rad in den Fahnen dieser Bauern?

Bei Frankenhausen liegt auch ein Dörfchen Ichstadt, könnte man alle groben Ichlinge dahin verbannen, so würde es größer werden als London, für die feinern gibt es ohnehin nicht Dach und Fach genug. Die philosophischen Ich und Nicht Ich, alle theoretischen Ichlinge, wie der edle Helvetius, alle Ichs, die Klokenbring aufzählt als Versuch einer Tonologie, die mir so wichtig scheint als Physiognomie, und die noch zu schreiben ist, alle, die die Sprache des Kukuks sprechen, was oft blos Mangel feinerer Erziehung ist, und neben der gemüthlichsten Theilnahme bestehen kann — sind Kinder gegen die practischen Ichlinge, die in aller Stille und mit möglichster Feinheit das plattdeutsche Motto befolgen: Egen Dr.. stinkt nig! Sie lachen über den Spruch des Apostels: „Unser keiner lebt ihm selber!" Wem denn? ihr Schwärmer! Den Beutel gefüllt! — Man kann nur Einen Freund, nur Eine Geliebte recht lieben — also schenken sie ihr Herz nur Einem — ihrem Ich. Charité bien ordonnée commence par soi — même *).

———————

Zwölfter Brief.

Das Königreich Preußen

betreten wir jetzt ex professo, nach dem wir lange genug in und an seinen Gränzen umhergeschwärmet sind — der

———————

*) Wohlgeordnete Menschenliebe fängt bei — dem eigenen Ich an.

Geist darf sich freuen — aber der Leib? hinter Magdeburg und Halberstadt, ja schon hinter Leipzig erwartet uns
die Natur als Stiefmutter, und verläßt uns nicht bis
an Hamburgs Thore, und bis an die Ufer der Ostsee!
Hier und da erhalten wir einen freundlichen Blick — hier
und da stoßen wir auf lachende Gegenden, aber es sind
Oasen in der Wüste — Sand, Kiefern, Haiden verlassen
uns selten. Der Frühling ist dem nördlichen Clima ange-
messen nur kurz, der Sommer schwül, der Herbst rauh,
der Winter strenge; trockene Ostwinde wehen häufig und
treiben Wolken von Sand und Staub vor sich her, die jedoch die Luft reinigen. In Preußen dachte ich oft an des
trefflichen Preußen Scheffners Worte: „Ich bin ein ein-
gefleischter Preuße, das Clima ausgenommen."
— Die großen Völkerwanderungen gingen daher meist
aus dem Norden nach dem Süden, der Geist aber liebte
die umgekehrte Richtung von Indien nach Aegypten —
von da nach Griechenland und Rom, und nach dem Norden, und so lassen wir uns um des Geistes willen selbst
die Lage der Hauptstadt gefallen. Wer — Berlin auf
Sand baute — hat es zu verantworten, weit besser wäre
die Lage Potsdams gewesen, wo es doch noch Erde,
Kräuter und Bäume gibt. Hier kann man dem verdiente-
sten Helden weder Palmen streuen, noch mit Lorbeer und
Eichenlaub aufwarten, es bleiben nur — Fichtenzweige,
dafür hat es aber Sand im Ueberfluß, um das Gesetz
Muhameds zu befolgen, in Ermanglung des Wassers ein
Sandbad zu nehmen, wie die Hühner!
    Diese Gegenden sind wie gemacht zum Bau von Luft-
schlössern — wir sind ja aus dem animalischen Leben jetzt in's geistige übergegangen. — Die Fee Einbildungskraft steht uns zur Seite, glücklich der Reisende —
der Luftschlösser zu bauen versteht, die weder etwas zu bauen
noch zu unterhalten kosten, und doch die Langweile verscheuchen, und allen Unmuth der Augen und des Gemüthes.
Diese Gegenden haben noch ein Gutes — wir werden uns

weit kürzer fassen können, wenn wir das Riesengebirge, Berlin und Rügen im Rücken haben. Im Süden ist fast jeder Winkel interessant, im Norden sucht man baldmöglichst von einer Stadt zur andern zu kommen ohne an Absteher nur zu denken; man ist froh, wenn man auf der Hauptstraße durchkommt. Ich werde nun weit kürzer seyn dürfen, ohne etwas zu verabsäumen, bis wir uns wieder den gottgesegneten Ufern nähern, wo Vater Rhein thronet, und Rhein-Preußen den übrigen Theil Preußens vergessen macht!

Preußen, das zweite Glied unserer deutschen Bundeskette, nach Oestreich die zweite Macht in Mitteleuropa, ist unser Wächter und Pförtner gegen Rußland und Frankreich, das an die Stelle der Türken getreten ist. — Preußen, das noch vor tausend Jahren ein Tummelplatz halbwilder Wenden und Deutschen war. Unsere Kaiser bestellten gegen diese Wenden eigene Markgrafen — Siegfried, Schwager Kaiser Heinrichs I. soll der erste gewesen seyn (927), der wichtigste aber war Albrecht der Bär aus dem Hause Anhalt 1147. Dieser und seine Nachfolger griffen schon wacker um sich, und Kaiser Sigismund, der zu seiner Herzensangelegenheit, dem schändlichen Concilium zu Costanz, Geld brauchte, verkaufte die Sandmark Brandenburg, nebst der Kurwürde, für 400,000 Goldgülden an den Burggrafen Friedrich von Zollern, welcher der erste Kurfürst von Brandenburg wurde 1417. Einem schändlichen Concil verdankt Brandenburg seine Größe, so gut als dem wackern Deutsch-Ordensstaat!

Dieser Friedrich benahm sich sehr kräftig gegen den Märkischen Raubadel, die Maltitze, Püttlitze, Quitsow, Rochow ꝛc., die ihn nur den Nürnberger Tand zu nennen pflegten; ja Quitsow sagte sogar: „Und wenn es auch ein Jahr lang Burggrafen regnet, so sollen sie doch in der Mark nicht gedeihen," aber sie gediehen, und Friedrich donnerte mit seiner faulen

Grete, so hieß die einzige Kanone die er hatte, die Raub-
höhlen jener Steggreifritter darnieder. Eine ungewöhn-
liche Reihenfolge guter Fürsten erhob die Mark
Brandenburg zu einem Staat erster Größe, wenn auch
gerade Albert und Johann nicht darunter gezählt werden
mögen, obgleich der erstere Achilles und Ulysses heißt, und
der letztere Cicero, und noch weniger Georg Wilhelm, der
sich von seinem dem Kaiser verkauften Grafen Schwarzenberg am Narrenseil herum führen ließ!

Wenn man anderwärts nur Verschwender, Weichlinge
und Schwächlinge auf dem Thron erblickte, so ruhte in
Brandenburg der Geist der Sparsamkeit und Wachsamkeit
auf den Regenten, und der große Kurfürst erhob die
kleine von der Natur selbst mißhandelte Provinz zu einem
Staate von Gewicht. Unter Johann Sigismund kam das
Herzogthum Preußen zur Kur-Brandenburg — es
eröffnete sich die Aussicht auf die reiche Clevische Erbschaft, aber leider! verwüstete der dreißigjährige Krieg die
Länder schrecklich — mit 20,000 Mann hätte man Schwe-
den und Oestreich imponiren können, man hatte nur 6000.
Der große Kurfürst that Wunder, rundete sein Land durch
Hinter-Pommern, Magdeburg, Halberstadt, Minden zc.,
und bleibt der wahre Begründer des preußischen Staates,
wenn er gleich nur 2000 Quatratmeilen mit 1½ Millionen
Menschen zusammenbrachte. Friedrich Wilhelm erregte die
Eifersucht Schwedens und Oestreichs, so daß Minister Ho-
cher rief: „Soll der Kaiser zugeben, daß ein neuer
Vandalenkönig an der Ostsee auftrete?" Friedrich
Wilhelm ist größer als seine Zeitgenossen Louis XIV. und
Cromwell. Noch hat dieser große Mann keinen würdi-
gen Biographen (Puffendorf ist bloßer Materialien-
sammler) aber hat ihn schon der größere Urenkel gefunden?

Kurfürst Friedrich III. setzte sich aus Eitelkeit, Prachtliebe und Eifersucht, eine Krone auf — war ja der Prinz
von Oranien auf Englands Thron gestiegen, und Sachsen
schon mit einem Fuß auf dem Polnischen? Minister Dau-

kelmann widersprach, und mußte nach Spandau, Wartenberg war gefälliger, und der spanische Successionskrieg machte auch Oestreich entgegenkommender, denn die 10,000 Brandenburger konnte man wohl gebrauchen. Die Mächte erkannten seine Krone an, Papst und Deutschorden ausgenommen, aber der Gemahlin aus Hannover, der Freundin Leibnitzens, that es wehe nach Preußen zu gehen, um mit einem Aesop die Theaterkönigin zu spielen, nur Friedrich dünkte sich desto seliger in dieser Krone, die ihm erlaubte seine Prachtliebe zu entwickeln. Wenn wir Pöllnitz glauben dürfen, so gab ihm die erste Idee — ein verweigerter Armstuhl. Er unterredete sich mit König Wilhelm III. im Haag, und selbst diese Unterredung hätte nicht Statt gefunden, wenn Wilhelm nicht versprochen hätte, bei seinem Gegenbesuche zu Cleve über den Armstuhl hinwegsehen zu wollen, als im eigenen Hause. Im Haag unterredete man sich — stehend! Der Nachfolger war das gerade Gegenstück, der auf seinen neuen groben blauen Rock die vergoldeten Kupferknöpfe vom alten setzen ließ, den Voltaire nur le Vandale *) nannte, und König Georg II. nur den Roi Sergeant **) — der aber seinem großen Sohn wacker in die Hand arbeitete. Er behandelte sein Land wie ein Regiment — aber hatte nicht Napoleon Lust es mit ganz Europa so zu halten?

Friedrich der Große machte Brandenburg eigentlich erst zu Preußen, vor ihm spielte es die Rolle Hessens, der Salomo du Nord aber, wie ihn Voltaire sehr unpassend nannte, gewann Westpreußen und Schlesien, um welches letztere er mit der halben Macht Europens kämpfte. Man bewunderte Louis XIV., daß er Deutschland, England, Holland und Italien Widerstand leistete an der Spitze des reichen Frankreichs — wie hoch steht Friedrich in seinem armen Preußen, Friedrich, der

---

*) Den Vandalen.
**) Den König-Wachtmeister.

Alles selbst that, der große Louis nur durch andere, wie
hoch selbst über Napoleon, wenn wir dessen ungeheure Hilfs-
mittel mit den seinigen vergleichen — er machte die Händel, die er anfing, auch aus, und starb auf dem Thron in
seiner Glorie! Durch Geist allein siegte er über das mächtige Oestreich, wie das kleine Europa über die zwei größern
und gesegnetern Theile der Erde, und wo die Löwenhaut
des Hercules nicht ausreichen wollte, wußte er auch das
Fuchsfell anzupassen. Seine Oeuvres stehen vor mir
in 25 Bänden — sie werden ihn nicht unsterblich machen
aber Preußen! Groß geboren werden ist in der Regel
das Mittel stets klein zu bleiben — Friedrich wurde
immer größer, und machte auch Preußen groß, und
der Glanz dieses Genius verbreitete Licht über alles um
ihn her, wie der Lichtglanz des Jesuskindes in Correggios
Nacht!

Schon mit der unglücklichen Kirchentrennung bildeten
die Protestanten die Opposition des Reichs gegen den
Kaiser — Sachsen und Hessen zuerst, dann Frankreich
im Bunde mit Baiern, und zuletzt Brandenburg,
nachdem es Preußen geworden war — alles auf Kosten
deutscher Nationaleinheit! Da Preußen gar den
unseligen Basler Frieden schloß, und die berüchtigte
Demarkationslinie zog — sein Reichs-Contingent si
nach Polen verirrte, da es Hannovers Bitte um Schu
nicht berücksichtigte, und lieber zügellose Republikaner di
deutsche Provinz besetzen ließ, die Niederlagen Oestrei
den Untergang des Reichs, und die Verletzung des eigen
Gebietes mit ansahe, ohne loszubrechen — da vergaß m
Aristokraten und Demokraten in Deutschland — es g
nur Preußen und Antipreußen, das Vaterland erle
seine Franzosenschmach und tiefste Erniedrigung — Pr
ßen aber siebenjährigen Jammer, härter als der siebenjä
rige Krieg! Wer Preußen ergeben war — und dieß war
wohl die meisten Protestanten — den schmerzte dieser Ja
mer tief, und noch weit mehr die Schadenfreude im

Süden! Preußen fand keinen Freund mehr, als das Unglück hereinbrach, furchtbar rächte sich die aus der Politik verscheuchte Moral, und der Deutsche sprach, wie dorten der Herr: „Was haft du gethan, die Stimme Abels schreiet zu mir?" Politische Coquetterie kann nur kurze Zeit täuschen — täuscht ja selbst die natürlichere weibliche nur so lange, als man — verliebt ist!

Wie wäre es schon 1799 den frechen Galliern ergangen, als Carl, Kray und Souvarow solche vor sich herjagten, wenn auch im Norden Preußen, Sachsen, Hannover und Hessen mit ihren Waffen so thätig gewesen wären, als die geistlichen Stände mit ihren votis! Warum schlug doch Preußen 1805 nicht los, als Bernadotte das neutrale Anspacher Gebiet verletzte, mit 250,000 Preußen, und 60,000 patriotischen Sachsen und Hessen zur Seite! Der Wütherich würde schon 1805 das Ziel gefunden haben, das er erst 1815 fand! War denn gar Niemand in Preußen, der Friedrichs Worte erwog: il est dangereux d'offenser à demi, et quiconque menace, doit frapper *)? Davus sum non Oedipus, und doch schien das Räthsel so leicht, als das von der Sphinx aufgegebene Räthsel, welches jede Charadeliebhaberin unserer Zeit auf der Stelle löset!

Und weit mehr noch als alle politischen Fehler schadete der Wahn der siegreichen adelichen Waffen, und der Kriegsschule des großen Friedrichs gegenüber den französischen Heeren, deren Offiziere ja nur Bürgerpack — the sons of her own deeds **) und keine Reiter wären! Das sind sie auch in der That nicht, daher sie nicht einmal ein Wort für Reiten haben, und selbst vom Eselsreiten sagen: aller à cheval sur un ane — mais — in pedibus robur. Die Anführer zweifelten an der Möglichkeit eines Angriffes, wie

---

*) Es ist gefährlich, seinen Feind nur halb zu beleidigen, wer droht, muß gleich drein schlagen.

**) Die Söhne ihrer eigenen Thaten.

Melas in Italien, bis jene Jena und Auerstädt, und diesen Marengo vom Gegentheil überzeugt hatten! Nichts schmerzte mehr, als sich von Napoleon überlistet (outwittet sagt der Britte noch schöner) zu sehen — die pfiffigen Preußen, und so negocirten sie nicht einmal so lange, bis etwa die Russen nahe waren — sondern platzten los! — So wie Oestreicher das Jahr zuvor vorprallten an die Iller, um Baierns Neutralität zu vernichten — so Preußen 1806 nach Thüringen, um Sachsen zum Alliirten zu haben — sie platzten los und — zerplatzten! Die Preußen gelten unter den Deutschen Völkerschaften für die klügsten und gewandtesten, wie in Großbritannien die Bewohner von — Yorkshire — give him a Saddle, and he will find a horse sagt ein englisches Sprüchwort — und Millionen Deutscher behaupteten dieß auch von Preußen bis zur Jenaer Schlacht!

Wer da stehet, der sehe wohl zu, daß er nicht falle — die Preußen, die so oft der Oestreicher spotteten, fielen weit schrecklicher! In Preußen war vor dieser großen Lehrstunde der Dünkel des Kriegerstandes so höhnend und drückend, daß selbst der preußische Civilstand Freude hatte an seiner Demüthigung,

> — quem duplici panno patientia velat
> mirabor vitæ via si conversa docebit*). . . .

der Adel hatte dem ehrlichen Bürger jedes Plätzchen i Tempel der Ehre hinweggenommen — kein Civil hatte den Verdienstorden (Voltaire ausgenomm aber beim Militär wuchs die Zahl der Decorirten in b Maaße, in dem sich die Zahl der Verdienstvollen vermi derte — dem Bürger blieb blos der Tempel der T gend. Noch heute wäre es eine würdige academis Preißaufgabe: „Welches sind die zweckmäßigsten

---

*) Freuen soll er uns sehr, ihr Helden des doppelten Tuches,
Wenn euch die Lehre gefrommt, die ihr so reichlich verdient.

Mittel der Abneigung zwischen Adel und dem gebildeten Bürgerstand abzuhelfen?"

, Men should press forward in Fames glorious chace
Nobles look backward, and so lose the race *)!

Wir sahen das gefürchtete Preußen 1806 wie durch einen Zauberschlag Napoleons vernichtet, und gedachten Friedrichs — „200,000 Preußen sind mir 200,000 Vögel, 100,000 fange ich, und 100,000 fliegen davon," hatte der Allmächtige gesagt, und Wort gehalten — aber nach sieben Leidens- und Läuterungsjahren machte Friedrich Wilhelm III. dennoch die Worte seines Großoheims wahr: „il me recommençera **)," mit Hülfe seiner tapfern patriotischen Bürger! Vor dem Tilsiter Frieden hatte Preußen, mit Einschluß Hannovers (eine Lockspeise, die Napoleon Preußen hinhielt, wie Oestreich Venedig), und nach Abzug des abgetretenen Cleve, Ansbach und Neuchatel, 6119 Quadratmeilen und über zehn Millionen Seelen — nach diesem Frieden sank es herab auf 2892 Quadratmeilen und 5,440,000 Seelen, die Armee sollte 42,000 Mann nicht übersteigen, und alles bewilligte der aufgeblasene Sieger nur — aus Achtung gegen Alexander! Hiezu noch 150 Millionen Kriegssteuer — keine Räumung, die doch versprochen wurde, und die unedelsten und zahllosesten Kränkungen aller Art sieben Jahre lang! So tief sank die Monarchie Friedrichs binnen sieben Wochen, die mit nicht mehr Kräften, als ihr jetzt noch blieben, sieben Jahre lang halb Europa widerstanden hatte! Welche Lehre!

Die neuere Geschichte hat kein Beispiel einer so schnellen und so tiefen Erniedrigung — kein Beispiel von solcher

---

*) Männer drängen vorwärts immer nach des Fama-Tempels Thoren,
Adel blicket rückwärts stets, und so geht sein Spiel verloren.

**) Er wird wieder da anfangen, wo ich das Spiel gelassen — er wird ein zweiter Friedrich werden!

militärischer Schande — die Preußen hätten wie David
mit der Morgenröthe fliehen mögen bis an's äußerste Meer —

> Una salus victis nullam sperare salutem
> sic animis juvenum furor additus *)!

Gerade der Tilsiter Friede, der Preußen so tief demüthigte, legte den ersten Grund zu Napoleons Sturz, der
im Rausche seines Ruhms, und der Freundschaft Alexanders vergaß — Polen wiederherzustellen — wobei
wir die so schlecht gelohnten spanischen Cortes nicht
vergessen wollen, zuletzt zog er noch wie ein Carl XII. in
sein Verderben! Wäre Napoleon in Rußland glücklich gewesen, so gäbe es gar kein Preußen mehr — die Preußen
lernten in der Schule Napoleons, wo der Krieg nach ganz
neuen Grundsätzen geführt wurde, denen die alten Pen-
rücken nicht mehr gewachsen waren, wie die Oestreicher,
als Gustav Adolph und später Friedrich der Große den
Krieg auf ihre Art führten — nur frische Geister begreifen frische neue Grundsätze — die Alten bleiben am Alten
hangen!

Preußen erhielt sein Schwerdt wieder, zog es aus,
und rief wie Cato von Utica: „Nun bin ich wieder
mein eigener Herr," ihm blieb in seiner verzweif-
lungsvollen Lage nichts übrig, als sein letztes Va Ban-
que! und sein Beispiel wirkte durch das ganze weite
deutsche Vaterland, Napoleon aber meinte: „die Deutschen haben das Fieber!" Man kennt Archenholz
Rede am Grabe der Monarchie — er glaubte an
keine Auferstehung — aber ein tüchtiges Fieber macht
den Körper desto gesünder, Unglück weckt erschlaffte Kräfte,
lehret Selbstkenntniß, und auf's Wort merken!

Nur verächtlich sprach der Sieger von Preußen, nannte
zwar mehrmals in seinen giftigen Pamphlets den König

---

*) Gar kein Heil mehr zu hoffen, nur das ist Heil für Besiegte,
  Dieß entflammte zur Wuth die Jünglinge.
  (Virgil Aeneid. II. 355).

parfait honnette homme *), aber von der liebenswürdigen Königin sprach er, wie von einer Armide dans l'égarement **), und einer Helena, die das Unglück Tro̓as herbeigeführt habe, und vom Prinzen Louis als einem Don Quixotte. „Mein Bruder, sprach er, hörte in dem Augenblick auf, König zu seyn, als er diesen Prinzen nicht aufknüpfen ließ, wie er die Fenster seiner Minister einschmieß.“ — Der Held bezog die Wohnung Friedrichs, hielt einen eiteln Einzug in Berlin, und ein ächter Seher rief bei diesem Triumph: „Si cet homme est un jour malheureux, il sera aussi lâche, qu'il est vain aujourdhui *)!“ Napoleon machte es wie Rom, er schlug ein Volk nach dem andern und wurde groß, fiel aber, als die Völker so klug wurden, sich zu vereinen — zuvor aber spielte er noch die Rolle Alexanders, und wollte für einen Sohn Jupiters gehalten und angebetet seyn! Er scheint keinen Philosophen Callisthenes um sich gehabt zu haben, der ihm die Wahrheit sagte, und wenn auch, so wäre es ihm ergangen, wie jenem, den Alexander in ein Käfig sperren ließ mit abgeschnittener Nase, Ohren und Füßen!

Die glorreichen Jahre 1813 — 1815 stellten Preußen wieder an den Platz, den es durch übermenschliche Anstrengungen sich verdiente. Die Preußen haben große Tage gehabt, aber nie Tage wie die von Großgörschen und Katzbach, von Dennewitz und Leipzig, denn nie hatten sie für eine so große Sache das Schwerdt gezogen, nie mit diesem Vaterlandsgeiste — sonst fochten sie nur als Soldaten, hier fochten Bürger im heiligen Krieg! der Groll gegen den Tyrannen wühlte in jeder Brust von oben bis unten, so war der Krieg national, es brauchte keine geheimen Verbindungen. Mit Recht steht

---

*) Einen ehrlichen braven Mann.
**) Eine Armide in ihren Verirrungen.
***) Sollte dieser Mann einmal Unglück erfahren, so wird er so feig seyn, als er jetzt übermüthig ist.

Preußen größer und stärker da als zuvor, mit fünftausend Quadratmeilen, zwölf bis dreizehn Millionen Seelen — sechszig Millionen Thaler Einkünfte, und lenkt in Allianz mit Rußland, Oestreich und England das Schicksal Europens. Preußen gehörte unter die wenigen Staaten, die statt Schulden, einen Schatz hatten — leider verschwendete Friedrichs Nachfolger, Friedrich Wilhelm II., der wie Saul eines Kopfes länger war, denn alles Volk — diesen Schatz, und machte noch Schulden, aber Friedrich Wilhelm III., voll edlen Gefühls seiner hohen Bestimmung, trat in die Fußstapfen seines Großoheims, und tilgte die Schulden durch väterlichen Staatshaushalt, als das Unglück hereinbrach.... Preußens Staatsschuld wird man jetzt immer zu 190 — 200 Millionen Thaler annehmen dürfen — alle Nerven waren schon früher gespannt — keine unbenutzte Hülfsquellen, wie in dem gesegnete Oestreich — nur strenge Diät kann den Staatskörper erhalten, und doch stehen die Tresorscheine — das einzige Papiergeld Preußens — al pari!

Die Interessen der Staatsschuld und eine Armee von 250,000 Mann, die 22 Millionen braucht, (die Civil-Armee eilf Millionen) nehmen das beste hinweg — aber Preußens Lage macht eine solche Armee nöthiger, denn anderwärts, und nur Nordamerika kann mit 6000 Mann Landtruppen bestehen, jedoch im Nothfalle in seinen 28 — 30 Staaten Eine Million Patrioten aufstellen, die unter einem zweiten Washington besser sind, als Söldner. Die Zeiten sind vorüber, wo eine Leibgarde von tausend Mann ausreichte, noch im Jahr 1640 hatte Brandenburg nur 3600 Mann Infanterie und 2500 Reuter — aber schon 1740 72,000 Mann und 1775 gar 240,000. Die Volksmenge ließ sich damals nicht höher als zu 5,700,000 Seelen anschlagen, folglich trieb der große König das Ding zu weit, wenn auch gleich vielleicht die Hälfte der Armee aus Ausländern bestand; und was noch schlimmer, Preußens Ansehen verleitete andere Herrscher zu

dem verkehrten Schluß: „Je größer das Heer, desto
stärker der Staat!" Jetzt steht die Armee von 250,000
Mann in besserem Verhältnisse zum Staat, wir rechnen
doch nach Procent, 1½ Procent von der ganzen Bevölkerung scheint dem ächten Sohn des Mars eine Kleinigkeit,
Napoleon wußte noch ganz anders zu rechnen — und fünf
Locken auf einer Seite, und auf der andern zwei — Puder und Zöpfe sind doch vorüber!

Gegen Oestreich ist Preußen gedeckt durch sechs Festungen: Glatz, Neisse, Silberberg, Kosel, Brieg und Glogau,
deren Basis die Oder ist, aber gegen Rußland und Frankreich gibt es große Blößen, und muß solche geben, denn
der ganze Staat hat ungemeine Aehnlichkeit mit den Häusern zu Potsdam und Berlin — lange Façaden ohne
Hintergrund von Memel bis Prüm, und vor Einverleibung Sachsens glich es selbst in seinem Herzen dem
Körper einer Wespe. Prince de Ligne hielt an Friedrichs
Tafel das Berliner Porcellainzeichen für ein Schwerdt:
„es ist ein Scepter," sagte der König — aber dieser
Scepter, erwiederte de Ligne, sieht einem Schwerdt
so ähnlich, daß man sich leicht irren kann! Preußen gleicht einem magern Grenadier, enggeschnürt
in knapper Uniform, und künstlich ausgestreckt
— seine höchste Kunst muß die Kunst seyn, Menschen
nach Regeln und en masse todtzuschlagen — sein Scepter
muß das Schwerdt bleiben, denn Kriege wird es stets
geben, trotz den Präliminarien des ewigen Friedens, sie
sind in der Menschenwelt das, was in der Natur Stürme
sind! Preußens Adler horstet daher auf Kanonen, Fahnen
und Trommeln, auf Kugeln, Schwerdtern, Picken und Bä-
renmützen, nicht blos auf seinen Thalern! Preußen hat
keine Seemacht und keine Colonien, und Friedrich
wies mit Recht alle Vorschläge zurück: „zu einer eigentlichen
Seemacht kann ich es nicht bringen, und ich würde mich nur

dadurch schwächen und abhängiger machen, für das Geld,
das ein Kriegsschiff kostet, kann ich ein Regiment errichten, und diß ist besser."

Freilich muß man geborner Preuße, oder wenigstens Deutscher seyn, um sich in die vielen Uniformen
zu finden. Der berühmte Italiener Alfieri wird ganz
Schmelfungus, wenn er von Preußen spricht, das ihm wie
eine große Caserne erschien, und das er mit Abscheu
verließ — Engländer und Holländer mögen gleicher Meinung
seyn; ich Deutscher habe eine gewisse Vorliebe für das
Militär, die selbst der Heiland (Matth. VIII.) an den Ta-
zu legen scheint. Die Armee ist die Stütze der Nationalehre
— unser glänzendster Punkt, und in ihr herrscht noch das
meiste Ehrgefühl, die meiste Redlichkeit und Einfachh
und der gradeste Sinn in der Verdorbenheit u
Weichlichkeit der Zeit, und ihrem Scheinleben. Der Vorwurf des allzuzahlreichen Doppeltuches trifft weit me
die Staaten des dritten und vierten Ranges, die k
eigentliche selbstständige politische Rolle zu spielen hab
In der preußischen Armee sind immer noch weit me
adeliche als bürgerliche Offiziere (was jedoch zu
Theil auch von Localitäten abhängt) nur in der Lan
wehr ist das Verhältniß umgekehrt, und im Gen
corps, wo man Köpfe braucht. Im alten hochadelic
Preußen stritt man sich: „ob ein Artillerieoffizier in
Generalstab eintreten könne? während sich ein kleiner
sischer Artillerielieutenant auf den Thron der Bourb
setzte!

Preußen ist einmal das deutsche Sparta, i
Soldat steht oben an, der Adel und Bauer ist Sol
selbst der König, seine Brüder und Söhne. Die r
Binde der Cantonspflichtigen galt für ein Ehrenzei
Alles kann man in der Armee brauchen, wie der Löwe
Fabel — selbst Hasen zu Couriren, Esel zu Trompet
und Juden zu Lieferanten und Packknechten; immer b
Soldaten als Pfaffen — lieber die Trompete als die Gl

— beide rufen zum Tode! Jener Junge beantwortete die
Catechismusfrage: „in welches Buch wurdest du bei deiner
Taufe eingeschrieben?" recht vernünftig: „in die Can-
tonsliste," wenn gleich der Frager solche für kein Buch
des Lebens hielt, so schadet es nichts, wenn die Militär-
pflichtigen solche dafür halten! In Preußen herrscht daher
wahrer Soldatengeist, Trenk fühlte sich größer, als
Alexander, wie der Major auf der Parade zum Erstenmale
Herr Lieutenant rief. Dieses Hochgefühl kennt kein
Secretär, der den Titel Rath erhält, und kein Rath,
der Director wird, aber es gibt eine Civilehre, so gut
als eine Militärehre. und es ist gut, diesen Satz noch
heute laut zu predigen. Allen Soldaten geht es wie Onkel
Toby, the name of a Soldier sounded in his ears as
the name of a friend *) — noch weniger kannte jenes
Hochgefühl — das einfältige alte Weib, das Friedrich anging,
ihren Sohn freizugeben, und da der König bemerkte: „Ich
bin ja auch Soldat, und alle meine Brüder" —
entgegnete:

> Das glaub' ich, sprach das Weib, sie lernten auch nichts
>   weiter,
> mein Gottlob aber ist ein — Schneider!

Preußen besteht aus zwei großen Ländermassen, dem
größern östlichen Theil, dem Kern der Monarchie, bestehend aus dem eigentlichen Königreich Preußen und Großherzogthum Posen (beide gehören nicht zum deutschen Bunde,
gehen uns also hier nichts an, so wenig als das kleine
Fürstenthum Neuchatel) Brandenburg, Pommern, Schlesien und Sachsen, und dem kleinern westlichen Theil, Westphalen, Jülich, Berg, Cleve und Niederrhein oder Rheinpreußen. Diese Länder der Monarchie kann man eben
nicht von der Natur besonders begünstigt nennen, wenn

---

*) Der Name „Soldat" tönte so lieblich in seinen Ohren,
wie der Name „Freund."

wir Sachsen, Schlesien und Rheinpreußen ausnehmen —
es sind meist weite Flächen, wo die Gewässer, Seen und
Moräste bilden, und einförmige Sandebenen und Heiden;
nur die Umgebungen der Sudeten, des Thüringer Waldes,
des Harzes und Wesergebirges sind anziehend, wie die
Insel Rügen, und der schönste Theil der ganzen Monarchie bleibt das Rheinland von Bingen bis Bonn. Ge-
traidegegenden, wie die Börden Magdeburgs, die goldne
Aue, und die Niederungen bei Marienwerder und Posen
sind glückliche Ausnahmen. Das Wort Preußen komm
nicht von den Britzen, sondern ist gut polnisch Po-
Beyrussen, die tapfern Deutschordensritter verbreit
den Namen über Europa, und Friedrich über die ga
Welt.

In Preußen ist der Ackerbau (neben Cartoff
bau) die erste Quelle des Nationaleinkommens,
Viehzucht zusammenhängt, Fabriken und Manuf
turen aber, so hoch der Gewerbfleiß auch steht,
eigentlich nur in Schlesien, Sachsen, Westphalen und
Rhein zu suchen. Preußen verdankt den französis
Ausgewanderten zunächst Manufacturen und Ha
wie den spätern Salzburgern, und Friedrich wurd
wahre Schöpfer des Gewerbfleißes, wie nach ihm K
Joseph, daher man das francais refugié der B
billiger beurtheilen muß. Jene bürgerlichen Emi
ten, (himmelweit verschieden von den adelichen
granten unserer Zeit) die Louis XIV. und sein Be
vater la Chaise durch Dragonaden aus dem
jagte, obgleich Colbert, ohne sich auf Religion t
lassen, der Meinung war: „daß diese Hugenotten,
auch keine Catholiken, doch gute Kaufleute und Fabrik
seyen, deren der Staat bedürfe, und wollten sie ni
das Paradies, so würden die Katholiken desto mehr
finden," nahm der Große Churfürst mit offenen
auf. Sie brachten auch Geschmack für Wissensch
Kunst und feinere Sitten mit, was der altdeutschen

danterei und gelehrten Steifheit Noth that. Wer weiß,
ob ohne ihre Dazwischenkunft nicht das Projekt eine lateinische Stadt zu gründen, ausgeführt worden wäre,
das so ernstlich gemeint war, als das Projekt des schwärmerischen Plotinus unter Kaiser Gallienus, eine Platono-
polis zu bauen? Wahrscheinlich hätte die Welt über beide
viel zu lachen gehabt. Offenbar verdankt der Norden
seinen Vorsprung vor dem Süden, diesen Refugiés so gut
als der Reformation!

Preußens Lage ist für den Handel vortheilhafter als
die Lage Oestreichs, zwischen Fabrikländern im Westen,
und dem productenreichen Norden und Osten. Das Meer
bespühlt seine Küsten in einer Strecke von hundert Meilen,
und Flüsse und Canäle sorgen reichlich für die innere Communikation, aber — das leidige Zollsystem hindert offenbar die größere Ausdehnung. Der Handel liebt Freiheit, und macht lieber Umwege, und die Staatsmo-
nopole, die geringe Wohlhabenheit der Nation, die militärische Haltung &c. sind auch keine Beförderungsmittel.
So sollen die Erzeugnisse des fruchtbaren südlichen Polens,
die sonst auf der Weichsel in die Ostsee gingen, nach dem
Niester und Odessa fließen! Es ist noch Problem: ob
Preußen bei seinem Handel gewinne? und für die preußische Flagge muß noch gar viel geschehen, bis sie den
Ruf der Landarmee erreichen wird, obgleich schon der
Große Kurfürst sich mit Spanien zur See herumschlug,
und eine Brandenburgische Compagnie auf Guinea anlegte.
„Jeder Ducate, sagte er, den ich aus dem Gold-
sande schlagen lasse, kostet mich zwei!"

Preußen zählt sechs Universitäten, Berlin, Breslau, Königsberg, Greifswalde, Halle und Bonn; Greifswalde dürfte eingehen. Der Norden ist eine Heimath
der Wissenschaften, aber für Kunst scheint er weniger geeignet. Friedrich that viel für Kunst, aber einheimisch konnte er sie nicht machen, denn sie ist ein

Kind des Ueberflusses und Wohlstandes; Noth weckt zwar
Kunst, aber dann ist sie höchstens Taglöhnerei, wozu
sich selbst Chodowiecky verstehen mußte, dessen Alma-
nachs-Kupferstiche und Vignetten der Maculatur Absatz
verschafften. Wichtiger ist die Gesetzgebung — Carmer überflügelte Cocceji weit, und der deutsche Carmer
steht, wo nicht über, doch neben Montesquieu, Blackstone
und Filangieri; die preußische Justizpflege halte
ich für die beste in Europa, und unsere südliche Themis
könnte von ihr wenigstens humanere und reinere
Sprache annehmen. Noch wichtiger ist die Aufhebung
der Leibeigenschaft und Erbunterthänigkeit, der
Bauer, der letzte, oder eigentlich erste Stand athmet
freier, die Agricultur muß sich heben. Der Bürger
ist auch dem Adel etwas näher gerückt, und hat Hoffnung
zu Stellen, auf die sonst der Adel allein ein Recht zu
haben glaubte, wie in der noblen Zeit des Mittelalters.
Unglück lehrt auf's Wort merken!

Deutschland sieht wieder mit Wohlgefallen auf Preußen, die versprochene repräsentative Verfassung
tritt in's Leben. Die Zögerung wirkte nachtheilig auf die
gute Meinung von Preußen, wie in Preußen selbst auf
das Vertrauen zur Regierung, und verminderte dessen
Einfluß auf deutsche Staaten, die sonst in ihm ihren Stützpunkt sahen. Viele wurden darüben maulhängolisch,
wie mein alter Philander von Sittenwald spricht, hätten
aber — bedenken sollen, daß die Sache in Preußen schwieriger seyn mußte, als in Baiern, Würtemberg und Baden,
und hier wieder schwieriger als in Hessen, Nassau, Weimar, Coburg und Hildburghausen. Es ließen sich in der
That nur Provincialverfassungen denken, und diese
bilden sich jetzt, wie sich's auch von dem Wort eines so
redlichen Königs nicht anders erwarten ließ. Ich
hoffe, in Deutschland dürfen wir noch einen König Bie-
dermann nennen, (was in Frankreich nicht mehr angehen soll, vielleicht selbst nicht mehr un Chat regarde bien

,un Eveque? *) einen Monarchen, der nicht wie Louis XIV.
roth würde, wenn ihm bei einem großen Opfer seines
Volks die Natur das Wort Erkenntlichkeit, statt
Gnade, plötzlich in Mund gäbe. Er fühlt wie Louis XVI.
die Leiden seines Volks, aber klarer als der Unglückliche
erkennt er auch die Rechte desselben, und wird den schönen Namen Wiederhersteller constitutioneller
Freiheit in Wahrheit ärndten; bis die Verfassungen
in's Leben treten, ist — die hohe Rechtlichkeit des Monarchen, die treffliche Erziehung des Kronprinzen, und die
ächt preußische Ordnung in allen Dingen die schönste Garantie. Ein constitutionelles Preußen mit zwölf
Millionen Menschen, und das constitutionelle System
hat in Deutschland festen Boden, wenn es im Geiste
des Volks, (nicht im Geiste der Zeit) durchgeführt
wird, der reelle politische Freiheit, und materielles
Wohlseyn fordert. Kein deutsches Volk hat eine so ge-
löste Zunge, als das preußische, vielleicht erhalten wir
hier zuerst Redner, wie sie Griechen, Römer und Britten
haben — Pitt, Burke, Sheridan, Fox, Erskine c. Mirabeau nicht zu vergessen, aber Junius Letters wollen
wir uns doch noch vor der Hand verbitten! und Philippica
oder demosthenische Donnerreden der Kanzel überlassen!
    Der Britte Rußel hat vollkommen Recht: „kein
Volk auf dem Festlande ist der politischen Freiheit würdiger, als das deutsche, denn keines erwartet solche geduldi-
ger, nimmt sie dankbarer an, und gebraucht sie mit größerer
Mäßigung" — ich setzte hinzu: „und kein deutsches Volk ist
gereifter, als das preußische für gesetzliche Freiheit." —
In Preußen allein möchte man, statt König von Preußen, „König der Preußen" sagen dürfen, und hier
möchte es allenfalls geschehen können — daß der Premiermini-
ster, wenn er über den Debatten einschläft, wie Lord North, und

---

*) Eine Katze darf wohl einen Bischof ansehen. Sprüchwört-
lich: eine niedere Person darf sich wohl einer hohen nähern.

ein Burke sagte: „ich hoffe, die Regierung ist nicht todt, sondern schläft nur, und auf seine Herrlichkeit zeigend" — „Lazarus ist nicht todt, sondern schläfet" in das allgemeine Gelächter mit einstimme. Ein constitutionelles Preußen steht sicher fester, als Mirabeaus Monarchie prussienne, Constitutionen sichern die Rechte eines Volks besser, als der Zufall des besten Regenten, dem ein schlechter folgen kann, aber freilich verliert dabei die alte Anhänglichkeit an das Persönliche, oder an die herrschende Dynastie, im Grunde eine Art Kinderinteresse am Vater, wie in Oestreich. . .

Gott verläßt keinen Deutschen! Sind nicht im Zeitalter Napoleons oder mitten in Dummheiten, ja recht eigentlich durch unbeschreibliche Dummheiten große Dinge geschehen, und große Zwecke befördert worden? Gott ist unser bester Bundesgenosse, Er wird es auch machen, daß man nie — auf die Stände anwende, was Burke auf die Parlamentsglieder anwandte: Tria faciunt monachum — semper bene loqui de Domino superiore, facere officium suum taliter qualiter, et sinere res vadere, ut vadunt *) — Gott gebe, daß eines ausgezeichneten Preußen Worte nie öffentliche Meinung in Deutschland werden — die Worte Scheffners: „Landtage sind in Monarchien Englische Frühstücke, die die Staatshaushalter den Einwohnern geben, um desto ungestörter ihr Mittagsmahl vom Landesbesten halten zu können. Pölitz zählt 144 Constitutionen auf, und darunter 31, die schon wieder — selig entschlafen sind! aber die Zeiten sind doch Gottlob vorüber, wo dem Regenten das Regieren so leicht gemacht wurde, als Essen und Trinken — die Zeiten stupider Anbetung, selbst wenn ein Nero geigte,

---

*) Drei Dinge machen einen Mönch: daß er immer gut spricht von seinen Vorgesetzten, daß er seine Geschäfte verrichtet so so, daß er die Dinge gehen läßt, wie sie gehen wollen.

während Rom in vollen Flammen stand! la Nation, la loi, le Roi*)! ist nur — Jacobinerei in den
Augen unbenkender egoistischer Ultra!

Mit Vergnügen blickt der Deutsche wieder auf Preußen, weil es weit mehr deutscher Staat ist, als
Oestreich, fast ganz deutsch, denn die Slaven haben sich
so mit den Deutschen vermischt, daß ihr Eigenthümliches
höchstens noch in Hinterpommern unter den Casuben,
und im nordöstlichen Preußen zu merken ist. In Preußen
herrscht doch das meiste Licht, und die beste Staatsweisheit und Jammerschade! daß diese — Deutschen
so verschieden von einander sind! Wie verschieden ist nicht
der Brandenburger vom Schlesier, der Pommer vom Magdeburger, der Preuße vom Sachsen, der Westphälinger
vom Rheinpreußen? Der Schlesier und Brandenburger
zeichnet sich aus durch Kunstfleiß, der Pommer durch Häuslichkeit und Einfachheit, der Preuße durch Vaterlandsliebe,
und alle durch Muth und Tapferkeit, der Pole ist aber
freilich noch Pole, und selbst der Jude, trotz seiner Halb-
kultur, die ihn nur um so widriger macht, noch Jude.
Friedrich, Idol seines Volks und selbst vieler Ausländer,
gab seinen Völkern einen gewissen Preußenstolz, den
alle theilen, nur nicht der Pole und Jude, und gegenwärtig
auch noch nicht der Sachse und Rheinländer. Preußen entbehrt, wie man sieht, der Sectennamen nicht, wie
soll nun das ganze weite Vaterland solcher entbehren, und
in den ehrenvollern Stammnamen Deutsche zusammenfließen?

Der Fleiß und die Genügsamkeit der Bewohner
Preußens verdient unsere Bewunderung, und so auch die
Regierung, die durch Weisheit ersetzen muß, was die
Natur versagte durch ungünstige Lage und Verhältnisse.
Das reiche Sicilien, reich an Getraide, Oel, Seide,
Baumwolle, Wein, Agrumen, Zucker ꝛc. ist dennoch ärmer

---

*) Die Nation, das Gesetz, der König.

als Preußen mit wenig Getraide und viel Cartoffeln, mit
Rüben, Holzäpfel und Tannenzapfen! Und wie? wenn
man dem Oestreicher zumuthen wollte, den Sand halt-
und tragbar, die Moräste trocken und urbar zu machen,
oder gleich dem Rheinländer, den Dünger auf dem Rücken,
die Felsen hinanzuklettern, und Pflanzen zu nähren, die so
manches Jahr mit keinen Früchten lohnen? „Lossens
mi aus!" Die sogenannten Brüche der Marken würden
sie mehr verwirren, als den Knaben die Brüche, die
unter einen Nenner gebracht werden sollen, oder manchen
die Quadrat- und Cubikwurzeln, die Algeber und
Analysis des Unendlichen! Die Erzsandbüchse des
weiland heiligen R. Reichs hat nicht einmal Steine, sie
mußten sich selbst Steine machen, Backsteine, wie das
Volk Israel in Aegypten, und doch — stößt man überall
in Preußen auf blühende Colonien in's Land gezogener
Fremdlinge, auf schöne Bauten und Fabriken, reiche Weiden, Wiesen und Heerden, da wo vormals nur wüste
Heiden, Morast, Sumpfwasser und Sandflächen waren;
und Friedrich — wenn ich sein Zoll- Accise- und Schatz-
system abrechne, in der That. —

> Täglich Wunder that,
> und keine Wunder glaubt!

 Mit dem Seidenbau aber, der eine Unnatur in
diesen nördlichen Gegenden scheint, ist es wohl nichts? Er
gehörte unter die Steckenpferde des Großen Königs, die
nicht mehr geritten werden. Er befahl die Maulbeerbäume auf Kirchhöfe zu pflanzen wegen des fetten Erd-
reichs, und weil Prediger und Küster am ehesten Zeit
hätten, ihrer zu warten, ob sie gleich mit geistlichen So-
phismen kamen: „Wie? der Acker Gottes soll zur Eitelkeit dienen? die Gebeine der Kinder Gottes in ihrer Ruhe
gestört werden? sind wir nicht Arbeiter im Weinberge des
Herrn?" Man zählte denn doch 1782 über drei Millionen
Maulbeerbäume, die 11,000 Pf. Seide gaben! Schon Ce-
crops befahl in Attika auf Gräber Oelbäume zu pflanzen,

der Pallas Athens geheiliget und so ward Attika ein wahrer Oelgarten — aber Preußen? Kirschenbäume lasse ich mir gefallen, und vielleicht käme auch der Zuckerahorn fort, der ganz Pensilvanien längst mit Zucker versorgt; aber mit dem Maulbeerbaum steht es in Preußen, wie mit Citronen und Pomeranzen auch — sie sind sauer, und so denken auch die preußischen Seidenwürmer, non omnis fert omnia tellus*), obgleich Preußen sonst reich genug ist en aigrure, wie man in der Provence spricht — aber in unserm Süden würden die Würmer vielleicht die Blätter so gut finden, als ich die Beeren des schwarzen Maulbeerbaums zum Leidwesen meines Herrn Nachbars, und in Baiern, das wenig Dichter zählt, steht vielleicht ein Dichter auf, der den Seidenwurm besser besiegt als Bida! Schwerlich wird je ein Staat die Vollkommenheit der Lyoner Seidenfabriken erreichen und die Schönheit ihrer Farben; Luft und Wasser scheinen einzuwirken, wie bei der Fabrikation des Biers.

Deutsche Seidenfreunde kann ich unmöglich bedauern, wir brauchten keine Seide in unserem Clima — wohl aber Caffeefreunde. Ich zahlte zu Belitz oder Ziesar für die Portion Caffee (wenn anders nicht die Cichorien und gelbe Rüben meinen Mocca, Java oder Bourbon repräsentirten) sechszehn Gr.; und wurde noch von einem Mädchen in der Küche, als ich meine Pfeife anzündete — geschnüret, d. h. sie hängte mir ihre Schürze um, gegen einige Groschen. Friedrich erhöhte die Caffee- und Weinaccise, um den Brauereien aufzuhelfen, sagte den sich Beschwerenden: „Ich bin selbst mit Biersuppe erzogen worden!" und manche adeliche Häuser sogar schafften den Caffee ab, tranken aber dafür Thee, eine Stunde darauf Chocolate, und der gemeine Mann suchte Ersatz im — Branntwein!

Preußen muß jedem gefallen in geistiger Bezie-

---

*) Nicht jedes Land bringt Alles hervor.

hung, denn hier herrscht doch das meiste Licht — in
politischer und religiöser Beziehung. Die Gemeinde Gils-
dorf in der Mark begehrte schon 1792 als christliche
— nicht mehr lutherische — Gemeine geduldet zu werden, und ihr Prediger Schulze predigte — im Zopf!
Die neue Cabinetsordre des Königs wird den Büchern-
nachdruck verschwinden machen, ehe der deutsche Bundestag mit seiner Gesetzgebung fertig seyn wird — aber —
aber die Natur! die Natur! Weit natürlicher als die
Seidenraupe scheint dem Reisenden in diesen Marken
gegen alle vier Winde das Cameel, Cameel und Sandwüsten sind sehr analoge Ideen, ich habe wenigstens mehr
als einmal an Arabien, Niebuhr und das Cameel
gedacht, und mich damit entlangweilet. Und zählt nicht
der große Linné das Cameel unter die Schaafe, die in
den Marken so gut gedeihen — das Ovis Camelus *) hat
gespaltene Klauen, ist folglich nichts mehr als ein
Schaaf in höchster Potenz, und keineswegs blos der
heißen Zone eigen. Das Cameel ist in den höhern kältern
Steppen der Tartarei zu Hause und bleibt gesund unter
Tungusen und Buräten.

Gewiß käme das Schiff der Wüste hier fort, das
leicht tausend Pfund trägt, viele Meilen zurückgelegt ohne
Nahrung, mit schlechtem Futter zufrieden ist, wie der
Cartoffelmensch, gute Milch gibt, und noch trefflichere
Haare (denn schwerlich war das Härenkleid des heil.
Johannes des Täufers von Angorischen Ziegenhaaren).
Das Geschrei der Cameele ist nicht widriger, als das
Dahnen der Esel, das wir uns in Deutschland ja
allerwärts gefallen lassen. Auf alle Fälle segelt das Schiff
Arabiens schneller, als der preußische Postwagen, und der
pathetische Cameelstritt paßt vollkommen zum Phlegma
des Postillions; noch schneller ginge ein anderes Pferd der
Wüste — der Strauß. Wer je Rebhühner hat laufen

---

*) Das Cameelschaaf.

sehen, kann sich einen Begriff davon machen, wenn er dem Rebhuhn noch die hohen Füße des Straußen in Gedanken beilegt, eine Straußenheerde sieht aus wie eine Schwadron Reiter, ihre Federn wären auch mit zu nehmen, und noch mehr ihre Eier, denn ein Ei wiegt gegen drei Pfund, und sättigt mehr als 24 Hühnereier, aber so lange in der Heimath des Vogels selbst keine Straußenposten angelegt sind, können wir solche in den Marken nicht erwarten.

Vieles Unangenehme läßt sich auf die angenehme Seite wenden, und will das Positive nicht Stich halten — was doch hier der Fall ist, da Sandwege zu allen Jahreszeiten dieselben, und nach einem Regen erst recht angenehm sind — so thut es das Negative. Scapin dankte der Vorsehung auch für die Uebel, die ihn hätten treffen können, und nicht trafen. Hier in deutscher Sandwüste plagt uns kein Samiel des Morgenlandes — nicht einmal die Rheinschnacken des deutschen Südens, noch weniger die tropischen Sandflöhe, die Antipoden sind, hier unterbrechen weder Wagengerassel noch Stöße unsere philosophischen Betrachtungen, ruhig und langsam schleichen unsere Ideen dahin, wie der Postilion und seine Pferde — das Schwarze der Nadelhölzer — selbst die Brandenburger Farben Schwarz und Weiß wecken, wie Cypressen und Thränenweiden, die analogen Gedanken an Tod und Ewigkeit, oder den Bruder des Todes, den Schlaf. Die sparsamen Fruchthalme auf den Sandäckern, so dünne, wie die Haare auf meinem Vorderhaupte, waren mir bei meiner letzten Reise 1825 Erinnerung der dahin geeilten Zeit, und der Nähe der Ewigkeit.

In der innigsten Wahlverwandtschaft stehen diese Gegenden mit der Lüneburger Haide — Sand und Kiefern — elende Dörfer und uralte Städtchen — arme Bewohner, schlechte Gasthäuser, und Posthalter, die einem mit aller preußischen Artigkeit überflüßige Pferde aufdringen, langsam schleichende Klepper und ewig schnapsende Postilions, mit denen man recht eigentlich die Marken durchpflügt.

Ich gedachte der ersten Postanstalten Louis XI. — das einzige Gute, das er hinterlassen hat — und des komischen Bußpredigers Maillard, den er wollte ersäufen lassen, der König ist Herr, sagte Maillard: und ich werde durch Wasser schneller ins Paradies kommen, als mit seiner Post! Man bewundert das Phlegma der Postilions — mit unerschütterlicher Geduld schlägt der Postkerl an Stahl und Stein, bis nach einer Viertelstunde sein stinkendes Kraut gehörig brennt, und so lange ruhet auch der Zügel auf dem Hals seiner Rosinante — dann steigt er zur Abwechslung ab, und handelt eine andere Viertelstunde am liederlichen Geschirre — endlich führt der Teufel gar einen andern Unglücklichen herbei, wo sie die Pferde tauschen nach einem traulichen Colloquium *) von einer neuen Viertelstunde! Wahrlich! wer Geduld lernen will, die zu hundert Dingen nützt, lernt sie weit weniger aus Seneka oder von einer Frau, als von diesen Postkerls des Nordens. Alle herkömmliche Argumenta **) helfen nichts — selbst nicht das Argumentum ad crumenam, noch weniger das baculinum ***), es bleibt nichts übrig, als des guten Onkel Tobys argumentum fistulatorium und Lillebulero!

Das vorherrschende Idiom der Preußen ist natürlich die Sprache der Hauptstadt, und es klingt angenehm. Man that ganz Recht Friedrichs Rath unbefolgt zu lassen, der um des Wohllauts Willen sagena, gebena, nehmena ꝛc. statt sagen, geben, nehmen gesprochen haben wollte. Die Berliner glauben, daß sie man das reenste Deutsch im ganzen Deutschland sprächen, denn was glauben Hauptstädter nicht? selbst ganz kleine Hauptstädter? Manche haben mich schon, der ich ein kleines Landstädtchen vorziehe, über Dinge belehret, die ich zehnmal besser wußte, aber ein

---

*) Gespräch.
**) Zusprüche.
***) Weder Trinkgeld noch Prügel.

Mann von Höflichkeit — läßt sich belehren. Zu Wien kam ein Preuße bei einer Oebstlerin übel weg mit seiner Anrede Jute Frau! denn sie glaubte er nenne sie Judenfrau, und zu Berlin mußte ich selbst fragen, was ein Lemirer sey? ein Ziegelstreicher. Da die Titelwuth bis in die untersten Stände gedrungen ist, so nennt sich der Zierrathenmaler Zierateur, und vielleicht bald auch die Maurer, Weißbinder und Zimmerleute Architecten zweiter Classe, die Weinhändler Nektargeber, die Töpfer Thonkünstler, und die Wäscherinnen der Reinlichkeit Beflissene ꝛc., woraus denn leicht Quid pro quo entstehen können, wie bei dem Worte Materialist. Der berüchtigte la Mettrie, mit der deutschen Benennung unbekannt, umarmte auf das zärtlichste einen solchen Krämer als philosophischen Bruder!

Der Haupt-Provinzialismus ist die Verwechslung des Mir und Mich, die so stark ist, daß man einem Nichtdeutschen anrieth, er solle nur immer mir und mich sagen, wo die Preußen das Gegentheil thäten, und so verlangte er dann in einer Bude 6 Ellen Casemich. Stark ist: „Ich wohne für mir und koche mich selbsten" noch komischer aber der Zuruf an den Briefträger: „Ist nichts an mir?" und seine Antwort: „An Ihnen ist nichts." „Wer mich den Dieb angibt, erhält 10 Thlr." — „Was fehlt mich noch?" eine deutsche Grammatik! Gewöhnlich ist auch die Verwechslung des G. mit dem J. „Jott straf mir! Eine Jans ist eines juten Jottes Jabe, jute Jäule jaloppiren jar jerne — nischt für nicht, ooch für auch, weest Du? meenen Sie kann man täglich hören, wie schön für gut." Das Wörtchen man wird häufig eingeflickt: „Na spielen Sie man aus! Na die werden man Doogen machen!" Schön in ihren Folgen aber war die stehende Redensart in der Armee, die gerne, in geschlossenen Reihen angreift, und gute Reiter hat, „Wenn wir sie man auf die Pläne haben." Von einem erst von Paris zurückgekommenen Preußen hörte

ich sogar ein jomme il faut, und wer wird einer artigen Berlinerin ihr „Mein Jott, he is man so een
juter Junge!" übel nehmen? Die Mundart der niedern
Klassen nähert sich dem Platten: Wat will he? Snabel-
jonge, Kikindewelt wat hat he? dat globbe he. mi — wees
he dat Musje? J, wat kümmert mi dat — Mein Jott!
dat is eenzig! Diese Formeln hörte ich auf dem Obstmarkte
Berlins, dat globen Sie mich man! Der sächsische Minister
v. Globig wurde unterm Thor befragt: Um Vergebung wer
sind Sie? „Der sächsische Minister Globig," J, das kann
mich nischt helfen was Sie globen, ich muß bestimmt wissen, wer sind Sie?

In vollem Glauben an ihr jutes Deutsch verbessern
sie gerne die Sprache des Reisenden, wie Franzosen, die
freilich mehr Recht haben, und haben auch oft bei Reichs-
ländern Recht, wie der Oberkellner im goldenen Adler,
dem ich sagte: „Die Dinte da ist ja ganz weiß," Blaß
wollen Sie wohl sagen? „Nun ja! bringen Sie mir nur
schwarze," Machen Sie ein Paar tüchtige Knopfe hin,
„Knöpfe? habe ich nicht — Sie werden wohl Knoten
meinen?" und so ging es mir auch mit der schwarzen
Wäsche: „Ihre Strümpfe wenigstens könnten beinahe für
schwarz gelten — ich liefere sie Ihnen weiß, denn sie sind
nur schmutzig." Wir verstanden uns im Wesentlichen,
nicht so die Göttinger Aufwärterin, die einem Schwaben,
der eine Ampel (Lampe) verlangte, eine Amsel brachte,
und aus weiblicher Malice ein Buch in meinem Sack
nicht finden konnte, „Wo ist denn der Sack?" hier — „Ja
mein Gott! das ist ja eine Tasche!" — Nicht wenig
spotteten die Preußen am Rhein, als ein östreichischer Vor-
postencommandant meldete: „daß die Franzosen über die
Brücke bei N N. thäten marschiren thun," und nicht
ohne Lachstoff ist Voß-Posse „der Schwabe in Berlin."
Wie? wenn der Schwabe erst französisch gesprochen?
Gâle retty Mosier? (Quelle heure est il?) und der nicht
französisch verstehende Landsmann erwiedert hätte: „Gehle

Rettig hänt' mer nit Ausländern darf man es nicht
verargen, wenn sie Oberdeutsch oder gar Oestreichisch und
Preußisch für zwei ganz verschiedene Sprachen halten,
folglich auch nicht dem hochgefeierten W. Scott, wenn er
in seinen Pauls Letters (II. p. 29) von einer Proklama-
tion der Alliirten zu Paris spricht „in four different lan-
guages, French, German, English and Prussian*)!"¶

In Complimenten sind unsere Spartaner wahre Deutsch-
franzosen oder Perser, und wie diese dispensiren sie sich dadurch von der That. Sie haben eine Menge Schmeichel-
wörtchen, und an die Stelle des Wiener Gnaden, Scha-
zerl, Herzerl tritt ein sanftes mein Lieber, mein
Bester, Freund, Freundchen, Herzensmännchen,
und bei Mädchen Mäuschen! Nach einem preußischen
Herzensfreundchen erwartet der welterfahrene Reisende
immer noch: Freundchen, wie viel Thaler haben
Sie in der Ficke? doch — es ist immer besser, als die
sonstige Sucht des Französelns in Deutschland und mit
Deutschen, und zwar im français refugié, gerade so verdorben, wie das Griechische in Galiläa, daher wir auch
die Schüler nicht mehr in die elegante Welt der Griechen
einführen durch das neue Testament.

Das Revolutionsfieber in Deutschland nahm ab,
als die Helden der Revolution uns mit ihrer Gegenwart
beehrten, und so scheint auch jene Sucht nachgelassen zu
haben, als die Gallier in Preußen noch schändlicher sich
aufführten, als im Süden. Friedrich machte den gefangenen Roßbachern das Compliment: „Ich kann mich nicht
daran gewöhnen, Franzosen als Feinde zu betrachten," das konnte Friedrich Wilhelm und seine Preußen nicht sagen. Es soll mich freuen, wenn der französische

---

*) Die in vier verschiedenen Sprachen abgefaßt gewesen sey,
nämlich auf französisch, deutsch, englisch und preußisch.

Jargon ganz aufhört, da man sich selbst im deutschen Sü,
den Mühe gibt, rein deutsch zu sprechen, und selbst
Conventionalstrafen auf ausländische Wörter gesetzt hat.
Zimmermann hätte fast Zähren der Rührung vergoßen,
als der große König Mon Ami zu ihm sagte (der Schweizer hätte doch den Geist der Sprache besser inne haben
sollen!) es sollte aber wieder so weit kommen, wie zu F.
Wilhelms I. Zeiten, der auf die Antwort eines Franzosen
je suis Regent (Schullehrer) auf die Stirne deutete:
„mit dem ists nicht richtig! Selbst geringe Leute
glaubten französisch zu verstehen, und eine Wäscherin
erwiederte auf ein Qui vit? mit Fertigkeit la Vache!
Man scheint in Deutschland immer mehr Kästners Ansichten zu beherzigen, der den Unterschied zwischen Fat und
Sot darinne fand: „der Fat ist ein junger nach Paris
eilender Deutscher, und Sot der nämliche, wenn er wieder
nach Hause gekommen ist.“ — Ich fand 1823 jene Sucht,
verglichen mit dem Jahr 1802 ziemlich, und noch etwas
weit Wichtigeres verschwunden — das Scheinleben!
Dafür aber hörte ich bei vielen Dingen, worüber man frü-
ber ganz laut sprach, ein ich weiß es nicht! Non mi
ricordo. Friedrich sprach einst: „Mon Dieu! bêtes vous
me les avez donnés, et bêtes je vous les rends *)“ und
that seinen Preußen Unrecht. — Was sollte erst Joseph
sagen? ich weiß es nicht!

Nie erschienen mir die Preußen liebenswürdiger,
und nie bescheidener, als in den unvergeßlichen Jahren
1812 — 15 — aber welche Unglücksschule hatten sie auch
durchgemacht, geläutert wie Silber im Hochofen des El
des, und wie das Gold durchs Feuer, durchs Feuer d
Trübsal bewähret! Aber nur zu bald hieß es wieder: Preu
ßen über Alles — Preußen ist Kaiser in Norddeutschland — Preußens Adler in Dresden und

---

*) Lieber Gott, als Esel hast du mir (meine Unterthanen)
gegeben, als Esel gebe ich sie dir wieder.

Mainz — Preußen die Spanier des Nordens, die Retter Deutschlands! Zu den Sachsen sprächen sie beinahe, wie der Corse zu den Schweizern und Portugiesen: „Verlangt ihr nach Größe? werdet Franzosen! Die Russen aber sind doch wohl eher die Spanier des Nordens zu nennen, und mit dem Deutschthum sahe es wahrlich noch um das Jahr 1700, wo Brandenburg ein deutsches Reich anerkannte, besser aus, als 1795, wo es sich davon lossagte! Es scheint einmal die Erbsünde des preußischen John Bull zu seyn, seit Friedrichs Zeiten (des Einzigen — einige nannten ihn sogar den Niegewesenen!) den Mund ganz voll zu nehmen, und alle, die nicht aus der Spree getrunken haben, nur für halbvoll — für halbe Dümmlinge zu halten, die man leicht überliste durch preußische Pfiffe, oder höheres Wissen — Exempla sunt odiosa *). Es scheint mit manchem Preußen zu stehen, wie mit dem großen König, der als Greis die Deutschen sich noch immer dachte, wie sie in seiner Jugend in der That waren — folglich ist es eine Art preußischer Influenza, die aber offenbar weniger Ansteckungsstoff mit sich führet, als früher. Vor der Revolution konnte man leicht auf einen Hauptmann von Bramarbas stoßen, der ganz allein mit der ganzen Besatzung Brabants auf den Wällen sich zwei Stunden lang herumschlug, und neben einer Anzahl gemeiner Kerls selbst drei Generalstaaten niederstieß, die er an ihren ostindischen Orden erkannte. Ein Witzkopf, im Umgange mit preußischen Werbern im Reich, hätte eines der drolligsten Bücher schreiben können. So ergreift nicht selten der Wind die Pfauentauben bei ihrem breiten Schwanz, führt sie hoch in die Lüfte, und läßt sie dann — fallen! Ehemals machten Offiziere, wie Studenten, wenig Umstände mit einem — Philister!

---

*) Beispiele sind verhaßt.

Achten müssen wir die Preußen, als sie aufstanden, wie ein Volk von Helden, eingedenk der Thaten Friedrichs. So wieder aufzustehen ist ruhmvoller, als nie gefallen zu seyn! Ihre Armeen, unter dem Banner der Feudalität schmachvoll zerstäubt vor Napoleons Adler, erhoben sich ruhmvoll unter dem Panier der Nationalität und der Kraft des Volkes, und diese Lorbeeren sind schöner als die Lorbeeren des siebenjährigen Krieges. Preußen sind von Oestreichern wie Tag und Nacht verschieden durch Sprache, Religion, Cultur, Sitten und ganze Art zu seyn, getrennt durch alten Volkshaß, wie durch Freiheit des Geistes, so verschieden, als der gesegnete Boden Oestreichs von dem armen Boden der Sandflächen. — Was bei Franzosen angeht, die zwischen Allemands und Prussiens, vermuthlich meist nach dem Gehör, unterscheiden, schickt sich aber nicht für deutsche Brüder, und konnten Oestreicher und Preußen sich zweimal vereinen zur Theilung Polens, so könnten sie sich noch weit eher vereinen für Freiheit und Wohl des Vaterlandes, nur müssen die Truppen nicht vereint fechten. Wenn nur die Kabinetspolitik einig ist, offen und ehrlich — was doch noch immer am Ende die beste Pol gewesen ist — so hat Deutschland keinen Feind zu fürcht und die übrigen Bundesstaaten werden sich dann gar nicht ausschließen.

Oft hat mich der auffallende Unterschied zwischen Oreichern und Preußen, die beide sich Deutsche nenn unterhalten in unserm langen Kriege, vorzüglich die ei sylbige Trockenheit des Oestreichers gegenüber redseligen Lebhaftigkeit des Preußen, der, wie Franzose unglücklich ist, wenn er personne findet à converser *); letztere scheinen mir so Unrecht nicht zu ben, wenn sie den Mangel an Conversation in Mangel gutem Ton, Artigkeit und Geist setzen. Der Preuße pla

*) Wenn er Niemand findet, mit dem er sich unterhalten kann

dert bestimmt unter allen Deutschen am meisten und liebsten, that es ja selbst der Große König. Es geht ihnen
wie den Weibern, aus Lebhaftigkeit können sie keinen Brief
schreiben ohne Pspt, und selbst jene Dame, die mit Hippel
eine Wette eingegangen hatte, schrieb und schrieb, und
zuletzt kam das Pspt: „Wer hat nun gewonnen?"
Im Süden aber scheint der wohlgefüllte Magen vorzuzie-
hn in Ruhe und Stille die gehabte Sättigung behaglich
— wieder zu kauen, wie das Thier auch. Hier Vegetation, dorten Contemplation und Bons mots *)!

Wir verdanken die Geläufigkeit der Zunge,
Sprache und Betonung unsern Müttern und Wärterinnen, folglich Weibern — über Kleinigkeiten spricht
man am meisten — aber ich habe nicht finden können,
daß die Weiber im Norden redseliger wären, als im Süden, der Grund des preußischen Schwabronirens
muß also doch anderwärts zu suchen seyn. Ich suche den
Grund in Lebhaftigkeit des Geistes und Reichthum der Ideen. — Es geht ihnen wie Einsamen,
die, wenn sie einmal wieder in Gesellschaft kommen, das
Versäumte gerne nachholen — endlich kommt die Gewohnheit hinzu, und es wird zur Schwäche, wie im Alter.
Hier sind Preußen die recht eigentlichen Antipoden der
Oestreicher, und so auch in andern Dingen, selbst in Flü-
chen — Eine Million Donnerwetter ist eine wahre
Kleinigkeit. Es mag eine Schnurre seyn, aber sie cha-
rakterisirt. Ein preußischer Werber aß Fische, und sagte:
„Herr Wirth! die Fische müssen man schwim-
men." Der östreichische Werber vor einem tüchtigen
Stück Rindfleisch wollte nicht zurückbleiben, und sagte:
„Herr Hauspatron! der Ochs will halt saufen!"

Preußen ist Deutschlands Vormauer gegen Russen
und Franzosen, und kein bloßer Vorposten, Friedrich
Wilhelm hier der deutsche Markgraf, wie seine Ahnen

---

*) Witzworte.

eins gegen Slaven und Wenden. Ohne den Vorflug
des einköpfigten Adlers, wäre der zweiköpfigte
schwerlich nach Paris gekommen. Friedrich im Elysium
hat gewiß Blücher mit seinem ganzen Grazienblick
empfangen; den großen niederschmetternden Zornblick und
seinen Leibfluch: „daß dir der Teufel das Genick
breche," bewahrte er für den Einsiedler von S. Helena.
Preußen steht hoch, und der Bund zwischen Alexander und
Friedrich Wilhelm geschlossen am Sarge des großen Königs fest. — Nicolaus ist selbst durch Bande des Bluts
an Preußen gebunden — aber könnten nicht spätere Selbst-
herrscher aller Reussen, gefährlicher als die an der Seine,
das kleine Preußen als Anhang von Polen betrachten,
um Meister der Weichsel zu seyn, und ihre rechte Flanke
durch das Meer zu sichern? Napoleon bemächtigte sich der
Ausflüsse der Elbe und Weser, erklärte ganz Holland als
Alluvion Frankreichs, und Preußen ist offenbare Alluvion Polens! Deutsche, Franzosen, Britten, Spanier,
Italiener verlieren, wenn sie ihr Vaterland verlassen,
Russen können nur gewinnen, wenn sie ihre Schneefelder
im Rücken haben — O Rus, quando te aspiciam *)!
Preußen, ein langer Darm vom Niemen bis an
die Mosel, (daher sein beliebtes Arrondirungs- oder
Ausfüllungssystem natürlich) ist — abhängig von
Rußland, Oestreich und Frankreich; Preußen in engerer
Bedeutung mit Posen abhängig von Rußland, Schlesien
von Oestreich, Rheinpreußen von Frankreich — selbst Sach-
sen, Hannover und Hessen stören den Zusammenhang der
Monarchie. Preußens Rolle bleibt also nur die einer
Macht zweiten Ranges — was auch Patrioten fabeln
mögen — es bleibt aber eben dadurch Beschützer der
Mindermächtigen, wie unter dem Großen König. Seine
sonderbare Lage sichert ihm Allianzen, und nur mit

*) O mein Landgut, (oder Rußland) wenn seh' ich dich wieder.
(Aus einer Ode des Horaz.)

Allianzen kann es sich in schweren Kämpfen helfen, wie arme Leute mit Gevatterschaften. Preußen hat überall Feinde an seinem Strumpfband hängen (Nachbar und Feind sind in der Politik Synonyma) woher vielleicht die frühere verhaßte wetterwendische Politik rührte, und doch haben wir ein Buch, wie von Oestreich — Preußen über alles, wenn es nur will!! Aber Berliner glauben alles, und wissen alles besser — viele Sandmänner glauben es selbst mit den Schneemännern aufnehmen zu können, so theuer auch die Lection war, die ihnen die Franzmänner gaben! Ich wünschte vor der Hand blos, daß mir einer sagte, warum die Pillauer Halbinsel das preußische Paradies genannt werde?

Es ist Schade, daß Preußen, da es deutscher ist, als Oestreich, dessen Augen mehr nach Süden und Osten gerichtet seyn müssen — sich nicht ganz bis an die Weichsel hat ausdehnen, und ganz Sachsen besitzen können, statt Rheinpreußen, dann stünde es noch fester. Preußen ist auch hier Gegensatz Oestreichs — statt sich nach dem Winke der Natur in die Länge zu gestalten, hat Letzteres die dicke und breite Figur vorgezogen — Preußen aber umgekehrt die lange — beide gingen nicht mit ihren Strömen — Oestreich, statt nach Osten nach dem Süden, und Preußen, statt nach Norden gen Westen an Rhein! Die Theilung Polens war ein politisches Unglück für Oestreich, und noch mehr für Preußen, sein Rheinpreußen gibt ihm so wenig Stärke, als ehemals Oestreich seine Niederlande. Zu Polens Theilung schwieg ganz Frankreich, und so wollen wir — auch schweigen, aber. — Die Rheinpreußen scheinen mir einmal so schwer zu befriedigen, als die Sachsen, und ich staunte 1826 über verschiedene Reden, selbst an öffentlichen Orten. Die Auswanderung nach Amerika scheint auch nicht selten, und ein witziger Hebräer entschied die Streitfrage: Wie man dieser Auswanderung am besten vorbeugen könne? „Macht Amerika preußisch!‘

Seit Friedrich's Zeiten wurde es Sitte, von einem
Preußenthum zu fabeln, und der Hang so stark, daß
selbst das kleine Kurhessen damit angesteckt wurde, seinen
Separatfrieden zu Basel schloß, und große Lust bezeugte,
Königreich der Katten zu heißen — aber was einem
Friedrich gelang, gelingt nicht jedem, und würde schwerlich
Ihm selbst zum zweitenmale gelingen. Preußen hat sein
Deutschthum am meisten bewährt, warum Preußenthum? warum von Brennen sprechen, und nicht von
Deutschen? Preußen ist der natürlichste Bundesgenosse
Oestreichs, daher ich auch Preußen eine breitere, tiefere Basis gönne zum Wohl des Gesammtvaterlandes. Von Preußen erwartete ich zunächst, daß es sich nach dem Lichte
richten werde zum Heil der Völker und Centralpunkt
dieses Lichtes werde... Das Himmelreich wird nicht
mit einer Nuß oder Cartoffel verglichen, sondern mit
dem Senfkorn! Ein Preußenthum und ein Oest-
reichthum, in Deutschland, wenn auch Rußland,
Frankreich und England stille säßen — gäbe uns Lichten-
bergs Doppelprinzen von Hinten zusammenge-
wachsen! der alte Haß, kaum im Blute frecher Gallier
erstickt, erneuerte sich wieder, und das gute deutsche Vaterland müßte das Bad austrinken, wie im Revolutionskriege. Diese Zweiheit wäre für Einheit weit schlimmer, als unsere Achtunddreißigkeit! der Einheit
aber folgen selbst alle achtunddreißig, sie könnten selbst den
Mächten sagen: „So wollen wir es im deutschen
Hause haben — und wir wären dennoch Nation! In
der Natur hat der Adler — Rex naturæ, der daher Wappen Deutschlands bleiben mag, auch — nur Einen Kopf!

Nil desperandum Teucro duce et auspice Teucro*)!

---

*) Nichts ist der Hoffnung versagt, wo Teukrus führt und
die Gottheit.

(Horaz nach Voß)

Dreizehnter Brief.

Das preußische Sachsen, Erfurt, Naumburg, Merseburg — Roßbach.

Im jetzigen preußischen Sachsen lag ehemals alles so bunt durcheinander, wie in Thüringen, das Land selbst aber ist mehr sächsischer als preußischer Natur — reiche fruchtbare Ebenen und Hügelland, die Harzgegenden ausgenommen. Der Getraidebau steht oben an, und nur das unfruchtbare Eichsfeld mag eigentliches Fabrikland genannt werden. Das preußische Herzogthum Sachsen zerfällt in drei Regierungsbezirke: Magdeburg, das schon zuvor Preußen gehörte, Merseburg und Erfurt, welche die neuerworbene Länder in sich fassen, die jetzt ihre eigene ständische Verfassung erhalten haben.

Erfurts Größe, Leere, und alter Ruhm erinnert sehr lebhaft an Nürnberg. Diese alte Hauptstadt Thüringens, mitten in Gärten liegend, durchströmt von der Gera und geziert mit vielen Thürmen, die ihre alte Größe von Ferne verkündigen, war ein Hauptstappelplatz, so lange der Handelszug vom Süden über Nürnberg und hier nach den Hansestädten ging, und genoß Freiheiten fast wie eine Reichsstadt. Das Aufkommen Leipzigs war Erfurts Untergang, und der wohlfeilere und schöner färbende Indigo; wenn gleich die Reichspolizeiordnung von 1577 solchen eine schädliche, betrügerische und corrosive Farbe, eine Teufelsfarbe nennt, verdrängte den Waid, den die Erfurter auf die von ihnen zerstörten Raubburgen zu säen pflegten, wie Kaiser Friedrich I. auf das zerstörte Mailand Salz — es gab Waidjunker, wie Salzjunker, die berühmte Betty aber verbot in England den Waidbau, weil sie — den Geruch nicht leiden könne. Der Waidbau verlor

sich, wie der Saflorbau gegen ausländische Producte.
— Erfurt sank herab zum Gemüß- und Brunnen-
kreßbau, und von 60,000 Seelen auf 18000, jetzt mit
der Besatzung von dreitausend Mann etwa 24,000 Seelen,
indessen verdienen dessen Wollenzeug- und Bandwebereien
noch heute Achtung, wie ihr Nationalgericht die Buff-
bohne (vicia faba major), von besonderer Größe und
Wohlgeschmack. Die Erfurter Riesenrettige zu vierzig
Pfund mögen als Repräsentanten seiner ehemaligen Größe
gelten! nur übertroffen von der Rübe Brasiliens, in deren
Schatten vier Reuter lagerten! Unsere Alten verkeilten
den Ehebrechern mit einem Rettig das Hinterstübchen —
mit einem Erfurter wäre das Ding selbst bei einem Hercules reine Unmöglichkeit gewesen!

Erfurts alte Größe, die Plätze, wo sonst Häuser standen, und jetzt Felder und Gärten sind, und seine leeren
Straßen, wo mehr preußische Blauröcke wandeln als Bürger — übersieht man am besten von dem Thurme, wo
die große Glocke von 275 Ctrn. hängt, Maria gloriosa
genannt, die jeder Handwerksbursche kennt; immer noch
ein Kind gegen die Moscauer à 444,000 Pf.! Der Markt
hieß von den großen breiten Stufen, die zum Dom
führen (forum ad gradus), Wormgraden, jetzt Fried.
Wilh-Platz — der Anger ist aber doch der angenehmste
Platz, wo auch das erste Gasthaus stehet, der Kaiser —
man kann aber auch im Schlehdorn und Hufeisen
logiren — im Trommelscheit und halben Giebel,
ein Gäßlein heißt In den Hosen; ganz Erfurt gleicht
einem guten Alten, dem die Hosen zu weit geworden
sind!

Die beiden Vesten, Cyriacburg und Petersberg
wollen so wenig sagen, als Mauern und Graben, nur
gemacht für die Fehdezeiten. In der Hand Preußens sind
sie indessen nicht unwichtig, denn Erfurt bleibt immer ein
Schlüssel zu Sachsen und beherrscht die Fränkfurter Straße.
Sonst lagen Mainzer Invaliden in jenen kleinen

Weſten, und ſolche kleine Weſten erſchwerten oft mehr den
Zutritt, als große, gerade wie die weiland kleine Souverains. Erfurt war zwar unter dem Mainzer Krumm-
ſtab weniger geehrt, als jetzt, mag ſich aber doch beſſer
befunden haben, denn der Adler, der zwar nichts Todtes
liebt (wie geiſtliche Staaten) greift tiefer in's Lebendige.
Man ſagte mir, daß ſelbſt Feldblumen für Apotheken
Einlaßgeld geb -müßten. Alle indirecten Auflagen,
gefährden mehr oder weniger die Moralität, nichts aber
mehr als die Mauth, eine wahre moraliſche Peſt, die
Lügen, Betrügen, Ueberliſten, Beſtechen ꝛc. zur Tugend der
Gewandtheit erhöhet, die gewandten Männer nennen
den Redlichen einen dummen Teufel! Die Acciſe iſt
vollends ein ſo verhaßtes Ding, daß wahrſcheinlich bloß
darum die Finanzkämmern noch nicht daran gegangen ſind,
den Koth an Stiefeln und Schuhen veracciſiren zu
laſſen, was nebenher ein treffliches Polizeimittel wäre, die
Stadt reinlich zu erhalten!

Erfurt, ehemals Erphesfurt (ein Müller Erphes
ſoll hier die Reiſenden über die Gera geſchifft haben) zeigt
im Auguſtinerkloſter, jetzt Waiſenhaus, nicht nur Luthers
Zelle, ſondern auch in dem ſchönen Dom das berühmte
Grabmahl des Grafen Gleichen. In Luthers Zelle iſt ſein
Bild, ſeine Reiſechatoulle, einige ſeiner Bücher ꝛc. und über
der Thüre ſteht:

Cellula divino magnoque habitata Luthero
salve, vix tanto cellula digna viro *).

Im Gange dahin ſieht man einen Todtentanz, Luther
führte aber einen weit beſſern Todtentanz auf, hätte die
Welt nur darnach fortgetanzt, und mit dem Kehraus
geſchloſſen, à la Napoleon! —

Was das Grabmal betrifft, wo allerdings ein Ritter
zwiſchen zwei Frauen ruht, die ganz gleich gekleidet

---

*) Sey mir gegrüßt, o Zelle des großen und göttlichen Luther!
Kaum verdienteſt du es, Wohnung des Helden zu ſeyn.

sind, so hat Pater Placidus, ein Benedictiner auf S. Petersberg, längst das romantische Mährchen angefochten. Offenbar ist der Grabstein weit jünger, als das Geschichtchen, wie die Gewährsmänner, auf die sich der Chroniker Thüringens Sagittarius stützt; es ist zweifelhaft, ob das Denkmal überhaupt nur einen Grafen von Gleichen angehe? es müßte denn Graf Sigismund seyn, der 1494 starb, und zwei Gemahlinnen hatte. Und wie wäre es, wenn die ganze Sache gar eine schöne Mythe wäre? Die Kreuzfahrer brachten orientalisch-griechischen Geist mit sich nach Hause, der mit dem heimathlichen altdeutschen Wesen in die Ehe trat?

Im Dom ist auch eine sehr gelungene Copie der Nacht des Correggio, und eines der lieblichsten Bilder Cranachs, die Anbetung des Jesuskindes auf dem Mutterschoose, aber vergebens fragte ich nach dem Gemälde, dessen Luther gedenkt: ein großes Schiff auf dem Wege, zum Himmel — mit Papst und Cardinälen, über denen der heilige Geist als Wegweiser schwebet, mit Mönchen und Pfaffen aller Art — alle Laien aber in den Fluthen — einigen erlauben die heiligen Männer sich anzuklemmen, andern werfen sie barmherzig Stricke zu, und so werden doch wohl einige gelegenheitlich in Himmel gekommen seyn! Ein heiliger Christoph al fresco, der Kanzel gegenüber, ragt bis zum Gewölb empor, und bekannt ist die komische Darstellung der Transfiguratio. Die vier Evangelisten werfen Zettelchen mit den Einsetzungsworten in den Trichter einer Handmühle, die vier großen Kirchenlehrer halten einen Kelch unter, und da, wo das Mehl auszulaufen pflegt, kommt das Jesulein hervor — ganz geschroten! Die Dominikanerkirche — die schönste nach dem Dom — enthält viele Grabsteine, worunter der älteste und schönste eines Ritters von Lichtenhain vom Jahr 1266.

Die Universität Erfurts ist vom Jahr 1378, folglich kein Wunder, daß sie in so hohem Alter kindisch wurde, und das Zeitliche gesegnete. Sie bleibt berüchtigt durch

die leichtsinnige Ertheilung der Doctorsdiplome um Spott=
preis — jeder war dignus intrare in nostro docto corpore *) — Nicht übel aber ist die Innschrift der Biblio=
thek: hic mortui vivunt et muti loquuntur *). Wie=
lands Ruf vermochte nicht die Universität zu heben, er
machte sich bald aus dem gebenedeiten Häringsna=
senlande, wie er Meuseln schrieb, nach Weimar —
indessen vermehrte sich doch die Studentenzahl von 25 auf
50. Es hat so viel nicht zu sagen, wenn die Hörsäle
lichter werden, weniger noch als bei Kirchen, selbst wenn
sich nur zwei Zuhörer einfinden, kann man es machen, wie
jener Extraordinarius, der Apollo und die Musen in sein
Auditorium setzte, und nun von zwölf Zuhörern sprach,
Ob Professor Völkers Cartoffelbier, wobei man allen
Hopfen ersparet, Abgang gefunden habe? habe ich nicht
erfahren.

Die große Glocke Erfurts Susanna getauft, brummt
nur an Festtagen, um das Trommelfell der Erfurter oder
den baufälligen Thurm zu schonen, und weil alles Große
verliert, sobald es sich so gemein macht. Sie brummt
gewaltig in's Land hinein, wie schwere Schulden, und
König August, zu dessen Ehren sie brummte, rief: Große
Narren müssen große Glocken haben... Der
Glöckner aber behauptet, vor dem Brummen seiner Su=
sanna weiche selbst der Teufel! Das Kunst= und Natura=
liencabinet will wenig sagen, indessen habe ich mir doch
den feingearbeiteten Schneider gemerkt, der auf einem
Bock sitzt, und rittermäßig durch ein Nadelöhr springt!

Erfurts Umgegend erscheint am schönsten von dem
Wäldchen, genannt Steiger. Auf der Stirne des Ber=
ges ist eine Rotunde unter ehrwürdigen Eichen mit Grotte
und Springbrunnen, und von dieser Rotunde laufen vier

*) Husarenlatein. Jeder war werth, in unsere gelehrte
Zunft einzutreten.
**) Hier leben die Todten, hier reden die Stummen.

Alleen durch den Wald mit herrlichen Gesichtspunkten.
In der Stadt ist der Anger die schönste Straße, und
hier liegt auch das schönste Gebäude der Stadt, die vormalige Statthalterei, wo Dalberg wohnte, so lange
Erfurt und das Eichsfeld Mainzisch war. Er hat Verdienste um die Stadt, um Erfurts Handel und Verschö-
nerung, und spielte hier und als Coadjutor eine schönere
Rolle, denn als Primas und Großherzog Frankfurts —
er erinnert an Leopold II.

Tel brille au second rang, qui s'eclipse au premier*)!

Nach der traurigen Schlacht von Jena fiel der hier
krank liegende Greis Möllendorf in französische Gefangenschaft, erhielt aber Erlaubniß, nach Berlin zurückzugehen,
wo er fast zu gleicher Zeit mit Napoleon eintraf, der den
achtzigjährigen Feldmarschall ehrte, welcher bald darauf
starb. Zu Rohrborn war einst Salzmann Prediger,
der trotz der gut gegangenen Predigt schwerlich die Pfarre
erhalten haben würde, wenn er nicht, ungeachtet seines
Eckels vor Knoblauch, des Schultheißen Knoblauchs
Wurst glücklich hinuntergebracht hätte. Salzmann bleibt
als Erzieher achtungswerth, schien aber doch zum Pfarrer vocatio divina gehabt zu haben, denn schon als Knabe
grübelte er über geistliche Dinge, und da er in einem
Gesangbuch las: „den alten Menschen kränke, daß
er neu leben mag," so schlug er mit einer Ruthe seine
herzgeliebte Großmutter in der gottseligsten Absicht über
den Buckel — der Vater hörte den Lärmen, fragte aber,
bevor er züchtigte, vernünftig nach der Ursache, und —
lachte!

Zu Erfurt feierte 1808 Napoleon seinen höchsten
Triumph, der Gewaltigste versammelte hier die Gewaltigen
um sich, den Bund mit Alexander fester schließend, damit
er ihn in Spanien und Deutschland gewähren lasse, wofür

---

*) Mancher glänzt in einer zweiten Rolle, der verschwinden
müßte, wollte er die erste spielen.

er das reciprocum gegen Schweden, Türken und Perser gestattete. Talma spielte hier Trauerspiele, wie sein Kaiser, es gab große Manduvres, Bälle und Jagden, Erfurt war nie glänzender, wofür es auch die Ehre hatte, bis 1814 unter französischer Oberherrschaft zu stehen, und alle Gewaltsstreiche der Jünger Napoleons zu dulden, an deren Spitze Ehren Davoust stand. Deutsche Fürsten kamen aus Klugheit und huldigten, (nur Oestreich schickte blos den General Grafen Vinzent) aber das deutsche Volk huldigte nie dem Tyrannen; in der öffentlichen Meinung, oder in den Augen der Gebildeten stand Napoleon nie tiefer als gerade im Zeitpunkt seines höchsten Glanzes wegen seines Benehmens in Spanien — das ein wahrer Banditenstreich war — dieses schändlichsten Actes seines Lebens, wie des unklügsten — und so brauchen wir uns Deutsche gerade des Erfurter tragikomischen Auftritts nicht zu schämen. Talma sagte: „l'Empereur m'avait promis de jouer devant un parterre de Rois, il a tenu parole *)! Die Helden Napoleons sagten: „il y a ici des Rois de toute sorte, des grands, des petits, des enormes **),“ und wenn die Garde aus Versehen einen König ehrte, wie einen Kaiser, sagte der Offizier: ce n'est qu'un Roi ***). Imponirend war der Pomp, ein Solon hätte aber doch vielleicht gesagt, was Crösus verschlucken mußte: „Eine Sammlung von Hahnen, Fasanen und Pfauen ist doch noch prächtiger!“ Unter allen Schauspielern war aber dennoch Talma der beste, er übertraf sich selbst, ein Schauspieler des Rastadter Congresses aber sagte mir: „Je suis ici trop bon †)!“ Immer noch

---

*) Der Kaiser hätte mir versprochen, daß ich vor einem Parterre von Königen auftreten werde; er hat Wort gehalten.

**) Hier gibt es Könige von allen Sorten, große, kleine und colossale.

***) Es ist blos ein König.

†) Ich wäre zu gut für hier.

bescheiden gegen Baron, „die Welt siehet jedes Jahrhundert
einen Cäsar, einen Baron kaum in zehn — Tragiker sollten nur gesäugt werden an den Brüsten von Königinnen!!"
Napoleon selbst soll von Alexander, seinem damaligen Bewunderer, spöttisch gesagt haben: „comme notre Empereur danse *)!" Wer will sagen, ob dieser Tanz nicht
Einfluß auf den berühmten kalten Feldzug gehabt habe,
wo die Kriegsgurgel nicht so viel Festigkeit in dem tanz-
liebenden Alexander zu finden hoffte?

Von Erfurt führt die Straße über Buttelstädt und
Eckartsberg nach Naumburg, das rings von Bergen
umschlossen herrlich im Thale liegt, wo Unstrut und Saale
sich vereinen, und herrlich ist die Aussicht vom Bürger-
garten auf dem Galgenberg in die reizende Gefilde der
Saale, vorzüglich in das Thal von Kösen belebt durch
seine Salzwerke. Das gewerbsame Naumburg mag immer
12000 Seelen haben, und sein Dom, der aus K. Otto
Zeiten stammt, enthält ehrwürdige Ueberreste der Bildnerei, unter denen die Statuen der Swanehilde und J
recht lieblich sind, süß wie die Götter der Liebe, und
schwerlich deutscher Kunst, desto schrecklicher ist die Ab
bung eines Domherrn von Birnau, der im Stande
Verwesung erscheint, denn so hatte er es verordnet aus Mö
Grille, da er ein sehr schöner Mann gewesen seyn
dessen Bildniß sich viele Damen ausbaten — und
muthlich erkenntlich waren. Naumburg feiert noch h
den 28. Julius, der es 1432 von den Hussiten befr
Bekanntlich hatte der Viertelmeister Schlosser Wolf
klugen Einfall mit allen Kindern, 550 an der Zahl,
weißen Unschuldshemden nach Procops Lager zu zieh
und das Flehen der Unmündigen erweichte den rohen
Herrn, der doch gemüthlicher war als der Hebräer Hero
dessen Unthat Marino und unser Brokes schildern mod
Schicklicher war, diese Kinder von Naumburg

*) Wie doch unser Kaiser so schön tanzt!

Theater zu bringen; wie Kotzebue that, wo man sie in ihren Unschuldshemdchen mit den Pinguinen verglich, die in den Südseeinseln sich Reihenweise aufstellen ohne Furcht vor den Matrosen — die sie todtschlagen. Die Kinder werden auf dem Lagerplatz mit Kuchen, Obst und Nüssen ꝛc. erfreuet, unter Musik und Tanz, woran die Eltern Theil nehmen, und es bleibt ein rührendes und recht vernünftiges Kinderfest. Ich feierte zu Naumburg das Andenken Bischofs Waltram, der so tapfer deutsche Kirchenfreiheit gegen Kirchen-Napoleon Hildebrand vertheidigte, und dem Vaterland Ehre macht!

Naumburg hat auch Weinberge, deren Produkt oft im Norden für Frankenwein gelten mag, ja häufig nach Hamburg gehen soll, von wo es wieder als französischer Wein zurückkehret — aber ich ziehe das Merseburger Bier vor, und das Naumburger, obgleich Luther schon klagte, „daß es ihm die Brust voll Phlegma (Schleim) „mache mit seinem Pech, der Teufel hat das Bier überall „mit Pech verderbt und den Wein mit Schwefel!“ Ueber Naumburg waltete auch in der Franzosenzeit ein gutes Geschick — der wilde Rückzug traf es nicht, und was unter Procopius sanftere Gefühle der Menschlichkeit bewirkten, that hier Cosakenfurcht! Kotzebue hat Naumburg so berühmt gemacht, als Wieland Abdera; aber jenes Völksfest freuet mich, und daher kann ich unmöglich, wenn gleich anderwärts, mit Herodes vor Bethlehem singen —

> O Jerum! Jerum! Jerum!
> welch’ eine mutatio rerum,
> nach so vielen Thränengüssen.
> nun mit Aepfeln und Nüssen
> nach Hause zu gehen!

Nur Ein Stündchen von der Stadt liegt die berühmte Schulpforte, wo 150 Schüler auf Staatskosten gebildet werden, wie in den beiden andern Fürstenschulen Meissen

und Grimma. Die Gebäude und Gärten sind mit klöster-
lichen Mauern umgeben, wie in Würtembergs Klosterschu-
len, aber die Umgegend ist schön, und daß sie dichterisch
wirke, beweißt der hier erzogene Klopstock. Die alte
Klosterdisciplin, wie sie Bahrdt noch schildert, ist nicht
mehr, indessen immer noch Reliquien genug, wie in Würtemberg —

.   N'allez vous pas dans le Temple du Gont
        vous décrasser?- nous Monsieur? point du tout*)!

Die Schulpforte war eine Cisterze Porta cæli genannt,
aber die jetzt hier Lebenden gehen sicher nützlicher zur Him-
melspforte ein, als die alten faulen Bäuche, und wenn
die Knaben nichts lernen sollten, so lernen sie doch stäts
etwas, was in unserer Zeit gut ist — das Sitzen, und
die Kunst, zu Hause zu bleiben!

Am Zusammenfluß der Saale mit den Unstrut liegen
zwei Burgruinen einander malerisch gegenüber Rudels-
burg und Saalek, aber weit interessanter noch ist die
Schönburg. Wenn Raub- und Jagdlust oder Furcht
Burgen baute, so baute diese, wie Adolphseck im Nassauischen — die Liebe Ludwigs des Springers zu seiner
Adelheid. Die Ruine bezeugt den großen Umfang der
Burg, die mit Obstbäumen bepflanzten Höfe haben no
ihre Thore, und im vordersten steht eine Försterswohnung
neben dem Burgbrunnen, der noch das Wasser liefert.
den Ringmauern sind Obst und Weintrauben, die ab
freilich der Jäger mit Raben, Krähen und Nachteu
theilen muß. Im zweiten Hofe erhebt sich die eisenfe
Warte in Riesengröße, man kann sie besteigen, und gö
lich ist die Aussicht auf Naumburg, Freiburg, und
reichen Gefilde der Unstrut und Saale — herrliche Geg
den, daher auch geistliche Länder, denn die heilig

*) Wollt ihr nicht ein wenig nach dem Tempel des Geschm
   wandern, um euch die rohen Ecken abschleifen zu la
   Wir, mein Herr? Nimmermehr!

Männer haben sich auf Erden, wie im Himmel die besten
Plätzchen vorbehalten! Auf der Schönburg tummelten sich
einst selbst die Bischöffe Naumburgs, und einer von
Maltiz wurde 1352 vom Schlag gerührt beim Tanze, oder
wie die Chronik sagte: mortuus non in ecclesia, sed in
Chorea*) Wer Hohlwege und Fenchelgeruch liebt,
kann nirgendswo besser reisen, als von Naumburg nach
Merseburg.

Weissenfels hohes Schloß, das einst eigene Herzoge bewohnten (jetzt Caserne, wie viele Schlösser und
Klöster) glänzt schon von weitem im Sonnenstrahl, und
man begreift seinen Namen. Hier starb 1801 viel zu frühe
Novalis, und hier lebt auch Müllner, dessen Schauspiele
beliebt sind, namentlich seine Schuld. Krug gehörte
unter seine Recensenten, und so sagte Müllner: „dieser
Krug geht so lange zu Wasser, bis er bricht!"
und Krug erwiederte: „der Krug geht nicht zu Wasser, denn er lieset nichts von Ihnen." Kotzebue
sagte auch: „Krug gehe nur zum Wein, ohne sich
je zu berauschen!" Der Wein wird wohl Weißen-
felser gewesen seyn — aber wir müssen bei Rosbach
weilen, wo jetzt die Gedächtnißsäule wieder steht, bei der
Möllendorf 1805 seinem Stab ein glänzendes Fest gab,
und welche Napoleon ein Jahr darauf nach Paris bringen
ließ. Hier bei Rosbach stand bekanntlich Friedrich am 5.
Nov. 1757 mit 22,000 Preußen gegenüber 60,000 Franzosen und Reichstruppen — er that nicht, als ob Er zu
schlagen getraute, die Zelten standen, die Reuterei war ab-
gesessen — man tafelte, als ob gar kein Feind da wäre —

vom sternenvollen Himmel sahen,
Schwerin und Winterfeld,
bewundernd den gemachten Plan,
gedankenvoll den Held!

---

*) Er ist gestorben nicht am Altar, sondern beim Tanz.

19*

Soubife gedachte den König von der Saale abzuschneiden,
und zu umgeben, er breitete sich aus — da spielte eine
preußische Batterie und Seidlitz Reuter sprengten — alles
floh bunt untereinander nach den Wäldern Thüringens,
und zwei Tage nach der Schlacht war kein Mann mehr
in ganz Sachsen! Die Schlacht dauerte nur 1½ Stunden,
gegen 10,000 Franzosen wurden gefangen, von Reichstruppen nur fünfhundert — Soubife bestätigte die Worte jenes
athenienfischen Heerführers: Eine Armee von Hirschen
angeführt von einem Löwen ist besser, als eine Armee
Löwen angeführt von einem Hirsch — damals galt der
Esel noch viel, sonst hieße es wohl angeführt von einem
Esel. Der Sieger von Roßbach selbst, dem wir doch glauben müssen, erzählt, daß ein französischer Offizier auf dem
Schlachtfeld nach einem Clystier gerufen und solches auch
erhalten habe, unsere Reichscontingenter aber hatten seit
diesem fatalen Tage, so oft sie schießen hörten, Anfechtungen in den Füßen — alle — liefen, wie im Orlando
furioso.

> chi fugge a piede quà, chi colla Sprona!
> nessun domanda se la strada è buona*)!

Die Römer sogar errichteten dem Jupiter Stator einen
Tempel, unsere Contingenter dachten nie daran, und verließen sich aufs Laufen. Achilles ist berühmt wegen
seiner Tapferkeit, aber auch wegen der Schnelligkeit
seiner Füße! und hier war mehr als Achilles!

Wir haben eine Menge Bonmots über Rosbach, und
sie sind Schuld, daß wir die Franzosen der Revolution für
Franzosen der Pompadour hielten, mit denen weni
Ehre aufzuheben sey — (dies traf zu!) und a
Vaincre ou mourir — Vaincre ou courir **) macht
was nicht zutraf! Gesindel, das beim ersten Canone

---

*) Der flieht zu Fuß und der zu Roffe mit verhängtem Zügel,
   Ob gut die Straße sey, fragt keiner, alle wünschten Flügel.
**) Siegen oder sterben, Siegen oder — davonlaufen.

ſchuß davon laufen werde — zuſammengeraffte Horden, gegen die man am Rhein bloß einige Regimenter Juden aufzuſtellen brauche — eine Haſenjagd — ſo hörte ich ſelbſt 1792 mehrere Generale an der Tafel ſprechen! Franzoſen waren ſtets gute Soldaten, ſelbſt damals — was konnten ſie unter ſchlechten Anführern? Ging es Deutſchen beſſer? für die Schweizer allein war Roßbach nicht ſchimpflich — ſie ſtanden wie allerwärts, ob ſie gleich nicht mehr pro aris et focis, ſondern für Sold fechten. Friedrich war aber verloren, hier, wie bei Leuthen wenn Soubiſe und Lothringen ſo klug geweſen wären — Nichts zu thun... Jede Schlacht iſt ein Trauerſpiel, die Roßbacher konnte man ein Luſtſpiel nennen — daher die vielen bons mots, die wir aber theuer haben zahlen müſſen! Wir vergaßen uns bis zu Vademecums-Geſchicht-chen, und ließen bei einem Wachtfeuer der Preußen einen erfrornen Franzoſen um den andern von den Bäumen purzeln, und einen Offizier ſagen: „Laß ſie ſchüttel die Bäum, mein ganzer Compagnie ſitzt darauf.“ Käſtners Witz im Streit mit einem Franzoſen über die Kürze beider Sprachen überſetzte Hippocrene mit Roßbach — das war Sterling's Witz — aber wie abgeſchmackt iſt dagegen ſein Epigramm bei Erfindung der Luftballons?

> Da kommen ſie im hohen Wolkenzuge,
> und donnern auf den Deutſchen los,
> er aber ſchießt ſie nun im Fluge,
> wie er ſie ſonſt im Laufe ſchoß!

Unſterblich aber bleiben die galliſchen Phraſen: On fait bien de l'honneur à Mr. le Marquis de Brandenbourg de lui faire une éspece de guerre *) — unſterblich, was ſie von Kaiſer Joſeph zu Paris ſagten: Mr. le Comte de Falkenstein fut admis à diner avec L.

---

*) Der Markgraf v. Brandenburg darf ſich glücklich ſchätzen, daß man ſich herabläßt, eine Art von Krieg mit ihm zu führen.

L. **Majesté** *), und höchst traurig die Rede Louis XV.:
Ja! Ja! der König von Preußen versteht sich
auf Schlachten — aber kann er auch Pastetchen ba-
cken, wie ich? Steig herab Rabelais und Moliére! Und
doch ging man noch weiter zur Zeit Napoleons, und Niemand weiter als die Bischöfe. Gott ruhte nach Erschaf-
fung Napoleons zum zweitenmal — er war der zweite
Heiland — der heilige Geist sogar mußte die Rolle Mar-
boufs spielen —

> Si l'Empereur faisait un Pet
> Geoffroy diroit il sent la rose
> et le Senat s'assemblerait
> pour confirmer la chose **)!

Man lächelt beim Anblick Roßbachs, beim Anblick
Lützens ergreift uns tiefe Rührung, und wer hätte in der
einförmigen Gegend, und selbst in diesem elenden Reste
Langweile bei Gustav Adolphs Leichenstein, das einfachste Grabmonument, das ich kenne? Einige Schanzen
sind auch noch merklich, und das Volk weiß viele Spuck-
geschichten. Ob des Helden Schwerdt zu Lützen das ächte
sey? da man zu Weimar und zu Leipzig ähnliche vorzeigt,
diese wichtige und schwierige Frage muß ich den Herren
Antiquaren überlassen. Der große, humane, einfache Mann
fiel zu Lützen — ungewiß ob nicht durch Meuchelmord?
— sein Leichnam ward von Pferden zertreten und vo
Croaten entkleidet in der Nähe des großen Steines gefu
den, der schon früher der große Stein hieß, jetzt
Schwedenstein. Acht Pappeln stehen um den Ste
wo ein König fiel — ach! in diesen weiten Ebenen fiel
Tausende, die auch das Leben liebten! unter ihnen au

---

*) Der Graf v. Falkenstein ist zu dem Mittagessen ih
Majestäten zugelassen worden.

**) Brummt's dem Kaiser in den Hosen,
Gleich spricht Geoffroy: „ich rieche Rosen;"
Drauf versammelt sich ein hoher Reichs-Senat,
Und bestätigt, daß Hr. Geoffroy die Wahrheit gesprochen

Pappenheim, der neben dem Schweden genannt zu
werden verdient. Der Deutsche suchte den Schweden im
Schlachtgewühl, und starb heiter, als er vernahm Gustav
sey gefallen. Hier auf diesem Steine — phantasirte ich
wohl zwei Stunden — hier ruhten auch Carl XII., Gustav III.
und IV., und wie viel tausend Reisende?

Gustav Adolph fiel hier, wie Helden zu fallen wünschen
in Krieg und Sieg, Cäsar endete durch den Dolch des
Meuchelmörders im Senate, Alexander inter pocula *) —
Friedrich auf dem Lehnsessel des Alters — Napoleon in
vinculis **)! Gustav, der Sieger bei Leipzig und Lützen,
aber fiel wie Epaminondas, der Sieger bei Leuctra und
Mantinea, Satis vixi, und Nelson, der Sieger bei Abukir
und Trafalgar! Der gute geistvolle Gustav, weit erhaben
über Ferdinand, scheint mir aber doch ein fanatischer
Lutheraner gewesen zu seyn, wie der Kaiser fanatischer
Katholike — wer weiß, ob er es als deutscher Kaiser viel besser gemacht hätte? Wie ganz anders sähe es in
Deutschland aus, wenn er nach der Leipziger Schlacht den
Feind nicht allzugeringe geachtet, und Orenstierna gehört
hätte, der ihm zu Frankfurt Glück wünschte zum Siege,
aber beisetzte: „ich hätte mich dieser Pflicht lieber
zu Wien entlediget!" Siegreich durchzog Gustav unser
Vaterland, und so lange er lebte, lastete der Jammer des
Kriegs weit weniger, als da, wo Waldstein hauste — er
fiel unerwartet zu Lützen, und fiel wahrscheinlich zu seiner
größern Ehre — happy in time of his renown ***)! Wäre
Napoleon gefallen zu Marengo — wie ganz anders wäre
sein Nachruhm.

Unferne von Lützen auf der Station Rippach hat
ein anderer Held ein gleich einfaches Denkmal, dessen ich
in keiner Reisebeschreibung gedacht finde, Friedrich. Im

_____

*) Beim Gastmahl.
**) In Banden.
***) Zur rechten Zeit für seinen Ruhm.

Posthause ruhte er nach der Schlacht von Roßbach in einem alten Großvaterstuhle, der noch da steht, und an der Wand die Worte: „Place de repos de Frédéric II. après la bataille de Rosbac *)! Sehr müde kann er nicht gewesen seyn! — Merseburg (Marsburg) ist alt, unregelmäßig und todt, mit 8000 Seelen, aber interessant der Dom, wo man die große Orgel von 4000 Pfeiffen, die vertrocknete Hand Rudolphs, Gegenkönig Heinrichs IV, und die Gemälde Cranachs sehen kann. Rudolph blieb in der Schlacht, und Heinrichs Antwort, als seine Umgebungen von Ausgrabung sprachen, bleibt groß: „Wollte Gott, alle meine Feinde hätten ein so schönes Grab!" Bischof Dithmar, einer der interessantesten altdeutschen Geschichtschreiber, ruhet auch hier, und Cranachs Kreuzigung, wo die Bildnisse der Reformatoren angebracht sind, voll schalkhafter Satyre, verdient Betrachtung. Die Antwort des Küsters, der die Schätze zeigt, und vielen Gallerie-Inspectoren gleicht, ist berühmt: „das Gemälde ist doch hart," sagte ein Fremder, „Ja wohl!" unterbrach ihn der Küster, „es ist auf Holz gemalt!"

Ueberall sieht man im alten Schlosse das Bild eines Raben mit einem Ringe im Schnabel, es ist das Wappen der Trotta — die Chronik aber will, daß Bischof Tillo von Trotta einen treuen Diener im Verdacht, daß er einen Ring entwendet habe, hinrichten ließ, der Ring fand sich im Neste des Raben, und so befahl der Bischof, daß zur steten Warnung vor voreiligen Todesurtheilen, ein Rabe im Schlosse unterhalten werden solle. Der Rabe gehört zu der Riesenschildkröte, die das Chorgewölbe soll untergraben haben. Der Dom hat sonst noch manches interessante Denkmal, ihn baute Otto I., der Merseburg stiftete zum Andenken der Ungarn Schlacht 934, denen Heinrich I. statt Tributs einen schäbigten Hund sandte, mit abgeschnittenen Ohren und Schwanz. Hätten wir es auch

*) Ruheplatz Friedrichs II. nach der Schlacht von Roßbach.

so gemacht, wäre mehr Geld im Vaterlande! damals war aber auch, wie in Ottos Schlacht auf dem Lechfelde, im Reichs-Panier kein Abler, sondern ein Engel. Heinrich soll mit 70,000 Mann 300,000 geschlagen, davon 100,000 rein todtgeschlagen, und 50,000 gefangen haben? Arith= metisch geht es an — aber wenn auch noch so viele Tau= sende abzuziehen wären, Heinrich bleibt dennoch groß, und man hat endlich aufgehört ihn Auceps oder Finkler zu nennen, denn Finkler war damals jeder Edelmann!

Das Merkwürdigste zu Merseburg ist für die mei= sten Reisenden — das Bier. Klopstock nennt es König der Biere, und Hölty behauptet, daß Wodan mit sei= nen Helden in Walhalla nichts als Merseburger trinke, und sein eigen Gesicht davon so roth geworden sey als Utzens, da er zur Gottheit aufflog — aber verlaßt euch nicht auf Dichter, es sind — Menschen! Das Merse= burger Bier (ehemals Streckfießel) wird nur erst gut, wie Bourdeauxwein, wenn es recht weit verführet wird, wie der Mensch auch, wenn seine Leidenschaften ausgetobt haben, daher auch die S. Sancti solche Verführungen des Teufels nannten, um doch einmal etwas Vernünf= tiges zu sagen!

Naumburg und Merseburg waren einst fette geistliche Stifter, die zuletzt den Leipziger Professoren wohl thaten, noch wohler aber dem Kurhause das Aussterben der Neben= linien Naumburg, Zeitz, Weissenfels, Querfurt 2c., die der Würgengel binnen dreißig Jahren würgte. Gewiß erregte das Glück des Kurhauses den Neid vieler Agnaten im Reiche! Wo die Baßgeigensammlung des letzten Her= zogs von Merseburg hingekommen sey? vergaß ich zu fra= gen. Pöllnitz erzählt, daß er sich stets eine große Baß= geige nachfahren ließ, solche in der Kirche selbst während des Gesanges strich, und manchmal während der Predigt, wenn der heilige Redner kein Ende finden konnte; er hatte einen ganzen Saal voll Baßgeigen, und in der Mitte einen Riesen von Geige, zu dem man hinaufstieg, wie auf das

Faß von Heidelberg. Der Herzog strich den Baß so meisterhaft, als der Landgraf von Hessen zu Pirmasens trommelte; wer Dienste suchte, empfahl sich mit einer Geige, und jener Riese war die Supplik eines Mannes, der um den Geheimenrathstitel eingekommen war. Der Herzog wollte das letzte Kind nicht für das Seinige anerkennen — that es aber, als eine neue schöne Geige zum Vorschein kam, die ihm das Kleine — mit auf die Welt gebracht hatte! Es gibt indessen Baßgeigen, die noch fataler brummen und von selbst, je mehr sie schon ausgespielet sind, und je länger sie schon gebrummt haben! Der Herzog sahe aber in der That — den Himmel für eine Baßgeige an!

Vierzehnter Brief.

Halle, das Eichsfeld und die goldene Au.

Halle an der Saale, zwei Posten von Merseburg, hat seinen Namen von dem Salzwerke, wie andere Salz-Orte (sey es nun vom griechischen Worte ἅλς Salz oder von den Hallen der Magazine) und ist uralt. Die große aber schlecht gebaute Stadt zählt 26,000 Seelen, die Studenten zu 1000, und das Militär zu 2000 Mann gerechnet; Glaucha und Neumarkt machen die Vorstädte. Der Markt oder große Berlin hat noch die besten Häuser, und in seiner Mitte ein trottoir, genannt der breite Stein, worauf sonst die Musen allein ein Recht zu haben glaubten, wie der Adel auf höhere Stellen, Hof und Waffen, Sporn und Orden! Hier steht auch Meyerische Haus, das Buchhändler Gebhard einst Professor Meyer für seine Logik und Metaphysik gab.

Es ist recht gut, daß deutsche Philosophen nicht mehr so honoriret werden, wo wollten wir hin vor philosophischen Querköpfen und metaphysischen Grillenfängern? und wenn erst alle bei ihren neuen Erfindungen eine Hekatombe opfern wollten, wie Pythagores als er seinen Magister Matheseos fand, so könnten — die vierbeinigten Ochsen gar ausgehen. Aber das andere Extrem taugt auch wieder nichts, und viele wackere Gelehrte lassen lieber ihr Werk im Pulte, weil sie, wenn ihnen auch der Geist der Zeit kein Gräuel vor dem Herrn wäre, die Willkühr, Unredlichkeit und — der Hebraismus vieler Verleger empört, vorzüglich der Hebraismus: „Wenn ich sehe, daß ich zu meinen Auslagen komme!"

Der Dampf der Salzkothen und Steinkohlen verbreitet einen Nebel über das alte Nest, als ob man in London wäre, die Salzwerke aber, die schon die Wenden kannten, gehören zu den ergiebigsten in Deutschland (täglich 2400 Scheffel) und sind so reichhaltig, daß sie keine Gradierwerke brauchen. Sie gehören theils dem Staat, theils der Stadt, liegen im Thale, und die Eigner heißen Pfänner, die Arbeiter aber Halloren, ächte Nachkommen der Wenden. Diese Halloren sind ein eigen Völkchen, frei vom Soldatenstande, freisinnig, derbe, und im Wasser und Feuer wie Fische und Salamander; das Fischer- oder Halloren-Stechen ist eine eigene Volkslustbarkeit. Sie stehen in Erbverbrüderung mit den Musen, und so darf man sich nicht wundern, wenn die Hallenser halbe Halloren waren, roher als Jenenser. Halloren und Musen standen sonst für einen Mann, wenn es Soldaten und Gnoten galt!

Noch zu meiner Zeit zeichneten sich die Hallenser aus durch ungeheure Kanonenstiefel und Pfundsporen, ebenso ungeheure Filzhüte, lange, graue, lumpigte Ueberröcke von Biber, durch Stecknadeln zusammengehalten — und durch Saufen, worin sie mit jedem Postknecht oder Amtsdiener die Wette aufnehmen konnten. Wahrscheinlich ist der Name

Puff vom Bier gebraucht eine academische Phrase. Sie
verstanden sich besser auf Pumpen als auf Wir, hatten i
der Regel kalte Füße (kein Geld) und gingen dann per
Zu Gundlings und Thomasius Zeiten kamen sie in di
Vorlesungen im Schlafrock mit umgeschnalltem Hieber un
Hunden aller Art, und mancher behielt selbst seinen Hu
auf. Gundling handelte einst gerade von der Krönung
Kaiser, und da so ein Bengel sich bedeckte, gleich ein
Grand d'Espagne, so sagte er: „Der Kaiser bedeck
auch allein das Haupt, wie dorten Herr N. N.'
Alles dieß ist nicht mehr — des Saufens allerwärts weni
ger, dagegen scheint ein anderes Laster an die Stelle getre
ten zu sehn, das schlimmer ist, zumal seit Entdeckung
Amerikas... Das Wahrzeichen von Halle ist ein bela
dener Esel auf Rosen, selbst der Treiber hat einen
Rosenstock — die Inschrift belehrt uns, daß es sich lebig
lich auf das Salzwerk beziehe, keineswegs auf Studente
und Professoren. Der alte böse Geist muß doch n
spucken, da es 1826 zu neuen Auftritten kam — der Gei
roher Selbsthülfe bei denen, die sich zu Handhabern gute
Sitte, der Ruhe und des Friedens befähigen sollen! Selb
im Militär hat die Civilisation gewurzelt, und
alte böse Geist der Academien allein sollte sein Unwese
forttreiben?
Das große Frankische Waisenhaus ist das statt
lichste Gebäude, und bleibt stets merkwürdig. Frank legte
schon als Prediger zu Glaucha voll kindlichen Sinnes mit
sieben geschenkten Gulden eine Armenschule in seiner
Wohnung an von vier Kindern, hieraus entstand das Wai
senhaus und Pädagogium von 100 Kindern und 60
Schülern. Wenn auch die Waisenhausarzneien, die
Cansteiner Bibeln und Langs Grammatiken nicht
mehr so gut gehen als sonst, so besteht es dennoch (unter
der heillosen Westphälischen Regierung waren jedoch die
Fonds stark bedrohet) unter Niemeyers trefflicher Leitung
— dessen Grundsätze der Erziehung und des Unter-

richts jeder gebildete Familienvater studieren sollte. Die
Naturaliensammlung hat viel Gutes, womit die von hier
ausgegangenen Missionärs ihre Dankbarkeit bezeugten. —
Nicht alle Bücher können so gut gehen als Meidingers
Grammatik, die, so elend sie auch ist, dreißig Auflagen
erlebte, und selbst Nachdrücke — habent fata sua libelli *).
Frank war ein Schwärmer, aber ein so wohlthätiger
Schwärmer, daß ihn Friedrich nicht hätte zwingen sollen
— ins Theater zu gehen. Er verdient die eherne Statue,
die jetzt im Mittelhofe des Waisenhauses steht von Rauchs
Meisterhand — der fromme Frank ist im Priesterkleid, neben ihm zwei Kinder, deren einem er zulächelt, das andere
hält eine Bibel. Spener und Frank sind unsere Wesley
und Whitefield. Frank war ein Zögling Speners, der
bekanntlich zu Frankfurt a. M. in seinem Hause Collegia
pietatis (daher Pietisten) hielt, wo freilich andere Dinge
getrieben wurden, als gegenwärtig in den sogenannten Collegien, wo man nichts von Durchbruch weiß, und
nichts von Jesus in Uns!
Die Universität Halle, die 1694 aus der Ritter-Aca-
demie hervorging, hatte einst viel Ruf. — Napoleon aber
mißhandelte sie, schickte mehrere Studenten gefangen nach
Cassel, gab den heimgeschickten, 900 an der Zahl, Reisegeld
— zusammen 100 Napoleonsd'or — und hob die Universität ganz auf, weil in ihr der Vaterlandsgeist rege
wurde! Die arme Friederika lebte sicher nicht mehr, hätte
Jeromes Westphälisches Reich länger gelebt! Die Studenten sollen einen französischen Sprachmeister, der gut napo-
leonisch dachte, mißhandelt, und dieser sie angeschwärzt haben, denn Napoleon hatte die Deputirten der Universität
ganz günstig aufgenommen, jedoch auf den Punct der er-
littenen Plünderung nichts erwiedert als e'en est fait! —
Napoleon, von dem man glaubte, daß er auf die Grundsätze der Revolution, die das Adel- und Pfaffenthum

---

*) Auch die Bücher haben ihr eigenes Schicksal.

für die geistige Bildung der Menschheit ziemlich
unschädlich gemacht hatte, fortbauen würde, dachte im
Puncte der Wissenschaften nicht viel besser als Jesuiten
— er schätzte sie zu selbstischen Zwecken. Deutsche
Gelehrte waren ihm Ideologen, Träumer, und von unsern Universitäten dachte er ungefähr wie der Bojar aus
der Moldau, Herr von Stourdza. Semper aliquid haeret
und daher der noch fortdauernde Kampf zwischen Licht und
Finsterniß. Ueber diesen Obscurantismus mag man
den Prediger Pahl hören, der kein Alltagsprediger
ist, aber — höchst wahrscheinlich Prediger in der Wüste,

> doch der, der unsere Universitäten alle
> hat frequentirt,
> zu Jena, Wien, Berlin und Halle
> arg renommirt,
> ward von Leipzig relegirt!

Auf dem Gottesacker zu Halle machte ich Wolf und
Thomasius, Sprengel und Forster ausdrücklich meine
Aufwartung (Forsters Werke, Bemerkungen auf seiner Reise um die Welt, begeisterten mich einst mehr
als Robinson Crusoe, und mehr als Siegwart, Werther
und Heloise) und wollen, wegen früherer Bekanntschaft,
Heineccius, Ludwig, Gundling, Stryk und Böhmer es auch
für sich gelten lassen, so ist es mir lieb — von Hofmann,
Semler und Eberhard wäre es mir aber fast noch lieber;
der Philolog Wolf, vielleicht mehr als Heyne, ruhet
in fremder Erde, zu Marseille, und Händel, dieser Sohn der
Harmonie, der 1684 hier geboren wurde, im Westmünster;
Scarletti rief zu Venedig, als er ihn spielen hörte: Quest
è il Sassone o il Diavolo! und ich hätte seine Gedächtni-
feier im Westmünster 1784 mit anhören mögen. Das
chester bestand aus 600 Personen, und die Einnahme von
10,000 Pfund wurde der Wohlthätigkeit gewidmet. Aber
welche Zeit! wo Wolfen, dem Philosophen, bei Strafe
des Stranges befohlen ward, binnen 24 Stunden die
Stadt zu räumen, da Theologe Lang den König glauben

machte: die Harmonia praestabilita *) verhindere, einen Potsdamer Deserteur zu bestrafen, weil sie ihn zur blosen Maschine mache, was er längst war! Und dieser Schwarze schmierte ein biblisches Licht und Recht in Folio, das der König jede Landeskirche zu kaufen zwang, ob es gleich tief unter Thomas a Kempis, Arndts wahrem Christenthum, und Hübners biblischen Historien steht! Lange hat in unserer Zeit noch Nachfolger gefunden, aber gute Bücher bahnen sich schon selbst den Weg, und brauchen keinen Befehl von Oben, höchstens Schutz.

Zu Wolfs mathematischer Methode lächeln wir jetzt mit Recht, und noch mehr würden wir zu lachen haben, wenn Friedrich, der den Philosophen von Marburg mit vieler Vorliebe wieder nach Halle rief, während der fromme Frank in der Kirche für dessen glückliche Entfernung gebetet hatte — ihn auch in seine Gesellschaft und unter seine Franzosen gebracht hätte. — Wolf popularisirte die Ideen Leibnizens, und war in so ferne nützlicher als Leibniz, so wie Garve nützlicher als Kant — und Thomasius machte es noch besser. Er war der Erste, der in seine dürre pedantische Zeit Witz und Laune brachte, Vorurtheile zu Hunderten über den Haufen stieß, — während Stryk de jure spectrorum **) schrieb, und undeutsch schrieb, wie Wolf — dessen 24 lateinische Quart= wen er lesbar sind, als sein Halbdutzend deutsche Octavbände, worunter sein jus naturæ allein VIII. füllet — seine Vorlesungen deutsch hielt, und über Dinge spottete, worüber bisher nur das Ausland gespottet hatte; die Zuhörer strömten ihm zu, um zu — lachen, lernten aber dabei vieles, denn er war keiner der gewöhnlichen Professoren=Spaßmacher, woran es nie auf Universitäten fehlet... Thomasius war geschworner Feind aller Pedanten und

---

*) Die von Gott vorausbestimmte Harmonie zwischen der äußern Natur und dem menschlichen Erkenntnißvermögen (eine Lehre Leibnizens).

**) Ueber das Recht der Gespenster.

Gleißner, folglich auch der 8. S. Theologorum seiner Zeit, daher fehlte es dem freien deutschen Mann nicht an Kampf und Streit. Thomasius versuchte sich zuerst wieder in unserer Kraftsprache, die nach Luther, Agricola und Frank wieder vernachläßigt worden war von Pedanten, die in Kirchen- Schul- und Actenstaub begraben weder das Vaterland, noch weniger die Welt kannten, und lieber lateinisch oder gar französisch schrieben. Leider! schrieb er auch die ersten — Journale. Thomasius verdanken wir, daß die Grabschrift aufgehört hat, Generalgrabschrift deutscher academischer Grabkammern zu seyn: hic jacet vir beatæ memoriæ exspectans Judicium*), obgleich schon Pindat gesungen hat: der ist weise, der von Natur vieles sieht — die blos von andern gelernt haben, sind wie die Raben, reich an Geschwätze! — jener aber Zeus göttlicher Vogel! Wenn ihm niemand eine Statue errichtet, so sollten es die alten Weiber thun, die nun ruhig vor der Hexenfolter sterben können! Thomasius sollte zu Halle ein Denkmal haben, so gut als Leibnitz zu Hannover, und Lessing zu Wolfenbüttel und eher, als Frank!

Versäumt habe ich auch nicht Bahrdts Weinberg aufzusuchen. Der Mann hatte große Fehler, aber wahrlich viele Heilige, zu deren Gräbern man wallfahret, hatten größere, wie die süßlächelnden Pharisäer, die so gerne alles mit dem Mantel christlicher Liebe bedeckt, alles in Liebe verziehen hätten, wäre es nur sie angegangen, und nicht — die reine Lehre! Armer leichtsinniger Bahrdt! du hast gebüßt! Bahrdt trieb hier Wirthschaft mit seinem Christinchen, verrechnete sich auch hier, und die Wirthschaft hatte ohnehin ein Ende, er wegen seines Lustspieles: „das Religionsedict" wegen seines Unionsordens, wodurch er Geld zu schne hoffte, wie Großing mit seinem Rosenorden — auf

---

*) Hier liegt der Mann seligen Gedächtnisses, das jüngste Gericht erwartend.

Feſtung kam. — Nach Jahr und Tag kam er wieder auf ſeinen Weinberg, und war nun noch — intereſſanter! Er ſoll — als die Hallenſer ſeinen Weinberg zu vernachläßigen anfiengen, einer Bettlerin ein 8 gr. Stück gegeben' haben, damit ſie ausſprenge: „er habe ſich erhenkt,“ alles ſtrömte auf dieſe Nachricht herbei, und Bahrdt trat mitten unter ſie. — Vielleicht können Wirthe dieß Kunſtſtückchen brauchen.

Vor einem der Thore zeigt man noch des Kanzler Ludwigs Gartenhäuschen, das et cætera heißt, und ſchon wegen der ſchönen Ausſicht auf das Saalthal, und die vielgethürmte Stadt, die alte Morizburg, jetzt Militärſpital, die dampfenden Siedehäuſer, Giebichenſtein, Petersberg und die mit Pappeln beſetzte und ſtets mit ſchweren Kaufmannsgütern befrachtete Leipziger Landſtraße nicht unintereſſant iſt. Der eitle Gelehrte ſchrieb nicht das geringſte Programm, ohne ſeinen ellenlangen Titel beizuſetzen, und dennoch folgten noch einige et cætera, und da alles aufgeführt war, nur nicht das Gartenhaus, ſo hieß man es das et cætera, wie die Schweden Etceterati, als ihr König Carl Guſtav Polen den Krieg ankündigte wegen einiger in ſeinem Titel hinweggelaſſenen Titel oder des P. P.! Alle die an der Titelſucht leiden, ſollte man eine Zeitlang hier einſperren — manchen Lauchſtädter Badegaſt, und vorzüglich Collegen Klotz, wenn er noch lebte, der ſo arrogant war, wie Gottſched. Klotz nannte den großen Leſſing in ſeinen Recenſionen ſtets Magiſter Leſſing, denn er hieß ja Geheimerrath — Leſſing war es endlich müde, und ſchrieb: „Ich nenne mich nie Magiſter, will etwa Herr Klotz dadurch mir meinen Abſtand vom K. Pr. Geheimenrathe zu erkennen geben? Der König gab ihm vermuthlich dieſen Titel, weil er ihn für einen guten Magiſter halten mag, ich aber wüßte nicht, was ich mit dem Geheimenrathe anfangen ſollte, und ſelbſt dem Herrn Geheimenrath wäre wohl übel mitgespielt, wenn ihn sein Magister im Stich ließe." Ludwigs zahlreiche Schriften sind so gut, als vergessen, aber er lebt durch ein et cætera. Klotz kann unsere Philologen schimpfen lehren, wenn sie es nicht schon verstehen, im reinsten Latein!

Ein bedeutender Erwerbszweig der Stadt ist der Gemüßbau, Kohl, Gurken, Karden, vorzüglich der Kümmel, daher Halle auch die Kümmeltürkei genannt wird. Der Paradeplatz und das Spitzruthengäßchen sagen uns schon, daß hier Garnison liegt, und in der St. Moritzkirche sieht man die Statue des heiligen Ritters mit einem Schellengürtel, daher ihn das Volk den Schellenmoritz nennt. Unter die eigenen alten Gewohnheiten der Stadt gehörte der Beutel ohne Nath oder der Wittwenbeutel, den jede Wittwe, die unruhig auf ihren Stuhle solchen verrucken wollte, dem Rath nebst einen Schilling entrichten mußte. Die Eulenburger giengen jedoch noch symbolischer zu Werke, ihr Wittwenbeutel mußte zwei Schreckberger haben, und der darauf erfolgte Trauschein hieß der Stechzettel!

Die Belustigungsorte um Halle sind: die Rabeninsel, Passendorf, Giebichenstein, Petersberg und Lauchstädt. Die alte Burg Giebichenstein an den Felsenufern der Saale, dem Fischerdörfchen Cröllwitz gegenüber, war lange Residenz der Erzbischöfe Magdeburgs, denen sie Kaiser Heinrich geschenkt haben soll mit den Worten: „dir geb. ik den Stein." Ludwig der Springer machte sich berühmt, saß auch wirklich gefangen hier, ist aber schwerlich da hinabgesprungen, so oft er auch abgebildet ist im Sprung und ausgespreizten Mantel, dem bestellten Kahn in der Saale, und am jenseitigen Ufer ein flüchtiges Roß. Der Sprung in die Saale ist bei dem Locale physisch unmöglich, obgleich die Furcht keine kleine Sprünge macht, und Ludwig entkam durch List oder Bestechung, den Mönchschronikern aber war es romanhafter

aus **Ludovicus Salicus — Salicus**[*]) zu machen.
Nach ihnen begünstigte den Sprung, der mehr Kraft vor-
aussetzt, als die des tüchtigsten **Flohes**, die Gebenedeite, denn Ludwig soll während seines Sprunges das Stoß-
gebet im Hexameter gebetet haben:

Suscipe virgo tuum nune Sancta Maria Ministrum[**]).

Giebichenstein ist ein allerliebster Erdenfleck, wo
auch der Sohn der Harmonie lange lebte, **Reichard**,
eine Ausnahme unter den Tonkünstlern, meist Ausländer
in dieser Welt, was höflicher ist als des brittischen Büffels,
Johnsons Rede: „Alle Ausländer sind Dumm-
köpfe (fools) — und auch der berühmte Arzt **Reil**, der
auf dem **Reilsberge** schlummert. Die alte Burg war
öfters auch Staatsgefängniß, daher das Sprüchwort:
„Wer kommt nach **Giebichenstein**, kommt selten
wieder heim.“ Mir selbst gieng es so, ich kam wenigstens denselben Tag nicht wieder heim, d. h. nach Halle,
so wohl gefiel es mir zu Giebichenstein. Zu Halle stand
die preußische Reserve von 16,000 Mann unter dem
Herzog von Würtemberg, und auch sie ließ sich schlagen,
statt bei den Flußposten sich über die Elbe zurückzuziehn —
nie trafen wohl so viele Umstände zusammen, als im Jahr
1806 — selten kommt ein Unglück allein — hier
half Alles das Unglück beispiellos machen!

Von Halle sind, über Trotta, auf einem Fußpfade,
zwei Stunden nach dem **Petersberge**, aber vom Wirthshause an wohl noch ¼ Stunde zur Ruine. Dieser mons
serenus, **Lauterberg** oder **Petersberg** hat 1100', ist
aber doch der höchste Berg der Gegend, wie der **Zobten**
bei **Breslau**, und der Hügel von **Landsberg**, der in
diesen Ebenen nicht minder Figur macht. Ein Graf von

---

[*]) Aus **Ludwig dem Salier**, einen **Ludwig den Springer** zu
machen.

[**]) Deinen Getreuen nimm auf, o heilige Jungfrau Maria.

20 *

Martin stiftete 1128 das Kloster, und nahm selbst die Kutte am Abend seines Lebens; seine Mönche gaben uns die älteste und beste Chronik Meißens. Man findet hier Kirche, Pfarrwohnung und Schulhaus, natürlich aus neuerer Zeit, und auch den Gottesacker von vier Dorfschaften ist hier aber. Unter den Ruinen, zwischen welchen einige arme Familien leben, und manche alte Markgrafen modern, ist das ansehnlichste Ueberbleibsel die Kirche, die Hauptsache aber die herrliche Aussicht in die reichen Ebenen von Magdeburg. Stets trifft man hier Fremde, vorzüglich aber die Hallischen Musen, und mancher Musensohn hat schon im Fremdenbuche, das drei Folianten füllt, die Namen seines Großvaters und Vaters gefunden. Heußdel erzählt, daß einer bei dem Namen seines Vaters, der da geschrieben hatte: „Was ist der Bursch ohne Geld?" sich Jahr, Tag und Seitenzahl bemerket, und in die Hände klatschend gerufen habe: „Warte nur Alter!" Wenn er unverschämt um Geld! Geld! Geld! schrieb, so verdiente er, wie jener, daß der Vater zwischen das Wort Geld die Buchstaben d und u setzte, und den Brief leer zurücklaufen ließ. Aber Recht hast du, Bruder Studio! der du schriebst:

> - Im Saalkreis ist der Petersberg
> - Ein respectabler Riese. —
> Und in dem Alpenparadiese
> Ein armer kleiner Zwerg!
> So kommt es auf den Ort nur an,
> Zu seyn ein kleiner oder großer Mann!

Ein anderer Tummelplatz academischer Fidelität ist das vier Stunden entfernte Lauchstädt, das sächsische Pyrmont, wo aber mehr getanzt, gespielt und gejubelt, als gebadet wird. Mein Bad wäre es nicht, einmal weil es keine Environs hat, und dann wegen des Haller Musen-Pöbels, und der eleganten Steifheit, die mir hier zu herrschen schien. Wer aber nicht gerne über hohe holperige Berge und halsbrechende Wege in Bäder

hinabsteigt, der findet hier seinen Ort und noch mehr diejenigen, die gerne in Gala sich zeigen, und unter Hidalgos
leben wollen. Es sind meist nur Sachsen hier, und war
sonst Klage über die hochadeligen Nasen und Dresdner
Hofluft, soll sich aber auch hier gegeben haben. Göcking't
sang einst von Lauchstädt:

> Wer lahm und blind ist, der vertrau'
> Dem Bad in Lauchstädt zwar;
> Doch keine adelstolze Frau,
> Denn die wird nur zu Brückenau
> Geheilt von ihrem Staar!

Und doch hat man mir erzählt, daß ein gnädiges Fräulein
hier eine sehr heroische Kur habe bestehen müssen, die einem
Bürgerlichen den Tanz abschlug, da sie schon in Reihe
und Glied standen — „meine Mama hat es mir verboten, mit einem Bürgerlichen zu tanzen!" Der
Begleiter des jungen Mannes Graf R. zog nun das
Fräulein auf — in Reihe und Glied fragte er nach ihrem
Namen: „Verzeihen Sie, mein Papa hat mir
verboten, mit einem bloßen Fräulein zu tanzen," und führte sie wieder zu ihrem Sitze — er zahlte
mit eigener Münze, mit Bilde und Ueberschrift, „der adelichen Närrin!" — Lauchstädt liegt am Flüßchen Lauche;
aber die Lauge, wenn sie die schmutzige Wäsche reinigen
soll, muß Salztheile haben, und diese hat die Lauche nicht,
on y perd sa lessive*) — indessen hat die Regierung für
das Bad viel gethan, es ist besucht, und es ist, nächst
Ronneburg, das einzige in diesen Gegenden, der Mangel
an Landparthieen macht geselliger, und die Sachsen sind
immer höfliche Leute. Der Kurgast wird auch ein- und
ausgeblasen gegen eine kleine Erkentlichkeit, und wer
zahlte solches nicht lieber, als das Hinausblasen auf
den Gottesacker? Lauchstädt ist ein Bad für eigentliche
Kranke und alte Leute, das meinige wäre es, wie gesagt

---

*) Man verderbt nur die Wäsche darin.

nicht; und ich rief auch hier: bleibe im Lande und
nähre dich redlich.

Unweit des sächsischen Pyrmont liegen noch die Städtchen Schafstädt und Querfurt. Letzteres hat Namen,
wegen seines stark besuchten Wiesenmarkts auf derselben
Wiese, wo S. Brunos Esel stätig wurde. Der Esel
des Heiligen ist Beweis, wie ein Esel auf Jahrhunderte
hinaus fortwirken kann, selbst durch Starrsinn und
Eselsstreiche!

Noch muß ich, ehe ich weiter nach Norden gehe, zwei
Gegenden nachholen, die einen wahren Contrast machen,
das Eichsfeld, auch Hungerfeld genannt, und die
vom Himmel beglückte Goldne Au. In jener von der
Natur so stiefmütterlich behandelten Gegend von vierzig
Quadratmeilen mit 76,000 Seelen tummelten sich einst
eine Menge kleiner Herren, bis das Erzstift Mainz immer
weiter um sich griff, und zuletzt das ganze Eichsfeld allein
besaß mit Ausnahme des an Braunschweig gefallenen An-
theils. Die Familie Winzingerode, die Würtemberg
zwei Minister, und Rußland einen tapfern General gab,
ist hier zu Hause, und Bodenstein ihr Stammsitz. Dieses Hungerfeld, wo man Stunden lang reisen kann, ohne
auf einen Menschen zu stoßen, verdankt sein Aufkommen
einem hessischen armen Dragoner Degenhard, der in
den flandrischen Kriegen die Wollenmanufakturen kennen
lernte, hier 1680 den ersten Webstuhl errichtete, deren man
jetzt über dreitausend zählt, und seinen sieben Kindern ein
Vermögen von 5,600 Thlr. hinterließ. Nächst dem Back-
ofen nähret nichts so leicht als ein Webestuhl!

Heiligenstadt (von seinen Reliquien so benannt)
mit viertausend Seelen ist etwas schöner geworden, seit der
letzte Kurfürst von Mainz hieher emigrirte, vorzüglich die
Allee nach der alten Burg, und das Schießhaus;
in der Nähe ist der Wasserfall der Scheuche und die Ilse-

betshöhle. Interessanter ist ein kleiner Abstecher nach dem Hülfenberg oder Mariahilf (zwei Meilen), wohin man auch mit lustigen Büßern eine Wallfahrt zu Fuße machen kann. Bonifacius soll hier dem Deutschen Heiligen Stuffo zum Possen eine Capelle gebaut haben. So viel ist richtig, daß sich die Nonnen von Annerode sehr wohl befanden, ihre einträgliche fromme Praxis erstreckte sich auf Menschen und Vieh, sie hätten aber gewiß edler gehandelt, wenn sie auch Wollen gesponnen hätten am Altar des Dragoners Degenhardt. Auch dem Heiligenstädter Bürger Hartung gebührte ein Altar, der 1730 — 40 die Cartoffel aus Hannover nach seinem Garten verpflanzte; von da kamen sie in andere Gärten und auf's Land, immer nur für's liebe Vieh, endlich fand man sie auch dem Menschen zuträglich, und nun ist sie Hauptnahrungsmittel, ohne welches das Eichsfeld noch heute Hungerfeld seyn würde. Ob zu Heiligenstadt die Capelle zur elenden Jungfrau noch besucht wird? Das Gnadenbild sollte gegen das Elend (fallende Sucht) helfen, und sahe auch selbst recht elend aus. Ich denke Preußen wird allem Elend am besten abhelfen, wenigstens dem, das aus finsterer Bigotterie zu entstehen pflegt, und unsere Zeit es noch so weit bringen, daß die Wallfahrten zu den Gnadenbildern zu den — größten Wundern dieser Bilder gerechnet werden!

In dem dürftigen, armen und kalten Eichsfelde liegt auch Duderstadt, und selbst die ehemaligen Reichsstädte Nordhausen und Mühlhausen mögen noch dahin gerechnet werden. Duderstadt, ein altes Städtchen von etwa viertausend Seelen, hat ein gutes Bier, das vorzüglich gegen Gicht, Gries und Steinschmerzen gut seyn, und auch eine Dreckgasse, was doch altdeutsch ehrlich ist, denn es gibt unmäßig viele Dreckgassen, die recht prächtige Namen führen. Mühlhausen an der Unstrut spielte seine größte Rolle im Bauernkriege, und war die

Residenz der Bauernanführer Münzer und Pfeiffer, die
eine förmliche Theocratie im Kopfe hatten. Es zählt zehntausend Seelen, und hatte ein nicht unfruchtbares Gebiet
von achtzehn Dörfern mit sechstausend Seelen. Es webt,
färbt und druckt die Röcke der obersächsischen Bäuerinnen,
so wie Nordhausen Branntwein brennet und Schweine
mästet, die meist nach dem Harze gehen. Der Ueberfluß
an Getraide wird nach Wanfried (vier Stunden) gebracht, wo solches auf der Werra und Weser nach Norden
geht. Wenn auf der ziemlich besuchten Straße von hier
nach Göttingen die Wege, seitdem ich sie nicht mehr sahe,
nicht besser geworden sind, so bedaure ich von Herzen alle
Reisenden, die nicht gerade Willens sind, sich eine anschauliche Idee in der Nähe und mit geringern Kosten zu machen von einer Reise nach Rußland!

Nordhausen liegt eigentlich in der Grafschaft Hohenstein an der Sorge, mit zehntausend Seelen und
einem recht antiken reichsstädtischen Aussehen — aber die
Bewohner sind fleißige Fabrikanten, und die Oelkuchen
riecht man schon von weitem. Zwei Stunden davon ist
die herrliche Ruine Hohenstein, unweit Neustadt,
mit vortrefflicher Fernsicht in die Goldene Au, und über
das Eichsfeld bis nach Göttingen. Viele Wände, Thore
und Gewölbe der Burg sind noch unversehrt, auch ist das
mächtige Geschlecht der Hohensteiner erst 1596 erloschen.
Nordhausen sollte eigentlich Branntweinhausen heißen,
hundert Blasen wenigstens sind stets im Gange, täglich
werden 1400 Scheffel Getraide verdorben, und die Oelkuchen gehen in die Millionen. Diese machen das Vieh
fett — der Mensch aber wird blaß, mager und ver-
dorret, der stets zu Branntweinhausen sitzt!

Nordhausen sahe im Mittelalter eines der stattlichsten
Turniere, das Markgraf Heinrich von Thüringen gab
(1263), in der Mitte eines künstlichen Gartens stand ein
Baum mit goldenen und silbernen Blättern,
um den Garten Zelten, und wer den andern herabstach,

bekam als Dank ein goldenes, wer ſitzen blieb ein ſil-
bernes Blatt. Die gute Reichsſtadt hatte in dieſen
Zeiten ihre liebe Noth mit den ſogenannten Harzgrafen Ho-
henſtein, Stollberg, Schwarzburg ꝛc., bis ſie mit Mühl-
hauſen, Erfurt und den Fürſten Sachſens und Braun-
ſchweigs in Bund trat gegen die noblen Ritter. Auf
ſeinem Gute Puſtleben bei Nordhauſen ſtarb der herrliche
und liebenswürdige Dohm 1820, der einer unſerer vollen-
detſten Diplomaten geweſen wäre, wenn er L'hombre und
Whiſt — geſpielt (was nach roture ſchmeckte) und das
Franzöſiſche reiner geſprochen hätte!

Zu Nordhauſen hatte ich, nachdem ich ein bischen
herumgeſchlendert war, und Cranachs Auferweckung
des Lazarus geſehen hatte, wobei ſchon Luther, Melanchthon und andere Reformatoren zugegen waren — die furcht-
barſte Langweile, aber mein gefälliger Wirth brachte mir
die hiſtoriſchen Nachrichten von Nordhauſen 1740, 4, und
ſo durchblätterte ich ſie, wie einſt Rabener die Memorabilia
von Querlequitſch. Nach dieſen neckte ein reicher Jude
einen Zimmermann: „Euer Herr Jeſus war auch
Zimmermann,“ die Ehrengeiſtlichkeit ſchrie Blasphemie,
der Jude ſollte hinaus, warf aber der Stadt einen Reichs-
hofrathsprozeß an Hals, der ſich mit einem Privilegio
gegen die Juden endete, 1551. Ein anderes Nordhäuſer
Genie brachte die Merkwürdigkeit ſeiner Vaterſtadt in
Verſe:

Curia, Rolandus, Saxum, Ballista, Canalis,
Fons, ales sunt Nordhusæ miracula septem*) —

Wie das Rathhaus unter die Wunder kam, iſt allerdings ein Wunder, Rolands gibt es mehrere im Norden
— der Stein mag eher für eines gelten, der uns ſagt,
daß Kaiſer Theodoſius II. 410 die Stadt baute — die

_____

*) Das Rathhaus, die Rolandsſäule, der Stein, die Feldſchlange,
der Kanal, des Brunnen, der Adler ſind die ſieben Wunder Nordhauſens.

große Feldschlange ist nicht mehr, vom Canal bin
ich auch nichts gewahr worden, vielleicht ist er unterir=
disch, und den Adler und Brunnen habe ich mit dem
ächt philosophischen Nil admirari ruhig betrachten können.
Gewohnt, berühmter Schriftsteller an ihren Geburtsorten
zu erwähnen, erwähne ich auch hier Herrn Dr. Kellner,
der 1690 ein Buch über offene Schenkel und Beinschäden
unter dem Titel herausgab: „der kuriose Schenkel=
Diener.“ Dieser Schenkeldiener wäre mir gewiß nicht
so böse geworden, als die galante Frau, auf deren Schreib=
tische ich einst einen angefangenen Brief fand „Durchlauch=
tigster Fürst! Gnädigster Fürst“ — ich wagte den Beisatz,
„und Schenkelpatscher!“

Alle Reichsstädte liebten Schmausereien vorzugs=
weise. Wenn auch in den letzten Jahrhunderten die Auf=
klärung stets um fünfzig Jahre zurück war, theologische
Helden längst veraltete Sitten vertheidigten, wie Götz zu
Hamburg und Spörl zu Nürnberg, der die große Ueber=
schwemmung 1784 den Maskenbällen zur Last legte—
alles Neue verhaßt war, wie Wetterableiter, Verlegung der
Gottesäcker ꝛc. — so waren die Herren doch stets bereit
zu Schmausereien auf Rechnung des Aerarii und from=
mer Stiftungen — nicht blos bei Taufen, Hochzeiten und
Leichen, sondern auch bei jeder Dienstbeförderung, Rech=
nungsabhör, Visitation, Zehntverleihung ꝛc. — Nichts als
Schmäuse das ganze Jahr hindurch, womit die paphi=
sche Göttin in natürlicher Verbindung stand, und da die
Bürger von den Herren lernten, so war ewiges Flott=
leben, daher so wenig Helle in den Köpfen, als
Geld und Freiheit im Freistaate! Ueber das städti=
sche Gut dachten die Herren gerade wie Louis XIV. und
sein Beichtvater, oder da sie sich gerne mit dem Senate
Roms verglichen, wie Maenius. „Warum bin ich nicht
40,000 Thaler schuldig!“ rief er einst auf dem Capitol,
„wenn mich Jupiter erhörte, gewänne ich hundert Procent,
denn ich schulde 80,000 Thaler!“ Die Alten vergruben das

Geld, daher auf den Schätzen der Teufel sitzt oder ein
schwarzer Pudel, verstanden kein Wörtchen von der Wohlthat der Geldcirculation im Staate, und daß hunderte bei Ausschätzung gewinnen. Je mehr Menschen
glücklich gemacht werden, desto besser die Zeiten! Die Einverleibung vieler Reichsstädte in größere Staaten war ein
ächtes mosaisches Halljahr, wie die vielen Vergan-
tungen für Zeitungsinhaber.

Unter solchen Umständen fehlte es auch in Nord-
und Mühlhausen nicht an Schmausereien, unter denen
das Martinsfest oben an steht, das überhaupt im
Norden feierlicher begangen wird, als im Süden, zum Andenken Martin Luthers. Am Martinsabend ist die Stadt
wie beleuchtet, Alles auf den Straßen, der Thürmer bläßt:
Eine feste Burg ist unser Gott, viele Einwohner singen es
mit, es wird geläutet und musicirt, den Beschluß macht
ein: „Nun danket alle Gott" und Alles fällt nun über —
die gebratene Gänse her! vielleicht auch über andere.
Zweifelsohne sind die Gänse gehörig mit Beifuß, Obst,
Kastanien, oder doch Cartoffeln gefüllet — aber es
fehlt doch eine Hauptsache, der süße Most des Südens
— ja ich weiß, daß eine Martinsgans mit Ducaten
gefüllet zur Verehrung gegeben wurde, und aus Unwissenheit ihres Metallinhalts wieder weiter — worüber ein
Proceß entstand. Viele Millionen Gänse hat Dr. Luther
unglücklich gemacht, der auch öfters nach Nordhausen ritte
zu Freund Dr. Jonas, dem er den Becher verehrte, der zu
Nürnberg ist, mit der bekannten Inschrift, erbaulicher als
nachstehende auf einem Freundschaftsbecher — aber ich wette,
der joviale Luther hätte doch privatim dazu gelächelt:

> Prends ce Vase mesuré
> sur le Sein de ma Bergère,
> que l'Ami se désaltère
> où l'Amant s'est enivré *)!

---

*) Nimm diesen Becher, der nach dem Busen meiner Gelieb-
ten geformt ist, mögest du, o Freund, aus dem Abbild

Die Goldene Au, von der Helme durchschlängelt, ist der berühmteste Strich Thüringens — ein ungemein fruchtbares Thal, wie schon der Name andeutet, das bei Nordhausen beginnt, und sich gegen Rosleben und Sangershausen hin im Unstrutthale verliert, reich an Obst, Getraide und Oel. Man muß das Thal von dem berühmten Kyfhäufer Geisterberge betrachten, und dann hinüber wandeln nach Sachsenburg, an deren Fuß die Unstrut rollt; die Hauptorte sind Kelbra und Heeringen. Schön nimmt sich das Schloß Burgscheidungen aus, die Residenz der alten Könige Thüringens. Mich hat, wie tausend Reisende, die Goldene Au prosaisch begeistert, die Dichterin Caroline von Kamiensky aber natürlich — dichterisch — ja der Graf Botto von Stollberg sagte sogar schon im frommen Mittelalter bei seiner Rückkehr aus Palästina: „Ich lasse jedem das gelobte Land, und lobe mir die Goldene Au. Das schöne Thüringen zählt wohl ein Dutzend goldener Auen!

In der schönsten Stelle dieses gesegneten Thales liegen die Ruinen Kyfhausen und Rothenburg, nur eine Stunde von einander. Letztere ist kleiner, aber schöner, denn das Hauptgebäude ist noch wohl erhalten, und ein Thurm, obgleich ganz geborsten, kann noch viele Generationen überleben. Von Kelbra führt ein bequemer Weg nach Rothenburg, und von Tilleda, einst kaiserliches Palatium, gelangt man nach dem Kyfhäuser, dessen weite Ruinen die alte Kaiserburg bezeichnen, oder die Streitburg (Keifen hat sich erhalten). Bezaubernd ist die Aussicht in das blühende Thal Nordhausen, Roßla, Sangershausen, Alstädt, liegen vor uns, und die lachende Aue. Wahrscheinlich erbaute Kaiser Heinrich IV. die Burg. Das Volk glaubt noch heute, daß hier Kaiser Friedrich Rothbart hause, und an einem goldenen Tisch sitze,

_____

Dessen den Durst stillen, was mir einen Wonnerausch gewährte.

durch den ihm der Bart gewachsen sey! Ein wahnsinniger Schneider gab sich einst für den Kaiser aus, und lebte unter den Ruinen, bis man ihn in's Narrenhaus führte. Bergleute und Hirten wollen von Allerhöchsten Herrschaften, die Musik zu lieben scheinen, für ihre Dudelei beschenkt worden seyn, und Pagen und Zwerge des Kaisers gesehen haben, die sich erkundigten: „ob die Raben noch um die Burg flögen?" Mancher wandelt noch heute im Stillen dahin, und man wird es schön erfahren, wenn einst die Herrschaft wieder einmal gnädig und bei besserer Cassa seyn wird, wie die Ahnungen auch erst erzählt werden, wenn sie eintreffen. Solider sind die Geschenke des Berges selbst — die Mühlsteine und Brunnentröge!

Im Thale der Unstrut müssen wir auch Memmleben gedenken, das man noch zur Goldenen Au rechnen kann, unferne Roslebens, und des lieblichen Sauerbrunnens Bibra, den ich Lauchstädt weit vorzöge. Die Ruine der Memmleber Klosterkirche ist eines der ältesten Denkmale deutscher Vorzeit, aber was die Zeit schonte, verdarb Menschenhand, so daß solche vielen Bewohnern des Orts als bloßer Steinhaufe erscheint zwischen ländlichen Hütten, und doch endete hier König Heinrich I. und Otto I. Mathilde, Wittwe Heinrichs, wollte eine Todtenmesse lesen lassen — aber vergebens fragte sie nach einem Mönch, der noch nüchtern sey — endlich fand sich einer, und sie verehrte ihm nicht nur ihre goldenen Armbänder, sondern gab ihm später noch das Erzbisthum Hamburg. Heinrich nannte den Ort „Mein Leben," woraus Memmleben geworden seyn soll — A chaque oiseau, son nid est beau *)!

---

*) Jedem Vogel gefällt sein Nest.

Fünfzehnter Brief.

Das souveraine Herzogthum Anhalt

ist fast ganz von Preußen umzingelt, nur gegen Westen
stößt es auf kurzer Strecke an Braunschweig, und enthält
48 Quadratmeilen mit 126,000 Seelen, zerstückelt an der
Elbe und Mulde, und getheilt unter drei Linien: Deffau,
Bernburg und Cöthen, ohne der Hoymer Seitenlinie
zu erwähnen. Das Haus Ascanien herrschte lange in
Brandenburg und Sachsen, Bernhard, Herzog von Sachsen
gab einem seiner Söhne, Heinrich, 1218 Anhalt, und
Kaiser Friedrich II. ertheilte den Grafen die Fürsten-
würde, die sich dann in unsrer Zeit, wo man zwar nicht
mehr Land und Leute wie Familienhausrath ansah,
aber nach eiteln Titeln haschte, in Herzogswürde verwandelte. Indessen schrieben sich die Fürsten Anhalts schon
früher: Herzoge zu Sachsen, Engern und Westphalen re. Grafen zu Ascanien, Herren zu Bernburg und
Zerbst re., folglich wäre der Titel nichts Neues. Die Ahnen
Anhalts nannten sich auch von Balkenstädt (Bohlen,
Ballenstädt), daher die fünf schwarzen Balken im
goldenen Felde, und um die ganze Grafschaft Ascher-
leben brachte sie ein Anhalt selbst, der Bischof von Halberstadt war 1322 — es entstand ein Bruderkrieg,
worunter Land und Leute viel leiden mußten, Kaiser und
Reich nahmen sich der Sache an — vierhundert Jahre protestirte Anhalt —, aber vergebens, Beati possidentes! Anhalt ging es wie allen Kleinen, obgleich die Urväter
Brandenburgs und Sachsens Anhalter sind!

Bei Aschersleben stand die alte Ascanienburg,
das Stammhaus, von Graf Esilo von Ballenstädt 905
erbaut, wurde aber schon 1400 verlaffen, ist folglich jetzt
kaum merkbarer Steinhaufen, desto besser erhalten ist ihre
Warte, jetzt königl. preußisches Pulvermagazin.

Und so steht es auch mit der Burg Anhalt im romanti-
schen Selkenthale des Harzes, eine Stunde von Ballenstädt,
kaum sind noch einige verfallene Kellerbogen sichtbar, alles
Uebrige mit Moos und Gesträuche bedeckt, nur in der
Mitte der Trümmer erhebt sich eine Riesenesche, wohin
eine Treppe führt, von der eine weißrothe Fahne weht.
Am Stamm des Baumes stehen die Worte: „Unter
Trümmern und schattigen Bäumen, im Andenken der
Ahnen und ihrer Kraft, Thaten und Frömmigkeit, mit
Wehmuth, daß das Aeußere vergeht, mit Freude, daß
Recht, Tugend, Glaube, Hoffnung und Liebe ewig währen
— blicken aufwärts die Nachkommen." Faxit Deus!
Schräg über den Ruinen liegt das Jagdschloß Meise-
berg mit einer allerliebsten Aussicht in's Selkethal und
einer seltnen Sammlung Riedinger Jagdstücke.

Der Name Anhalt kommt wohl von Burg au der
Halde — nach andern aber von einer Burg von Stein
ohne Holt (Holz). Herzog Bernhard, der Stifter, lehnte
nach Kaiser Heinrichs VI. Tod die ihm angetragene deutsche Krone ab, weil er zu dicke sey, aber sein Sohn Heinrich, wird schwerlich magerer gewesen seyn, da er Heinrich
der Fette hieß. Ein anderer Heinrich von Anhalt, Erzbischof von Magdeburg, vom heiligen Vater befragt: An
scis Orationem dominicam*)? verstummte, der Hofmeister
flüsterte ihm zu: „Pater noster**)," und tausend Mark
Silber wogen schwerer, als alle Gelehrsamkeit. Ein anderer Anhalt Fürst Georg II., der Starke († 1509), war
noch einer der alten Ritter; einem Wälschen legte er die
Hände auf die Schultern, und drückte ihn todt zu Boden,
einen Pfahl zog er aus der Mulde, an dem acht Bauern
ihre Kraft vergebens versucht hatten, und einen Bären, der
ihm auf einem Steege der Mulde in die Quere kam, erlegte
er mit einem Faustschlag! Fürst Wolfgang war ein

---

*) Kennst du das Gebet des Herrn?
**) Vater unser.

großer Beförderer der Reformation, mußte daher sein Land
meiden, und ging singend: „Eine feste Burg ist unser
Gott" nach dem Harz. Nach seiner Wiedereinsetzung sagte
er: „Ich bin jetzt alt und arm, aber tausend
Gülden gäbe ich, wenn ich einen Pabst — hängen könnte!"

Und wer gedächte nicht des Fürsten Leopolds, oder
des alten Dessauer, der die Brandenburger in den
Niederlanden und Italien führte mit Ruhm, und Schöpfer
der preußischen Infanterie war, obgleich bloßer Haudegen? Der Beiname Bullenbeißer, den ihm Eugen gab,
schmeichelte ihm, wie der Name, den ihm Volk und Soldaten gab: „der alte Dessauer, (er hatte fünf Söhne
im preußischen Dienst) Schnurrbart und Schwere-
nöther;" dafür nannte er sein Leiblied, eine feste Burg ist
unser Gott: „Unsers Herrgotts Dragonermarsch."
Ging er ja schon als Prinz zu Venedig auf seinen Hofmeister, der sein Nachtschwärmen pflichtmäßig tadelte, mit
der Pistole los: „Ah Chien! il faut, que je te tue*)."
— Er diente drei Königen Preußens, erfand den eisernen
Ladstock, führte den Gleichschritt ein — Stockprügel
wurden als Dienstsache angesehen, und durften nie fehlen —
und war auch Mitglied des Tabakcollegiums; er
rauchte eigentlich nicht, aber Anstandshalber hielt er eine
leere Pfeife im Munde, oder rauchte, in der Sprache
der Tabaksbrüder, kalt. Keineswegs vernachläßigte er
sein Ländchen über dem preußischen Dienst, und blieb ein
rauher ehrlicher Soldat, wie sein König Friedr.
Wilhelm, mit dem er ungemein viele Aehnlichkeit ha.
Beide führten einen Stock, wie ihn der beste Corporal
nicht führte, und solcher wäre selbst über den Rücken ein
Candidati S. Ministerii gefahren, der zum Eingang sein
Predigt die Verse nahm:

---

*) Wart Hund, ich muß dich todtschießen!

<pre>
          Kein Hunger und kein Dürsten,
          Kein Noth und keine Pein,
          Kein Zorn des großen Fürsten
          soll mir ein' Hinderung seyn —
</pre>

wenn man den wilden Dessauer nicht belehret hätte, daß
darunter — der Satan verstanden werde. — Kein
Wunder! wenn der Dichter Gleim nur kurze Zeit sein
Secretair war, den das häufige „Soll hängen" zittern
machte! — Wenn der alte Dessauer den Dessauermarsch
schlagen ließ, dann mußte es gehen, wie bei Blücher. Ob
die Preußen einen Blüchermarsch haben?

Kein deutsches Haus hat so viele interessante Krieger geliefert als Anhalt, und in keinem deutschen Hause
kommen so viele Mesalliancen vor; die Anhalte dachten in diesem Punkte sehr bürgerlich. Leopold z. B.
that es nicht anders, er mußte seine Fäsin, eine Apothe-
kerstochter zur Frau haben, die ihm zehn legitime Kinder
gebar, er war untröstlich über ihren Tod, von dem er im
Felde Nachricht erhielt, meldete ihn aber seinen Söhnen,
die mit ihm zu Neisse waren, das Auge voll Thränen: „der Teufel hat eure Mutter geholt!" Der
Sieg von Kesselsdorf krönte seine Heldenbahn; zu dem
Großen Friedrich paßte der rauhe Dessauer nicht mehr
recht, er war nun lieber zu Dessau als zu Berlin und †.
1747, alt 71 Jahre. In 22 Schlachten und 27 Belagerungen hatte er nur einen Streifschuß erhalten, daher hielt
ihn der Soldat für kugelfest, und glaubte, er stehe im
Bunde mit dem Teufel — ein Glaube, der in der
Armee Wunder thut!

Es waltet ein eigenes Geschick über diesem Hause.
Im Jahr 1825 trat noch der Herzog von Cöthen mit seiner Gemahlin zu Paris über zur alleinseligmachenden Kirche
— er versicherte seinen Unterthanen, daß sie sich „seines
täglichen inbrünstigen Gebets zu erfreuen haben
sollten, nahm aber dem Consistorium die Leitung der

Schulen, und der heilige Vater überschickte Reliquien,
von denen die Anhalter längst nichts mehr wußten. Es ist
nie gut, wenn Regent und Volk verschiedenen Glaubens
sind, zumal in unserer sonderbaren Zeit — vielleicht kommen wir damit ab, daß Cöthen eine katholische Kirche und
einige katholische Einwohner mehr bekommt — vielleicht
gehen die Dinge weiter. — wer hätte beim Anfang der
französischen Revolution je sich träumen lassen, daß sie den
schrecklichsten Despoten Europens aus einem armen Lieutenant erzeugen? wer je geglaubt, daß nach dessen Sturz
Frankreich sich in die Form des finstersten Papstthums
pressen lassen würde? Alles ist möglich! — unsere Mystiker und Pietisten sind die brauchbarsten Johannes der Pro-
selytenmacher — hi nigri sunt, hos tu Christiane, ca-
veto *)! Was den Herrn Vetter betrifft, so hat ihm bereits
der König Preußens die Wahrheit gesagt, und ich will bloß
an Drydens Fabel, the Hind and the Panther **), die
dieser gelegentlich seines Uebertrittes schrieb, und an
Pirons treffliche Parodie: the Country and the City
Mouse ***), erinnert haben.

Dessau hat den größten Landesantheil mit 700,000 fl.
Einkünfte, wozu die mittelbaren Güter gerechnet sind. Im
Dessauischen sind alle Rittergüter Domainen, die
müssen einst noch schlechtere Haushälter gewesen seyn
in Wärtemberg, folglich der Domainen doch wohl zu
für Nationalökonomie? Die Regierung ist sanft, und
Ländchen war vor dem traurigen Zeitalter Napoleons
Schulden. Bernburg soll 450,000 fl. Einkommen, ho
hat aber auch bedeutende Domainen, ansehnliche Fo
und der Bergbau im Harz soll 100,000 fl. abwerfen
then wird zu 250,000 fl. Einkommen geschätzt, hat

*) Dieß sind die Schwarzen, vor ihnen, o Christ, nimm
in Acht (nach einem altrömischen Verse).
**) Die Hirschkuh und der Panther.
***) Die Stadt- und die Land-Maus.

noch die Herrschaft Plesse in Schlesien, = 19 Quadratmeilen, 32,000 Seelen, 100,000 fl., die der jetzige Fürst
seinem Bruder Heinrich abgetreten hat. Ein Theil der
Anhaltischen Besitzungen liegt getrennt von dem Hauptlande,
Ballenstädt, Harzgerode, Hoym, Gernrode ge-
hören dem Harz an, und die Seitenlinie Hoym erhielt durch
Heirath auch die Herrschaften Holzapfel, Schaumburg und
Laurenburg im Nassauischen. Das Gesammthaus stellt
1200 Mann Contingent, das Appellationsgericht ist zu
Zerbst, aber von neuer ständischer Verfassung habe
ich leider noch nichts vernommen.

Bei Gernrode liegt ein einzelnes Haus, die Sternwarte genannt, wo man aber nie nach dem Himmel
sahe, sondern nur nach wilden Schweinen. Man rechnete im Dessauischen allein die jährlichen Einkünfte von
Sauen zu 6000 Thaler! Viel Jammer mag früher Anhalt von seinen allzujagdlustigen Fürsten erduldet haben,
wie einst Aetolien von dem Eber, der Meleager unsterblich gemacht hat, und anderwärts war es nicht viel
besser. In den alten Höllengemälden sind die Teufel
nicht schwarz, sondern grün gemalt. — Satan erscheint
den Herren gleichfalls meist in grüner Kleidung — sollte
dieß nicht vom alten Jagdjammer herrühren? Ein Reisender machte im Anhaltischen folgende humoristische Betrachtungen: In Preußen gibts wenig Hasen, aber viel
Soldaten, im Anhaltischen ist der Fall umgekehrt. Hasen und Soldaten (beide haben Haare auf den Zähnen)
sind eine Last der Erden, aber Hasen sind doch noch drü-
ckender — was der Soldat ißt, bezahlt er, was Freund
Lampe frißt, darüber darf keine Rechnung eingericht werden — gegen Soldaten kann ich klagen — aber die Bauern,
deren Kohl der Hase frißt, werden bestraft, wenn sie mehr
thun als klappern! Das Anhaltische wäre was für die
Hasenindianer, aber die Anhalter dürften die Hasen
nicht braten, und ich weiß nicht, ob in Anhalt geschehen
wäre, was in Franken geschahe, wo ein Pfarrer, der in

21 *

seinem Garten studierte, einen Hasen todtwarf mit seiner
Postille — und den casus anzeigte, der Graf schenkte
ihm den Hasen, und alle, die er künftig im Garten erlegen
möchte mit — geistlichen Waffen!

In Frankreich war es einst noch schlimmer — der
gepriesene Henri IV. setzte Todesstrafe auf Wilddiebstahl
— ein Hasen= oder Rebhuhn=Mord wurde wie Vatermord mit der Galeere bestraft, und ein Hirsch
führte gerade Wegs zum Galgen! Daher empfing auch
den Leichenzug Louis XV. nach S. Denis das Volk mit
einem Tayau! Tayau! und Allali. König Friedrich
von Schweden († 1750) phantasirte noch in seiner letzten
Krankheit von der Jagd, wo ihn das Gedächtniß so verlassen hatte, daß er jeden Doctor nannte, und nun schwer
zu errathen war, wen er meinte. Er wollte den Oberjägermeister sprechen, und verlangte den Doctor — man
rieth auf viele Personen, endlich half er selbst — den Doctor der Hirsche will ich. Hasen, Rehe und Schweine
halfen Nordamerika und jagten manchen ehrlichen Deutschen
über das Meer, so gut als gewaltsame Werbung, Intoleranz und Beamtendruck!

So lange die Jagd noch statistischer und Kameral=Gegenstand war, hörte man leider in ganz Deutschland
Klagen, im Anhaltischen nur im höhern Maaßstabe — nicht
blos Hasen — sondern auch dem Hochwild und Schweinen galten dieselben, das Recht der Wachteln, Rebhühner
und Schnepfen stand höher als das Menschenrecht, und
die Bauern — mußten auch noch wie Hunde sich zu
Dianenfesten zusammentreiben lassen, die sie wohl
besungen, wohl aber verflucht haben ... sie mußten
sich von Jägern zusammenprügeln, förmlich abrichten,
14 Tage lang ihre Arbeit liegen lassen, und dann noch
das erlegte gehetzte Wild kaufen! Diese höllische
Waidmannschaft ist, Gott sey Dank, vor hundert
Zeiten verschwunden; und wer möchte über den Rest weinen? Gibt es nicht täglich ähnliche Mordscenen in M

gersläden, Küchen und selbst in den Schlafzimmern unserer Schönen?

Die Parforcejagd war so an der Tagesordnung, daß ein einfältiger Candidatus Theologiæ sein Dienstgesuch recht beliebt zu machen glaubte, wenn er seine Bittschrift in Versen anfing: Parforce durchlauchtigster, Parforce mein Landesvater! aber seinen Gaul beim Schwanz aufzäumte. Mit mehr Recht hätten die Zerbster ihre Memoriale so anfangen können, die ihr Fürst nach Amerika schickte. Fr. v. Rohr sagt in seinem Buche vom Harz 1736: „Se. Durchlaucht von Anhalt-Bernburg haben besonders Gefallen an der Parforce-Jagd und bemerkenswerthe Anstalten getroffen, wie in ganz Deutschland nicht zu finden sind. — Dessau schickte noch Hunde von der alten Parforcejagd-Race nach Paris, und sie liefen zu Rambouillet Napoleons französischen Hunden den Rang ab. Diese Dessauer passirten mit Extrapost Hanau und stehen im Fremdenbuche: „sechsundzwanzig wohlerzogene Jagdhunde von Dessau gehen nach Paris!" Das kann man von vielen jungen Reisenden nicht einmal sagen. Stets aber bleibt es ein weises Naturgesetz, daß Hasen am liebsten da bleiben, wo sie geheckt sind, mögen sie auch noch so sehr gehetzt werden! Ich begreife wie Büffon bei den Tauben zu seiner schönen Episode über die Liebe gekommen ist, aber nicht wie zu seiner Abhandlung über die Völkerwanderung beim Artikel Hasen?

Je einförmiger und sandigter die Gegend, je armseliger die Dörfer, und je schlechter die Wirthshäuser sind, wenn man von Berlin oder Leipzig aus das Anhaltische betritt, desto reizender erscheint uns solches — die stattliche Elbe durchströmt es, die hier die Mulde und Saale aufnimmt — mächtige Wälder, fette Wiesen, fruchtbare Getraidefelder, Heerden von zahmem und wildem Vieh, große Alleen und Dämme, Obstbäume, freundliche Städtchen und Dörfer, und Nachtigallen empfangen uns, und nun erst

die Anlagen eigentlicher Kunst? Die Elbe mag manchmal
Unheil anrichten, und bei den furchtbaren Stürmen des
Jahrs 1825, die den Zeitungsschreibern den Mangel an
Kriegsstürmen erseßten, fing man sogar einen Delphin
von 50 Pfund, ja in dem preußischen Hinzdorf zwei
junge Wallfische. Seehunde verirren sich bis nach
Wittenberg hin, und die Jagd auf sie ist eine Wohlthat,
denn sie sind der Fischerei nachtheiliger als Reiher und
andere Wasservögel, unweit Dessau ist ein berühmter Lachsfang. Der größte Theil des Herzogthums ist eben, nur
gegen Bernburg hin treten die Vorberge des Harzes ein,
die aber Holz, Silber, Kupfer, Eisen und Steinkohlen liefern, und wo Waizen, Roggen, Gersten, Obst ꝛc., nicht
mehr gedeihen — gedeihen Haselnüsse. Hin und wieder
stößt man noch auf Moräste, Brüche und Sand, aber auch
wieder auf so fetten Boden, daß der Wagen leicht einsinkt
und Reisenden, Kutschen und Pferden Gelegenheit gibt, ein
Bischen auszuruhen!

Dessau ist ein recht angenehmes gutgebautes Städtchen an der Mulde mit 10,000 Seelen, worunter 12
Juden, die hier eine berühmte Schule haben, berühmt
als das Gymnasium. Zu Dessau wurde die Ehre des de-
schen Volkes Israel geboren, Moses Mendelson,
seiner Zeit so berühmt als Moses der Gesetzgeber
Heerführer, der alles Unreine verbot, was sein Volk
rade am wenigsten befolgt. Mendelson, ein Sohn der
muth, und durch übertriebenes Studieren des Maimon
und später Leibnizens und Wolfens entkräftet — war zwar
Spinoza, aber zu verwundern ist immer, wie er sich un
den widrigsten Umständen so hoch erheben konnte. Er
wie der niederländische Philosoph weise genug nicht
Christenthum überzugehen, weil seine Religion edler
als das gewöhnliche Christenthum. Israel —
allerwärts die Reisenden, und hier vorzüglich. Zu De
glaube ich war es, daß ich die Rede eines Zimmerma
hörte nach Vollendung eines bedeutenden Schwein

les; gewöhnlich beginnen diese Reden höchst genial mit dem Tempelbau Salomons, hier war der Uebergang noch weit genialer: „So prächtig auch Salomons Tempel und ganz Jerusalem gewesen seyn muß, so hatte es doch aus gewissen Ursachen weit und breit kein solches Gebäude aufzuweisen!" — Zu Dessau logirte ich wegen der Offenheit des Hrn. Gastgebers im — goldenen Beutel!

Die Cavalierstraße gewährt einen angenehmen Anblick, und der Garten hinter dem Schloße hat recht schöne Parthien. Die Reitbahn ist mit 22 Hautreliefs in Stuck verziert, welche die Geschichte der Reitkunst darstellen nach Dölls Ideen. Neptun erschafft das Pferd, dann kommen Bellerophon, Chiron und Bucephal bis zum Jokey, und preußischen Cavalleristen, der der Erbprinz ist; Frankoni hätte hier auch eine Stelle verdient. Zu Dessau ruhet der falsche Markgraf Woldemar, eigentlich Müller Rehbock von Hundeluft, über dessen Geschichte noch heute so viel Dunkel schwebt (so viel ist richtig, daß man den Müller, der große Aehnlichkeit mit Woldemar hatte, vorschob, weil man die Mark dem Hause Baiern nicht gönnte, und da der Rehbock starb, so mußte man folgerecht dem Müller auch die Ehre der fürstlichen Gruft gönnen), deßgleichen Bärenhorst, ein natürlicher Sohn des alten Dessauers, der die vortrefflichen Betrachtungen über die Kriegskunst schrieb; Basedow aber, dessen Philanthropie so viel Lärmen machte, als die Parforce-Jagden, die einst Dessau eben nicht rühmlich auszeichneten, ruhet zu Magdeburg.

Basedow war zwar ein wahrer Charlatan, der leidenschaftliche, unordentliche oberflächliche Erziehungs-Reformator nannte sich selbst: Deutschlands groben Rührlöffel, regte aber doch einen bessern Geist der Erziehung auf (eigentlich Rousseaus Emil, der ihn begeisterte, wie ganz Frankreich, England und Deutschland), trotz seiner philanthropinischen Prahlereien und Prellereien, die einen alten Schulmann so aufbrachten, daß er das gläubig sich prellen laſſende Publikum — Gerundium in dum, dum dum nannte! und von den Philanthropiſten ſagte: Lumina mundi wollt ihr werden? Ja Lumpen-Hundi. — Unter der Menge von Baſedows Schriften iſt wohl ſeine practiſche Philoſophie für alle Stände die beſte, wenn er ſie gleich am wenigſten befolgte, aber ſein Elementar-Werk, zu deſſen Koſten er vom Publikum 30,000 Thaler verlangte, trug ihm doch die Hälfte ein! Der alte Orbis pictus des Comenius ſtand da in modernem Gewande, aber mit ſeiner Muſterſchule wollte es deſto weniger fort, denn Baſedow und Wolke waren ſelbſt ſchlechte Muſter, und die Kraft-Genies der Epoche, und das allzugroße Geſchrei verdarben noch das wirklich Gute. Ein Philanthropin entſtand nun um das andere, die alle die erſte Erziehungsregel der Sineſen vergaßen: „Entbehren, gehorſamen und dulden,“ eine recht vernünftige Erziehungsregel, wenn man in Sina leben muß, worauf auch diejenigen hindeuteten, die Viehanthropine ſchrieben. Baſedow kann ich ſeine Charlatanerie nicht verzeihen, ſeine ewigen Projekte mögen auf Rechnung des Genies gehen, da faſt alle Genies, die ſich lediglich ſelbſt bilden, dieſe Neigung zu haben ſcheinen, ſeine Jovialität, die das Zeitalter dem Theologen übel nahm, iſt verzeihlich, und ſo auch — die Jovialität, mit der er Feder auf die Schulter ſchlug, daß dieſer proteſtirte, und ihn und Meiners fragte: „Nun Herren Göttinger! die ihr Alles zu wiſſen glaubt, was für eine Concluſion paßt zu allen Prämißen?“ — Bibamus! Ohne ſeine vernünftige Gattin hätte er ſeine Tochter taufen laſſen „Pränumerantia, Elementaria, Philanthropina!“

Die Idee einer Buchhandlung der Gelehrt die zu Deſſau entſtand, verdiente wieder aufgegriffen zu werden, wenn der Bundestag mit Abſchaffung des Nachdrucks und der damit zuſammenhängenden Buchhändlertare ſcheitern ſollte, wie wir faſt annehmen müſſen. Man begegnet dem Wucher der Juden an armen Bauern

und gar mancher Hr. Buchhändler ist nicht besser gegenüber dem armen Gelehrten und dem Lesepublikum. Diderot
kam einst zu seinem Buchhändler Panekouke, der sich gerade
ankleidete, er suchte dem alten Manne zu helfen, der es
der nicht zugeben wollte, „Laissez faire,“ sagte der Philosoph: „je ne suis pas le premier auteur, qui aura habillé un libraire *)!“ Pankouke hätte aber auch erwiedern können: „Il y en a, qui déshabillent **)!“

Nirgendswo kann man einen schönern Gottesacker
sehen, als zu Dessau, Acacien und Alleen theilen solchen
in mehrere Felder, die Gräber sind in der Linie, duften von
Veilchen, Lilien und Rosen, und in der Mauer sind Nischen
für Familiengrüfte oder Personen höheren Standes, denn
nur Herrnhuter halten sich gleich im Tode .. zwei Urnen, in deren Mitte die Hoffnung winkt, stehen am Eingang, und die Worte: Tod ist nicht Tod, nur Veredlung sterblicher Natur, und im Hintergrunde lächelt
der fackellöschende Genius. Der Engel des Todes ist so
einladend, daß man auf das erste beste Grab hinsinken und
sterben möchte, um die Veredlung zu beschleunigen! So
einladend für Todte dieser Gottesacker ist, so einladend ist
für unversorgte lebende Fräulein das 1½ Stunden von der
Stadt entfernte Fräuleinstift Mosigkau.

Das Georgenhaus, ¼ Stunde von der Stadt, ist
ein hübscher Park, wo die Bildsäule des Fürsten Franz
steht, vom Bruder errichtet, die Urne des Herzogs von
Braunschweig-Bevern, und die Spittlers-Laube, der
aber meines Wissens von Anhalt keine Notiz genommen
hat. Der Elbewall, 25,000 Schritte lang und 10 breit,
führt am Drehberg vorbei, wo auch fürstliche Grabmäler sind, und ein Jahresfest gefeiert wird; binnen zwei
Stunden ist man zu Wörlitz. Dieser weit berühmte

---

*) Laßt mich nur machen, ich bin nicht der erste Schriftsteller,
der einen Buchhändler angezogen (reich gemacht) hat.

**) Es gibt auch solche, die den Buchhändler ausziehen.

Kunstgarten ist in Beckers Taschenbuch für Gartenfreunde
weit schöner geschildert, als in der katalogenmäßigen
Aufzählung Rodes, der Dessau in gleicher Form beschrieben
hat. Wörlitz ist schön, mehrere Parthien nehmen das
Gefühl in Anspruch, wie es von schöner Gartenkunst
verlangt werden darf, wenn sie zur Aesthetik gerechnet
werden soll — aber es fehlen Bergparthien — über-
raschende Points de vue, die Natur läßt sich nicht
zwingen, und hier ist sie forcirt, wie ein Dessauer Hirsch.

Wörlitz verdankt der Natur eigentlich blos den See,
der sich von einem Ende zum andern erstreckt, und recht
human sind die Fähren, mit denen man sich von einem
Ufer zum andern, mittelst der angebrachten Seile und Winden selbst übersetzen kann. Der Garten mag 1½ Stunden
Umfang haben, und ist mit großer Kunst verschönert, wie
die ganze Gegend um Dessau, durch den Kunstsinn seines
Fürsten Franz und seines Gesellschafters von Erdmannsdorf.
Winkelmann nannte gar den Fürsten einen von Gott
erzeugten Fürsten! Das ganze Dessauer Ländchen lehrt,
was ein Fürst zu thun vermag, wenn er Willen hat, und
wenn man aus Preußen und auch aus Sachsen kommt, so
freuet einen schon die Weg- und Stegpolizei, ob sie
sich gleich gut bezahlen läßt, wie der Wirth im Eichenkranz,
wo mir die Zeche stark schien, doch ich logirte in Paris,
vielleicht zahlen die weniger, die in Zürich und Messina
wohnen, was nur zwei Schritte von Paris entfernt liegt.

Das Schloß enthält viele schöne Gemälde, Gypsab-
güße, Büsten, und im Bibliotheksaale steht ein Altar, dem
Winter gewidmet, das ist der Ofen. Der offene Som-
mersaal hat Nischen mit Antiken, im Pantheon stehen Apollo
und die Musen, und das sogenannte Monument ist eine
Halle mit den Marmorbildern der Dessauer Fürsten. Es
gibt einen Tempel der Flora und Venus, man stößt auf
den sterbenden Fechter, und eine Venus aus dem Bade, auf
ein Denkmal des Fürsten Dietrich — auf Grotten und
Einsiedeleien, auf eine Roseninsel und auf eine Pappelinsel

zum Andenken Jean Jaques. — In meiner damaligen
Stimmung hätte ich hier lieber Rousseaus Worte gelesen:
„je suis isolé sur la terre, je souffre, je suis malheureux, sans que mon existence serve á personne, je puis
mourir *). —

Vielleicht war diese Stimmung Schuld, daß mir das
sogenannte Labyrinth so wenig gefallen hat, da ich mich
selbst in einer Art Labyrinth befand — die Büsten Gellerts und noch mehr Lavaters, welcher ganz in ein
Labyrinth paßt, lasse ich mir gefallen, aber wer verfiele
auf Tartarus und Elysium, wenn es nicht angeschrieben stünde? was soll das Bergwerk, aus dessen Schacht
ein Bergmann steigt, der zu Nürnberg gemacht seyn muß
— und der Vulkan, zu dessen Crater man in einer Minute
emporsteigt? Dankbar und edel gedacht ist das Grabmal
des Gärtners — Schochs Ruheplatz: „Seiner Hände
Fleiß verschönerte diese Gefilde, sanft walle dort sein Geist,
wie hier dieses Gebüsch." Das sogenannte gothische
Haus bewohnte gerade der Fürst, es war also nicht zu sehen,
aber das Eiland mit dem Cippus war mir damals viel
werth, und Herders Worte gossen Friede in meine Seele —

Sterbliche sind wir, und sterblich all' unsre Wünsche,
Leid und Freud, sie gehen, oder wir gehen vorbei!

Die Zeit heilet alle Wunden, für den Philosophen ist es
freilich Schande, solche durch die Zeit, und nicht früher
durch die Vernunft zu heilen, aber wie kann diese Sonne
scheinen, wenn schwarze Gewitterwolken sie gerade verfinstern?

Cöthen ist unter allen Anhaltischen Städtchen das
traurigste, und das Schloß verödet, da der Fürst in östreichischen Diensten stand; es hat übrigens guten Wollenhandel und 5000 Seelen, darunter viele Juden. Der 1812
verstorbene Fürst hatte den Einfall sein Ländchen von 15

---

*) Ich bin ganz verlassen auf der Erde, ich leide und bin unglücklich, ohne daß mein Daseyn irgend Jemand nützt, ich
will sterben.

Quadratmeilen und 34,000 Seelen ganz wie Frankreich zu konstituiren, den Code Napoleon einzuführen, unter Minister Dqbelow, er starb aber noch zu rechter Zeit, sonst hätte Kotzebue einen zweiten politischen Theil zu seinen Kleinstädtern liefern können. Ob auch der Republikanische Kalender, der dem Historiker so viel Verwirrung macht, eingeführt wurde, weiß ich nicht. Dessau als Vorstand hob Ministerium und Departement, (nur Eines), Staatsrath und Ständeversammlung von zwölf Mitgliedern wieder auf! Ein Verdienstorden war auch im Werke, den der Fürst von Dessau am ersten verdient hätte. Napoleon dekretirte 150 Millionen für Landesvermessung — er hatte ganz Europa gebrandschatzt und konnte was thun, die Sache selbst ist von hohem Werth, kann aber unter gewissen Umständen in einem kleinen entkräfteten Lande schädlich seyn, und ein mangelhaftes Cataster besser, als ein neues verbessertes, das dennoch nur approximative vollkommener ist. Was im Großen Ehrfurcht gebieten kann, erregt im Kleinen nur mitleidiges Lächeln!

Bernburg an der Saale mit 5000 Seelen und besuchten Jahrmärkten scheint nicht minder todt als Cöthen, da der Hof zu Ballenstädt ist, hat aber eine angenehmere Lage und die Leipziger Landstraße gibt Leben. Hier lebte auch Rektor Starke, der so glücklich war, die Originalien seiner Gemälde aus dem häuslichen Leben — im eigenen Hause zu finden. Die Saale hat einen Lachsfang, und recht angenehm ist der Gang nach dem Parforcehaus am Zusammenfluß der Wipper mit der Saale. Das noch verlassenere Zerbst von 7000 Seelen, wo das Oberappellationsgericht für Anhalt-Schwarzburg ist, das eine der schönsten gothischen Kirchen hat — habe ich nicht gesehen, wohl aber Zerbster Bier und Käse gekostet, vor dem Thor ist eine salinische Eisenquelle, die von der Umgegend benutzt wird. Der letzte kinderlose Fürst von Zerbst, Bruder Catharina's II. lebte meist in der Schweiz (man sagt aus Haß gegen Friedrich) wie Graf Bentheim zu Paris — schickte 1100 Landeskinder nach Amerika, und rescribirte 1792 „daß bei Cassationsstrafe ihm niemand nachlaufe und behellige." Vor der Revolution hatten doch diese kleinen Erdengötter sonderbare Begriffe vom Zweck ihres Daseyns — und die Verdeutlichung des großen Unterschiedes zwischen Staats= und Privatdienern, Staatsbürgern und Unterthanen, kostete mich selbst die Gnade eines solchen Quasi=Erdengottes, der mich einen Jacobiner schimpfte! Würdiger als der Name dieses Zerbster und ähnlicher Fürsten ist der Name des Prediger Sentinis, des thätigen Armenfreunds, und Verfassers des — Elpizon, Theodors glücklicher Morgen Hallos glücklicher Abend — dessen Briefe über die wichtigsten Gegenstände der Menschheit — Vater Roderich und die Menschenfreuden — schon Viele zufriedener gemacht haben in unserem Jammerthale!

Sechszehnter Brief.

Quedlinburg, Halberstadt, Magdeburg, Brandenburg ꝛc.

Das Magdeburgische ist wohl eine der besten Gegenden der ganzen Monarchie, selbst da noch, wo es sich dem Harze nähert. Von Bernburg war ich nach Aschersleben gekommen, einst die Hauptstadt der Ascanier, und jetzt die zweite Stadt im Halberstädtischen; der große Gattersleber=See auf der Landkarte — ist aber längst in Kornfelder verwandelt. Das alte Nest zählt 9000 Bewohner, die Fabriken aller Art treiben, neben Gärtnerei und Brauerei, und die fetten Hämmel sind so berühmt als die der Champagne, berühmter wenigstens als die Weintrau-

ßen, die ich mir hier hätte nicht träumen laſſen. Die
Stadt hat eine zahlreiche Garniſon, am Rathhauſe ſtoßen
ſich bei jedem Glockenſchlage zwei Böcke, wie vor Rab-
ners Satyren. — Autor und Recenſent, und bei meinem erbärmlichen Mahle tröſtete ich mich mit Reimann,
der als Schüler zu Aſchersleben nicht einmal Butter auf
ſein Brod geſchmiert bekam, ſondern — kalte Erbſen!
— — Quedlinburg, gewährt höheres Intereſſe. Die alte
Stadt von 11000 Seelen wird durch die Bode in zwei
Theile getheilt, und hoch auf dem Berge thronet das berühmte Stift, eben ſo alt und häßlich, als die Stadt mit
ihren Baraken von hervorgeſchobenen Stockwerken, jetzt öde
und verlaſſen — aber immer werth geſehen zu werden,
wäre es auch nur wegen der ſchönen Ausſicht nach dem
Harz. Quedlinburg ſcheint eine noch weit größere Brannt-
weinblaſe zu ſeyn, als Nordhauſen, treibt aber auch viel
Weberei und Händel. Die Anlage vor der Stadt, Brühl
genannt, hat eine Mineralquelle und ein Denkmal des hier
gebornen Klopſtocks. Die etwas grellen Religionsan-
ſichten des großen Dichters rühren vielleicht noch von hier,
wo auch Arndt Prediger war, der Verfaſſer des Para-
diesgärtleins und des wahren Chriſtenthums —
zweier Bücher, die viele Schwärmer machten, und noch
machen, ob ſie ſich gleich nichts weniger als an das Einzige
und Ewige halten, ſondern auch viel vom Stein der
Weiſen, und der Lebenstinktur zu fabeln wiſſen, faſt
wie der Quackſalber Dr. Lenhardt, der ſich in unſerer
Zeit berühmt machte mit ſeinen Tränkchen für Schwängerte.
Mehrmals ſollen jene heiligen Bücher in Feuersbrünſten
unverſehrt geblieben ſeyn, was ich bedaure.

Möchte man ſich dafür an den wackern Naturforſcher
Götze, der gleichfalls hier lebte und ſtarb, an ſein Natur,
Menſchenleben, Vorſehung halten und an ſein Nütz-
liches Allerlei. Prediger Götze, ſchon vierzig Jahr alt,
bekam ein Microſcop, und nun lebte und webte er in
Räderthierchen und Eingeweidewürmern, wie

Bonnet in Infekten; beide kannten das Ungeziefer beſſer,
als die Menſchenwelt und ihre Beichtkinder. Kein Thierchen gleicht dem andern, kein Blatt dem andern, kein Ey
dem andern, obgleich alles was lebt, von Eyern kommt,
und ſobald man einmal durchs Microſcop guckt, oder
durch den Tubus, ſo ſieht man alles, was man ſehen will,
das Gucken nimmt kein Ende — ſich ſelbſt aber guckt man
halb blind, wie Götze und Bonnet!

Das ehemalige hohe Reichsunmittelbare Damenſtift,
das aus dem von Otto I. geſtifteten und hieher verſetzten
Monnenkloſter Wenthauſen hervorging, dauerte bis auf unſere Zeiten, doch hatte ſein Erbvogt Brandenburg es
damit gehalten, wie die Burggrafen Nürnbergs mit ihrem
Bezirk. Matthilde, Tochter Otto's, die unter Otto III.
das ganze heilige römiſche Reich regierte, war die erſte
Aebtiſſin, die das Stift nach dem Namen ihres Schoß-
hündchens genannt haben ſoll Quedel (Wedler), das
ſie ſtets aufweckte und zwickte, wenn ſie in Verſuchung fiel
— hätte doch jedes Mädel einen ſo getreuen Quedel! Sie
ruhet in der ſchönen Stiftskirche, wo auch das Grabmal
König Heinrichs I. iſt. Die Aebtiſſinnen waren meiſt aus
hohen Häuſern, hatten 30,000 Thaler Einkünfte, und wohnten in dieſem alten Stift, in der Quedlinburger Sprache,
Reſidenz. Syndikus Voigt, der Geſchichtſchreiber des
Stifts, ſpricht gar von einem achtelichen Throne, wo
man leicht abentheuerlich leſen könnte! Unter allen
Aebtiſſinnen, Pröbſtinnen, Dechantinnen und Canoniſſinnen
ſteht wohl die ſchöne Aurora von Königsmark oben
an, deren Leichnam noch wohl erhalten ſeyn ſoll, und gezeigt
wird. Ich ſahe ihn nicht — ihr Bild zu Pillnitz iſt gewiß
ſchöner, aber hätte ſie noch gelebt, ſo hätte ich es gewiß
nicht wie Carl XII. gemacht, der ſie als Unterhändlerin
Auguſts durchaus nicht ſehen wollte, daher ſie ihm einſt
in einem Engwege aufpaßte — Carl warf ſein Pferd herum, war jedoch ſo galant, den Hut zu ziehen. Charles
craignit, meint Voltaire, de la rendre les armes, il se

sentit, il evita tes charmes *)! und ist noch galant, aber bekanntlich sehr unhistorisch. — Es ist hier ein Ge= mälde von ihrer Hand, das sie und ihre Schwester, Gene= ralin Löwenhaupt, vorstellt, beide Grázien sitzen im Jagd= kleide unter Bäumen, und im Hintergrunde zeigen sich zwei von Jägern verfolgte Rehe — Anspielung auf ihre Geschichte. Sie war ausersehen mit August einen Morih zu erzeugen, der für Frankreich das wurde, was sein Lehrer Eugen für Oestreich. Neben diesem schönen Schwesterpaar nimmt sich das Bild der Aebtissin Anna Amalia von Preu= ßen sonderbar aus, wie ein in weibliche Haube gesteckter Friedrich! und so sahe sie wohl nicht aus zur Zeit Trenks. Schöne Sünderinnen wie Aurora gaben im Alter die bö= sten Aebtissinnen.

Zwei Stunden von Queblinburg liegen nahe beisammen die Burgruinen Stecklenberg und Laurenburg; diese ist höher und größer, hat aber nur noch das Fragment ei= nes Thurmes, jene aber einen noch ganz bedeckten Thurm; das interessanteste bleibt aber immer das Bödethal. Zu Queblinburg sahe ich, der ich von der Ritterwelt nichts weniger als romantisch denke (weil ich solche nie poe= tisch, sondern historisch, ja sogar mit Rücksicht auf mehrere Dörferscheinungen und nach dem Evangelio: „Ge= schieht dieß am grünen Holz, was soll aus dem dürren werden," betrachten zu müssen glaubte), auch mit Vergnügen den alten Kasten, in welchen die Bürger den gefangenen Raubritter Graf Reinstein einsperrten — zwar eine barbarische Strafe; aber würdig seiner verübten Barbareien. Vielleicht rührt daher der Ruf der Grob= heit, in dem die Queblinburger in der ganzen Gegend stehen? Man kann auch zuviel verlangen von Brannt= weinbrennern und Schweinmästern, die noch nebenher alt= reichsfreies Selbstgefühl belebt. Queblinburg ge=

---

*) Carl fürchtete dein Sklave zu werden, er kannte sich selbst und vermied daher deine Reize.

uns Klopstock — Ehre genug — und an ihm war nur
der Name grob, zumalen wenn man Klopffstock schreibt,
oder spricht; mögen die Bürger immerhin ihre Swine,
Ossen und Branntwinsblasen höher anschlagen als Klopstock!
aus dem satanischen Geruch ihres Gewerbes scheinen sie
sich so wenig zu machen, als die Bremer aus dem Gestank
der Seefische, oder die ächten Söhne der Diana aus den
Resultaten der ungebührlichen Aufführung ihrer vierfüßigen
Lieblinge unter Tisch und Bette!

Halberstadt hat außer der ansehnlichen Domkirche
nichts Merkwürdiges, obgleich diese Hauptstadt des 814
schon gestifteten, und 1648 zu Gunsten Brandenburgs sä-
culárisirten Bisthums über 14000 Einwohner zählt. Was
Reisende hieher zog, war Vater Gleim, der seit 1803 in
Gleims Garten ruht unter selbst gepflanzten Bäumen und
Blumen zwischen den Urnen seiner Freunde Lessing, Bod-
mer, Geßner, Kleist 2c. Unser deutscher Anacreon
oder preußischer Grenadier war kein großer Geist,
seine tändelnde Liederchen sind mit ihm entschlummert
und weniger als die Fabeln Lichtwers, der auch hier
lebte und starb. Gleims Andenken ruhet aber im Segen,
denn er war einer der liebenswürdigsten Charaktere, voll
Enthusiasmus für alles Große, Gute und Schöne, und bei
seinen glücklichen äußern Verhältnissen ein wohlthätiger
Freund der Freunde, zuvorkommend gegen Fremde, und
ein heiterer theilnehmender Greis bis zum Grabe! Wo
wohl Friedrichs Hut und Scherpe, die der preußische
Grenadier als heilige Reliquie aufbewahrte, hingekommen
seyn mögen? Braunschweig-Oels erstürmte 1809 die Stadt,
und nahm mit seiner schwarzen Legion ein ganzes westphälisches Regiment gefangen — das wäre ein Lied für den
preußischen Grenadier gewesen! Ein recht einge-
fleischter Lutheraner findet hier eine ganz eigene Sammlung,
die sogenannte Luthersammlung des Dompredigers
Augustin — Luther auf Tassen, Dosen, Pfeifenköpfen, in

Eisen, Kupfer, Silber; im Kupferstich, Steindruck und
Holzschnitt!

Halberstadts (Alberti urbs) Domplatz geht noch
an, und wer sich eine recht anschauliche Idee von einer
altdeutschen Stadt mit einer Rolandssäule zu machen
wünscht, kann nirgendswo besser seinen Wunsch befriedigen,
als hier, nirgendswo sieht man so viele bemooste Zie-
geldächer beisammen — eine Halberstädter Präbende
kann jedoch auch diese Stadt angenehm machen. Es giebt
viele Juden, deren Synagoge nur der Amsterdamer an
Schönheit nachsteht, sie war gepfropft voll, und sehr duf-
tend, versteht sich nicht von Wohlgerüchen Arabiens. Die
Spiegelberge vor der Stadt (vom Domherrn Spiegel)
verfallen, und zum Beschlusse kann man sich noch
witzige Räthsel merken: In welcher Stadt wohnen
Einwohner auch auf dem Lande? Zu Halberstadt!

Gegen den Harz hin (eine Meile) liegt Derenbe
mit der Ruine der Stammburg derer von Veltheim, d
auch das seitwärts der Helmstädter Straße liegende Amal
bad und Harpke gehört, berühmt wegen seiner herrli
Baumschule. Schachspieler werden nach dem Dö
Ströbeck wandern, dessen Bewohner große Freund
Spiels sind, und sie können sogar im Schachbrett log
Die Vorfahren sollen das Spiel von einem gefan
Kreuzfahrer gelernt, und die Bischöfe Halberstadts
Dorfe gewisse Freiheiten gegeben haben, bis sie eine
thie verlieren würden. Soviel ist richtig, daß
Bauern Schach spielen (das geistreichste Spiel, und
talischen Ursprungs, das nach den Rabbinern der
Salomo, der auch das Damenspiel sehr liebte, erfu
hat, und der Weltenstürmer Timur gerne spielte.
Kreuzfahrer brachten es wahrscheinlich nach Europa
hieß in der Sprache des Mittelalters, ludus latruncul
Schächerspiel — der Name kommt aber doc
Schach, König), daß sie ferner ein schönes Schachbr
Geschenk Kurfürsten Friedrich Wilhelms vorzeigen, von i

Freiheiten aber habe ich nichts gehört — und reich
sind Spieler selten! In der Türkei könnten diese Strö-
becker Glück machen!

Die Ruine Derenberg war einst berühmt durch
ein Echo, das 27 Sylben wiederholt haben soll, seit aber
die dem Thurme gegenüber stehende Mauer eingerissen ist,
hat es sich verloren, Schade! Wir kennen die Theorie
des Echo jetzt so gut, als Ovids Fabel von Narcissus und
seiner Echo, selbst volle Segel und hohe Wellen werfen
zur See den Schall einer Flinte, oder des Sprachrohrs
zurück — wiederholte Donnerschläge, was sind sie anders
als Echo? — folglich wären künstliche Echos in englischen Gärten so interessant als Aeolsharfen, und besser
als hundert Spielereien — sie sind leicht hervorzubringen,
und doch ist mir keines bekannt, das die von Derenberg
muthwillig verjagte Nymphe ersetzte? Wenn man das:
Conturbabantur Constantinopolitani innumerabilibus sol-
licitudinibus recht geschwinde rief, so fing die gefällige
Nymphe mit ihrem Con an, wenn der Rufer mit bus
geendet hätte! Alle Philologen, und wenn sie so sprach-
kundig sind als Schlözer und Gätterer werden doch stets
vom Echo beschämt werden, das alle Sprachen spricht
und selbst die Sprache des Donners.

Einst rief ich in Gesellschaft eines Landpredigers einem
zweisylbigen Echo mit meinem lieben Pater Abraham:
Was macht die Bibel? „ibel!" — Wer speist die
Raben? „Raben." — Was ist Gott? „ist Gott"
— und mein Freund wurde nicht darüber böse, wohl aber
über die Nach-Frage: Wissen alle Philosophen von Anara-
goras bis Kant, und alle Theologen mehr? seine Perücke sträubte sich von hinten in die Höhe einige Zoll näher
der Nase, seine Stirne faltete sich, und er ergrimmte in
dem Herrn! — „Ich liebe die Echo — fuhr ich fort —
nicht gerade daß ich Nymphen liebte, dont le coeur a
parlé, die gleich der Echo auszehren bis zu bloßen

Geiſtern — oder Weiber, die das letzte Wort habe
wollen, oder gar Männer, die bloßer Nachhall Ander
ſind — ſondern weil mir das Echo das ſchönſte Bild de
Ruhms und der Ehre iſt, da lächelte er wieder.
Im Ruhm liegt etwas Geiſtiges, daher verfliegt er
leicht, und finden wir die rechte Stelle, die rechte Zeit u
die rechten Leute, oder auch nur die rechten Recenſenten
ſo erſchallet unſer Lob weit umher, verhallet aber bald w
der, wie die Nymphe, oder geht unter wie das Echo
Ruine von Derenberg und die Stimme des Predigers
der Wüſte. Da reichte er mir die Hand zum Frieden!

Von Halberſtadt kommt man durch lauter Leb
— Alsleben, Hadmersleben, Oſchersleben, Wandsleben
— die ſeitwärts bleibende Leben, worunter auch Ho
bodeleben gehört, der Geburtsort Matthiſons, nicht
rechnen — nach unſerm deutſchen Parthenope oder M
deburg, das von dem Dienſt der Magada oder Fr
der Venus der Altdeutſchen, ſeinen Namen, und auch
Dirne mit einem Kranz im Wappen hat, den ſie
nicht auf dem Haupte führt, ſondern — in der Ha
dieſe Verehrung ſcheint noch fortzudauern, und die ſt
Beſatzung begünſtiget ſie. Otto I. liebte den Mons
larum *) vorzugsweiſe, weil ſeine engliſche Gemahlin
Aehnlichkeit mit London fand. Wo die gute Dame
ihren Standpunct genommen haben mag? Hiezu noch
Grab des heiligen Norberts, und Magdeburg m
blühend werden. Die Umgegend könnte nicht frucht
ſeyn, der ganze Strich iſt es längs der Elbe bis zur L
burger Haide, und von dieſer langen Börde ſollen
Langobarden ihren Namen haben, weder von ihren
gen Bärten noch Barten! Gottlob! daß wir übe
pedantiſchen Zeiten hinaus ſind, wo man über ſolche
die tiefſten Unterſuchungen anſtellte — daran Gefallen

---

*) Magdeburg.

und solche Wissenschaft nannte! Magdeburg war eines
der besten Erzbisthümer, obgleich alle geistliche Herren
gut zu wählen wußten. Friedrich erinnerte sich stets in
guter Laune, daß er auch Erzbischof sey, und so gab er
dem nach Petersburg gehenden Grafen Görz seinen erz-
bischöflichen Segen, machte das Kreuz über ihn, und ab-
solvirte ihn im Voraus von allen Lügen, die er dorten
sagen würde ex officio!

Magdeburg, die stärkste Festung Preußens, und
gleich wichtig wegen des Elbehandels nach Hamburg, und
des Stappelrechtes, liegt am westlichen Ufer der Elbe, und
zählt mit der Garnison 34000 Seelen. Die Stadt möchte
fast zu groß seyn für eine Festung, denn im Fall einer
Belagerung erfordert sie eine halbe Armee, und ungeheure
Magazine. Auf einer Elbeinsel steht die berühmte Citadelle, wo la Fayette nicht nur, sondern auch Bahrdt
saßen, und der berüchtigte Trenk. Nicht leicht wurde eine
Selbstbiographie mit so viel Begierde verschlungen, als die
(nicht immer wahre) Lebensgeschichte Trenks, in dem offenbar Stoff zu einem Feldherrn-lag. Der große Friedrich
handelte eben — nicht groß an ihm, Trenk war zwar ein
Narr, aber einer der heroischen Narren, der Deutschland
keine Schande machte!

Magdeburg ist eine alte Stadt, deren Stadtrecht
(1235) weit und breit zum Muster diente, wie das von Lübeck,
kann aber doch schön genannt werden, schön ist wenigstens
der weite Domplatz, der breite Weg, und viele Wohnungen — aber der so hoch gepriesene Fürstenwall hat
mich nicht wenig getäuscht. Es ist ein Elbedamm mit
der Aussicht auf den lebendigen Strom, der nicht sehr lebendig und kein Rheinstrom ist, die Schornsteine, die
wie kleine Altäre zwischen Bäumen hervorragen, (man
wandelt nämlich über Wohnungen) beräuchern den Spaziergänger, und sind keine Blumenparterre! Magdeburg ist
die Kornkammer Preußens, und das Volk scheint mir

hier viel heiterer als in den Marken, die besser für Rüben und Kartoffel sind!

Auf dem alten Markt ist die Bildsäule Otto I., eins
der ältesten Kunstdenkmäler Teutschlands und älter als der
Dom. Otto, den Ehrengeistlichkeit den Großen nannte,
weil keiner so viel stiftete, als er, sitzt im K. K. Ornat
auf dem Pferd, und zu seinen Füßen sind, statt der herkömmlichen Sclaven — seine zwei Frauen, unter einer
Kuppel von acht Säulen, die aber spätern Ursprungs ist.
Im Dom, den er erbaute (aber schwerlich wie er jetzt steht,
offenbar ein neuerer zweiter), sieht man auch sein nicht
minder künstlich gearbeitetes Grabmal. Diese prächtige
gothische Domkirche, die Tillys Zerstörung überlebte, mit
zwei Thürmen von 332', und einer göttlichen Aussicht,
halte ich für die schönste im Brandenburgischen, das ge-
viele gothische Kirchen zählt, und ich hätte die Prozession
sehen mögen, die sonst am S. Mauritiustag um den ganzen Dachrand dieses Doms herumzog — der Erzbischof,
die Domherren, alle Mönche mit Kreuz und Fahnen, Rauch-
fäßern und Baldachin hoch vor allem Volke, unter heilig
Gesängen, Trommeten, Pauken- und Posaunen-Scha-
Otto führt den Beinahmen Groß, wie ihn viele führen
und hätte schwerlich das gethan, was der alte römische
Kaiser Otto that — um den Bürgerkrieg zwischen ihm u
Vitellius zu enden — fiel er in sein Schwerdt!

Groß ist der Reliquienschatz des Doms, der Sta-
womit Moses das rothe Meer theilte, eine Rippe vo
Wallfisch des Jonas, eine Sprosse von der Hühnerleit
auf der S. Peters Hahn saß, das Waschbecken des Pilat
die Diebslaterne des Judas, ein Krug von der Hoch
von Cana, Palmen vom Einzug zu Jerusalem, einen
Steine, womit der Teufel Jesum versuchte rc., wir a
betrachten lieber Ottos Grab, so wie in der S. Sebastia
Kirche das Grab des Otto Guerike, der die Luftpum
erfand, aber dennoch weniger Wind machte als Basedo
der neben ihm schlummert. Ein so ungeheurer Taufstei

wie hier im Dom, von Porphyr, ift mir noch nicht vorge=
kommen, ein Stück ift herausgeschlagen, was der verhaßte
böse Tilly auch gethan haben muß, deffen Helm, Hand=
schuhe und Commandoftab gleichfalls hier aufbewahret wer=
den; letterer war zugleich Feuergewehr, und konnte im
Nothfall dem Commando Nachdruck geben.

Die Kapelle des Erzbischofs Ernft mit einem herrlichen
Kunftwerk des Nürnberger Fischer schließt ein Eisengit=
ter, das nur mit Hülfe des Teufels gemacht ift, der auch
den Künftler zum Teufel führte, weil die letzte noch heute
fehlende Schraube nicht zur bedingten Zeit fertig war.
Neben an ift ein Gemälde, die Affenburgische Familie
vorftellend, aus der eine Frau im Grabe erwachte, wie ihr
der Todtengräber den Ring ftehlen wollte. Das Bildniß
des Erzbischofs Adalbert († 980) hat eine recht widrige
Pfaffenphysiognomie — der Frömmler tödtete sogar eine
Nonne, weil ihr bloßes Füßchen ihm — Aergerniß gegeben
hatte! Man zeigt auch den sogenannten Blutstein von
Marmor, wohin eine unsichtbare Hand den unkeuschen Bi=
schof Udo um Mitternacht schleppte — Maria und die zwölf
Apoftel ftanden bereits da zum Martialgericht, und der
heilige Ritter Mauritius enthauptete ftandrechtlich den Sün=
der, den vergebens eine Stimme vom Himmel gewarnt
hatte: „Cessa de ludo, lusisti jam satis Udo!" Möchten
sich auch andere Sünder, die nicht Udo heißen, und nicht
gerade mit Weibern spielen, warnen laffen!

Am Mauritiusfeft drängt sich das Volk nach dem
Dom, denn nach beendigter Predigt sind die Geftalten an
der Orgel lauter Leben. — David und Salomo drehen die
Köpfe, wie Hanswurfte, die Engel setzen ihre Blas=Inftru=
mente an den Mund, zierlicher als gewöhnliche Orgel=Mufi=
kanten, ein Adler hebt sich in die Höhe, und — die Haupt=
sache — ein goldner Hahn schlägt dreimal mit den Flügeln,
und dreimal erschallt sein Gigrigi — und dreimal begrüßt
ihn schallendes Gelächter des Volks, ftatt mit Ernft nach=
zudenken über die sündhafte Verläugnung des heiligen

Peters — ersten Statthalters Christi, die er an seinem Herrn und Meister beging, während er mit einer Magd charmirte, er beweinte seine Vergehungen jedoch bitterlich, während die spätern Statthalter Christi zu den größten Vergehungen — nur lachten! Unter den Schnitzwerken im Chor am letzten Stuhl sieht man ein Kloster abgebildet, nach welchem ein Mönch ein Nönnchen trägt, und der Teufel — öffnet die Pforte!

Das Innere dieses herrlichen Doms ist schrecklich verunstaltet, und Emporkirchen und Betstübchen kleben an den Pfeilern, wie Schwalbennester in einer Höhle. Die schönste Reliquie des Doms ist jetzt das hier aufgepflanzte Landwehrkreuz mit Tauenziens Feldbinde umwunden, und den Worten: „Mit Gott für König und Vaterland." An ihm lehnen die Picken des Uhlanen Beutel und des Cosaken Posdelow, die beiden Tapfersten im Corps Tauenziens, das Magdeburg befreite. Magdeburg und Kleist aber sind ein so schlimmes Andenken, als Mainz und Gymnich! Welche Folgen hängen an diesen vier Worten! Den Soldaten interessiren zu Magdeburg zunächst die Festungswerke, vorzüglich die Sternschanze — den Kaufmann das Waarenlager, und die großen Elbeschiffe an den Kaien — mich zunächst der Friedrichscanal, der die Elbe mit Havel, Spree und Oder verbindet, weil ich unserm Süden ähnliche Anstalten wünsche. — Der Kirchenhistoriker und Literator denkt hier an die Centuriæ Magdeburgenses *), die der Soldat vielleicht für Compagnien hält!

Die größte geschichtliche Merkwürdigkeit der Stadt bleibt stets die schreckliche Belagerung Tillys 1631, wobei Magdeburg, das sich Gustav Adolf in die Arme warf, während Brandenburg und Sachsen noch zagten —

---

*) Die Magdeburgischen Centurien, ein großes kirchenhistorisches Werk, das zur Reformationszeit in Magdeburg erschien.

bis auf ein Haus und wenige Hütten in Asche gelegt wurde, und über 20,000 Einwohner umkamen, bis auf Tausend, die sich in den Dom geflüchtet hatten! Noch ist das Thor vermauert, wo Tilly einbrang, und am Hause des Commandanten, den er enthaupten ließ, in der breiten Straße, ein Kopf zu sehen mit der Inschrift: „Gedenke des 10. Mai 1631." Die wilden Soldaten feierten die Hochzeit Magdeburgs, wie der Unmensch sich ausdrückte, durch dreitägige Völlerei und Unzucht, und er schrieb seinem fanatischen Ferdinand: „Seit Trojas und Jerusalems Zerstörung ist keine solche Victoria gesehen worden." Ja wohl! Die Zerstörung Roms durch die Gallier, und die Zerstörung Carthagos durch die Römer scheinen weniger grausam gewesen zu seyn! Dank den Göttern! daß die Furie des Kriegs jetzt menschlicher geworden ist, wenn gleich der Schluß des alten Magdeburger Rector Rollenhagen an seinem Froschmäusler, den ich wieder in's Gedächtniß der neuern Welt rufen muß, wahr bleibt:

> So fahl, so kahl, so schaal geht's aus,
> wenn sich der Frosch rauft mit der Maus!

Magdeburg hielt sich drei Monden lang, die Bürger unterstützten die Garnison, nur unter rauchenden Trümmern feierte Tilly seinen wilden Sieg, und was geschahe 1806? — die stärkste Festung der Monarchie ergab sich, nach vierzehntägiger Blocade, mit 20,000 Mann, obgleich Kleist geschworen hatte, sich nicht eher zu ergeben, als bis das Schnupftuch in seiner Tasche brenne — und Spandau, Küstrin, Stettin ꝛc. folgten dem beispiellosen Beispiel! Nappleon brauchte keinen Zopyrus. Der Fall dieser Festungen machte dem Krieg ein schnelleres Ende, und so wurden diese Commandanten, ohne daran zu denken, zwar Wohlthäter der Menschheit wie Auersberg, als er die Taborbrücke nicht abbrannte, und der Herzog Eugen nicht die Brücken von Meißen, Torgau und Wittenberg, aber der französische Commandant Magdeburgs,

dem man einen verborgenen königlichen Holzvorrath an-
zeigte, meinte doch: „Laßt es dem König, bei seiner
Wiederkehr wird er es gebrauchen zu — Galgen.
Napoleon kannte den Werth Magdeburgs, als die Königin
Preußens zu Tilsit — es muß ein schwerer Gang für sie
und den König gewesen seyn — auf des Corsen wiederholte
Galanterie, daß sie sich etwas Angenehmes von ihm erbit-
ten möge — um Magdeburg bat. Magdebourg? Madame!
Magdebourg? Vous n'y pensez — pas! N'en parlons
plus! —

Ganz in der Nähe Magdeburgs liegt die berühmte
Klosterschule Bergen auf einem Hügel, der nur hier zur
Ehre eines Bergs kommen konnte. Die Schule hatte
großen Ruf unter Resewitz, Fromann und Steinmetz, die vorgesetzten Aebte waren zugleich Generalsuperintendenten, und
unter ihnen standen fünf Conventualen, d. h. Lehrer,
mit acht bis zehn Unterlehrern, und über hundert Schülern; die Einkünfte waren 20,000 Thaler. Im Jahr 1809
wurde diese Anstalt aufgehoben, soll aber jetzt wieder hergestellt seyn. Vergnügungsorte sind die Dörfer Cracau und Prester, der Rothenseer Busch und das
entferntere Randau. Stromaufwärts (3 Stunden) sind
die reichen Salinen von Schönebeck, die größte Saline Preußens, die eine jährliche Ausbeute von 600,000
Centner geben sollen. Weiterhin liegen die Herrnhuter-Co-
lonien Barby und Gnadenau, die sich bekanntlich alle
gleichen, wie ein Ei dem andern! Im alten Schlosse der
Grafen Barby, die erst 1659 ausstarben, haben sie ein Pädagogium, Druckerei und Naturaliencabinet. Jetzt hat der
Fußgänger nach dem stets interessanten Bergen nicht mehr
zu besorgen, daß ihn die letzte Schildwache Magdeburgs
wie einen Reisenden 1786 anruft: „Wo will er hin?"
nach Bergen, „hat er's Wort?" was für ein Wort?
„Marsch! zum Offizier!" der Offizier stand vor der Wach-
stube und rief von weitem: „Nehmen Sie den Hut
ab!" wühlte sodann in des Reisenden Haaren und sagte:

Gehen Sie in Gottes Namen — das Wort ist Minden!

Oekonomen dürfen nicht versäumen einen Abstecher nach dem ehemaligen Kloster Alt-Haldensleben zu machen (3 Meilen), wo Herr Nathusius die Oekonomie ins Große treibt, die Schäferei allein enthält 4500 Stück, und aus seiner Obstpflanzung geht nicht nur der herrlichste Obstwein, sondern selbst Lunel, Malaga zc., hervor, wie aus seiner Brauerei Ale und Porter. Hier werden auch noch viel Runkelrüben gebaut zum Andenken des Zucker-Surrogats, und der traurigen Surrogatenzeit, die doch aufhörte mit der S. Helenenfahrt des Surrogats aller Surrogate, des schrecklichen Surrogats unserer deutschen Fürsten. In gleicher Entfernung liegt auch Neu-Gattersleben, ein schöner Landsitz derer von Alvensleben mit einer Gallerie von Portraits merkwürdiger Zeitgenossen, 300 an der Zahl.

Zu Magdeburg dürfen Deutsche auch nicht des siebenzehn Monden lang in der Citadelle gesessenen Beckers vergessen, und anderer deutschen Opfer des Despotismus von Sieur Davoust. Becker saß hier wegen einer aus der Luft gegriffenen Verschwörung, und eines deutschen Bundes, wovon man in seiner Nationalzeitung Spuren finden wollte — ja selbst wegen eines Recepts zu einer sympathetischen Dinte! Der wackere Professor Schulz zu Mietau, der zu frühe starb, war ein Magdeburger, den ich im Bade Kissingen kennen lernte, wie Zschokke. Schulz war zufrieden, als er 500 Thaler in seiner Vaterstadt niedergelegt hatte, um im Nothfalle sich einkaufen zu können — ins Junggesellenspital! Hier lebte und starb 1823 Carnot, der die Operationen der siegreichen Republikaner leitete, und im Geiste eines alten Griechen und Römers handelte, als Bonaparte das Consulat erblich machte — einer der ausgezeichnetsten Charactere der ganzen Revolution, ernst und frei wie Cato, oder wie eine französische Dame sagte, wie die Abstraction selbst! Carnot gab von 20,000 Pfund, die er zu einer öffentlichen Sendung erhal-

ten hatte, 10,000 wieder zurück in Schatz, während alles
stahl, was stehlen konnte! Carnot, der nie ein Heer an-
führte, so wenig als der geniale Militärschriftsteller Bülow — ist dennoch der wahre Friedrich und Washington
Frankreichs!

Auf traurigem Pfade gelangt man über Hohenziaz
und Ziesar nach Brandenburg (wendisch Brannibor i. e.
Waldenburg), der ältesten Stadt der Mark, die ihr
und dem ganzen Fürstenhause den Namen gab. Ihre Be-
stürmung 1153 mag Albrecht den Bär viel gekostet haben,
weil sich nach ihr dieser Graf von Ascanien Markgraf von
Brandenburg nannte. Die Havel theilt die Stadt von
12,000 Seelen in zwei Theile, und die Neustadt hat viel
Freundliches. Ueberhaupt so wie man an die Havel kommt,
glaubt man in ein Feenland zu gelangen aus der Wüste,
die vielen Seen, die sie bildet, an welchen Gehölze und
Dörfer liegen, scheinen ausdrücklich zur Belebung des einförmigen Sandlandes gemacht zu seyn, und fast jede kleine
Anhöhe ziert eine — Windmühle. Auf dem Harlauger
Hügel lag sogar einst der herrliche Münster, den Heinrich I.
hatte bauen lassen, und wurde abgetragen, um damit das
Potsdamer Waisenhaus zu bauen. Brandenburg wäre
weit schöner für die Hauptstadt Brandenburgs gelegen, als
Berlin!

Brandenburg hat viel Gewerbe, Wollenmanufacturen
und Handel, aber nur eitler Spaß mag die am Flusse liegenden Häuser Klein-Venedig nennen. Auf einer Insel
liegt Schloß und Dom, der ein herrliches altdeutsches
Altargemälde aufzuweisen hat auf Goldgrund. An diesem
Dom hatte auch der von Friedrich stets verehrte General
Fouqué eine Pfründe, daher er hier den Abend seines Lebens verlebte, der König besuchte zu Zeiten den alten Freund,
wechselte Briefe mit ihm, und schickte ihm Potsdamer Obst
und Rheinwein, Caffee und Quinquina. Auch dieser alte
Dom enthält wie Strasburgs Münster und andere alte
Kirchen-satyrische Bildnereien, die beweisen, daß die

Layen doch nicht ganz dumm waren im Mittelalter, und gar wohl die schmählige Pfaffheit kannten. Hier sieht man Füchse im geistlichen Kleide, und einen Fuchs, der einer Gemeinde von Gänsen prediget!

An der Havel sind recht angenehme Spaziergänge, aber wer sollte hier Weinberge erwarten? der Wein dient auch nur zu Mischungen, geht unter fremden Namen gelegentlich, und als ich mir ein Glas ausbat an der Quelle, hieß es: „Und da er ihn kostete, konnte er ihn nicht trinken.“ Tausendmal lieber Bier und einen Besuch der Wohnung Breyhaus! Den Markt ziert eine Rolandssäule von Stein 15' hoch, die von den ersten Spuren deutscher Bildnerei Zeugniß gibt. Dieser Roland hat eine Zierde, die selbst Antiken nicht haben, wahrscheinlich durch die Kunst eines Vogels — er trägt eine Perücke von frischer grüner Farbe von Knoblauch!

Weiterhin an der Havel liegt Rathenau von viertausend Seelen, dessen Markt die Statue des großen Kurfürsten ziert, der hier die Schweden überrumpelte; er steht im römischen Costüme mit Commandostab, aber der Schnurrbart und die Allonge-Perücke verderben wieder Alles. Nichts beweiset besser, was patria tellus *) vermag, als Blums Gesang auf die Hügel von Rathenau, als ob es Hallers Alpen wären. Dieser Blum, Sohn eines hiesigen Kaufmanns, privatisirte als Gelehrter, seine Landsleute nannten ihn den Müßiggänger, er schrieb seine Spaziergänge — Sprüchwörter und Gedichte, und glaubte nun seine Landsleute — widerlegt zu haben. In der Nähe legte Friedrich die Colonie Neufriedrichsdorf an von 50 Häuschen 1767, und 1785 zählte man — 114 Bettler. Alles Erzwungene taugt nichts, zu viele Colonien so wenig als Weinbau und Seidenbau in den Marken!

---

*) Die Liebe zur Heimath.

In der Nähe des Einflusses der Havel in die Elbe liegt Havelberg, das starken Holzhandel auf der Elbe treibt; (die Flöße nach Hamburg heißen Elbboden) seine einzige Merkwürdigkeit ist der uralte Dom, denn ihn stiftete Otto I., nachdem er die Wenden, wie Carl der Große die Sachsen, im Namen Gottes in die Havel gejagt hatte zur heiligen Taufe. Man sieht im Dom sehr gut gerathene alte biblische Bilder von Sandstein, darunter Maria vor einem Betstuhl, hinter ihr den Engel der Verkündigung, in einer Wolke sitzt Gott Vater, ein Kind im Schooße, von dem ein Strahl ausgeht nach dem Ohr der Jungfrau; ein Strahl von grobem Sandstein kann nicht fein seyn — aber beim Tode der Maria ist die abgeschiedene Seele noch weit plumper, und fast so groß als die Jungfrau selbst!

Die Gegenden der Altmark machen wenig Lust sich viel von der Hauptstraße zu entfernen, und so bin ich weder nach Rathenau, Havelberg und Sandau gekommen, noch nach Salzwedel, Tangermünde (den Schiffern wegen des Elbezolls wohl bekannt, wie das Stadtbier, Kuhschwanz genannt) und Jericho gekommen, wo doch gewiß die Elbe eine bessere Figur macht, als der Jordan im heiligen Jericho. Selbst Stendal, die Hauptstadt der Altmark, habe ich nicht kennen lernen, das ein freundliches Städtchen seyn soll in fruchtbarer Erde mit einer Rolandssäule. Stendal ist die Vaterstadt Winkelmanns, des Schustersohnes, der endlich selbst das Conrectorat zu Seehausen verschmähte, weil ihn die Kunst zwang nach Rom zu gehen. Hätte ihm der Herr Inspector erlaubt, während seiner langweiligen Predigten im Homer zu lesen, wer weiß, ob wir einen Winkelmann hätten?

Ich begreife wie auf stiefmütterlicher Erde der Altmarker Witz sich auf Grabschriften lenken, Reisende auf Todesbetrachtungen verfallen, und Kirchen und Gottesäcker besuchen können, ohne welche mir nachstehende Grabschriften unbekannt geblieben wären. Zu Stendal lieſet man nicht nur, daß ein unbekannter Lieutenant Kern — ein Kern der beſten Helden geweſen, ſondern auch die ſchöne Inſchrift am Grabe eines ſeligen Aehrenberg: O Leſer — ſehe hier drei Aehren, Aehrenberg ging auf 1689 und wuchs zur vollen Aehte, neigte ſich zu einer Nebenähre Sophia Stecherin, und ſechs Sprößlinge wuchſen hervor, wovon drei frühe welkten; der knochigte Mäher hieb dieſe Aehre ab, und führte ſie als Waitzen nach der himmliſchen Scheune 1732. Zu Tangermünde ließet man: der Hochgeborne G. F. von Röhl, Fahnenjunker, ward zur geiſtlichen Ritterſchaft angeführt, aber der König aller Könige nahm 1778 eine Revüe vor, er exercirte nicht drei Monate, ſondern ſchon in drei Tagen machte er ſeine Exercitia der Buße, des Glaubens und der Hoffnung ꝛc. Die ſchönſte iſt wohl die Grabſchrift des Poſtmeiſters von Sälzwedel: Eile nicht Wanderer! auf der Poſt — die geſchwindeſte erfordert Verzug im Poſthauſe — hier ruht Poſtmeiſter Schulz, der als Fremdling 1655 hieher kam, durch die Taufe in die Poſtkarte des Himmels eingetragen reiste er durch Schule und Académie mit löblichem Verzuge, und trat dann — das Poſtamt an — bei Unglückspoſten richtete er ſich nach dem göttlichen Troſtbriefe, und bei der Todespoſt machte er ſich fertig ins Paradieß zu reiſen 1711. Gedenke Wanderer! der prophetiſchen Todespoſt, Jeſaïa 38, 1. — Dieſer Poſtmeiſter hätte verdient Poſtmeiſter des Todes zu ſeyn, deſſen Poſt jeden Augenblick abgehet, wo ein löblicher Verzug aber gerade am beſten bezahlt würde!

Unweit Brandenburg liegt Recan, wo Domherr von Rochow ſoviel für das Landſchulweſen und auch für Landwirthſchaft gethan hat. Seine Bücher enthuſiasmirten Abt Felbinger ſo, daß er einen Wechſel von hundert Ducaten an Nicolai ſandte, er hielt Rochow für einen Dorfſchulmeiſter, und war nicht wenig betroffen, im Verfaſſer einen Mann zu finden, der ihm ſelbſt noch reichere Geſchenke hätten machen können. Recan zeichnet ſich aus durch beſſere Häuſer und Cultur, und alles, quid virtus

et quid sapientia possit; am schönen Schulgebäude stehen
die Worte: „Lasset die Kindlein zu mir kommen,
und wehret ihnen nicht!" und im Garten hat der
Schullehrer Bruns ein Denkmal — eine schöne Urne mit
der Inschrift: „H. J. Bruns. Er war ein Lehrer."
Ich habe viele Urnen gesehen auf Jäger, Gärtner,
Bediente ꝛc, auf Schullehrer ist mir sonst keine bekannt.
Wer mehr von Recan zu wissen wünscht, lese Büschings
Reise von Berlin nach Recan, und wer sich recht
gründlich über die unbedeutenden Nester Fehrbellin,
Wusterhausen und Kyriz (dessen Bier Mord und
Todtschlag heißt) unterrichten will, nehme ebendesselben
Reise von Berlin nach Kyriz in der Priegniz,
die er vom 26. September bis 2. October 1779
verrichtet hat, 560 Seiten 8. zur Hand. Wie gut,
daß der berühmte Geograph keine Reise durch Deutschland mit gleicher Gründlichkeit geschrieben hat! der geistvolle Nicolai ermüdete schon mit zwölf Bänden, Büsching
hätte uns unter hundert Quartanten nicht losgelassen, und
eine Reise um die Welt von seiner Feder hätte man
wahrscheinlich eher gemacht, als gelesen!

Die undankbarste aller Marken ist unstreitig die Neumark, denn die Alt- und Ukermark haben, troz des
Sandes, noch guten Kornboden, und doch hat Friedrich
dort durch Colonien mit Hülfe Brenkendörfs die Natur
selbst bezwungen! Schwerlich wird es einem Reisenden
einfallen, in diesen Marken an die Schweiz zu denken,
und doch gibt es auch eine altmärkische Schweiz,
die Gegend um Ziehtau. Die ganze Altmark hat weder
Berge noch Thäler, Ziehtau aber einen Hügel, Stacken-
berg genannt, wohin eine Birkenallee führt — und
auf diesem Hügel erblickt der Altmärker seine märki-
Schweiz! Vielleicht gab der Arendsee hiezu Veranlassung, der eine Meile im Umfang hat, und treffliche
Fische liefert. Gott und die Märker mögen mir verzeihen,

wenn ich eher an des alten Ziler Knittelverse von der
Mark denken muß:

Pisces, labores, Schurff, febres atque dolores,
Strohbach, Knapp casei sunt hic in Marchia multi,
et si videres nostras glaucas mulieres
nobiscum fleres, si quid pietatis haberes,
neque venires ad nos, quia sumus in Insula Pathmos,
et caveas tibi, quia Grenzwurst est etiam tibi*)!

Siebenzehnter Brief.

Berlin

kündigt sich, trotz der vergoldeten Spitze seines Marien-
thurms, nichts weniger als die Hauptstadt Preußens an
— aber der Schwager verdoppelt die Ungeduld, wie die
traurigen Zugänge, man mag herkommen, wo man will,
man soll die doppelt bezahlte Königsmeile auch doppelt genießen (die andern Meilen hat Schulenburg ohnehin
durch neue Vermessungen verdoppelt, und seinem Könige
gewiß hundert Meilen gewonnen) und so erscheint denn
Berlin als die schönste Stadt Deutschlands, und wäre
es auch ohne die große Sandebene, in der sie liegt. Berlin besteht aus fünf Städten: Berlin, Cöln, Friedrichs-
werder, Neustadt und Friedrichsstadt, wovon die beiden
letztern gewiß recht schön sind, und die Spree trennt sie
von den vier Vorstädten Spandau, Strahlau,

---

*) Sogenannte Leoninische Verse: Fische, Mühsal, Fieber und
Schmerzen, auch Käse gibt es in der Mark, würdest du
erst unsere Weiber sehen, so würdest du weinen, wenn du
noch ein wenig Gefühl hast, und nicht nach der Mark
kommen, denn sie ist eine wahre Insel Pathmos, darum
bleib' weg 2c.

Königs vorstadt und Köpenik, jetzt Louisenstadt,
die Raum genug für eine zweite Neustadt böte, wenn
Berlin — Wien märe. Der Name Berlin kommt nicht
von Albrecht dem Bären, der es auch nicht baute, noch
weniger von Perlein, sondern von den Wenden, die
sich hier anbauten, und Berle hieß ungebautes Land,
wie Brühl. Der Bär im Wappen der Stadt ist ein
sogenanntes sprechendes Wappen, das weniger beweißt,
als der Schwan im Wappen eines meiner Bekannten,
der nicht Schwan heißt, sondern Weiß, aber wegen des
fatalen Wortes leer, ein leeres weit heraldischer und
redenderes Wappen nicht wählen mochte. Warum die
Italiener den Franzen Berlina nennen, weiß ich nicht,
begreiflicher allenfalls ist, wenn sie für schwatzen — plaudern Berlingen sagen — und am allerbegreiflichsten der
Name einer bequemen Kutsche, Berline, denn sie wurde
Berlin erfunden, daher war das Gelächter verzeihlich,
ein gewisser Graf seiner Gemahlin Berlin präsenti
„Elle est Berline!“

— Berlin ist die zweite Stadt Deutschlands,
zweite Potenz, und verhält sich zu Wien etwa,
die preußische Monarchie zur östreichischen, oder ihre be
seitigen Nationalfarben, Schwarz und Silber,
Schwarz und Gold, oder wie der Ritter zum Ku
pen, der auch nur Silber tragen durfte. Die Bevölker
ist mit der Garnison von 25,000 Mann 190 — 200,
Seelen, nach einigen Berliner Schriftstellern aber 22
Berlin, das ich in vier Stunden umgangen habe, erf
todt und menschenleer, wenn man von Wien, Prag
Hamburg kommt, und mit Paris und London findet
hier keine Vergleichung statt. Nicolai rechtfertigt p
tisch die Vaterstadt, daß in den langen breiten S
die Menschen weniger auffallen, weil die vielen Fabri
Bewohner mehr im Hause beschäftigen, und kein
Prunk, Luxus und öffentliche Ceremonien die Müssigg
auf die Straße locken, worin viel Wahres liegt.

Uebrigen aber erinnert der Patriot nur zu oft an die
Siamer, die von ihrer alten Hauptstadt erzählen, daß
man drei Monate brauche, sie zu umgehen; der In-
genieur de la Mark erhielt bei seiner Aufnahme des Plans
von Ligor den Befehl, zwei Tage zu nehmen, Ligor zu
umgehen, ob es gleich in Einer Stunde hätte geschehen
können!

Wien liegt in einem fruchtbaren Garten von schönen
Bergen umgeben, durchströmt von der mächtigen Donau
— Berlin in arabischer Sandwüste, wie Aegyptens Pyra-
miden oder Palmyra, und diese Sandwüste erstreckt sich
von Berlin bis Memel, und von der Elbe bis an die
Gränzen Mecklenburgs, jedoch hat der gütige Himmel die
Marken mit der Plage Aegyptens und Syriens — mit
Heuschreckenheeren verschonet. Die Spree ist gegen
die Donau ein seichter, trüber, sumpfigter Bach, dessen
Wasser Niemand ohne Eckel ansehen kann, (wenn gleich
Bier daraus gebrauet wird); denn Nachts muß ihr Bette
alles aufnehmen, was des Tags über 200,000 Paar
Oeffnungen — von sich geben! Alles that die Natur
für Wien, für Berlin nichts, alles ist Kunst, was wieder
in anderer Hinsicht Lob verdient. Wien hat keine Straße,
wie die Friedrichsstraße, die schnurgerade ½ Stunde
lang vom Hallerthor oder Belle Allianceplatz — sonst Ron-
del bis zum Oranienburgerthor zieht, rechtwinklicht durchschnitten von vierzehn Straßen, und in der Abendbeleuchtung herrlich läßt, keine Leipziger- und Wilhelms-
straße, keine so schöne große Plätze — aber dafür
weit besseres Pflaster, und wenn die Häuser keine so schöne
Facaden haben, so sind sie desto solider — es ist
Etwas dahinter!

Fast alle Berliner Häuser sind nur von Backstein,
Quadersteine sind hier, was anderwärts Marmor, und
so konnte man selbst von Friedrich nicht wohl verlangen,
mit Augustus zu sagen: „Ich habe die Stadt von
Backsteinen gefunden, und hinterlasse sie von

23 *

Marmor," aber in Fäcaden und übergypsten Backsteinen that Er gewiß alles Mögliche, und wenn nicht viel dahinter steckt, so ist dieß ja auch der Fall mit gar vielen — Menschen! Wegen der geräumigen Straßen, Plätze und flacher Gegend ist die Luft reiner als zu Wien, aber letzteres ist reinlicher, und was den Staub betrifft, heben sie gegen einander auf. Zu Berlin findet man nirgendswo Bäume oder Schutz gegen die Strahlen der Sonne, die in gewissen Monaten so stark brennet, daß nur der Sirocco fehlte, um gewisse Produkte mit dem Neapolitaner zu entschuldigen *e scritto nel tempo di Sirocco* *)! Zu Wien gewähren die engern Straßen und die hohen Häuser Schatten. Berlin ist eine französische Theaterprinzessin, Wien ein brittischer Lord, der sein Geld nicht auf dem Rock, sondern in der Tasche hat, und da nennen die Oestreicher in ihrer Manier den preußi Adler nur — den Gukuk!

Berlin übertrifft Wien an öffentlichen Denkmäl weit, und letzteres hatte vor Errichtung der Statue Jos nichts, als seine abgeschmackte Dreifaltigkeitsäulen — die Pyramide von S: Stephan wiegt hundert M mente auf! Welch ein Anblick vom Stephansthurm auf die gesegnete Gegend, verglichen mit dem Gensd'a Thurm zu Berlin! Und was ist der Thiergarten, glichen mit dem Prater mit seinen schönen Frauen, den, frohem Volksgewimmel und üppiger Vegetation? Thiergarten habe ich keine andere Thiere gesehen, etwa die jungen Herren, die den Nymphen nachstrei im Prater ist es anders, und so auch in den Straß Pallästen Wiens. Berlin ist eine der ersten Fabri vorzüglich in Baumwollen-, Seiden- und Luxus-A das ist Wien auch — aber die Hauptstadt des N verhält sich auch hier, wie in andern Dingen, zur stadt des Südens, wie überhaupt der Norden zum S

---

*) Es ist geschrieben zur Zeit, wo der Sirollo wehte.

Was die Sinnlichkeit betrifft, ist zu Wien ohnehin alles solider; man hat mehr, folglich genießt man auch mehr, aber der Geist ist in Berlin besser versorgt. Alles ist hier mehr gedacht, feiner, aber auch vornehmer und steifer. Zu Wien ist mehr Natur, ein kräftiges, lebendiges Volksleben, man genießt, und schämt sich nicht zu genießen; desto größer ist die Genügsamkeit im Geistigen neben Gehorsam gegen die Obern. Wirken in der einmal bestimmten Sphäre, und dann Lebensgenuß, statt Constitutionen, Preßfreiheit, Oeffentlichkeit, geheimen Gesellschaften. — Was sollens Ew. Gnaden? Wenn die Berliner gebildeter und klüger sind, und der höhere Grad von Bildung allerdings anzieht, so sind die Wiener wieder desto gutmüthiger und ehrlicher — Frohsinn und Gastfreiheit tritt an die Stelle kalter Höflichkeit und nordischer Verschlossenheit. — Was ist das bessere?

Jeder Gebildete muß die höhere Feinheit des Nordens schätzen, und nur zu oft vermißt er deren Mangel mitten unter den Genüssen und Vorzügen des Südens — aber wenn er wieder die mit jener verbundenen Schwächen und Fehler erwäget, so ist ihm vielleicht doch die geringere Cultur mit ihren Tugenden lieber, als jene höhere mit ihren Gebrechen? Die moralischen Mängel liegen im Süden offen zu Tage, im Norden versteht man sie zu überfirnissen. Der Norden gleicht der gebildeten Weltdame mit Diamanten, Perlen und Carmin verzieret — der Süden einem frischen lustigen mit Blumen geschmückten Landmädchen. Wien und Berlin sind in gewisser Hinsicht Extreme, nur Gleichgewicht zwischen Seele und Körper schaffen Harmonie in das sonderbare Wesen Mensch genannt, und diese Harmonie findet sich eher in gewissen Mittelstädten des deutschen Südens, die ich errathen lasse, um es mit keiner zu verderben.

Berlin unterscheidet sich auch noch von Wien durch unaufhörliches Waffengeräusch der sich übenden Krieger

faſt auf allen öffentlichen Plätzen vom Morgen bis zum
ſpäten Abend, während man zu Wien kaum weiß, daß
Soldaten da ſind, als etwa um Mittagszeit, wo die
Burgwache aufzieht. Mir ſchien jedoch dieſer Lärmen nicht
mehr ſo arg zu ſeyn, und auch Selbſtmörder ſollen
ſeltner ſeyn, die meiſt — arme Soldaten waren! Uebrigens gleichen ſich der Kaiſer und Könighof durch mu-
ſterhafte Einfachheit, beide brauchen keine Silentiarii,
deren der Hof Conſtantius dreißig hatte, damit Ruhe und
Stille herrſche um den Monarchen. Wien iſt weit wohlfeiler als Berlin, weit genußvoller, reicher, groß-
ſtädtiſcher, und mir unbegreiflich, wie man den Patriotismus ſo weit treiben konnte, Berlin — Wien ſogar
vorzuziehen? Nur der Patriotismus jenes Stockberlin
ging noch weiter, der nicht begreifen konnte, wie man
weit nach der Schweiz rennen möge, da Potsdam
vor den Thoren läge!

Das Zeitalter Friedrichs verſetzte offenbar
Berliner in eine Art Schwindel, der nicht allein Ni
ſchwindeln machte, ſo, daß er Berlin hoch über Wien
alle Städte ſetzte, ſondern auch viele andere, und d
Schwindel hatte ſicher viel Antheil an dem, was ſpät
geſchehen iſt gegen alles Nosce te ipsum! Wenn man
Wien und Prag kommt, oder auch nur von Dresd
Hamburg oder Frankfurt, ſo geht in der That
Scheinpracht überall wider, von welcher ſelbſt Fried
nicht frei zu ſprechen iſt. Zu Berlin und Dresden,
im ganzen Norden macht alles eine krumme He
wo etwas gezeigt wird, zu Wien und an vielen Orten
Südens iſt man liberaler — weniger hungrig — ja
Wien kaiſerlich bis zum Aufwärter! Es iſt auch
daß eine Kaiſerſtadt höher ſtehe, als eine Kön
ſtadt.

Es gibt nur a Kaiſerſtadt!
es gibt nur a Wian!

Berlin iſt ſchön — die neuen breiten Straßen,

der Schnur gefallen, wenn sie gleich etwas Einförmiges haben, da die meisten Häuser nur von zwei Geschoßen unter einem Dach fortgeführet sind. Die Facaden machen gute Wirkung, und den Fenstern dieser schönen Facaden sahe ich auch 1825 weit weniger Leder-Hosen ausgesteckt, als 1802, vermuthlich weil Tuch-Hosen mehr Mode sind — und noch trefflichere Wirkung machen — schön sind auch die vielen öffentlichen Plätze, wie der Wilhelmsplatz, Schloßplatz, Donhöferplatz, und der Platz unter den Linden, der einzig ist. Keine geringe Zierden dieser Plätze sind ihre Statuen, und den herrlichsten Platz unter den Linden zieren jetzt auch die verdienten Bildsäulen Bülows, Scharnhorsts und Blüchers von Rauchs Meisterhand, dessen Werkstätte im Lagerhaus einen Besuch verdient; allerliebst sind die Basreliefs an Blüchers Bildsäule, und das Monument des großen Königs? — Er hat keines. Der Neffe, dem er doch einen reichern Geldschatz hinterließ, als Joseph dem seinigen, dachte nicht wie Kaiser Franz. Doch Friedrich Wilhelm III. hat beschlossen, seinem Großoheim ein Standbild von Erz auf einer Trajans-Säule zu errichten, das zwischen dem Schlosse und dem Brandenburger Thore aufgestellt werden soll. . . . Friedrich hat sich selbst Denkmäler genug gesetzt, wie Wren, der Erbauer der S. Paulskirche zu London: Si monumentum quæris, circumspice *). Wir halten es doch nicht, wie die freien Griechen, die ihren großen Männern z. B. Socrates, Phocion rc. Statuen errichteten, nachdem sie solche zuvor aus der Welt geschafft hatten durch — Schierlingssaft!

Berlin ist schön — aber selbst unter den Linden könnte ich nicht mit Meermann — entzückt wie Sannazar über Venedig, ausrufen: Die Erbauung anderer Städte war Menschenwerk, Berlin bauten Götter! So mögen Holländer, Nicolai und Berliner rufen! Berlin hat ein der ganzen Mythologie unbekannter Gott

*) Suchst du mein Denkmal hier, um dich

erbauet, der Gott des Sandes; der auf seinen Staub
wolken selbst durch die schönsten Straßen und Plätze fährt,
unbekümmert um Augen und Lungen der Sterblichen!
Neben ihm schleicht durch die einförmigste Flächen die wasser
arme, und trotz der Pomeranzenbrücke, nicht nach
Pomeranzen riechende Spree. Friedrich fühlte es wohl,
und scheint sein Erbtheil stets als einen wichtigen Einwurf
gegen den Satz: „Gott erschuf nichts ohne Zweck",
betrachtet zu haben. Noch heute kann ich nicht her=
ausgrübeln, sagte es Zimmermann, warum Gott
den Sand erschaffen hat? Doch — um sanftere
und sichere Wege, selbst im schlechten Wetter zu haben,
da Friedrich sein Geld lieber auf Wasserstraßen ver=
wendete, als auf Landstraßen. Indessen gehört die
Frage in das graße Buch der Warum, (libro dei
perchè) mit dem wir wohl nie fertig werden; und man
kann in einer Hand voll Sand auch Schönheiten finden
wie im braunen schlichten Heideblümchen. War Gott
unsere Erde ein Sandkörnchen und das Meer ein Wasser=
tropfen!

Die Nicolaiten haben Berlin das nordische Athe
zu nennen beliebt, und auch das nordische Palmyr
Letzteres ist richtiger. Berlin liegt im Sande, und
alles nur leicht und luftig gebaut ist; so kann es leicht e
zweites Palmyra werden. Die langen breiten Stra
und die schön vergypsten Facaden überraschen, wie
Blumentöpfe, aber das spitzige Steinpflaster, die So
über dem Scheitel, und die stark geschwängerte Atmosph
der Rinnsäle bringen wieder zu sich. Berlin ist schön
es ist eine so moderne Stadt, daß sich nirgendswo et
Alterthümliches findet — etwas Gothisches,
— sagt Md. de Stael; sur notre vieille terre il faut
passé*)!

_____

*) Aber auf unserer alten Erde bedarf man auch etwas,
der Vergangenheit angehört.

Berlin scheint zu groß für seine Bevölkerung, und hierin möchte der Hauptgrund der Stille zu suchen seyn, die selbst in der Friedrichsstadt und unter den Linden, ja selbst zur Zeit der großen Manövres, die Fremde her beiziehen, herrscht, und einem Reisenden, der andere Hauptstädte kennt, auffällt. Wer es kann, besuche Berlin zur Zeit dieser großen Revue, da ist es am lebhaftesten, indessen sieht man auch außer dieser Zeit Soldaten genug, und ich gedachte Homers εὐκνήμιδες Ἀχαιοι der schöngestiefelten Achäer. Außer dieser Zeit gleicht Berlin eher — einer großen Landstadt, nur allein mit Wien verglichen, und man denkt an Cassel. Dieß ist jedoch gerade kein Unglück, denn übergroße Städte gleichen den Wasserköpfen am Menschenkörper, und Gott bewahre jeden Staat vor einem London!

Den besten Ueberblick von Berlin hat man von dem schönen 250' hohen Thurm der Marienkirche, die einige Gemälde Rodes schmücken. Die Garnisonskirche muß zum Heldenmuth anfeuern, da hier Rode's Pinsel die Helden des siebenjährigen Kriegs verewigt hat, den Tod Schwerins, Winterfelds, Keiths und Kleists, und selbst an der auf Helm und Harnisch ruhenden Kanzel die Großthaten Simsons angebracht sind. Diese Gemälde sind immer zweckmäßiger, als die Martern der Heiligen, aber Rodes grün graues Colorit verdirbt seine besten Stücke! Die Parochialkirche wartet auch jede ¼ Stunde mit holländischer Musik auf — mit Glockenspiel. Fast in allen Kirchen Preußens sieht man jetzt Militärtafeln mit den Namen der im Befreiungskriege Gefallenen, und das ist schön — an Polizeitafeln fehlt es ohnehin nicht, und so denke ich, sollen auch wieder die Haustafeln der Alten Mode werden, womit sie à la Luther zum Pflichtgefühl und zur Sittlichkeit aufzumuntern suchten.

In der Neustadter Kirche ist das schöne Grabmal des Grafen von der Mark von Shadow. Dieser Sohn der Liebe wäre ein Coloß geworden, wie sein Vater, der untröſtlich war. Hier ſind auch die einfachen Urnen der beliebten engliſchen und holländiſchen Geſandten Mit- ſchel und Verelſt. In der Nicolaikirche, die ſich durch mehrere Bilder altdeutſcher Kunſt auszeichnet, ruht Puf- fendorf (1694), der ſchwarze Marmor enthält eine lange lateiniſche Inſchrift: „anima cœlo recepta, fama per totum orbem volitat*)" — und wie ſteht es mit die- ſer fama? Vanitas! Und doch hat Puffendorf Verdienſte, wenn wir ihm auch nichts verdankten, als daß die Ge- ſchichte nicht mehr das hebräiſch-griechiſch-römiſche, ſon- dern ein europäiſches Geſicht hat, wozu auch der ſonſt leichtſinnige Voltaire half, der ſie kosmopolitiſch machte!

Auf dem ſchönen Gens d'armes Platz ſteht neben zwei Kirchen das Theater, ſo wie die katholiſche Kirche neben dem Opernhauſe. Es ſcheint, Friedrich liebte dieſe ſonderbare Zuſammenſtellung, und ſo placirte er denn auch die Academie über die Stallung,— Musis et Mulis**). Der Vater Friedrichs, der ohne das anatomiſche Theater vielleicht die ganze Academie aufgelöst hätte, ob ſie gleich weit weniger literariſches Domkapitel war, denn andere Akademien, gab einſt die Frage aufzulöſen: warum zwei mit Champagner gefüllte Gläſer an einander geſtoßen keinen ſo hellen Ton geben, als wenn ſolche mit jedem andern Wein angefüllt ſeyen? Die Akademiker antworteten: „Sie könnten den Grund nicht angeben, da ſie keinen Champagner zu trinken hät- ten" der König ſchickte keinen Champagner, und ſo iſt heute noch der akademiſche Preis zu verdienen! An dieſem Akademie- und Stallgebäude unter den Linden iſt eine Sonnenuhr, nach der faſt alle Vorübergehende ihre Uhren zu richten pflegen, daher nirgendswo die Uhren ſo

---

*) Seine Seele iſt im Himmel, ſein Ruhm durchfliegt die ganze Erde.

**) Die Muſen neben den Mauleſeln.

richtig zusammengehen, als zu Berlin. Es wäre möglich,
daß diese Normaluhr manchen Berliner verleitete, zu
glauben, daß sich nun alle deutsche Uhren nach dieser
Normaluhr richten müßten, und so mit Ursache einer
gewissen Stockberlinerei wäre, die jedoch etwas in
Abnahme gekommen ist. Die richtigste Uhr ist die — des
Magens, und das, was man im Knopf eines Kirch-
thurms gefunden haben soll — Berolinum — Lumen
orbi ist eben ein — Anagramm, die nicht mehr Mode sind.
   In meinen Augen hat diese Normaluhr weniger
Schuld, als die traurige Gegend des Sandes und der
Fichten ohne alle romantische Ansichten, wo die Phantasie nothwendig allen Spielraum verlieren, und nur
kalte Vernunft vorherrschen muß, daher ihre Schriftsteller und Critiker gedeihen, wie die märkische
Rüben, zumal wenn sie gut gedünget werden. Die
schönen Zeiten der Mendelsone, Ramler, Lessing, Engel,
Büsching, Moritz, Nicolai, Biester, Herzberg, Dohm,
Spalding, Teller ꝛc. die Zeiten Friedrichs — sind
zwar nicht mehr — aber Berlin ist denn doch noch heute
in geistiger Beziehung die Erste Stadt Deutschlands, wo man, wie zu Paris, Gelehrte findet, die
zugleich Leute von Welt und gute Gesellschafter sind, und
auch wieder Welt- und Geschäftsmänner, so unterrichtet, als Gelehrte. In der Regel pflegen Gelehrte
nicht die besten Geschäftsmänner zu seyn, (daher
manche nur anonym schrieben, und viele es wohlanständig
halten Gelehrsamkeit ganz aufzugeben, und sich zu Männern bilden, wo nicht sine ira, doch sine studio) — das
ist nicht der Fall zu Berlin, aber — unter so vielen kann
es nicht an Leutchen fehlen, die vergessen, daß seit Friedrichs Zeiten auch andere zu gelernt haben, und die herab-
sehen auf andere, wie die großen Potsdamer auf
Zwerge, und sich irren, wie bei Jena.

Doch — in's Innere von Berlin dringt kein gemeiner Geist,
Zu glücklich, wem es nur die äußere Schaale weißt!

Es steht mit dem deutschen Norden und Süden gerade wie in Frankreich auch, und die weite Gascogne zählt nur wenig Schriftsteller. Man hat wohl so viel Geist und Witz im Süden, als im Norden, aber man ist dorten viel zu lebhaft und lebenslustig, um zu schreiben, oder gar zu kritisiren, mitunter auch zu schildbürgerlich um Witz und Scherz nicht unter seiner Würde zu halten, und freie Urtheile erscheinen wohl Manchen gar als manque de respect und Unverschämtheit, namentlich im ehemaligen Reich, wo Vielherrschaft den Ideenkreis so klein und beschränkt machte als die Territorien — Residenzen und Höfchen, und man vor jeder Aeußerung über Leutchen zurückbebet, wenn sie auch zehnmal ihren Adel schänden, die nicht freier sind, als des Britten Aeußerung über den König! Nicht so geht es — gewissen Critikern an der Spree, die, statt zu recensiren, stolz absprechen, und dann ihren eigenen Senf ausgießen reichlich und in ächt berlinischer Bescheidenheit. Sie müssen Trublet nie gelesen haben, so viel Französisch auch zu Berlin getrieben wird, der vom Critiker verlangt, daß seine Ausdrücke schwächer seyn sollen, als die Eindrücke, jetzt scheint der Fall umgekehrt, so wie das, was Fontenelle von la Fontaine sagte: „Er glaubt sich unter Phädrus par bêtise*) — jetzt denkt die bêtise das gerade Gegentheil! Lob über Verdienst, und Tadel unter Verdienst, was man zu gleicher Zeit erleben kann, macht endlich gleichgültig gegen Lob und Tadel der Herren; selbst bloße Leser sagen lieber, was ihnen mißfallen als gefallen hat — es ist Menschennatur!

Die Berliner Dreifüßler haben viel gut zu machen, aber sie werden es gut machen, wenn der Plan einer würdigen Recensionsanstalt zu Stande kommt — wir erhalten so viele schlechte Bücher — und nun auch noch schlechte Recensionen! — doch — der ewige Frieden

---

*) Aus Dummheit.

unter den Mächten kommt gewiß noch eher zu Stande,
als unter Autoren, und der beste Recensent ist die Zeit!
„Laßt uns die Streitart begraben.“ Ich erwartete
es nicht anders, als daß nordische Recensenten nicht
ganz mit mir zufrieden seyn würden, und finde es immer
noch nordisch fein; was unus ex illis sagt: „der Verfasser beweist bei seinem Raisonnement über
Norddeutschland überall, daß er nicht auf heimischem d. h. bekanntem süddeutschen Boden
stand.“ Der norddeutsche Recensent beweist aber, daß er
auf — heimischem Boden feststand! — Wir wollen
gegeneinander aufheben! — Richtet nicht, so
werdet ihr nicht gerichtet!

> Vor Türk' und Recensentenmord
> bewahr' uns lieber Herregott!

Das königliche Schloß macht ein großes länglich-
tes Viereck mit vier Höfen, und ist so wenig architecto-
nisch schön, als die Burg zu Wien, aus demselben Grunde,
weil es nach und nach erbauet wurde, imponirt aber
durch seine majestätische Größe, und von der Seite
der Spree durch sein graues Alterthum mehr als die
Kaiserburg. Mit Recht bewohnt der König, der einfachste
Mann seines Staates, ein einfaches Haus, das lange nicht
so prächtig ist, als das Haus mancher Wiener oder Frankfurter Großhändler, dem Zeughaus gegenüber, das Er schon
als Kronprinz bewohnte, und das jetzt mit dem Hause
des verstorbenen Prinzen Louis in Verbindung steht. Oft
sahe ich hier den König am Fenster, seine Louise mit einem
Buche neben ihm sitzend, und die Vorübergehenden küm-
merten sich nicht darum, während die Unterthanen eines
kleinen deutschen Cidevant *) schon von weitem vor dem
halbverfallenen Schloß den Hut abnahmen, ungewiß, ob
der Landesvater nicht in einem Winkel laure, und sie wegen manque de respect **) in die Wache schicke!

*) Weiland-Gewaltigen.
**) Mangel an Respect.

Mit Ehrfurcht betritt man in dem alten Schloffe die Zimmer, die der große König zu bewohnen pflegte, sieht seinen Feldstuhl, Schreibtisch, und das Fenster, an dem er gewöhnlich saß; meine Phantasie sahe den alten Fritz, wie er lächelnd auf die Gaffer einer Caricatur herabblickte, die ihn als Caffeesieder darstellte, und den Bedienten, den er sandte, das Bild bequemer und tiefer zu hängen. Ob dieß wohl in ähnlichen Fällen ein Oberamtmann oder Stadtschulz verfügt hätte? doch diese werden auch nicht — abgemalt!

In diesem alten Schloffe spuckte sonst die berühmte weiße Frau, seit sie aber der Oberstallmeister Borsdorf sahe, und anredete: „du alte Here und Sakermente-hure! hast du noch nicht Fürstenblut genug ge-soffen?" sahe man sie nicht mehr — sie warf zwar den Oberstallmeister die Treppe hinunter, (er kam von der königlichen Abendtafel) wurde aber doch dadurch haus-scheu (1660). Hier ist die Gemäldegallerie, das Kunst- und Münz-Cabinet, das Naturalien-Ca-binet aber im Universitätsgebäude. Nicolai hat alle Gemälde sorgfältig numerirt, aber Puhlmanns Ver-zeichniß ist unterrichtender. Mich sprachen vorzüglich an: Guido Reni Fortuna, nebst seinem Diogenes in der Tonne — Jordaens Satyr und Bauer, Dominichino Sündfluth, Rottenhamer Mars und Venus im Netze, Correggio heiliger Franz, Maratti Romulus und Remus, und le Sueurs heiliger Bruno, da die Sueur in Deutschland selten sind. Es sind viele Cranachs hier, und drolligt ist Breughels Hölle, noch drolligter aber ein Hase, den man mit Canonen beschießt, eine Satyre auf einen gewissen General!

Ueberall stößt man auf Schlachtenstücke, Bildniße Großer, und des Hofmalers Pesne Werke, eines Franzosen, folglich im französischen Geschmack, den der Große liebte. Pesnes Bildniße scheinen mehr Werth zu haben, als seine historisch mythologischen Gemälde, und

man begreift schwer, wie Friedrich in einer seiner Episteln
sagen mochte:

Quel spectacle étonnant vient de frapper mes yeux?
Cher Pesne ton pinceau t'egale au rang des Dieux*)!

Voltaire commentirte auch die Stelle, „dieser Pesne ist
ein Mensch, den der König nie ansieht, er ist ein Gott
— und so könnte es auch mit mir seyn!" Ich weiß nicht,
wo Davids Gemälde zu sehen ist, das Blücher zum
Andenken an Paris mitnahm — Bonaparte, wie er
den S. Bernhard hinaufsprengt, Peignez moi, hatte der
Held dem Ersten Maler der Franzosen gesagt, tranquil
sur un cheval fougueux**)!

Die ungeheuren silbernen Leuchter, Spiegelrahmen,
Tische ꝛc. aus Friedrich Wilhelm I. Zeiten hat schon Friedrich besser zu benutzen gewußt, aber so ungeheuer
waren sie nicht, wie sie der alles übertreibende Zimmermann machte, sonst hätten sich im Schlosse — alle Balken
biegen müssen. — Er legt auch dem geerbten Schatz
Friedrichs, den dieser auf acht Millionen angibt, freigebig
noch 60 — 70 Millionen zu, als ob Millionen — Pillen
wären! Das berühmte Zimmer des Tabakcollegiums
hat noch die kurzen Tabakspfeifen aller Art, die große
silberne Bierkanne, woraus man in die Becher das
Bier zapfte, und das Gemälde, wo die Königin selbst
dem König seine Pfeife anzündet mit einem Fibibus,
rechts und links sitzen die Minister und Generale in ihren
breiten Ordensbändern, alle mit Pfeiffen, und Narr Gundling erklärt die Zeitung, oder erzählt Gespenstergeschicht-
chen. Dieselbe Rolle hatte auch Faßmann, Verfasser
der einst so beliebten Gespräche im Reiche der Todten, und war als lustiger Rath die Zielscheibe des eben

---

*) Welcher Anblick bietet sich meinen Augen dar, dein Pinsel,
mein lieber Pesne erhebt dich zum Rang der Götter.
**) Malt mich in ruhiger Haltung auf einem schnaubenden
Rosse.

nicht feinen Witzes S. Majestät und feiner Generale...
Faßmann mußte schon dadurch beliebt seyn, daß er aus
Bibel und Vernunft bewieß, daß es ein Regale
sey Einheimische und Fremdlinge im Staat—
zu Soldaten zu machen. Zu den Narren des Tabaks-
collegiums gehörten auch Morgenstern und Pöllniz!
Es liegt auch ein Buch für Fremde da, in dem man
den Namen Peters I. findet, und auch Friedrichs, der als
eilfjähriger Prinz schrieb: „Alles ist sterblich, die Tugend
unsterblich, der ich nachtrachte und nichts achte." —
Nach Pöllniz geruhten S. Majestät, gleich König Stanis-
laus und Peter, jeden Abend 30—32 Pfeiffen abzufeuern!

Die Großen unserer Zeit rauchen nicht mehr, die Dose
gilt für feiner als die Tabakspfeiffe, und daher haben
auch die Diplomaten so viele Dosen; die Dose giebt
vornehme Haltung und Contenance. Das artige Darbieten
einer Prise wie viel Gutes hat es nicht schon gestiftet!
wie viel Böses verhindert? in einer Prise Tabak liegt so
viel Humanität, daß ich die Alten bedaure, die solche
nicht kannten! Im englischen Unterhause wurden 1818
unter den außerordentlichen Ausgaben 22500 Pfund für
Dosen verrechnet, in Deutschland gehen wir sparsamer
um, und nehmen selbst Mannheimer Gold zu Hülfe.
Die Dose ist in Europa Symbol der Allianz und
Freundschaft, wie im Morgenlande ein gemeinschaftli-
cher Becher oder Mahl — bei den Wilden Amerikas
aber ist es das Calumet oder die Pfeiffe. Und so
lassen sich auch — die Großen der gelehrten Republik im
Rauchen nicht irre machen, wenn gleich die Frage
ob große Genies je geraucht haben? negative entschieden scheint. Gar viele könnte man ohne Weiters für
geräuchert Fleisch verkaufen, und sicher rührt unsere
Vielschreiberei von Caffee und Tabak; beide waren den Alten unbekannt, und so auch das Rauchen, sie
saugen an der Pfeiffe, wie Kinder an der Mutterbrust,
und wie an den Brüsten der Musen. Die Buchfabriken

zahlen immer doch wenigstens ihren Tabak, Caffee und Bier!

Wie kommt es doch, daß noch kein Kupferstecher auf den Einfall gerathen ist, die vornehmsten Gelehrten en corps rauchend abzubilden, so wie da Vinci das Abendmahl des Herrn? Die Musen könnten die Pfeiffen stopfen, Apollo das Feuer reichen, die Musensöhne einschenken, Schmollis! und die Buchhändler, die den Wein trinken, lächelnd die Biertonne wälzen à la Diogenes? Im Hintergrunde könnte man Sir Isac Newton anbringen als Symbol gelehrten Tiefsinnes oder der Zerstreuung, wie er neben einer Dame sein Pfeischen raucht, dann ihre Hand ergreift — um sie zu küssen, nein! um ihren Zeigefinger zu gebrauchen zum — Tabaksstopfer! Es ist Schade, daß die Pfeiffen von Ton aus der Mode gekommen sind, denn aus der Art, sie zu halten, ließ sich vieles schließen — hoch — gerade, bescheiden, abwärts, seitwärts — Klopstock hielt seine Pfeiffe himmelan — sie sagte dem Physiognomen: „das ist Klopstock!" doch könnte auch die Ursache im feuchten oder zu festgestopften Tabak und einer rozeln- den Pfeiffe gelegen haben. Owen, der erlaubte seine Epigramme zu allem zu gebrauchen, wozu sich Papier gebrauchen läßt, nur nicht zu Fidibus — so haßte er das edle Kraut — müßte mir die Pfeiffen reinigen! und ein Mystiker könnte über dem Erbauungsbuch die Augen ver- drehen, das im siebzehnten Jahrhundert erschien: „die geistliche Tabakspfeiffe!"

An das Schloß stößt der sogenannte Lustgarten oder Paradeplatz, vormals wirklicher Lustgarten, dann Sandwüste und Rasen, worauf die Kinder sich tummelten, jetzt ein geebneter mit Kieß bestreuter und von Alleen beschatteter schöner Platz, wo den Reisenden die von Sha- dow gefertigte Statue des alten Dessauers anzieht. Der Alte steht hier in Uniform, mit langem Zopf, großen Manschetten und Kamaschen, den kleinen Hut tief in die

Stirne gedrückt à la morbleu, und ein Knebelbart macht sein charaktervolles Gesicht, das recht ähnlich seyn soll, noch martialischer. Mir schien dieses Costüm nicht widrig, weniger widrig als der Schwerine, und Winterfelde Römische Costüme, und dann der schwarze Adlerorden, und die Perrücken! Auf dem Wilhelmsplatz stehen bekanntlich noch neben diesen beiden Keith, Seidlitz und Ziethen. Der dreieckige Federnhut Keiths will sich freilich auch nicht recht ausnehmen, aber die knappe Reiteruniform Seidlizens, trotz Steifstiefel, Zopf und großem Hute, der den interessantesten Theil des Gesichts deckt, hat mir nicht mißfallen. Am besten nimmt sich Ziethen aus, wo der Husaren Dollmann dem Eigensinn der Kunst entgegen kommt. Ziethen lehnt sich mit übereinander geschlagenen Füßen an einen Baumstamm, mit seiner Rech stützt er sich auf den Säbel, und die Linke greift an f Kien. Der alte Haudegen soll sprechend ähnlich seyn, un erinnert an Blücher. Es ist etwas Wahres daran, daß unsere Kleidung in der Kunst sich nicht so gut ausnimmt, wie die der Alten. Die Göttin Mode verwöhnt noch ü dieß das Auge so, daß alle veraltete Moden etwas Ko sches haben — aber im Ganzen ist doch auch etwas pricio im Spiel!

Unter diesen fünf Helden, unter welchen Winter am meisten galt; denn er war nicht blos Krieger, son auch zu politischen und geheimen Aufträgen gebrauchen, sollte billig in der Mitte die Reiterfta des großen Königs von Bronz stehen, wie zu die Statue Josephs. Friedrich hat zwar Monur anderer Art genug, und die Statue ganz der Natur g so wie der große, aber physisch kleine, alte Mann hohem Gaule gebückt und nachläßig saß, den großen dernhut auf dem Einen Auge, und in seinem ga selbst schon zu seinen Lebzeiten in Caricatur übergeh Costüme, würde vielleicht auffallen — aber Friedrich f doch in Bronz so reiten, wie er im Fleische geritten auf taufend Gemälden und Kupferftichen noch heute reitet, und felbft von Gyps im Garten zu Scheitnig bei Breslau. Im römischen Coftüme würde sich freilich der Imperator beffer ausnehmen, so wie Joseph, aber dann wäre es nicht mehr der alte Fritze! Auf diesem schönen Wilhelmsplatz herrscht Grabesstille, und daher spielen hier unter den Augen der Marmorhelden — Fleischeshelden, die Rollen der Bêtes à deux dos — oder der Quatrupedum pauperiem facientium *) so ungescheut, als Crates und Hipparchia!

Auf der langen Brücke, die nur lang heißt, weil die andern noch kürzer find, und über die Spree eine lange Brücke wirklich U:berfluß wäre, steht die treffliche Reiterstatue des großen Kurfürsten von Schlüter. Die Vier Sklaven zu den Füßen dürfen nicht befremden, denn 1703 war dies nicht nur Kunststyl, sondern leider! sogar Staatsstyl! Neben diesem Helden des 30jährigen Kriegs verdiente billig in dem Lande, wo man ganz recht lieber Generalen, als Heiligen Statuen errichtete, auch Dörflinger eine, wenn er gleich durch seine grauen Wölfe (Husaren) die Defilées zum Teufel jagen wollte, die sein Fußvolk aufhielten. Doch — warum nur immer Krieger und Krieger? Es wimmelt zu Berlin schon genug mit lebendigen Kriegern — die selten in Civilkleidern, wie zu Wien erscheinen. — Warum nicht auch verdienstvolle Minister des Friedens und Volks-Glücks? Dankelmann, Herzberg, Hardenberg, Stein? Warum nicht auch die Büsten großer Männer in Wiffenschaft und Kunst? Plutarch in seiner Abhandlung: Ift Athen ausgezeichneter durch Waffen oder durch Wissen? entscheidet zwar auch wie Spree-Athen für erstere — aber die Alten haben nicht immer Recht.

*) 2 Kirschen an einem Stiel, oder in einander verschlungene Zweifüßler, die arme Teufel machen.

24 *

Das Zeughaus ist eines der schönsten Gebäude Ber
lins, und das schönste Zeughaus, das ich kenne, verziert
mit Trophäen, und umgeben von eisernen Ketten, die von
halb eingegrabenen aufrechten eisernen Canonen getragen
werden — ultimae rationes regum *) — ein reicher
schrecklicher Tempel des Mars. Hier steht die Bildsäule
Friedrichs I. des Erbauers, fürtrefflich sind die im innern
Hofraume angebrachten 21 Larven Sterbender, und
ächt philosophisch die Idee Schlüters an der Hinterthür
des Hauses, dessen Eingang die pomphaften Trophäen des
Kriegs zieren — die Reue anzubringen. Gewiß
trachteten 1806—13 manche Berliner die Reue mit
pelter Aufmerksamkeit! Furchtbar sind die Folgen der
tigen Processe zwischen Völkern, wo nicht das Recht, s
dern der Zufall entscheidet — furchtbar selbst für
Sieger — die Reue ist an ihrer Stelle — aber das
liche Völker-Tribunal bleibt — eine erhabene
nunft-Idee, folglich sind wohlgefüllte Zeughäuser auch
rechter Stelle!

Der schönste Platz Berlins ist der Platz vom O
Hause und der Neustädter Brücke an bis zu die Linde
lauter Prachtgebäude — der Pallast des Prinzen Hein
jetzt Universitäts-Gebäude, das Schloß, Zeughaus, A
mie, Catholische Kirche, Oper, Bibliothek ꝛc. und
die vierfache Linden-Allee bis zum Brandenl
ger Thor, das den lieblichsten Eindruck macht; der
zwischen diesem Thor und den Linden, sonst das O
heißt jetzt der Pariser-Platz. Dieses Thor ist nach
Muster der Propyläen von Langhaus erbaut, ve
mit der Quadriga, den vier schönen Pferden 12' hoch
getriebenen Kupfer, und der Victoria. Das Ganze
eine Million Thaler gekostet haben. Herrlich ist der O
blick durch dieses schöne Thor nach dem Thiergar
durch welchen der Weg nach Charlottenburg führt,

*) Die letzten Beweisgründe der Könige.

zu beiden Seiten stehen zwei kleine griechische Tempel, deren Priester aber nur die Wache und die Zöllner sind.

Die Victoria mußte bekanntlich dem Sieger nach Paris folgen, und folgte billig auch wieder Blüchers Siegen, wodurch sie erst zur rechten Göttin des Sieges geheiligt wurde; das eiserne Kreutz rettete das Vaterland, und daher kann ich das Symbol der Christenheit vereint mit der Victoria nicht ungereimt finden, wie einige Tadler wollen. Steht ja auch das Kreutz auf dem Halb-Mond auf russischen Kirchen, nie ging ich hier vorüber, ohne mich an dem Thore und den Pferden zu ergötzen, die mir lebendiger scheinen, als die Pferde des Lysippus, die von Corinth nach Rom, Constantinopel, Venedig und Paris und wieder zurück nach Venedig laufen mußten. Jedes Thier kennt seinen Stall, so sind alle wieder an Ort und Stelle nebst dem geflügelten Löwen — dem Gallier gehört nur der — stolze krähende Hahn!

Unter dem Brandenburger Thore fragte Jahn, der Turner, und Verfasser des deutschen Volksthum einen seiner Zöglinge: Wo ist die Victoria? „zu Paris" Was denkst du hiebei? „Nichts" husch! hatte er eine Ohrfeige „Nun denkst du gewiß eher daran, daß du mithelfen sollst sie wiederzuholen." Hätte nicht Jahn schon darum ein besseres Schicksal verdient? Gewiß mehr als jener Preuße mit seinem Tambour major, der nicht nur durchs Gehör zu unterscheiden wußte, ob ein Trommelfell von einem ein- oder zweijährigen Kalbe sey, sondern auch seinen Silberstock so hoch über das Thor schleuderte, daß er nicht nur Zeit hatte durchzumarschiren, sondern auch noch für 1 Groschen Obst mitzunehmen, ehe sein Stock wieder herab kam — doch ein Neapolitaner hat diesen Preußen schon zurecht gewiesen, der einen Riesen von tambour Major kannte, dessen Schatten, wenn er um eilf Uhr über den Mercato ging, noch am zwölf Uhr zu sehen war!

Allerliebst ist die Linden-Allee mit den schönsten

Häusern 4000′ lang und 160′ breit, geebnet, mit Kies be-
schüttet, festgestampft, überall Ruhebänke und Nachts beleuchtet. Dieser Platz ist einzig, der schönste, wie der besuchteste von allen Ständen vom frühen Morgen bis zur
Geisterstunde. Die Linden geben dem schönsten Curs oder
Corso französischer und italienischer Städte durchaus nicht
nach, und doch fehlen hier, Sonn- und Feiertage ausgenommen — Menschen! bequem kann man vom Hotel
de Russie aus die Vorübergehenden zählen, und noch dabei — lesen. Hier wird alles durchmustert, belächelt oder
bemitleidet, gescherzt, geliebelt, gehandelt, geklatscht u
kannegießert; Friedrich sagte daher seinem Hof-Jouwelir
der klagte, daß er seine Töchter nicht an Mann bring
könne, weil er nicht reich sey „Weiß Er was? geh
er fleissig unter die Linden spazieren, die Nas
hoch, die Hände auf dem Rücken, die Back
aufgeblasen — dann wird Er bald für ein
reichen Mann gelten!“

> Unter'n Linden, wie ihr wißt
> wandlen, die da rufen P . st!
> mildgesinnte Herzen finden
> kannst du immer unter'n Linden
> in Berlin, in Berlin,
> wenn die Fledermäuse ziehen —

Achtzehnter Brief.

Die Fortsetzung.

Das Neue Theater-Gebäude auf dem
großen Platze macht treffliche Wirkung mit seinem h
springenden Haupt-Gebäude, und Peristil, an den
Seiten der hohen Treppe Bacchus und Ariadne auf

Thieren in koloffaler Größe. Dieses Gebäude hat viel
Tadel erfahren. —

Prüft den Geschmack, und sagt dann offenherzig an,
ob man ihn Griechisch, Römisch, Gothisch nennen kann?

Ich bin kein Architekt und mir hat es gefallen. Ob
aber das alte Theater unter Engels Aufsicht, d. h. die
Sache selbst nicht besser war als jetzt? Wie sollte Berlin,
das selbst in glücklichen Zeiten nur eines erkünstelten Wohlstandes genoß, nach mehr als babylonischen Leiden von
1806—13 ein Theater wie Wien haben können? Fleck
ist nicht mehr, er nahm in Waldsteins Rolle Abschied:
„Ich denke einen langen Schlaf zu thun.“ Nun
kam Iffland, und Witzbolde sprachen, das Theater sey
fleckenlos, und mehr von Iffland zu verlangen, hieße
Flecken in der Sonne suchen. Iffland ist auch nicht
mehr, aber Devrient ist mehr als Iffland Fleck's
schönste Grabschrift hat ihm ein Franzose gesetzt: Fleck is
sie todt, das is ewik Schad, unse liebe Erre
Gott wird sik 1000 Spaß mit ihm aben!“

Das Berliner Theater gehört zu den vorzüglichsten,
wenn auch das Wiener das Erste seyn sollte, (dann folgt
München), und jetzt ist noch ein zweites das Königs-
städter, mehr für das Volk, das aber, da die Unterneh-
mer dabei ihre Rechnung nicht fanden, 1829 schon wieder
eingegangen ist. Si vis me flere, dolendum est primum
ipsi tibi *) gilt auch vom Lachen, und dieses gelingt
natürlich besser an den lachenden Ufern der Donau. Poli-
cinello, Arlequin, Casperl und Staberl gedeihen im ern-
stern Norden nicht, vielleicht am ehesten der spanische Gra-
cioso, und das Ideal des Harlekins, als privilegirter
Spötter und Satiriker, steht höher als Iffland und Kotzebue! „Ich frage wie Collin, welches Publicum ist das
gebildetere, jenes, das seine Localitäten auf Neben-

*) Willst du über mich weinen, so weine zuerst über dich
selbst.

theater verwelſet oder das, wo ſie auf dem Haupt-
theater erſcheinen?" Die italieniſche Oper iſt nur bei
Feierlichkeiten und während des Carnevals, das franzöſiſche Theater aber von Rechts wegen eingegangen, die
Berliner Franzoſen (etwa 5000) ſind Deutſche, und von
franzöſirten Deutſchen ſollte nie mehr die Rede ſeyn.
Kaſtraten wie zu Wien, gibt es nicht, aber man erinnert ſich desjenigen, der dem ökonomiſchen Friedrich ſagte:
Eh bene! faccia cantare il suo Generale *). Nur in
Italien gedeihen Kaſtraten, wo ſo viel Unheil gedeihet,
ein Kaſtrat kann ſogar Duca werden, und ein Knabe ließ
ſich auch kaſtriren, weil man ihm ſagte, er könne Duca
werden, und ein Duca ſey ein Mann, der alles könne —
in ſeinem 18. Jahre definirte er einen Duca einen Mann,
der — nichts kann! So gedeihen auch die rechten Bal-
letſpringer nur zu Paris, obgleich Casperl verſichert,
daß die Wiener leicht höher ſpringen, als der Stephans-
Thurm, denn dieſer — ſpringt gar nicht!

Die neue Univerſität blühet, und zählt gegen
1600 Studierende, darunter 400 Ausländer. Die Anſtalt
iſt noch zu neu, um den Streit auszumachen: ob die Zer-
ſtreuung und Verführung großer Städte und Reſidenzen
den Muſen nicht ungünſtiger ſey, als kleiner ſtiller nah-
rungsloſer Städte Aufenthalt mit ſtudentiſcher Verwilde-
rung und Bierlümmeleien? In einer großen Stadt fallen die gewöhnlichen Bengeleien und das Sich herausneh-
men von ſelbſt hinweg, man lernt die Welt kennen und
ſich benehmen, was wichtiger iſt als Gelehrſamkeit,
und wer den Gott in ſich fühlet, ſtudieret auch im
großſtädtiſchen Gewühle. Neu altdeutſche Kleidung, Zwi-
ckel und Bocksbärte ſahe ich nicht, und die kurzen Moll-
Ueberröcke, lange und weite Mancheſter-Hoſen, kleine Tür-
ken-Käppchen, große Quaſten an der Pfeiffe, und ſchwer
mit Eiſen beſchlagene Stiefel-Abſätze und Sporen, die doch

---

*) Ey, ſo laſſen Sie doch ihren General ſingen.

immer an ihr Philister-Pferd Pegasus erinnern mögen,
kann man ihnen ja lassen, als Zeichen eines ächten Burschen, der, nach Jahn, auf bloser Diele schläft, und wenn
ihn frieret, sich mit der Kammer-Thüre zudeckt. Die Mode
der hohen Absätze, wodurch sonst die Schönen ihrer Länge
etwas zuzusetzen suchten, ist jetzt auf die Burschen übergegangen, und wenn solche auch mit Huf-Eisen beschlagen sind, so hindert dies nicht — an Fehltritten!

Berlin gewährt alles Mögliche zu einer recht ausgezeichneten Universität, und darf schon jetzt gleich auf Göttingen folgen. Das naturhistorische Museum, wo
man gewiß an Humbold, Hofmannsegg, Wildenow,
Claproth, Hermbstädt ꝛc. denket — wird nur dem Pariser
und Wiener nachstehen, und ist ausgezeichnet durch die
anatomische Sammlung von Mißgeburten; unter den Ske-
letten sieht man auch einen der Potsdamer Riesen
von 7′ 8″. Man sagt die Polignak'sche Antiken-Sammlung zu Potsdam nebst allem, was bisher zerstreut war,
die Gyps-Abgüße, die Stoschische Gemmen-Sammlung,
vorzüglich aber die auserlesene Giustianische Gemälde-
Sammlung und die des Britten Solly, reich an ältern
Gemälden, sollen in Ein Museum vereint werden. Eine
recht glückliche Idee, durch deren Ausführung dann Berlin
mehr wäre, als Göttingen und mit englischer Preßfreiheit den Vorrang erringen könnte. Seit die Universität hier ist, hat man auch den Distrikt möglichst gerei-
nigt von den sogenannten Töchtern der Freude oder Dirnen wilder Lust — aber wer will diejenigen bewachen, die
sich nicht selbst bewachen, oder diejenigen, die ihr wahres
Gewerbe verschleiern unter dem Titel: Aufwärterin, Wäscherin, Näherin, Strumpfstrickerin, Modehändlerin, Oebstlerin?

Berlins berühmtes Gymnasium hatte einst Büsching
und Meierotto, wie die schöne Bibliothek Biester —
Nicolai ist auch todt, den ich mir als einen kleinen muth-
willigen Satyr gedacht hatte, und siehe! ein langer hagerer,

ungemein ernster Mann stand vor mir, ohne auch einen
Zug von Satyre im Gesicht, und ob wir gleich lange über
Süddeutschland uns unterhielten, auch nie ein Zug lachender Laune. Nicolai wird immer in unserer Literatur leben,
als Begründer und Herausgeber der so einflußreichen Bibliothek der schönen Wissenschaften der Literaturbriefe,
der Allgemeinen Bibliothek; welche letztere natio-
nell genannt werden kann. Bode lebte noch, seine Sternbilder à 5 Carolius sind das beste, was man hat, seine
Anleitung zur Kenntniß des gestirnten Himmels erlebte
acht Auflagen, und sein Observatorium war mir so viel als
Herrschels Slough zu Windsor. Seit dem Nov. 1826
ist auch er der Erde entrücket. Möchte sein Geist unter
den Sternen wandeln, die er hienieden möglichst genau
kennen zu lernen suchte. — Welche Wonne, die unser Einem
nie zu Theil werden kann, wenn er seine Beobachtungen
richtig findet! Nie gehe ich leicht ein Observatorium vorüber,
denn dem Telescop verdanken wir so viel als der Mag-
netnadel! Hätte Moses, nach dem sich unsere Theologen
so lange richteten, und den Himmel für das Pünktchen
Erde geschaffen glaubten, ein Telescop gehabt, schwerlich
wäre am ersten Schöpfungstag das Licht geschaffen worden, und erst am vierten die zwei große Lichter, ein
groß Licht, das den Tag, und ein kleines, das die Nacht
regiere, dazu auch die Sterne! Der Widerspruch fällt zwar
weg, wenn wir unter seinem Licht das Elementarfeuer
verstehen, das nicht von der Sonne kommt, und dem hohen
Alterthume diese Naturphilosophie zutrauen — aber noch
nennen wir, trotz unserer Telescope — Sonnenfinster-
niß, was lediglich Erdfinsterniß ist, wie jene Finsterniß der Theologen!

Ein schönes Gebäude ist das Cadettenhaus mit
Innschrift: Martis et Minervæ Alumnis *), noch schö-
aber das Invalidenhaus, wenn es auch gleich k

_____
*) Den Zöglingen des Mars und der Minerva.

Parifer Hotel aux invalides iſt und fein kann, das ja
ſelbſt Wien nicht hat. Die Innſchrift: laeso et invicto
militi *) iſt allerdings glücklicher und lapidariſcher, als
die am Opernhaus: Appollini et Musis **), oder an der
Bibliothek: Nutrimentum Spiritus ***)! Doch — ſtand
nicht an der Alexandriniſchen Bibliothek gar: Apotheke
der Seele? Bibliotheken und Apotheken haben,
außerdem daß ſie ſich reimen, ungemein viel Aehnliches
mit einander — viel leere Büchſen, wenn auch vergoldet — viel veraltete Waare — theure Waare —
durchaus unnütze Waare — Waaren, die eben ſo oft
krank, als geſund machen — beide verkaufen neben etwas
Spiritus, weit mehr aqua fontana, oft mit 99 Procenten,
gar viele Bibliothekare ſind wahre Apotheker, Coqui
latini †) — Handlanger — und von gar mancher
Bibliothek könnte ein zweiter Paulini eine neue Dreck-
Apotheke (Frft. 1687. 8.) ſchreiben.

Zu Berlin vermißt man gar oft Mutter-Natur,
deſto überraſchender iſt mitten in der Stadt Monbijou,
jetzt dem Herzog von Meklenburg gehörig, mit ſeinem ſchönen Sommer- und Wintergarten; den Pallaſt der Gräfin
Lindenau beſitzt die Königin der Niederlande. Intereſſant
iſt die Thierarzneiſchule mitten in einem weiten Garten mit ihren Anſtalten und Sammlungen. Ich glaube es
war hier, (wenn nicht zu Wien) daß ich das Skelet eines
arabiſchen Pferdes ſahe neben dem eines frieſiſchen
Gauls — ſo verhalten ſich die Nerven einer zarten Berlinerin zu denen eines Hamburger Laſtträgers! Zu Lyon
aber ſahe ich ein Pferdgerippe im Galop mit einem darauf
ſitzenden Menſchengerippe — lächelnd dachte ich an Bürgers Lenore. Sheldon zu London ging noch weiter,

---

*) Für verwundete, aber unbeſiegte Krieger.
**) Dem Apollo und den Muſen.
***) Huſarenlatein. Nahrung des Geiſtes.
†) Lateiniſche Köche.

und skeletirte seine Geliebte, um sie stets um sich zu haben. War dieß Geistesstärke, Stumpfsinn oder Virtuosität eines ächten Anatomen?

Ein nicht ungeschickter Curschmidt in meiner Gegend, den sein Vater in der Venerischen (Veterinär) Schule zu Berlin, wie er sich ausdrückte, etwas hatte lernen lassen, lernte sich da auch sehr hoch ausdrücken. „Ich habe, sagte er, gegenwärtig zwölf Kranke in meiner Diöcese — man frage die Herren Doktoren wegen meiner Medicinen — ich will meinen Charakter nicht verlieren, noch weniger der Justiz auffallend (beschwerlich) seyn — es wäre über undumm von mir, wenn das Pferd durch mich gefallen wäre — es fiel durch seine kräftige Schlappität in den Füßen, und weil die Entzündung der Feuchtigkeiten in Kopf stieg — ich bin nicht von Intereßlichkeit und rieth gleich anfangs eine gleiche Gestaltung, (ein anderes ähnliches Pferd) zu acquiriren, wenn sich Gelegenheit dazu dictiren sollte." Bei manchem Vieh = Arzt darf man gar wohl zwischen H und A ein Comma setzen, wie Luther ein R bei D. Eck!

Interessant ist die Charité, ein weites Krankenhaus mit der Innschrift Charité. Es gereicht Berlin zum Ruhm, daß es sich durch recht viele Wohlthätigkeitsanstalten, Erziehungs = und Krankenhäuser, und Vereine zu mildthätigen Zwecken auszeichnet. Mit der Charité ist ein Irrenhaus verbunden, wo ich mich lauge mit den unschädlichen im Garten herumwandelnden Narren recht vernünftig unterhielt, ohne etwas zu merken, nur zweien, die stets haftig an der Mauer auf = und abliefen, war keine Rede abzugewinnen. Der Führer sagte mir, daß es Offiziere wären, die wegen Nichtavancements überschnappten. Im Hause sprach ich eine Frau von Mittel = Jahren, Maitresse eines Ministers — sie sprach bald deutsch, bald italienisch, bald französisch, und zuletzt nahm sie mich — beim Kopfe! Zu Berlin kann es gar nichts schaden, wenn junge Reisende die penerischen Kranken besuchen; man zeigte mir ein

Mädchen von zwölf Jahren, die ihr eigener Vater angesteckt haben soll! Ich machte wiederholt die Bemerkung, daß Irren, wenn sie einige Bildung genossen haben, oft die herrlichsten Ideen haben — Genie und Wahnsinn liegen nicht weit von einander, Choleriker haben ein Näherecht auf Charité, und wenn man immer — Acht haben wollte, könnte man mehr als eine Veglie di Tasso finden, die der unglückliche Dichter auch im Wahnsinne und im Spitale geschrieben hat. Der Verstand des Orlando furioso war in einer Flasche im Monde, Angelica hatte ihn darum gebracht — andere verlieren ihn, wie Ariosto wissen will:

> — — in onori,
> altri in cercar scorrendo il mar richezze,
> altri nelle Speranze dei Signori *)!!

Berlin hat bedeutende Fabriken, unter welchen wohl die Porzellain=Fabrik oben an steht, die der Meißner viel Abbruch that, dann: Zucker=Raffinerien, Tuch=Manufacturen, Seiden=, Catuns=, Tabak=, Leder=Fabriken, welche ⅓ der Bewohner beschäftigen, Dank den bürgerlichen Emigrés des 17ten Jahrhunderts.

> Wer Freitags Fleisch wollt speisen,
> der wanderte nach Preußen!
> Berlin in vielen Stücken
> an Künsten und Fabriken
> die Dreckstadt übertrifft!

Das Berliner Blau ist eine bekannte Farbe, und kein Geheimniß mehr. Wenn Monopolien zu hohe Preise erzeugen, so erzeugen Polypolien zu geringe, und dieß scheint der Fall mit den Galanteriewaaren zu seyn. Ich wünsche allen Staaten einen so patriotischen

---

*) Ueber dem Haschen nach Ehrenstellen, andere indem sie die Meere aus Golddurst durchirren, andere indem sie auf große Herren ihre Hoffnungen bauen.

Kaufmann, als Preußen an seinem Gozkofsky — hatte, dessen Selbstbiographie interessant ist. Er war nicht nur der Schöpfer der Berliner Sammt- und Porzellain-Fabriken, mit Aufopferung seines eigenen Vermögens, sondern als Tottleben Berlin besetzte, that er alles für die Stadt mit Gefahr seines Lebens, und doch schließt seine Selbstbiographie — „So lohnt die Welt!" Ich weiß nicht, ob die Berliner Damenhandschuhe besondere Eigenschaften haben, aber Haddik hat sich, als er im siebenjährigen Kriege Berlin überrumpelte, vom Magistrat zwei Dutzend aus für Maria Theresia, ließ sich jedoch auch neben bei noch 200,000 Thlr. zahlen. Luxuswaaren rentiren immer weniger als nothwendige — Kronenleuchter sind weniger gesucht als gemeine Leuchter, und Tafelaufsätze von Sevres weniger als Teller und Wedgwood.

Die Juden, deren 5000. seyn sollen, scheinen sich gleichsam abzulösen den Reisenden im Gasthofe zu quälen, (zu Breslau ist es noch schlimmer) und wer Schmutz und Elend recht anschaulich kennen lernen will, gehe nach der Königs- und Strahlauer-Maner, wo sie wie Häringe aufeinander sitzen, vermischt mit christlichen Söhnen und Töchtern der Armuth, und den unverschämtesten H.... die sich anbieten, und abgewiesen die Haut voll schimpfen. Es gibt natürlich auch reiche und sehr gebildete Juden, Itzig bewohnt einen wahren Pallast, und hat außer der Stadt eine schöne Meierei; in ihrer Freischule hielt ich es für Pflicht, der schönen Büste Mendelsons meine Ehrfurcht zu bezeugen. Noch ein ganz eigener Industriezweig ist hier und zu Potsdam, der doppelt auffällt, wenn man aus Oestreich kommt. Die Schildwache grüßt gerne den Fremdling, indem sie den Schlagbaum in die Höhe läßt — man sieht die Nothwendigkeit davon um so weniger ein, je kleiner man ist, aber es ist auch nur ein Compliment — Soldaten betteln nicht um Brod — sie wollen nur unsere Gesundheit ein bischen — beschnapsen. Die unangenehme Visitation des Coffers geht, wenn man nicht das Ansehen eines Kaufmanns hat, leicht vorüber mittelst gelinden — Händedruckes!

Das Leben der Berliner ist in der Regel sehr frugal, fast wie zu Dresden, nur der Kleider- und Mobilien-Luxus scheint mir groß zu seyn, selbst unter niedern Ständen. Seit 1815 besteht eine Trosken-Anstalt statt der Fiaker, und man zählt über 100 Trosken, eine russische Nachahmung; die sogenannten Kothflügel könnte man hier ersparen, man brauchte eher Sandflügel, doch in der Stadt sind sie häufig an rechter Stelle — Weinhäuser, Conditors und Destillateurs spielen eine große Rolle, und es gehört zum Modeton, selbst der Damen, bei Josti Chocolade zu trinken, halb Schaum, und leicht, wie das Zeitungsblatt, das dabei gelesen wird, denn Mailand ist weiter von Berlin als von Wien, und Berlinerinnen sind auch ätherischer als Wienerinnen. Die Lieblingsschüssel der frugalen Berliner scheint Pökelfleisch und Erbsen zu seyn, und der traurige Liquör muß der Verdauung nachhelfen. Bei Schwelgereien der Reichen fließt aber mehr Rheinwein, Champagner, Burgunder und Ungarwein, als im Süden, wo wir uns mehr an eigene Landweine vernünftig halten. Beim Volk vertreten Cichorien gar häufig die Stelle des theuern Kaffee, und Cartoffel und Butterschnitte steht oben an. Das Butterbrod muß im Norden für gar vieles Ersatz seyn, und zwar gesalzene Butter. Ob wohl Holsteiner oder Schweizer Behagen finden an einer geschmierten Berlinerstolle? Sicher haben Berliner das Sprüchwort erfunden: Man sieht mich wohl auf den Kragen, aber nicht in Magen!

Bei diplomatischen Diners habe ich zu Berlin den Süden keineswegs vermißet, und was den Wein betrifft, sogar mich besser befunden — der Rheinwein wird hier nach Verdienst geschätzt, und das Wohlgefallen am Champagner rührt vielleicht noch aus der Zeit des großen Königs. Ob wohl je der Knall eines Korkstöp-

sets ein verliebtes Berlinerpärchen vor dem Fall bewahrt
hat, wie Herfort und Clärchen? Am besten gefiel ich
mir an der Tafel des trefflichen Finanzminister von Struensee, der sich durch Verdienst emporschwang, und auch als
trefflicher Schriftsteller bekannt ist; er pflegte abwechselnd
in der Woche Gelehrte und Diplomaten einzuladen,
und der Geist hatte so gut seine Nahrung, als der Körper. Zu Berlin gibt es sogenannte Aesthetische Thee,
denen ich auch beiwohnte, dafür ist aber der Kaffee so
schlecht als in Holland, oder der Portwein in England
— wovon in einem Jahr mehr getrunken wird, als in drei
Jahren in Portugal wächst, daher solcher nothwendig mit
andern Ingredienzen und Branntwein versetzt werden muß.
Die Berliner ästhetische Thees hat ein schwäbischer
Satan ganz richtig geschildert, nur hätte er nicht so unzart die jungen Damen mit der interessanten Mondschein-
blässe — Theegesichter nennen sollen. In England
wird weit mehr Thee getrunken, selbst in Richardsons
Romanen wird viel zu viel Thee getrunken — aber wer
wird Pamelen, Clarissen und Henrietten — Theegesichter nennen! halbenglische Engel — Theegesichter!! Und
wie läßt sich Empfindsamkeit denken ohne Mond, Einsamkeit, Gräber, Felder und Wälder, wenn es auch nur
Sandfelder und Forchenwälder wären?

Ob die Sperlinge in der Mark häufiger sind, als anderwärts, weiß ich nicht, aber nirgendswo sind sie stärker verfolgt worden. Es zeigt allerdings von staatswirthschaft-
lichem Nachdenken, wenn Landrath Kretschmer berechnete,
daß die Speringe dem Lande fast so theuer kämen, als
die Königliche Cavalerie, und ein Spatz jährlich
vier Thaler koste — aber Sperlinge wollen auch leben, und
Gott hat sie erschaffen. Pfuschen wir nicht in die Haushaltung Gottes, und folgen eher der gemüthlichen Sitte
der Norweger, die an hohen Festen auf den Giebel ihres
Hauses eine Korngarbe aufstecken, damit auch die Spatzen
Theil nehmen an der Freude des Festes. Sperlinge und

Krähen nützen mehr als sie schaden durch Ausrottung der
Insecten, vorzüglich der Engerlinge, welche die Schweine
nicht mehr fett machen können, seit die Eichelmast in
Wäldern aus der Mode gekommen ist. Indessen gibt es
Jahre, wo man der Ueberzahl frecher Spatzen doch
steuern zu müßen scheint, wie Maikäfern und Flöhen,
daher 1790 in Franken eine gewisse Regierung von jedem
Landbewohner so und so viel Sperlingsköpfe oder einen Pfenning für jeden Kopf einforderte, die Geistlichkeit aber dachte à la Kretschmer, und kam mit einer Vor-
stellung ein: „die Abgabe laufe gegen ihr Gewis-
fen, da das Evangelium ausdrücklich sage: Kauft man
nicht zwei Sperlinge um einen Pfenning?" — Der berühmte Mahler Paßerino machte stets an seine Meisterstücke
einen Sperling — mein Name wird so überall bekannt,
denn überall gibt es — Sperlinge; und bei Einlieferung
der im Rauche getrockneten Sperlingsköpfe würde
selbst Sömmering und Blumenbach, die Menschenschädel
ordneten — dieselben nicht von den unschuldigen Meisen-,
Bachstelzen-, Nachtigallenköpfen zu unterscheiden wissen —
man ist zufrieden, wenn nur die gehörige Anzahl Köpfe
abgeschlagen sind, wie das Revolutionsgericht!

Die Zierbengel, die mit den Sperlingen viele Aehnlichkeit haben, muß man zu Berlin weder im Civil- noch
Militärstand suchen, sondern unter den — gebildeten
Israeliten, und noch mehr bei den sogenannten Lords
vom Mühlendamm — so heißen hier die Ladendiener, da auf dem Mühlendamm die meisten Buden sind.
Das Wort Petitmaitre ist außer Umlauf gekommen, wie
das Wort Stutzer — Zierbengel ist auch besser, und
roch schöner das italienische Pasticetti, Pastetchen. Die
Berliner-Pastetchen sollte man bedienen, wie die — Israe-
iten im Verkehr und Jakobs-Hochzeit und Kriegs-
haten. . . Diese geistvollen Possen haben gewirkt, da
ie so laut darüber geworden sind, namentlich gebildete

Jfraeliten, wie der, der die im Concertfaale angebrachten Namen berühmter Tonkünftler fchön fand, vorzüglich
die Zufammenftellung von Handel und Glück. Nur
recht viele folcher Poffen, aber auch über andere Stände! Die Britten ehren — neben Shakespeare ihren Foote,
und unfer Kotzebue ift noch lange kein Foote.

Wenn irgendwo der Geift reif zu ächt witzigen Poffen ift, verfchieden von Poffenfpiel — fo ift es zu
Berlin — höhere Poffen, als fie Cafperle und Italiener liefern — franzöfifch-englifche Poffen, wie fie
Moliere und Foote dichteten... Jch weiß nicht, wie Bru-
net durchgekommen ift, der kühn genug war, nach dem
ruffifchen Feldzug, in der Rolle eines Gärtners dem Gar-
tenknechte zu fagen: „Maraud! qu'as tu donc fait? voilà
mes lauriers flêtris, mes grénadiers gelés, ne sais-tu
pas, Imbecille! que l'hiver suit le beau tems *)?" aber
das weiß ich, daß ein deutfcher Komiker, als ein Pferd
auf der Bühne ftallte, wegen feines Ausrufs: „Weißt
du denn nicht, daß alles Extemporifiren verboten ift?" — ins Loch mußte! Wie kann unter folchen
Umftänden ein deutfcher Foote gedeihen? Privat-
anfechtungen hatte auch Foote, und fie find unzertrenn-
lich von Witz und Laune, oder wie diejenigen, die ohne
Witz und Laune find, zu fprechen pflegen, von böfen
Mäulern. Will man ruhig feyn, bleibt nichts übrig als
das zu thun — was die Akademie fo elegant ausdrückt:
„respirer en ouvrant la bouche extraordinairement
involontairement **)!

Bei dem fchönen Gefchlecht glaube ich mehr
Schleyer bemerkt zu haben, als anderwärts, vielleicht

---

*) Hallunke, was haft du gemacht, die Lorbeerbäume (o
   Lorbeere) find verwelkt, die Granatbäume (oder Grenadi
   erfroren, wußteft du nicht, Dummkopf, daß auf die
   Jahrszeit der Winter folgt.

**) Man darf den Mund kaum unwillkührlich aufthun, zum
    Athmen.

schieht es zur Schonung ihres zarten Teint, vielleicht haben sie auch gelesen, daß die Italienerinnen mit dem Eenbale meisterhaft zu coquettiren wissen. In der That, die Fänger leuchten stärker hinter dem Schleyer, wie die Katzenaugen im Dunklen, oder galanter — wie die Sterne zwischen dunklen Wolken. Berlinerinnen dürfen ihre Gesichtchen schon sehen lassen, ob mir gleich solche blasser vorgekommen sind, als im Süden, dafür haben sie den Farbensinn hoch kultiviret, der sich bei dem andern Geschlecht stets mehr entfaltet (daher die Vorliebe zu Moden) und selbst noch im Herbste des Lebens die Rosen des Frühlings auf gelbe Wangen zaubert. Schon die Sprache fesselt den Südbeutschen — die Grazien an der Spree müssen zwar — pardon! an Schöne, Frische und Fülle denen an der Donau weichen — es gibt hier Seelen ohne Körper, an der Donau gar viele Körper ohne Seele — sie müssen weichen, wie Pariserinnen den Hebe-Gestalten an der Themse und Tiber — aber welcher Zauber liegt nicht in höherer Bildung, in Gewandtheit, im Wohllaute der Stimme? Ein Ach und Oh! eines schönen Berliner Mundes! wie verschieden von einem Wiener: Itzt gengens Se, Bosheit Se! Schon der alte Sünder Ovidius entschuldigt sich — Vox sua — lena Fuit*)! Und doch wirkt der magische Reiz des Verborgenen noch mächtiger. — Nacktheit läßt die Imagination ruhig, und ist der Tugend der Keuschheit weit zuträglicher als Kleidung. Ich bin der Meinung jenes Franzosen — wenn die Schönen nackend gingen, und blos den kleinen Finger verschleyerten, würde man nach nichts sehen, als nach diesem kleinen Finger!

Berlin ist wegen Galanterie gewaltig verschrien, und Zimmermann — kein Theologe — nannte es ein Sodom und Gomorra. Große Städte sind keine Tugendtempel, Pamelen und Clarissen so selten als Grandisons

---

*) Die Stimme eines Mädchens hat schon manche Eroberung bewirkt.

selbst auf dem Lande. — Berlin hat eine müßige Garnison
von 25 — 30,000 Mann — kein Tugendmittel, so wenig
als die hiesige Eheschen, es muß Lovelaces geben —
aber ich bin dennoch der Meinung, daß die Sittenlosig-
keit hier nicht größer seye, als in andern großen Städten,
obgleich die Clärchen Berlins weder durch Heilige noch
durch Probstkreuze geschützt sind ... überall gibt es liaisons
dangereuses *) — ja schon im Paradiese! Das Laster
spielt hier nur offener, die Sünde ist gleichsam in ein
System der Bajaderen gebracht — man ladet den
Fremden oder Gast selbst ein zu einer partie fine bei Madame Schubiz oder Bernhard — sunt mihi bis septem praestanti corpore nymphae **) — und überall,
wo starke Garnisonen sind, sind die Töchter Jephtas selten,
die ihre Jungfernschaft beweinen, d. h. daß sie Jungfrauen bleiben müssen, und überall Alte, die im Buch
der Könige gelesen haben, daß David alt und wohlbetagt
die Abisag von Sunem sich beilegte — nicht um sie zu erkennen, wie ausdrücklich geschrieben steht, sondern blos um
— warm zu werden. Man spricht so frei von der
Sache wie Aerzte, oder der berühmte Arzt von Roche-
la Venette, der sich selbst hinter Cicero steckt: Verbis
offendi morbi aut imbecillitatis argumentum est***). Vielleicht hat auch die bänderreiche Gynäologie und die Bio-
graphien Berliner Freudenmädchen oder Rari-
täten von Berlin die Stadt ins Geschrei gebracht.
Es sind aber sehr unschädliche und nur in geistiger
Beziehung schlechte Bücher! Das Beste ist noch Er-
in alphabetischer Ordnung, Berlin 1823, gr. 8.
Wenn sich eine Stadt Deutschlands Athen oder Cori-

*) Gefährliche Bekanntschaften.
**) Vierzehn Nymphen sind mein von unvergleichlicher Bild-
(Virgil nach Neuffer.)
***) Sich an Worten zu stoßen, verräth kränkliche Reizbar-
oder gar Dummheit.

nähert, so ist es Berlin in Ansehung der Hetären, und
wenn wir den richtigen Grundsatz „Omnia post obitum
fingit" majora vetustas," der auch von andern Dingen
gilt, im Auge behalten, so finden sich auch zu Berlin As-
pasia, Lais, Phryne, Thais, Leontium — Lamia, Thar-
gelia — Glycere, über die sich billig Anacharsis hätte
auslassen sollen, wenn er nicht mitten in Paris — ein
Scythe gewesen wäre! Ich weiß nicht, ob sie eine Taxe
zahlen müssen, wie zu Athen und im geistlichen Rom;
aber sie taxiren sich selbst, jedoch gehen die Sachen nicht
so weit, wie dorten. Quicunque Tarsiam defloraverit
mediam libram dabit, postea populo patebit ad singulos
solidos *)! und keine Hetäre neuerer Zeit hat es so weit
gebracht, daß sie sich erbieten konnte, Theben wieder auf-
zubauen, wenn man ihr die Innschrift am Thore erlaube:
Alexander zerstörte es, Phryne baute es wieder
auf!" und deutsche Hetären verstehen ihre Anbeter nicht
so abzuborgen bis auf den Kamm, wie die Griechin Lamia den Demetrius, und die Huren zu Venedig,
Paris, London! Man ist auch in Gesellschaft weit
duldsamer gegen anerkannte Hetären, die sich in Wien
nicht dürfen sehen lassen — es gibt eine Menge Unterhaltene, die sich wie Chambres garnies Monatweise
vermiethen, und bei den vielen Ehescenen müssen nothwendig viele Schatzkästchen, wozu jeder Mann den
Schlüssel hat, leer bleiben, ob solche Dinge gleich zu
den Dingen gehören, von denen die Juristen sagen: ser-
vando non possunt servari **). — Die Ehe scheint man
weder für eine Hölle, noch für den Himmel anzusehen,
aber doch für eine Art Fegefeuer, und ich will nicht
widersprechen — aber sie ist Grundlage des Staates —
ein malum necessarium ***), und der Hausstand der ge-

---

*) Wer die Tarsia entjungfert, zahlt ein halbes Pfund, dann
    aber kann sie brauchen, wer will — um einen Groschen.
**) Der Besitz gibt ein bleibendes Recht auf sie.
***) Ein nothwendiges Uebel.

flickten Hosen dem Leben im Gasthause zum wil
den Manne vorzuziehen, selbst die Ehe zur Linken
oder das ständige Concubinat. Sobald man der
Concubine die linke Hand gibt, und mit der rechten der
Kirche ihre Gebühr, so ist keine Rede mehr von leicht
fertiger Beiwohnung!

Ob die Sachen so ökonomisch behandelt werden, wie
in Italien, wo mehrere eine gemeinschaftliche Mai
tresse unterhalten, und jeder seinen Tag hat? weiß ich
nicht, aber unter Protestanten kann der Fall nicht eintre
ten, daß die Schöne sich einen Tag vorbehält für ih
ren Heiligen. Il Santo fa gli altri becco cornuto *)
— hier scheinen die Heiligen die Fremdlinge und Reisende
zu seyn, und der Mentor der Lohnbediente, der die
Dirnen der Lust kennet, die man allerdings nicht Freu
denmädchen nennen sollte, was dem filles de joie leicht
sinniger Franzosen nachgebildet ist. Wo strenge Polizei
ist, wie zu Wien, wird weit mehr im Verborgenen
gesündiget, gröber und undelikater, zumal im Süden, wo
das sine Cerere et Baccho friget Venus **) weniger ein
tritt. Die privilegirten Tempel der Venus ter
restris werden auch weit weniger von Berlinern besucht,
als von Fremdlingen, zum Beweise, daß der Apostel
Recht hatte zu sagen: Ich wüßte nichts von der
Lust, wenn das Gesetz nicht sagte: Laß dich ni
gelüsten. Die Polizei ist trefflich zu Berlin. In diesem
Punkte aber weniger strenge zu Wien. Auch soll stark
spielt werden? das Spiel führt zu neuen Ausschwe
gen — aus leicht gewonnenem Gelde macht man weni
ist zur Freude gestimmt und der, der verlor, sucht s
Grillen zu vertreiben — und so suchen dann beide
Wein und Mädchen!

*) Der Heilige setzt den Andern Hörner auf.
**) Zum Genuß der Liebe gehört ein voller Magen.

Les Extremes se touchent *): Die Wilden Nord-
Amerikas überlassen einander ihre Weiber auf eine Nacht
— andere bieten sie dem Fremdling selbst dar — und
betrachten diese Sitte als ein Verbindungsmittel zwischen
zwei Familien, oder als Gastfreundschaft, und so gibt es
denn auch in großen Städten solche Wilde, und Polypen,
die den Mann mit den Armen der ganzen Genealogie
umschlingen. In unsern kurzsichtigen Zeiten ist es
leicht einem andern, statt des Mannes, in die Arme zu
rennen — und schon Hudibras nannte den Ehestand ein
verkehrtes Fieber, das mit Hitze anfängt, und mit
Kälte endigt — aber arg wäre es denn doch, wenn zu
Berlin die elegante Gelegenheit für Ehefrauen
existirte, die um Geld Ersatz bietet für das, was ihren
Männern abgeht. Sonst stand Berlin in einem noch weit
häßlichern Ruf wegen eines Lasters, das der deutsche Heineccius Venus nefanda nennet, der Italiener Gravina aber
nur Venus aversa**), und so lachte man denn nicht
wenig über die Inschrift des Freimaurer Tempels,
an dessen Eingang die Worte stehen: „der Geweihte
kennet den Eingang," und dieser Eingang ist — von
hinten!

In den 1780ger Jahren machte das Buch: Briefe
über die Galanterien in Berlin ungeheures Aufsehen — und es war lange nicht so schlimm. als es der
Verfasser machte. Schlimmer war, daß nun die Galanterien Wiens nachfolgten, und am allerschlimmsten
das schändliche und wahrhaft eckelhafte Product: Galanterien Frankfurts, das aus der Feder des lieberlich-
sten und geistlosesten Ellenritters und Ladenschwengels
geflossen, und zu Bornheim geschrieben ist, wo die Anstalten vollkommene Aehnlichkeit mit den öffentlichen
Abtritten zu Amsterdam zu haben scheinen, auf die sich

---

*) Die Extreme berühren sich.
**) Den verruchten Liebesgenuß — den Genuß von hinten.

der 30ste setzt, wenn der 29ste sie eben verlassen hat. Jenes
Buch mag Schuld seyn, daß Berlin so verrufen wurde,
aber, wie gesagt, ich halte Wien noch für schlimmer, und
in ganz Deutschland ist bestimmt immer noch weniger
schweigende Sinnlichkeit mit ihren eckelhaften Folgen, als
in London, Paris und jenseits der Alpen. An unsern
deutschen Frauen und Mädchen ist, wie Wieland sagt,
noch etwas zu verderben, und unsere Jünglinge und
Männer unterscheiden sich immer noch von dem Affen
durch Waden und gepolsterte Gesäße! — —

Große Städte gleichen alle dem Ninive des Propheten Jonas, wo mehr als 120,000 Menschen sind, die nicht
wissen Unterscheid, was recht oder link ist, dazu auch viel
Thiere. In allen Städten finden sich Aelteste in böser
Lust entzündet gegen Susanna, die zu einander sagen:
„Laßt uns heim gehen, denn es ist Essenszeit,‟ und wenn
sie von einander gegangen sind: „Kehrt jeder wieder
um, und kommen wieder zusammen.‟ — weit entfernt, gesteinigt zu werden, lachen sie übereinander,
und beichten sich zuletzt ihre Sünden. Und was that
Potiphar; und die beiden Fräulein Loth, und Ruth, die
Moabitin? Ueberall herrschte, und herrscht noch — der
Götzendienst des Phallus, lauter kleine Babylon, wie sie
schon die heiligen Bücher schildern, und noch besser der
vergessene Retif de la Bretonne in seinem paysan per-
verti! In unsern Zeiten hat ja fast jedes Landstädtchen
seine Rahab, die ihr Haus an der Stadtmauer hat,
und auf der Mauer wohnt, wie zu Jericho, und
Othello braucht in keine große Stadt zu gehen um aus-
zurufen: Oh the curse of marriage, that we can call
these delicate creatures ours, ant not their appetit*)!

Wenn einst Moral und Politik sich einen, dann
kommt der Himmel auf Erden, und dann wird es auch

---

*) Fluch' der Ehe, daß wir wohl die Person dieser zarten
Wesen unser eigen nennen können, aber nicht ihre Lust.

so wenig öffentliche Tempel der Wolluſt mehr
geben, die nur mit dem Malum minus *) entſchuldigt werden können, als Diplomatie in gewiſſer Bedeutung.
Sie bleiben ſtets eine Entwürdigung der Menſchheit, erreichen ſelten ihren Zweck, und das Laſter,
unter Oberaufſicht und Schutz des Staates, hört in den
Augen des Volks auf — Laſter zu ſeyn! Berlin ſoll eine
unverhältnißmäßige Anzahl Eheloſer zählen? der Reiſende kann das nicht ausmachen. Sie wuchern in allen
großen verdorbenen Städten, überall Miſogams aber nichts
weniger als Miſogyns, daher faſt eben ſo viele weibliche
Schnapphähne, gerade wie Feldmäuſe, die dadurch
am ſchädlichſten ſind, daß ſie ein Dutzend Aehren abbei-
ßen, ehe ſie Eine anbeißen und in ihr Loch eintragen! In
großen Städten gibt es daher für den Reiſenden, der in
der Regel noch jung iſt, keine höhere Tugend, als die,
welche die Kirchenväter Prudentia carnis **) genannt
haben!

„Die Berliner taugen nichts“, war die gewöhnliche Floskel ſelbſt des großen Friedrich, aber eigentlich
gehorchten ſie ihm nur nicht recht, und waren ihm zu
ſtarke Raiſonneurs. Der Große dachte überhaupt nicht
zum beſten von der Menſchheit, wie hätte er ſonſt zu Sulzer ſagen mögen: „Ah! vous ne connoissez pas assez la
maudite race, à laquelle nous appartenons ***)“ Der
Philoſoph hielt ſich an die Theorie, der König leider!
an die Praxis. Auch der Vater Friedrichs liebte die
Berliner nicht, dem ſie zu frei dachten, und man kennt
die Anekdote von dem Kandidaten, den er nicht anſtellen
wollte, weil er Berliner ſey: „Es gibt aber Ausnahmen, ich kenne ſelbſt Zwei, ſagte der Supplikant —

---

*) Ein kleineres Uebel.

**) Die Klugheit des Fleiſches.

***) Sie kennen die verruchte Brut nicht genug, der wir an-
gehören.

Ew. Majestät und mich" er erhielt die Pfarre. In
allen großen Städten herrscht Luxus und Uebercultur. Bei
Uncultur ist der Mensch blos Körper — bei Cultur
Körper und Geist im Gleichgewicht, bei Uebercultur
taugt weder Geist noch Leib! und zur Uebercultur gehört
auch die Frühreife der lieben Jugend, die ohnehin in
großen Städten verdorben ist ab ovo*)! Friedrichs Vater
hatte in puncto puncti zu strenge Grundsätze, der Sohn
zu lare, und sie mögen an vielem Schuld seyn. Formey
beklagte sich einst, daß seinem Hause ein Venus-Tempel
gegenüber stehe, zum bösen Beispiel für seine Töchter, und
der König antwortete: Mon cher Formey! nous ne pou-
vons plus rien, laissons faire ceux, qui encore peu-
vent**)!

   Die Berliner sind schwerlich verdorbener, denn andere
Hauptstädter, sie sind, wenn ich mich eines niedrigen Ausdrucks
bedienen darf mehr — Maulhuren — und schwadroni-
ren, wie die meisten Preußen, die aber die liebenswürdigsten
aller Deutschen seyn könnten, wenn sie so geblieben wären,
wie sie 1813 waren. Sie hatten gefochten, wie die Vete-
ranen Friedrichs, und waren doch bescheiden — solide,
gerade wie Oestreicher bei ungleich höherer Cultur
— aber nach der Schlacht von Watterloo und nach dem
Frieden verfielen sie wieder in die alten Fehler. Liebens-
würdig bleibt aber stets ihre charakteristische Zuvorkom-
menheit, die eben keine Eigenheit des Nordens ist, u
darüber kann man ihre Neugierigkeit und Geschwä-
tzigkeit leicht vergessen, sie sind Deutschlands Perse
Der Mangel an Schließ-Muskeln des Munde
woran selbst Friedrich litte, ist aber ein so großes Ung
als Erschlaffung der Schließ-Muskeln, die tiefer li
liegen!

---

*) Vom Mutterleibe an.

**) Mein lieber Formey, wir können nichts mehr, lassen
   die gewähren, die noch etwas können.

Die Preußen haben noch immer langgestreckte hagere Leute, wie die Hessen, denen ich die Ungarischen und
böhmischen wohlbeleibten Grenadiere in schlichter weißer
Uniform vorziehe, aber das Vorurtheil nur große Leute
zu wollen, ist doch längst vorüber, und der größte Irrlän-
der Kirkland bekäme jetzt keine 1266 Pfund mehr. Langgestreckte Körper haben mit Folianten das gemein, daß sie
mehr Ansehen, als Kraft haben. Herrlich ist das preußische Heer, wenn — der Adelsgeist vollends gebannt
seyn wird. Es scheint damit, wie mit der Erlösung aus
der Leibeigenschaft zu gehen; der edle König hat solche verfüget, aber der Adel scheint sich noch weniger drein
fügen zu können, als die seehandelnden Völker in Abschaffung des Slavenhandels, oder Minister in constitutionelle Formen. Der preußische Officier scheint mir
noch lange nicht so bürgerlich, als im Oestreichischen oder
im deutschen Süden. Man erzählt, daß Blücher bei
dem Wunsche der adelichen Officiere, daß die bürgerlichen wenigstens von der Garde ausrangirt werden
möchten, gesagt habe: Nun! meine Herren! wenn ich
von D ... t wäre, Sie aber nur D .... was
hätte ich voraus?
Wenn einst von freier Denk-Art in Deutschland
die Rede war, so zeigte der Deutsche stolz auf Berlin,
dem Brennpunkte des Lichts und liberaler Ideen
— zur Zeit Friedrichs war Berlin für Wissenschaft
und Geschmack das, was Wien für Kunst ist. Das ist
vorbei, und seitdem haben auch andere zugelernt. Friedrichs Geist schwang sich empor zum Vater des Lichts,
und nun sahe man Geister und salbaderte von reiner
Lehre — die Revolution führte von der reinen Lehre ab
zu den näher liegenden unreinen politischen Lehren
— man ward kopfscheu, und der Jammer, den der un-
selige Corse über Preußen brachte, vollendete das Ganze.
Berlin ist nicht mehr das alte Berlin, wenn auch gleich
noch heute mehr Bildung, und weniger Beschränktheit herrscht

als anderwärts. Es wäre die schreiendste Ungerechtigkeit, die Berliner, wie vormals, einer zu weit gehenden Aufklärungssucht zu beschuldigen, und Nicolai und Biester hätten jetzt unendlich mehr Stoff zu lachen, und ihren Spott auszugießen über Gebrechen, die der Spott jetzt nicht einmal zu nennen wagt! Berlin ist nicht mehr das alte Berlin, Friedrichs-Worte aber bleiben; daß la Republique des lettres les opinions doivent etre libres *)! Der letztere Satiriker Friedrich ist 1816 verschollen. — Möchte der Herr der Erndte Arbeiter senden in seine reiche Erndte! Indessen wer will Sir Asmus so ganz Unrecht geben mit seiner Fabel: der Censor Brummelbär, den der Löwe einsperren ließ, zuletzt aber rief:

Sie waren es nicht werth die Sünder klein und groß,
Macht nur den Bären wieder los!

Friedrich Wilhelm III. mag manchem Ansinnen gegen Ueberzeugung nachgegeben haben, wenn ich etwas aus dem Rescript vom Jahr 1804 schließen darf, wo man Klage führte über ein Journal, das von einer ganz vernachläßigten Brücke sprach: „Alles beruht auf dem Umstande, rescribirte der König, ob die Sache gegründet sey oder nicht? Ist ersteres, so verdient der Journalist Dank, ist's ungegründet, so müßt Ihr, wenn Ihr nicht lieber den Irrthum berichtigen wollt, gerichtlich verfahren. Eine gewisse schickliche Oeffentlichkeit ist das beste Mittel, die Nachläßigkeit der Staatsdiener zu entdecken, und verdient Beförderung und Schutz. Ich hoffe übrigens, daß über dem Streit der eigentliche Gegenstand — die Reparatur der Brücke nicht vergessen werde." Möchten alle Regenten so denken, gälte es Brücken und Nichtbrücken. Oeffentlichkeit ist manchem Staatsdiener unangenehm, aus sehr begreiflichen Gründen — am meisten den vom Regierungssitz entfernten kleinen Baßen, die sie gewaltig in ihrem Wesen und Un

---

*) In der Gelehrtenrepublik müssen die Meinungen frei seyn.

weſen ſtört, daher ſollte ſie dem, der die Zügel in der Hand hält, nur deſto willkommener ſeyn — ja ſelbſt den Baßen — ſie hörten vielleicht den Mahner, beſſerten ſich noch zu rechter Zeit und würden ſo vielleicht — nicht ſtranguliret! „Hätt' ich gewußt, daß es der iſt, der Sie beſuchte, der neulich Bemerkungen über mein Ober= amt drucken ließ, ich hätte ihm den Hals gebrochen" — ſagte ein Oberamtmann, der nach einigen Jahren ſelbſt den Hals brach.

Neunzehnter Brief.

Die Umgebungen Berlins. Potsdam.

Hat Berlin Umgebungen d. h. Gegenden, die das Auge reizen? Man thut wohl weder an Wien noch Prag, weder an Dresden noch an den Süden zu denken, und noch beſſer iſt es, wenn man gar nichts weiter kennt — ſi's man lauter Sand umher — doch auf Sandfeldern wächst das beſte Brodkorn und die ſchönſte Cartoffel und bei einem naſſen Jahre gedeihet das Korn beſſer als im ſchweren Boden. Zwar ſind allerwärts Alleen, aber doch traurig genug, wenn man durch Weiden, Quecken= gras und Sandhafer dem Flugſand Zaum und Gebieß anzulegen genöthiget iſt. Das Schönſte bleiben immer die Linden und der Thiergarten, durch welche man in einer Stunde nach Charlottenburg gelangt, wohin man aber auch vom Weidendamm aus zu Waſſer gelan= gen kann, wozu die Spree Waſſer genug hat, aber wo bleiben die ſchönen Ufer?

Sulzer hatte ein Landgütchen an dieſen Ufern, das

mich doppelt interessirte, einmal wegen Sulzers, und dann
weil ich an Winterthur und Zürich dachte, so contrastirend
mit diesem Landsitze im — Moabiter Lande! Der
Thiergarten ist der Prater Berlins, eine Meile im Umfang, aber ohne die üppige Vegetation des wahren Pra-
ters, und ohne das Leben der Wiener, doch mit mehr
Kunstanlagen. — Das meiste Leben herrscht noch unter den
sogenannten Zelten an der Spree d. h. in den Häusern
der Restaurateurs, die vormals nur Zelten waren, aber
auch nur an Sonn- und Feiertagen. Hier mag man
die glänzende Modewelt studieren, die sicher ihren Putz
von Vögeln und Schmetterlingen entlehnte, daher ich auch
stets an Rössels Schmetterlinge denke, und an le Vaill-
lants Vögel- und Affenwelt. In der Mitte des sogenannten Cirkels stehen Venus und Amor, am Eingange aber
zwei männliche Colossen — Apollo und Hercules, die ein
Pietist combabusirte, daher man sie wieder in integrum
restituiren, und den Schildwachen befehlen mußte, Acht zu
haben, daß nicht wieder eine fromme Seele sie ihres so
gut christlichen als heidnischen Peculiums neuerdings be-
raube. Es sind todte Massen cum et sine *), die kein
Mitleiden erregen, wohl aber die Fiakers Pferde, die
hier halten — halbe Gerippe, von denen ein gemüthlicher
Reisender weder Galopp noch Trab verlangen mag, und
lieber zu Fuß nach Charlottenburg wandelt! Welche Verschiedenheit von Wiener Fiakern! Wiener und Berliner
haben das Gemein, daß sie auf dem Lande gewesen zu
seyn glauben, wenn sie im Prater oder Thiergarten waren, und Tausende sterben, ohne das Land kennen zu
lernen.

Charlottenburg, ein Städtchen von viertausend
Seelen, ist ein recht angenehmer ländlicher Aufenthalt, wo
außer dem Hofe auch viele Berliner wohnen; das Schloß
selbst einfach, aber das Haus der Gräfin Lichtenau ver-

---

*) Mit und ohne.

kündigte sogleich die Wohnung einer petite maitresse.
Schwerlich würden die jetzigen Charlottenburger mehr
ihren Prediger anfeinden, der behauptete Socrates sitze
nicht in der Hölle — Eberhard. mußte 1776 seine
Pfarre verlassen, und der philosophische König gab ihm
mit Recht eine Professur der Philosophie zur Halle, die
der gute wegen seiner betoeverden Waereld *) abgesetzte
Prediger Becker nie erhielt, so bezaubert schien dem
holländischen Dominé die Welt! Das Merkwürdigste ist
das Grabmahl der unsterblichen Königin Louise, der
Maria Preußens, die so schön war, als die Madonnen der
Italiener. Nur gegen besondere Erlaubniß kann man ihre
Ruhestätte sehen in einem kleinen dorischen Tempel, der
sein mattes Licht von oben erhält, unter dem melancholischen Schatten von Cypressen, Thränenweiden und Tannen,
neben Blumenbeeten von weißen Rosen und Lilien. In
diesem Helldunkel erblickt man auf dem Sarcophag das
ganz ähnliche schöne Bild der Verewigten von Rauchs
Meisterhand, nicht mit dem Ausdruck des kalten traurigen
Todes, sondern ungestörter Ruhe. Der Anblick erinnert an
das Bild der Philippine Welser zu Insbruk. Noch bringt
der König manche Stunde hier zu, und an ihrem Todes-
tage versammelt Er seine Kinder bei dem Grabe der
Mutter, und feiert ihr Andenken, wie es eine Gattin verdient, deren häuslicher Sinn und reiner Wandel so viel
Gutes stiftete, und viele Berliner feiern es mit. Die Unfälle des Reichs, die ihre sanfte Seele tief empfand, stürzten
sie in ein frühes Grab, aber das Andenken an ihre Tugenden und Schönheit, an ihre Leiden und Kränkungen hatten
keinen geringen Antheil an den Aufopferungen der Preußen. Mitten im Siegesjubel hieß es: „hätte sie das
erlebt!" und die hohe Verehrung gegen Sie mag Ursache
seyn, daß viele dem guten König die Vermählung mit der

---

*) Die bezauberte Welt. Unter diesem Titel schrieb Becker
ein Buch gegen den Glauben an Hexerei.

Fürstin von Liegnitz übel nahmen. Louise erinnert an
Peter den Großen zu Berlin, den der König fragte: was
ihm in Preußen am besten gefalle? „deine Frau!"

Der Molardische Weinberg hat alles — nur
keine Weinreben und Trauben. Dicht vor dem Rosenthaler
Thor liegt dieser mit alten Linden beschatteter Hügel, und
wird mit Recht stark besucht, eine Regimentsmusik spielt,
und die beau monde ist hier zu finden. Vor dem Hallu
schen Thore steht das schöne Denkmal derer, die im Be
freiungskriege gefallen sind, eine gothische Capelle 60' hoch,
mit zwölf Statuen aus Gußeisen, meistens von Rauch,
und nach diesem Hügel, Kreuzberg genannt, wird häufig
gewalfahrtet, da man auch der Aussicht nach der Stadt
genießt. Eine Allee führt nach Tegel an einem Havel
See, Geburtsort Humbolds, um hier den Zander zu
speisen, oder Percalucio.

Weitere Vergnügungsorte sind: der Schützenplatz,
Schönhausen, Tempelhof, Köpenik, Panko
Lichtenberg, Strahlau, Treptow rc. mitten
Wäldern. Zu Tempelhof hatte Hardenberg eine Bi
der bei mir als Mensch noch höher steht, denn
Minister. Teltow ist berühmt durch seine klei
Rüben, die nicht nur nach Hamburg, sondern selbst
Cadix nach Ost- und Westindien gehen sollen, wohin B
mische Fasanen nicht kommen — die Jetting
Rüben, die außer Schwaben Niemand kennt, sind
auf Ehre eben so gut — Es lebe die Einbildu
Zu Strahlau mag man, wenn gerade der 24. Au
ist, das Volksfest den Strahlau'er Fischzug
machen, die Hälfte der Berliner ist gewiß an di
Tage hier — Strahlau kann nicht alles fassen —
verlieren sich viele jenseits der Spree nach Treptow,
wissen warum? Dieses Volksfest charakterisirt Berlin
denn zum Fischzug fehlen — die Fische — er ist
Mythe! ein Roman! daher es besser ist — Müchlers
man zu lesen. Auf dem Wege nach Spandau,

Baſtille Preußens, (zwei Stunden), die außer der Splitt-
gerberiſchen Gewehrfabrik durchaus nichts merkwürdiges
bietet, kommt man auf eine Anhöhe, wo man Berlin,
Charlottenburg, die Havel und Spree überſiehet, die bei
Spandau zuſammenfließen — und das iſt allerdings eine
Merkwürdigkeit in dieſen flachen Landen; Spandau zählt
viertauſend Seelen, und ein alter Preuße Werner auf
dem Cop, der vielleicht zu Spandau eingeſperrt war, hat
einem Berge bei ſeiner Wohnung, der durch einen Stein-
kranz wie eine Veſte läßt, den Vaterländiſchen Namen
aufgeheftet — Spandauberg! Ob die Neue Welt
noch exiſtire? weiß ich nicht. Zimmermann läßt da Büſching, der wohl Morgens hier ein Frühſtück zu nehmen
pflegte, ſeine Nachrichten ſammeln, als ob er einer der
Zeitungsſchreiber geweſen wäre. Büſching war ein
verdienſtvoller Sammler, aber wahrlich kein Denker,
noch weniger Mann von Geſchmack und bei ſeiner
Charakteriſtik Friedrichs ruft man mit Friedrich: „der
verfluchte Pfaffe weiß ſelbſt nicht, was er will,
hol' ihn der Teufel!

Die Haſenheide ſahe 1815 den erſten deutſchen
Turnplatz, aber nicht lange. Schade! in einem Zeit-
alter, wo die Weiber Kinder, und die Männer Weiber zu
ſeyn ſcheinen, könnte die Gymnaſtik der Alten allein die
Nerven wieder ſtählen — Verweichlichung und allzufrühe
Genüſſe geben uns die Greiſe von dreißig Jahren mit
Augengläſern und Kahlköpfen ohne die mindeſte Luſt zum
Tanz — ſie mögen nicht einmal reiten, ſondern fahren
lieber, Wein, Bier und Tabak gewährt ihnen mehr Freude,
als Heva, und von Gêne wiſſen die jungen Herren ſo
wenig, als von Selbſtaufopferung zum Vergnügen der
Verſammlung. Gymnaſtik und Enthaltung aber ſchufen
die Alten, die am Tage Löwen in ihren Armen erſtickten,
caledoniſche Eber erlegten, Nachts aus fünfzig Jungfern
eben ſo viele Mütter machten, und noch im 80ſten Jahr

das ... was die Jüngern schon ihr ... Reben
lassen; müssen. Die Turner machen sich indessen dadurch
lächerlich, daß sie das Heil der Welt von ihrem Tur-
nen allein erwarteten. Friedrich und Napoleon — Carl,
Blücher und Wellington haben meines Wissens in ihrer
Jugend nicht geturnet. Steffens sagt in — seinen Cari-
caturen des Heiligsten: das südliche Deutschland nahm
an der Verirrung der Turner weniger Antheil, denn es
hat sich der kindliche Sinn reiner erhalten — eine bedeutende Natur, Gebirge, Schluchten und schroffe Felsen for-
dern die Kinder zur Anstrengung auf; und das Geheimnißvolle der Gegend hält auch die Träume der Kindheit in
engern Schranken. In den norddeutschen Wüsten, wo man
ohne Gefahr ellenhoch in Sand fallen kann, und die bären Begriffe keinen Haltpunkt haben, war es möglich, die
Genien der Nation in eine dürre Heide zu bannen, verdammt um Strickleitern, ausgetrocknete Stangen, Galgen
und hölzerne Pferde zu schweben — Göthes bekann-
Zeilen wären die richtigste Aufschrift am Eingang zur
Hasenhaide —

   denn bei uns was begehrt
   alles keimt getrocknet auf!

Die Jungfernheide (ehemals einem Nonnenkloster
gehörig) ist ein Wäldchen, der Weg führt durch das Moabiterland und den Rubarber Hof. Die Refugiés
nannten jene Sandhaide pays de Moab, und auf letzterm
Hof curirte Friedrich seine Pferde mit Rubarber. Das
Moabiterland besteht ohngefähr aus einem Dutzend Kru-
gen, wo sich die Volksklasse tummelt. Man fährt
Gondeln, mit Sang und Klang, unter den Zelten ab,
Gesellschaft gewährt dem Menschenbeobachter so viel Un-
haltung, als gewisse Wasser-Diligencen, und der Lüst-
findet da oft — mauvaise compagnie, qui est excel-
lente[*]; wie im Thiergarten auch, dessen Bäume
mehr erzählen könnten, als Crebillon's Sopha!

[*] Schlechte Gesellschaft, die vortrefflich ist.

Eine Meile von Berlin auf der Wittenberger Straße
liegt Briez, das Gut des Grafen Herzberg, das Muster der Landwirthschaft für die Mark war. Hier ritte er
sein Steckenpferd von Seide — kleidete sich und seine
Zimmer in selbst erzeugten Seidenstoff, und scheint
nicht überzeugt gewesen zu seyn, daß es ein falsches Fabrik-
system sey, alles im Lande verfertigen zu wollen, statt
sich mit dem Nothwendigen zu begnügen, und daß
Linnen, wofür wir Zucker und Indigo weit wohlfeiler aus
Westindien erhalten, als selbst bauen, im Grunde im Lande
selbst erzeugter Zucker und Indigo ist, unter der Gestalt
des Flachses. Herzberg, hochgeschätzt vom Großen König,
sahe sich vom Nachfolger vernachläßigt, und muß mit
Schmerzen die Worte gelesen haben: „Es war eine
Zeit, wo Sie Ihre Pflicht erfüllten, wenn Sie
Ihre Meinung sagten, nun aber ist diese Zeit
vorüber." Sie war nichts weniger, als vorüber!
hätte man den Alten nur hören wollen! Turpe senex mi-
les*) — Kauniz war glücklicher, nur ein Thor verläßt
sich auf den Dank lachender Erben, und Nachkommen.

Potsdam — diese große prächtige Caserne —
muß gefallen durch den Contrast seiner Hügel, Seen und
Wälder mit der übrigen Sandwüste, wie eine Oase in den
Wüsten Lybiens. Die mit Barken belebte ziemlich breite
Havel, (die ganze Schiffart von Hamburg nach Breslau
und Westpreußen zieht durch den Bromberger Canal)
selbst Weinberge verschönern das Naturgemälde. Potsdam
mit 24,000 Seelen, darunter 9000 Soldaten, ist unstreitig
nach Berlin die schönste Stadt Preußens. Es ist eine
colossale Modellsammlung von Pallästen, nach
Kupferstichen erbaut, Architectur aller möglichen Art,
die aber doch keinen besondern Eindruck macht, selbst wenn
man abstrahirt, daß es bloße Facaden sind, wie manche
Menschen, und nichts — dahinter, denn es fehlt

*) Verachtet ist ein alter Soldat.

Einfachheit. Prags Hradschin ist auch eine Pallast-
stadt, und nichts weniger als im Griechischrömischen Styl
— aber Himmel! welch ein verschiedener Eindruck! Sollte
von jenen schönen Faeaden nicht zum Theil jener Hang
zum Glanz und Flitterstaat herrühren, der zuletzt
Solidität und selbst Moralität verdrängte? Der stolze Charakter Griechisch-römischer Baukunst steht im schneidendsten
Contraste mit den Emblemen der Potsdamer Armuth, und
nirgendswo drückt sich das System des Scheins, durch
welches selbst der Zauberer, der Potsdam schuf, so manches Spiel gewann, bestimmter aus, als hier. Auf den
Häusern sieht man mehr schlechte Statuen, als Menschen in den Straßen, und Potsdam gleicht einer Stadt,
aus der die Bewohner vor dem Feinde geflohen, und nur
die Garnison geblieben ist, um sie zu vertheidigen!

Die Einsamkeit des Landes erheitert eine gesunde
Seele, die Menschenleere einer Prachtstadt macht so traurig, als ein Todtenacker mit schönen Monumenten, oder
die Ruinen von Palmyra, Athen, Rom und gar berühmte Städte Italiens. So erfüllte das verlassne
Moskau und seine Grabesstille Napoleon und alle Napoleoniden mit Grauen! Ich weiß nicht, warum ich so
viel an Broek dachte, obgleich Potsdam lange nicht so
reinlich und reich ist, als jenes nordholländische Scha-
raffendorf, und seine Bewohner noch weniger so wun-
karg, und menschenscheu, als jene sich zur Ru-
gesetzten Nordholländer. Zur Zeit Friedrich's mag es be-
ängstlicher hier gewesen seyn, da er von allem wissen woll-
er ritt überall ein, und in einem Enggäßchen, wo ihn
Mistkarren zur Umkehr zwang, sagte ihm der ausgescholt-
tene Kärner: „Wußte ich dann, daß Er auch hier
kommt?" Seine Adjutanten mögen more solito oft et-
weiter gegangen seyn, als Er wollte — am allertraurig-
aber war die Zeit der großen Potsdamer! Wer 6 Schu
hatte, durfte sich hüten, es gab aber Helden von 7 Schu
und ein Mann, der sich in Frankreich als Riese für Ge

hatte sehen laſſen, und dann unter die Potsdamer gerieth, war nicht gut genug zum — Flügelmann!

Friedrich Wilhelm I. achtete weder perſönliche noch bürgerliche Freiheit und Verhältniſſe, glaubte den Mann zu ehren, den er mit Gewalt unter ſeine Gliederpuppen einrángirte, und daher folgte ſelbſt Marquis b'Argens nicht eher dem Ruf des Kronprinzen, als bis die Zeit der großen Potsdamer erfüllet war! der König muß noch nichts von Patagonien gewußt haben, ſonſt hätte er wahrſcheinlich ein Schiff dahin abgehen laſſen. Friedrich Wilhelm I. ſoll ſogar große Frauenzimmer gezwungen haben, ſich mit ſeinen Potsdamern zu vermählen, um eine Pflanzſchule für ſeine Giganten bei ſich anzulegen. Die Sache ging nicht — aber zu Potsdam glaubte ich doch viele Perſonen, vorzüglich weiblichen Geſchlechts von anſehnlicher Länge bemerkt zu haben, die vielleicht von jener Garde abſtammen, — die Millionen koſtete, daher Friedrich Wilhelm vor ſeinem Tode die Rechnungen darüber verbrannte, wie Louis XIV. die Rechnungen von ſeinem Verſailles. Nichts als Soldaten und Schildwachen, um die Deſertion zu verhindern, Poſten an Poſten, und wenn ein Mann deſertirte, ſo mußten ſeine Collegen rechts und links — Spitzruthen laufen! Der König hätte beſtimmt ſich ſelbſt nach der Hauptwache geſchickt, wenn er etwas nicht Montirungs-Mäßiges an ſich gefunden hätte! und Prügel verſtanden ſich von ſelbſt — ſie gehörten ja zum Dienſt. Kleiſt wurde zu Potsdam melancholiſch, und ich hätte es auch werden können, wenn ich an meinen Großoheim dachte, der auch unter dieſen Potsdamern diente, was man mir freilich nicht anſieht. Dieſe Potsdamer koſteten den guten Mann, der Theologie ſtudiert hatte, und zu Nürnberg als Hauslehrer, bei einem Spaziergang, von preußiſcher Werberei geknebelt, in einen Wagen geworfen und nach Potsdam entführt wurde — weil er 6' 3" maaß — ſein ganzes Lebensglück! So viel maaß auch Carl der Große, der, wäre damals Achen ſchon preußiſch gewesen, vielleicht zum Capitaine de Garde avancirt seyn würde. In des Königs engem Kreise schätzte man wirklich die Menschen nur nach ihrer Länge, und ein von Paris zurückkehrender General rapportirte dem König: „Nichts als klein Zeug, kaum 5'!" Dieser Maasstab gilt noch mehr oder weniger an manchem Hofe, und hätte nichts auf sich, wenn man ihn blos an Höflinge legte — aber auch an Staatsdiener?

Die Straßen sind alle regelmäßig, und die Officina Cyclopum Marti sacrorum, oder die große Gewehrfabrik nimmt eine ganze Straße ein; erst unter dem großen Kurfürsten pflasterte man, zuvor mußten die Hofleute, wenn der König zu Potsdam war, wegen des Kothes — unfigürlich auf Stelzen nach Hofe kommen. Die Kunst der Pflästerer scheint noch heute in Deutschland nicht gehörig ausgebildet, und man sollte die Gesellen nach Wien und Cassel wandern lassen. Unter den öffentlichen Plätzen verdient der Lustgarten vor dem schönen Schloß zugleich Parade-Platz, der Wilhelms-Platz, und die Plantage am Bassin Auszeichnung. In dem Holländischen Hause auf der Insel im Bassin pflegte Friedrich Wilhelm I. sein Tabakscollegium zu halten, und in seinem Schlafzimmer im Schlosse sind am untern Theil der Fenster ungeheure Scheiben, durch welche er auf dem Krankenbette seine Potsdamer — manövriren sehen konnte. Wenn er so schwach war, daß man ihm den Kopf halten mußte, so erquickte ein Blick auf diese Riesengarde seine Lebensgeister — sein Auge war schon halbgebrochen, als er verlangte, daß man ihm den Kopf halte — aber er neigte sein Haupt, und sahe nicht mehr diese Leibgarde, die bei seinem Leichenbegängniß feuern sollte: „Aber gebt Acht, setzte er hitzig zu seinem Befehl, ob die Hunde nicht plackern werden!"

Auf dem alten Markt steht ein Obelisk von Marmor, verziert mit den vier Brustbildern der letzt verstorbenen Regenten, und auch das Rathhaus nach

Modell des Amsterdamer. Das Waisenhaus ist eines der schönsten Gebäude für Soldatenkinder, wobei der sonst beliebte Deutschfranzose bemerkte:

Aus die viel Kind kann man wohl observir,
daß of die Err Soldat übsch fleißig fabricir —

und da ist das Waisenhaus denn eine wahre Wohlthat, wie der nachstehende Dialog zwischen zwei Soldaten beweist: „Bruder! warum so traurig, hast du Schulden?" „Nein!" Nun? „Lotte ist von mir schwanger." Weiter nichts? „Rathe mir Bruder! ich habe ihr die Ehe versprochen — oder soll ich den Schlechten machen? rathe mir!" — Bruder! ich machte den Schlechten! Das Portal der lutherischen Kirche im Geschmack von Maria maggiore, verdunkelt das Innere, und gab Anlaß zur Beschwerde der Geistlichkeit, worauf Friedrich, der größte Bonmotist unter den Königen, und der größte König unter den Bonmotisten, als Rex pius*) — im reinlateinischen Sinne, das biblische Rescript erließ: „Selig sind, die da nicht sehen, und doch glauben!" In der Garnisonskirche schläft Friedrich neben seinem Vater in einem kleinen Gewölbe, das nur ein Gitter von der Kirche trennt — der Vater in Marmor, der Sohn in Blei — unter der Kanzel!

Heilige Momente an den Särgen Friedrichs und Josephs! Ueber dem Sarge Friedrichs, in feierlicher Stille der Mitternacht, gab Alexander gerührt dem Könige Preußens die Hand zur Bürgschaft unverletzlicher Freundschaft — wer hätte da den Tilsiter Frieden erwarten sollen? — ein Britte aber, in tiefe Betrachtungen versunken, schlug mit seinem Stock an den Sarg, und rief: „Erwache Friedrich! und sehe, wie es in Europa zugeht!" Auch Napoleon besuchte mit seinem Staabe in Staatsuniform das Sterbezimmer und Grab des großen Mannes, und das war schön — noch schöner aber wäre es

---

*) Als ein frommer König.

gewesen, wenn er auch keine Reliquien — Degen, Schärpe,
Orden ꝛc. gelassen hätte, wo sie lagen. Er soll im Her-
ausgehen gesagt haben: Sic transit Gloria mundi *)!
Wenn Potsdam auch keine Reize hätte, seine Oede sogar
melancholisch stimmt, ihm bleibt doch Sanssouci und
das Andenken an Friedrich! Potsdam ist durch Ihn
classischer Boden, wenn auch seine Bauten verfallen, und
die Arnoldische Mühle aufhören sollte zu klappern!

Aus dem Brandenburger Thore führt eine Allee nach
dem Hügel, auf dem das einfache Sanssouci ruhet, am
Obelisk vorüber, wo Zimmermann so inbrünstig gebetet
und gezittert haben will, trotz seines Löwenzahns,
(taraxacon) den die Franzosen pisse-enlit nennen. Unten
an der Terasse liegen die Grabmäler der Freunde Friedrichs, Alcmene, Phillis, Thisbe, Pax, Diana, Amourette,
Biche, Superbe, Hasenfuß ꝛc. ꝛ. v. lauter Hunde. Es
muß doch eine melancholische Stunde gewesen seyn, in
welcher der Philosoph mitten unter ihnen sein eigen
Grab bereiten ließ! Diese Windhunde waren seine einzigen Lieblinge — Menschen, selbst seine Génerale, scheinen
seinem Herzen nicht näher gewesen zu seyn — doch es
waren nur vierbeinigte Lieblinge, die das Land weder Geld
noch Seufzer kosteten, und nur den Menschen in Friedrich sahen, die Menschen aber sahen in ihm — den König. Friedrich dachte über das Jenseits wie Cäsar,
(B. G. I. 4.) und sprach gerne über Unsterblichkeit,
obgleich einer seiner französischen Witzgeister sagte: „daß
man sich hierüber nicht aussprechen dürfe, wenn
man nicht sehr alt, sehr reich, oder — un
Allemand sey." — Er sprach sich als König darüber
aus, war man aber anderer Meinung, so kam sogleich die
nicht sehr artige Frage: „Na! wodurch verdient Er
Unsterblichkeit?" Ich, Allemand halte diese Idee für
eine große Idee, tröstlicher als der Gedanke, daß man

---

*) So geht die Herrlichkeit der Welt zu Ende.

nach dem Tode wieder dahin gehe, woher man gekommen sey — der Gedanke der Unsterblichkeit bleibt ein mächtiger Hebel der Tugend, und hat nicht nur tausend Schurken schon im Zaum gehalten, sondern auch Millionen Kindern der Armuth und des Kummers den Tod zum Engel gemacht, der die Pforten ihres Kerkers öffnete! Es ist ein Verdienst des Christenthums, diesen Gedanken in Glauben verwandelt zu haben, den selbst der Philosoph, wo nicht mit dem Kopfe — doch mit dem Herzen faßt, und schweigt — Dichter aber sind wie verliebte Mädchen, die mit Jean Paul nach einem bessern Stern gucken, wenn es hienieden nicht nach ihren Köpfchen geht — ganz zu Hause im Lande der Unsterblichkeit, und Theologen ohnehin ex officio *)!

In einem Zimmer zu Sanssouci liegen Friedrichs Reliquien, Degen, Orden, Krükenstock, Hut ꝛc. auf einem Tische — Bücher und Musikalien noch aufgeschlagen, wie Er sie verließ — Schreibzeug und Federn — wozu man noch die Dintenflecken rechnen mag und die von seinen Lieblingen zersetzten Stühle und Sophas. Hier schrieb er seine Verse, die Voltaire corrigirte und wie es scheint, als Höfling nur kleine Fehler bemerkte, wie z. B. Ew. Majestät gebrauchen Prussiens bald zweisylbig, bald dreisylbig — wir nur zweisylbig, wie Vauriens auch — aber Sie sind König, Sie können mit ihren Preußen machen, was Sie wollen. Schwerlich gibt es in Deutschland einen Saal, wo unter den Augen der Venus Urania und des Apoll, der den Lucretius in der Hand hält, so viel Witz (auch Zoten) gemacht wurden, als in dem Marmorsaale zu Sanssouci; der Apotheker, der Attisches Salz für eine Art französischen Salzes erklärte, womit er nicht aufwarten könne, mag nicht ganz Unrecht gehabt haben. Hier scherzte Friedrich mit seinen französischen Schöngeistern,

*) Von Amtswegen.

vergaß den König, ließ aber doch keinen der Herren Franzosen, die so gerne die ganze Hand nehmen, wenn man
den kleinen Finger bietet, mit seinem Scepter spielen, ob
sie gleich Einfluß auf seine Ansichten und Meinungen hin-
reichend gewannen. Die Franzosen paßten besser, als der
ernste Plato an die Tafel des Dionysios oder als ernste
Deutsche, wie z. B. der bekannte Wolf! Hier scherzte und
neckte der Große oft so bitter, daß mancher von der Gna-
dentafel mit moralischer Unverdaulichkeit nach Hause ging,
und Voltaire selbst hörte hier oft im besten Französischen
ächt deutsche Wahrheiten, daher der frivole Spötter
den großen Mann privatim S. Luc (so hieß sein großer
Affe) öffentlich aber Salomon du Nord nannte. Friedrich
war nur seinem Geschmack nach Franzose, dem Charakter nach aber ein ächter Norde. Wir haben Plu-
tarchs Gastmahl der sieben Weisen und Luthers
Tischreden — hier war mehr, aber Niemand hat die
Brocken aufgefangen, die von des Herrn Tische fielen!
Wie mancher stand hier zitternd im Feuer der großen
Augen Friedrichs, der gewöhnlich ganz nahe trat mit dem
großen Preußenhute, (Napoleons kleines Hütchen und kleines Ueberröckchen wäre Ihm nicht gestanden) während das
Gebelle der Lieblinge schon den Eintretenden schreckte.
Guibert und andere gestanden, daß sie das Aeußere des
Königs nur wenig beobachtet hätten, blos aufmerksam auf
seine Fragen, und noch aufmerksamer auf die Antwort.
Johannes von Müller wußte nicht, ob er von Berlin
nach Potsdam über Berge und Ebenen gekommen sey,
und man kann seinen Brief an Bonstetten (Nr. 184)
nicht ohne Lächeln lesen. Massenbach rühmt das freundliche alte Gesicht, die sanfte Stimme, das ausdrucksvolle
Auge, die Mobilität der Gesichtszüge, die jeden Gedanken
ausdrückten — und die Herablassung Friedrichs — die königliche Unterredung endete: „Ich werde ihn bei Mich
nehmen." Es war nicht so leicht eine Audienz zu erhalten, als zu Wien, und nicht alle Abgewiesenen dachten so

philosophisch als jener Britte: „Ich habe fünf Könige
gesehen, und wollte gerne das Halbdutzend
voll machen," oder so leichtsinnig als jener Franzose,
der viele Orden hatte, „aber Sie haben keinen von
Preußen?" Oh ja! Friedrich gab mit l'Ordre — de
quitter ses états*)! Dutens wäre schwerlich vor den König gekommen, ohne die Verse an Bastiani —

Superbes batimens, gout, genie et beaux arts,
tout ici vous retrace une image de Rome,
et si vous cherchez un grand homme,
Frédéric seul vaut les deux premiers Césars**).

und Mendelsohn wenigstens nicht ohne langes Examen
unterm Thore. Der Offizier, der weder etwas von Phä-
bon, noch von den Briefen über die Empfindungen
gehört hatte, wollte recht genau wissen, wie ein Jude zu der
Ehre käme zum König gerufen zu werden: „ich spiele
aus der Tasche." — „Ah! so," nun konnte er passiren, und
gewiß passiren auch mehr Taschenspieler ein, als Weltweise.
Mendelsohn bleibt die Ehre seines Volks — er war wie Socrates
auch launigt und behauptete z. B. mehr als Aesop und Demosthenes zu seyn, denn er besitze des erstern Höcker, und des
letztern stammelnde Zunge in Einer Person. — Noch
heute schwebt ein magischer Nimbus um Sanssouci, und
um alle Orte, wo Friedrich wandelte, wie einst um Ihn
selbst. Der Ruhm umschwebt den Helden, wie der Heiligenschein die Heiligen Roms, und selbst Napoleon, als
er in Friedrichs Arbeitszimmer trat, entblöste sein Haupt,
verneigte sich gegen den Ort, wo der König zu sitzen
pflegte, und sprach zu seinem Gefolge: „Messieurs! c'est
un endroit, qui merite notre respect***)!

---

*) Den Befehl (den Ordre) seine Staaten zu verlassen.
**) Geschmack, Genie, und Kunst, und der Palläste hoher Dom
Ruft euch zurück die alte Weltstadt Rom,
Und sucht ihr einen großen Mann,
So wißt's, daß für zwei Cäsar Friedrich gelten kann.
***) Meine Herrn, dieß ist ein Ort, dem wir Verehrung schul-
dig sind.

Es ist ein ganz eigenes Gefühl, da zu wandeln, wo große, oder auch blos berühmte Männer einst wandelten, gründete sich nicht selbst die Schwärmerei der Kreuzzüge auf solche Gefühle? Friedrich war der Held meiner Jugend, wo man von nichts als seinen Kriegen sprach, so wie jetzt Napoleon vielen Jünglingen und Männern! — Archenholz eines meiner Leibbücher, und so wandelte ich, ob ich gleich jetzt über vieles anders denke, in Friedrichs Sorgenfrei (wo Er vielleicht seine meisten Sorgen hatte) mit jenem heiligen Schauer, mit dem die Kreuzfahrer Jerusalem betraten, und mit einer Art Schwärmerei, wie früher auf den Spuren Rousseaus und Voltaires, meiner literarischen Götzen! Der Anblick ihrer Reliquien zaubert das längstvergangene zur Gegenwart, mir war es in Friedrichs Zimmern, als wäre Er blos hinausgegangen, und könne jeden Augenblick vor mir stehen. Lachend würde ich in la Mancha die Orte aufsuchen, die Cervantes unnachahmlichet Held berühmt machte — aber höchstgerührt stand ich an der Stelle, wo Er im Lehnstuhle verschied. Ich sahe Friedrich in seinem blauen Cassekin und Mantel, den Hut auf dem Kopf, seine Diana an ihm hinaufspringend, den Kammerhusaren und Arzt Selle hinter ihm — im Gemälde von Rode. Meine Phantasie zauberte auch Zimmermann herbei mit dem Löwenzahn, der aber vor der Polenta, vor Aalpasteten, Seespinnen und Melonen nicht aufkommen konnte, ich sahe die Angst und das Zittern des Mr. de Medécin, bis — einige Stuhlgänge kamen, und der Herr Ritter von seinem gefährlichen Posten entlassen wurde.

Dieser König der Könige — das Orakel Europens — starb am 17. August 1786, und wohl erinnerlich ist mir die Sensation, die dieser Tod allerwärts, und auch auf unsern Universitäten machte, — angenehm die Erinnerung, wie wir Jünglinge sein Todesfest feierten, jeder, der Dichterberuf in sich fühlete, den Großen besang, und so oft ich auf einen schlechten Dichter stoße, gedenke ich eines der nun verewigten Freunde, der jedoch das Publikum

respectirte, und nichts drucken ließ — seine Obe
begann:

> Ach Gott! was hab' ich vernommen —
> es ist in der Zeitung gekommen —
> Friedrich ist todt!

Friedrich war oft eigensinnig und einseitig, oft
hart, despotisch und ungerecht, selbst aus Gerech-
tigkeitsliebe, wie in der berühmten Arnold'schen Sache —
„man würde den König mehr unter Menschen finden,
wenn man ihn nicht zu sehr über den Menschen gesetzt
hätte," sagte der Herzog von Braunschweig, „tant pis pour
Dieu, si je lui ressemble *)," sagte Er selbst. Kleist sahe
in seinem Amor im Triumphwagen alle Helden des
Alterthums, und der neuern Zeit, ihm fiel selbst

> Assens Bezwinger in's Gesicht —
> nur Friedrich nicht!

tant pis! Schon nach dem siebenjährigen Kriege war sein
Herz vertrocknet, und Menschenverachtung an die Stelle
getreten, „il faut presser le citron pour en avoir le
jus **) — Wenn schon Manchem im Mittelstande der
Mensch als Wurm erscheint, der im Koth des Eigen-
nutzes sich krümmt, und der Stolz eines Bascha von ¼
Roßschweif lächerlich vorkommt, wie weit eher auf der
Höhe eines Thrones? Friedrich war Mensch, Könige sind
auch nur Söhne des Staubes, und ihnen muß, kraft ihrer
Erziehung und Lage, mehr verziehen werden, als andern
Menschenkindern! Schmeichler verderben sie, und ich
erlebe es wohl nicht, daß Stände darauf dringen, daß
der Erbprinz erzogen werde — fern vom Hofe! Er
schrieb über deutsche Literatur, ohne sie zu kennen,
und wo war der Boileau, der ihm sagte: Rien n'est im-
possible à V. M. Elle a voulu faire de mauvais vers,

---

*) Desto schlimmer für den lieben Gott, wenn ich ihm gleiche.
**) Will man den Saft der Citronen, so müssen wir sie aus-
drücken.

y a reussie*)! Schon am Hofe Hadrians ging es
so zu, Hadrian tadelte ein Wort des Favorinus und dieser
gab nach — die Freunde tadelten ihn, der Kaiser aber
sprach lachend: non recte suadetis, qui non patimini
illum me-doctiorem omnibus credere, qui habet
XXX Legiones.**) — vom Rechtszustand hatte er
ziemlich Napoleonische Begriffe, trotz der Arnoldischen
Mühle und der wegen eines Erbstückes winklichten
Allee nach Sanssouci — auch ihm waren die Menschen, wie so manchem Staatsmann, willenlose
Zahlen — aber Friedrich bleibt dennoch der König der
Könige!

Sechs und vierzig Jahre saß er auf dem Thron als
unumschränkter Monarch — aber keinen Tag vergaß Er
die Pflicht seines hohen Berufes ... gewissenhafter, als
tausend verantwortliche Diener des Staates. Er starb,
wie er gelebt hatte, sich selbst genug. Noch am letzten
Lebenstage beschäftigten ihn die Angelegenheiten seines
Staats — die letzten Bücher, die er sich vorlesen ließ,
waren Sueton und Perefix Henri IV. Die Alten zogen
Friedrich an bis an seinen Tod, ober sie gleich nur in mittel-
mäßigen Uebersetzungen der Franzosen lesen konnte —
sie wirkten auf seinen Charakter, wie sie auf den Charakter
der Britten wirken — Selle schloß blos daraus auf das
nahe Ende, weil er am 16. zum Erstenmal in seinem
Leben, — die Cabinetsgeschäfte vergessen hatte. Wer ver-
ziehe nicht zu Gunsten solcher Thätigkeit etwas Auto-
cratie, einem Fürsten 1712 geboren — und wer sähe solche
nicht lieber, als alle constitutionelle Bonhommie ohne
Thatkraft? Er war Staatswirth im Großen, und so
verzeiht man ihm seine schlechte Dosen mit dem amilii

---

*) Nichts ist euerer Majestät unmöglich. Sie haben geruht,
   schlechte Verse zu machen, und es ist, Ew. Maj. gelungen.
**) Ihr seyd Thoren, daß ihr nicht leiden wollt, daß er, obgleich
   gelehrter als ich, mir beipflichte, der ich 50 Legionen habe.

angtsiente le prix *), und selbst die Schulinvaliden — Er machte viele Regenten zu allgueksigen Soldaten, aber er war auch wieder vielen Muster der Thätigkeit, Ordnung und Wirthschaftlichkeit — ohne Ihn gäbe es keinen Joseph. Ich halte es für ein Unglück Oestreichs, daß seit Jahrhunderten seine Regenten — keine Soldaten waren — obgleich der Regent seine Stellung verkennt, der an seinen Degen schlägt: „darauf verstehe ich mich!" —'Das war der Fall Preußens nicht. — und Friedrich fühlte, daß kriegerische Größt nicht das Höchste des Hohen ist; das fühlte Napoleon nie, was ein anderes Extrem war. Fürsten und Völker bekümmerten sich seitdem mehr um Staatshaushalt und Volksrechte — Regieren heißt nicht mehr Herrschen und Genießen — Reinadeliche Umgebung Hofprunk und Schwelgerei nicht mehr König seyn — Denk- und Schreibfreiheit machte die Menschheit aufgeklärter, und Friedrichs Zeitalter hatte höhern Sinn, als das Zeitalter Napoleons! Einsam und seelenstark stieg Er hinab zu den Helden der Vorzeit, es herrschte eine Stille durch ganz Europa! Der Genius Deutschlands schien die Erde verlassen zu haben, als Friedrich hinüber ging zu den Unsterblichen, alles versank in Trauer und Nacht, als es hieß „Er ist nicht mehr!"....

Voll der Bilder Friedrichs verließ ich die verödeten Zimmer, und ging nach seiner Bildergallerie. Unter einigen zwanzig Rubens zeichnet sich die Auferweckung des Lazarus und eine Himmelfahrt aus, Rembrandts Moses — Liebens Isaat, der Esau segnet, eine heilige Familie von Andreas del Sarto, Guidos Verkündigung, van Dyk Evangelisten — Ferni Coriolan — ein treffliches Stück — da Vinci Verrumäus, das die Franzosen gar ungerne wieder herausgaben — Raphaels

*) Die Huld des Gebers gibt dem Geschenke seinen eigentlichen Werth.

Ecce homo, Titians Danae, Venus und Adonis, Par=
meggiano bogenschnitzender Amor und ein ganzes Dutzend
Correggio! Die Madonna, genannt Zingarella, ist gewiß
von ihm, wenn auch Loth mit seinen Töchtern — die
Maulthiertreiber, (ein Wirthsschild) Cäsar Borgia,
Jo und Leda mit dem Schwan keine Correggios seyn sollten;
die Köpfe der beiden letzteren sollen von einem frühern Besitzer
als allzuwollüstig herausgeschnitten worden, und restaurirt
seyn. Es sind auch gar viele Watteau vorhanden, lauter
kleine Stücke, die nur Freude und Scherz athmen —
Friedrich liebte einmal Franzosen, wenn gleich dieser Wat=
teau am meisten zum Verfall der französischen Schule
beitrug, wie der schlüpfrige Boucher, und der hochbe=
rühmte David der Revolution hat sie wahrlich nicht
gehabt!

Friedrich hat ungemein viel Mittelgut zusammen
gebracht, viele Stücke für Originale oder Italiener bezahlt,
die es nicht sind, und mehrere gäbe man hin sogar gegen
einige Puhlmann. Er war Franzose, folglich findet
man auch einen le Sueur, der der einzige in Deutsch=
land seyn soll? le Sueur heiß der Raphael der Fran=
zosen, und wenn man seine 22 Gemälde, den Lebenslauf
des S. Bruno gesehen hat, und sein Cabinet der
Liebe, so nennt man ihn gerne den Raphael der Franzo=
sen, neben Poussin, Mignard und le Brun, von denen
ich aber hier nichts sahe, nur Vanloos Opfer der Iphi=
genia. Ein berühmter Maler soll gesagt haben: „der
König bildet sich ein, weil er die Flöte gut bläßt, von
Dichtern gelobt wird, und ein Dutzend Schlachten geliefert
hat, er verstehe sich auch auf Gemälde, aber Schlachten
liefern und Gemälde kennen, sind Zweierlei" — der Maler
mag nicht Unrecht gehabt haben. Friedrich bildete sich
auch ein, die Baukunst zu verstehen, weil er viel
baute, wie Hadrian und alle, die gerne bauen. Ob ihm
wohl die drei Genien an einem Berliner Hause nie auf=
gefallen sind, der eine mit einem Bauriß, der andere mit

einem Beutel, in den er mit geschlossenen Augen greift,
und der dritte — der sich hinter den Ohren kratzt? Der
Einzige hat auch das mit Hadrian gemein: „Professores
omnium artium semper, ut doctior, risit, contemsit,
obtrivit *)" und das hatten beide gemein mit allen Uni-
versalgenies und — Halbgelehrten. Friedrich glaubte auch
auf den ersten Blick seinen Mann wegzuhaben, und so
irrte er sich in Laudon, wie im Herzog Carl von Württem-
berg, dessen Vollbürtigkeitssache Er dem Kaiser dringendst
empfahl, und so ward Carl im sechzehnten Jahr Regent,
wo man keinem noch das geringste Aemtchen anvertraut,
und Schuster und Schneider nicht einmal das Meisterrecht
erhalten.

Unter den Antiken aus der Polignac'schen Sammlung, früher zu Charlottenburg, und von Russen mißhandelt, darf sich neben der sogenannten Familie des
Lycomedes und der Würfel-Spielerin, Pigals
Merkur, der sich einen Flügel am Fuße festbindet, gar
wohl sehen lassen, und unter den Büsten gefiel mir Nero
mit dem Menschenverachtenden Zuge, den auch Napoleon
hatte. In dem offenen Freundschaftstempel sitzt die
Markgräfin von Bayreuth den Kopf auf die linke Hand
gestützt, in der Rechten ein Buch, und unter dem Arm ein
Hündchen. Um ein Bassin sind verschiedene Marmor-
gruppen, und die schönsten darunter schienen mir der Faun
mit der Ziege — der Flötenspieler und die Fischerin, die
aber sehr verstümmelt ist; unweit derselben steht die Venus,
die Kleist besang, und in einen Pappelbaum daneben
schnitt v. K. 1746. Pigal hätte gar zu gerne dem König
aufgewartet, da er sich aber als l'auteur de Mercure angab, und Friedrich nicht an seinen Merkur, sondern an
das Journal dieses Namens dachte, so hatte er so wenig

---

*) Er verlachte und verhöhnte alle Professoren, weil er sich
  für gelehrter hielt, als sie.

C. J. Weber's sämmtl. W. VI.
Deutschland III.

27

Luſt, den Verfaſſer kennen zu lernen, als den Verfaſſer
des Schwaben Mercurs, und Pigal ſahe den Monar‹
chen nicht. Seine beleidigte Künſtler‹Eitelkeit konnte ſich
nicht rächen, wie ſich Couſtou rächte, von dem ein Ge‹
neralpächter einige kleine Affen für den Camin verlangte:
„Ja! wenn Sie mir ſitzen wollen!" Artiger als die
Ruſſen betrugen ſich 1760 meine lieben Oeſtreicher, ſchonten
alles, und Eſterhazy nahm zum Andenken blos ein kleines
Gemälde mit, für Lascy ein Schreibzeug, für Obo‹
nell eine Flöte, und für Ligne eine Feder des Königs!
   Sanſſouci gegenüber hatte der liebenswürdige Lord
Marechal ſein Häuschen und Garten, mit der Inſchrift:
Friedrich II. nobis hæc otia fecit*), und eine Allee führt
nach Glienicke, dem Landgute des Fürſten Hardenberg,
wo er auch ruhet. Man zeigt die Windmühle, die der
eigenſinnige Müller durchaus nicht abtreten wollte, daher
Friedrich (nach der Sage) ringsherum hohe Bäume pflan‹
zen ließ, die den Müller um allen Wind brachten; wofür
ihn aber der Nachfolger entſchädigte — die Mühle geht
jetzt wieder mit vollem Winde, wie keine andere preußiſche
Windmühle... Nach andern ließ ihn Friedrich ganz gehen,
da er auf ſein hitziges: „Weißt du wohl, daß ich dir
deine Mühle nehmen kann?" trocken erwiederte:
„Ja! wenn das Kammergericht zu Berlin nicht
wäre!" Viel war dem großen König ſein Garten zu
Sanſſouci, und ſein größter Luxus, Obſtluxus: „Ich
habe meinen Beruf verfehlt, ſagte er, ich war
zum Gartenſpalier geboren." So dachte auch Di‹
cletian zu Salona, aber Friedrich war auch der Gärtner
ſeines Staates. In den jetzt ziemlich verwilderten Gängen
wandelte Er oft in Gedanken vertieft, dachte, dichtete,
philoſophirte und regierte. In der Stille dieſes Gartens
ahnet man ſeine Nähe, glaubt ſein Geiſt müſſe Runde
gehen und wachen über die verlaſſene Stätte und die

---

*) Friedrich verdanke ich dieſen Ruheort.

Phantasie treibt leicht ihr Spiel. Ich hörte Friedrich am Fenster die Flöte spielen. Merkur spielte sie nicht schöner als er den Wächter der Jo, den hundertäugigen Argus einschläferte, was der König — nicht nöthig hatte. Dann sahe ich ihn seine Hunde liebkosen auf der Terrasse, und herabsteigen in Garten — ich sahe ihn in seinem abgeschabten blauen Ueberrock und abgegriffenen großen Hute und nichts weniger als glänzenden Stiefeln vor einem Kirschenbäumchen, wie er eine Kirsche um die andere sich behagen ließ, Er ging weiter, ob er nicht was Besseres, Früchte des Südens hinter Glasfenstern oder auf Mistbeeten fände, und verwünschte die kalte Sonne Potsdams: „wäre ich wirklich Eroberer, sagte er Mirabeau, so hätte ich Neapel erobert, und wäre gewiß recht alt geworden — wie viele Eroberungen sind nicht aus weit wenig vernünftigern Gründen unternommen worden?“ Ja wohl! das Prachtwerk über Aegypten, die einzige Ausbeute des ungeheuren Zugs Napoleons kostet 10,000 Franken das Exemplar, und nebenbei 20,000 Franzosen und viele Millionen Goldes.

Potsdams Umgebungen erregen den Wunsch, daß hier die Hauptstadt Preußens liegen möchte — selbst Brandenburg wäre besser gewesen, als Berlin, noch besser aber ein Preußenheim an der Elbe, Magdeburg. Die Seen der Havel sind keine Schweizer- oder süddeutsche Seen, machen aber doch höchst angenehmen Eindruck, und die Pfaueninsel wäre auch mein Lieblingsplatz. Der dicke König hätte mehr Geschmack, als der Große, den einmal Franzosen verwöhnt hatten, und that vieles hier. Die Holländerei hat schönes Vieh, Schaafe, Büffel, Hirsche, Pfauen und Störche irren umher, und selbst Weinberge sahe ich, vielleicht wären aber Teltower-Rüben besser. Die Alten zierten nicht nur ihre Villen mit Pfauen, sondern das Fleisch galt auch für eine leckere Speise, wie an den Rittertafeln des Mittelalters. Ob dieß in neuerer Zeit nie nachgeahmt worden an Höfen und zu

Berlin? Der Marmorpallaſt — der wahre Tempel
der Lichtenau Rietz, iſt einfach, ſchön, man ſieht treffliche
Hackerts und auch die großen Spazierſtöcke von
Dornenholz, deren ſich der herkuliſche König in ſeinen letzten Jahren bediente. Seine kräftige Natur, auf Ein Jahrhundert angelegt, war erſchöpft im 54. Jahre, ſeine Säfte
löſten ſich auf in Waſſer, und vergebens waren Hermſtädts
Experimente mit reiner Lebensluft!

Schwerlich ſucht der Reiſende eine Inſel hier, die
ſoviel Reize böte, als die Pfaueninſel — der Havelſee
iſt zwar lange kein Lago maggiore, aber jene Inſel weit
natürlicher, als Iſola bella und Iſola madre, die ſchon
Keyßler verglichen hat mit einem Tafelaufſatz von
Porcellain, wie auch figura lehret! Groß war aber die
Gierigkeit der Aufſeher, nur vom Königſtein übertroffen!
Am Marmorpallaſt an der äußern Pforte empfing mich
der Thürhüter, der für ſein Geld genug Anekdoten auf-
tiſchte, und vom Unbedeutendſten mit Ehrfurcht oder En-
thuſiasmus ſprach, an der eigentlichen Pforte aber, wo er
erſt nöthig ſchien, reckte er ſich beurlaubend die Pfote, und
ich ging nun erſt in die Hand des eigentlichen Caſtellans
über, der ſehr unterrichtet war, und alle Erkenntlichkeit
verdiente — aber was wollen noch zwei königliche Diener
und ein Mädchen? jene hatten die Fenſter und Thüren
auf- und zugemacht, und das Mädchen mußte ſcheuren.
Am Thore ſtellte ſich eine fünfte Perſon dar als Führer
zum See — ſeine Frau hatte noch beſondere Dinge zu
zeigen, und zum Schluſſe verſtellten mir im Garten Wege-
knechte den Ausgang. Nun! man hat doch etwas geſehen!
Leute, die wenig reiſen, und einen kleinen Maasſtab in
Allem führen, glauben, ſie müßten jedes Haus ſehen, das
Schloß heißt, und zahlen, wenn auch im verjüngten
Maasſtabe, dennoch mehr! Und warum ſollten Deutſche
nicht ſo gut als Italiener wiſſen, was una buona mano
ſagen will? Jetzt beſucht man auch die ruſſiſche Colonie Alexandrewna in der Nähe.

Potsdam ist für mich noch außerdem eine fatale Stadt geworden, nach der ich die Jahre meines Mißgeschicks, und den Wendepunkt des Glücks, wie die Moslems nach der Hebschira rechne — ein erlauchter Streich wurde für mich, was für Saulus der Donner und Blitz, der ihn zu Boden warf, und zum heiligen Paulus machte. Das ist nun eben mein Fall nicht, aber besser bin ich denn doch dadurch geworden. Noch heute träume ich manchmal von Potsdam, wie Kant, der die Träume von seiner Hofmeister Zeit unter seine widrigsten Traumgebilde rechnete. Es mag angenehm seyn, ein Bär mit Bären zu seyn, aber ein Mensch, der einen Bären herumführen soll? — und die Sachen gingen noch viel weiter aber in malam crucem *)! Wem Selbstgefühl den Busen schwellt, der trägt im Innern eine Welt!

Von Berlin aus wollte ich einen Vorschmack von der traurigen Neumark haben, vielleicht der ärmlichste Landstrich Deutschlands, wo man aber sehen kann, was Friedrichs und Brenkenhofs Geist zu schaffen wußte. Cüstriu liegt am Einflusse der Warte in die Oder, breite Moräste umgeben die Veste bis nach Landsberg hin, eine Stadt von sechstausend Seelen, wo die bedeutenden Eisenhämmer anfangen, und Driesen liegt, die letzte Brandenburgische Stadt an der Gränze des Gh. Posen. Ganz nahe liegt Sonneburg, einst Sitz des Heermeisters vom Brandenburger Johanniter=Ordenszweig, wo Ritterschläge den romantischen Namen Sonnenburg verherrlichten bis auf unsere Zeiten. Die Johanniter sind nicht mehr, aber ihr Johanniterkreuz mag immer unter Preußen Orden bleiben, denn sie waren einst für die Cultur Brandenburgs sehr nützlich, wohin sie Albrecht der Bär gerufen hatte, der sie in Palästina kennen lernte. Nur zwei Stunden von Cüstrin ist das Schlachtfeld von Zorndorf, das blutigste des ganzen Kriegs, Friedrichs Zorn

---

*) Der Henker soll's holen.

groß gegen die Ruffen wegen ihrer Verheerungen und den
verächtlichen Ideen, die ihm fein Winterfeld beigebracht
hatte; die Offiziere verfprachen vergebens ihren Mädchen
die fchönften Zobelpelze. Die Preußen ließen 11000 und
Fermor 20,000 Mann auf dem Platz: „dieſe Leute
find eher todtzuſchlagen, als zu beſiegen,“ rief
der König und die gefangenen Generale mußten in die —
Caſematten. „Ich habe kein Siberien!“ Seit 1826
ſteht auf der Stelle, wo Friedrich die Schlacht leitete, ein
von der Proving Neumark errichtetes Denkmal.

Cüſtrin iſt einem Verehrer Friedrichs auch dadurch
intereſſant, daß dieſer, nach ſeinem Entweichungsverſuch
hier als Gefangener Kammerrath ſeyn, die Hinrichtung
ſeines Reiſebegleiters Katt mit anſehen mußte; die einzige
Bücher, die ihm ſein Vater verſtattete, waren die Bibel
und Arndts wahres Chriſtenthum, wahrſcheinlich
auch die einzigen deutſchen Bücher, die er je geleſen
hat. Cüſtrin hielt ſich 1758 trefflich gegen die Ruffen,
1806 aber machte es Jngerſleben nicht beſſer, als die
andern. Es ſchwebte ein eigener Unglücksſtern über Preußens ſonſt kühnen Adler, und der gute König konnte keinem Commandanten ſagen: „Er hat Recht, ich bin
allein Schuld, daß ich ihn zum Commandanten
gemacht habe;“ Napoleon erhielt poſttäglich Nachrichten von übergebenen Feſtungen und Armeecorps, und rief:
Vraiement! je ne ſais ſi je dois me rejouir ou rougir
de mes ſuccés*)? Vormals verſäumten Reiſende vom
metier ſelten Feſtungen zu beſehen, in unſerer Zeit beküm-
mert man ſich wenig mehr um Feſtungen, wenn man
nicht muß, und ſo ſcheinen ſelbſt die Commandanten gedacht
zu haben! Es iſt ein Mährchen, daß Beliſarius der
Augen beraubt herumbettelte, aber viele Generale unſerer
Zeit hätten wohl verdient, in den Straßen zu betteln Date

*) Ju der That, ich weiß nicht, ob ich mich über dieſes
Glück freuen oder ſchämen ſoll?

obolum*)! blind waren sie ohnehin, und sahen das Gewitter nicht eher, als bis es donnerte, blitzte und einschlug! Auf einem Landsitze unfern Kustrin, Kleinkamin, führt der Gottesacker eine weit kürzere und passendere Inschrift, als die erbaulichen Reimereien an manchen Gottes-Aeckern gewähren — eine Inschrift in zwei Worten: Inevitabile Fatum!

Zwanzigster Brief.
Reise nach Schlesien.

Traurig ist die Wallfahrt von Berlin nach dem schönen fruchtbaren Schlesien, und man versäumt wenig, wenn man mit dem Eilwagen nach Breslau eilet, der vierzig Stunden braucht; nichts als Sand und Tangersträuche, Windhalmen und Fuchsschwänze auf den Wiesen, das Vieh so mager als seine Waide — Nadelhölzer — wenig Ortschaften — nur Verliebte mögen ohne Langweile zur Stelle gelangen, d. h. wenn sie selbstander sind. Das Auge ergötzt sich daher zu Wusterhausen an den schönen Linden, und im alten Schlosse an den Bildnissen der Generale Friedrich Wilhelm I., den stattlichen Hirschgeweihen und Mobilien, die jetzt selbst mancher Handwerksmann nach dem Tröbler schickte. Der König vergnügte sich hier mit der Jagd, aber furchtbar muß der Scepter der Langweile über Gemahlin und Kinder gelastet haben, wenn der Herr oft drei Stunden lange im Großvaterstuhle schnarchte, und sie dessen Erwachen neben dem Stuhle abwarten mußten — patria potestas **) der Pandecten!

---

*) Um Heller.
**) Oh über die väterliche Gewalt des römischen Rechts!

Die Dürftigkeit des Landes begleitet uns bis Crossen
oder eigentlich bis zur schlesischen Gränze, Lesse ist das
erste schlesische Dorf, Crossen eine gewerbsame Kreis-
und Fabrikstadt von viertausend Seelen an der Oder, wo
sich diese mit dem Bober vereint, Frankfurt aber bleibt
die interessanteste Stadt bis nach Breslau; aber noch
immer ist des Sandes genug! Es ist zwar alt, aber heiter
mit breiten geraden Straßen, und in einer Lage, die außer
Potsdam und etwa Freienwalde, in den Marken nicht
funden, wird, wozu freilich die Oder das meiste beiträgt,
der Handelsverkehr, und die berühmte Messen. Als Friedrich in Schlesien einbrach, fiel zu Crossen die Glocke
herab, was das Volk für ein gar böses Zeichen ansahe
— man hätte zwar mit dem morschen alten Balken
und Seil das Warum? am besten erklären können, Friedrich aber handelte klüger, „Es ist ein gutes Zeichen,
Oestreich wird erniedrigt werden!" So rief Cäsar,
als er bei der Landung in Afrika auf die Nase fiel, teneo
te Africam *), und am Rubican, der Gränze seines Gou-
vernements, alea jacta est, und ließ seine Armee einmar-
schiren in Gottes Namen! Mit der Armee Oestreichs stand
es nicht besser als mit der des Pompejus!

Frankfurt mit 14,000 Seelen kann die ehemalige
Universität, die nie besonders besucht war, durch die hieher
verlegte Regierung wahrscheinlich missen. Eine lange hölzerne Brücke führt über die Oder, und in der Lindenallee
vor dem Thore ist das Denkmal Kleists von den Frei-
maurern errichtet, das aber verfällt, und wenn das Denkmal des Herzogs Leopold von Braunschweig, der bekanntlich
1785 bei der Ueberschwemmung der Oder Unglückliche retten
wollte, und selbst umkam, gleiches Schicksal haben sollte,
so verewigt die menschenfreundliche Handlung Rodes Gemälde in der Kirche, und noch mehr die von ihm gestiftete
Freischule für dreihundert Soldatenkinder. Wie Friedrichs

---

*) Ich habe dich, Afrika!

Vater von Universitäten dachte, beweißt der Auftritt, daß sein
Narr Morgenstern, publice eine Disputation: vernünftige Gedanken von der Narrheit 2c. Frankf. 1737, 8.
vertheidigen, und die Professoren (mit Ausnahme Mosers,
der protestirte) opponiren mußten! Dieß war die erste
Disputation, wo man sich der deutschen Sprache
bediente, weil der König und der Narr nicht Latein
verstanden, und am wenigsten närrisch!

Jenseits der Oder ist das Schlachtfeld von Cunnersdorf, wo Major v. Kleist — einst einer unserer Lieblings-
dichter, aus Pommern — tödtlich verwundet wurde. Friedrich mußte nach dem unglücklichen Treffen von Züllichau
unter Wedel sich selbst dem weitern Vordringen der
Russen entgegen werfen, und hätte nur warten dürfen;
wahrscheinlich wäre Soltikow von selbst zurückgegangen;
aber Friedrich haßte die Russen zu sehr, griff an — und
sahe — seine Tapfern förmlich fliehen! Schmerzvoll rief
er: „Gibt's denn keine Kugel für mich?" es war
die schwerste Niederlage, die er je erlebte, er wünschte,
stante pede morire! Er hatte sich allen Gefahren aus-
gesetzt, das Pferd seines Leibpagen ward an seiner Seite
erschossen, „will Er wohl den Sattel mitnehmen?"
Prittwitz deckte den König, und Soltikow ließ die Preußen
so ruhig jenseits der Oder sich sammeln, als Daun bei
Collin und Hochkirchen. Es war um Friedrich geschehen,
wenn alle wie Laudon gedacht hätten, der aber von Soltikow die trockne Antwort erhielt: Je n'ai ni ordre ni
envie d'écraser le Roi! Die regelmäßige Uneinigkeit
zwischen Alliirten rettete Friedrich, wie 1792 — 95 Frankreich! Tiedgens herrliche Elegie auf das Schlachtfeld von Cunnersdorf kann man auch in Schlesien
gebrauchen, in Böhmen, Sachsen und ganz Deutschland —
und wo gäbe es nicht Schlachtfelder?

Nie bin ich noch über ein solches Leichenfeld gekommen, ohne daß des Propheten Hesekiel Gesicht vor meiner
Phantasie gestanden wäre; „sein weites Feld voll verdorrter

Gebeine, die sich regten und wieder zusammen kamen, jedes zu seinem Gebeine — der Wind blies, und sie wurden wieder lebendig, und richteten sich auf ihre Füße, und ihrer war ein großes Heer." Ob diese Bibelstelle nicht Schuld hat an den schauerlichen Volkssagen von Geisterheeren um Mitternacht auf den Schlachtfeldern? Doch es ist besser, das Volk erzählt sich solche Mährchen, als wenn es an die Scheintodte nach einer Schlacht dächte, die mit den Todten in Eine Grube geworfen werden! Schrecklichstes Loos des Kriegers — Si on les écoutoit, sagte ein Schweizer-Oberster, il n'y auroit pas un seul de mort *)!"

Es fällt auf, wenn man aus der Mark nach Schlesien reist, daß gleich in den ersten Dörfern eine andere Sprache herrscht, und die Menschen weit heiterer, höflicher, gesprächiger sind. Der Stempel des Himmels und der Erde stempelt auch den Charakter des Bewohners. Die Bewirthung wird auch besser, die Preise niedriger, aber die Wege! die Wege! Die Lage Grünbergs, des ersten schlesischen Städtchens von sechstausend Seelen überrascht so sehr, als die frische Vegetation Grönlandes die Normänner überraschte, die es grünes Land nannten, wie die Reisenden der Sandwüste diese grünen Anhöhen, die noch grüner aussehen würden, wenn man, statt der Weinreben — Futterkräuter bauen wollte, da der Wein doch nur zum Essig, höchstens zu einem schlechten Punsch und bei den Polaken zum Abendmahl-Wein gebraucht wird. Oft sind diese Weinberge Grünbergs schon bespöttelt worden — aber gibt es deren nicht im Süden auch? Dreimänner-Wein, zwei Männer müssen den dritten festhalten, wenn er trinken soll — Schulwein, womit man faulen Knaben drohet, Wendewein, nach dessen Genusse man sich alle zehn Minuten auf die andere Seite wenden muß,

---

*) Wollte man die Kerls da noch lange anhören, so würde es gar keine Todten geben!

damit solcher nicht durchfresse — Strumpfwein, der durchlöcherte Strümpfe zusammenzieht, und den starken Canonenwein, der selbst das Zündloch einer Canone verenget?

In solchen von Bacchus verfluchten Gegenden sollte man von Staatswegen mehr auf Hopfen-Cartoffel- und Futterkräuterbau sehen, als auf Reben, denn 99 arme Winzer machen nur einen Reichen, und die Grünberger Tuchfabrikanten stehen sich gewiß besser, als die Grünberger Winzer. Neben der harten Arbeit des Winzers steht doch nur der Wasserkrug — wäre da Cider und Birkensaft nicht besser? letztern kann selbst der Forstmann trinken, denn die Aderlässe schadet dem zu rechter Zeit verkeilten Baume durchaus nichts. Die Mönche Schlesiens tranken den Grünberger, wie sie sagten, nur in der Passionswoche — mortificationis gratia *) — so sagte der Waldbruder Scaramuzzo, wenn er Nachts zu einer Frau einstieg: Questo é per mortificar la carne **)! Bei Grünberger Wein könnte Mahomeds Weinverbot nicht schwer zu halten seyn, aber ich halte mich lieber an den menschenfreundlichern Propheten, der Wein herbeischaffte, und statt den Wein zu Wasser zu machen, selbst aus Wasser Wein machte!

Nach den gegen Polen hinliegenden fleißigen Tuchfabrikstädten Züllichau und Swiebus bin ich nicht gekommen. Schöner, größer und lebhafter als Frankfurt erscheint Großglogau mit achttausend Seelen ohne die starke Garnison, denn hier sind auch die Collegien und viele Juden. Die Stadt ist fest, fiel aber dennoch den Franzosen in die Hände. Der Dom liegt auf einer Oberinsel, Glogau ist die Vaterstadt des Dichters Gryphius, und in der Nähe Glogaus auf dem Gute Rützen entschlief der verdienstvolle Carmer. Von dem alten Schlosse zu

---

*) Um sich zu kasteien.
**) Es geschieht blos, um mein Fleisch zu kreuzigen.

Quariß weiß ganz Schlesien sich Geistermährchen zu erzählen, die selbst die Aufmerksamkeit Friedrichs erregten, daher mich wundert, daß ihrer kein Schriftsteller meines Wissens gedacht hat. Friedrich soll zur nähern Untersuchung einen Hauptmann und Lieutenant, bekannt als Männer, die selbst den Teufel nicht fürchteten, gesandt haben — der Lieutenant bekam um Mitternacht eine solche derbe Ohrfeige, daß er taumelte, jedoch den Degen zog, und der Hauptmann meinte zuletzt, daß es keine Schande sey, vor Feinden, die unsichtbar anpackten — zu retiriren. — Nach Sagan, der Herzogin von Curland gehörend, eine fleißige Fabrikstadt von viertausend Seelen, bin ich nicht gekommen. Das Schloß erbaute Waldstein, und in dem nahen Priebus zeigt man einen Hungerthurm, wo Hans von Sagan seinen Bruder Balthasar verhungern ließ. Ein Herzog von Sagan, bestimmt zum Patriarchen von Aquileja, soll wieder nach Schlesien zurückgekehrt seyn, weil es dorten kein Bier gab, sondern eitel wälsche Weine. Ein ächter Baier wäre dieß noch zu thun fähig.

Von Glogau geht es über Lüben, das bedeutende Tuchfabriken hat, und in dem nahen Ostig ist das Grabmal Schwenkfelds, des berühmten Schwärmers, der aber an der Menge Schwenkfelder unserer Zeit unschuldig ist. Man kommt über Parchwiß und Neumarkt nach Breslau, doch kann man auch auf einem nur kleinen Umwege über Polkwiß gehen, das schlesische Abdera. Man sagt dem Magistrate nach, daß er an das Thor einen Wegweiser setzen ließ mit der Inschrift: Weg nach Polkwiß, und zur Vermehrung der Accise ein zweites Thor angelegt habe. In einem Bericht an die Kammer wegen eines verstorbenen Rathmitgliedes unterzeichnete ein College den Namen des Verstorbenen, und auf die Frage des durchreisenden Minister von Schlaberndorf, dessen zerbrochener Wagen mit Stricken einstweilen festgemacht wurde, „was kosten die Stricke?" antwortete der

ganze Magistrat unter tiefer Verbeugung: „O Ew. Excellenz haben um Schlesien schon mehr als
einen Strick verdient!" Ich kann nur die Wahrheit
von dem bezeugen, was ich gesehen habe, und glaube, daß
das Städtchen durch die Kirchengemälde in den üblen Ruf
gekommen ist, wo den Heiligen Namen zugleich der Name
der Stifterin beigefüget ist: S. Barbara Postmeisterin, S.
Catharina Bürgermeisterin und am Altarblatte S. Michael,
Parochus Polvicensis!

Bei dem lieblichen Parchwitz erblickt man die reiche
prächtige Cisterz Leubus, und dann geht es über das
Schlachtfeld von Leuthen oder Lissa! Ein herrlicher Eichen-
wald umschattet jenes Kloster, eines der schönsten Deutschlands, und in blauer Ferne erblickt man das Riesengebirge.
Kein Fürst hätte sich dieses Kuttenpallastes schämen dürfen,
wo sechszig Cistercienser für die Sünden der Welt zu büßen
vorgaben. Den Söhnen des heiligen Bernhardts behagte
Schlesien vorzugsweise, denn sie nisteten auch in den schwer
reichen Cisterzen Heinrichsau, Grüsau, Camenz,
Rauden und Himmelwitz, die nun alle der Welt
wieder gegeben sind. In der Kirche zu Leubus kann man
den Raphael der Schlesier am besten studieren, Willmann, der hier viel malte, und auch hier 1716 gestorben
ist. Er hatte Vorausbezahlung, mußte malen, wie eingesperrt, und seiner Phantasie durfte er ohnehin nicht folgen, sondern dem Geschmack der Klösterlinge, wie gar
viele Maler, und dieser war in der Regel schlecht. Den
Pater Kellermeister, der ihm nur spärlich Wein gab, verewigte er als Schinder des heiligen Bartholo-
mäus. Willmann trank ihm vielleicht zu viel, und
offenbar malte er zu viel, daher allen seinen Werken
Vollendung fehlet. Unter seinen zwölf Aposteln hat einer
ein so schönes Windspiel, daß ein Britte eine große
Summe bot, wenn er es herausschneiden dürfe. Neben
den Willmanns ist noch eine Kreuzabnahme von Cranach,
wo alle um den Leichnam stehende Figuren zu lachen

Berlin? Der Marmorpallast — der wahre Tempel
der Lichtenau Rieß, ist einfach schön, man sieht treffliche
Hackerts und auch die großen Spazierstöcke von
Dornenholz, deren sich der herkulische König in seinen letzten Jahren bediente. Seine kräftige Natur, auf Ein Jahrhundert angelegt, war erschöpft im 54. Jahre, seine Säfte
lösten sich auf in Wasser, und vergebens waren Hermstädts
Experimente mit reiner Lebensluft!

Schwerlich sucht der Reisende eine Insel hier, die
soviel Reize böte, als die Pfaueninsel — der Havelsee
ist zwar lange kein Lago maggiore, aber jene Insel weit
natürlicher, als Isola bella und Isola madre, die schon
Keyßler verglichen hat mit einem Tafelaufsatz von
Porcellain, wie auch figura lehret! Groß war aber die
Gierigkeit der Aufseher, nur vom Königstein übertroffen!
Am Marmorpallast an der äußern Pforte empfing mich
der Thürhüter, der für sein Geld genug Anekdoten auf-
tischte, und vom Unbedeutendsten mit Ehrfurcht oder Enthusiasmus sprach, an der eigentlichen Pforte aber, wo er
erst nöthig schien, reckte er sich beurlaubend die Pfote, und
ich ging nun erst in die Hand des eigentlichen Castellans
über, der sehr unterrichtet war, und alle Erkenntlichkeit
verdiente — aber was wollen noch zwei königliche Diener
und ein Mädchen? jene hatten die Fenster und Thüren
auf- und zugemacht, und das Mädchen mußte scheuren.
Am Thore stellte sich eine fünfte Person dar als Führer
zum See — seine Frau hatte noch besondere Dinge zu
zeigen, und zum Schlusse verstellten mir im Garten Wege-
knechte den Ausgang. Nun! man hat doch etwas gesehen!
Leute, die wenig reisen, und einen kleinen Maasstab in
Allem führen, glauben, sie müßten jedes Haus sehen, das
Schloß heißt, und zahlen, wenn auch im verjüngten
Maasstabe, dennoch mehr! Und warum sollten Deutsche
nicht so gut als Italiener wissen, was una buona mano
sagen will? Jetzt besucht man auch die russische Colonie Alexandrewna in der Nähe.

Potsdam ist für mich noch außerdem eine fatale
Stadt geworden, nach der ich die Jahre meines Mißgeschicks, und den Wendepunkt des Glücks, wie die Moslems
nach der Hedschira rechne — ein erlauchter Streich
wurde für mich, was für Saulus der Donner und Blitz,
der ihn zu Boden warf, und zum heiligen Paulus machte.
Das ist nun eben mein Fall nicht, aber besser bin ich
denn doch dadurch geworden. Noch heute träume ich manchmal von Potsdam, wie Kant, der die Träume von seiner
Hofmeister Zeit unter seine widrigsten Traumgebilde
rechnete. Es mag angenehm seyn, ein Bär mit Bären
zu seyn, aber ein Mensch, der einen Bären herumführen
soll? — und die Sachen gingen noch viel weiter, abeat
in malam crucem *)! Wem Selbstgefühl den Busen
schwellt, der trägt im Innern eine Welt!

Von Berlin aus wollte ich einen Vorschmack von der
traurigen Neumark haben, vielleicht der ärmlichste Landstrich Deutschlands, wo man aber sehen kann, was Friedrichs und Brenkenhofs Geist zu schaffen wußte.
Cüstrin liegt am Einflusse der Warte in die Oder, breite
Moräste umgeben die Veste bis nach Landsberg hin,
eine Stadt von sechstausend Seelen, wo die bedeutenden
Eisenhämmer anfangen, und Driesen liegt, die letzte
Brandenburgische Stadt an der Gränze des Gh. Posen.
Ganz nahe liegt Sonneburg, einst Sitz des Heermeisters
vom Brandenburger Johanniter-Ordenszweig, wo Ritterschläge den romantischen Namen Sonnenburg verherrlichten bis auf unsere Zeiten. Die Johanniter sind
nicht mehr, aber ihr Johanniterkreuz mag immer
unter Preußen Orden bleiben, denn sie waren einst für die
Cultur Brandenburgs sehr nützlich, wohin sie Albrecht der
Bär gerufen hatte, der sie in Palästina kennen lernte. Nur
zwei Stunden von Cüstrin ist das Schlachtfeld von Zorndorf, das blutigste des ganzen Kriegs, Friedrichs Zorn

---

*) Der Henker soll's holen.

andere Ordnung der Dinge, worüber man das treffliche Werk: „Schlesien vor und seit dem Jahr
1740," nachlesen mag. Friedrich machte es nicht wie
Kaiser Rudolph II. im Streit der Mezzolanweber mit
den Webern, welche die Theologen auf ihrer Seite hatten,
daß Gott selbst (Deut. 22, 11) Mezzolan oder halb-
linnen, halbwolle verboten habe, und so verbot dann der
Kaiser die Mezzolanweberei!

Die Ansprüche des Königs gründeten sich auf den
Erbvertrag mit dem Herzog von Liegnitz, Brieg und
Wohlau von 1537, und auf eine zweite Erbverbrüderung
mit den Herzogen von Oppeln und Ratibor, die das übermächtige Oestreich nicht hatte gelten lassen. Weit wichtiger
aber war wohl die Lage Oestreichs ohne Armeen und Geld
— Friedrichs Zuversicht auf sein ererbtes Heer und Schatz,
vor allem aber jugendlicher Ehrgeiz, sein Königreich,
das nur dem Namen nach vorhanden war, bei dieser
schönen Gelegenheit zu einem wirklichen zu machen,
unbekümmert um die Folgen des kühnen Wagestückes,
um die Wunden des Vaterlandes, um die Eifersucht
der Mächte, und um die politische Spaltung zwischen
Oestreich und Preußen, so traurig, als die religiöse zur
Zeit der Reformation! Hätte Carl VI. dem Rath seines
großen Eugens gefolgt, und statt seiner pragmatischen
Sanction, seinen Staat durch eine tüchtige Armee
guarantirt — Schlesien gehörte noch heute Oestreich!

Maria Theresia hat Schlesien nie vergessen, und ohne
ihr Schlesien hätte Kaunitz die eben so stolze als tugend-
hafte Frau nie dahin gedacht, der H . . Pompadour ma
cousine*) zu schreiben! Friedrich hatte aber einmal die
stärkste Neigung, in der er keineswegs der Einzige ist zu
dem, was andern gehörte, in der höhern Welt Staats-
kunst genannt — und nahm von der Erbschaft Carl VI.
Schlesien — jedoch nur en depot, oder in deutscher

*) Meine liebe Base Pompadour.

Sprache, die aber hier nicht angehet, zu treuen Handen! S. Pierre nannte die Sache nicht ganz unrichtig
„eine Widerlegung des Antimachiavells," und
wo geriethen wir hin, wenn die Großen praktischen Gebrauch
machen wollten von des alten Juristen Schwebers Theatrum praetensionum?

Um doch noch ein Schlesien zu haben, bestand Theresia auf dem Besitz ¹⁄₁₅ vom Lande — alles Uebrige von den
Gränzen Ungarns längs der Oder herauf bis an den Bober
blieb Preußen, 45 Meilen in die Länge = 640 Quadratmeilen mit 2 Millionen Seelen — die gewerbfleißigste und
fruchtbarste Provinz der Monarchie, nur die Sudeten und
der Sandboden jenseits der Oder machen, daß Böhmen und
Polen mit Getraide aushelfen müssen. Alle Spuren des
Kriegs sind verlöschet, auch Schlesiens Hauptprodukte: Getraide, Flachs, Wolle, Holz, Eisenerz und Steinkohlen,
Linnen und Tücher (drap de Silésie), die einst den
reichsten Absatz hatten von Archangel bis nach Peru, nach
Polen, Ungarn und Spanien, ja selbst nach England.
Man rechnete bloß für Linnen jährlich fünf Mill. Thlr. —
600,000 Schock Linnen, den Schock zu 60 Ellen! Tempi
passati!

Schlesien bewohnten einst die Quaden, die Slaven
bemächtigten sich desselben, übersetzten das Wort Quad,
böse, in ihre Sprache Zle, und nannten es Schlesien; nach
Andern aber soll es Slecy: die letzten, bedeuten, oder die
Slavenstämme, die zuletzt einrückten. Beide Ableitungen
lassen sich immer noch eher hören, als die vom Propheten
Elisa, oder gar von Campi Elisäi, obgleich die schlesischen Felder eher noch den Namen verdienen, als die
berühmten Champs Elisées zu Paris. Schlesien war lange
polnische Provinz, dann in einige zwanzig Herzog-
thümer vertheilt, die sich stets befehdeten, aber doch so
viele deutsche Colonisten ins Land zogen, daß Deutsche
zuletzt vorherrschend geworden sind. Nach und nach unter-

warfen sich alle die Klein-Große, mit Ausnahme von Jauer und Schweidnitz, dem Scepter Königs Johannes von Böhmen, unter Carl IV. auch jene beide, und so ging alles vereint an Oestreich über, wie im Breslauer Frieden an Preußen.

Die Oder (Viadrus), die in Mähren unweit Liebau entspringt, im Munde des Volks Aber, ist wirklich die Herzader Schlesiens, die sich durch dessen Mitte zieht, und die Nebenflüsse Katzbach, Neiße, Bober, Queis 2c. werden, so lange sie fließen, die Namen Blücher, Gneisenau, York, Kleist 2c. und ihren Ruhm verkünbigen. Auffallend ist es, daß jener große Strom Deutschlands in seinem ganzen Laufe kein schönes Ufer darbietet, durchaus nichts Elbe- oder Weserartiges (vom Rhein- und Donauartigen kann im Norden ohnehin keine Rede seyn), alles ist flach, und daher tritt die Oder auch häufig aus, und bestreuet die Gegend mit dem Sande Brandenburgs, der dann wieder Ursache ist an der ungleichen Tiefe, den Sandbänken und Untiefen des Stromes. Mit Mühe ist die Oder bei Ratibor schiffbar, erst bei Breslau trägt sie Ladungen von 1000 Ctr., und von ihrer Mündung können Seeschiffe nur bis Swinemünde kommen, dem eigentlichen Hafen Stettins. Zwei große Sandinseln schließen ihre dreifache Mündung, Usedom und Wollin.

So fleißig und aufgeklärt der Schlesier (Schlesinger) ist, so polnisch, bigott und versoffen sieht es noch hie und da in Oberschlesien, jenseits der Oder, aus, vielleicht diejenige Provinz, die in der ganzen Monarchie noch am tiefsten steht, tiefer als gewisse Gegenden im vormaligen Trierischen und Cöllnischen. Heidegrütze und Sauerkraut (Kappusta) in Erdlöchern aufbewahrt, macht die Hauptnahrung, dann kommt der Branntwein. Die Sprache ist böhmisch-polnisch, und die Bewohner heißen Wasserpolaken, vielleicht da die Weichsel hier entspringt, Weichselpolaken. Hier gibt es noch Hauptprozeßionen — zu Fuße und zu Pferde — und die vielen

gnadenreichen Mütter Gottes machen sich Visiten, wie unsre
Caffee= und Theebasen! Der Oberschlesier ist seinen abscheu=
lich gestalteten Herrgotts und Madonnen so getreu, als
seinem Cappusta, Fusel und lausigen Schafspelz!

Deutsche und Polen hassen sich wechselsweise,
manches mag von der Verschiedenheit der Sprache
und Sitten herrühren, und von der Unreinlichkeit,
die jedoch hier nicht bis zu Weichselzöpfen zu gehen
scheint; eigentlich aber kommt der Haß wohl von den
Frohnden, die auch wieder an der nationellen Faulheit
Schuld sind. Zur Robbot geht man nirgendswo, auch
in Böhmen nicht, so lustig, als zum Tanz, und zuviel
Anspannung erzeugt Abspannung. Die Noth, die
kein Gebot hat, macht Diebe, und diese Diebe nennen
ihre Mansereien — nicht stehlen — sondern sich nähren.
Wie zufrieden könnte man übrigens in großen Städten,
z. B. in London seyn, wenn Diebe und Räuber weiter
nichts thäten als sich auf —- oberschlesisch nähren!

Diese Oberschlesier sollen auch die abscheulichsten Fu=
selsäufer seyn. Nun ja! anderwärts saufen sie Bier,
oder neuen Wein, und oben darauf doch noch Brannt=
wein. Ach! diesen armen Wasserpolaken ist der
Branntwein oft ihr einziges Labsal, ja selbst Betäu=
bungsmittel, und wer trägt die Schuld? die Leib=
eigenschaft — der schändliche Polakengeist des
Edelmanns, und der elende Unterricht des Pfaffen!
Als Friedrich die Härte der Leibeigenschaft mäßigte, und
die Mißhandlungen mit Stock und Peitsche verbot,
konnte dieß der löbliche Adel so wenig begreifen, als der
Moskoviter Peter, daß der Scharfrichter in Preußen keinen
von seinen Leuten — rädern wollte! „Es ist ja ein
Sklave!" rief der barbarische Czar; „es sind ja un=
sere Leibeigne!" rief der barbarische Adel! Spricht nicht
noch in unsern kultivirten südlichen Staaten der media=
tisirte Edelmann, wenn ihm die Regierung ein Halt!
zuruft: „Sind es nicht meine Unterthanen?" Aber

gnädiger Herr, dieses Wort geht nicht mehr — „Wie? aber doch Mediat-Unterthanen?"

Friedrichs Feldzug 1740 nach Schlesien gleicht ungemein dem Feldzug K. Karls VIII. nach Neapel. Schlesien war schlecht versehen, Neuperg, wie Karl von Lothringen, dem Könige nicht gewachsen, der Feldzug leicht — aber man hatte keine festen Plätze, und ein einziger Unfall hätte Friedrich wieder aus Schlesien gejagt, wie Karl VIII. aus Italien. Es kamen aber Nachwehen, der zweite schlesische, und dann der siebenjährige Krieg, und so war Schlesien denn doch theuer genug erkauft. Es bleibt der kühnste Gedanke Friedrichs, an der Spitze von 2⅓ Mill. Menschen mit acht Mill. Einkünften, etwa soviel im Schatze, und mit 60,000 Mann das mächtige Oestreich anzugreifen! „Ich hatte Glück," sagte Er, und gerade jene Umstände brachten es vielleicht. Napoleon mit unendlich größern Hülfsmitteln und wohl eben soviel Genie unterlag der Menge der Feinde. — Was bei den Neufranken der Enthusiasmus der Freiheit und später Nationalehre that, that bei Friedrichs Preußen seine Persönlichkeit, und der Glaube an sein Genie; elektrisch wirkte es durch alle Glieder der Armee, wenn es hieß: „Fritze kommt!"

Friedrich hatte Glück im ungleichen Kampfe, war aber auch auf Unglück gefaßt, und hätte in jedem Fall größer geendet, als der Corse, in der Manier der hochsinnigen Alten. Vom Schlachtfelde schrieb er seinen Freunden von seinem Tode, scherzend, daß ein Mann nothwendig unterliegen müsse, der zwei Weiber und die Franzosen am Halse habe, — eigentlich drei Weiber, die dritte war Pompadour. Er hatte Glück, der Haß der Minister Kauniz, Choiseul und Brühl war persönlich — ohne Glück würden wir Ihn tadeln, aber doch immer mehr als Karl XII. bewundern müssen — die drei Throndamen waren aufgereizt, schon als Damen reizbar, und alle drei hatten wohl nie ein Schlachtfeld gesehen, höchstens mit ihren Hofdamen Scharpie gezupft!

Friedrich brachte Schlesien selbst Glück, brachte Gewisſensfreiheit, beschränkte des Adels Willkür, die Robboten (dieses polnische Wort Robota [Arbeit] ist wie gemacht für diese schändlichen Feudal-Ueberreste) wurden geregelt, Colonisten ins Land gezogen; und der Adel selbst unterstützt durch Vorschüſſe und das bekannte Creditsystem, das freilich später üble Folgen hatte. Der Adel führte früher ein solches Flottleben, daß er verarmte, und nun viele, die nichts mehr hatten, als einen Gaul, damit von Schloß zu Schloß zogen, und so zum Schluſſe des Jahrs gelangten, wo sie dann wieder von vornen anfingen. Von diesen Rittern kommt das Wort Krippenreuter. Nur mit Friedrichs französischen Regiſſeurs war man unzufrieden. Der brittische Gesandte Mitschel sagte: „der König hat die Franzosen Einmal geschlagen, jetzt schlagen sie ihn alle Tage," und ein gewiſſes Epigramm schließt:

Et tant et tant le Diable en 'ch . . .
qu'ils vinrent jusqu'en Silésie!*)

Die Bevölkerung stieg von einer Million auf zwei, selbst die Klöster wurden angehalten Landschafts=Verbeſſerungen vorzunehmen, und der Fall wird jetzt wohl nicht mehr vorkommen, daß Katholiken sich injuriarum beklagen, wenn man sie Lutheraner nennt. Schlesien ist so schön, daß es mich gar nicht wundert, wenn Schön ein Schlagwort ist, wie in Italien bello, bellissimo **), wo selbst stinkendes Oel, stinkende Fische, Knoblauchwurst ꝛc. bella cosa sind. Schlesien ist so schön, daß hier auch deutsche Poesie zuerst erwachte, die Opitz, Tscherning, Logau, Gryphius, Hofmannswaldau, Günther, Lohenstein ꝛc. waren lauter Schlesier. Mich wundert nur, daß das so romantische Riesengebirge noch keinen bessern Dichter

---

*) So viel thät der Himmel solcher Kerl's herab\ſch . . . . .
Daß sie das Land bedeckten bis hin nach Neu=Preußen.
**) Alles vortrefflich.

hat, als **Tralles** und **Stoppe** — es scheint der **Kauf-
mannsgeist** unterdrückt hier alle übrigen Geister!

Aber die **Epoche** der **Kaufherren** ist vorüber, die
Nachbarn sind klüger geworden, es sind **Nebenbuhler**
aufgestanden, und die Ausfuhr wird jetzt kaum ein Dritt-
theil von dem seyn, was sie vor dem unseligen Continental-System gewesen ist. Mancher Schlesier, den Napoleons
Ehrgeiz um das Brod brachte, focht gewiß nur desto tapfe-
rer an der Katzbach und bei Leipzig. Indessen **spinnt**
noch alles im **Gebirge** so fleißig als zuvor — dem **Gärn-
herrn** bleibt zwar der Vortheil des Webers, wie dem
Weinhändler der Vortheil des Winzers, und beiden nur
die **Arbeit**, aber sie leben dennoch zufrieden, wenn sie
nur trocknes Brod haben; Religion erleichtert ihnen
die Bürde des Lebens, gießt Ruhe in ihre Seele, und
stärkt sie mit der Hoffnung besserer Zukunft. Jetzt können
sie Mezollan machen, so viel sie wollen. Die Freiheit
Südamerika's und die Anerkennung dieser Freistaaten eröffnete den fleißigen Webern einen noch größern Markt!

Die Gebirgs-Bewohner sind unverdorben, theils weil sie
so fleißig arbeiten, theils weil sie frei von Garnisonen
sind. Noch heute kann ein genügsamer Wanderer das Gebirge
durchreisen, ohne einen Pfennig für Speise, Trank und
Herberge auszugeben; in den besuchtesten Bauden aber
verstehen sie das Prellen, wie in den Kneipen an der
Landstraße. Die herrlichen Gebirge werden jetzt häufig
besucht, und so muß es kommen, wie es in der Schweiz
gekommen ist. Der Himmel bewahre ja meine deutschen Alpen vor der Politur, die der Menschen-Verkehr giebt,
und vor dem, was manche Aufklärung genannt haben.
Jener Schullehrer im Gebirge erklärte sein ganzes Leben
lang das achte Gebot: „du sollst nicht bösen Leu-
mund machen; du sollst nicht böse Leinwand
machen," und da diese den größten Theologen unbekannte
Erklärung in dem Leinwandlande offenbar nützlicher war,
als die authentischere von Luther, so ließ es ein hochpreis-

liches Kirchen-Convent dabei bewenden, obgleich der Casus weder in Carpzow's Consistorialrecht, noch weniger bei Hartmann zu finden ist. Bacchus und Ceres haben Altäre, der erste Weber verdiente ein Gleiches!

Alles spinnt, und überall wird statt des Rades die Spindel gebraucht. Auf dem Rade, wird behauptet, spinne man noch einmal so viel, der Faden werde fester, gleicher, runder, folglich auch das Linnen. Man behauptet, die schlesische Leinwand sey geschmeidiger, weicher, tauglicher zum Bleichen und Färben, und dauernder, weil sie mit der Spindel gesponnen werde — sie trage sich ab, während andere zerbreche. Es wäre eine würdige Aufgabe für Frauen, tantas componere lites *), — aber sie sind längst Damen geworden, und es wäre unartig ihnen so etwas zuzumuthen. Unsere Mädchen — wo denke ich hin? — unsere Fräuleins würden den Herrn Papa selbst einen dummen Esel heißen, der ihnen bei der Aussteuer — einen Weberstuhl mitgäbe, wie in Schlesien geschieht. Ich weiß, daß die englischen Gesetze jede weltliche unverheirathete Person spinster nennen, mag aber gar nicht wissen, was mein Nieccchen sagte, der ich einst zu Weihnachten ein Spinnrad gab!

Im Gebirge haben die emsigen Linnenweber, um eine Hand oder einen Fuß zu sparen, sogar kleine Bäche benützt: die Wiege zu schaukeln, und eine fleißige Spinnerinn der kein Wasser zu Gebote stand, setzte die Wiege in Verbindung mit dem Schwanz ihres Kühleins im Stalle, so wie Herr und Diener in Verbindung stehen mittelst der Klingelschnur. Diese Menschen veredeln Flachs à 2 Groschen zu Garn à 2 Thaler, das der Holländer wieder zu Zwirn veredelt à 24 Thaler, und an den Brabanter absetzt, der daraus Spitzen verfertigt à 200 Thaler! Die Arbeiter selbst aber, statt sich zu veredeln, verkrüppeln physisch und moralisch. Was ist das Schlim-

---

*) Diese große Streitfrage zu schlichten.

mere oder Bessere? Der Gegenstand verdiente eine Preisaufgabe, der Preis dürfte aber nicht zu niedrig seyn, denn
wer ihn wirklich verdienen wollte, müßte nicht bloß in
Sachsens und Schlesiens Gebirgen, sondern auch zu Wien,
Berlin und Hamburg, in Westphalen und den niederlän-
dischen Städten und zu Lyon, Birmingham und Manchester
weilen!

Ju Schlesien wird nach Silbergroschen oder Böhmen gerechnet, deren dreißig auf den Thaler gehen; der
Name Böhmen soll daher kommen, daß Friedrich sie in
seinen Feldzügen nach Böhmen schlagen ließ, und sie heißen
immer besser Böhmen, als Silbergroschen, da von Silber
so wenig bemerklich ist. Die Leute sind leicht mit einigen
Böhmen zufrieden gestellt, aber wie wird es ihnen gehen
und ihrem Linnen, wenn die neuseeländische Flachs-
pflanze einheimisch werden sollte, wozu man in Frankreich
Anstalten gemacht hat? Sie müßte das für unsere Linnen-
manufakturen werden, was Klee und Kartoffel für die
Landwirthschaft geworden sind. Nach Linnen kommt die
Wolle, und Schlesien zählt über zwei Millionen Schafe,
darunter ein Viertheil veredelte, so wie man die Schlesier selbst, mit andern verglichen, veredelt nennen kann!
Ganz Deutschland hat für die Schafzucht neuerer Zeit
viel gethan, und wir werden wohl eben soviel Schafe
annehmen dürfen, als — Menschen!

Die Schlesier sind ein lebhaftes, lustiges, fleißiges
Volk, und gewinnen unendlich, wenn man sie mit den
Preußen, Märkern und Pommern vergleicht, die etwas
Schwerfälliges und Düsteres haben —, aber sie bewohnen
auch eine glücklichere Erde, und sind wahre Rheinländer,
während jene den Westphalen gleichen. Sie singen gerne,
und selbst ihre Sprache hat etwas Singendes, sie lieben
Musik, und der Katholicismus begünstigt ohnehin ihre
heitere Stimmung. Der Webstuhl ist die Musik der
meisten, und ihr Leben gleicht dem Seidenwurme, der sich
einspinnt und stirbt. Kuchen mit Mohnkörnern scheinen

eine Art Nationalgebackenes zu seyn, das mir neu war
und schmeckte, denn bei deutschem Mohn hat man vor
der Gefahr des Opiums nicht zu bangen. In Oberschlesien
verliebte ich mich in die herrlichen Lerchenbäume (La-
rix, warum nicht lieber Lärbäume?) und in das Riesengebirge dermaßen, daß meine Leser drei Liebes-
briefe werden lesen müssen, denn ich bin, wie vor dreißig
Jahren in Alpen und Pyrenäen, darinne herumgelaufen,
als ob ich mit Baron Groothausen die Welt durchlaufen
wollte, trotz dem furchtbaren sechsten Kreuz, das über
meinen grauen Haaren und wankenden Zähnen drohet.
Zum Andenken kaufte ich mir noch ein Schock Linnen,
und bin selbst Schuld, daß ich das italienische Sprichwort
vergaß: Ne Donna, ne tela non comprare alla can-
dela! *)

Meine Schlesier sind auch ungemein höflich, und kein
Mädchen ist mir begegnet, das nicht bloß Guten Morgen oder Abend, sondern stets einen recht schönen guten Morgen oder Abend gewünscht hätte, und von
Coquetterie konnte doch bei meinen Jahren keine Rede
seyn. Im Hirschberger Wonnethal erscholl in jedem
Hause: „Gar schön willkommen!" im Gasthause der
Wunsch: „Wohlgeschlafen zu haben," und als ich
Nachmittags von Landshut nach dem Kloster Grüsau ging,
wünschten sie mir auch „Wohl gespeist zu haben,"
was aber der Fall nicht gewesen ist. „Was bin ich schuldig?" — So und so viel. — „Hier!" — Schön! —
Wünschen Sie rasirt zu werden? — „Ja!" — Schön! —
„Ich bitte um eine Tasse Caffée." — Schön! — „Gläschen
Liqueur." — Schön! — Spielen wir wir eine Partie? —
„Ja!" — Schön. — Der gemeine Mann kam mir auch
reinlicher vor, denn anderer Orten — er badet, während anderwärts von Hautkultur gar keine Rede ist, und

*) Weiber und Linnengespinnst muß man bei hellem Tage
kaufen, ja nicht bei Licht.

die Kinder des Bauern, der sein Pferd und Rindvieh,
fleißig striegelt und seine Schweine schwemmt, kein Wasser gefühlet zu haben scheinen seit heiliger Taufe!

Und diese Schlesier will man Eselsfresser heißen?
Schlesier, die nie einen Esel gesehen hatten, sollen zu Crossen einen Esel als Wild geschossen, am Zobten gebraten,
und zu Breslau verzehrt haben. Der dumme Spott, der
aber früher viel Händel veranlaßte, kommt vermuthlich
von dem alten Goldbergwerke in Glatz, genannt zum
Goldenen Esel, dessen Inhaber solches allein behalten
wollten. Jetzt lacht man über die Eselsfressereien,
wie in Schwaben über die Schwabenstreiche, und die
so höflichen Schlesier könnten allenfalls, wenn je der Titel
wieder vorkommen sollte, recht artig erwidern: „Schön!
aber hüten Sie sich, mein Herr!"

Einundzwanzigster Brief.

Breslau,

die Hauptstadt Schlesiens, hatte als Festung ein finsteres
Aussehen, wie alle Festungen (war auch zu groß, man
braucht vier Stunden die Stadt zu umgehen); aber seit
die stolzen Wälle gefallen sind (1807), ist es recht hübsch
geworden, vorzüglich an der Oderseite; die krummen schmalen Gassen und Nebengäßchen, die alten schmalen, und
daher desto tiefern Giebelhäuser, wo man am hellen Tage
auf den Treppen eine Laterne brauchen kann, muß man in
einer so alten Stadt schon lassen. Sie theilt sich in die
Alt- und Neustadt, und die Ohlau fließt quer durch sie
hin, die schon mancher flüchtige Reisende für die Oder-
genommen hat. Das Pflaster könnte besser seyn, und
die Dachrinnen ganz wegbleiben!

Breslau (Wratislavia, besser von Wrot Slave Sla-
venfurt) mit seinen vielen Kirchen und Thürmen, unter

denen sich der Elisabeths-Thurm auszeichnet, kündigt sich weit großstädtischer an, als Berlin, und die Lage ist noch vortheilhafter. Die beste Ansicht der Stadt hat man vom heiligen Berge hinter Oswitz über sie und ihre fünf Vorstädte. Die Bevölkerung mag mit der Besatzung (seit Breslau keine Festung mehr ist, kaum 4000 Mann) 90,000 Seelen betragen, darunter 5000 Juden. Nun wird sich der Fremde nicht wundern, wenn im Gasthofe jeden Augenblick ein Judengesicht zur Thüre herein sieht mit der Frage: „Nichts zu wechseln?" Indústrie ist in Schlesien zu Hause, und diese letztere hat gerade nichts auf sich, wenn man in seinem Zimmer ist. Es erscheinen auch Oebstle= rinnen, keine Wiener alte Fratschel=Weiber, sondern junge muntere Dinger, deren eine mich versicherte, ihre frischen Aepfel seyen wohlschmeckender, als der Apfel der Eva. Es war eine Zeit, wo der Name Breslau süßer in meinen Ohren tönte, als der Name meines Vaterstädtchens! Breslau ist nach Berlin und Cöln die dritte Handelsstadt Preußens und die fünfte Stadt Deutschlands.

Zur Zeit Carls IV., der sie nach dem großen Brande wieder aufbaute nach einem festen Plan, muß sie auch eine der schönsten gewesen seyn. Vom großen Ringe führen vier ziemlich gerade Straßen nach den vier Thoren, dem Oder=, Nicolai=, Ohlau= und Schweidnitzerthor, und die schönste Straße ist die neue Friedrich Wilhelms=Straße. Sie erinnert an die Zeit, wo der König 1813 im Jänner sich hieher verfügte, um nicht das Schicksal des Königs von Spanien zu haben, als Geißel nach Frankreich geführt zu werden, mit Alexander, der im März hieher kam, den Bund der Freundschaft erneuerte, und seine Preußen auf= forderte, das schändliche Joch Napoleons abzuwerfen — die Preußen wurden jetzt die Geißel Frankreichs! Ein stolzes National=Gefühl — selbst die Damen opfer= ten ihr Geschmeide auf dem Altar des Vaterlandes und trugen blos eiserne Halsketten! und an der Brust der Männer prangte das eiserne Kreuz. Der Palast

Hatzfeld, jetzt Regierungsgebäude, ist im Grunde das einzige vorzügliche Gebäude, und allenfalls das der Universität, denn das Königliche Palais verdient kaum diesen Namen, und noch weniger andere große Häuser. Die Promenade um die Stadt, statt der alten Wälle, hat hübsche Partien, und von den beibehaltenen drei Bastionen mit englischen Anlagen hat man angenehme Fernsichten. Allenthalben stößt man auf Kirchen und Klöster, wie zu Prag, nur daß jene leer sind. Breslau mag ehemals ein rechtes Pfaffen-Nest gewesen seyn, und wer sähe nicht lieber Soldaten als Pfaffen und Mönche, blak, white and grey, with all their trumpery *)!

Die meisten Mönchs- und Nonnenorden waren einst hier zu finden, von denen jetzt nur noch die Ursulinerinnen die Mädchen unterrichten, und die noch nützlicheren barmherzigen Brüder und Schwestern vorhanden sind, die sich während der letzten Belagerung den Dank der Einwohner verdienten. Am Ursuliner-Kloster steht ein Denkmal des baierischen Grafen von Seybothendorf, der hier 1806 gefallen ist, errichtet von seinen Kriegsgefährten. In Schlesien tummelten sich in diesem Feldzuge, neben Franzosen, auch Baiern und Würtemberger unter dem ephemeren König Hieronymus, oder eigentlich Vandamme, sie eroberten Glogau, belagerten Breslau, schlugen sich gegen den Fürsten von Anhalt-Pleß bei Strehlen, Ohlau, Schweidnitz und Glatz so tapfer als Franzosen, sonst aber ist ihr Ruhm in Schlesien nicht fein, und ich hielt für klug, es zu machen, wie dorten — der heilige Petrus!

Breslau hat mehrere große Plätze, worunter der große Ring der ansehnlichste ist, auf dem mehr Leben herrscht, als zu Berlin. Hier ist die Hauptwache, der Paradeplatz, der Kränzel-, Blumen-, Gemüß-, Hühner- und Fischmarkt. Der Obstmarkt heißt auch der Naschmarkt, zum Beweise, wie genügsam die Schlesier sind.

---

*) Schwarz und weiß und grau sammt ihrer Gleißnerei.

An diesen Ring stößt der Salz-Ring, wo die neuer-
baute schöne Börse steht. Noch größer ist der Neumarkt,
der eigentliche Getreide-, Heu- und Holzmarkt. Mitten
auf dem großen Ring ist das alterthümliche Rathhaus
mit grotesken Abbildungen, z. B. des Teufels, der seine
Großmutter auf einem Schubkarren führt, und mehrern
alten Gemälden von Willmanns, unter denen Salomons
Urtheil und der Richter, dem Cambyses das Fell über die
Ohren ziehen läßt, an rechter Stelle sind, wie die guten
Bildnisse Friedrichs II., Friedrich Wilhelms II. und des jetzigen
Königs. Die gothische Staupensäule vor dem Hause,
mit Ringen und Halseisen, und oben eine Figur mit
Ruthen und Schwerd, ist ein furchtbares Denkmal der alten
rohen Justitia, wo viele ihrer Opfer bluteten. Im Rathskeller oder Schweidnitzer-Keller wird noch heute
gezecht nach alter Väterweise, selbst ein Kaiser soll hier
incognito mitgezecht haben, und hierauf sich die angeschrie-
benen Worte beziehen:

Wenn mancher Mann wüßte, wer mancher Mann wär',
gäb' mancher Mann manchem Mann manchmal mehr Ehr'!

Nach meinen Erfahrungen möchte aber weit öfter der
gerade umgekehrte Fall eintreten. Es werden allerlei Merkwürdigkeiten, Geschenke von Bürgern, gezeigt, die vom
Humor unserer Alten zeugen — das Lümmel-Glöck-
chen aber, wenn einer ein Glas zerbrach, oder Zoten sagte,
wird nicht mehr geläutet. Schön! wenn es in der
That überflüssig geworden ist!

Auf dem Salz-Ringe steht jetzt die eiserne Stand-
säule Blüchers, 130 Centner schwer, von Rauch, das
verdiente Denkmal des Mannes, der nicht nur Schlesien,
sondern die ganze Monarchie retten half, und der Platz
heißt nun Blüchers-Platz. Die Statue ist 10' hoch —
das Ganze 26' und die Inschrift: „Mit Gott für König und Vaterland, dem Feldherrn Blücher und
dem Heere die Schlesier. 1813—15." Wie? wenn
Friedrich wieder käme, und sich seiner Antwort auf des

jungen Husaren-Rittmeisters Schreiben erinnerte: „De. von Jägerufeld, der kein anderes Verdienst hat, als der Sohn des Markgrafen von Schwed zu seyn, ist mir vor- gezogen worden, ich bitte um Abschied" — der Antwort: „der Rittmeister ist seines Dienstes entlassen, und kann sich zum Teufel scheeren." Wie ganz anders wird Friedrich den braven Blücher im Elysium empfangen haben, wo man hoffentlich nichts mehr von Teufeln weiß, die unser Elysium hienieden zur Hölle machen, und den Rang nach philosophischern Grundsätzen bestimmen wird?

Der neue Königs-Platz wird der schönste Platz zu Breslau werden, und die Stadt bald schöner von Außen als von Innen seyn, wie München: Vor dem Schweid- nitzer Thor — wo noch jetzt Jehova in einer Sonne, und der Doppel-Adler mit den Worten: „felix sub Jove Cæ- sar, sub Cæsare Bresla" *) unpräjudicierlich steht, neben dem Stadt-Wappen fideliter obsequio, ohne daß Preußens Friedrich an's Wegmeißeln gedacht hätte — ist Tauenziens Monument, ein Sarkophag von Mar- mor, auf dem Bellona ruht, unten das Bildniß des Gene- rals von Bronze, und zwei schöne Basreliefs, die sich auf die Belagerung und Vertheidigung Breslau's 1760 beziehen. Tauenzien war aus Pommern, heroum patria **), wie die Inschrift sagt, und hatte sich schon bei Collin ausge- zeichnet. Lessing, der mehrere Jahre sein Sekretär war (ohne dieses hätten wir wohl keine Minna von Barn- helm), sagt: „Wenn Friedrichs Armee so zusammen- schrumpfte, daß sie unter einem Baume Platz hätte, so würde Tauenzien gewiß unter diesem Baume stehen." — Die Antwort, die er dem feindlichen Offizier gab, der Breslau aufforderte mit der Drohung: „sonst sollte das Kind im Mutterleibe nicht geschont werden," ist die Antwort eines ächten Soldaten, der den Bürger

---

*) Jupiter segnet den Kaiser, und Breslau segnet der Kaiser.
**) Dem Vaterland der Helden.

gar nicht in Betrachtung zieht: „Ich bin nicht schwanger, und meine Soldaten auch nicht!"

Tauenzien war Gouverneur Breslau's, und ihm
folgte der Fürst Hohenlohe (auf ihn Graf Ziethen),
welcher wahrhaft die Honneurs der Hauptstadt Schlesiens
machte, und trotz aller Vorfälle, wohl Andenken verdiente.
Mich, der ich den Fürsten im preußischen Hauptquartiere
am Rhein näher kennen zu lernen die Ehre hatte, freute es
unlängst in Guibert's Voyages 1773 sein Lob zu finden,
wo Er noch Major im Regiment Tauenzien war. Der
geistreiche Franzose, ein guter militärischer Schriftsteller,
lobt ihn, wie ihn Blücher lobte in den Jahren 1793—94.
Er hat kein Denkmal — doch der Minister, Graf Hoym,
der sich siebenunddreißig Jahre lang auf seinem Posten zu
erhalten wußte, und der Philosoph Wolf, sind in gleichem
Falle. Garve, unser zweiter Gellert, der wie Socrates
die Philosophie vom Himmel herabrief, um die Erde zu
verschönern, während eine todte Wortphilosophie solche in
den metaphysischen Dünsten schwindelnder Magister zu er-
sticken drohte, hat jetzt ein kleines Denkmal erhalten. Die
Kornische Buchhandlung, eine der ältesten und solidesten
Deutschlands (die auch eine recht artige Gemäldesamm-
lung, und eine schöne Villa zu Oswitz besitzt), hat an
Garves Wohnung in der Altstadt (Hummerey) über die
Thüre eine Marmortafel setzen lassen mit der Inschrift:
Hier ist Garve geboren 1742, und gestorben 1798.
Auf dem Neumarkt steht ein Neptun, dessen deutschen
Namen ich hier zum Erstenmale gehört habe — Gabel-
Görge!

Breslau bietet eine Menge Merkwürdigkeiten aus der
Vorzeit an, um die sich Rektor Klose in seinem bekannten Werke verdient gemacht hat — ein gelehrter Schutthau-
fen mit wahren Goldkörnern. Breslau's Handel mit Venedig
und Ungarn ging einst bis zur Eifersucht Wiens, und die
Stadt hatte Rechte, wie eine Reichsstadt .. Krapphandel.
Zuckersiederei, Handel mit Wolle, Tuch, Linnen, Ma-

terialiſtenwaaren, Getreide, Liqueurs und Pelzwerk ſtehen
oben, an, und mit Polen iſt noch ſtarker Verkehr, jedoch
lange nicht mehr, wie zuvor. Die Theilung Polens
war, ein großes Unglück für Breslau, wie überhaupt für
Europa. Das hieſige Bier heißt Schöps, und gar witzig
iſt der Vers:

Schöps caput ascendit, nec scalis indiget ullis,
sessitat in Stirnis, mirabilis intus in hirnis. *)

Was man ſonſt noch vom Schöps, den ich eben nicht loben kann, ſagte:

O Schöps! Schöps! te libenter bibit omnis plebs — **)

ſcheint jetzt mehr vom liquor zu gelten, und Breslau unſer deutſches Cognac zu ſeyn!

Breslau hat eine Menge Caffeehäuſer, Weinhäuſer faſt
in allen Straßen, Bierſchenken noch mehr, recht wohl hat
mir die Reſtauration im Tempel-Garten an der Promenade gefallen — aber Branntweinſchenken ſind
über 200, wo ſich natürlich nur das Volk einfindet. Es
ſind nicht weiter als dreißig Branntweinbrennereien in den
Vorſtädten, und in der Stadt achtzig Deſtillateurs;
ihre Buden gleichen einer Apotheke, und jedes Glas hat
ſeinen eigenen Namen. Wer kennt nicht Breslauer
Kümmel? Wahrlich! man ſollte hier, wie im ganzen
Norden, das ſchädliche Branntwein-Weſen erſchweren,
und dafür Bierbrauereien begünſtigen, die gegen die alte
Zeit ſo geſunken ſind! Wir könnten ſo gut als die Britten
Ale und Porter haben. Wo man im Norden zu viel
thut, thut man im Süden zu wenig; ſonſt hatte jede ſorg-
ſame Hausmutter zur Magenſtärkung einen tüchtigen Kol-
ben voll Bitter-Branntwein hinterm Ofen, das wäre
jetzt zu gemein, und den vollen Weinkrug in der
Ecke kann man ohnehin nicht mehr verlangen!

---

*) Schöps ſteigt ohne Stiege in die Stirn,
   Und rumort gar wunderſam im Hirn.

**) O Schöps, o Schöps! du herrliches Bier,
   Alles Volk huldiget dir.

Bei Klose finde ich, daß die Bürger Breslau's einst
sehr rüstige Kämpfer waren, vorzüglich gegen die Böhmen,
wobei sich ein Zögling der deutschen Ordens-Ritter Schoppe
auszeichnete. Die Breslauer trugen rothe Kreuze auf
dem Rock, die Böhmen zwangen sie solche zu fressen, und
denen, die keine hatten, schnitten sie welche auf die Stirne,
Schoppe ließ nun seinerseits den Ketzern Kelche auf die
Stirne schneiden, und endlich verglichen sich beide Theile,
daß sie weder Kreuze noch Kelche einander mehr schneiden
wollten! Ein lebhaftes Tatouiren in Deutschland. Die
Breslauer waren es zunächst, die Papst Paul II. keine
Ruhe ließen, bis er den besten König seiner Zeit, Georg
Podiebrad — absetzte! Gott sey Dank! es war der letzte
König, den ein italienischer Hohepriester des Throns ver-
lustig zu erklären wagte!

Auf dem Bürger-Werder, wo die Kaserne, der
Packhof und die Zuckersiederei ist, verdient die Eisen-
waaren-Niederlage einen Besuch, da doch die wenigsten nach Malapane reisen, wo diese Waaren vom Eisentopf
bis zum feinsten Kunstwerk gefertiget werden. Breslau ist
am lebhaftesten zur Zeit des großen Wollenmarktes,
das Pfingstfest der Breslauer, die Stadt wimmelt von
Land-Abel, Tuchmachern, Schäfern, Wollen- und Wein-
händlern. Es wurden 1823 40,000 Centner ausgeboten,
die feinste Wolle zu 125—140 Thlr.; gewöhnliche 50 Thlr.;
es waren viele Polen da, und sollen gegen zwei Millionen
Thaler Geschäfte gemacht worden seyn. Man rechnet
200,000 Stein Wolle, die jährlich auf den hiesigen Markt
kommen; rechnet man für 1 Stein Wolle 10 Schafe, so
ergibt sich eine Anzahl von 2 Millionen Schafe. Ein östreichischer Wollenhändler, mein Tischnachbar, machte das
Wortspiel: Ein Wohlhabender ist der Wollenver-
käufer, und ein Wollüstiger der Wolle sucht!
Wenn Breslau auch noch so wenig Interessantes darböte,
so bietet es doch das, was Prag, Köln, Achen ꝛc. interes-

.sant macht, und viele unserer Reichsstädte — ein ehr=
würdiges Alterthum!

Breslaus Kirchen haben viele alte Holzgemälde, die
der Vorüberziehende nur flüchtig betrachten kann, die aber
würdig sind des Studiums einheimischer Künstler oder eines
Büsching. Die Madonna in der Dominikanerkirche soll
vom Jahr 1300 seyn. Zu Breslau blühte in der Mitte
des 15. Jahrhunderts eine Malerschule, älter als die
Nürnberger, und unter Büschings Leitung ist eine Ge=
mälde=Sammlung entstanden, die mich sicher mehr interes=
sirt haben würde, wenn mich Wien und München, Prag
und Dresden nicht verwöhnt hätten. Sie besteht meist aus
den Schätzen der aufgehobenen Klöster und die Bilder
Willmanns, der sich Rubens und Rembrant nähert,
und, dessen Phantasie so unermüdet war, als sein Pinsel,
machen die Hauptzierde der Sammlung, die nicht italie=
nisch — nicht niederländisch oder französisch, aber deutsch ist.

Ein schönes Denkmal alter Kunst ist gewiß die soge=
nannte Hedwigstafel in der St. Bernhards=Kirche, ein
Altarblatt, wo die Lebensscenen der Hedwig vorgestellt sind.
Die Heilige schwärmte wie Elisabeth zu Marburg, war aber
eine Wohlthäterin Schlesiens dadurch, daß sie, eine Gräfin
von Meran, Deutsche dahin zog, und mit ihnen deutsche
Cultur; sie verwandelte die Todesstrafe in Arbeiten
an ihrem Klosterbau zu Trebnitz. Wo geschahe so etwas
im 13. Jahrhundert? Sie verdient Patronin Schlesiens zu
seyn, und leicht übersieht man ihre übrigen der Welt un=
nützen Handlungen, die sie zur Heiligen stempelten —
ihre Klosterstiftungen, Fasten, Selbstquälereien und komische
Kuttenverehrung — sie küßte die Stelle, wo Mönche saßen,
genoß die Ueberbleibsel ihrer Speisen, ging barfuß in ihre
Kirchen ꝛc., sie vernahm den Tod ihres Sohnes in der
Tatarenschlacht mit trocknem Auge und dem christlichen
Laconismus: „Es ist Gottes Wille,“ und starb 1223.
Zu St. Barbara ruht der Weißgerber Hofer, den Kaiser
Karl V. wegen der Länge seines Bartes zu sich nach

Wien beschied, und ihm erlaubte sich eine Gnade auszu=
bitten, der Weißgerber bat: „daß der ganze Magi=
strat Breslau's ihn — zu Grabe begleite," der
Mann muß ein Reichsstädter gewesen seyn!

Die St. Johannis=Kirche, oder der Dom, ist
die Haupt= und Mutterkirche auf der Oder=Insel, vom
Jahr 1170, und St. Johannes ist auch Stadtwappen. Vier
Thürme sollten sie schmücken, aber nur zwei kamen zu
Stande, und das Innere macht Eindruck, trotz der 17
Kapellen. Kostbar von Silber ist der Hochaltar mit den
beiden Johannes, dem Martyrer St. Vincent und der hei=
ligen Hedwig, an hohen Festen wird auch der Zeigefinger
des Täufers der Andacht ausgestellt, mit dem er auf
Jesum zeigte: „Siehe das ist Gottes Lamm!" Der
Zeigefinger Herzogs Bernhards zu Weimer zeigte auf Dinge,
die keine Lämmer waren. Willmanns Gemälde scheinen
mir denen nicht gleich zu kommen, die in der Nicolaikirche
die Scenen aus dem Leben Jesu darstellen. In der Eli=
sabeth=Kapelle sind die Wunder dieser Heiligen in 12
Gemälden neben ihrem Monument in Marmor trefflich
abgebildet, schön die Bildsäulen Moses und Arons in der
sogenannten Kurfürsten=Kapelle, und am Grabe des
Stifters sind die vier letzten Dinge zu sehen: der
Tod und zwei Kinder mit Todtenschädeln und Sanduhr —
das jüngste Gericht, ein Kind bläst die Auferstehungs=
Trompete, und das andere deckt eine Urne auf — der
Himmel, ein Kind liebkoset ein Lamm, und ein anderes
hält eine Sternenkrone — die Hölle, ein Kind hält ein
aufgeschlagenes Sündenregister, und das zweite — einen
Bock!

Auf dem Sand, wie jene Oder=Insel heißt, steht
auch die Kirche Unserer lieben Frau, oder das Sand=
stift, dessen Geistliche ehemals auf dem Zobtenberge wohn=
ten, wo es ihnen aber zu kalt war. Unter den vielen
Geschenken, die ihnen Heinrich der Bärtige machte, kommen
auch vier boves immortales (eisernes Vieh) vor. Die

Kirche der Kreuzherren mit dem rothen Sterne, die den sechseckigten Stern zum Andenken ihres Großmeisters von Sternberg wählten, (was die Familie übel nahm, und ihren Stern achteckigt machte!) hat ein schönes Ansehen, noch mehr aber die vormalige Jesuiter-Kirche. Man erblickt hier ihre Ordensheilige, die Jesum anbeten, aber nicht ohne einiges Halswehe, denn Rottmayer hat sie al fresco an den Plafond gemalt. In St. Adalbetts- oder der Dominikaner-Kirche hatte ich die Ehre einen mir unbekannten Heiligen kennen zu lernen, St. Ceslaus, der die Tataren von Breslau hinweggebetet und die — tatarischen Bomben mit seinem Mantel aufgefangen hat, mit demselben Mantel, auf welchem er über die Oder setzte. Die Schlesier schienen mir doch weniger bigott, als die Böhmen, ein neuer Beweis ist die dem Fürstbischof übergebene Supplik um bessere Gesänge und Liturgie, mehr Rücksicht auf Predigt als Messe, deutsche Sprache rc. und so wird wohl am Stephanstage, zum Andenken der Steinigung, die Gemeinde sich nicht mehr — mit Hafer werfen (freilich ein Accidenz des Kirchners), um eine gute Haferärnte herbeizuführen.

Unter den evangelischen Kirchen ist St. Elisabeth die Erste, der Thurm hatte mit der Spitze 402′, diese warf aber ein Sturm so glücklich herab, daß der Sturz bloß ein Dach und eine Katze kostete. Es ist ein imposantes Gebäude, dessen Hochaltar ein Abendmahl von Willmann schmückt. Lange unterhielt mich ein altes Grabmahl, wo das Gesicht Hesekiels vorgestellt ist, wie das mit Gebeinen angefüllte Todten-Gefilde lebendig wird. Ein ächter protestantischer Hildebrand muß der an dieser Kirche gestandene Prediger Musäus gewesen seyn, der eher sein Amt niederlegte (1557) als die Veränderung: „Erhalt uns Herr bei deinem Wort, und steuer des Papstes- und Türken-Mord — in des Teufels- und der Türken-Mord zugab in einer doch halbkatholischen Stadt — Kein Wunder! wenn denn wieder ein Dominikaner auf der Kanzel rief:

„Wollt Ihr einen lutherischen Prädicanten sehen? hier! ein schwarzer Pudel sprang in die Höhe mit einem weißen Papierkragen!"

Merkwürdig bleibt zu Breslau Friedrichs Einzug und Huldigungs-Akt. Er gab große Tafel, eröffnete selbst den Ball, und einige Menuets des damals noch galanten Königs kosteten Marien Theresien, so viele Vasallen, als seine Waffen; auf dem großen Ring ließ er auch Geld unter das Volk werfen. Friedrich soll eben so zierlich getanzt, als die Flöte gespielet und zu Breslau alle Damen bezaubert haben — den Helden Preußens tanzend kann man sich kaum vorstellen. Weniger galant benahm er sich bei der Huldigung, kam zwar mit acht Pferden von Reiffe, setzte sich aber auf den Thron in seiner abgetragenen Uniform und ganz nachlässigen Frisur, Minister Podewills hielt eine Rede an die versammelten Fürsten, Prälaten und Abgeordnete, Schwerin stand zur Seite des Königs, hatte aber das Reichsschwert vergessen, und so nahm Friedrich, wie dorten Rudolph I. das Kreuz, seinen Degen, und Schwerin ließ die Versammelten den Degenknopf küssen — ein Lebehoch erschallte, der König zog den Hut, bestieg wieder seinen Wagen, schlug aber das Geschenk von 100,000 Thaler großmüthig aus. Weit galanter aber waren seine Offiziere, die zu Breslau blieben — the sex is ever to a Soldier kind *)!

Die Belagerung Laudons 1760 war schrecklicher, als die letzte von 1806. Die Besatzung von 5000 Mann, hatte lange gestritten, ob man sich vertheidigen solle und könne? der Feind erschien im November — die Vorstädte waren abgebrannt — das Bombardement begann, Thiele capitulirte nicht eher, als im Januar wo an keinen Entsatz mehr zu denken war. Dieser Belagerung verdankt Breslau seine gegenwärtige schönere Gestalt, die Promenaden statt der finstern Wälle, und den Platz, der mein Lieblings-Platz wurde, auf der Taschen-Bastion, wo

---

*) Immer sind die Weiber den Soldaten hold.

man den Zobtenberg erblickt, und die ganze Kette der Su-
deten bis zur Eule. Die Parade der Landwehr zur Feier
der Schlacht von Belle Alliance verdarb der Regen — der
Commandirende hielt eine kleine Rede, und rief dreimal:
„Es lebe der König!" und dreimal erschallte durch die
Glieder Hurräh! Sind die Preußen oder Bei-Russen
(Po-russii) ganz — Russen geworden, und klingt das
deutsche Hoch nicht eben so voll?

Breslau hat seit 1811 auch eine Universität mit
etwa 600 Studirenden. Die Bibliothek, der Wachler vor-
stehet, ist durch die vielen Klosterbibliotheken verstärkt, und
da man Lektüre und geistige Bildung liebt, so ist die Universität besser hier als zu Frankfurt. Das Gymnasium
in dem prächtigen Jesuiter-Colleg an der Oderbrücke war
stets gut, und mit ausgezeichneten Lehrern versehen, wie
Manso, Fülleborn, Schumel ꝛc. obgleich vielleicht Hermes
durch seine Romane bekannter ist als alle Gelehrte Breslaus; Sophiens Reisen stifteten gewiß, wenn sie
gleich jetzt bestaubt stehen, wie Pamela und Grandison,
vor vielen neuern Romanen Gutes, wo man auch gar oft
an die 1001 Nacht denken muß „Dinazarde, meine
Schwester! schläfst du?" Ausgezeichnet war auch
Rector Arletius († 1784) der Bibliothek und Vermögen
der Schule vermachte, und durch seine Unterredungen mit
Friedrich bewirkte, daß man wieder auf Griechisch und
Latein drang; er prophezeihte eine schöngeistliche
Barbarei bei weiterer Vernachläßigung alter Sprachen,
und Minister Zedlitz selbst nahm griechische Stunden
bei Engel!

Dieser Rektor Arletius war das Muster eines deutschen
Pedanten, und wenn ihn Friedrich, so oft er nach Breslau
kam, stets rufen ließ, so verdankte er diese Gnade sicher
lediglich dem Spottgeist des Königs, der in ihm den deutschen Gelehrten fand, bekannt mit allen Büchern, nur
nicht mit der Welt. Friedrich kannte einen dunkeln Namen aus Preußens Vorgeschichte nicht, und Arletius sagte

ihm: „Und doch haben Ew. Majestät die Memoires de Brandenbourg geschrieben?" er tadelte das auf den Münzen weggelassene **Dei Gratia** *)! „Steht es denn auf den Münzen der Griechen und Römer? „Ja! das waren nur Heiden" — er überführte den König mit Stellen aus dessen Gedichten, daß er nicht an Unsterblichkeit glaube, und beantwortete die Frage: Ob er gewiß noch ein keuscher Junggesell sey? mit einem zornigen Ja! Ein angesehener Geistlicher hat sich von ihm die Evangelia apocripha aus — Arletius schrieb zurück „es müsse apocrypha geschrieben werden" und dann erst auf ein zweites richtiger geschriebenes Billet schickte er sie. Der Kronprinz selbst erhielt den Froissart nur gegen Revers solchen zurückzusenden sine maculis et rasuris!**)

In der St. Christophs-Kirche wird polnisch gepredigt, und auf dem Gymnasium Unterricht im Polnischen ertheilt. Es wäre zu wünschen, daß von Schlesien aus Deutschland mit der nicht ganz zu verachtenden polnischen Literatur bekannter würde, da wir doch einmal Großhändler in diesem Fache sind. Wer polnisch, böhmisch oder wendisch versteht, lernt leicht Russisch, was sicher in dreißig Jahren zu verstehen gut seyn wird, und das Gebildete wahrscheinlich auch so gut, als jetzt englisch verstehen werden, das vor dreißig Jahren auch noch selten war. In dem alten Breslau mag noch mancher literarische Schatz versteckt seyn, wie auf der Rhedingenschen Bibliothek zu St. Elisabeth die Chronik Froissarts in vier Folianten, die ²/₅ mehr enthalten, als die gedruckten Ausgaben, vorzüglich in Ansehung des Templer-Ordens. Man hat die Handschriften der alten Klassiker wahrlich lange genug durchgemustert, der zu Gunsten Frankreichs castrirte Froissart und ähnliche Werke dürften wohl an die Reihe kommen. Wer übrigens sich für diesen Autor nicht inte-

---

*) Von Gottes Gnaden.
**) Ohne Flecken und Risse.

ressirt, und bei dem quid juvat aspectus *) nicht auch
sogleich an den.Nachsatz denkt, kann sich die Schachteln
öffnen lassen, worin die schönsten Damen vom Hofe Heinrichs II., III., Franz II. und Carls XI. liegen in Wachs-
bildnissen.

Die National-Tracht der Schlesierinnen
(Schließerin), die Casquets vom schwarzen Sammet nicht
so geschmackvoll als die Goldhäubchen der Oestreicherinnen,
sieht man zu Breslau wenig mehr, indessen läßt die weit
in die Mitte der Stirne hereinlaufende Hauben-Spitze
—.die altschwäbische Tracht — gar nicht übel. Ich habe
gerichtliche Anschläge in polnischer und deutscher Sprache
gesehen, aber doch hört man diesseits der Oder nur wenig
Polnisch, jenseits aber ist die Kenntniß desselben so nützlich, als Böhmisch in Böhmen. Wenn man sich auch die
nothwendigsten Wörter aufschreibt, wie Zöllner that, und
dann auf polnisch fragt: „wie heißt der Ort?" so muß
man wieder wissen, ob der Polake den Namen nennt,
oder auf gut nordisch sein gewöhnliches „Ja sam nieviem"
von sich gibt, d. h. ich weiß es selbst nicht! Es war
Junius, und doch sahe ich überall Pelzkragen an den
Mänteln, was an die Nähe Polens erinnert, und auch an
unsere Dorfjugend, der selbst Sommer-Johanni die Pelz-
mütze nicht vom Schädel bringt!

Unter der Menge Caffeehäuser, die mit den Kuchen-
beckern in allen Straßen wetteifern, und wo natürlich
der Liqueur nie fehlt, war mir die Krone durch ihre
Lage am Markte, an der Ecke der Ohlauer-Straße das
liebste. Ueber einer Bade-Anstalt steht: Lava, bibe, con-
valesces, **) und an einem schönen Friedhofe: „Mors
ultima linea rerum ***) — hier ruhen edle
tapfere Krieger." Mit Neukes Wegweiser lief

---

*) Was nützt uns das bloße Ansehen.
**) Bade und trinke, dann wirst du gesund.
***) Der Tod ist das Ende aller Dinge.

ich nach dem ziemlich entfernten Weidendamm, wo in einem Kaffeehause eine schöne naturhistorische Sammlung zu sehen seyn sollte, aber selbst das Kaffee war nicht mehr. Breslau muß doch weniger als andere große Städte von Reisenden, die nicht gerade Kaufleute sind, besucht werden, da es keinen neuern Wegweiser gab als Menke vom Jahr 1809, und dieß mag auch der Grund seyn, daß es in der großen Stadt kein einziges so recht schönes Gasthaus gibt; (jetzt ist Nösselts Breslau erschienen, wo aber der Plan der Stadt nicht fehlen sollte.) Zu einer Entschädigung begegneten mir auf dem Rückwege einige Juden mit so patriarchalischen Bärten, daß sich die stattlichen Bärte orientalischer Diplomaten, die ich sahe, verkriechen müssen, und aus allen Judenbärten Würtembergs keine solche Partriarchen-Bärte zusammen zu setzen wären!

Eigene Wegweiser in der alten Stadt sind die altmodischen Wahrzeichen der Häuser, und wenn ich einmal den weißen Löwen hatte, so war ich orientirt. Man findet Löwen und Bären von allen Farben, und so auch Hirsche und Hunde, goldene, weiße, rothe, grüne, blaue und braune — neben einem Damhirschel — Hund mit der Jungfer, Bären auf der Orgel, und Krebse aller Art, Polaken zwei bis drei, goldene, grüne und rothe, Rosse von noch mehr Farben, und dazu noch ein fliegendes, und ein angeschirrtes. Es gibt auch ein Flederwischgäßchen, Kuchelzipfel, Katzelkunst, und Sieh dich für, einen Venusberg und Wanzengäßchen, in der Reifergasse ist der Goldene Friede zu finden, und die Sandgasse endet mit dem letzten Heller, mit dem gar viele erst Friede geben!

Das unansehnliche Theater in der zweiten Stadt Preußens fällt auf, desto besser waren die Schauspieler und in und nach dem Theater trieb Venus vulgivaga lange nicht so handgreiflich ihr Spiel, als in Böhmen — nicht einmal mit der douce violence *) der Pariserin,

---

*) Mit dem sanften Nöthigen.

sondern mit einem höflichen Flüstern: „Wollen Sie mit-
kommen?" Schön! Im Theater ließen sich nur Wenige
etwas geben — kaum Kuchen, während man zu Wien
und Prag nicht genug Gefrornes und Würstel bringen
kann. Das böhmische wiederholte „Ja Ja Ja!" geht
tief nach Schlesien hinein, aber nicht die böhmische Küche
und Wohlfeilheit. Ueberall findet man zwar obrigkeit-
liche Taxe und die Warnung, daß für jeden zu viel ge-
forderten Groschen Ein Thaler Strafe folgen würde,
(verdiente Nachahmung da, wo man nicht um Groschen,
sondern um Gulden geprellt wird) aber man zahlt nun
obrigkeitlich hoch. Zu Breslau zahlte ich für ein finsteres
Loch (es war Wolkenmarkt und ich ließ es mir gefallen)
mit uralten Mobilien, und der Aussicht auf des Nachbarn
Dach, wo ich bei lichtem Tage das Schlüsselloch zu diesem
Loche suchen mußte, täglich 15 gr. — für den Tisch, der
bei uns für 24 kr. besser ist, auch 15 gr., und das Desert
bestand stets in Butter und Käse — nicht einmal Kirschen, da es doch Kirschen-Zeit war — und zum Beschluß
täglich 1 gr. für Licht, da ich doch die ganze Woche über
kein halbes gebraucht hatte. Im Süden hat man bei
Einem Gulden Tisch Auswahl, hier 3—4 Schüsseln,
und nie habe ich im ganzen Norden die Frage des Wirths
vernommen: „Was essen Sie gerne?" was natürlich
auch da, wo keine Auswahl ist, eine höchst überflüssige
Frage wäre.

Schön ist das nun eben nicht, indessen machte mich
doch der Mißbrauch dieses schlesischen Schlagwortes einmal
laut auflachen, da ich den Schlüssel zum Abtritt
verlangte. Das Mädchen fragte ganz ästhetisch. „Fürs
Ganze?" und auf mein Ja Ja gab sie mir den Schlüssel mit dem Worte Schön! Man glaubt unter Griechen zu seyn, die selbst für das moralisch Gute kein
andres Wort hatten als ihr καλόν Schön! Auf dem
Lande hörte ich wieder „Wünsch wohl gespeist zu
haben" und die Wirthin einer kleinen benachbarten Stadt,

sehr redselig und recht gescheit, sprach nie anders mit mir,
als ihren Arm auf dem meinigen und immer Mein
Bester! Glücklicherweise war sie schon 75 Jahre. Die
Schlesier sind höfliche, gebildete Leute, das gesellige Leben
höchst angenehm zu Breslau, mir schien sogar selbst die
Sprache reiner als zu Berlin. Wie kömmt es doch, daß
man in keinem Gasthause Schlesiens die so bequeme Klin-
gel oder Hausglocke kennt? Selbst in Schlesien und
im übrigen Norden-ohnehin lernt der Reichsländer erst die
volle Bedeutung des Worts Aus dem Reiche — Feli-
ces si bona sua norint *).

In und um Breslau sind viele Gärten, wo sich die
Leute frugal und einfach belustigen. Ihre Mäßigkeit ver-
kündet, daß es ihnen mehr um Gottes freie Luft und Bewegung zu thun ist, als um Essen und Trinken, und daß
sie nur ihrem engen und finstern Kerker und der Stadt-
luft entfliehen wollen. Der Gärten in den Vorstädten
sind gar viele, ich habe nur Liebich Garten, und das
Wäldchen vor dem Oderthore gegen Oswitz, das Buchhändler Korn gehört, kennen lernen. Die besuchtesten
Dörfer sind Pöpelwitz, Oswitz, Schleiwitz, Brote, Treschen,
Grüneiche zc. das drei Meilen entlegene Bad Skarsine
wird wenig mehr besucht, man zieht mit Recht die Bäder
der Sudeten vor, und den herrlichen Park des Ministers
Grafen Hoym zu Dyrenfurt. Nach Trebnitz, einem
reichen adelichen Damenstift, das aus dem frommen Nonnenkloster der heiligen Hedwig hervorging, wird noch zum
Grabe der Heiligen gewallfahrtet, einer Heiligen im höhern
Style, die sich auch um die Welt und das Wohl der Schlesier kümmerte. Am besuchtesten fand ich das nahe Scheid-
nig — eine herrliche Anlage des Fürsten Hohenlohe, die
zwar jetzt einem Banquier gehört, der nicht so liberal
scheint, als der Fürst, aber immer noch Fürsten-Garten
heißt.

*) Wohl euch, wenn ihr nur alle Vorzüge eures Landes
kennen würdet.

Dieſer ſchöne Park liegt jenſeits der Oder, und eine
Pappel-Allee führt über Fiſcherau dahin; im Ganzen ſcheint
er vernachläßigt, hat aber immer noch ſchöne Partieen.
Im vormaligen Orangerie-Gebäude war viel beau monde,
man trank aus kleinen Flaſchen — Stettiner Bier,
was ich anfangs für fremden theuern Wein anſahe.
Hier hängt das Bild eines 105 Jahre alten Bettlers, den
der Fürſt abmalen ließ. In einem hübſchen Eichen-Wäld-
chen ſteht eine Trajans-Säule mit dem Standbilde Friedrich Wilhelm II. von Holz, bei deſſen Renovatur man
viel wilden Honig fand — aber in der Reiterſtatue
des großen Königs, leider! nur von Gyps, wo ein losge-
wordener Stiefel, mit Bindfaden an das Piſtolenhulfter
feſtgemacht war — niſteten Sperlinge! Sperlingen und
Bienen kann man nicht zumuthen, daß ſie die preußiſche Geſchichte kennen, ſonſt wäre wohl der Fall umgekehrt!

Zweiundzwanzigſter Brief.

Schleſien.

Mein erſter Ausflug von Breslau war nach Kriblowitz — Kriblowitz? Und Sie kennen den Namen nicht,
wo Marſchall Vorwärts auf ſeinen Lorbeeren ruhte,
wie jetzt ſeine ſterbliche Hülle? Der hochverdiente Greis,
der in den Jahren, wo andere nicht mehr vom Ofen hinweg-
zubringen ſind, Napoleon ſchlug, ruhet hier nach ſeinem
Verlangen, unter Gottes Zelt, unter drei Linden an der
Straße, die von Kriblowitz nach Kanth ziehet. Hier ſtarb
er am 12. September 1819, alt 77 Jahr, und neben ſeinem Grabmahl ſteht ein Häuschen für zwei Invaliden.
Der König beſuchte ihn noch auf ſeinen letzten Kranken-

lager, und Graf Nostiz, sein Adjutant, der ihn auch in der Schlacht von Ligny unter dem todtgeschossenen Pferde hervorzog und rettete, empfing seinen letzten Segen: „No= stiz! Sie haben vieles von mir gelernt, lernen Sie nun auch von mir ruhig sterben." Deutschland ehret das Andenken Blüchers, und das Lichtkleid des Nach= ruhms umglänzt seinen Namen bei allen gebildeten Völkern der Erde!

Blücher, der Husaren = Lieutenant aus Friedrichs Schule, der den corsischen Lieutenant zwang vom Kaiser= thron herabzusteigen, war nicht blos Königlich Preußischer Feld=Marschall und Fürst — Er war mehr, Feld=Mar= schall des Volkskrieges, denn er war Mann des Volks oder der Nation. Scharnhorst stand ihm zur Seite, erfahren und besonnen im Rathe, Blücher kühn und entschlossen zur That. Ohne Blüchers eisernes Vor= wärts wären vielleicht die Alliirten nie nach Paris ge= kommen, oft mag ihn die nationelle Langsamkeit der Oestreicher in Wuth gesetzt haben — wie früher Wurmser — ohne Studium, durch Kühnheit und Zorn verdunkelte er weit gebildetere Generale, (selbst seine Unkenntniß der französischen Weltsprache war oft nützlich) und erinnert an Luther — kühn wie Luther schritt er Vorwärts, vergaß aber seines Melanchthon nicht, da man ihn zu Orford zum Doktor machte: „So müßt ihr Gneisenau wenigstens zum Apotheker ma= chen, denn der hat meine Pillen gedreht! Ohne Blüchers Natursinn für das Vergeltungsrecht hätte man die eiteln Franzen vielleicht zum zweitenmal wieder eben so süße behandelt, als das Erstemal! Jetzt riefen sie: Ah! ils sont mauvais ces Prussiens *)! und Gott gebe, daß sie bald rufen mögen Ah! ils sont mauvais ces Allemands **)!

---

*) Oh es sind schlimme Leute diese Preußen!
**) O es sind schlimme Leute, diese Deutsche!

Liegnitz, eine Stadt von 8000 Seelen heißt Klein
Breslau, und hat schönere Umgebungen als die Haupt=
stadt, treffliche Linden, Kastanien= und Maulbcerbäume
auf den Wällen, viele Fabriken, und ihr Gemüse gilt
für das Beste in Schlesien. Noch liegt das alte von Bo=
geslaus erbaute Schloß, und das prächtige Gebäude der
Ritter=Akademie erneuert das Andenken an Flögel,
Schummel, Schmidt, und den trefflichen Finanz=Mi=
nister v. Struensee, der hier Professor der Militärwis=
senschaften war; manche dem Staate heilsame Idee hätte
dieser Mann durchsetzen mögen, wenn er in adelichen Stie=
feln und Sporen aufgetreten wäre, und nicht in bürgerli=
chen Schuhen und Strümpfen! Hier ruht auch der Epi=
grammatist Logau. Liegnitz ist eine der freundlichsten Städte
Schlesiens, die Erste nach Breslau, an der Katzbach, der
Markt schön, auf dem Rathhause ist ein alter Waffen=
saal, genannt der schwarze Saal, und so könnte
man die ganze Gegend die schwarze Gegend nennen,
da hier so viele Schlachten tobten. Der letzte Herzog
von Liegnitz († 1675) war der letzte der Piasten, die
von 775 an bis dahin blühten, Polen 24 Könige gaben, und
Schlesien mehr als zuviel — 125 kleine Herzoge!

Zwischen Liegnitz und Jauer und in ihrer Nähe tobte
die große Tatarenschlacht 1241, und die barbarischen
Bogenschützen bekamen Respekt vor der eisernen abendlän=
dischen Ritterschaft — worunter aber kein Teutsch=Ordens=
Heer war, wie man bisher Dlugoß nachsprach, denn dieses
hatte noch zuviel mit den Preußen zu thun. Auf dieser
Stelle wurde das Kloster Wahlstadt gebaut, das an
Schönheit mit Grüssau wetteifert. In der Nähe tobte
die Schlacht von Hohen=Friedberg oder Strigau — die
Schlacht von Leutthen oder Lissa, das Meisterstück Friede=
richs, wobei Guibert ganz begeistert ein neues Wort machte,
und von Surhabileté du Roi sprach — die Schlacht
von Liegnitz, die man eine wahre Morgenschlacht
nennen kann, denn sie dauerte nur von 4—6 Uhr, wo

Dann abermals die Schäferstunde verschlief, und dann in unserer Zeit die Schlacht an der Katzbach 1813, wo sich Blücher den Titel Fürst von Wahlstadt holte. Der Abend dämmerte, als ich über die schauerlichen Gefilde des Todes fuhr — es graute mir wie Bürgers Lenore — der Mond schien hell — Hurrah! die Todten reiten schnell! ach laß sie ruh'n die Todten!

Blücher schlug mit seiner preußischen Landwehr Macdonald aufs Haupt, der hundert Kanonen und 17,000 Gefangene sitzen ließ, ohne die Todten zu rechnen. Die Reiterei entschied, denn der furchtbare Regen verhinderte das Klein-Gewehr-Feuer, und in Liegnitz hörte man gar nichts, so stürmisch war das Wetter. Die Katzbach soll Goldkörner führen — Blücher fand hier Goldkörner anderer Art. Die Alliirten waren der Uebermacht bei Grosgörschen und Bunzlau gewichen, aber mit Muth und Ordnung bei gleicher Macht hätten sie wohl gesiegt, denn die moralische Kraft, die bei den Franzosen so große Dinge gethan hatte, war jetzt zu den Alliirten übergegangen: die Früchte des Sieges, wie Arimann Napoleon die Todten und Gefangenen zu nennen geruhte, waren vollkommen gleich. Der Husaren-General drang jetzt aus Schlesien nach Sachsen vor, zwang die Andern zu gleicher Thätigkeit, die großen Tage naheten, und Marschall Vorwärts machte den Allgefürchteten zum General Rückwärs! Man machte hier Blücher die Meldung, daß Napoleon ihm im Rücken stehe: „Steht er mir im Rücken,“ rief er in barschem Unwillen über die ängstliche und übertriebene Meldung, so ist mirs angenehm, da kann er mich ja geradezu am — —“ Blücher wußte schwerlich viel von den Griechen, verstand aber sich eben so natürlich auszudrücken!

Zu Goldberg sind jetzt die Tuchfabriken, was die alten Goldbergwerke waren, die schon mit der Tatarenschlacht eingingen, und unweit davon liegt der berühmte Grädizberg mit der schönen Burg-Ruine, für die Graf Hochberg rühmliche Sorgfalt trägt. Zu Goldberg lebte auch ein Original, der Rektor Trotzendorf, dessen man noch oft gedenkt. Er bildete aus den ältesten Schülern einen Schulmagistrat, und redete seine Schüler stets an: „Gott grüße Euch ihr edlen Rathsherren, Räthe, Bürgermeister, Handwerker, Künstler, Kaufleute, Krämer, Büttel, Henker und Lumpenvolk," und da ihn der Schlag auf dem Catheder rührte (1556) stammelte er noch: Auditores suavissimi! avocor in aliam scholam*)! Man sieht sein Bild in der Kirche, der Brunnen, wohin er mit seinen Schülern spazieren pflegte, heißt noch 'der Trotzendorfs-Brunnen, und seine Grabschrift kann noch heute über die Gräber vieler verdienter Schullehrer, die wie Er arm und unverehligt sterben, gesetzt werden:

> Artes tradebam totius tempore vitae,
>   et quae sunt mundi praemia pauper eram**)!

Jauer an der wüthenden Neiße hat zwar seinen berühmten Linnenhandel verloren, der sich ins Gebirge gezogen hat, ist aber noch immer berühmt durch — Bratwürste. Sie vertreten zu Breslau und Berlin die Stelle der steirischen Kapaunen und böhmischen Fasanen — ich ziehe aber doch die ganz unbekannten Bratwürste von Künzelsau vor, denen es geht wie gewissen schlichten Menschen, die oft weit interessanter sind, als hochgefeierte Namen... Die alte Burg der Herzoge hat sich in ein Zuchthaus umgestaltet. Ohne die Aussicht auf die fernen Gebirge wäre der Weg von Breslau über Ohlau nach Brieg, der viel Sand zeigt, ziemlich traurig, Ohlau selbst ist ein altes kleines Nest, das aber viel Tabak baut, Bier brauet, und seinen Thiergarten und

---

*) Liebe Zuhörer, ich werde in eine andere Schule, abgerufen.

**) Wissenschaften hab' ich mein ganzes Leben gelehret! Und für Alles dieß war Armuth und Hunger mein Lohn.

braune Hufaren hat. Herzog Georg II. von Liegnitz
ließ den Weg nach Brieg pflastern, und setzte die fromme
Inschrift:

Straverunt alii nobis, nos posteritati,
Omnibus at Christus stravit ad astra viam! *)

Brieg ist eine recht heitere gut gebaute Stadt von
8000 Seelen — Dank mehreren Feuersbrünsten — hat ein
Arbeits- und Irrenhaus, und dem Gymnasium stand
Scheller vor, dessen lateinisches Wörterbuch so
viel Glück machte, daß es gewiß Tausende interessirt zu
wissen, daß Scheller zu Brieg lebte, und starb 1803. Andere mögen sich die stroherne Wurst zeigen lassen, mit
der ein alter Herzog seinen Narren zum Schein wollte
enthaupten lassen, der Narr blieb aber todt vor Schrecken,
als ob es der Schlag eines Schwerts gewesen wäre!
Die Oder-Insel, der Thier-Garten Briegs, heißt Abra-
hams-Schooß, wo es mir gefallen hat, so daß ich
wünschte, es möchte gewissen braunen Husaren und
mir selbst an dem Orte eben so gut gehen, den man eigentlich mit diesem Namen zu bezeichnen pflegt!
In der Nähe liegt Strehlen und Molwitz —
dorten sollte Friedrich durch Verrath des Baron War-
lotsch den Oestreichern in die Hände geliefert werden,
und hier debütirte bekanntlich der große König auf eine
Art, die eben nicht den Helden des siebenjährigen Krieges
versprach, daher er auch nie gern von Molwitz sprach, oder
sprechen hörte, es jedoch irgendwo seine Schule nennt.
Friedrich hätte gar wohl in der Geschichte seiner Zeit sagen
dürfen, daß er fortritt — er konnte sich nicht gefangen nehmen lassen, wie ein gemeiner Reiter — es war
die erste Schlacht, der er beiwohnte — Schwerin

---

*) Andere haben schon Wege für uns, wir für Andre gebahnet,
Aber den Himmelsweg hat, Christus für Alle gebahnt.

rieth selbst dazu, und Ferdinand ritt mit ihm —
(auf Befehl) beide Helden des siebenjährigen
Kriegs — ritten aus der ersten Schlacht hinweg!
Schwerin gewann die Schlacht, die des östreichischen
Römers Cavallerie sicher gewonnen hätte, wäre Römer
nicht gefallen, Schwerin, und die preußische Disciplin.
„Vos troupes sont belles, mais ils n'ont jamais vû le
loup*) hatte Botta dem König zu Berlin richtig bemerkt,
und der König eben so richtig erwiedert: vous les trouvez
belles, eh bien! je vous ferai voir qu'elles sont aussi
bonnes**). Ja seine Infanterie — aber seine Cavallerie
konnte sich lange nicht messen mit Römers Reitern. —
Es ist ein Mährchen, daß ein östreichischer Husar den König gefangen gemacht, aber wieder losgelassen habe, und
dieser Husar der nachherige General Werner geworden
sey — aber wahr, daß Friedrich sich von den flüchtenden
Truppen mit fortreißen ließ. Keiner verzweifle demnach,
wenn es nicht gleich das Erstemal gehen will! und kein
Gelehrter, wenn er sich auch aus einem neuen Unterfutter
nichts macht — wohne einer Schlacht bei, wenn er nicht
von Husaren auf dem Baume gefangen werden will,
wie Maupertuis — nicht Allen wird es so gut, wie
Eggers in der Schlacht von Zürich. Wissen wir nicht,
daß schon Demosthenes ein größerer Held im Sprechen, als im Fechten war, und fliehend selbst seinen
Schild wegwarf, trotz der darauf stehenden goldenen Devise:
ἀγαθῆ τύχη?" (Glück auf!)

In dem weiter hinliegenden Fürstenthum Oppeln hat
die Regierung neuerer Zeit ungemein viel für Cultur, für
Berg- und Hüttenwerke, Fabriken ꝛc. gethan, und Colo-
nisten-Dörfer angelegt, die auf den gewöhnlichen Karten

---

*) Euer Majestät Truppen sind schön, aber sie haben noch
kein Pulver gerochen.

**) Ihr findet sie schön, nun ich will euch zeigen, daß sie auch
gut sind.

noch gar nicht zu finden, und nach Ministern und Generalen benannt sind. Die Eisenwerke zu Malapane,
Gleiwitz und Crenzburg verdienen gesehen zu werden;
und liefern die schönsten Kunstwerke aus Gußeisen;
neben Ofen, Gitterwerke, Brücken und Thore 2c. trotz den
Britten. Ich bin nicht dahin gekommen, und auch nicht
nach der Bergstadt Tarnowitz, dem Hauptsitz des Be-
triebs der Bergwerke. Man wird wohl 10,000 Bergleute
ohne die Fuhrleute annehmen dürfen, den Hauptgewinn
gibt der Zink und das Eisen, und die ungemein ergiebigen Kohlenwerke nebst Holz-Ueberfluß unterstützen die
Anlagen bestens. Am Hospital zu Oppeln steht eine Inschrift, die sich andere Hospitäler aneignen sollten:

Da Tua, dum Tua sunt, post mortem nulla potestas
Dandi, si dederis, non peritura dabis *).

Tarnowitz liegt ganz nahe an der Gränze, zwölf Meilen
von der neuesten Republik Cracau, die ich gar zu gerne
besucht hätte, so wie die Salzwerke von Wieliczka, die
jährlich gegen 800,000 Centner Salz liefern.— Non omnia
possumus omnes **).— Mächtig gelüstete es mich, jenes
Ueberbleibsel Polens zu sehen, das der edle Koscinsko
— ein zweiter Phocion — wieder herstellen wollte, aber gleich
Brutus vergeblich kämpfte gegen das unerbittliche Schicksal.
Der letzte Pole ruhet hier in der Gruft der alten
Könige, wo auch Casimir und Sobieski ruhen, und hat
ein schönes Denkmal auf der die Weichsel beherrschenden
Anhöhe Bronislawa. Cracow ist der einzige Freistaat, der
keine Schulden auf sich hat, und zu einer Zeit entstand,
wo große und kleine Republiken abgeschafft wurden — ich
konnte nicht dahin gelangen, und tröstete mich mit dem

---

*) Gib von dem Deinigen, so lange es dein ist, nach dem
   Tode kann Niemand mehr geben, gibst du jetzt, so ver-
   dienst du dir bleibenden Dank.
**) Jeder kann nicht Alles.

Gedanken an die Polaken-Wirthschaft, wovon ich
schon mehr als zu viel Vorschmack erhalten hatte; jetzt,
wo Preußen weniger Einfluß auf Polen hat, werden wohl
noch Jahrhunderte vergehen, ehe die Schimpfnamen Polak
und Deutscher vergehen werden! Das verfluchte Niemieo
lautet fast wie Niemand, verächtlicher als der Franzosen
Allémand!

Oberschlesien, schon ist gegen Niederschlesien ein
halbes Säberien — schlechterer Boden, schlechtere Bauart,
jämmerliche Cultur der Erde und der Menschen. Hier
herrscht noch, wenn es nicht zu intolerant klingt, der
schroffendste Catholicismus, und Kapellan, Gnaden-
bilder, Herr-Gotte und Kreuze sind nicht zu zählen;
Annaberg ist der Haupt-Wallfahrts-Ort. Es ist schwer
zu sagen, was schlimmer ist, die Faulheit und Stu-
pidität des oberschlesischen Polaken, oder die blinde
Bigotterie des Troppauers, Teschner- und Jägerndorfer
Nachbars unter Oestreichs Scepter! Wenn man nicht selbst
schweinischer oder jüdischer Natur ist, ekelt man aus
diesen Gegenden der Unsauberkeit, der Armuth und des
Aberglaubens, wo der kleine Funke Vernunft vollends ersäuft wird im Branntwein, und das Schwein wahrlich
reinlicher ist als der Mensch in seinem Schafspelz, bevöl-
kertem Weichselzopf, mit seiner nie gewaschenen Schüssel
voll Sauerkohl, geschmelzt mit Leinöl, und Tellern, die zur
nachfolgenden Schüssel rein geleckt werden vom Haus-
hunde!

Unter diesen Polaky überzeugt man sich, daß Meiners doch Recht haben dürfte mit seiner verlachten Behauptung: „die slavische Nation ist eine unedlere
Menschen-Rasse, als die germanische,“ wenn man
auch keine festgemachten Bänke um die Oefen sähe,
worin der Philosoph auch ein Merkmal findet. Gott bewahre mich vor dem Grüße dieser Halbmenschen: Poch-
waloni Jesus Christ (Gelobt sey Jesus Christ), und vor
ihrem: Upadam do nóg (ich falle zu Füßen), was mehr

als unser unterthänig und gehorsam sagen will,
denn die Slaven fallen wirklich zu Füßen, und küssen, wo
nicht die Füße, doch die Hände in einer solchen hündischen
Demuth, daß sie allerdings eines Trittes vor den Hintern
würdig sind. Und dennoch belebt sie ein ungemeiner Nationalstolz, sie schlagen sich beleidigt vor einem Fremden vor die Brust: ja jedem Polak, „ich bin ein Pole"
— sie hassen den ungarischen Nachbar und nennen
ihn Windbeutel, und die Ungarn wieder Alles, was
schlecht ist — polnisch! In diesen polnischen Gegenden
ist es gut, wenn man so leicht zu befriedigen ist, als Napoleons Franzosen, die einst in Polen, da ihr petit B....
die Fronte heraufritt, Gleba! Gleba! (Brod) riefen — Er
rief Niema! Niema! (es gibt keines), und selbst die Hung-
rigsten lachten! Ich lachte in Oberschlesien, indem ich an
die philosophischen Gesetzgeber Polens, an Rousseau
und Mably dachte, — die Polen gar nicht kannten! Alexander hat Polen besser geordnet, und man hätte Unrecht
jetzt noch bei Unordnung zu sagen: „da geht es polnisch zu," man spricht jetzt besser: „da geht es spanisch — — — her!"

Mit Slawenschitz, nicht sehr entfernt von der Veste
Kosel, hatte ich in Oberschlesien genug gesehen, genug
polnisch sprechen hören, und genug polnische Dinge erlebt;
man befindet sich höchst unbehaglich, selbst wenn man weder schlechte Kerls, noch hungrige Wölfe, noch die kleinen
sechsfüßigen Thierchen fürchtet, deren Vaterland Polen ist,
euphemisch Haarkletterer genannt. Slawenschitz liegt
mitten in schönen Wäldern, mit einem alten Schloß, noch
vom General Flemming erbaut, berüchtigt durch Geister-
spuck, und in einem ächt englischen Park, der in dieser
Polaken-Gegend doppelt überrascht. Es sind hier Eisenhämmer, eine Löffelfabrik, und zu Jacobswalde,
zwei Stunden davon, eine berühmte Messingfabrik — die
jährlich gegen 1000 Centner Messing meist nach Polen ab-
setzen soll. Zu Slawenschitz verlebte der edle Fürst Hohen-

lobe den Abend seiner Tage, nach den traurigen Auftritten von Jena und Prenzlau, und nach Mediatisirung seines Stammlandes; er hatte glänzende Epochen gehabt, sich
auch gezeigt in den Feldzügen von 1793—94 — Glanz geliebt, mehr als gut war — seine geliebten Preußen zeigten
sich wieder als die Helden Friedrichs 1812—15, und Er
war nicht dabei! — Es mag ihm schwer geworden seyn
die Einsamkeit von Slawenschitz, wenn Er es gleich in einen
Lust-Park umzuwandeln wußte. Hohenlohe war Fürst —
was vielleicht dem General Eintrag that — aber ein
Mann von Geist, edlem Charakter, und ächt preußischem
Patriotismus, der ausgezeichnetste Mann seines berühmten
Hauses. — Er fiel, wie Mack, aber unter Umständen, die
weit mehr für ihn zu sprechen scheinen, die Nachwelt wird
zweifelsohne milder richten. Er starb 1818, und sein
Sohn hat ihm ein Denkmal errichtet. Auf der deutschen
Seite der Oder liegen Krappitz und Rogau, die Güter des
Grafen von Haugwitz, der als Cabinets-Minister sich viel
Böses mußte nachsagen lassen, obgleich Lavater in seiner
Physiognomie einen Christuskopf erblickte! Unrecht geschieht
ihm aber nicht, wenn die denkende Welt sagte: „Er war
kein Herzberg und kein Hardenberg!"

Von Breslau oder der Oder hat man nur 15 Meilen
an Polens Gränze, dem traurigen Ueberreste des einst so
mächtigen Staates der Sarmaten und Jagellonen, herab-
gesunken zu 3½ Millionen Menschen, und nun Theil Rußlands; — der übermächtige Coloß, der noch vor hundert
Jahren mehr Asien als Europa angehörte, ist uns nahe
genug gerückt, hier aber auch seine verwundbarste Seite,
die Füße des Achilles. Von hier aus können Reisende,
die Gebirge scheuen und Blachfeld lieben, eine Reise von
260 Meilen über Warschau nach der prächtigen Peters-
stadt machen, und sicher seyn auf keinen Berg zu stoßen,
wenn nur der Wagen nicht im Sande stecken bleibt —
Stoi! as tawai! Noch schneller geht es mittelst einer
Schlittenpartie à la Napoleon. — Gospodi pomiloi! —

wobei man Ohren und Nase verlieren kann — verlor ja
selbst der Weltüberwinder und mehrere mit ihm gar den
Verstand — und seine furchtbaren Reiter die Pferde, glücklich noch, wenn sie solche im Bauch hatten! Die Sonne
von Austerlitz erlosch — die Russen sind gelehrig und
lernten aus den traurig schnellen Friedensschlüssen von
Campo Formio, Preßburg, Tilsit und Wien, daß nach
einer verlorenen Schlacht noch nicht Alles verloren, und
eine zweite glücklichern Erfolg herbeiführen könne — und
wir Deutsche lernten es endlich auch. Die kleinen polni-
nischen Pferde aber sausen am Strick dahin, wie der
Wind — der Polake nimmt auch wohl seine Mütze in den
Mund, um die Hände freier zur Peitsche zu haben —
Galopp ist Naturgang, und wenn die Pferdchen blos tra-
ben, so scheinen sie dem Polaken — auszuruhen!

Von Breslau geht es über Hundefeld, meist von
Juden bewohnt, die sich bei dem schlechtesten Wetter die
Mühe nicht verdrießen lassen, die Meile nach Breslau ab-
zulaufen, um einige Groschen zu erschachern — über Oels
nach Wartenberg, die letzte deutsche Station, das
viele Tuchfabriken hat. So polnisch jenseits der Oder auch
schon Alles ist, Ebenen, Sand und Wälder, so sind doch
noch die schlesischen Dörfer auffallend reinlicher, die Wohnungen erträglicher, die Menschen fleißiger und ein höherer
Wohlstand als im eigentlichen Polen, wo selbst Bier und
Branntwein schlechter werden, denn sie reichet der Jude.
Branntwein ist ein im ganzen Norden verehrter Abgott, indessen zeigt doch der Russe weit mehr Gemüthlichkeit als der Pole, und selbst als der Norddeutsche. Selten sauft der Russe allein, wo möglich in Gesellschaft, und
dann fallen sie brüderlich hin, um brüderlich wieder mit
einander aufzustehen, versäumen nicht in tiefster Besoffen-
heit vor einer Kirche das Kreuz zu machen, und so lange
die Vernunft nicht wiederkehrt, ist des Singens und
Küssens kein Ende. In Oberschlesien schon beginnt das
slavische oder hündische προσκυνειν (zu Fuße fallen); ja

schon in Böhmen gegen einige Erbschel; und auch bei Gebildeten, die alle Latein verstehen, und bekanntlich dabei
die Maxime beobachten: Nos Poloni non curamus quan-
titatem Syllabarum *), kann man leicht zu einem Do-
minatio vestra (Vossignoria, Ew. Gnaden) gelangen! ja,
wenn man gut Latein spricht zu einem: Vestra Domi-
natio loquitur per Phrases **)!

Oels (Olsza, Erle) ist ein artiges Städtchen, die
Hauptstadt des Herzogthums Braunschweig Oels, eine Se-
cundogenitur, die dem Bruder des jetzt regierenden Herzogs
von Braunschweig gehört, = 92,000 Einwohner mit eben
so viel Einkünften. Auf einer Anhöhe liegt das alte
Schloß nebst Park, es hat eine schöne Bibliothek und Kunst-
sammlung, das Städtchen gute Brauereien, und das nicht
sehr entfernte Namslau bedeutende Viehmärkte. In
diesen Sand-Ebenen und Kiefer-Wäldern liegt auch Carlsruhe, dem Herzog Eugen von Würtemberg gehörig, und
da vom Schlosse aus acht Alleen auslaufen in den Wald,
so nannte man es Carlsruhe. Zur Minderherrschaft Neu-
schloß gehört Wirschkowitz mit Schloß und Garten
des Grafen von Reichenbach, 1 Meile vom Städtchen Mi-
litsch, wo fast lauter Würtemberger wohnen, welche
die umliegenden Höhen in Weinberge verwandelt, und
ihr Möglichstes gethan haben, aber Neckarwein können
sie nicht nachmachen.

Zu Minkowsky drei Stunden von Namslau ruhet
Seidlitz. Hier lebte er sich und der Natur, fütterte
Nachtigallen, besorgte seine Oekonomie, und rauchte. Cu-
rius und Cincinnatus stehen über den Thüren. Die Gnade
des Königs und der Großen hielt er nicht für wesentliche
Theile seines Glücks, er mag Friedrich oft vor den Kopf
gestoßen haben, wenn dieser einen verdienten bürgerlichen Offizier einem Edelmann nachsetzte, „Ew. Maje-

---

*) Reim dich, oder ich friß dich.
**) Euer Gnaden sprechen ein gelehrtes Latein.

ſtät geben mir den Abſchied," der König folgte. Nichts
that Friedrich lieber als necken, Seidlitz ließ er unge-
neckt. Seidlitz, der Schöpfer der preußiſchen Cavallerie,
war nicht nur trefflicher Reiter, ſondern zugleich ein ſchöner
Mann, daher trugen ſich alle Reiter-Offiziere gerne à la
Seidlitz. Wenn er ans Thor kam, zog die Wache den
Schlagbaum nicht in die Höhe, ſondern tiefer, und er ſetzte
barüber, daher machte er verwegene Reiter. Früher
ſprengte er ſogar zwiſchen den Flügeln einer gehenden
Windmühle hindurch, und daher auch von der Zeughaus-
brücke Berlins leicht hinab in die Spree, als ihm Friedrich ſagte „Seidlitz hier wäre Er doch mein Gefangener" der Cornet ſchwamm als Rittmeiſter wieder
ans Land.

Seidlitz war es, der die Schlacht von Roßbach
und Zorndorf gewann, Friedrich ſelbſt ſagte „Wäre
Seidlitz nicht geweſen!" aber Andere ſagten es nach,
und ſo entſtand jene kaltſinnige Achtung, die den Großen
eigen iſt gegen die, die ſie nicht leicht entbehren können,
und doch fürchten als Nebenbuhler ihres Ruhms. Seidlitz zog ſich zurück in die Einſamkeit ſeines Minkowsky,
Nachbar Warnery beſuchte ihn ſonntäglich, ſie laſen mit
einander des letztern Hefte, und Seidlitz nannte ihn ſeinen
Kaplän, der ihm Meſſe leſe. Das Grab des Tapfern, der
ein Bischen zu geſchwinde lebte, („Die Franzoſen rächen
ſich," ſoll ihm der kauſtiſche Friedrich geſagt haben) iſt
in ſeiner geliebten Einſiedelei, unter alten Eichen, und eine
Urne bezeichnet uns: Herois F. W. L. B. de Seidliz n.
1721 † 1773 Cineres *).

Von Breslau über Schweidnitz nach dem Gebirge
kommt man am Fuße des berühmten Zobtenberges
vorüber, der wegen ſeiner Iſolirung, oder eigentlich wegen
ſeines unmerklichen Zuſammenhanges mit der Gebirgskette
höher ſcheint als er iſt, und ſeinen Standpukt gut gewählt

---

*) Die Aſche des Helden Seidlitz.

hat, um unter einem Haufen Kleiner den Großen zu
machen. Def Berg hat nur 2160', ist in zwei Stunden
erstiegen, aber dennoch der Montblanc der Breslauer, von
dem man fast ganz Schlesien übersehen soll, man
wird aber wohl auf fast einen starken Accent legen müssen. Das Städtchen Zobten, wo van der Velden, der
Romanendichter, Stadtrichter war, erfreut sich der häufigen Besuche seines Berges, den ich nicht erstieg, weil ich
meine Kräfte für das Riesengebirge und die Koppe sparen
wollte. Vor Alters stand oben die Burg des fabelhaften
Peter des Dänen, die zur Raubburg wurde, daher
man sie niederbrannte, und ein Kloster an die Stelle setzte.
Den Mönchen war es hier zu kalt, sie zogen nach Breslau,
und das Sandkloster hatte bis auf unsre Zeiten die
Benützung des holzreichen Zobten. Von jener Raubburg
kommt die Volkssage, daß die alten Raubritter noch heute
da oben sitzen müssen bis an jüngsten Tag; ein Neugieriger drang bis in ihre Höhle, grüßte sie evangelisch mit
Pax vobiscum [*]), sie brüllten aber: hic nulla pax [**])!
Den Zobtenberg ziert eine Kapelle, besser erhalten
als die auf der Schneekoppe, und wenn auch Winters
manchmal hier Wölfe sind (Fürst Hohenlohe hielt 1804
eine Wolfsjagd, und man tödtete sieben), so ist es dafür
im Sommer vorzüglich um Mariä Heimsuchung,
wo drei Tage lang der Berg von Wallfahrern nicht leer
wird, desto lustiger. In der flachen Umgegend ist der
Zobten in der That dem Auge des Reisenden ein angenehmer Ruhepunkt, er zottelt (lauft) einem überall nach,
woher auch der Name kommen soll, eher aber wohl von
dem heidnischen Freudenfeuer (Sobotska), oder von
Sobka (alter Weiberzahn), wie die muntere slavische
Sprache alle Bergspitzen zu nennen pflegt. Das Volk sieht
in ihm den besten Wetterpropheten, in den alten Weibern,

---

[*]) Friede sey mit euch.
[**]) Hier ist kein Friede.

die hier Kräuter sammeln, lauter Heren, die nur Molche und Schlangen suchen, um für das Walpurgisfest das Ding ohne Namen — zu kochen, und überall Geister, welche die größten Schätze bewachen — aber bösartig sind —

Ich, dem vor großen Schätzen graut,
Mocht keine Geister bannen,
Und zog recht gern mit heiler Haut
Und leerer Hand von dannen!

Der Wagen, der zwischen Breslau und Landshut geht, war gut, und sein preußischer Adler nicht schreckbar, denn statt der Donnerkeile führte er nur ein Posthorn. Der Schaffner, ein alter Kriegs-Kamerad, der es mit der Zeit gar nicht militärisch nahm und sich allerwärts Caffee, Schnaps und Pfeifchen schmecken ließ, war recht unterhaltend, und mir lieber als ein junger reicher Wollenhändler. Kaum saß dieser neben mir, als er schon fragte: „Sie kommen von Breslau?" — „Ja" — „Und gehen?" — „Nach Landshut." — „Werden Sie da bleiben?" — „Nein." — „Sie sind wohl Kaufmann?" — „Nein." — „Haben sonst Geschäfte?" — „Ich besuche Freunde." — „Wer sind diese, wenn ich fragen darf?" — „Fragen steht Ihnen frei, wie mir die Antwort, aber Sie scheinen mir offenbar allzuviel zu fragen." Der junge vorlaute Mann wurde nun bescheidener und zuletzt sogar dienstfertig. Solche fragsüchtige Leutchen gab es schon im Alterthum, wie uns Horaz meldet, und mein Frager war — wohl nicht von der Familie Dyers, der die Wolle und den Wollenmarkt poetisch zu behandeln suchte in seinem bekannten Lehrgedicht the Fleece — aber vermuthlich von Adel!

Wenn man sich am Zobten satt gesehen hat, rücken die Vorberge der Sudeten näher, und allerliebst zeigt sich sich der Fürstenstein auf seinem waldigen Hügel, das wieder aufgebaute Freiburg, und die Thürme von Schweidnitz, einst Hauptfestung, und 1807 von den

Franzosen geschleift; es scheint nicht, daß man die Werke
wieder herstellen werde. Schweidnitz zählte 10,000 Seelen,
jetzt wohl weniger, war aber früher so bedeutend, daß es
im vierzehnten Jahrhundert schon hier — ein Bordell
gab, Neufrankreich genannt, es gab Gesetze gegen die
Pluderhosen, die 20—30 Ellen Zeug erforderten und
im Gehen rauschten, wie Wasser über ein Mühlwehr (Breslau ließ den Schinder in solche Hosen kleiden, und so verlor sich die kostbare Mode), und Schwarzwild muß es auch
genug gegeben haben, denn der Name der Stadt kommt
von Swidna (Schwein)... Die Getreide- und Wollenmärkte sind von Bedeutung, die Handschuhe aus Zie-
genleder Stapelwaare, die durch den ganzen Norden
gehen, und das Bier hat Namen. Ich hatte alle Zeit,
mich umzusehen, denn mein Schaffner war nicht fortzu-
bringen, und ich konnte Nichts haben, als Biersuppe
und Eier — doch das Gasthaus zur Hoffnung erregte
so wenig Hoffnungen, daß ich nicht von getäuschten
Hoffnungen sprechen kann.

Zu Schweidnitz fielen mir die Keller-Gewölbe
auf, die so weit in die Straße hineingehen, daß dadurch
in der Mitte ein ordentlicher Hohlweg entsteht, durch den
zwar das Regenwasser, das aus den weit hervorspringenden
Dachrinnen strömt, desto leichter seinen Weg findet, der
aber doch ein großer Uebelstand bleibt. Der Markt ist
schön, wie mehrere Häuser, und man sieht es der alten
Stadt wohl an, daß Brand und Belagerungen sie ver-
jüngt haben. Keine Stadt wird leicht so viel Kriegs-Un-
fälle erlitten haben, als Schweidnitz, und hiezu kam noch
Religions-Druck, der kaum sogenannte Gnadenkir-
chen erlaubte, deren eine hier ist, sie durften aber nur von
Holz und Leimen seyn, und bloßen Häusern gleichen
ohne Thurm. In der schön gebauten Stadtkirche, deren
Kirchhof ehrwürdige Linden beschatten, hat der fromme
Schächer einen Altar, dessen Namen ich zuvor nicht
kannte — er hieß S. Dismas, und an dieser Kirche

stand auch Benjamin Schmolke, dessen Andachts-
Bücher so viel Glück machten, z. B. sein geistlicher Wan-
derstab des sionitischen Pilgrims, das in gebundenen Seuf-
zern mit Gott verbundene andächtige Herz rc. Er hätte
statt Benjamin — Dismas heißen sollen!

Es ist bekannt, daß Laudon diese Festung, auf die
Friedrich so viel Geld verwandte, wegnahm, Laudon dessen
Physiognomie dem König so übel gefiel, da er
sich als russischer Lieutenant um Dienste meldete, und
man kann es kaum dem König übelnehmen. Weniger bekannt ist, daß Maria Theresia über den ohne Erlaubniß
gemachten Coup ihres besten Generals, wodurch ihre Armee nach sechs Feldzügen zum Erstenmal Winterquartiere
in Schlesien beziehen konnte — Laudons, den man, wie
Marcellus, das Schwert Oestreichs nennen konnte,
während Daun und Lothringen kaum wie Fabius Maximus
der Schild heißen mögen — ungnädig war — Nach-
klang der elenden spanischen Zeit, wo Carl VI. auch dem
großen Eugen den Prozeß machen wollte wegen seines
Sieges bei Zentha, und der lächerlichen Etiquette-Zeit,
wo ein Leopold nicht wußte, ob er den König Sobiesky,
den Retter Oestreichs, stehend, sitzend oder zu Pferde empfangen sollte, mit bedecktem oder unbedecktem Haupte?
à bras ouverts meinte der gescheite Herzog von Lothringen.
Lange wird man noch zu Schweidnitz von dem Festungs-
Commandanten Haaß sprechen, dem die allgemeine Verachtung die Fenster einwarf, er ging herunter zum
Wirth: „Sie müssen hier viel Feinde haben?"—Die
Ehre, entgegnete dieser, ist allein auf Ihrer Seite!

Die Geschichte wird einst die Namen der Festungs-
Commandanten Kleist, Ingersleben, Haaß rc. nur ungerne
nennen, aber die Namen Courbière, Neumann und Herrmann mit Stolz. . . Graudenz, Kosel, Pillau sahen keine
Franzosen. Herrmann zu Pillau versammelte bei Annäherung des Feindes die Garnison, und ließ in ihre Mitte
seinen Sarg bringen. „Hier ist mein Sarg," sprach der

75jährige Greis, wer mich überlebt, lege mich hinein — ich erneure meinen Schwur, und ihr mit
mir — Preußen oder Tod!"

In der Nähe von Schweidnitz gegen Freiburg hin ist
die Mineralquelle Salzbrunn, die neuerer Zeit stark besucht wird, zumal das höchst interessante Fürstenstein
so nahe ist, und die Burg-Ruine Kynsberg, (Königsberg) an der Weistriz, zu deren Füßen das Dörfchen Ky-
nau liegt. Im Jahr 1825, wo ich hier war, zählte man
über 400 Gäste, und Krüge wurden gegen 80,000 ver-
sendet. Das Wasser soll trefflich seyn gegen Brustbeschwer-
den und Krankheiten des Unterleibes, und die Gegend ist
ohnehin — höchst romantisch. Der Fürstenstein thronet malerisch auf Felsen, rings umher von einer tiefen
Kluft umgeben; der Vorhof des Schlosses ruht gleich einer
Brücke auf Bogen, geschmückt mit Stützen, und das
Innere zieren schöne Gemälde, worunter 30 schlesische Landschaften von Reinhardt. Vom Thurme genießt man die
schönste Naturlandschaft, und allerliebst ist das enge Preis-
nitzthal, mehr als manche hochberühmte Thäler um
Dresden, mit Schweizerei, Tempeln, Denkmälern und Anlagen: gar wohl können die Kurgäste zu Salzbrunn und
Altwasser dieses Götterthal. Fürstensteins alte und
neue Burg im Geschmack der Ritterzeit, das schöne Altargemälde Tischbeins, die Reinhardts, die Bibliothek, der
Waffensaal ꝛc. sind mir lieber als der Kynast und
Hermsdorf. Auf Fürstenstein gab Graf Hochberg 1800
dem hohen Königspaar ein schönes Ritterfest, und Louise
vertheilte den Dank!

Kynsberg wurde zu den interessantesten Burgen
Schlesiens gerechnet, erbaut von Bogeslaus — aber 1789
stürzten plötzlich die Ruinen zusammen. Im siebenjährigen Kriege hauste hier die östreichische Feldschneiderei,
welche die interessantesten Urkunden zu Schneider-
Maßen zusammenschnitt, wie vielleicht lachend schon
manches Niecechen die Posthuma eines alten Oheims zu

Papilloten — und im Volke lebt die Sage, daß der Sohn
der späteren Burgbesitzer, von Eben, der täglich nach der
Schweidnitzer Schule ritt, begleitet von einer dänischen
Dogge, einst am steilen Abhange des Berges vom Pferde
stürzte — man fand ihn, einen Fuß im Bügel über dem
Abgrunde hangend, und seine Dogge hielt den Zaum des
Pferdes. Im nahen Schlosse zu Dittmannsdorf ist
das Gemälde zu sehen. Unterwegs machte mich der Schaffner auch auf einen Stein aufmerksam, auf dem ein Mönch
und Wolf im Kampfe abgebildet sind. Der Mönch vertheidigte sich mit seinem Federmesser, blieb aber todt,
und nicht weit davon verblutete auch der Wolf an den
Stichen des Mönchs!

Man nähert sich jetzt immer mehr dem Gebirge, die
Gegend wird interessanter, und wir gelangen über Reichenau
nach dem reichen und freundlichen Handels-Städtchen
Landshut von 3000 Seelen am Bober. Hier sind der
Linnenhandel und die Bleichen zu Hause, und der
Fremdling gefällt sich, zumalen im schwarzen Raben,
wo ich den gefälligsten aller Wirthe getroffen habe,
Herrn Canapaeus vulgo Canapé, der aus den Zeiten
stommt, wo die Gelehrten I bescheiden zwei Buchstaben
hinter ihren Namen flickten (us), jetzt aber drei und
zwar vorne an. Sein Haus wurde mein Hauptquartier,
dessen Reinlichkeit schon der gedruckte Abtrittszettel:
„Hier wird um Reinlichkeit höflichst gebeten,“ vor-
ausverkündet, thut einem doppelt wohl, wenn man von
Oberschlesien oder Böhmen kommt. Aus dem Abtritt
schließt man richtiger als aus dem Schild. Ueber der
freundschaftlichen deutschen Sitte gemeinschaftlichen Ge-
sprächs an der table d'hôte vergißt der Reichsländer gerne
die bessere Wiener und Prager Küche, zufrieden mit Ger-
stengraupe, Rindfleisch mit Erbsen, Schöpsenbraten, Butter, Ziegenkäse und Bier, im lindenreichen Kreppelhofe unter
gebildeten freundlichen Schlesiern, deren besseres Deutsch
schon die Ohren kitzelt. Der berühmteste Landshuter, der

den Linnenhandel empor brachte, weite Handelsreisen gemacht hatte, und hier den Abend seines Lebens in Ruhe
verlebte († 1795), bleibt Hasenklever.

Im Städtchen steht auch eine alte bewohnte Burg
mit Wassergraben, den Grafen Stollberg gehörig; von dem
Burgberg, wo Volco 1286 eine Burg baute, aber nur
noch eine Schwedenschanze merklich ist, hat man eine treffliche Aussicht, und die nur eine Meile entfernte schöne
Cisterze Grüsau, wo jetzt Spinnereien sind, verdient den
Gang; mit schlesischen Meilen steht es wie mit unsern
Poststunden; diese sind nur ¾ Stunden, und schlesische
Meilen höchstens gute Stunden. Es gibt im Süden
schönere Prälaturen, aber keine Willmanns, und hier lieferte
er eine herrliche Anbetung der Weisen. Die Cisterze ist schön von
Innen und Außen — überhaupt sah ich nie eine Prälatur in rei-
nerem Geschmack; und Alles, selbst die glänzendste Präla-
ten-Tafel verrieth stets den Mönch. — Die Kirche ist überladen, aber anziehend das Gemälde der 72 Cisterzienser,
welche von den Hussiten gemordet wurden, der Herr
Prälat aber hatte sich entfernet. In der Fürsten-Kapelle
ruhten mehrere Herzoge Schlesiens, ihre Rittergestalten
sind bemalt — und einer der Gypsfiguren, wie Marmor
polirt, fehlt der Finger, den, nach des Küsters Aussage,
Friedrich mit seinem Krückenstock abschlug, um zu sehen,
ob es Marmor oder Gyps sey? Nahe beim Kloster ist ein
angenehmes Wäldchen mit Capelle, das Bethlehem
heißt, und das Kloster besaß zwei Städte, Schönberg und
Liebau, neben vierzig Dörfern!! Der Küster, der mich
führte, sang im Tenor, statt zu sprechen, was mir
weniger oder mehr in Schlesien vorgekommen ist, und ich
gedachte des Vorlesers, dem Cäsar sagte: si cantas, male
cantas, si legis, cantas *)!

---

*) Wenn du singst, so singst du schlecht, und wenn du mir
vorliesest, so singst du.

Landshut feiert noch heute den Schreckens-Tag, wo Laudon, nach Gefangennehmung Fouqués seinen Ruhm durch Verstattung einer dreitägigen Plünderung befleckte. Fouqué fiel als Opfer des königlichen Eigensinnes, was Friedrich selbst später eingesehen haben mag, denn Er blieb sein Freund bis zum Tode. Wir haben die Correspondenz, sie ist französisch, stets Mon cher und je vous embrasse, der letzte Brief aber Deutsch „Ich dank Euch, mit dem Teufel, daß ihr meine Berge verlassen habt, schafft mir meine Berge wieder, was es auch koste" so fiel denn Fouqué nach blutigem Kampfe mit einer Handvoll Leute in Laudons Gefangenschaft, und zog nie wieder den Degen, wie er geschworen hatte. Der Markt zu Landshut hat Arcaden, wie die meisten Städte in Böhmen, und auch noch die lieblichen Dach-Rinnen, die wohl 6' lang hervorspringen; unter der Laube meines schwarzen Raben zählte ich bei einem Regen nicht weiter als 15 Cascaden auf diesem Markte, die herab von den Häusern kamen, und einem englischen Garten keine Schande gemacht hätten! Der Druck der Kaufherrn auf die armen Weber soll einst einen Aufruhr veranlaßt haben, und daher mag es kommen, daß Friedrich sagte „Les Juifs sont Marchands, et les Marchands Juifs.‌ *) d. h. Die da reich werden wollen fallen in Versuchung und Stricke!

Von Landshut aus besuchte ich Waldenburg, die vierte Gebirgsstadt, die ungemein reizend liegt, und noch reizender ist das Waldthälchen mit dem Bade Altwasser und Steinkohlen-Bergwerken. Offner liegt Charlottenbrunn, eine Meile von Waldenburg, wohin Garve fast jedes Jahr reiste, sich auf der Anhöhe, wo man das

---

*) Die Juden sind Kaufleute, und die Kaufleute Juden.

Thälchen Tannhausen übersieht, eine Bank machen
ließ, und da an seinem Cicero arbeitete, und an andern philosophischen Drathspinnereien, die er vielleicht
Cicero ablernte. Hier schrieb er auch die schöne Abhandlung
„Ueber die Schönheit der Gebirgs-Gegenden"
die gewiß noch schöner wäre, wenn er die schönsten Gegenden
des Vaterlandes gekannt hätte — unsern Süden. Er hat
recht, wenn man aus dem Gebirge in die Ebene kommt, ist
einem zu Muthe, als ob man aus einer Gemälde-Galerie in
ein Zimmer träte mit nackten Wänden — Berge zeigen
uns Gemälde auf der Staffelei — Ebenen sind Gemälde, die
zur Erde liegen — und nun erst Beleuchtung — Schatten-
schlag und Fernsichten und jenes Plätzchen kennt jeder, wie
die Athener den Stein, worauf Lucian Demonax auszuruhen pflegt, und auch mir war es hoher Genuß da zu ruhen, denn Garve war mir in der Jugend viel, vorzüglich
sein Cicero und Friedrichs Worte: Le meilleur ouvrage de
morale, qu'on ait écrit et qu'on écrira!*) Das Plätzchen
heißt Garvensruhe, und es ist die Frage: Ob das Tus-
culum des berühmten Römers eine schönere Lage gehabt habe?
Seinen Stuhl bewahrt ein Privatmann, wie die Reliquien
eines Königs.

Langenbielau ist unter allen meilenlangen Dörfern
Schlesiens das längste, und zählt 7000 Seelen, meist We-
bers-Seelen. Zu Reichenbach wurde 1790 die bekannte
Convention zwischen Oestreich und Preußen geschlossen, und
zu Gnadenfrey sind — wer erräth es nicht schon aus
dem Namen? — Herrnhuter. Wenn man vom Gast-
hause die Linden-Allee heraufspaziert, überraschen die Worte
an einem Thor „Hier ruht der Geist nicht." Innwen-
dig aber steht „hier ruhen die Gebeine" und nun ist
man erst au fait! Hier ruhen die Gebeine — es ist der
Friedhof — und in Gnadenfrey ruhet der Geist. Wer

---

*) Das beste Werk über Moral, das je geschrieben wurde und
geschrieben werden wird.

glaubt, erspart sich das Denken, denken ist stets gefährlicher und schwieriger gewesen als der Glaube, und daher
auch seltener, aber wo geriethen die Gläubigen am Ende
hin ohne Denker?

Dreiundzwanzigster Brief.
Das Riesen-Gebirge.

Von Landshut fuhr ich in einem leichten böhmischen
Wagerl, als Aurora kaum ihre Fenster geöffnet hatte —
nach Schmiedeberg, von wo der nächste Weg zur Schneekoppe, die sich ganz heiter zeigte. Herrlich ist die Vista
vom Landshuter Berge auf die Sudeten-Kette, und auf
Schmiedeberg, das allerliebst im Thale ruhet. Der Berg
ist hoch, daher nimmt man von beiden Orten aus Vor-
spann, und auf dem sogenannten Vorspannsstein,
auf der Höhe sind schon Millionen Thaler gezählt worden.
Die große Buche, der Ruhestein und die Friesen-
steine sind herrliche Punkte in dieser malerischen Gegend.
Man kommt durch treffliche Buchenwälder, und viele Bäume verewigen Namen von Handwerksburschen, die hier vorüber wandelten. Wer Freund der Natur ist wandelt gleich
ihnen zu Fuße hinab in das Zauberthal, das von Schmiedeberg bis Hirschberg zieht — mehr als englischer Garten
— ein Natur-Garten Gottes, das Elisium Schlesiens.
Für die Ansichten von Schmiedeberg bis Greifenberg (sieben Meilen) im üppigsten Thale, und die Sudeten zur
Seite, für diese Ansichten von unten, gebe ich alle Aussichten von oben, und selbst die von der Koppe!
Die Wohnungen Schmiedebergs stehen zerstreut, längs
des Eselbachs (so hat man den Namen Isel verunstaltet) 1½ Stunden hin, neben Hütten die stattlichsten Gebäude der Handels-Herrn, mitten in Gärten, und der schönsten Natur; man ist in der Stadt, und auf dem Lande,

Berglente sollen Schmiedeberg erbauet, und einige 100 Schmidte hier gewesen seyn; die Zeit gab dem Leinen Vorzug vor dem Eisen, und jetzt behauptet der Ort von 4000 Seelen den 3. Rang unter den Handelsstädten im Gebirge, wo nicht den ersten vor Hirschberg, Landshut und Waldburg. Das Schmiede-Handwerk hat gewiß etwas Solides, und diese Solidität ist auf die Kaufleute über-gegangen. . . Vergnügungs-Orte sind das Busch-Vor-werk, und der Gürtler- oder Ruheberg, auch Mi-nisterberg genannt, weil da Minister Graf Hoym gleich-falls einen Park anlegte, wie zu Dyrenfurt. Das ganze Thal ist ein Park, und sein Pavillon der Landshuter-berg, auf dessen Höhe auch Friedrich seine Augen weidete, und bei seinem lezten Besuche ausrief: „Es gibt nur Ein Schlesien!"

Während des Mittagemahls besprach ich mich mit einem Führer nach der Koppe, und auf meine Versicherung, daß ich ein guter Steiger und auf höhern Bergen ge-wesen sey, versprach er mich binnen fünf Stunden auf dem kürzesten Wege, aber über Stock und Stein, durch dick und dünn auf die Zinne zu bringen, und hielt Worte; auch ich hielt Wort, und ärndtete sein Lob. Ziemlich ermüdet stand ich jetzt auf der berühmten Riesenkoppe, und sie war so artig, was nicht immer der Fall ist, ohne Wolken und Nebel und so heiter zu bleiben, als der Mann und die Frau von Welt, wenn sie ein Besuch überfällt, den man nicht mag, wie wir in Schwaben sprechen; die Kinder aber verrathen desto leichter, wie viel es im Hause geschlagen hat. Die Erde lag zu meinen Füßen, die Gebirge umher gli-chen weiten Ebenen — wohin nun schauen? nach Böhmen oder Schlesien? nach Sachsen oder nach Polen und Ungarn? Die Fernsicht nach Schlesien und der Lausitz schien mir schöner, als die nach Böhmen, aber im Ganzen — sind Aussichten von sol-chen Höhen nie schön, ein Chaos, man sieht nur verwirrt über Länder und Gebirge hinweg über Städte, Dörfer und Menschlein, wie der Matrose von seinem Mastkorbe über

die einförmigen Wogen des Oceans. Ein erhabener, aber
nur zu bald ermüdender Anblick! Es geht häufig, wie bei
Ersteigung von S. Paul zu London — nach Anstrengung
seiner Kraft, und mit Schwächung seiner Schillinge hat
der Steiger das Vergnügen — einen Ocean von Nebel zu sehen — doch erblickt man den Nebel von der
Rückseite, das ist etwas Neues!

Hofer, der beste Schriftsteller über das Riesengebirge,
da er auch unsere Alpen kannte, und dessen Karte mir
viel Dienste leistete, bezweifelt, daß man von der Koppe
Breslau sähe? man sieht es allerdings. Er erklärt für
entschieden falsch, daß man auch Prag sähe? Prag selbst
kann man natürlich nicht sehen, da es tief im Moldau-
Thale liegt, aber den Hradschin und Laurentiusberg dächte
ich sollte man sehen können, denn man kann von diesen
Höhen mit dem Tubus die Koppe erkennen. Was aber
die Karpathen betrifft, glaube ich selbst, daß man die
Glatzer-Mährischen Gebirge dafür genommen habe. Viele
sehen gar zu weit, selbst den Tatra, Matra und Fatra bei Zips;
denn es sind ja die höchsten Punkte der Karpathen, daher
sie auch im ungarischen Wappen mit dem Patriarchen-Kreuz
prangen — die Karpathen haben auch ihren Blocksberg
die Babia Gura das ist Weiberberg! und einen slavischen
Völkerstamm die Esopaki von ihrem ewigen Flickwort, das
man auch in Deutschland häufig findet, esopak: was dann?
— folglich könnten sie auch am weitesten gesehen werden!

Die Koppe bleibt stets eines der schönsten Belvedere
Deutschlands, und den schönsten und einzigen Contrast
macht das lachende Eden, das Hirschberger Thal,
mit seinen volkreichen Städten und Dörfern, blühenden
Feldern, Lustgärten und Bleichen, gegenüber dem im Rücken schrecklich heraufgähnenden Aupe- oder Riesen-
Grund, und die menschenleere Wüste mit ihren grotesken
Felsenmassen und versteckten Bauden. Wer Alpen und Pyrenäen kennt, lächelt freilich bei dem vielen Gerede von
der Koppe, bei dem Namen „Fürst germanischer

Berge" und über die kühne Heldenthat da herauf,
gestiegen zu seyn, (wie beim Brocken auch) wovon Aelpler gar nicht reden würden; die Griechen scheinen es gerade so mit ihrem Parnaß und Olymp gehalten zu
haben — Kein Cundur, der Riese unter den Geyern, schwebt
über der schlesischen Riesenkuppe, um auf die zarte Vikun-
nas Jagd zu machen — die er hier auch nicht fände —
Aber alles ist relativ, folglich sehr unphilosophisch, was ein
Amerikaner in das Koppenbuch geschrieben hat:

> Ach! du arme Riesen-Kuppe
> bist gegen Chimbarasso eine Puppe!"

Ist der Chimbarasso nicht wenig anders als eine Puppe
auf unserer Erdoberfläche — ein Sandkorn auf der Kugel? Die Koppe wird höchstens 5000' haben und Rector
Schilling von Hirschberg war vermuthlich ein besserer Philolog als Mathematiker, da er die Höhe zu 30 Stadien
= 22,530' angab, oder er muß die Schritte gezählt haben,
die er selbst machte die Koppe zu ersteigen. Der unbe-
quemste Weg ist am Fuße der eigentlichen Koppe bis zur
Spitze = 700' weil man auf lauter Gebröckel wandelt,
aber Gefahren, selbst am Riesen-Grund vorüber, sind
Träumereien, und die Steine verbrennen auch keine
Sohle, wie die Lava. Die Kapelle des heiligen Laurentius
ließ Graf Schafgotsch 1668 bauen, und man feierte
hier die Marientage, die Koppentage hießen. Es
war keine Kleinigkeit, die Materialien hieher zu bringen,
man danket es dem Grafen, denn die Kapelle gewährt
Schutz gegen den Wind und Obdach, wenn man erhitzt
ist, und doch hat auch hier roher Muthwille Zerstörung
angerichtet. Man sollte den Wind, der stets um die
Koppe brauset, weit eher als die Provencalen den ihrigen,
Mistral (maestrale) nennen, Meister- oder Magi-
ster-Wind!

Seit Erbauung der Kapelle soll Rübezahl verschwunben seyn? Sie ist jetzt sehr vernachlässiget, wie der Dienst der Maria, folglich könnte der Teufel von neuem sein Spiel treiben, zumal seit 1825 hier Wirthschaft ist. Sind nicht die Jesuiten auch wieder da? Bis jetzt hat man nichts bemerkt, und es wäre möglich daß der Teufel die Reisenden für eben so viel Rübezahls ansähe und leitete. Auf die Koppe, die höchste Höhe der ganzen Monarchie, kann man bis zu den Bauden fahren, und zu Pferde gar bis an den Fuß des eigentlichen Kegels kommen. Die meisten übernachten in der Hempelsbaude, von wo noch 1 Stunde auf die Koppe ist, um die Königin des Tags zu begrüßen, wenn sie über den Saum der Erde hervortritt und den Horizont vergoldet. Ich zog den Nachmittag vor, weil die Beleuchtung vortheilhafter ist als am Morgen; die Schatten des Gebirgs deckten schon alles im Thale, als ich zur Hempelsbaude herabstieg mit den letzten Strahlen der Sonne, und unter dem heiligen Schweigen der Natur, daher sahe ich nicht was Fuß sähe, meinen Schatten in Riesengröße hinter mir auf einer Wolke, und und so erschreckte ich auch den Führer nicht, der rief: „O ie Herr! am Himmel steht a Moan!"

In der Hempelsbaude schlief ich auf — balsamischem Heu, wie auf Eiderdunen, genoß Morgens, mit der größten Bequemlichkeit dem großen Geist eine Pfeife opfernd — auf einer Bank vor der Baude die Herrlichkeiten der Natur, angenehmer als auf der Koppe, wo ich es ungefähr nach einer Stunde ein Bischen unbequem fand dem Himmel so nahe zu seyn; es war zu Ende des Junius, und doch empfindlich kalt. Wahrlich es ist der Mühe werth, sich herauf zu bemühen. Der Engel des Herrn, als er Mosis das Gelobte Land zeigte, das lange kein Schlesien ist, verließ ihn, und Moses mußte sterben, ohne hineinzukommen — mein Engel, freilich nur ein gemeiner Schmiedeberger, führte mich heiter und gesund, wenn gleich etwas ermüdet, an den Wasserfällen der Lomitz über Krummhübel wieder hinab nach Schmiede-

berg. In Krummhübel wohnen viele Laboranten d. h.
Kräutersammler, die von zwei liederlichen Medicinern her-
stammen sollen, die von Prag verwiesen 1770 sich hier an-
siedelten, und aus Arzneipflanzen Oele und Extracte
bereiteten — Einer dieser After-Apotheker sprach mit ge-
heimnißvoller chemischer Miene von seinen Arzneien, die er
aus Kräutern und Herben, aus Wurzeln und Radi-
zien zusammensetze, machte aber alles wieder gut durch
einen recht stärkenden Kräutersnaps! Es ist ein ganz
weises Gesetz, das keine neue Laboranten mehr duldet, und
nach dem Absterben den ganzen Erwerbszweig niederlegt,
denn diese Laboranten sind auf gut deutsch nichts als Quack-
salber, wenn sie auch gleich nicht lachend sagen, wie jener
Franzose „Mon Beaume est composé de Simples, et tant
qu' il y en a des Simples, n'en partirai pas!"

Die Koppe ist ganz nakt, nur in den tiefen Klüften
wächst Isländisches Moos, das die Bewohner früher
gegen Lugensucht zu gebrauchen wußten, als es in Apotheken officinell war. Den Teufelsbart (Anemone
alpina) trifft man häufig, nach dem Byssus Jolithus vulgo
Veilchenstein, ein röthliches feines Moos, das sich an
den Gneußschiefer setzt und nach Veilchen riecht, muß man
schon mehr suchen, weil Reisende zum Andenken so viel
fortschleppen; ein Reisebeschreiber will indessen auf dem
Gipfel auf einem Bette von Veilchenmoos sanft geruhet und
beim Sonnen-Aufgang alle Wasser, Bäche und Ströme in
Feuerzügen aufblitzen gesehen haben in der Tiefe. Man
sieht gar nichts von Gewässern — es war ein Dichter
Schon über der Hempelsbaude hört die bisherige Vegetation auf, das Gras ist nicht mehr grün, sondern grau,
das düstere aber hohe Nadelholz verwandelt sich in Knie-
oder Krummholz, oder verkrüppelte Kiefern (pinus pu-
milio) die in wunderlichen Gestalten herumkriechen, und
auch in Ebenen verpflanzt die Zwerg-Natur behalten sollen
Man macht daraus das bekannte Krummholz-Oel,
und es hatte etwas Komisches für mich, zwischen Zwergen

von Bäumen zu wandlen, die mir zwar über die Knie,
aber doch nicht über die Achseln reichten, obgleich David vielleicht noch größer war, denn ich. Die einzigen
lebendigen Geschöpfe waren Schmeißfliegen, und nur
tiefer zwitscherten Schnkelerchen zwischen Steinmassen und
Knieholz, und das plötzliche Aufrauschen der Birkhühner
erschreckte den einsamen Wanderer. Ich erlebte auf den
Höhen des Riesengebirges ein tüchtiges Gewitter, tief unter mir — es war nicht das Erste — diesmal aber interessirte mich mehr als sonst die Beobachtung der Blitze,
die mehr aufwärts fuhren, als abwärts — ein Bild
meiner Zeit, die Abwechslung billig findet!

Niemand versäume von der Hempelbaude den nahen
kleinen Teich zu sehen (der große oder schwarze
Teich liegt entfernter bei den Dreisteinen) ein ächt
romantisches Plätzchen, der Teich von ¼ Stunde höchstens im Umfang, von drei Seiten mit Felsen umgeben,
und auf der offenen Seite die Aussicht hinab in die Ebene!
An seinem Ufer stand eine Baude mit einigen Bäumen,
um welche Kinder spielten — ein Knabe fischte Forellen,
auf der Wiese spielten Ziegen, und ein kleiner Waldbach
rauschte vom Felsen — eine wahre Idylle!

Die Hempelsbaude ist nächst der Wiesenbaude die
besuchteste. Die Schlingelsbaude und Schnurbarts-
baude klangen mir zu unangenehm, um einzukehren, und
die geistliche Baude ist mit dem Koppendienst eingegangen. Die Gränzbauden werden auch im Winter
besucht, denn die Schmiedeberger machen Rutschpar-
tien, fahren in 20—30 Schlitten in zwei Stunden hinauf, und in 12—15 Minuten fliegen sie auf Holzschlitten
wieder herab. Es ist das leibhafte Ramassen von Laneburg,
das ein Britte nicht satt kriegen konnte, und ich wahrscheinlich auch nicht mit einem — Lords-Beutel. Das Oertchen
des Mont Cenis, wo die Schlittenfahrt beginnt, heißt la Ra-
masse, und so heißen die Bergschlitten und das Schlittenfah-
ren auch so, folglich könnte man im Riesengebirge — Gränz-

bauden, Hempeln, Schnurrbarten und Schlin=
geln sprechen. Die stämmigen Schlittenlenker sind so ein=
geübt, daß an keine Gefahr zu denken ist, und an Schnee
fehlt es hier keinen Winter. In der Natur fällt das
Herunter leichter als das Hinauf, was in der Men=
schenwelt umgekehrt ist. Dafür steigt man fester und siche=
rer Bergauf. — als Bergab, selbst wenn Hosen und
Strümpfe noch fest anliegen, und Selbst=Vertrauen
die Seele hebet.

Die Gränze zwischen Schlesien und Böhmen lauft
in der Mitte des Bergrückens, selbst mitten durch die Ka=
pelle, und was auf der entgegengesetzten Seite der Elbe=
Grund ist mit seinen Schlünden, genannt Sieben=
Gründe (mit der geheiligten Zahl VII. muß man Nach=
sicht haben) das ist hinter der Koppe nach Böhmen zu, der
Riesen=Grund oder das Aupe=Thal. Dieses ro=
mantische Thal hatte ich schon von Trautenau besucht,
denn in den Sudeten muß man halb Oestreichisch, halb
Preussisch seyn, wie das Gebirge. In 1½ Stunden war
ich über Altstadt und Trübwasser zu Freiheit —
es ist etwas Erbärmliches, aber doch fiel mir in Böhmen
schon der bloße Name auf — und nur ¼ Stunde von die=
sem Städtchen liegt am Fuße des Schwarzenberges das
Johannisbad, das unbedeutend ist. Hinter Freiheit
verengert sich das Thal immermehr, Dunkelthal führt
seinen Namen mit Recht, und von da kommt man nach
Groß=Aupe und an den Aupefall der eigentlich meine
Sache war; ich werde von Trautenau bis dahin sechs
Stunden gebraucht haben. Die Gegend wird immer wild
schöner, je näher der Koppe, die ich von hieraus hätte be=
steigen sollen, wenn es mir nicht gegangen wäre wie —
den Rathsherren. Von der Koppe erblickt man die
Fälle der Aupe nur wie weiße Bänder an der Felsenwand,
die sich weiter unten vereinigen, und den schönen Wasser=
fall bilden 80' hoch, den man natürlich im Aupe=Thal
selbst sehen muß. Dieser Sturz stillt plötzlich die Wuth

der jungen Aupe, ruhig fließt sie nun nach Freiheit und
Trautenau, und so muß auch der Mensch vertoben, ehe er
zur wahren Freiheit gelangt, und zur Trauten-
Aue der Gemüthsruhe und Duldung!

Von Arnau und Hohenelbe, die nächst Trautenau
in Böhmen das sind, was Hirschberg, Schmiedeberg und
Landshut in Schlesien, besteigt man den Heidelberg, von
dessen Koppe die Aussicht herrlich seyn soll. Von Trautenau ging ich nach Abersbach, dem merkwürdigen Fel-
sen-Labyrinthe, das sich von da bis zur Heuscheuer,
vier Stunden in die Länge und zwei Stunden in die Breite
erstreckt, vulgo die Steine genannt — ein ächter Wald
von Sandsteinen, die gleich Thürmen aufrecht neben einander stehen mit sparsamen Fichten. Von Trautenau sind
drei Stunden nach Dorf Abersbach, der Jäger hat den
Schlüssel zur Thüre, und gleich beim Eingang stoßen wir
auf zwei Hauptmerkwürdigkeiten, rechts auf ein schönes
Echo, und links auf den Felsen Zuckerhut genannt. Der
Fußpfad schlängelt sich durch alle diese Massen, längs einem
hellen Forellen-Bach, der weiterhin einen Wasserfall bildet,
unweit der silbernen Quelle, des niedlichen Ruhe-Plätzchens
und der Grotte. Oft muß man sich mühsam durch diese
Sandstein-Massen auf sumpfigem Grunde, und stets Wasser schwitzend hindurchwinden, öfters lehnet sich auch eine
quer über den Pfad an die Nachbar-Masse, und die Phantasie erblickt in ihnen Figuren aller Art. — Burgen, Thore,
Pfeiler, Thürme, Statuen, Köpfe, selbst Bürgermeister,
Hochgericht, Lamm, Schlange, Mehlsäcke, Pauken — Brücken, Mönche, Nonnen und Todtenköpfe. Es ist komisch,
aber natürlich, daß viele Aehnlichkeiten mit Dingen finden,
die ihnen am analogsten sind — Schlesier, Webstühle,
Weberschiffe, Spindel; Böhmen, Tische und Bänke, Ke-
gel und Flaschen — Weiber, Hausrath, Küche, Bettstelle,
Wiege und Kinder — Geistliche, Kirchen, Kanzel, Altar, Kelch und Glocken — Soldaten, Batterien, Wälle,

Schanzkörbe — Professoren, Repositoren, Catheder, Doctorhüte und Dintenfässer!

Aber bachs Felsen-Labyrinth gewährt einen Anblick sonder Gleichen, die tiefe Einsamkeit und Stille verstärkt die Wirkung, und die Kälte macht, daß man wieder im Freien in einer geheitzten Stube zu seyn glaubt. Zeit und Wasserfluten mögen diese sonderbaren Gestalten erzeugt haben, zumalen sie niedriger liegen, als die Nachbarfelsen, und Sandsteine leicht zerstörbar sind. Oder wäre Vulcan und nicht Neptun Schuld? Ich kann nichts entscheiden — aber es giebt nur Ein Abersbach, und die berühmten Externsteine in Westphalen sind Kinderspiel gegen diesen erhabenen Styl südlicher Natur. Der richtigste Vergleich ist wohl mit den Ruinen einer kolossalen Stadt, die durch Brand oder Erdbeben untergegangen ist — mir gefiel der Gedanke an die Eisfelder unter den Polen, durch die das Schiff freilich mit mehr Gefahren sich windet, als wir durch die Steinmassen, und etwas kälter mag es dorten auch seyn, der Eisbären nicht zu gedenken — hier sind höchstens Eulen und Geyer, die der weithinrollende Donner des Jägers aufscheucht. — Der schauerliche Ort wäre wie gemacht zur Einweihung in Mysterien — zu einem Delphos, wenn nur die Dunsthöhle nicht fehlte, um die anfangs Ziegen und Böcke närrisches Zeug machten, und dann Priester! Ich hätte die Wunder von Abersbach, die lange noch nicht ganz untersucht und gekannt sind, mit mehr Muße durchirren mögen, und zwar in heiterer Gesellschaft, mit Musik und in einer schönen Mond-Nacht. — andere vielleicht wieder lieber allein mit dem Buche, das so viele elegische Schwärmer machte, und nur aus zwei Ideen besteht — Nacht und Stille — mit Youngs Nachtgedanken!

Nicht leicht gewährt eine kurze Reise so viel Vergnügen und heitere Stimmung, als die Reise von Schmiedeberg nach Hirschberg nach der vollführten Heldenthat der Koppe-Besteigung — wenn der Berg überstiegen ist, ia

montagne est passée — es ist ein allerliebstes Thal des Fuhr-
mann war unterrichtet, gesprächig, freundlich, die Straße
gut, das Wägerl bequem — die üppigsten Felder und gro-
teskesten Felsen-Gestalten zeigten sich bald wie alte Burgen,
bald wie Pyramiden, zwei große am Wege aufeinander liegende Massen, wie zwei Kuchen, nennt das Volk Käse und
Brod. Die grünen Vorberge der Sudeten bleiben zur
Seite, helle Bäche, kleine Teiche, Bleichen, Schafe und
Viehheerden, reinliche Wohnungen mit grauen Schindel-
Dächern, und weiße Kirchthürme mit rothem Dache überall
— die Männer heueten, Weiber und Mädchen jäteten Unkraut aus den Flachsfeldern, überall freundliche Gesichter,
die schönen guten Morgen boten — es war ein Gegenstück zu dem schönen Morgen von Trautenau nach Landshut, und ich gab meinem Wagenlenker alle meine schlechten
Böhmen, wie dorten das Oestreichische Kupfergeld. Ueberall Blumen und Blumenpflege, das verräth stets
den gemüthlichen Menschen, der sich gerne durch die
Pflanzenwelt mit der Menschenwelt zu versöhnen sucht,
und in ihr Ruhe und Zufriedenheit findet in der
Einsamkeit, wie Tausende von Mönchen, Nonnen, Land-
predigern, und Mädchen, die das Tempo verpaßt haben,
und Seelenbräutigam singen!

Die Natur ist diesen Sudeten-Bewohnern zu nahe,
um sich nach dem Hof- oder Weltton zu erkundigen,
und wem sollte es unter so freundlichen, wohlwollenden
Menschen nicht lieb seyn, solchen nicht zu finden? Das
Urtheil über eine Gegend hängt gar sehr von unserer indi-
viduellen Stimmung, von Charakter, Erinnerungen und
augenblicklichen Ansichten ab, wie ich wohl weiß, daher
selten ein Urtheil ganz rein seyn dürfte. In diesem Thale
möchte der Hauptreiz in der glücklichen Mischung von
Natur und Cultur zu finden seyn. Meine Stimmung
war so rosenfarben, daß mir der schöne Morgen sogar
einen Westindischen Morgen vor meine Phantasie
brachte, dessen Schilderung ich, ich weiß nicht mehr wo?

kurz zuvor mit so viel Vergnügen gelesen hatte — die
Phantasie flog auch nach Caschemir, und das Hirschberger Thal war mir das preussische Caschemir!
Hirschberg ist die wichtigste Handelsstadt Schlesiens
nach Breslau, denn es ist, oder war, der Sitz des schlesischen Linnenhandels, besonders der sogenannten
Schleyer. Der Haupthandelszug, der freilich stark gelitten hat, ging nach Amsterdam, Cadix und Amerika, die
jährliche Ausbeute rechnete man zu zwei Millionen Thaler.
Von dem Worte Schleyer konnte ich keine recht logi-
sche Definition bekommen — es ist die feinste Leinwand, die nicht zu Hemden, sondern zu Frauenkleidern,
Vorhängen, Stickereien rc. genommen wird, nicht so fest
und dicht als Leinwand, und feinere gestreifte und ge-
blümte Leinwand, was man auch Baptiste, Linon nennt.
Wahrscheinlich kommt der Name daher, daß diese Art ursprünglich zu Schleyern gebraucht wurde, namentlich in
Klöstern.
Hirschberg ist nicht mehr, was es war, verräth
aber immer noch Wohlstand, der Fremdling ist gut aufgenommen, man gefällt sich hier, gefällt folglich auch seiner Seits, und ich trennte mich ungerne von dem lieben
Städtchen, das abwechselnd mit Warmbrunn mein Hauptquartier war in den Sudeten. Das reinliche Städtchen
zählt 7000 Seelen, hat einen schönen mit Arcaden umgebenen Markt, auf dem das neue Rathhaus steht, und vor
der Stadt eine stattliche Zucker-Raffinerei. Es besteht aus
einer sehr langen Straße mit einigen Nebengäßchen und
mehrern Vorstädten. . . Vom Gottesacker mit einer
schönen von Linden umgebenen Kirche, hat man eine herrliche Aussicht, wie vom Posthause auch. . . In dieser
Kirche sahe ich eine wohlgerathene Büste Luthers mit der
Inschrift: „der Nachwelt schwaches Andenken am
18. Octbr. 1817," und am Hochaltar sieht man die
Diener des Worts, denen es in Süddeutschland nicht
o gut wird, dafür ist, meines Wissens, auch noch keiner

an heiliger Stätte vom Blitz erschlagen worden, wie hier,
— seitdem hängt der Kanzelhimmel nicht mehr an eiserner
Kette, sondern am Strick!

Auf einem Gottesacker fand ich das Grabmal drei
preussischer Offiziere, die verwundet aus der Bauzner
Schlacht hieher gebracht wurden und an Einem Tage starben;
die Inschrift nennt ihre Namen, und dann: „sie starben
in eiserner Zeit für eine Goldene," dieß geschah
1813, und noch ist wenig von dieser goldenen Zeit zu sehen
oder zu hören? Wir wären recht herzlich mit einer sil=
bernen zufrieden, es scheint aber fast bei einer papier=
nen bleiben zu wollen. Die Erbbegräbnisse der
Hirschberger reichen Handelsherrn zeugen vom alten hohen
Wohlstande, und daß sie nicht mit dem Armen gemein=
schaftlich zu modern gewillet sind — sie sind abge=
sondert durch eiserne Gitter an der Mauer, und mehrere
Grüfte fand ich offen, als ob sie noch nach der Luft hie=
nieden schnappten. — Man sage ja nichts mehr über
Adelsstolz!

Der Pflanzenberg (Galgenberg, Cavaliers=
berg, nicht von Cavalieren, sondern vom Cavalier in der
Befestigungs=Kunst) ist Vergnügungs=Ort, den man dem
Stadtdirector von Schönau verdankt, der hier auch ein
Denkmal hat. Es ist die Resource der Kaufleute, daher
man eingeführt sein muß, jedoch gibt es in dem Wäldchen
auch sonst noch Wirthschaft. Der Hausberg ist über
dem Pflanzenberg vernachläßigt worden, obgleich der Platz
am Zusammenfluß des Zacken mit dem Bober nicht übel
gewählt war, und dieß scheint auch mit dem Helicon
der Fall zu seyn. Zuerst fällt ein Tempel in einem
Tannen=Wäldchen ins Auge, und auf einem Würfel steht:
„Dank sey Ihm," im Hintergrunde aber: „Einst
zählt von Friedrichs Jahrhundert der Enkel
die goldenen Tage der Menschheit, 1800." Die
Enkel? ich wünsche es herzlichst, aber das Zeitalter Na=
poleons war eine schlechte Vorbereitung, und mit der Feier

des politischen Reformations-Festes scheint es
noch gute Zeit zu haben, auch bin ich überzeugt, daß ein
goldenes Zeitalter so langweilig seyn müßte als —
der Himmel der alten Theologen! Von dieser Halle zeigt
sich Hirschberg am vortheilhaftesten. Es kommen noch
Tempel des Apollo und der Musen, deren Distrikt
jedoch keine Tempel, sondern nur ein Brett bezeichnen, und
die enge Felsenschlucht mit finsterm Nadelholz, durch die
sich der Bober drängt, heißt kühn — Gibraltar! Von
dem Molkenschloß (Bolco-Schloß) steht nur noch wenig; der Mirakelbrunn unter Gibraltar heißt Merkelhör-
nel, und noch häßlicher entstellt ist der Name Laudis
Palatium, woraus gar Läusepelz geworden ist!

Vierundzwanzigster Brief.

Die Fortsetzung.

Warmbrunn, sonst Hirschberger Bad, liegt
nur eine Stunde von der Stadt, und Alleen führen durch
aneinander hängende Dörfer und Hütten immer näher dem
schönen Bergrücken der Sudeten. Das Bad ist ein kleiner
offener ungepflasterter Ort von 1800 Seelen, und nimmt
erst in der Mitte, um das neue Schloß des Grafen Schaf-
götsch, das wohl geschmackvoller gebaut, und dessen Park
wohl unverschlossen seyn dürfte, städtische Gestalt an. Hier
sind dann auch die bessern Gebäude, die Badehäuser und
der Adler, die Kirche und dem Adler gegenüber die kleine
Platanen Allee mit Buden. Ich gedachte Pyrmonts,
und lächelte — aber gar manches scheint komisch, was
bei näherer Ansicht groß und erhaben ist — einige Schritte
in der kurzen Allee, und Pyrmont erscheint komisch — vor
dem überraschenden Anblick des ganzen Riesengebir-

ges mit der Ruine Kynast im grünen Vorgrunde, das ganze herrliche Thal des Zackens, übersäet mit blühenden gewerbfleissigen Ortschaften, eine an der andern, und die Krone des Ganzen — die Schneekoppe mit ihrer Kapelle. Ich gedachte an S. Sauveurs Ueberraschungs-System.

Nie wurde ich es satt am Ende dieser Promenade zu sitzen, vorzüglich Abends, verloren im Anblick der wunderschönen Natur, die selbst im Süden noch ausgezeichnet seyn würde — im Farben- Wolken- und Schattenspiel des Morgen- und Abend-Lichtes, und der Koppe, die sich bald wie die Götter der Alten in Dünsten unsichtbar macht, bald erhaben über alles Gewölke blickt, das sich herab in die niedern Thäler zieht. Die Hauptrolle spielt die Kapelle. An einem heitern Abend, wenn das Gestirne des Tages niedersinkt, und die Felsen-Gruppen und Schlünde, und das Grün und den Schnee zum letztenmale beleuchtet, erscheint die Koppe im magischen Purpur, und wenn schon Nacht über dem Thale ruht, scheint die Kapelle erleuchtet, als ob Geister da die Abendmette hielten — das aufgehende Gestirne der Nacht macht dann die Fortsetzung der unbeschreiblich herrlichen Scenen, ein schöner Anblick ist das Dampfen der Berge, und man fühlet wie jener alte Sänger „du rührest die Berge an, so rauchen sie."

Warmbrunn, durch Hirsche entdeckt, bekam erst Namen; als Graf Schaffgotsch 1403 hier eine von Grüssau abhängige Probstey stiftete, Magister Schwebler schrieb seinen gottseeligen Bade-Gast nebst Kern von Bad-Gebeten zum Teiche Bethesda 1701, die neuere Zeit gab uns genießbarere Beschreibungen. Es sind zwei warme Schwefel-Quellen in Badehäusern (ehemals hieß das eine Probstbad, weil es nach Grüssau gehörte), die gute Dienste thun in Gicht und rheumatischen Krankheiten, aber die Veränderlichkeit der Atmosphäre in der Nähe der Sudeten schadet der heilsamen

Wirkung des Waffers nicht wenig. Man sitzt in Gesellschaft von 6—12 Personen im Bade, und muß Badezettel
haben, die von sechs Uhr bis ein Uhr Vormittags, und
von 3—9 Nachmittags ertheilt werden. Zuerst kommen
die Damen, dann die Cavaliers, dann bürgerliche Frauen
— bürgerliche Männer und zuletzt gemeines Zeug. Mein
Tischnachbar klagte mir, daß er heute haben baden müffen
mit Juden „Wenn es wahre Söhne Mofis, der so auf
Reinlichkeit drang, und keine polnische Juden gewesen
sind, sagte ich zu ihm, so wären sie mir lieber als steife Cavaliers.“ — Im Süden kennen wir solche Bad-Rang-
ordnung en nicht, dafür ist das Verbot aller Ha-
zardspiele ein nachahmungswerthes Gesetz, denn ich
spreche mit Lichtenberg „Pharao mit seinem Heer
gehört zwischen Ritzenbüttel und das neue
Werk, wenn die Fluten der Nordsee einher rauschen!“

Berühmt sind Warmbrunns Stein- und Glas-
schleifereien, und das Bad war stark besucht von Preussen und Polen, im Adler wohlfeiler, als zu Breslau, obgleich die Bäder von den drei Curmonaten die neun übrige
Monate des Jahres leben wollen; es gab alle mögliche
Weine, und nicht schlecht. Die sogenannte Galerie ist
erst in neu rer Zeit gebaut, und die Kurgäste sind überein-
gekommen, bei zwei Groschen Strafe in die Armenbüchse,
sich nur militärisch zu grüßen. Aber an eigentliche
Badgeselligkeit ist doch nicht zu denken, theils wegen der vielen Natur-Merkwürdigkeiten umher, theils
wegen der Unnatur — des Kastengeistes, der hier noch stark
zu spucken scheint. In kleinern Bädern ist stets geselliger
Verein, Familienleben — in großen, städtische Menschen-
Neutralität, zu Warmbrunn Mutter-Natur die schönste
und beste Freundin. Die Hauptseuche der Bäder — Ha-
zardspiel ist bei 300 Thaler Strafe verscheucht, aber ein
anderes Harzardspiel und Seuche wachet die scharfe Polizei gleichfalls im Orte — aber wie vermag sie die in

den zerstreuten ländlichen Hütten lauschenden Nymphen zu
verscheuchen, die so bereitwillig als Wirthe, Krämer und
andere Warmbrunner sind, zum Vergnügen der Gäste bei-
zutragen? Doch — wer vergäße sie nicht in jenem Pavillon am Ende der Allee, und über die reizende Polin-
nen im Bade? die Grazien müssen sie erzogen, und
ihren Anzug besorgt haben, mich wundert nicht, daß die
Schönen Breslaus sie zu kopiren suchen!

Von Warmbrunn ist der nächste Gang nach Hermsdorf, und dem Kynast. Man sieht die Bibliothek,
die mehr alt, als neu ist, aber merkwürdige Sammlungen
zur schlesischen Geschichte enthält, und im Waffensaal
die Rüstungen der alten Ritter v. Kynast neben Familien-
bildnissen. Hier ist auch das Bild eines alten Temeswa-
rers mit seiner Frau — Er 172, Sie 168 Jahr alt, der
jüngste Sohn von 116 Jahren fand keinen Platz; diese
Enkel Methusalems lebten und starben hier. Man zeigt
auch das Schwerdt, mit dem ein Graf Schafgotsch, den
man eines Einverständnisses mit Schweden beschuldigte,
1635 zu Regensburg hingerichtet wurde. Es war aber
wohl Religionshaß und Verfolgungs-Geist der
Jesuiten, in deren Hände die Majestät des Reichs gefallen war, die diesen Justizmord veranlaßten — ein
größerer Schandflecken in der Regierung Ferdinand II., als
der Mord Waldsteins!

Ein Fußpfad führt in ½ Stunde nach dem Kynast,
der zwar nicht unter die schönsten Ruinen Deutschlands
gehört, aber hier die bedeutendste ist, und das Uebrige vollendet die schöne Gegend. Bolco, dessen Hut man noch
zeigt, soll die Burg erbaut haben, die Carl IV. dem Ritter Gottschschaf schenkte, weil er in der Erfurter
Schlacht sich so tapfer gehalten hatte. Weder Hussiten
noch Schweden konnten sie erobern, aber der Blitz des
Himmels zertrümmerte sie 1675. Noch steht das Wacht-
haus auf der äußern Mauer, wodurch man zu einem zweiten Thore gelangt mit dem Familien-Wappen, und in die

Vorburg, wo der verschüttete Brunnen, die Stallungen und das Burg-Verließ zu sehen sind. In der Mitte des Hofes mit den Ruinen der Kapelle und des Rittersaales, steht auch noch eine Strafsäule, die Zierde des Ganzen aber ist die hohe feste Warte, von der man von einer Seite die lieblichste Aussicht ins Hirschberger-Thal, von der andern aber eine schauerliche, den Berg von dem eigentlichen Riesengebirge trennende Tiefe hat, genannt die Hölle. Unter Burg-Ruinen weilen am liebsten die alten Sagen, und so wissen diese auch hier von einem Fräulein Kunigunde, die nur den zum Manne wollte, der kühn genug wäre auf der Burg-Mauer herumzureiten

Da kamen dann Ritter aus Ost und aus West
gar viele zum Kynast gezogen —
Die Lebenden nimmer der Muth verläßt,
sie kamen — zum Tode geflogen —

endlich gelang doch das Wagestück, und das eigensinnige Fräulein stürzte zärtlich in die Arme des Kühnen, der aber finster erwiederte:

Nur darum kam aus Thüringen her,
der Landgraf Albert gezogen,
daß keiner der armen Ritter mehr
zum Tode käme geflogen,
zu zähmen Euren grausamen Sinn,
und doch über alles ist dieser Gewinn!

und flog davon — das Fräulein

büßte den blutigen Frevel ab
und welkte früh ins stille Grab!

In allen Ruinen nimmt die Phantasie ihren Flug in die graue Vorzeit — in die schlauen Kutten und in die heroische Welt der Ritter — zuletzt sagt uns doch ein gerader Menschenverstand „Freue dich der minder frommen und minder noblen, aber bessern Zeit und einer menschlicheren Gegenwart" welche die Mehrzahl nützlicher arbeitender Menschen nicht mehr geschaffen hält für geborne Sclaven eines müssigen Adels und einer scheinheiligen Pfaffheit! Und Kunigunde warnet alle junge, schnippische Dinger, die im 16. Jahr nicht wissen, was sie wollen, und denen keiner gut genug ist „Gebt Acht! ihr werdet zusammen runzeln wie Hutzeln, eine alte Jungfer ist weniger als eine alte Hutzel!

Stonsdorf (stone, englisch Stein, eine Stunde von Warmbrunn) schien mir so interessant, als der Kynast, und seine Granitmassen mitten im Wege, in Gärten und Wiesen bunt umher gestreuet, gewähren einen malerischen Anblick. Graf Reuß hat hier der Natur nur leise nachgeholfen, wie es überall seyn sollte, denn ich kenne nichts Widrigeres, als die kleinen Kunst-Anlagen von Menschenhand mitten in einer großen Natur Gottes! Vom Stangenberg ist die Aussicht größer, aber der Prudelberg, an dessen Fuße zwei schöne neue Gebäude liegen, Brauerei und Gasthaus, hat schönere Granitmassen und Grotten, alles ganz Natur, wobei ich des Octogons gedachte, auf Wilhelms-Höhe. — Schon der Eingang in dieses Stonedorf hat mich gemüthlich angesprochen, der gartenähnliche Gottesacker mit den Worten „Seelig sind die Todten, die in dem Herrn sterben," an dem Thore links das Wort Ruhe und rechts Friede und an allen drei Pforten frische Blumenkränze!

Unweit Stonsdorf liegt Erdmannsdorf mit der Villa des Generals Gneisenau, noch schöner aber ist Buchwald, Landsitz eines Grafen Rheden. Man wandelt zwischen ländlichen Hütten, Getraide- Flachs- und Kartoffelfeldern, unter den schönsten Eichen, Buchen, Lärchen und Pappeln — stößt auf einen großen und hellen See, wie ich im Gebirge keinen gesehen hatte, und auf eine gothische Kirche, mit der gräflichen Gruft; die hervorstehendste Parthie ist der grüne Hügel mit einer Burg-Ruine, von der eine weißrothe Wimpel wehte. Das kleine Schloß mit Wassergraben ist umgeben von Oeconomie-Gebäuden, wo ich herrliche weiße Pfauen sahe. Der bunte Pfau ist oder war der Repräsentant der Ritter-

Welt, wie der putzliebenden Juno, der die Frauen belehren könnte, daß man schweigen müsse, wenn man gefallen wolle — diese weißen aber, die ich zuvor nie lebend gesehen hatte, schienen mir noch schöner, als sie ihr weißes Rad im Sonnenstrahl entfalteten — die wahren Repräsentanten des Vaterlandes der schönen Leinwand, — aller Frauen, die schöne Wäsche lieben, — und auch des Hirschberger Thales, denn überall im kleinsten Dorfe findet sich das schönste Linnen im Zimmer, Tisch und Bette, und so auch an den Menschen und vorzüglich dem schönen Geschlecht. — Je froher und gebildeter die Völker, desto feiner und weißer ist ihre Wäsche; und sicher wirkt äußere Reinlichkeit zurück auf das Innere; mit dem frischen Sonntagshemd ist der Handwerker ein neuer Mensch. Dem Britten, Holländer und Schweizer ist schon der Franzose und Italiener unreinlich — und nun erst Polen und Juden? Nicht alle können täglich die Wäsche wechseln; so gern sie auch wollten — es bleibt hienieden Vorrecht der höhern Welt, aber im Himmel — haben wir alle schneeweiße Kleider, die Pietisten ausgenommen, die sie in das Blut des Lammes tauchen, — und es ist schön, wenn wir auch schon hienieden uns anzunähern suchen, vorzüglich das Geschlecht —

Women were made to give our eyes delight,
a femal' Sloven is an odious sight,*)

Zu Buchwald, unweit eines Blumengartens, sahe ich eine schöne Halle Conjugi dulcissimae **) 1804, und in deren Innern vier Büsten, deren Bedeutung mir der Führer nicht zu sagen wußte; auch hat der Graf das Andenken zweier verdienter Männer hier erneuert — des Naturforschers Weigel und Klöbers, der das treffliche Werk, Schlesien vor und seit 1740 ge-

---

*) Die Weiber sind geschaffen, unsere Augen zu erfreuen, ein schmutziges Weib ist ein häßlicher Anblick.

**) Der theuren Gattin.

schrieben hat. Ueberall ist der Gesichtspunkt die Koppe, und dem Reisenden der sie schon bestieg, ist es nicht unangenehm zurückzublicken auf sein theatrum peractorum laborum.*) Im Wirthshause konnte ich nichts haben, als Schweinbraten und Kartoffel-Salat, Brod und Bier, und begriff nun den tiefen Sinn der schlesischen Begrüßungen „Wünsch wohl gespeist zu haben." In der ganzen Gegend ist ein schöner Park eine leichte Sache, man braucht der Natur nur ein wenig nachzuhelfen.

Von Buchwald ging ich über Fischbach, ein dem Prinzen Wilhelm von Preussen gehöriges Gut, das aber kein Buchwald zu seyn scheint, nach Hirschberg zurück, und besuchte den Maler des Riesengebirges Rheinhardt, schon ein Greis von 85 Jahren, aber frisch und munter, wie manche Sechziger nicht sind, und solche kräftige Greise sahe ich mehrere im Gebirge. Er hatte die Güte, mir seine Vorräthe zu zeigen, die meisten seiner Gemälde sieht man zu Dresden, Breslau, Berlin und in den Wohnungen der Reichen Schlesiens — hier war neben Landschaften auch eine allerliebste Copie des Chocolade-Mädchens zu Dresden, Mengs Amor, und das Bild seines Freundes Bode, des glücklichen Uebersetzers. Rheinhardt**) erinnerte mich an Nesselthaler zu Salzburg. In einem Caffee-Wirth fand ich einen großen Wetterpropheten, seine meteorologischen Steckenpferde waren acht Laubfrösche — zwölf Blutigel und drei Fische — ich lehrte ihn noch ein viertes genus kennen — die Kreuzspinne, und die Araneologie Dijonvals. Das Mädchen meines Gasthauses trat ein „Was befehlen Sie?" Caffee. „Schön!" aber ich bitte auch um einige Semmeln. „Schön! Wünschen Sie auch Butter dazu?" Nein „Schön!" darf ich einschenken? Schön! Schön! sagte auch ich und auch

*) Den Schauplatz seiner überstandenen Beschwerden.
**) Starb den 30. Mai 1827 alt 89 Jahre.

Sie sind schön! — — — die Wirthin ließ mich es wissen, es sey Gesellschaft im Garten, ich ging hinunter, fand die Hirschberger recht artig und unterhaltend, und hörte meine Wirthin sagen „Höre, Hannchen! ich brauche Geld, bringe mir welches mitte, aber balde!"

Die anstrengendste Fußreise war noch übrig nach den Wasserfällen — ich machte sie, bereute es aber fast mit Rücksicht auf meine alten Knochen, die zur peripatetischen Philosophie bald nichts mehr taugen werden. In frühern Jahren hätte ich das Riesen-Gebirge in Einem Zug durchlaufen, jetzt selbst im Thale der Jähre stieg ich sechsmal herab in das Thal von Hirschberg und ruhete von meiner Arbeit; wie Mosis Jehova! Es scheint mit dem Kochel-Zaken- und Elbefall fast zu gehen, wie mit dem Zobten und der Koppe, deren schwärmerisches Lob im Munde der Flachländer bereitet ist, die den Alles übertreibenden Griechen gleichen, wenn sie von den Cataracten des Nils das Maul voll nehmen, als ob sie die Wasserfälle des Orinoco wären. Der Süddeutsche bleibt ganz prosaisch, der Aelpler und Schweizer lächelt — und doch sahe ich die Wasserfälle wahrscheinlich in ihrer glänzendsten Gestalt; denn es hatte mehrere Tage so geregnet, daß alle Wasser ausgetreten waren. Mit Hülfe meiner noch ziemlich lebhaften Phantasie erschien mir der Elbfall am interessantesten, der wegen seiner wilden Felsen-Particen auch sonst wohl der schönste ist. Hier sahe ich die Elbe als Kind, die ich früher als lebensmüden Greis anstaunte, der kämpfend mit den Wogen des Oceans sich endlich namenlos verliert im weiten Wassergrabe, wie der Mensch, der lebenssatt seine Gebeine der Mutter Erde wieder gibt, und seine Habe lachenden Erben, müde! müde! müde!

Von Warmbrunn geht man längs dem Zaken über Petersdorf nach Schreiberhau, von wo noch ½ Stunde an den Kochelfall, à 50'. — Mir schien er wenig interessant, ob ich gleich in der Mitte zu stehen

glaube, zwischen Lavater, der am Rheinfall nie-
derstürzte, anbetete und viel Worte machte, wie
dorten der Pharisäer, und jenem kalten Britten, der da
rief: „Hier kocht der Teufel eine Milchsuppe."
Lächelnd las ich im Leben Meierottos, der freilich ein
Pommer, und Rector des Berliner Gymnasiums war,
seinen Ausruf Te Deum laudamus! Was hätte er erst
am Reichenbach gerufen, wo bei jungen Reisenden noch
die schönen Töchter des Haßlithales das aesthetische
Gefühl erhöhen? Ich ging zurück nach Schreiberhau,
sonst bloße Glashütte, welche durch böhmische Utraquisten
in Aufnahme kam, jetzt aber ein unübersehbares Dorf gewerbsamer Glas- und Holzarbeiter von 2000 Seelen,
die nebenbei Viehzucht und ein Vitriol-Werk nähret. Kein
Sudeten-Reisender übergeht leicht den Kretschem oder
das Haus des Schulzen. — Schreiberhau liegt zerstreut
im Riesen-, Jser- und Queis-Gebirge auf vier Stunden
Weite, und der Gerichtsdiener, wenn er etwas anzusagen
hat, braucht einige Tage!

Der Zakenfall, wohin drei Stunden sind, ist mehr
als Kochelfall 120' Höhe, und auch malerischer durch die
schroffen Felsen-Parthieen, die kaum 12' von einander
stehen. Im Jahr 1800, war der König hier und am Kochelfall. — Er und Louise verewigten selbst ihre Namen
in zwei Buchen, und wußten gewiß nichts von der Gold-
schrift auf Marmor: „Zum Andenken des 17. August 1800, als Jhro Majestäten König Friedrich
Wilhelm III. und Königin Louise den Kochelfall in allerhöchsten Augenschein zu nehmen,
und die Schönheiten der Natur allergnädigst
zu bewundern geruhten!" Selbst ein patriotischer
Preuße mit hoch ausgestopfter Brust — ärgerte sich!
Alle Wasserfälle, selbst in den Alpen, müssen sich nach
der Jahreszeit richten — vielleicht war gerade Wassers die
Fülle, als jener Land-Offizier (See-Offizier war er schwerlich) das Brausen und Sausen der Fälle, mit dem Wir-

beln von 100,000 Trommeln verglich — in einem trocknen
Sommer aber müssen sie eine wahrhaft traurige Figur
machen, und so mag dem Franzosen verziehen werden, der
in das Fremdenbuch zu Schreiberhau schrieb:

> Oh! qu'il est joli, qu'il est beau
>   pour un coeur tendre et sincére
>   de voir couler des gouttes d'eau
>   d'un rocher dans la riviére! *)

Am anstrengendsten ist der 4—5 Stunden weite Weg
zum Elbefall und den Schneegruben. Die Tiefe
dieser Gruben mag immer 1000 Fuß betragen, die Fichten
unten sehen aus wie Stecknadeln, der Schnee weicht nicht
das ganze Jahr. — viele müssen da hinab steigen — ich
verspürte nicht die mindeste Neigung, vielleicht weil auf
meinem Haupte schon Schnee lag — aber am Elbefall
lagerte ich, und überließ mich ganz den Spielen der Phantasie. Der Elbfall à 200' macht offenbar zu viel Absätze,
um recht schön zu seyn, daher ich den ½ Stunde entferuten
Pantsche=Fall, der weniger besucht ist, aber 8—900'
hoch herabstürzt, wie der Staubbach der Schweiz, vorziehe. Das Elbethal vom Falle an bis Friedrichsthal
(6 Stunden) ist unstreitig der wildeste Theil des Gebirges, und zu Friedrichsthal die erste Brücke der Elbe,
die sich nun so viele Brücken muß auflegen lassen. Wer
Lust hat, dieses wildschönste Thal des Riesengebirges zu
besuchen, kann sich dazu stärken in der 1½ St. vom Elbefall liegenden schlesischen Baude, die viel besucht,
folglich auch mit viel versehen ist, und Welt hat.
Die Elbe entsteht in Böhmen auf der Novarer
Wiese, aber so wie sich einst Griechen um Homers Vaterland stritten, so stritten Böhmen und Schlesier um die

---

*) O wie rührend ist es und schön für ein zärtliches Herz
— Wassertropfen gleich Thränen vom Felsen in das Bächlein
herabfallen zu sehen.

Elbequelle, und hätten sie fast mit Blut gefärbt; noch gibt
es im Jsergebirge den Wald Zaukstück genannt, von dem
noch heute nicht ausgemacht ist, ob er Böhmen oder Schlesien angehöre? Die Elbe, entsteht aus der Vereinigung
des Weißwassers und Elbebachs, die sich in den
weiten Sümpfen bilden, und da jenes stärker ist, so
brauchte es nicht einmal des letztern, um Elbe zu seyn —
aber es geht hier wie mit der Donau ... Aeltere Reisende lassen sie aus 11 Quellen entspringen (daher Elbe)
andere leiten den Namen von Albus ab, ob sie gleich
stets schmutziggelb aussieht, und der hochgelehrte Sen-
liger gar von Haß, weil sie Deutschland halbire. Das
elsässische Wort Elf bedeutet noch heute in dänischer,
schwedischer und isländischer Sprache einen Fluß, auch
der böhmische Name Laba deutet darauf hin, und die
Elbe entsteht eigentlich aus 100 Quellen, denn überall
hört man unter dem Moorgrunde Quellen murmeln. Ruhend an der sogenannten Quelle und genießend, was der
Führer hatte, ließ ich meine Phantasie ausfliegen nach
Böhmen und Dresden, Magdeburg und Hamburg und an
ihre Riesenmündung, wo sie so groß geworden ist, als die
kleinen Grafen von Habsburg und Zollern. Lärmend und
rauschend stürzt sich das Wässerlein nach Böhmen hinab,
wie der Kleine, dem Eitelkeit und Dünkel den Kopf ver-
drehen — mit aller Majestät aber geht der Strom, belastet mit reichen Schiffen in Ocean, furchtbar, nützlich,
groß, wie große Männer!

Mich am bloßen Anblick des großen Rades,
der Sturmhaube und des Reiftragers begnügend
brach ich auf nach Flinsberg und der Tafelfichte.
Der Weg ist weit, beschwerlich und traurig über die Jser-
häuser, wo blutarme Teufel wohnen; ich sah hier häß-
liche Weiber, die bei ihrer Arbeit — Tabak rauchten!
Flinsberg am Quelsflüßchen, ein Bad, für das Graf
Schafgotsch lange nicht gethan hat, was Graf Clam Gallas
für Liebwerda, ist traurig — das Volk nennt es den

Bierbrunnen, und kommt Sonntags hieher, trinkt und berauscht sich in seinem Sauerwasser, das ja nichts kostet, wie sich die Lesewelt berauscht in wohlfeilen Nachdrücken der Schuften, deren Namen nicht genannt zu werden verdienen, und speculirende Buchhändler, die ihre Uebersetzungen in ganz kleinen Portionen à 9 — 12 Kreuzer geben, worüber das Publikum alle Arithmetik zu vergessen scheint. Man besteigt der Aussicht wegen Geiersten; Messersdorf, das mit Wiganדsthal gut Eins macht; ist nicht mehr der philosophische Wohnsitz eines Gersdorfs, des Sauffure, und Saussüre der Sudeten — aber die schöne Gegend und die Tafelfichte auf einer Höhe von 3545' entschädigt, d. h. die Aussicht, denn auch die Tafelfichte steht so wenig mehr, als die beiden Holzhütten, die Gersdorf hier hatte bauen lassen. Diese Fichte, am letzten Gebirge der Sudeten stand neben dem Gränzsteine, der Böhmen, Schlesien und Sachsen scheidet, wohin Gersdorf seine Freunde und Fremde so gerne führte!

Von der Tafelfichte stieg ich herab nach Friedberg und Greifenberg; um auch von dieser Seite am Ende der Sudeten gewesen zu seyn; man ist auf der Landstraße nach Dresden, das Interessante der Gegend verliert sich, selbst die Kunststraße, und die Einfalt der Bergbewohner ohnehin — man thut wohl, sich gegen kleine preußische Pfiffe zu waffnen mit guten Groschen und guter Laune. Greifenberg mit 2000 Seelen hat im Wappen einen fürchterlichen Greif, der einen Gewappneten erdrückt — mit ihrer berühmten Leinwand kommt sie aber sicher weiter, und ich habe mir zum Andenken selbst ein Schock à 20 Thlr. beigelegt. — Die alte stattliche Burg-Ruine Greifenstein auf hohen Basaltfelsen ist halb eingestürzt, und ebensoviel davon verbraucht zum Bau des Amthauses. Boleslaus erbaute die Burg 1408, und die Arbeiter fanden hier ein ganzes Nest voll jun-

ger Greifen, wovon schon Einer jetzt seinen Mann reich
machen könnte.

Nach Löwenberg und Bunzlau bin ich nicht gekommen. An jenem Orte soll Napoleon die erste Nachricht von Oestreichs Beitritt zur großen Allianz erhalten,
und darüber sein Trinkglas haben zur Erde fallen lassen,
das nun die Merkwürdigkeit Löwenbergs ausmacht. Bunzlau mit 4000 Seelen ist berühmt wegen seiner braunen
Töpferwaaren, die durch den ganzen Norden gehen,
und man pflegt den großen ungebrannten Topf zu sehen
von 7' Höhe und 8 Ellen Weite. — Spricht der Thon
zu seinem Töpfer was machst du? Bunzlau ist auch die
Vaterstadt des Boberschwanes d. h. Opitzens, und
des ihm nachsingenden Tschernings; beide zeugen von der
poetischen Ohnmacht ihrer Zeit, aber Opitz fand zu Breslau
den Lobgesang auf den heiligen Anno, und so
werden ihn doch wenigstens unsere deutsche Alterthüm-
ler schätzen. Bunzlau hat selbst eine Lucretia, die
schöne Anna Catharina Reiner flüchtete vor den Hussiten
in die Kirche, stieß zwei nieder mit ihrem Dolch, und
unterlag der Menge als reine Jungfrau. Unweit der Stadt
steht jetzt auch ein Denkmal des hier gestorbenen General
Kutusow, in dessen Macht es 1812 stand, daß kein
Napoleon mehr 1813 nach Deutschland gekommen wäre.

Die herrliche Schöpfung des reichbegüterten und edlen
Grafen Clamm-Gallas — Liebwerda war mir das
Interessanteste der ganzen Gegend. Dieses Bad liegt in
einem weiten Waldthale am südlichen Fuße der Tafelfichte in Böhmen, und das nahe Franziskaner Kloster
Haindorf erhöhet die Reize. Der Graf selbst mischte
sich freundlich unter die Gäste, mir ist es lieber geworden,
als Warmbrunn, und Flinsberg darf sich gar nicht melden. Nicht ferne davon liegt auch die ihm gehörige Fabrikstadt Reichenberg, die erste nach Prag, mit 14,000
Seelen. Man zählt gegen 900 Tuchmacher, eben so viele
Leineweber und Strumpfwirker, Granat-, Stein- und

Glasschleifer; da viele böhmische Edelsteine hier gefunden werden, und die Reichenberger Tücher gehen in alle Welt. Das nahe Friedland hat ein schönes Schloß, das Waldstein den Namen Herzog von Friedland gab, und in der Kirche ist das geschmackvolle Grabmal des Feldmarschalls von Rödern. Unter den Denkmälern Waldsteins zog mich sein Bild an, dem keiner der mir bekannten Kupferstiche ähnlich ist. Der Held steht in Lebensgröße, das Schwert in rother Feldbinde, in einem lederfarben Wammes (der von Pfundleder gewesen seyn soll) in der rechten den Commandostab, und auf dem Tische Helm und Handschuhe. Sein Gesicht verräth mehr List, als Edelmuth und Größe.

In diesen Gegenden Böhmens, wo zwar die Wege schlecht, aber die Natur göttlich ist, leben mehr Deutschböhmen als Stockböhmen, folglich sind Menschen und Wohnungen besser und reinlicher. Das Lichtblaue verliert sich in's Dunkelblaue, wie die schwarzen Haare in braune, und die böhmische Stumpfnase in lange deutsche. Der Bettel ist im ganzen böhmischen Theile der Sudeten arg, aber hier am ärgsten, daher man wohl thut Gröschel zu sich zu stecken. Ich werde ungefähr 240 ausgegeben haben = zwei Thlr., und mehr steckte selbst der große Friedrich nicht zu sich, gab jedoch als König zwei Groschenstücke, als er in Oberschlesien reiste. Hier begegnen einem auch viele Pascher d. h. Schleichhändler — es sind gefährliche Kerls voll List und Verschlagenheit, meist auch Wilddiebe, die die ganze Schule der Unmoralität durchgemacht haben, und daher ist es mir unbegreiflich, daß einsame Fußwanderer so sicher wandeln! Ich gedachte des Caucasus, und lobte mir die deutsche Erde! und doch herrscht im Caucasus, nach Reineggs, die alte ungemein humane Sitte, daß Wittwen oder verstoßene Weiber wöchentlich 1= oder 2mal mit verhülltem Angesicht auf einer Rasenbank Nachts vor dem Hause sitzen — unbekannte Jünglinge oder Männer trösten sie, und die Folgen des Trostes — nimmt der Volksstamm auf sich, und sie werden erzogen und versorgt, wie Aristides begraben ward sumptibus publicis *).

Fünfundzwanzigster Brief.

Der Beschluß.

Das Riesengebirge verdient vor allen Gebirgen Deutschlands, nach den Alpen, den ersten Rang, und eine 8—14tägige Reise in diese Berge, die zwischen dem schönen Schlesien, Böhmen und Sachsen liegen, gehört zu den genußreichsten, die man machen kann, daher sie auch den Preußen und Sachsen das sind, was dem Hannoveraner der Harz, dem Süd-Deutschen die Schweiz, und mir Salzburg und Tyrol! Die Sudeten (Süd-Oeden) oder Riphaeischen Gebirge (Riphen, Riesen, vielleicht von rise (Quellen) Quellengebirge, böhmisch Krkonossy hory) werden in engem und weitem Sinne genommen; in diesem begreifen sie das nordwestliche Iser-Gebirge, und die ganze Strecke vom Bober bis Glatz, wo die Eule sie mit dem mährischen Gebirge verbindet, das bei Jabluuka sich an die Karpathen schließt; in engerer Bedeutung aber versteht man nur den hervorragendsten und interessantesten Theil darunter, beschränkt auf die Iser, Hohenelbe, Freiheit, Schatzlar, Petersdorf, Schreiberhau und Schmiedeberg, ein Flächen-Raum von zwanzig Meilen mit 50'900 Seelen, alle Städte ausgeschlossen. Der schönste Theil ist es gewiß, zumalen wenn man das Hirschbergerthal mitnimmt im Vorgrunde, von welchem ganz gilt, was Rousseau von der Schweiz sagt: En y voyageant le

---

*) auf öffentliche Kosten.

peintre trouve à chaque pas un tableau, le poéte un image, et le philosophe une reflexion *) — er hätte noch hinzusetzen dürfen, der Botaniker eine Pflanze, und der Mineraloge einen Stein.

Diese herrliche Bergkette senkt sich bedeutend in der Mitte, und theilt sich in zwei Flügel, deren Flächen Wiesen heißen, südöstlich die weiße Wiese, nordwestlich die Elbwiese. Die böhmische weniger gekannte und besuchte, obgleich größere Seite, die allmählig empor steigt, gewährt nicht den malerischen Anblick der steilern schlesischen, die Gränzen aber auf den höchsten Kämmen macht ein durch das Knieholz gehauener Fußpfad kenntlich. Fast der ganze schlesische Theil des Gebirgs gehört Schafgotsch, und die böhmische Seite den Harrachs und Clamm-Gallas. Kahl hat das Riesengebirge nach Pfyfferischer Manier modellirt, und das Modell ist in der Academie der Künste zu Berlin. Wahrlich! diese Gebirge verdienten einen Dichter, wie Haller seiner Zeit war. — Tralles, ein Breslauer Arzt, der es 1750 in holperichten Versen besang, oder eine physicalische Betrachtung darüber aufstellte, und nicht einmal ein Werlhof ist — geschweige ein Haller, und die bisherigen Dichter scheint Apollo nicht am Ohr gezupft zu haben, Apollo aurem velit, und so mag der Schüler recht haben, der übersetzte: „Apollo kratzt sich hinter den Ohren!"

In diesen Gebirgen müssen große Revolutionen Statt gefunden haben, wie die zerstreuten freistehenden grotesken Felsenmassen zeigen z. B. Adersbach, die Dreisteine, der Mädelstein, Mittagsstein, Prudelberg 2c., und die Koppe-Form der Berge, die sicher vormals Hörner oder Nadeln hatten. Gewiß waren die Sudeten einst höher. Noch immer aber ist das Riesengebirge höher

---

*) Wer hier reist, findet mit jedem Schritt seine Rechnung, der Maler eine Landschaft, der Dichter ein Bild, der Philosoph Stoff zu Gedanken.

als die mährischen Berge, der Böhmer Wald, das Erz-
und Fichtelgebirge, der Harz-, Schwarz- und Odenwald.
Keine der Koppen erreicht die Höhe der Schneelinie, dem
ungeachtet aber sind die Bewohner vieler Bauden oft Monate lang eingeschneiet, und auf sich beschränkt; Leichen
müssen oft Wochen lang im Schnee liegen, und die gang-
barsten Wege mit Stangen bezeichnet werden. Hafer und
Erdäpfel reifen nicht immer, wer könnte da an Obst denken? Innerhalb wenig Stunden, wenn im Thale das
heiterste Wetter ist, setzt die Koppe ihren Hut auf,
oder eine Wolke entwickelt sich so schnell, daß die ganze
Gebirgskette sich den Augen versteckt, Nebel- und Höhe-
rauch sind ohnehin alltägliche Erscheinungen, und in solchen
Fällen ist dem Wanderer eine Baude, was dem in Stürmen
herumgeworfenen Matrosen Land ist. Bei Kräuterkäse und
Brod in der zehrenden Bergluft sitzt er dann zufriedener
da, als an einer Prälatentafel. Das sudetische Witzwort
bleibt wahr: „Wir haben ¾ Jahre Winter, und
¼ Jahr Kälte!"

Die Schätze des Plutus — sey es Mangel oder Vernachläßigung — sind unbedeutend gegen die Gaben der
Flora, und gleich unbedeutend die Fauna. Von Bären,
Wölfen, Luchsen ist keine Rede mehr, aber selbst das Reh-
wild ist selten, woran Füchse, Marder und wilde Katzen
Schuld seyn mögen. Die Hausthiere beschränken sich auf
kleines, braunes Rindvieh und Ziegen. Es scheint sonderbar, daß man weder Schweine noch Schafe sieht, und
auch keine Bienen. Je höher man steigt, desto todter und
stiller wird die Natur, hie und da eine Schnee-Lerche,
Schnee-Amsel, Auer-, Birk- und Haselhuhn; selbst das
gewöhnliche Hausthier des Landmanns, der Wacker oder
Hund ist selten. Diese Natur-Menschen brauchen keinen
Wächter ihrer kleinen Habe, und Knochen haben sie ohnehin nicht wegzuwerfen; dafür sieht man Katzen, denn
Mäuse und Mausereien gibt es überall.

Die einzelnen Wohnungen, genannt Bauden (böhmisch Bauda, Hütte, Bube) sind übereinander gelegte
Balken mit Moos ausgestopft, und einem Schindeldach,
wie unsere Blockhäuser, nur daß jene auf steinerner Grundlage ruhen; man kann deren 2000 annehmen. Im Innern ist mehr für das Vieh, als den Menschen gesorgt,
der Eingang für beide derselbe, alles aber höchst reinlich...
Auf dem Heuboden ist das Bette, der Eingang mittelst
einer Leiter, wie bei Hühnern — aber ich schlief da so
sanft, als der Dulder Odysseus auf seinem Oelbaumlaube,
jedoch war weit und breit keine Nausicaa, aber sah nicht
Vater Jakob unter freiem Himmel, einen Stein zum
Hauptkissen — die Himmelsleiter? Gleich einfach sind
Nahrung und Sitten, je entfernter die Bauden vom Thale
sind. Die Bauden aber, die von Reisenden besucht werden, haben nicht nur die Bedürfnisse der Weltkinder sich
angeeignet, Caffee, Tabak, Wein, Liqueurs ꝛc., sondern
man versteht da auch Zechen zu machen, wie die gewandtesten Kellner renommirter Gasthöfe. Hier stößt man auch
auf Riesen von Kachelöfen, bei deren Reparatur der
Töpfer eine Leiter braucht, ein Meister Nadel mit sechs
Gesellen könnte da seine Werkstatt aufschlagen, und alle
sieben ausfahren nach Herzenslust!

Wenn das Glückseligkeits-Ideal Jean Jaques
hienieden verwirklicht werden kann, so kann es nur bei
Hirtenvölkern seyn, die sich um nichts als ihre Heerde
kümmern, und nur in's Thal herabsteigen, wenn sie gegen
ihre Butter, Käse und Winter-Garn Brod eintauschen,
oder Hausgeräthe, und solche Familien trifft man noch in
entfernten Bauden. Die Kinder werden an rauhe Witterung und Arbeit, von Jugend auf gewöhnt, und laufen
halb nackend umher, wie junge Wilde. Sie kennen keine
andere Kost als Milch, Brod, Käse, Sauerkraut, Rüben
und Cartoffel — nur bei hohen Festen erlaubt man sich
Fleisch, und der Hausvater schlachtet eine junge Ziege, wie
Abraham ein Kalb. Etwas Extra ist schon ein Glas

Vogelbeer=Branntwein. Ob wir im Süden die Beeren der Sorbus aucuparia benützen? Die Vögel wissen doch auch, was gut ist. — So denke ich mir die von Engländern verachteten Bergschotten, die gewiß liebenswürdiger sind, denn diese Sirs .., die ich sattsam habe kennen lernen. O! der ist reich, der vom Schicksal weiter nichts mehr verlangt, als was er hat! Man kann für einen Böhmen Mittag halten, versteht sich mit Milch oder Butterbemme, und erspart so wieder die Böhmen, die man an seinen Stiefeln abreißt. Die Kleidung ist eben so einfach, meist blau, der Sonntagsstaat aber schwarz — schwarzlederne Beinkleider, graue Strümpfe, Schuhe und dreieckigten Filz; die Weiber gehen schon bunter, und ich wünschte, um des Contrastes willen ein Bauden=Mädchen oder Naturkind abgebildet im Journal des Luxus und der Moden!

In diesen armen Hütten kann man lernen, wie wenig der Mensch braucht zum Leben und zur Zufriedenheit, ja selbst von den Pflanzen auf der Koppe in sparsamer Erde, wie wenig die Natur selbst bedarf. Hier müßte dem Philosophen ein Gemälde des Naturstandes am besten gelingen, man denkt an Socrates: „Je weniger der Mensch braucht, desto mehr nähert er sich den Göttern, die gar nichts brauchen!" — und hat den festen Glauben an die Vorsehung, mit dem mir ein alter Prediger, bei dem Wunsche nach einer etwas bessern Einnahme, sagte:

> Wenn es dir nützlich wär,
> Gäb es Gott selbsten her!

Auf Höhen ist der vordringendste Gedanke: „Wie klein ist der Mensch!" und dann geht der ernste Gedanke in's Komische über, wenn man an unsere Anmaßungen und Titel denkt: „Herr der Schöpfung! Ebenbild Gottes!" man erblickt höchstens Hahnen und Hühner, die sich so gerne auf hohe Stangen setzen! Von diesen

Wolken-Regionen herab mit einem guten Tubus müßte
die Schlacht an der Katzbach so komisch lassen, als
ein Frosch- und Mäusekrieg, so komisch als die Husaren, die 1778 auf der Koppe scharmutzirten, und wenn
sie Mützen und Federbüsche von 6′ gehabt hätten! Nicht
Alle können in Alpen und Gebirgen leben, und müssen in
der Welt bleiben, wo man aber auch zur Ruhe gelangt,
wenn man sich auf negatives Glück zu beschränken
weiß, wie die Leutchen in derangirten Umständen,
wenn sie einmal erklärt haben, daß sie — Lumpen sind!

Alles ist hier thätig, und Abends, vorzüglich wenn
Schnee und Kälte die Leute gefangen hält, ist ihr Casino
Weben, Spinnen und Beten — man versammelt sich
um den brennenden Span in Rocken-Visiten, wo
auch Rockenstuben-Philosophen sich hören lassen,
verliebte Pärchen sich finden, und hie und da Thal-
bewohner mit Neuigkeiten und Lügen aus der Welt.
Die Leutchen sehen alle kerngesund aus, werden steinalt, und
Frohsinn begleitet sie bis zum Grabe. Ich habe Greise
Lasten von 1½ — 2 Centner über die steilsten Gebirgs-
steigen tragen sehen, und Leute von 90 — 100 Jahren sollen
nicht selten seyn. Sie wissen nichts von Aerzten, und erreichen 100 Jahre, was weniger wunderbar ist, als wenn
sie bei 100 Aerzten eben so alt würden. Sie halten sich
an Hausmittel, und lachen über die Aerzte, die den
Grund gewisser Local-Krankheiten im Mangel des Spei-
chels suchen, der allerdings beim fleißigen Spinnen verschwendet wird, so, daß die Aerzte doch Recht haben könnten. In der Welt ist ein allzulanges Leben nicht immer
Glück, aber in der patriarchalischen Gebirgswelt wohl —

        À l'an soixante et douze
          il est temps, que l'on se houze —

---

*) In einem Alter von 72 Jahren muß man sich zum Abfah-
ren bereit halten.

ſagt ein alter Franzoſe — „der Geiſt iſt willig, aber das Fleiſch iſt ſchwach," gilt nicht von Gebirgs= völkern.

Nie bin ich auf einen Dickwanſt geſtoßen, aber auch nie — auf eine weibliche Schönheit! Leider! hat jetzt dieſes einſt ſo glückliche und zufriedene Hirtenvölkchen Krämer= und Speculations=Geiſt ergriffen, (viele arbeiten auch in Fabriken, oder als Taglöhner im Thale) und mit ihm entfloh Einfachheit und Glück; Reiſende, die früher ſelten waren, erſcheinen alljährlich in Haufen aus den Bädern, und morden auch noch — weibliche Un= ſchuld! Dem Reiſenden gewähren die Fremdenbücher die meiſte Unterhaltung. Manches dumme Zeug unterhält denn doch — am meiſten aber Namen der Bekannten oder Freunde.

In der Einſamkeit der Gebirge muß man nirgendswo Aufklärung ſuchen, wohl aber Unwiſſenheit und Aberglauben, daher wallfahrten die armen Sudeten nach nahen und entfernten Gnaden=Orten, und Rübe= zahl treibt noch ſeinen Spuck. Ein ſterbender Greis, den der von Hohenelbe herbeigerufene Prieſter tröſtete, daß der Erlöſer auch für ihn geſtorben ſey, ſagte: „Ach ſu is dos arme Noartla geſturba? Schauts! lieba Gotteskuecht! ar, wird nit böße ſeyn, weil ma in dem wilda Gebirga niſcht erfährt, doß ich nich uf ſei Begräbnuß gegauga bin!"

Praetorius, der Geſchichtſchreiber Rübezahls, dieſes ſonderbaren Weſens der Einbildungskraft, will wiſ= ſen, daß ein Italiener Ronceval lange im Gebirge nach Metallen, Edelſteinen, Wurzeln und Kräutern umhergezo= gen ſey, woraus das Volk Rübezahl gemacht habe, der als Geiſt noch wandere. Andere leiten den Namen von Riphaeorum Zabulus her, Musaeus aber vom Rüben= zählen. Eine gewiſſe Emma ſoll ihren Mann Rüben= zählen geſchickt haben, um mit ihrem Liebhaber allein zu ſeyn, und viele ſchleſiſche Damen werden ähnlicher Liſten beſchuldigt. Ich kann nichts entſcheiden, und weiß bloß, daß der Aberglaube in allen abgelegenen Gebirgen spuckt; der Gespensterglaube mag von Tobias Büchlein und dem Geist Asmodi kommen, und Engel Raphael gibts nicht mehr, die ihn in die Wüste bannen oder Fischleber verschreiben; dafür ist das Volk so aufgeklärt, daß es jetzt jeden Schatz gerne heben würde, den ein Geist anzeigte. In früheren Zeiten aber stritten Theologen und Juristen recht ernsthaft über die Frage: „Ob man mit gutem Gewissen, und ohne Verletzung des Taufbundes und Verlust der ewigen Seligkeit einem Geist folgen dürfe, der einen Schatz zeigen wolle? und fast alle sagten Nein!

Rübezahl erscheint bald als Jäger, Bauer, Mönch, Bergmann, bald als Hund, Roß, Hahn, Rabe, Eule, Katze, und schickt allen, die ihn schmähen oder verlachen ein tüchtiges Donnerwetter auf den Hals, verdirbt Häuser, Gärten und Waaren, seinen Verehrern aber gibt er Steine und Gräser, die sich in Gold und Silber verwandeln. So verwandelte er sich einst in einen armen Weber, den sein Weib keifend plagte, während er den Weber im Gebirge eingeschläfert hatte, ließ so lange und so oft in ein Pfeifchen, so oft sie keifte, und curirte sie (verdient Nachahmung). Einen bösen Schneider brachte er bis zum Galgen, aber dann verwandelte er sich in den Schneider, und siehe ein Strohwisch hing am Galgen! Vormals glaubte man im Gebirge sogar an Magnetsteine, die hier den Reisenden mit viel Nägeln in Schuhen festhielten! Die Koppe ist der eigentliche Tummelplatz Rübezahls, hier ist sein Lust- und Gewürz-Gärtlein, und auch seine Kanzel. — Hat nicht der Teufel selbst im Harz und Schwarzwalde eine Kanzel, und anderwärts noch gar viele? Es gibt auch eine Teufels-Wiese, einen Teufels-Grund, und die Wege sind ohnehin des Teufels!

Die Sprache der Bewohner ist verständlicher als in den süddeutschen Alpen. Ihre Berge haben keine Hörner, Nadeln, Zähne oder Spitzen, sondern sind halbkugelförmig

gerundet, daher Koppen (Kappe, Haube) ber Bergrücken
heißt Kamm, ist die Fläche begrast, Wiese, der Abhang
heißt Lehne, eine Schlucht Grube, und zusammen-
fließende Waldbäche — Seifen, Wirthshaus Kret-
schern. A ist der Lieblings-Selbstlauter, wie in Schwaben E und in der Schweiz I — und erinnerte mich an
das Fränkische: So maan i a (So meine ich auch).
Ala Nala hala ni, noja Nala hala auch ni! Was ist das?
Alte Nägel halten nicht, neue Nägel halten auch nicht.
Ich glaube, ihre A-, E- und I-Sylben rühren davon her,
daß sie sich in ihren Bergen oft in Entfernungen zurufen,
und Vocale tönen lauter als Consonanten, liebt sie ja selbst
die sonorste aller Sprachen — die italienische. Alle von
der Welt gesonderten Berg- und Hirtenvölker sind naiv.
Ein Alter, der mich eine Strecke begleitete, und sich nach
den Dingen draußen in der Welt erkundigte, rief häufig:
„O Kott i Hirnla! O Kottes Suhn!" — hier, wie in den
Alpen und auf der schwäbischen Alp, wo der Ortsvorste-
her dem Kön⸗, der einen beschwerlichen Pfad einschlug,
zurief: Herr König! do gunt (gehen) nur b'Esel
nuf (auf)!

Das Riesen-Gebirge läßt sich kaum mit Vor-
alpen vergleichen, zwei Koppen müßte man noch auf die
Koppe setzen, wenn sie die Höhe des Orteles, Groß-
Glockners oder Montblancs ꝛc. erreichen sollte, und inso-
ferne klingt der Name komisch, der von nordischen Flach-
ländern kommen muß. Aber wer heißt vergleichen? Wer
heißt den Kochel und Zackenfall vergleichen mit Rheinfall, Reichenbach, den Wasserfällen der östreichischen
Alpen oder mit Ternt? verschwinden diese nicht auch wieder vor dem Niagara, der wieder von dem zu Tequen-
dama in Süd-Amerika übertroffen wird? wenn ein 1200'
breiter Strom, wie S. Lorenzo 150' hoch herabstürzt, muß
es nothwendig anders rauschen als am Kochel und Zackenfall, dafür trifft man da auch keine zerschmetterten Thiere
unten an, über ihnen keine Raubvögel, und um sie keinen

Gestank. Erwartet man vom Rheinfall die Dampfsäule und den acht englische Meilen weit hörbaren Donner? Jede Vergleichung hinkt, jede Gegend hat ihre Eigenthümlichkeit, und kein anderes Gebirge bietet auf so wenig Flächenraum so viel Interessantes, so viele Städte und Dörfer, Fabriken und Handel, und einen so wunderschönen Vorgrund. Ich sage mit Schummel: „diese deutschen Gebirge sind zum Hausgebrauche besser, gerade wie gewöhnliche Menschenstaturen tauglicher sind, als Riesen.“ Wenn mich auch, der ich Höheres kannte, hie und da die Erwartung täuschte, die Schneekoppe täuschte mich nicht, ich dachte an den Rigi — und noch weniger das Hirschberger Thal. Von diesem Vorgrund gilt weit mehr, was Rousseau von der Schweiz sagt: „Eine große Stadt, deren Straßen mit Wäldern besäet, und durch Berge getrennt sind, deren einzelne Häuser aber durch englische Gärten zusammenhängen.“

Das Riesengebirge ist von weit milderer, höherer und mannigfacherer Schöne als der Harz, der so viele anzieht, weit weniger rauh, und weit bequemer; statt der Tropfsteinhöhlen und Burgruinen sind hier Glashütten und Linnen-Manufacturen, die Aussichten viel weiter und schöner. In den Bauden findet der genügsame Wanderer Haferbrod, Milch, Butter, Käse und Cartoffel, zuweilen Eierkuchen und Forellen, und wo es weder Bier, Caffee, noch Liqueur gibt, fehlt doch nicht das herrlichste Wasser. Man pilgert hier ungleich wohlfeiler, als im Harz, und ein kleiner Thaler für den Führer, und eben so viel für sich, reichen aus, man ist dabei liberal; auch ich vernahm einigemal in nicht stark besuchten Bauden auf meine: Was bin ich schuldig? die Antwort: „Jh! Harr, he kon gahn wos he will.“ Der Harz ist nicht so bevölkert, und die Leute nicht so artig — keine Unreinlichkeiten stören den freundlichen Anblick. Nach einigen Tagen Hirtenleben kann man wieder herabsteigen in Städte und Bäder, und sich restauriren für neue Wanderschaft!

Von Gletschern, Seen und Alpen-Natur kann hier so wenig die Rede seyn, als von Meereswogen, die sich am Felsen in Schaum auflösen, oder von Vulkanen, die Feuer und Asche sprühen, und die Erde ein bischen rütteln — aber dieser Contrast der Cultur und Schönheit des niedern Landes mit dem rauhen wilden Gebirge ist nirgendswo, nirgendswo so viele über Granitmassen tobende Wald-bäche, abwechselnd mit lieblichen Thälern und ihren Sil-berquellen unter dem Schatten von Erlen, nirgendswo das Dunkel stundenlanger Tannenwälder so feierlich, und dann wieder der Anblick frei da stehender Granitblöcke, und wild vom Sturm durcheinander geworfener Fichtenstämme, und dann wieder eine idyllenartige Baude an einer Wiese, Teich oder Quelle. Die plötzlichen Nebel mag man auch noch unter die Eigenheiten zählen, die jedoch auch ander-wärts die Bilder Ossians versinnlichen. Winde jagen diese Nebel vor sich her, und wie Geister ziehen sie durch die Schlucht — im Flachlande hat man hievon keine deutliche Begriffe, so wenig als von den magischen Erscheinungen, die das Wolkenspiel und das schnell erscheinende und eben so schnell verschwindende Sonnenlicht hervorbringen. Sie lösen am besten das Räthsel von Rübezahl!

In den Alpen ist auf Höhen, wie sie das Riesenge-birge gar nicht hat, noch das schönste Grün, und die üppigste Vegetation; während hier schon Alles kahl und todt ist, wie auf dem Brocken, weiden dorten noch die schönsten Heerden, und Senner und Sennerinnen treiben ihr Wesen. Wer im Riesengebirge von Gefahren und halsbrechenden Strapazen träumt, ist zum Alpengänger verdorben. In der Schweiz und noch mehr in den östrei-chischen Alpen finden sich die schönsten Kunststraßen, selbst über die höchsten Berge, hier nicht einmal gute Fußpfade. Der Bettel ist zwar dorten auch, aber kein Vergleich mit dem Bettel böhmischer Seite, wo es schlim-mer aussieht, als zu Montreuil. Sterne konnte da die Kinder der Armuth mit acht Sous abfertigen, ich hatte

kaum eines von meinen 200. Gröschel übrig, um solches
einem Münzliebhaber höherer Art mit nach Hause zu
bringen!

Doch keine weitere Vergleichungen! Wahrlich man
stört seinen Genuß, wenn man stets vergleichen will —
Armuth ist leider nur zu gemein — das Betteln nur in
modo verschieden — und Naturschönheiten bleiben Naturschönheiten, wenn sie sich auch wie plus und minus verhalten. Und wenn man nichts anders hat, gefällt man
sich selbst an einem Wasserfall, den die Hand eines Großen
in ein Marmorbecken fallen läßt, und das Rauschen eines
Diminutiv-Wasserfällchens in einer englischen Anlage vermag, in einer einsamen melancholischen Stunde mehr zu befriedigen, als alle Wasserkünste von Wilhelms-Höhe, Herrnhausen
und St. Cloud! Es ist unphilosophisch immer nur zu
vergleichen, d. h. zu verkleinern, so unphilosophisch,
als wenn der Liebhaber sein Mädchen an das Ideal der
Venus hält, oder ein pedantischer Recensent auf Fehler-
Jagd ausgeht, und darüber das Gute eines Buchs übersieht. Für Norddeutschland ist das Riesengebirge und der
Harz so viel als Alpen, und Pic du Midi, und Alles in
diesen Gebirgen wenigstens so merkwürdig, als für Ben-
kowitz, da er von Glogau nach Sorrento reiste, das uns
so bekannte Ding, dem er ein eigenes Capitel widmet —
der Hemmschuh!

Lassen wir die Schweiz und Italien — Italien und
Schweiz seyn, und verlangen in Deutschland keine deutsche Schweizen und keine italienische Gefilde —
verlangen wir von deutschen Gebirgen keine Karpathen,
Alpen und Pyrenäen, denn wenn wir solche auch hätten,
würden der Caucasus, die Cordilleras und Himmelaia nicht
wieder auf sie, wie auf Zwerge, herabblicken? Hier ist
das Nil admirari *) an rechter Stelle. Was sind am
Ende alle Riesen der Erde vor dem Weltall? selbst

---

*) Nichts anstaunen.

auf unſerer Erde ſind ſie mehr als größere oder kleinere Sandkörner auf der Oberfläche unſerer Kugel, die wieder ſelbſt nur ein Sandkorn im Weltall iſt? O der Narren und ſtolzen Homunculorum!

Das Rieſengebirge hat mir hohen Genuß gewährt, und iſt im deutſchen Norden, nächſt Rügen, was im Süden Tyrol und Salzburg, der Bodenſee und das Salzkammergut iſt. Ich lernte es erſt im 57ſten Jahre kennen, etwas zu ſpät. Voyager à pied, c'est voyager comme Thales, Platon et Pythagore*) ſagt Emil — very well! aber es gehören Kräfte dazu. Ein betrübter Muth vertrocknet die Gebeine, ſpricht Salomo, friſch daran! Das hohe Gefühl der Ruhe, und überſtandener Mühe, der kleine Stolz das Abenteuer beſtanden zu haben, unten ſim Bade Warmbrunn oder zu Hirſchberg war auch Etwas, wie nach zurückgelegter Reiſe durch's Leben die Rückkehr zur einfachen Natur nach großſtädtiſchem Flottleben, und zum wahren Wiſſenswerthen nach langem Herumirren in den Luftgefilden der Speculation, oder hohen Theorien der Hochlehrer! Wem der gütige Himmel Geſundheit und Frohſinn, Beobachtungs-Geiſt und die Zauberin Imagination gegeben hat, nebſt Etwas Lauſegold — der reiſe in Gottes Namem allein und zu Fuße in's Gebirge — er fährt ſo am beſten. Aber die Alten hatten recht, ihren vergötterten Heroen ewige Jugend beizulegen — oft ſeufzte ich über dieſen Mangel, ermüdet auf einem Granitblock — und doch Adam, der 930 Jahr alt wurde, lebte er nicht auch nur 130 Jahre im Paradieſe? — Nec me meminisse pigebit Elisae! **)

---

*) Zu Fuß reiſen, heißt reiſen, wie Thales, Plato und Pythagoras.

**) Auch ich denke mit Vergnügen an meine Liſe!

Sechsundzwanzigster Brief.

Fußreise in der Grafschaft Glatz.

Die Grafschaft Glatz, deren Grafen 1561 ausstarben, ist ein wahrer Bergkessel wie Böhmen, nur gegen Westen offen, von dreißig Qu.Meilen mit 100,000 Seelen. Dieser Bergkessel war in grauer Vorzeit wahrscheinlich ein weiter See, bis die Gewässer sich bei Wartha eine Bahn brachen, da, wo jetzt die Neiße in's Freie strömet. Glatz ist für Preußen militärisch wichtig, denn es bildet eine wahre Bastion, die Schlesien deckt, Böhmen und Mähren aber bedrohet, jede Operation dahin erleichtert, Oestreich aber die Seinigen nach Schlesien erschwert; eine zweite Schweiz, die für Italien und Süddeutschland eine solche Bastion bildet, was Oestreich im Revolutionskrieg nicht gehörig beachtet zu haben scheint. Glatz in der Hand Oestreichs' wäre ein offensiver Platz, in der Preußens aber ist es ein defensiver, daher auch Friedrich im Hubertsburger Frieden fester auf dessen Besitz bestand, als wir im Pariser Frieden auf dem Besitze — Straßburg.

Glatz ist ein kleines Wunder- und Feenländchen und deutsches Arcadien, das lange in Deutschland so unbesucht war, als das Riesengebirge, merkwürdig durch seine Naturschönheiten, durch den Schneeberg, die Heuscheuer und den Wölfelsfall, durch die romantischen Thäler der Neiße, Weistritz, Steine und Biele — durch einige Dutzend Mineralbrunnen, und selbst durch die Menge seiner Gnaden-Orte, Kapellen, Kreutze und ex votis. Diese Gnaden-Orte, ohne welche es freilich mit Acker- und Obstbau und Aufklärung besser stehen würde, sollen doch

durch f r e m d e Andacht jährlich 50,000 fl. ins Ländchen
bringen, und r e i c h e Holzüngen ersetzen das Uebrige.
Ich kenne kein deutsches Land, das noch so h e i l i g wäre.
Proceſſionen und Wallfahrten erfüllen Berg und Thal mit
Muſik und Geſang, und ſelbſt den Andersdenkenden wenig=
ſtens — mit r o m a n t i ſ c h e n J d e e n. Tauſende ſtrö=
men aus Böhmen und Schleſien, ſelbſt aus Polen und
Ungarn nach dieſen Gnaden=Orten, und es wunderte mich
nicht, wenn es noch ärger wäre, denn viele, die hier ſ i n=
g e n und b ü ß e n, ſollen es für die H e r r ſ c h a f t thun, jeder
Wallfahrts=Tag für einen R o b o t e n = T a g gelten, und
mit 4 kr. noch vergütet werden! Die Proceſſionen neh=
men kein Ende — iſt zuviel Regen ſetzt es Proceſſio=
nen, regnet es nicht, ſetzt es wieder Proceſſionen, und
die geiſtlichen Herren gucken zuvor ſchlau nach dem Wetterglaſe.
Fehlt Menſchen oder Vieh etwas, ſo nimmt man ſeine
Zuflucht — nicht zum Arzte — ſondern zum Gnaden=
Bilde, läßt Meſſen leſen, kauft Weihwaſſer, und hilft es,
ſo folgen Geſchenke, hilft es nicht, ſo erfolgen vielleicht noch
größere Spenden um den Himmel zu verſöhnen oder das
Gnadenbild. Faſt alle weiblichen Phyſiognomien ſind hier
einförmig, geſchlagen über den Leiſt der Madonna!

  Die Glatzer Gebirge imponiren weniger, als das
Rieſengebirge, ſchließen aber die lieblichſten Thäler ein,
und verdienen den nachbarlichen Beſuch. Von A d e r s=
b a c h aus ging ich über B r a u n a u und W ü n ſ c h e l=
b u r g nach der Heuſcheuer und Glatz, von da durch das
B i e l a = T h a l nach L a n d e k, H a b e l ſ c h w e r d t und
W ö l f e l s f a l l am Fuße des Schneeberges, und zurück
über R e i n e r z, L e w i n und K o d o w a nach dem mir
liebgewordenen Trautenau. Den armen Fußgänger plagen
die ſchlechten Wege weniger, als den Wagenſitzer, und in
den Glatzer Bergen habe ich H a f e r b r o d eſſen lernen,
der guten Bergſchotten gedacht, die der ſchwelgeriſche
Engländer nur H a f e r f r e ſ ſ e r ſchimpft, W. Scott aber
verkläret — nach einem ſtarken Marſch mit Carl XII.

gesagt: „Es läßt sich essen“. und ich begreife nun auch eher, warum man eine kahle Scheitel Glatze nennet, zumalen auch bei mir die Zeit der Glatzen gekommen ist, wofür das bischen ehrwürdiges Silberhaar — kein Ersatz ist.

Die Heuscheuer ist nächst dem Schneeberge und Eule, der höchste Punkt, von wo man auch die Karpathen sieht, die manche von der Riesenkoppe nur zu sehen vermeinten. Die Heuscheuer (von ihrer Form) wird kaum 2800' haben, und man besteigt sie vom Carlsberg in einer Stunde. Der Weg dahin ist bequem, seit der König hier war, und der sogenannte breite Stein, von dem man der schönsten Aussicht genießt, ist mit einem Geländer umgeben. Der höchste Punkt heißt der Großvaterstuhl, auf dem ich aber als wirklicher Groß-Papa nicht sitzen möchte ohne Bärenfell. Der Weg nach dieser Heuscheuer ist ein Abersbach im Kleinen!

Von Wünschelberg weiß ich nichts zu melden, und Neurode ein Städtchen von 4500 Seelen, worunter 500 Tuchmachermeister, blieb mir seitwärts; — aber Albendorf lag auf meinem Wege, und der Himmel wollte, daß gerade ein rechtes Wahlfahrer-Spektakel war. Der Hügel Zion mit einer Menge Kapellen wimmelte von Andächtigen, und auch auf der scala santa, die ganz nach dem Muster der Jerusalemer eingerichtet ist, wo die blutigen Schweißtropfen Jesu durch Messing-Nägel angedeutet sind, rutschten sie wie Kinder auf und ab, so wie ich einst als Knabe auf dem glatten Treppengeländer, wofür ich aber mit Recht bedient wurde, so oft es meine Eltern bemerkten. In den Buden fanden sich recht zierlich gedruckte Wünschlein, die auf den Abend vorbereiten z. B. „Sieh mein Schatz! wie ich dich lieb — dir alles gib, mein Herz und Maria Gruß, und dazu ein Liebeskuß!“ — Es scheint mir die Leutchen schrieben ganz Recht Wohlfahrt, statt Wallfahrt, die Wallfahrt halb geweiht der Andacht, halb den Sinnen, und der Madonna

Bild umkniet von Buhlerinnen — Man sollte in den Namen Albendorf noch ein R hineinsetzen!

Die Veste Glatz erinnert an Luxemburg, welches
aber weit mehr ist, — sie fiel nicht in Franzosen-Hände,
weil der Friede von Tilsit dazwischen kam. Trenk ent-
wischte hier glücklich nach mehreren mißlungenen Ver-
suchen und hier saß auch Freiherr von Massenbach, der
jetzt wieder frei ist — er ist todt. Das gutgebaute Städtchen zählt 6000 Seelen im Thale der Neisse, auf der Höhe sind die Werke ganz in Felsen gehauen, und in ihrer
Mitte der S. Nepomuks Thurm mit dem herrlichsten
Panorama über die ganze Grafschaft. Man hat die weit-
läuftigen Schanzen zu Füßen und hört die Ketten-Musik
der Bau-Gefangen. In hohen Rufe steht das Gnadenbild
der Pfarrkirche, das uralt ist, ein ganzes Buch voll Wunder errichtet hat. Friedrich pflegte mit seinen Franzosen
die Heiligen zwar einzuseifen, aber nicht zu rasiren,
und so befahl er auch S. Nepomuk wieder hinzusetzen, um
sich seinen Catholiken zu empfehlen, (wir thun im Süden
noch weit mehr!) jedoch das Gesicht nach Böhmen gekehrt.
„In Schlesien hat er nichts mehr zu thun" (Noch
genug!) Jene italienische Fürstin, die man durch Ausse-
tzung ihres Kindes auf die Wälle, von der Belagerung
einer Stadt abzuschrecken suchte, rief mit aufgehobenem
Rock „Hier ist die Werkstätte anderer Prinzen ꝛc."
und so möchte auch jenes Palladium keinen tüchtigen Oestreichischen General abhalten; „Hier ist Stoff zu andern Nepomuken!" kann er zu jedem Steinbruch sprechen, ohne gerade den Stein zu lüften, wie die cynische
Dame ihren Rock. Die heiligsten und besten Gränzwächter
sind — Kugeln!

Von Glatz liegt Wartha nur zwei Stunden entfernt
im höchst malerischen Neisse-Thal. Hier steht die schöne
Cisterzienser Kirche, deren Gnadenbild jährlich viele Tausende anzieht. Im Jahr 1823, als ich hier war, zählte

man schon Ende Junius gegen 30,000 Wallfahrer. Friedrich soll auch gegen dieses Gnadenbild sehr galant gewesen seyn, und ihm ein neues Kleid verehret haben, was schwerlich eine irdische Dame sich rühmen kann? Unterthanen, die sich andächtig vor Gnadenbildern in Staub werfen, pflegen auch, in Ausübung der Bürgertugenden unterwürfiger zu seyn, und commentiren nicht leicht über das Wort Staatsbürger, von dem die Glatzer vielleicht gar nichts wissen. Nach einem gedruckten Büchlein hat die Madonna von Wartha nicht weniger denn 1321 Wunder und die Gnade gehabt einem frommen Vater ihr Bild selbst mit den Worten zu überreichen: Accipe, Fili, matrem *) !

Wo möglich noch schöner als Warta liegt Ottmachau an der Neisse, und man hat nicht zu viel gethan, die Lage für eine der schönsten Schlesiens zu erklären d. h. von der Galerie am Thurme des jetzt verfallenen bischöflichen Palastes. Zuvor kommt man nach Camenz, abermals Cisterze, die weiland ein kleines Fürstenthum sich zusammen gebetet hatte. In der Kirche sind einige schöne Willmann, eine Himmelfahrt Mariä, Geburt Christi, und St. Louisgarde — alle im kräftigen Styl unseres schlesischen Spagnoletto. Zu Wartha soll es gewesen seyn, daß Joseph ausrief: „Ja! Ja ich habe den Zaun behalten, aber den Garten hat Preußen!“ Nach dem nahen Neisse, einer der stärksten schlesischen Festungen, bin ich nicht gekommen, nicht weil da der siebenzehnte Mensch sterben soll, und alle Soldaten das Fieber bekommen, wie in Holland, sondern weil mich Festungen — leicht verstimmen. Zu Neisse wurden 1650 auf einmal 42 Hexen verbrannt, 1682 trat der ganze Magistrat in den seraphinischen Orden der Kapuziner, und einer der schönsten Soldaten Friedrichs bestahl die Madonna, und sollte hängen. Der König fragte die Geistlichkeit: Ob es möglich sey, daß Maria ihm ihren Schmuck selbst ge-

*) Hier, mein Sohn, hast du das Bild der Mutter Gottes.

ſchenkt habe, wie der Soldat behauptete? und da jene
ſagten: es ſey möglich, ſo begnadigte Friedrich den Soldaten, verbot ihm aber bei Lebensſtrafe künftig keine Gaben mehr von Maria anzunehmen!· Der Soldat war ſo
unverſchämt, als jener Taſchendieb, der einem Reſtaura-
teur einen ſilbernen Löffel um den andern ſtahl, und, endlich entdeckt, ſich entſchuldigen wollte, daß der Speiſewirth
ihn jedesmal gebeten habe — etwas zu ſich zu nehmen!

Neiſſe mit 5000 Seelen und einer zahlreichen Beſatzung, die ihr feſtes Neſt ganz unter Waſſer ſetzen kann,
iſt ein Hauptſitz des ſchleſiſchen Garnhandels und großer
Brauereien. Die Mägde ſollen ſich, nächſt der ſchleſiſchen
National-Tracht, noch durch blaue Mäntel mit goldener Treſſe auszeichnen, die Köchin oder das Menſch
geht nicht ohne dieſen Mantel zu Markte, und viele haben
ſchon den Dienſt aufgeſagt, wenn der Mantel zu ſchlecht
war! Zu Neiſſe ſahen ſich Friedrich und Joſeph zum Er-
ſtenmale, und ſuchten ſich an Artigkeit zu übertreffen; der
König erwiderte des Kaiſers Beſuch zu Neuſtadt in Mähren. Europa erfuhr die ſchönen Complimente, die ſie ſich
machten, die wichtigen Dinge, die ſie in der Stille ab-
machten, blieben in petto. Das Wahrſte, was Joſeph
ſagte, da Friedrich nicht vorausgehen wollte, war: „Si
vous commencez à manoeuvrer, il faut que je cede.“ *)
Friedrich war größer als Joſeph, aber Joſeph gewiß
edler, artiger ohnehin, und humaner. Das Wahrſte, was der auch cyniſch große Friedrich in weiße Uniform gekleidet, ſagte, war: „je ne suis pas assez propre
à porter vos couleurs!“ **) Nach dem ſchleſiſchen Gibraltar, nach Silberberg bin ich aus gleichem Grunde
nicht gegangen, da ſelbſt die Erlaubniß Umſtände macht.

---

*) Wenn Euer Majeſtät anfängt zu manoeuvriren, ſo muß
ich nachgeben.
**) Ich bin nicht reinlich genug, um eure Farbe zu tragen.

Die reichen Silbergruben, die dem Städtchen seinen Namen gaben, sind längst versiegt, und der ökonomische
Friedrich, der 30 Millionen Silber hier vergrub — so viel
kostete sein auf 3 Bergen erbautes Gibraltar, würde solche
jetzt besser anzuwenden wissen. Zu Stolz in der Herrschaft Frankenstein starb 1803 der bekannte Graf Schlaberndorf. Er war der Erste seines Standes, welcher
der Einladung zu Abschaffung der wunderlichen Titulatu-
ren beitrat, seine Standes-Genossen fragten ihn spöttisch:
Ob er nicht jakobinische Grundsätze habe, und er
machte die Gegenfrage: „Warum fragt man nicht, wes-
halb ich bei meinen vielen Bauten die alten abge-
schmackten Schnörkel weggelassen habe?“

Sein Bruder lebte zu Paris wie ein zweiter Diogenes, 34 Jahre lang in demselben Zimmer, wohin ihn der
Postillion zuerst gebracht hätte, rue Richelieu, blieb aber
stets Deutscher, den Deutschen ergeben, ihnen dienend
wo er konnte, und daher muß auch ich seiner gedenken.
Die Revolution hatte ihn begeistert, bald lernte er sie von
andern Seiten kennen, duldete 17monatliches Gefängniß
in der Schreckenszeit, und blieb dennoch zu Paris. Nie
verlor er den Helden des Jahrhunderts, den Cromwell der
Revolution, aus den Augen, schrieb das merkwürdige
Buch: Napoleon Bonaparte und das französische Volk 1804, bewunderte dessen Genie und Wil-
lenskraft, nie aber gestand er ihm Größe des Cha-
rakters zu, und nur mit ironischem Lächeln nannte er
ihn den großen Mann! Schlaberndorf war ein schar-
fer Beobachter, wenn er gleich als Sonderling
lebte, neun ganze Jahre zuletzt weder sein Zimmer verließ, noch sich den Bart putzte; seine Biographie,
die wir erwarten dürfen, ist gewiß interessant. Er starb
1824, und seine Grabschrift setzte er sich selbst:

Civis Civitatem quaerens obiit octogenarius. *)

_____

*) Hier liegt ein Bürger, der einen Staat suchte, nach 80
jährigem Suchen.

Statt nach jenen Festungen zu gehen gerieth ich an einen weit schlimmern Ort, nach Reichenstein zu den Arsenik-Hütten. Sie liefern jährlich 2500 Centner Arsenik, wovon schon 1 Loth hinreicht 20 Menschen zu tödten, wie Fliegen. Die Arbeiter tragen zwar eine Nase von Lehm — Tuchlappen vor Mund und Nasen rc: aber die Pestluft, wenn sie auch nicht schnell tödtet, tödtet doch nach und nach. Der Arsenik verläugnet seine Natur nicht; erzeugt hectische Uebel, und selten erreichen die Arbeiter 60 Jahre. Schon ihre Gestalten erschüttern, wie der glühende Kessel, wo aus der bluthrothen Masse giftschwangere schwarze Dünste wie Knoblauch stinkend, emporwallen, und man denkt an den Hexen-Kessel im Macbeth. Nur die Aerzte, das Glas und die Farben erhalten durch Arsenik — Leben. Man gewinnt zu Reichenstein noch ein anderes Gift, das moralisch noch schröcklicher wirkt; etwas Gold; 11—12 Mark, das einzige in der ganzen preußischen Monarchie!

Von Glatz ging ich durch das Thal der Biele nach dem Bade Landek in der aussersten Ecke der Grafschaft; wo die Ruine Karpenstein den Gränzwächter zu machen scheint, der Mühe aber sie zu besteigen nicht lohnt. Man kommt in dem lieblichen Thale nach den schönen Parks von Kunzendorf und Ullersdorf und in drei Stunden war ich im Bade. Es war ziemlich besucht; meist Schlesier, und das Leben schien mir geselliger, als zu Warmbrunn, man belustigt sich sogar mit Spritzen durch Zusammendrücken der Hände und spritzt Neugierige hinweg von der Gallerie — wie der Spritzfisch mit seiner Spritzröhre die über dem Wasser fliegenden Insekten herabschießt — Dianen gibt es nicht, und so ist man auch sicher vor dem Schicksal Actäons! Das Bad sollte eigentlich Thalheim heißen, denn die warmen Quellen und Bäder sind in diesem Dorfe, das mit dem Städtchen durch eine Pappel-Allee verbunden ist. Minister Graf Hoym hat

sich um das Bad Verdienste erworben, daher ein verdientes Denkmal, und in dem Tempel des Wäldchens sagt
uns eine Tafel, daß Friedrich Wilhelm III. hier seinem
hohen Gast Alexander ein ländliches Fest bereitete. In
dem reizenden Thälchen von Ullersdorf steht ein Obelisk
von Gußeisen zum Andenken Luisens, und auch Friedrichs
Andenken erhält sich in der Bade-Wanne, in der er
1765 hier badete. Herrlich ist die Aussicht von Winkler-
berg nach Schlesien, wie der Gang nach Johannis-
berg und Jauernick, wo man sich im feurigen Ungar-
Wein ladet. In dem Neuen Bade heißt eine Reihe
Zimmer die zehn Gebote — keine Frau hat sich noch
geweigert im sechsten Gebot zu wohnen, so unschuldig
lebt man in diesen Gebirgen!

Von Landeck kam ich über das unbedeutende alte
Habelschwerdt, von dessen Capelle zum feuerschützen-
den Florian eine allerliebste Aussicht ist, über Plomiz und
das Schlachtfeld von 1745 nach Wölfels-Grund in
drei Stunden; Kornähren und Wiesenblumen wiegen jetzt
ihre Häupter über den Knochen der Gefallenen. Das Heilbad Langenau zu Habelschwerdt hörte ich blos nennen,
aber mit Recht rühmt man den Wölfelsfall von 60',
der dem Kochel und Zakenfall vorzuziehen seyn dürfte.
Graf Magni hat an den Fall eine Eisenbrücke bauen lassen, da, wo man solchen in seiner ganzen Herrlichkeit betrachten kann, und auch auf dem Schneeberge eine Alpen-
wirthschaft angelegt. Auf dem Spitzberge, über den der
Weg nach dem Schneeberge führt, ist die Wallfahrts-Kirche
Maria zum Schnee; Maria, beleidiget, daß Joseph
den Marienzeller Schatz aufzeichnen ließ, begab sich hieher
unter die Flügel des protestantischen Adlers, und bewies,
daß man nie par depit handeln müsse — denn was
ist Marienschnee gegen Marienzell? die Glatzer
sollten zu ihren Madonnen noch die Novogroder hinzufü-
gen, die drei Hände hat, die dritte Hand, so oft sie der
Maler auslöschte, erschien immer wieder — ein unsichtba-

rer Engel malte solche, denn Maria wollte der Dreifaltig-
keit diese kleine Galanterie gemacht haben!

Der Schneeberg ist in der Grafschaft Glatz gerade
das, was die Riesenkoppe in Schlesien, auf der Platte ist
die Gränze Mährens, und am östlichen Abhange die Quelle
der Morawa, die in der Donau und im Pontus ihr Grab
findet, wie die nicht ferne entspringende Neisse in der Oder
und dem baltischen Meere. Wer das Wunder der Riesen-
koppe-Besteigung durchgeführt hat, wird der noch den
Schneeberg besteigen, zumal wenn ihn Einheimische ver-
sichern, daß die Aussicht der Höhe und Erwartung gar
nicht entspreche?, doch sollten auf der Platte 6000 Mann manövriren können, was auf der Riesenkoppe schon 100 müssen bleiben lassen. Und hat die Koppe nicht 5000' und
der Schneeberg kaum 4500'? Ich kenne sehr weise Herren, die sich einst weit besser dünkten als andere, weil ihr
Herr 100,000 fl. Einnahme hatte und der Herr der anderen nur 20,000 fl.!

Von Habelschwerdt nach Reinerz sind vier Stunden, die ich ohne Langeweile ablief, das Bad hatte ziemlich Gäste, seine Lage ist malerisch schön, Friedrichs Grund
mit seinen Glashütten, Rükerts, Levin, Nachod, Brau-
nau, Cudowa in der Nähe — es verdient recht in Aufnahme zu kommen. Die Seefelder, ein großes Torf-
moor auf der Höhe, das man bei Holzmangel erst recht
wird schätzen lernen, mit sieben Teichen, und dem Dorfe
Grünwald, dem höchstgelegenen der Grafschaft, habe ich
nicht besucht. Die Burg-Ruine Hummel ist unbedeutend,
und um die Bedeutung, daß der Prediger auf der Kanzel
im Rachen des Wallfisches steht, wie ein neuer Jonas,
habe ich nicht fragen mögen, da ich zu wenig Theologe bin.

Cudowa zwei Stunden von Reinerz, soll das beste
Mineralbad der Grafschaft seyn, und ist gerade am
meisten vernachlässigt; wie in Würtemberg das Wildbad.
Cudowa heißt böhmisch Armuth. In der Nähe zu Tscher-
beney ist eine Merkwürdigkeit, die für kranke Kurgäste

wenig paßt. — ein Beinhaus, das der Pfarrer Tomaschek 1776 mit vieler Mühe errichtete — eine Kapelle von
lauter Schädeln und Knochen, auf drei Altären ganze Gerippe mit Bibelsprüchen in der Knochenhand, Fußboden
und Decke sind Menschenknochen. Er ordnete 24,000 Schädel, und jeder ruhet auf zwei ins Kreuz gelegten Röhr-
knochen. Tomaschek war schon hoch in Jahren, hoffte aber
noch eben so viele zu ordnen, die noch untereinander im
Gewölbe liegen, wie alte Bücher, mag aber jetzt wohl
selbst seine Knochen hergegeben haben. Aber was ist diese
Schädelstätte, gegen die Katacomben zu Paris, wo
man stundenlange zwischen Wänden von Menschengebeinen
wandelt, und 100,000 von Schädeln uns aus hohlen Augen angrinzen Memento mori! Tomaschek ordnete nur
die Gebeine längst Verstorbener, Timurs liebste Trophäen aber waren Pyramiden von frisch abgesäbelten Men-
schenköpfen; und wenn der Timur unserer Zeit keine solche
Pyramiden aufthürmte, so lieferte er doch mehr Materialien, als Timur zu seinen Pyramiden gebraucht hätte!
Von Cudowa kehrte ich zurück nach meinem trauten Trautenau, um mich in Person bei dem Naturfreunde zu be-
danken, der mir anrieth, dieses kleine von Fremden wenig
besuchte, und doch so interessante Glatzer Ländchen zu durch-
streifen. Das Bad Landeck schien mir das besuchteste, der
angenehmste Fleck der Grafschaft, und der Bade-Wirth
hätte auf Friedrichs Frage: „Na! wer ist euch lieber der
Preuße oder Oestreicher?" nicht erwidern sollen: „S'brengt
halt keener wuos mitte!"

Siebenundzwanzigster Brief.

Reise von Berlin nach Pommern, und der Insel Rügen.

Von Berlin nach Pommern führt uns der Weg durch traurige Gefilde zuerst nach dem alten Städtchen Bernau wo jährlich noch der Sieg über die Hussiten gefeiert, und ihre Reliquien als Heiligthümer aufbewahrt werden. Angenehmer an der Oder, seitwärts der Poststraße, liegt der Gesundbrunnen Freienwalde, das Städtchen selbst von 3000 Seelen ist recht freundlich, und der Brunnen, dessen Wasser gegen Gicht und Nervenkrankheiten trefflich wirkt, ist stark von märkischen, pommerschen und vormals auch vom meklenburgischen Adel besucht; in der Nähe sollen auch recht schöne Landgüter liegen, Montchoir, Prötzel, Quilitz, Garzau, das Elysium des Grafen Itzenplitz ꝛc. und in der Kirche zu Gusow hat Feldmarschall Derflinger ein Denkmal, der als wandernder Schneidergeselle, da er kein Geld hatte um sich über die Elbe setzen zu lassen, seinen Bündel in den Fluß warf, Soldat wurde und als schwedischer Reiter-General in brandenburgische Dienste trat. Bei der Belagerung Stettins hingen die Belagerten einen gemahlten — Schneider in voller Arbeit an die Mauern, und mußten es entgelten, wie der Fürst, der an der Tafel des Kurfürsten fragte: „Ist es wahr, daß wir einen General haben, der Schneider war?" Derflinger sprang zornig auf: „Hier Herr! ist der Schneider, und hier," an seinen Degen schlagend, „die Elle, mit der er allen Hundsfüttern das Maß nimmt!.. Derflinger verlebte den Rest seiner Tage zu Gusow, wo er seine Güter sorgfältig bewirthschaftete und lebenssatt im 89. Jahre starb 1695. Es ist möglich, daß er in einem Rappport das Wort Raptim für die Station des Be-

richterstatters gehalten hat, wie man erzählt — und
eines Bessern belehrt, ausrief: Warum schrieb der Kerl nicht
in Eil, so hätte er eine ½ Stunde Suchen in der
Landkarte erspart!" In diesen einförmigen Sand-
Gegenden überrascht in der That die Hügel-Gegend von
Freienwalde bis nach Neustadt Eberswalde, wo auch
Alaun-Kupfer- und Messingwerke sind, und Mögelin,
die nützliche Landwirthschaftsschule Thaers, des
berühmtesten deutschen Landwirthes. In neuerer Zeit ist
für das Bad, das Berlin viel werth ist, da es nur sieben
Meilen entfernt liegt, viel geschehen, und so werden sich
auch manche andere Dinge ins bessere gestaltet haben. Vor
Preußens Unfällen aber soll in keinem Bade die Scheide-
wand zwischen Adel und Bürger so eisern gewesen seyn,
als zu Freienwalde, und Adel-Separatismus sein Scepter
und Gesicht so ernst und steif gehalten haben, als Salomo
auf dem Throne und seine Löwen — in der Bilderbibel!

Die Gegend um Schwedt kann in der traurigen
Mark schön genannt werden, man sieht, daß hier vormals
ein Hof war, und die Stadt selbst von 2000 Seelen ist
gut gebaut, und über das breite morastige Oderthal führt
eine ungeheuer lange Holzbrücke, eine halbe Stunde davon
liegt das Lustschloß Mon plaisir. Die Rennthiere haben
sich nicht fortpflanzen wollen, für sie war die Mark zu
warm, und für die Maulbeerbäume zu kalt. Maupertuis
hatte nicht Unrecht von diesen Gegenden zu sagen: on fait
tout pour avoir de l'ombre, et rien pour avoir du
Soleil *) — der Schlafende ist hier am glücklichsten,
kein Stoß weckt ihn, auch kein Räuber, und das ist doch
was werth, da sich nicht alle Reisende der von Archenholz
empfohlenen simplen Vorsicht bedienen können, von
bewaffneten Dienern zu Pferde sich begleiten zu
lassen! In Arabiens und Lybiens Wüsten gilt das Sprüchwort: „Jeder ist des Andern Feind" hier aber überall

---

*) Man thut hier Alles, um Schatten zu bekommen, aber
Nichts, um Sonne zu haben.

Goldmaler, „Friede mit Euch" — keine Sandstürme, die ganze Caravanen begraben — keine vertrocknete Wasserquellen — keine gifthauchende Winde — das ganze Sandmeer ist friedlich deutsch, alles geht deutsch langsam — was sollten hier Rennthiere? und am allerbesten ist's, wenn der Reisende die Mäßigkeit der Bewohner der Sahara mit sich führet!

Man eilt natürlich nach Pommerns Hauptstadt, nach Stettin, und erreicht sie auch jetzt mit dem Eilwagen in zwanzig Stunden. Garz ist ein altes ärmliches Städtchen, und Prenzlau, eine bedeutende Stadt von 8000 Seelen am See und Flusse Uker in fruchtbarer Ebene, bleibt links, wie das weiter gegen Strelitz hinliegende Boitzenburg mit schönem Schloß-Garten der Familie v. Arnime — Prenzlau erhielt in unserer Zeit eine unseelige Genanntheit durch die Capitulation des Fürsten v. Hohenlohe, der zu sehr preußischer Patriot, vielleicht auch zu ehrgeizig war — um sich wegen Ablehnung des Commando mit seinen Fürsten-Verhältnissen im Reiche zu entschuldigen. Er sagt in seinem Bericht vom 29. October 1806. „Mit einer Armee ohne Brod, Fourage und Munition (und ganz entmuthet, hätte noch beigesetzt werden dürfen, war nicht nach der schröcklichen Niederlage bei Jena, auch Dranien und Möllendorf mit 14,000 Mann zu Erfurt in Empfang genommen, und Tags darauf zu Halle auch der Prinz von Würtemberg mit der ganzen Reserve von Bernadotte geschlagen worden?) suchte ich über die Oder zu kommen, ich mußte auf dem Bogen eines Kreises marschiren, während der Feind (Murat, genannt le beau Sabreur mit seinen Reitern) auf dessen Senne vorrückte — in der Sache selbst, nicht in meinem Eifer, Willen und Anstalten lag die Unmöglichkeit den Zweck zu erreichen — beklagen kann man mein Unglück, aber den Stab mir nicht brechen" — Hohenlohe war nicht so glücklich wie Schulenburg, der vor Carls XII. Reitern seine Sachsen über die Oder rettete, und überhaupt die Ver-

hältniſſe in den Jahren 1805—7 weit ungünſtiger für
den Ruhm eines Heerführers, als in den Jahren 1813 bis
15, wo die moraliſche Kraft des Volks erwacht war!
Sein Vater hat ein ähnliches Schickſal gehabt, mußte
1756 mit seinem fränkiſchen Kreis-Corps in Leipzig kapi-
tuliren, und kehrte erst 1763 von Magdeburg wieder zu
den Seinen!

Hohenlohe ſcheint gethan zu haben, was Er konnte,
billig aber hätte sein Generalquartiermeiſter v. Maſſen-
bach wiſſen sollen, ob man am rechten oder linken Ufer
der Uker ſey? — Blücher ſtand mit seinem Corps in
der Nähe, aber entschuldigte ſich, daß er keinen forcirten
Nachtmarſch wagen könne — war dem so? oder haßte
auch Blücher den Fürſten? Es wäre Vermeſſenheit dem
Urtheil Eingeweihter vorzugreifen, aber Blüchers Cavallerie
hätte den Fürſten retten können, wie Zachs Cavallerie Melas bei Marengo — Hohenlohes umzingeltes und entmu-
thetes Corps bestand aus 8300 Mann Fußvolk, und 1520
Reiter. Uebrigens erkannte Napoleon nur die Capitulation einer Feſtung an, aber keines Armee-Corps
„Nie eine Capitulation im Felde, sagte er, wenn ihr Soldaten und eine gute Armee haben wollt — Muth und Tapferkeit thun Wunder in gefährlichen Lagen" — und Napoleon scheint mir Recht zu haben!

Prenzlau iſt die Vaterſtadt unseres erſten Land-
schafts-Malers Hakert, den die Gegenden der Mark freilich nicht bilden konnten, wohl aber Rügen, Schweiz und
Italien; um das Gemälde, die Schlacht von Tschesme
für die Kaiserin Catherine mit Effect vorſtellen zu können,
ließ Orlow eine ruſſiſche Fregatte — in die Luft fliegen!
Vormals bekamen die Geiſtlichen zu Prenzlau vor der
Trauung eine Braut-Suppe ins Haus, und noch ſtatt-
licher war das Accidens der Herrn Collegen zu Potzlau,
die Braut selbst mußte die Suppe in die Sa-
criſtei bringen — ins Allerheiligſte! Der hieſige
Roland ſtürzte vom Sturmwind um, aber man hinter-

legte wenigſtens ſein Schwerdt auf dem Rathhauſe mit
der Innſchrift:

> Roland hat mich geführt in ſeiner Hand,
> wie jeder männiglich bekannt,
> doch im 1757, Jahr
> ein gewalt'ger Sturmwind war,
> da iſt mein Herr mit umgekommen,
> Und ich bin jetzt hier aufgenommen.

Stettin, die Hauptſtadt, iſt eben nicht ſchön, aber
die Oder, mit ihren Inſeln und die Baumgänge um die
Stadt und auf den Wällen, machen die wieſenreiche Gegend angenehm, die Stadt hat einige hübſche Straßen,
wenn ſie gleich ſehr uneben iſt, viele artige Häuſer, und
gleicht einer alten Schöne, die ſich jung zu ſeyn beſtrebt.
Die alte ehrwürdige Schöne ergab ſich gleichfalls, ohne
alle Belagerung, den Franzoſen, Romberg that wie
andere. Die ſchönſte Gegend der Stadt iſt der Paradeplatz, wo Schadows Friedrich von Marmor ſteht, dem
Landſchaftshauſe gegenüber, und wegen der hinter ihm
befindlichen Linden, und des grünen Walles ſich fürtrefflich ausnimmt. Der König ſieht gerade in die Straße,
wo die Poſt iſt, und ſo kann ihm der Reiſende ſogleich
ſeinen Reſpekt bezeugen. Der große König iſt in ſeiner
Uniform, der Mantel muß auch hier den Eigenſinn der
Kunſt verſöhnen — hat den Hut auf, den Commandoſtab
in der Rechten und zu ſeinen Füßen zwei Bücher: Artes
belli et pacis und Corpus Jus Friederic. *) Am Fußgeſtelle
ſteht: Fried. II. Pomerania. Und wahrlich er verdiente
dieſes Monument in Pommern — vielleicht auch Bren-
kenhof?

„Stettin hat durch den Blitz ſeine ſchönſte Zierde verloren die gothiſche Marienkirche, die abgetragen
werden mußte. Im alten Schloß mögen, wie in der
Gruft, manche Denkmäler der Herzoge Pommerns ſeyn

---

*) Die Künſte des Krieges und Friedens, und das Geſetzbuch
Friederichs.

— wie das Gemälde, den Einzug H. Bogeslaus X., der ganz Pommern beisammen hatte, in Venedig vorstellt. Er war nach Palästina gezogen, das Schiff wurde von Türken angegriffen, die Italiener verkrochen sich. Er und seine Pommern aber wehrten sich ritterlich; Bogeslaus ergriff sogar einen langen Bratspieß, an dem Hühner staken, und schlug damit um sich — endlich sahe der feindliche Anführer Mahomed, wie ihn Christus geißelt, und suchte erschrocken das Weite! So die Chronik. Der interessanteste Herzog Pommerns war aber Svantepolc, lange Freund des deutschen Ritter-Ordens, bis er in dessen Glück den gefährlichsten Feind Pommerns erblickte.

Stettin mag mit der Garnison 30,000 Seelen haben, und seine Lage begünstigt den Handel, der eigentliche Hafen aber ist Swinemünde, wo sonst alle Seeschiffe, die nach Stettin wollen, lichten mußten, jetzt aber ganz bis Stettin kommen können, wodurch natürlich eine Hauptnahrungszweig der Swinemünder verloren geht; vor der Revolution hatte die Stadt 130 Schiffe im See. Breslau, Frankfurt, Posen, und alle Orte an der Oder und Warthe beziehen von daher ihre Waaren, und auf dem Finow-Canal, der die Oder mit der Havel verbindet, versorgt Stettin auch Berlin und die Marken mit Wein, meist Franz-Weine, daher man hier ungeheure Keller und Weinlager findet; es ist der Mühe werth einen solchen Keller zu besuchen, wenn er beleuchtet ist, worauf in der Regel selbsteigene Illumination folget. Zu Stettin steht die Kunst die Weine zu behandeln — wer wird in unserer feinen Zeit noch vom Verfälschen sprechen? — auf einer so hohen Stufe, als nur immer am Main, und nur Bourdeaux versteht die Kunst vielleicht noch besser, wo auch der Markt von weit größerer Bedeutenheit ist. Kräuter, Obst, (die Stettiner Aepfel sind berühmt) Beeren, Gewürze ꝛc. helfen der Kunst nach, und man versteht sich selbst auf das Wunder von Cana in Galiläa!

Ein Weinhändler Stettins schrieb den Herren von Demin auf ihre Klage, daß der übersandte Wein mit der Probe, die sie Stettin versucht hatten, nicht harmonire: „Ji Herren von Demin, aetet Käse tu dem Win, denn schmeckts he in Demin, so gut als zu Stettin,“ Nicht bloß zu Stettin, sondern im ganzen Norden gibt es ungeheure Weinfabriken, wo mehr Wein gebraut wird, als in den Gegenden wächst, deren Namen er usurpirt, und der ist ein elender Wirth selbst unter uns, der jungen Landwein mit Hülfe des Zuckers, der Seife und des Taubenmistes nicht zum besten Champagner zu veredeln versteht, die Flasche zu drei Gulden! Ich lobe mir das Stettiner Bier, das auch Namen hat, und seinen Mitbruder von Pasewalk längst heruntergestochen hat, trotz seines italienisch schön klingenden Namens Pasanella!

Zu Stettin schien mir verhältnißmäßig mehr Luxus zu herrschen, als zu Berlin. Grabow, wohin alles strömt, gewährt weniger Interesse als die Vorstadt Lastadie, wo die Schiffe liegen, (Lastadium hieß im Mittel-Alterlatein Ballast und Abgabe von Kaufmanns-Gut, und daher heißen auch an andern Orten der Ostsee die Plätze, wo ein- und ausgeladen wird Lastadie) die Plantage und die Wälle mit Linden besetzt bieten den angenehmsten Spaziergang, Schade! daß die Schildwache nach dem Wallbillet fragen muß. Es ist nicht Furcht, daß man die Schwäche der Werke verrathe — die Franzosen hatten keine Wallbillets, sondern Furcht vor dem Niedertreten des Grases, das der Commandant verpachtet. Der schönste Standpunkt ist auf der sogenannten hohen Batterie, und dann auf der Oder-Brücke. Man fährt nach den buchenreichen Anhöhen von Podjuck, jetzt Riesenhöhen genannt, und die Wasserspazierfahrt auf der Oder nach Frauendorf — und zu Lande auf einem Damm über 20 hölzerne Brücken hinweg — nach Damm am Damer See sind angenehme Parthien. Nach

Stargard (Storigorad, Altstadt) einst Hanseestadt, die mehr als Stettin war, bin ich nicht gekommen. Die alte Stadt mit 10,000 Seelen liegt an der Ihna in Gärten und herrlichen Waizenfeldern die sich aber nur zu bald in Haiden mit armseligen Dörfern verwandeln bis hinab zum Meer. Hier ist auch der größte See Pommerns Madüe, und seine Muränen so gut als italienische, wie Stettiner und Berliner wissen. Im Landhause zu Stettin ist die pommersche Bibliothek, ich wünschte, daß jede Provinz eine solche vaterländische Sammlung hätte und im Schützenhause zeigt man den Pokal, den Friedrich Wilhelm I. der Stadt bei ihrer Huldigung 1720 verehrte mit der Inschrift: Vivant alle gute Preußen, die es nicht sind (viele Bürger waren gut schwedisch) hohl der Teufel!" Neugierige sehen vielleicht auch den Brandfleck, wo Catherine II. die Prince de ligne stets Catharine le Grand zu nennen pflegte — in der Wiege fast verbrannt wäre — sie behielt stets Vorliebe für Stettin und Stettin machte sie auch zu seiner — Schützenkönigin! Zu Stettin saß auch Montecuculi 2 Jahre lang als schwedischer Kriegsgefangener und schrieb sein Werk über die Kriegskunst, wie Grotius im Gefängniß sein Jus Belli et Pacis. Der Geist ist weder an Zeit noch Ort, noch Gegenstand gebunden, und findet er wo Hinderniß, so bricht er anderwärts durch — die Blitze schlagen ins Dintenfaß, wenn sie sich auf keine lebendigere Weise entladen können, und wenn sie erst die Freiheit der Blitze Gottes hätten. So spricht man nur von bösen Mäulern, diese schaden niemand mehr als sich selbst. Zwischen Stargard und Driesen an Polens Gränze liegt Arenswalde, das ein harmonisches Geläute hat, „das ist ein schön Geläute," sagte Friedrich, der Herr Stadtschultheiß verstand: „das sind schöne Leute," trat vor und sprach selbstzufrieden: „Und ich ihr Vorgesetzter," der König sagte: „Ihr seyd ein Narr!"

Hinter Stettin nichts als Sand und Wälder und die langweiligste Fahrt auf Gottessande 8—9 Meilen weit bis

Wollin und Swinemünde. In Ermangelung eigentlichen Landes thut man wohl sich an das Wasserleben
zu halten. Auf beiden waldigen Inseln Wollin und Usedom, von wo die beliebten geräucherten Pritter-Aale
kommen, ist Fischerei und Schiffsbau so ganz die Hauptnahrung, daß die Männer den Weibern getrost die ganze
Landwirthschaft neben dem Hauswesen aufladen, wie unter den Wilden. Mit der Brücke über die Divenow ist
man zu Wollin, und mit der Ueberfahrt nach Swinemünde
zu Usedom. Die Oder, die Pommern in Vor- und Hinter-
Pommern theilt, verliert hinter Stettin ihren Namen, bildet den Damischen See, dann das Papewasser und
Haff, und alle Gewässer entladen sich in die Ostsee durch
drei Mündungen; Peene, Swine und Divenow.

Auf der Insel Usedom mag eine lebhafte Phantase
sich in den 24. Jun. 1630 versetzen, wie Gustad Adolf
mit 17,000 Schweden landet, sich zur Erde wirft, Gott
dankt, sich verschanzt, und selbst den Spaten zur Hand
nimmt. Wenn man an die Folgen dieser Landung denkt,
klingen Kaiser Ferdinands stolze Worte ungemein komisch:
„Hob holt a klans Feindli weiter kriegt!" so
komisch als der Nachhall seiner Generäle: „dieser Schnee-
könig wird halt im Frühjahr schon schmelzen!"
Sie täuschten sich wie bei Leuthen, wo sie von der Potsdamer Wach-Parade sprachen, und wie in den Feldzügen gegen die Republikaner, wo sie von Hasenjagden
redeten, wobei nicht viel Ehre aufzuheben sey, welches
letztere zutraf!

Wenn man sich Swinemünde nähert, (wohin man
jetzt mit dem Dampfschiff von Stettin in sieben Stunden gelangt) hört man das Rauschen des Meeres hinter
den Dünen, eilet die Sandhügel hinauf, und entschädigt
sich an dessen Anblick für die dürftige Gestalt der Erde
die nur mit Sand und Wachholdersträuchen aufwartet, jedoch
auch mit recht schönen Eichen. Fein-Nasen riechen
auch wohl den Braken-Geruch der See, und da alle

Quellen im Zusammenhange mit der See zu, stehen schei‑
nen so hat man auch das Vergnügen das Braken‑Was‑
ser zu kosten; Swinemünde selbst ist ein freundlicher of‑
fener Ort von 3500 Seelen, am linken Ufer der Swine,
die Straßen zwar ungepflastert, was im Sande und am
Ufer auch nicht gerade nöthig ist, und vor den meisten Häu‑
sern stehen unter der Scheere gehaltene Bäume, wie in
Holland. Das hiesige Seebad ein Viertelstündchen davon
wird wohl Potbus und Dobberan keinen Abbruch thun, in‑
dessen sollen 1827, 1200 Fremde hier gewesen seyn. Von
theurem Pflaster oder gesalzen kann hier niemand
sprechen, denn es gibt gar keines, und wegen der Nähe
der Oder ist das Meer nur wenig salzig, wie überhaupt
die Ostsee, daher auch mit Seesalz nichts zu machen ist,
denn das Holz würde mehr kosten, als das Salz werth
ist. Ein Pfund Ostsee‑Wasser wird kaum ½ Unze
Salz enthalten während 1 Pfund Nordseewasser 1 Unze,
im Mittelmeer 2 Unzen und im Attlandischen 3 Unzen
gerechnet werden. Indessen habe ich doch nach dem Bade
in offener See jenes Wohlbehagen und jene angenehme
Wärme, welche die Britten Glow (Gluth) nennen — un‑
geheure Eßlust, und ein schöner Wellenschlag vermag in
so frohe Laune zu versetzen als eine Flasche guter Rheinwein!
Die Ufer sind flach, daher das Meer auch flach, so, daß
man 100 — 200 Schritte hineingehen kann, bevor das
Wasser über die Brust gehet; bei hohen Ufern aber, wo
das Meer in der Regel umgekehrt tief ist, will ich keinem
rathen hineinzuspringen, wenn er nicht ein halber Seehund,
oder wenigstens ein Hallo're ist; der Wellenschlag ist
so unbedeutend, daß man in einem Flußbade zu seyn
glaubt. Die Plantage von Weiden und Erlen, nachdem
der Sandhafer dem Sande einigen Anhalt gegeben hat, ist
eine dem Meer abgezwungene Promenade, und die entfern‑
tere Lustparthien gehen nach Heringsdorf und Fried‑
richsthal, von wo noch ¼ Stunde nach dem mit schönen
Laubholz bewachsenen Golmberg, der hier Berg heißt,

ob er gleich kaum 200′ Höhe haben wird. Das Angenehmste bleibt immer eine Reise nach der Insel Rügen,
wohin man in 8—9 Stunde segelt — und macht man
den Weg zu Lande, so besteigt man den interessanten
Strobelberg bei Coserow, ehe man nach Wolgast
kommt, und von da führt der Weg nach Greifswalde.
In Swinemünde lief 1824 das preußische Schiff Mentor
ein, das 1822 um die Welt segelte, und von seinen
22 Mann auch nicht einen verloren hatte! Die Lage und
Bauart des Ortes, die Oder mit ihren Schiffen, die Windmühlen, die Sitten und selbst die Sprache der Bewohner,
Alles erinnert an Holland!

Pommern ist aber doch noch immer besseres Land,
als Holland, und so ergiebig, daß Waizen, Roggen, Hafer,
Gerste, Erbsen, Wicken, Lein ꝛc. ausgeführt wird; es hat
gute Viehzucht, Obst, Holz, Fischereien — nur keine gute
Häfen, die der Sand leicht verschlemmet. Viele Schiffe
stranden jährlich wegen der Sandbänke und Flachheit der
Küsten, die sich 60 deutsche Meilen weit hinziehen, und
doch nur drei eigentliche Häfen bilden: Stralsund, Swinemünde und Colberg. Die Heringe die an den Küsten
gefangen und geräuchert werden (Bücklinge), waren
im Mittelalter so häufig, und die Züge so gedrängt, daß
man Heringe mit den Händen fangen konnte; im Jahre
1124 kostete ein ganzer Wagen voll frischer Heringe Einen
Pfenning (denarium). Man suchte sie im Baltischen Meere,
ob sie gleich da nicht einheimisch sind, jetzt sind sie natürlich seltner, da man ihnen keine Zeit läßt, dahin zu kommen, und schon am Eingange aufpaßt. Die Pommern
lieben nur die geräucherten Heringe, wie Carl V. die
eingesalzenen, daher er einen solchen auf dem Grabe
Beukelsens verzehrte zum Andenken der Einpöklens-
Erfindung. Die Lachse, Störe, Karpfen und Lampre-
ten aber sind Heernfiske d. h. gehören der Herrschaft.

Pommern (Po-mor), am Meer zwischen der Ostsee,
Weichsel, Oder und Netze, 577 Q. Meilen mit 800,000
Seelen, war sicher einst Meeresboden, daher alles so flach
und einförmig. Das einzige mineralische Produkt ist
Torf, hin und wieder wirft die See Bernstein aus,
Landseen gibt es mehr, als dem Staatswirth lieb seyn
kann. Das Clima ist gemäßigt in dieser nördlichen Lage,
der Boden zwar Sand, den die Dünen noch bei Stürmen
vermehren, aber die Grundlage ist doch fetter Thon, so,
daß Pommern immer eine fruchtbare Provinz genannt
werden mag, die sicher noch besser cultivirt und bevölkert
wäre, wäre der liebe — Adel nicht, und seine veral=
teten Feudal=Rechte, gerade wie in Meklenburg.
Die Bauern werden von dem Edelmann gelegt.
Was heißt das? Es geschieht nicht in der Manier der
Hühner, sondern man verleibt sie dem Gesinde ein,
sie sind nicht Grundeigenthümer, folglich auch nie
heimisch. Die großen Eigenthümer, Domainen
und Pachtungen sind das im Staate, was im Fischteiche
die größten Hechte! Doppelte Unterthanen ein Unglück
für den Staat, wie für sie, mag man nun die Leibei=
genschaft — Erbunterthänigkeit, Grundpflich=
tigkeit nennen oder nicht, und die Doppel=Eigenschaft
Standes= oder Grundherrlichkeit in Polen, Un=
garn und Rußland ist es indessen noch schlimmer: Jener
Edelmann, der da drohte den zehnten Mann auf=
hängen zu lassen, entschuldigte sich vor dem Gericht:
„daß er nur neun Bauern habe,“ und ein anderer,
den der König wegen Mißhandlungen seiner Leibeigenen
nach Spandau schickte, zeigte seine Narben: „Nie habe
ich mich vor dem Feinde gefürchtet, und nun
soll ich mich vor meinen Bauern fürchten?“
Der Leibeigne ist vom lieben Vieh in nichts unterschieden,
als daß er ohne Zaum arbeitet, für sein Futter selbst sorgt,
und nach dem Tod in seiner Haut begraben wird!
Der Adel Pommerns ist offenbar allzuzahlreich, folg=

lich arm, und die Bauern mit ihm! Ju einem Berichte Brenkendorfs, der viel für Pommern that, und noch mehr für die ärmere Neumark, durch Trockenleguug der Moräste und Colonien, folglich wieder gut machte, was berühmte Heerführer verdorben hatten, überhaupt ein Mann, der näher gekannt zu seyn verdient, schrieb dem Philo-sophen von Sanssouci, der für sein geliebtes Pommern ein wahrer Philosophe bienfaisant war: „Zu Czarnidam-now leben allein 12 adeliche Familien, 59 Köpfe stark, der Kuh-Hirt und der Nachtwächter sind die einzigen unadelichen Menschen im Dorfe, ihre Weiber aber geborne Fräu-leins!" Die Fräuleins können sich noch durch eine ver-nünftige Mesalliance helfen — aber den männlichen Stamm-Erben bleibt keine andere Erbschaft, als der papierne Stammbaum und der Degen. Die Familie Borke brei-tete sich so aus, daß die Gegend um Stargard der Borken-Kreiß heißt, und zählt ein berühmtes Mitglied, Sido-nia von Borke. Schön, reich und stolz wollte sie keinen andern heurathen, als einen Herzog von Pommern — es gelang ihr einen zu fesseln, aber die Agnaten widersprachen, sie ging in ein Kloster, lernte hexen und machte alle Ehen der Herzoge unfruchtbar! Sidonia wurde 1680 hin-gerichtet als Zauberin! Genug! der allzuzahlreiche Adel schadet dem Gedeihen des Volks — das ist unbestrittener, als die Frage: ob die Mäuse um der Katzen willen, oder die Katzen um der Mäuse willen geschaffen sind?

Der heilige Bischoff Otto von Bamberg machte 1120 — 30 die Pommern erst zu Christen, nun wanderten Deutsche ein, und im alten Städtchen Pyritz zeigt man unter einer Linde die Quelle, wo 7000 Pommern auf Ein-mal getauft wurden; 1814 wurde an diesem sogenannten Ottobrunnen ein Denkmal errichtet. Pommern hatte im Mittelalter den lebhaftesten Handel, da Indiens Schätze auf der Wolga nach dem Norden gingen, und die Wasser-straßen damals sicherer waren, als die Landstraßen. Die Herzoge standen in Erbverbrüderung mit Brandenburg,

35*

und da ihr Geschlecht 1637 ausstarb, gehörte offenbar Pommern dem Hause Brandenburg, aber das übermächtige Schweden setzte sich in Besiz bis auf den Theil, den es im Stokholmer Frieden abtrat. Vorpommern bis an die Peene nebst Rügen war das letzte Denkmal schwedischer Uebermacht in Deutschland, und wir haben jetzt wenigstens Einen fremden Fürsten weniger auf deutschen Fürstenstühlen!

Pommern befand sich nicht übel unter Schweden, der Reichsverband, so schlaff er auch war, schützte es doch gegen Despotismus, und die Verbindung mit Schweden machte den Handel blühend, die Abgaben waren milde, es herrschte viel Freiheit, und die Schulden datiren erst mit den Franzosen (1807), die, bekanntlich eine hohe Virtuosität besaßen die Länder systematisch auszusaugen. Pommern war daher Schweden ergeben bis auf die gewaltsamen Reformen Gustavs IV., der mit dem Eigensinn Carls XII., ohne dessen Gaben und Muth, die Franzosen mit Haaren nach Pommern zog, Napoleon so tödtlich haßte, daß er Rußland und Preußen ihre Ordenszeichen zurückgab, weil sie die des Napoleon angenommen hatten, und durchaus Napoleon, welcher Rußen, Preußen und Oestreicher geschlagen hatte, schlagen wollte. Gustavs Sohn wollte Gustav Adolph spielen, und es kostete Schweden Finnland, ihm aber und dem alten Hause Wasa den Thron!

Pommern ist jetzt ganz unter Preußens Scepter, und zerfällt in drei Regierungs-Bezirke: Stettin, Cöslin und Stralsund, oder Neupommern, d. h. Schwedisch Pommern. Diese Westpommern werden eher Preußen seyn, als die Sachsen, und sich mit demselben Stolze, mit dem sie sich gerne Schweden nannten, Preußen nennen, wie die Ostpommern, mit denen sie gleiche Sitten und Sprache haben — noch besser aber wäre freilich, wenn sich beide — Deutsche nennten! Schon Friedrich sagte 1762 „ich weiß von keinem Krieg mit Schweden, die Händel mit meinem General Belling mag dieser ausmachen" noch mehr demüthigte am Rastadter Congreß Napoleon den schwedischen Gesandten Graf Fersen — und doch nannten sich diese Pommern lieber Schweden als Deutsche? Traurig! die Schweden sind brav, und die liebenswürdigsten Völker des Nordens, aber die Pommern — sind Deutsche, und die Schweden selbst Halbdeutsche, wie schon ihre Sprache beweißt: Gubexars behüte Gott, Go dag guten Tag, Farval lebe wohl, Tack ich danke, — vaelkomma Willkommen, — fas jag lof at ga in habe ich Erlaubniß einzugehen — hurra feierliche Freude, was sie, wie wir, von Russen angenommen haben mögen. Schön ist, daß in den germanischen Sprachen Gott und gut fast gleichlautend sind. . . . Ich denke sie werden Preußen und den König lieben, der so ernst und kräftig das unsere Zeit entehrende Verlangen des Adels, die Leibeigenschaft wieder herzustellen, die schon Gustav aufgehoben hatte, zurückgewiesen hat. Sacra res homo miser!*) Aber Edelleute — prennent leurs Souvenirs pour des Droits **) — man schämt sich selbst im Süden nicht den Todesfall einzustreichen, und mancher gefiele sich auch noch im jure Cunnagii!

Auffallend ist der Unterschied zwischen Märkern und Pommern. Wer nicht plattdeutsch versteht, kommt nicht recht fort, und versteht nicht einmal ihr comment vous portez vous? syg jy gaut werlich? Indessen scheint sich ihr Plattes immer mehr ins Hochdeutsche zu verlieren — gewiß versteht kein Hochdeutscher „Schlöst en bätken in döriz un lat us en mulken vull kulzen? Geht ein bischen in die Stube, und laßt uns ein Maul voll plaudern — und was würden unsre Fräulein zu dem Lob sagen: „endüglich Balg; ein artiges Kind! Sie lieben Sprüchwörter, und ein Verzeichniß davon findet sich in Brüg-

---

*) Der arme Bauer ist ein Heiligthum.
**) Halten ihre Erinnerungen für alte Rechte.

geman's Pommern S. 64. 65., wovon ich nur 2 an-
führe, weil sie mir selbst vorkamen: Hei steih nich in de
hältyne Bückse (Kanzel) sein Wort ist kein Evangelium — Dat Beir (Bier) folgt dem Tappen (Zapfen) steck
tau, so dorst niet jappen: trinke mäßig, so hast du immer zu trinken. —

Diese Pommern hängen um so fester am Vaterlande,
je mehr sie noch Eigenes haben, und je einfacher ihr Leben
ist, so wie Einsame stärker an Freunden hängen, und selbst
Hagestolze, so oft man diesen auch Kälte und Egoismus vorwirft. Wer möchte Friedrich seine Vorliebe für
ein Land, das ihm so treffliche Offiziere und Soldaten lieferte, verargen? Näher hätte er aber immer die Adels-
Privilegien beleuchten mögen zum Wohl seines Volks
— aber er schenkte lieber armen Bauern Saatkorn, Vieh
und Geld, ehe er jene antastete, und hatte da stets Schaden — am Ohr! ob er gleich in seinen Schriften sagte:
„Hörigkeit ist der unglücklichste Zustand, wogegen sich die
Menschheit empört, denn kein Mensch ist geboren, um der
Sclave seines Gleichen zu seyn!" Jetzt denke ich soll es
schon besser kommen, und mit den Reliquien der Leibeigenschaft, die Friedrich Wilhelm III. abschaffte, und sich
vielleicht, wie der treffliche König Casimir von Polen, den
Spottnamen Bauernkönig muß anheften lassen — (der
schönste Titel) — muß nothwendig die Faulheit, grobe
Sinnlichkeit, der Schmutz des Leibes und der Seele verschwinden, wie die alte polnische Wirthschaft, und dann
wird man auch nicht mehr im Sprüchwort sagen: mit de
Pommerschen Luchten lopen d. h. mit dem Hemd über
die Hosen. In gar vielen Hütten Pommerns ist es noch
das Geringste, daß man seine Noth im Freien verrich-
ten muß, wo dann nicht selten die Schweine das Ey zu
verzehren anfangen, ehe es noch gelegt ist!

Mit der Geistes-Cultur steht es noch schlimmer,
wie hätte sonst Pommern zum Sprüchwort werden können? wenn man hier dem Menschen sagte, „er sey Selbst-

zweck" dächte er wohl eher an Schusters Zwecke, und
würde böse. Die Armuth hindert selbst oft den Adel an
guter Erziehung. Gewiß gibt es noch heute unter den 150
adelichen Familen in Hinterpommern mehr als einen
Hans von Zanow, den Brandes mit soviel Glück auf die
Berliner Bühne brachte mit seinem Wat Düvel will he?
wer is he? dat beleeft em man so to seegen — das
mag ihm noch hingehen, wenn er ein altes Hausmöbel
von Tante eene olle affecteerte Trulle nennt. Ein
solcher Hans von Zanow sagte seiner sterbenden Frau, die
ihn bat aufzustehen, und Licht zu machen „So stirb man,
lat mich slapen!" und legte sich aufs andere Lang-Ohr.
Sicher trifft man in Hinterpommern mehr als ein Original vom Siegfried von Lindenberg, aber nicht alle sind so
gut und wohlthätig, und die wenigsten halten Lectoris
ornari! Wenn sich selbst die Pommerschen Fräulein soviel müssen nachsagen lassen, was soll man von
Geringern erwarten? Vielleicht sind sie aber dennoch besser, als das zu Berlin erzogene Fräulein, das so fein und
sittig wurde, daß es auf die Frage: Woher? roth bis über
die Ohren erwiderte: „Um Vergebung! aus Hinter-
pommern.! Sie hatte vermuthlich gehört, daß nur das,
was von vorne a priori komme, rein sey — alles aber
unrein, was von hinten a posteriori!
Jener preußische General, der nach vielen Jahren wieder nach Pommern kam, seine alte Mutter noch fand, und
tractirte, wurde von dieser gefragt: Myn Sön, ik hebbe
di ja Hans töpen laten, we bis du denn to den Nan-
men Lenz (Excellenz) gekommen? das Wort Excellenz
setzte schon manchen in Verlegenheit wie jenen, der einem
Erminister — Ex Elends schrieb! Wer lächelte nicht über
den Pommer vor Friedrichs Zelte „Wie lange dienst du?" 13
Jahr „Wie alt?"19 "Ho ho!" Na! fünf Jahre war ich Gänse-
junge, sechs Jahr Ochsenjunge, und zwei Jahre unterm Volk,
thut das nicht 13? „Warum rauchst du nicht?" der Hauptmann hats verboten. „Rauche!" der Pommer rauchte. Der

Hauptmann fuhr über ihn her, „Dich soll ja" und so er-
grief er den Arm des Königs „Na! nun kriegen wir
beide den Buckel voll!" daher heißt auch in der Pommerischen Bibel Psalm 23 „du schenkest mir voll ein „du
givst mi een ganz Bak vull, den ganzen Buckel voll!
— So sagte ein anderer, dem beide Beine abgeschossen
waren, dem Chirurg „Hundertmal hab' ich Gott Leib und
Seele empfohlen, nie aber an die verfluchten Beene
gedacht!" Die Franzosen sollen es haben entgelten müssen,
daß die Pommern aus ihrem wüthenden Vive l'Empereur
— Wümer her (Weiber her) machten, indessen drücke ich
dem Pommer die Hand, der einem Berliner sagte: Fra u sch!
Ih sü mal Fransch! so vornehm snaken wir hier to lande
nich — all op dütsch, as de Snabel wassen is! Eine
Pommerische Canonen-Wache setzte sich ruhig im nahen
Kruge, denn sie hatte versucht, „daß einer allein die Canone
nicht wegtragen werde, und gegen mehrere sie doch nichts
nütze" — und ein alter Schnurrbart, den sein 15jähriges
hochadeliches Offizierchen mißhandelte, hielt seine Grenadier-
Mütze über ihn mit den Worten: „Wären Sie nicht mein
Offizier, ich löschte Ihnen das Licht aus!"

Im Norden stehen die Pommern im hohen Ruf der
Grobheit, wie im Süden Baiern und Oestreicher, hie und
da auch meine Landsleute, die Würtemberger. Im
Grunde ist es Geradheit, Offenheit, Aufeinheit,
die weder müßige Worte, noch Ausflüchte und kahle Entschuldigung liebt. Wo ist der Dummkopf wieder?
rief jener Offizier, da der Bediente nicht zur Hand war,
und ein Pommerisches Fräulein sagte: „Auf Ihren
Schultern." Zu Berlin lernte ich den Abendsegen eines
Pommerischen Fräuleins kennen:

Nu leg ick mi arme Deeren slapen —
up de liewe Engeleen will ik treuen un hapen.
Un wenn de Düvel wullte mich anbölken,
so will ik em berotzen, he shal sik bekölken,
un wenn he wülte mek gar bieten,
so will ik em beseken un beschieten! —

In Pommern kann man sehr leicht ein „ik will wat schitten" hören, wie im Süden Jo warum nit gor — i mog nit — davon isch kei Red, und die Formel, die Friedrich für die stärkste Formel deutscher Sprache erklärt — das grob ausgedruckte Nein, das in nächster Verwandtschaft mit dem Pommerischen: ik will wat schitten! steht. Mit dieser Grobheit in Worten ist aber mehr Gutmüthigkeit und Hülfe verbunden, als mit allen Artigkeiten des bon ton, der so voll artiger Selbstverläugnung ist, daß er endlich zur förmlichen Nullität wird. Jener Pommerische Bediente hinter dem Stuhl seines Fräulein, das einen schneidenden Discant-Ton von sich gab, lachte, und sagte „dat was de veel," Frölen, aber kaum wieß ihn ein anderer zur Ordnung, so rief er mit der größten Gutmüthigkeit: Met Gonst! dat Gebrumm von mei Frölen nem ik up mik!" — Wir haben noch kein gutes deutsches Wort für die Herzens-Höflichkeit im groben Kittel, im Gegensatz der vornehmen oder Mode-Höflichkeit, die etwas Pudel-Artiges hat, und keinen Boden, oder jener Höflichkeit des homme en place, (wäre es auch im kleinsten Landstädtchen) die ein NB. ist, daß man sich gegen den wichtigen Mann nicht vergesse!

Gewohnt auf Reisen mein Budget à Ein Ducaten einen Tag in den andern zu berechnen für Alles, wenn ich auch gleich viele Tage mit einigen Gulden abkomme, zumal mit Apostelpferden, habe ich in Pommern und Westphalen manchmal mit 12 gr. ausgereicht, denn man konnte nichts haben, als Kartoffel und Hering, die für frische gelten, wenn sie in Milch gelegen haben, Brod und Käse, Bier, Schnaps und Strohlager; hier gilt das Sprüchwort: man kann der Luus nig meer nemen, as dat Leven! Im Norden ist die Uebersetzung des Mal de Midi Mittagsmahl ganz richtig, und Sancho kann nicht melancholischer beim Mahle gesessen seyn, wo der Leibarzt den Stab über jede Schüssel senkte, als ich in manchem Kruge des Nordens. Alles, was Pommerisch heißt, verlangt einen altdeutschen Magen — Speck und Erbsen, Backenbeere, Klüte, selbst Spickgänse verlangen ihn. Klüte (Klöße) und Speck, Klüte und Bakbeeren sind Hauptgerichte, und so sagen sie auch für sich mit Schneeballen werfen, sik sneeklüten (sich schneeklößen).

Der rothe Greif mit goldenen Füßen im silbernen Felde, das Wappen Pommerns, sollte der Gans weichen, denn eine pommerische Gans von 25 Pfund ist ein kleiner Greif, und mehr, weil sie in natura vorhanden, und das unter den Gänsen ist, was der friesische Gaul unter den Gäulen. — Der würdigste Repräsentant Pommerns, der die geräucherte Gänsebrust selbst unter die Leckerbissen zählt, wäre die Gans, die Gänse haben zwar Fittige, aber wenig Naturflug, und so auch die Pommern — dagegen aber freien Naturgang, so schlecht sie auch zu Fuße sind, und diesen freien Naturgang hatte bisher nur der Adel. — Die Gänse haben nachstehende Redensarten erzeugt: de dumme Goos — achter eenander as de Göse, wat hebt et de Gose good — wenn Bier oder Wein fehlet — von einem gelblich kränklich aussehenden Mädchen sagen sie: „si seet gösig ut!" Im Mittelalter aber war es ein hoher Schimpf, die Helmzierde den Schwan für eine Gäns anzusehen! Der Gänsekiel ist der Scepter der Gelehrten, und in unserer Zeit selbst vieler Damen — aber es ist schwer, sich zur Unsterblichkeit aufzuschwingen mit — Gänseflügeln, und Gänseflügel dienen eben so oft zu Fleberwischen. —

Gutmütig haben Gänse lange Zeit
Zum Schreiben ihre Federn uns geweiht —
Das konnte länger nicht so bleiben,
Sie fangen an, jetzt selbst zu schreiben.

Die Gänse Pommerns haben zwar kein Capitol — aber wahrlich sie verdienten, so gut als zu Rom — ein Jahresfest, wo eine Gans in feierlicher Prozes-

sion herumgetragen wurde. Man unterhielt auch auf dem
Capitol heilige Gänse — aber ich — erinnere mich
nicht in Pommern nur den Schild Zur goldenen Gans
gesehen zu haben, desto häufiger findet man solchen im
Süden, und ein Postmeister schickte mich einst selbst „Zur
goldenen Gans — es ist meine Tochter!"

Hinter=Pommern würde schöner und fruchtbarer seyn,
wenn ein bedeutender Strom dasselbe bewässerte. Die
Warthe und Netze scheinen ihren Weg dahin nehmen zu
wollen, aber wahrscheinlich hinderten sie die fliegenden
Sandhügel, und so machten sie es, wie ich, und kehrten
um nach der Oder. Vergebens sehen sich die Faunen in
den weiten Fichtenwäldern um nach einer Nymphe, um
mit ihr zu tanzen — aber in diesem Sande ist ausgetanzt
— nur die Schaf= und Gänseheerden bringen noch einiges
Leben in die Natur, aber Schafe und Gänse machen noch
kein Arcadien, indessen sollen die Küsten hie und da recht
angenehme Ansichten gewähren, und — Pommern läßt sich
auch — eine lachende Seite abgewinnen. — Die alte Ein=
fachheit und Treuherzigkeit ist hier noch ganz zu
Hause, die stets gerne neben der Armuth wohnet. Der
Pommer ist noch ein alter, biederer, arbeitsamer, muthiger
Deutscher von kräftiger Leibes=Constitution. Mitten unter
Pomeranzen, Mandeln und Pinien, Myrthen, Lorbeeren
und Granaten, Feigen, Rosinen, Oliven und köstlichen
Weinen sehnt sich der Pommer nach seinen heimischen Kar=
toffeln, Schnaps und Bier, nach seinen Fichten, Tannen,
Eichen und Linden, vorzüglich aber nach seinen guten
ehrlichen Landsleuten, und Frau Mutter=Sprache,
und ich — halte es mit ihm; zuletzt sehnen wir uns alle
nach dem — Grabe. Jener Junge, den der Schulmeister
frägte: „Wo kommen die Pomeranzen her?" ant=
wortete „Aus Pommern!" In Pommern möchte es
nicht gut seyn, die kleinen meist weißen Hündchen mit
spitzen Köpfen, daher Spitze genannt, Pommer zu
nennen, ob sie gleich eher aus Pommern stammen, als die

Pomeranzen! und unsere Mägde, die beim Zusammentreiben der Gänse Huß! Huß zu rufen pflegen, sprechen
slavisch, ohne zu wissen, daß Huß böhmisch Gans
bedeute *).

Die Postmeilen sind klein, die Meilen aber, die
nicht bezahlt werden, verdammt lang. Das Zählen pflegt
sich nach der Subjectivität des Zählers zu richten,
und so gibt es oft Stunden, die der Fuchs gemessen
hat! In Pommern und Meklenburg heißt es Een Veer-
tel Wegs — een Hundegeblaff (so weit man den
Hund hört) een Hahnschrie, een Pip Tubak — een
Büßenschuß — alle diese Länge-Bestimmungen darf
man keck auf eine gute halbe Stunde reduciren. Komisch
kamen mir die Weiden-Alleen vor, die sich schon in
Schlesien finden, und nirgendswo sahe ich mehr Dohlen.
Wehe dem, der nahe am Kirchthurm wohnt, stündlich hört
er eine Musik, die von allen Thurm-Musiken (selbst wenn
man seine eigene Leichen-Musik noch hörte) die schlechteste
ist. Freund Fik geht aber doch zu weit, wenn er im
pommerschen Dialect diese Dohlen-Musik wiederfindet,
weil die Kinder die Sprache der Dohlen öfters hören, als
die menschlichen Zungen!

Ich hatte schon satt an Vor-Pommern, und das
schöne Rügen so sehr vor Augen und im Herzen, daß ich
Hinter-Pommern nicht gesehen habe, ob mir gleich

---

*) Sicher ist es in Pommern, wie anderwärts, seit 25 Jah-
ren besser geworden, wie in Schwaben auch, was ich
vermuthete, ehe es mir ein Dominus Recensens sagte,
more solito mit Seitenblicken, z. B. auf Schwaben, das
doch weiter seyn möchte als Pommern! In urbanität
bei Rügen hinzusetzen — „wenn es der Verfasser
überhaupt sah" — nimmt der Deutsche weniger übel,
als der Bitte das Wort Lias! d. h. im Munde eines —
Recensenten, die es bald so weit bringen werden, wie gemeiner Pöbel.   Anm. d. Verf.

Colbergs Name alle jugendlichen Reminiscenzen des siebenjährigen Kriegs aufweckte — und nun gar erst Danu-
zig und der alte Deutsch-Ordens-Staat? Ueber
das alte Camin an der Divenow mit seinem Dom aus
der Zeit, wo es Bischofssitz war, (daher das Wappen eine
Nonne im Lehnstuhle) und einem Fräuleinstift, führt der
Weg nach Treptow, das ein recht heiteres gutgebautes
Städtchen seyn soll mit einer Umgebung, die vergessen
macht, daß man in Hinter-Pommern ist. Colberg liegt
nur ¼ Stunde vom Meer an der Persante, hat einen
Hafen, Salinen, 6000 Seelen, und ist fest, mehr durch
Moräste als Kunst. Im siebenjährigen Kriege belagerten
es dreimal Russen und Schweden, aber Heyden war
kein — — — Die Bürger selbst unterstützten die Besatzung, wie in unserer Zeit der alte Seemann, Nettelbeck, der noch die russische Belagerung kannte, der im
75. Jahr zum dritten Mal heurathete und ein Töchterlein
erzeugte — Schill, der verwundet hieher kam, zu bleiben veranlaßte. Nettelbeck, dessen Selbstbiographie so
interessant ist, rettete im Grunde Colberg, indem er 1807
es dahin brachte, daß der König Gneisenau sandte, indem
Loucadou ein abgelebter Mann war, und jenem Patrioten,
der von Theilnahme der Bürger an der Vertheidigung
ihrer Veste sprach, erwiedert hatte: „Was Bürgerschaft!" gerade wie Höflinge: „Was Staat! was
Constitution!" Colberg ist die Vaterstadt des Ministers v. Podewil und Ramlers, und hier saß auch
der geniale Bülow gefangen, der es mit seinem Feld-
Marschalls-Kopf nicht weiter brachte, als bis zum dimit-
tirten Lieutenant! Seine militärisch stark abweichenden
Ansichten, vorzüglich seine Feldzüge 1800 und 1805
mißfielen — wie wenn er gar den Feldzug 1806 noch
geschrieben hätte? Im Gefängniß zu Berlin demonstrirte
er, daß die Preußen in ihrer Stellung zwischen Elbe und
Saale unfehlbar geschlagen werden müßten, und als man
ihn nach Colberg transportirte, nach der Schlacht von Jena

sprach er: „Es geht, wenn man die Generale
in's Gefängniß steckt, und die Einfalt an die
Spitze der Armee stellt." Mit der Ankunft der Franzosen wurde er nach Königsberg und Riga gebracht, wo
vom Genie, das sein Vermögen verreist hatte, sich in keine
Dienstverhältnisse zu fügen wußte, und selbst für Schriftstellerei — zuviel Genie war, ein Nervenfieber — die
ewige Ruhe gab — 1807. Vielen ist Colberg am wichtigsten durch seinen bedeutenden Lachs- und Neunau-
gen-Fang!

4. Cöslin, das gleichfalls recht angenehm seyn soll, mit
5000 Seelen, ist Regierungs-Sitz, und hier hat auch
Friedrich Wilhelm I. eine Bildsäule „Coslinum incendiis
deletum restauravit 1724." *) — Rügenwalde mit 3000
Seelen treibt Schiffbau und Seehandel, und war einst
Hansestadt, wie Stolpe, die wichtigste und gewerbsamste
Stadt Hinter-Pommerns, mit 6000 Seelen, die Wiege
des trefflichen Philologen Ruhnken, der so ganz Philolog war, daß er einem deutschen Professor, der gelegenheitlich bei Besuchung der Leydner Bibliothek äußerte: „daß
Gelehrte nur in ihrer Muttersprache, und nicht mehr Latein
schreiben sollten — die Thüre verschloß — „Suchen
Sie sich eine andere Bibliothek, in der Sie
deutsche Bücher finden!" Der Holzhandel ist stark,
die Cadetenschule aufgehoben, der Lachsfang von Bedeutung, und die Hälfte des Bernsteins, der sich auch an
Pommerns und Mecklenburgs Küsten findet, jedoch sparsam, wird hier verarbeitet (die andere zu Königsberg) zu
Halsbändern, Ohrgehängen, Knöpfen, Petschaften, Kreu-
zen, Etuis, Spielmarken c. Viel geht durch Armenier
nach der Levante, wie man glaubt, zu Rauchwerken, das
Harz verbreitet schon bei der Arbeit einen angenehmen Geruch, aber die feinen Theilchen, die sich auflösen, sollen
doch die Brust angreifen? und so möchten die Mund-

*) Dem Wiedererbauer des verbrannten Cöslin 1724.

stücke der Tabakspfeifen großen Schmauchern vielleicht
auch schädlich seyn, wenn ihre Saug-Organe nicht bereits
durchräuchert, und lederartig geworden sind. Das größte
Stück Bernstein, das man kennt, und im Berliner Mine-
ralien-Cabinet sehen kann, hat doch nur 14″ Länge, 8″
Breite und Gewicht 13½ Pfund; die Staats-Einnahme
soll nur 18000 Thaler betragen, und ich hätte die schönen
Thränen der zärtlichen Schwestern über den Sturz des
allzukühnen Bruders Phaëthon vom Sonnen-Wagen — höher
angeschlagen.

Hinter Stolpe geht nun Alles wendisch zu, oder
casubisch, Schmutz über Schmutz — Kartoffeln, Brod,
Schnaps, nicht immer in Krügen, und selbst Wölfe.
Die Sprache ist halb deutsch, halb polnisch, und die Na-
tionaltracht hat auffallende Aehnlichkeit mit den Knob-
lauchs-Bauern um Nürnberg; die sich auch zur Marime
der Casuben bekennen: en unslagen Wyf is en unsolten
Kohl. Sie geben nach der von der Ostsee bis an's
schwarze Meer herrschenden slavischen Sitte nicht die Hand,
sondern fassen demüthiger Hen, den sie ehren wollen, mit
der Rechten an seinem linken Knie. Lauenburg an der
Leba ist das letzte, zu Deutschland gehörige Städtchen,
Grospopol der letzte Krug, und hier für mich ohnehin die
Säulen des Hercules. Die Wölfe sollen in manchen harten
Wintern eine wahre Landplage seyn — die Jäger hüten
sich wohl, solche auszurotten, wo bliebe das Schuß-
geld? und der Landmann, dessen Schafe sie holen; darf
nicht schießen! folglich ist er weit übler daran, als der
unsrige mit seinen Communs-Schützen, die schießen
dürfen, wenn sie — wollen.

Jenseits der Hercules-Säulen winken mir nicht nur
einige Millionen braver deutscher Brüder — die
eigentlichen Preußen, das tragische Theater des ritterlichen
deutschen Ordens mit der hohen Marienburg — sondern selbst academische Brüder, Danziger, Lief-
und Curländer, fast bis zur Kaiserstadt — selbst Kant,

Hippel, Scheffner ec. zwinken. — Ich bin kein Krebet,
der in seinen 15mal aufgelegten Reisen von Marienburg
sagt: „ein altes festes Schloß, einst Residenz der Hochmeister, wo unglaublich dicke und lange Balken anzutreffen
sind!" — gerne möchte ich die Erste aller Ritterburgen
bewundern, für die der Kronprinz Preußens so viel gethan
hat — gerne nähme ich von meinen galanten Danzigern
etwas Caviar und ein Gläschen Danziger Lachs in
der feuchten Luft und bei dem schlechten Bier — ohne
dem Magistratus eine Perücke vom Kopf zu reißen, wie
Peter der Große that, und so viele werden noch leben, daß
wir das alte akademische — Vivat Friedrich! Vivant Ge-
danenses! *) anstimmen könnten.

Am wenigsten gelüstet mich nach den deutschen Brüdern, so gebildet sie auch sind, und so reindeutsch
sie auch sprechen, welche Theile des russischen Colosses
sind; vor dem mir Deutschen etwas grauet. Er verdankt
Deutschen seine ganze Bildung — die Herrscher haben
deutsche Mütter und Gemahlinnen — Nicolaus wandelt
auf der Spur des edeln Alexanders, ist aber auch sterblich
— der Coloß hat sich bereits in die offenen Flanken zweier
Nebenbuhler hineingearbeitet, und wer will ihn hindern,
der bereits dem Mond an Größe nichts nachgeben wird,
wenn er den Halbmond nicht nur verschlingt, sondern
auch seine Füße auf Oder und Elbe, Hamburg und Lübek
setzen, und Baskiren in Berlin und Wien einrücken lassen
will; wie einst Gothen in Athen und Rom einmarschir-
ten? Unsere Soldaten rufen bereits Hurrah! und unsere
Fuhrleute Stoi! Stupai! Ich selbst lernte 1813 ein
freundliches Drest! na prawa! na lewa, um besto leichter
durch russische Regimenter und Cosaken-Pulks durchzukom-
men, ehe sie mir ihr Peddän zurufen konnten, während
einer meiner Freunde seinen Pudel, der sonst Cosak hieß,
aus lauter Respekt nicht geschwinde genug in Isaac um-

_____

*) Es lebe Friedrich, es leben die Danziger!

taufen konnte, was dem Pudel wie Kosak klang. Der
Respekt war so groß, daß ein Censor in einer Schilderung
der Kosaken: „sie reiten auf kleinen häßlichen Pferdchen,"
die Worte kleinen häßlichen wegstrich, und so erfuhren
denn die Leser, daß die Kosaken auf Pferden reiten, und
nicht auf Ochsen und Eseln, oder gar Stecken! — Selbst
Franzosen, die sonst von Le Nord, wie von dem Pays-
Bas sprachen, haben ihn seit 1812 besser kennen gelernt,
und mögen nicht mehr ohne Noth dahin reisen, und wir —
wir müssen ohnehin in Deutschlands Gränzen — bleiben —
non patriae fines, et dulcia linquimus arva. *)

Wir sehen uns jetzt auf Wollin und Usedom nach den
zwei berühmten Städten der Vorzeit, nach Julin und
Wineta, um, die beide oft mit einander verwechselt werden. Julin lag da, wo Wollin liegt, mit wenig Spuren
ihres Daseyns, und Wineta's Trümmer, die das Meer
schon 1125 verschlungen haben soll, sehen die Schiffer noch
am Strande der Insel Usedom. Julin war vielleicht die
berühmte Jomsburg der nordischen Schriftsteller, aber
Wineta ist reine Fabel, um so ausgeschmückter, weil sie
Fabel ist. Alle alten Karten gaben die Ruinen Wineta's
an, und ältere Reisende — sogar Fischer in seiner
berühmten Geschichte des Handels — liefert von dieser nie
gewesenen Stadt eine pomphafte Beschreibung, wie
Chateaubriand von Carthago, und sie rufen mit Cicero Heu!
et nos homunculi indignamur, si quis nostrum interiit
aut occisus est! **) Viele Schiffer sehen noch heute in
Steinen und Klippen unter dem Meere die Mauerwerke
und Marmorpfeiler der alten Stadt, und viele wollen sogar die Glocken gehört haben, wenn sie zuviel Glu! Glu!

---

*) Nimmer verlassen das Vaterland wir und die liebliche
Heimath.
**) Und wir kleine Menschen jammern darüber, wenn einer
von uns stirbt, oder getödtet wird.

gemacht haben! Wineta ist ein Gespenst, und Gespenster
sehen nur die, die — Gespenster sehen wollen.

Anclam an der Peene mag 6000 Seelen zählen, und
so lange jener Fluß die Gränze bildete, war die Vorstadt
schwedisch, die Stadt preußisch. Interessant waren mir
die Bildnisse der pommerschen Herzöge, zu denen die An-
clamer noch das Bild Adelungs fügen sollten, der zwar
zu Spantekow geboren, aber hier erzogen wurde: Adelungs, der mit deutschem Fleiße für unsere Sprache
arbeiten that, was anderwärts ganze Academien nicht
thun. Nach dem alten Demmin, auch an der Peene,
das im Mittelalter als Hansestadt seine Rolle spielte, und
schon ganz an Mecklenburgs Gränze liegt, in der Nähe
von Dargun, ehemals Benedictiner-Kloster — an einem
See — bin ich nicht gekommen. Es ist auffallend, wie
weit fruchtbarer das Land wird, so wie man über die
Peene ist; und dieses Land gehört jetzt wieder zum Hause
Brandenburg, dem es widerrechtlich entzogen wurde. —
Suum cuique!

Durch Wolgast, mit den trauernden Ruinen seiner
alten Herzöge, bin ich hindurch geeilet — wenn anders
dieser Ausdruck in diesem Lande nicht allzukomisch klingt
— nach Greifswalde und Stralsund. Greifswalde
schien mir schöner als Anclam, es zählt 8000 Seelen und hat
einen guten Hafen im Dorfe Wyk, wo oft fremde Schiffe überwintern, Rhederei, eine kleine Saline und bedeutenden Getraidehandel. Die Universität, auf Kosten des Klo-
sters Eldena gestiftet, hat 18,000 Thaler Einkünfte, 2
Lehrer und 100 Studenten. Sollte Preußen nicht genug
haben an Berlin und Breslau, Königsberg, Halle und
Bonn? Fast hätte ich die Universität Münster vergessen!
Die Aelste Universität hat viel leiden müssen, daß f
in den 1770ger Jahren Menadie, Schuster zu Altona

*) Jedem das Seinige.

zum Doctor machte. Doctors-Diplome, wenn sie ja für
nothwendig geachtet werden sollten, sollten gratis dem
Verdienste nur ertheilt werden, wie die Orden —
Geld macht in der Regel Docthoren. Im Universitäts-Gebäude, dem einzigen schönen Gebäude zu] G..,
kann man die Bildnisse der Lehrer studiren. Der erste
Rector der Universität, Bürgermeister Rubenow, wurde
von den Bürgern erschlagen, und der Chroniker Cramer
glaubt der Teufel habe die Händel gestiftet, weil die Universitäten seinem höllischen Reich mehr Schaden gethan hätten, als die Klöster. — Meine Zeit scheint beinahe das
Gegentheil zu glauben!

Unter den Professoren hat sich ein gewisser Schak
ausgezeichnet, dessen Name im Meusel nicht gefunden
wird, denn er zeichnete sich bloß aus durch Dicke. Peter I.
wünschte, daß er sich ihm zu Ehren möchte — aufschnei-
den lassen, um sein Fett zu bewundern, worüber der gute
Dicke aus Schrecken geschmolzen, d. h. gestorben seyn
soll. Noch ausgezeichneter durch Geist muß Generalsu-
perintendent Mayer gewesen seyn, ein Kirchenlicht, das
wohl länger hätte leuchten können, da es auch ihm nicht
an Talg fehlte. In articulo mortis fragte ihn der Arzt
über den Zustand der Gerechten in jener Welt, und der
Mann setzte sich, trotz seiner Wassersucht, in Positur, und
sprach: „Das will ich Ihm sagen“ starb aber mit diesen Worten. Schade! so machte es auch Pilatus bei der
Frage: Was ist Wahrheit? Er ging hinaus; wir
erfuhren nicht, was Wahrheit ist, daher werden die Lügen
so häufig, und selbst Generalsuperintenten wissen nicht
Alles aufs Haar, wenn sie es gleich glauben sollten. Man,
die Seelsorger schildern, wie Pater Cochem das Leben
im Paradiese so lebhaft, als ob sie da gewesen wären,
erhitzen die Phantasie schwacher Seelen, und sorgen so
schlecht für sie, daß Lebensüberdruß entsteht, und
Selbstmord um früher dahin zu kommen, wo e w i-

36 *

ger Sonntag ist im weiten Freudenfaale und En-
gels-Chor!

Auf dem Wege nach Stralfund stand im Dorfe
Reinberg ein Veteran von Linden, 37½' im Umfange, und
ganz Vorpommern scheint ein Land von lauter Hagen,
so viele Ortsnamen endigen sich mit Hagen. Stralfund
zählt 16,000 Bewohner, ist alt und häßlich, mitten im
Wasser, von einer Seite das Meer, von der andern große
Teiche, hat aber viel Gewerbe und nicht unbedeutenden
Seehandel; das Wappen ist ein — Sonnenstrahl. Stralfund — galt einst für eine berühmte Festung, von der
Waldstein abziehen mußte, trotz seines Wortes: „Und
wenn Stralfund mit Ketten am Himmel hinge,
muß sie herunter." Den Franzosen aber hing sie
nicht zu hoch, sie schleiften die Werke, und auf den Wällen sind jetzt angenehme Spaziergänge. Man zeigt die
Stelle, wo Carl XII., abgehärtet wie ein alter Ritter — wie
hätte er auch sonst den Weg von der Wallachei, und zwar
durch Umwege, in 17 Tagen = 300 deutsche Meilen,
abreiten können? — viele Nächte, während der Belagerung, auf einem Steine ruhte und einst in eigner Person für einen Officier, der aus Müdigkeit sich des Schlafes nicht erwehren konnte — die Nachtwache übernahm. —
Der Eisenkopf, wie ihn die Türken mit nichts weniger
als orientalischer Uebertreibung nannten, segelte erst am
Abend vor der Capitulation mit Lebens-Gefahr hinüber
nach Schonen!

Zu Stralfund las ich an der Schneider-Herberge:
„Halt monte der Kleidermacher-Gesellen," im
Mittel-Alter aber bestellten sich, gelegentlich der Turniere, selbst Fürsten und Ritter bloß in die — Herberge.
Hor van dö Straat! lautet der öffentliche Ausruf, wenn
bei einttretendem Thauwetter Eis und anderer Unrath
von der Straße zu schaffen ist. Dieses Hor hat sich in
unserm Hornung oder Februar erhalten, und ich bin ge-
neigter, ein anderes Wort, das man nicht auszuschreiben

wagt, H . ., von diesem Hor abzuleiten, als von hüren,
d. h. miethen. Major Schill büßte hier sechzehn 1809,
nachdem er den holländischen General Carteret noch vom
Pferde gehauen hatte, seinen ehrenvollen Ungestüm, mit
dem er für Deutschlands Ehre und Freiheit die gesetzlichen
Schranken durchbrochen hatte, zur nämlichen Zeit, wo
Braunschweig=Oels sich aus Böhmen den Weg nach der
Weser=Mündung bahnte, um in dem noch allein freien
Old=England die Erniedrigung des Vaterlandes zu ver=
geffen. Schill ruhet zu Stralsund, sein Kopf aber
schwimmt in Spiritus im Naturalien=Cabinet zu Leyden
zwischen Schlangen und Mißgeburten aller Art! Schill,
Braunschweig=Oels, Dörnberg, und selbst Oestreich vertrau=
ten 1809 zu viel auf Begeisterung des deutschen Volks, das
keine Nation und zu phlegmatisch ist, um sich so leicht elek=
trisiren zu laffen, wie Franzosen und die Völker des Sü=
dens! Und, wo sollte Enthusiasmus herkommen bei der
Litanei von Unfällen seit 1792?

Ich erkundigte mich nach Dr. Weigels Arcanum,
das zwar den Kranken heilte, ihn aber schwarzblau färbte,
wie einen Neger, so daß einer darüber keine Pfarre, und
ein anderer keine Quarre bekommen konnte, und der Dr.
Blaufärber viel Spott erdulden mußte. Niemand wollte
etwas von diesen Vorfällen wissen, und Zöllner (wie
Reisende überhaupt) hätte sich das pommersche Sprich=
wort tiefer einprägen sollen: „von Hürseggen kommt Lü=
gen." Was Boufflers bei Vorzeigung der Bildniffe
schwedischer Regenten von Gustav Wasa an — 13 recht
gute Oelgemälde, namentlich der Königin Christine — so
erheiterte, konnte bei einem Deutschen nicht eintreten.
— Dem Franzosen wurden sie mit den Worten gezeigt:
Vous allez voir les grands — de la Suede, und der
Pommer gebrauchte statt des ihm entfallenen Wortes Rois
— das Schwedische!

Von Stralsund segelt man in 6 — 8 Stunden nach
Pstadt in Schweden, wenn das Huhl op! Kuhl op oll

Vater! erhört wird — ich aber segelte voll ungeduldiger
Erwartung über die kleine Meerenge Gelle nach der größ,
ten und schönsten Insel des Vaterlandes, nach Rügen.

Achtundzwanzigster Brief.

Die Insel Rügen

ist der schönste Punkt Deutschlands, die größte deutsche
Insel, 17 Q. Meilen mit 32,000 Seelen, und auch die
fruchtbarste, fruchtbarer als Pommern, vor dem sie das Meer
in einem schrecklichen Orkan 1309 losgerissen haben soll.
Ein Dutzend kleinere Inseln liegen um sie her, darunter
Hiddensöe und Ummanz die bedeutendsten sind. Rügen besteht aus dem westlichen oder Haupttheile Rügen, der östlichen Halbinsel Jasmund, der nördlichen Halbinsel Wittow, und der Halbinsel Mönchsgut im Süden. Von allen
Seiten vom Meer zerrissen, ausgezackt wie Morea oder
ein Weinblatt, streckt die Insel so viele Erdzungen aus, als
die Meerspinne Füße, ist dennoch aber das lieblichste Eiland
der Ostsee, und unser nördliches Arcadien — oder der Steis
der sattsam gerupften und gebratenen deutschen Gans, die Viele
köstlich finden, daher auch schon mancher Steisliebhaber vom
andern mit der Gabel in Finger gestupft worden ist!
Rügen verdankt zwar seinen Schönheits-Ruf viel
dem Umstand, daß man sich nur von Pommern oder zur
See nähert, hat aber Naturschönheiten, die zwar der süddeutschen Natur nicht gleichkommen, aber doch an Erha
benheit nichts nachgeben, denn die gigantischen Revolutionen der Natur, die hier so sichtlich sind, und die Denkmäler grauer Vorzeit erfüllen die Seele voll hohen Ernstes
— ich meine die Hünengräber, die kolossale Granitblöcke decken, in denen man noch ganze sitzende Menschen-

Gerippe, die Arme über die Brust gekreuzt, gefunden hat, umgeben von Aschenkrügen, Waffen, Ketten und Ringen. Die Thaten dieser Hünen ruhen in der Nacht der Vergessenheit, wie ihre Namen; Bäume bedecken die ovalen Grabhügel, und die Neugierigkeit schwacher Nachkömmlinge hat ihre Gebeine und Ruhestätten gestört, und viele Urnen ohne Untersuchung zerschlagen, um zu wissen: was in den ollen Pott wol syn mag. Kant rief einst bei einem Stück Bernstein, in dem eine Fliege begraben lag: „Wenn du leben könntest, kleines Thierchen, wie anders ständ' es um unser Wissen!"

Voll der gespanntesten Erwartung, die nicht getäuscht wurde, schiffte ich von Stralsund, das sich von der Seeseite am besten ausnimmt, in einer halben Stunde hinüber auf dem Prahm (Fähre) nach der Zauberinsel, die überall üppige Natur zeigt und Fleiß der Menschen, jedoch gerade sich am Landungs-Platze der alten Fähre am unvortheilhaftesten ausnimmt. Die stattlichen, gegen die Stürme gepflanzten Weidenbäume überraschten mich zuerst, denn wir kennen die Weide durch die ewige Verstümmlung nur als Krüppel. Vom Ufer bis zur Hauptstadt Bergen sind sechs Stunden, deren Kirchthurm man fast überall erblickt, denn sie liegt so ziemlich in der Mitte, ohne Mauern und Thore, mit 1600 Seelen. Die Stadt selbst gewährt wenig Interesse, man müßte sich denn für das Fräuleinstift interessiren, desto mehr der Rugard oder die Rügenburg, wo sich der Rügenfürst Jaromar gegen seine Erbfeinde, die Pommern, so tapfer vertheidigte, obgleich nur hinter Erdwällen. Der Rugard ist ein wahrer Hochaltar der Insel, und die Aussicht erstreckt sich fast über ganz Rügen und einen guten Theil der Küsten Pommerns — wer vermag sie zu schildern? Die geschickteste Feder kann nur in der Zeit schildern, d. h. nach und nach darstellen, und nach der Himmels-Gegend, was die Augen im Raume, d. h. im Umblick, zugleich anschauen, folglich muß man selbst nach Rügen — reisen.

Dreimal bestieg ich den Rugard, wunderschön im rosen=
farbenen Schmelz der Abendbeleuchtung. und las Rose=
gartens Rugard —

> Auf deinem schroffen Felsenscheitel,
> Empfange mich, alter Rugard
> Mich lüstet zu schauen,
> Mit staunendem Blick,
> Die Riesengräber, und Hertha's Hain,
> Die Küsten, die Inseln, und das donnernde Meer!

Von Bergen kommt man nach der Halbinsel Jas=
mund, durch die Prora, eine schmale Heide und male=
rischen Hohlweg. Allerliebst wie Eden, liegt das Inselchen
Pulitz da, auf dessen Anhöhe eine Pachter=Wohnung steht
unter schattigen Linden am Teiche, mitten in den üppig=
sten Fruchtfeldern. Die Halbinsel Jasmund ist größer als
die von Wittow, aber weniger bevölkert, denn der Boden
ist undankbarer, desto willkommener aber dem Mineralogen
und Petrefakten=Sammler. Die Grafen von Brahe be=
saßen mehr als die Hälfte von Jasmund mit dem alten
Schloß Spicker, vom General Wrangel erbaut; jetzt ge=
hört es Putbus. Sagard hat einen wenig besuchten
Gesundbrunnen, der Pastor zu Bobbin eine Sammlung
rügischer Alterthümer und Naturprodukte, die Hauptsache
aber ist — die Stubnitz und Stubbenkammer! (Kamm,
slavisch = Fels.)

Die Stubnitz ist ein bedeutender längs am Meere
sich hinziehender Buchenwald, wo der geheimnißvolle
Hain ist mit dem schwarzen See und Burg=Wall.
Die Phantasie gefällt sich in der Idee, daß hier der hei=
lige Hain und Opferplatz der Hertha gewesen sey, wie
ihn Tacitus schildert. Es mag ein heiliger Hain gewe=
sen seyn, der See ist schwarz und tief genug, um Unglück=
liche zu ersäufen, aber ich glaube, daß hier bloß eine
Raubburg gestanden, und die dunkle Stelle des Römers

eher von Helgoland gelten dürfte, zumalen man das
Jahr wissen will, wo Rügen erst zur Insel geworden ist.
Doch — Tacitus heiliger Schauer ruhet auf See, Hain
und Wall, in der grünen Waldnacht und feierlichen Stille,
wie wenn in der Kirche das Vater Unser gebetet wird —
nichts störet die Stille des Todes, als etwa das Glöck=
chen einer Heerde, eine Ente oder ein Taucher, die plötzlich
aus den Binsen hervorrauschen, man wandelt in so
schauerlichen Betrachtungen, als zu Herculanum und
Pompeji, die vor 1700 Jahren der Vesuv in Asche be=
grub, Vesuv, der noch heute des heiligen Januarius nur
spottet! Die Phantasie belebt, was hier todt und stumm
ist, Fingals Geister umschweben uns, und das ist die rech=
te Stimmung, um aus dem Walde zu treten und an den
Rand — der Stubbenkammer!

Einige 100 Schritte und wir sind am Rande dieser
berühmten Kreiden=Wand, die zwar keine 600' aber
doch über die Hälfte zählen mag, und zu ihren Füßen
woget das heilige Meer! Diese Felsenwand ist fast ganz
Kreide, vermischt mit Feuersteinen, und wenn es regnet,
so ist das Meer umher weiß wie Kreide. Der höchste
Punkt ist der Königs=Stuhl, auf dem Carl XII.
gesessen seyn soll, ein Wagestück, das jeder Tyroler Scharf=
schütze bestehen würde. Ein Fußpfad leitet hinab zum
Gestade, und von unten sieht man natürlich die aben=
theurlichen Klippen=Gestalten am besten. Oben ist unter
dem Schatten einiger Buchen eine Rasenbank, die Seele
versinkt in das Gefühl der Unendlichkeit, daher keine
Schilderung! Eitle Thoren aber schneiden in Ermanglung
getünchter Wände ihren werthen Namen in die Bu=
chen, was immer noch poetischer ist, als die Namen=Ver=
ewigung in — Abtritten, denn die Stammbücher sind aus
der Mode gekommen — aber in das Stammbuch des
lieben Gottes schreiben sich noch Viele. Man kann
es geschehen lassen, und wir thaten es ja wohl ein=

ſtens ſelbſt am Arme einer Phyllis nach Anleitung Geßners!

Ueber die Gefahren beim Hinab- oder Heraufſteigen
und die Schilderungen mancher Reiſenden würden Aelpler laut auflachen. Indeſſen darf man nicht glauben,
weil Seiltänzer ihre Sohlen mit Kreide beſtreichen, daß
man auf der Kreide feſt wandle — der Fall iſt umgekehrt;
aber wenn man auch ausgleiten ſollte, ſo kann man ſich
ja beliebigſt niederlaſſen, und der Fall, ſelbſt wenn man
ins Meer fiele, würde immer weniger zu ſagen haben, als
vom Seile! Gott weiß durch welche Ideen-Aſſociation
ich hier an das Vorgebirge Sunium dachte im
Anacharſis, denn weit und breit iſt kein Minerven-Tem-
pel, kein Plato, kein griechiſcher Himmel, und wer wird
zu Bergen ſuchen intactae Palladis urbem! *)

Mit der Kreide der Stubbenkammer könnte ganz
Deutſchland ſich verſehen, ohne daß in Jahrhunderten Mangel entſtünde, wie in unſern Gold- und Silber-Gruben,
ſelbſt wenn unſer künftiges Nationalkleid das Kriegskleid
der Oeſtreicher werden ſollte, und alle Wirthe nicht mit
doppelter, ſondern zwölffacher Kreide ankreideten!
Wichtiger aber wäre noch, wenn die Feuerſteine (unſre
Hornſteine) Flintenſteine wären, die nur, meines
Wiſſens, in Frankreich gebrochen werden und zwar in
weichen Maſſen, wie Speckſtein. Der grelle Contraſt
des weißen Colorits mit dem blauen Meer und dem leb-
hafteſten Grün des Buchenwaldes auf der Höhe hat etwas
Eigenthümliches, der Anblick bleibt erhaben, ſelbſt wenn
die naſeweiſe Vernunft ihre beliebten Vergleichungen anſtellt
zwiſchen Felſen und Felſen, Nordmeer und Oſtſee. Der
Anblick des heiligen Meers erfüllt allerwärts das Gemüth,
ſelbſt die bloße Idee des Oceans, wie Sterne's Haarkräus-

*) Die Stadt der jungfräulichen Pallas.

ler beweist: this bukle won't stand? „You may immerge it into the Ocean, and it will stand!" *)

In dem sogenannten Bauernhause zwischen hohen Buchen versteckt, können Diejenigen übernachten, welche von der Stubbenkammer aus auch noch den erhabenen Anblick genießen wollen, wenn die Sonne aus dem Meere emporsteigt; unferne der Stubenitz ist das Gut Quoltitz mit dem coloffalen Hünen-Grab, und eines der schönsten Panoramas der Insel, am Fuße der Stubbenkammer aber liegt ein Fischerdörfchen, das mir durch die Erzählung des großen Géographen Büsching in seiner Selbstbiographie, die ungemeine Aehnlichkeit mit der des großen Juristen Pütter hat, merkwürdig war. Büsching übernachtete hier, vergaß seine goldene Uhr und seine Brieftasche mit Wechsel — man schickte ihm Beides nach, dieß war im Jahr 1765. Ob diese Leute noch jetzt so ehrlich sind, seit viele Reisende, vorzüglich die Kurgäste von Dobberan, der Insel die Ehre ihres Besuches schenken?

Von der Halbinsel Jasmund geht man nach der flächern Halbinsel Wittow, wo die äußerste Nordspitze Deutschlands ist, mit dem ganz italienisch klingenden Namen Arcona, unser ultima Thule, **) noch ganz, so wie es Saxo Grammaticus schilderte. Scharf abgeschnitten springt das Vorgebirge in die See, und man sieht noch die Spur des Walles der Jomsburg, die wohl eine Burg, aber keine Stadt gewesen seyn kann. Hier stand der Tempel Suanteviets, den Waldemar zerstörte, und den vierköpfigen Abgott der Heiden in den christlichen S. Veit verwandelte, auf dem Häfele, so wie das Volk den Götzenhof in Katzenhof. Es gibt noch ein drittes Vorgebirge Perd auf Montgut, wo einige alte

---

*) Diese Locke soll nicht halten? Tauch sie in den Ocean, und sie wird halten.

**) Aeußerstes Land.

Buchen, die von Ferne wie ein Pferd lassen, dem Schif=
fer zum Signale dienen, wie auf Hiddensoe ein Dorn=
busch.

Die Höhe von Arcona ist bedeutend niedriger, als die
Stubbenkammer, kaum 200' über dem Meeresspiegel, mit
einem Leuchtthurm, und doch nimmt sich das Element ganz
anders aus, als von den öden Sanddünen Schevelin=
gens, selbst zur Zeit der Fluthen, wenn man nicht die
kleinen Seegeschöpfe anschlagen will, die nach der Fluth
zurückbleiben. Auf Arcona steht man gerade wie auf dem
Vordertheil eines Schiffes, und sieht über Rügen und die
Küste hinweg ins Unermeßliche, wo Himmel und Meer
zusammenfließen — der Anblick ist gleich erhaben, mag
die See zürnen oder ruhig seyn, die Schatten den
Wasserspiegel decken, oder die Sonne ihn vergolden.
Und wenn nun noch die Phantasie die Geister der Go=
then, Vandalen, Rügier und Slaven citirt? den Dänen=
König Waldemar, die alten Götzendiener Suantevicts und
die neuen Götzendiener S. Veits? Ich ziehe Arcona der
Stubbenkammer vor, und möchte wie in einer schönen Oper
Ancora rufen; Furchau hat Arcona in einem Helden=Gedicht
in 20 Gesängen, Berlin 1828. 8, besungen. Man erblickt
auch die dänische Insel Moen, schwerlich aber Schwe=
dens Küsten, die Einige sehen wollten, wobei sie ganz
besondere Ferngläser gehabt haben müssen.

Wollen Sie wissen, was meine lebhafteste Idee auf
der nördlichsten Spitze Deutschlands gewesen ist? Odoa=
cer, der tapfere Rugier, der erste deutsche König Ita=
liens, der das letzte traurige römische Kaiserlein Romu=
lus Augustulus zu Lucullano einsperrte? Nein! die
Idee, daß man Deutschland nicht vom Süden nach Nor=
den durchreisen soll, sondern umgekehrt, und man müßte
höhern Genuß haben, so wie die Weltumsegler schneller
vom Flecke kommen, wenn sie sich nach der Strombewe=
gung des Meeres von Osten nach Westen richten, und die

Erde nach Westen umschiffen. Um mir diesen Genuß nicht zu verderben, suchte ich alle Vergleichungen möglichst zu entfernen. Man sollte es mit der deutschen Natur-Gallerie wie mit den Gemälde-Gallerien halten, wo man mit den Altdeutschen und Niederländern anfängt, und mit Corregio und Raphael endet — vom Flachlande ins Hügelland, Sachsen, Hessen, Franken, Schwaben, Rhein — vom Hügellande aufwärts, Oestreich, Alpen, Adria! Man gefällt sich gewiß besser in Berlin und Dresden, wenn man Prag und Wien noch nicht kennt. Am deutschen Nordkap ist der Gedanke an Europens Nordkap natürlich: furchtbare Felsen, an denen sich die Meereswogen zerschellen in Schaum, ohne Bäume und lebendige Wesen, nur eine Quelle in einer Grotte, wo Skiöldebrand mit seinen Gefährten sich von Treibholz ein Feuer machte, die furchtbar schöne Felsenscene von der Mitternachts-Sonne erleuchtet betrachtete — die Gefahren und Mühen, die sie erduldet hatten, um diese nackten Felsen zu sehen, und dann — lachten!

> No light, but rather darkness visible
> serv'd only to discover sights of woe,
> regions of sorrow! . . . *)

Nicht so das deutsche Nordkap. Rügen hat wahre Naturschönheiten, wenn sich auch ihr übertriebener Ruhm, wie der Name Riesen-Gebirg, auf das Lob der Nachbarn, der Norddeutschen, die den Süden nicht kannten, wie auf schöngeisterische Gemälde phantasiereicher Reisenden gründen mag. So stand es auch wohl im Alterthum mit dem berühmten Thal Tempe und den Hainen von Paphos? Rügen bleibt aber dennoch das Schönste, was Nordteutschland zu bieten hat, und der Rügard, die Stubbenkammer, Arcona und die Quoblitzer Höhen sind vier Puncte, die einzig sind. Arcona machte mich schwärmen.

---

*) Nicht bell war's, sondern bloß dämmernde Finsterniß, einzig dazu dienend, um Scenen des Jammers zu gewahren.

Kein Lüftchen kräuselte des Meeres Spiegelglätte,
Der Seehund sonnte sich auf dem granitnen Bette,
Die Taucher plätscherten, es scherzten Möw' und Schwan
    Im lauen Ocean.

Der Name Wittow kommt wohl eher von weis=
ser Au, als von S. Vitus, und Weiß und gut sind
noch heute Synonyma auf Rügen; schmeichelnd sagen sie:
min lewe witte Heet! Auf Wittow liegt auch Alten=
kirchen, wo Kosegarten lange Prediger war, und im
Dörfchen Witte am Strande, unter Gottes freiem Him=
mel, zur Zeit des Heringfanges die acht Herings=
Predigten abzuhalten hatte. Ob die Leute wohl auf=
merken, wenn sich ein rechter Heringszug nähert,
ihre Kirmes? In der Vorhalle der Kirche zu Altenkirchen
zeigt man eine alte unförmliche Statue als das Bild des
Götzen Suanteviet, was es wohl nie war — aber recht
sinnig ist ein altes Bild, auf dem 2 Lauten dargestellt sind,
eine Hand aus den Wolken greift in die Saiten der einen,
und die Innschrift ist: Hanc tange, movetur illa. „So
rührt sich des Christen Herz bei seines Näch=
sten Schmerz!" Kosegarten, durch den erst das Ausland
auf Rügen aufmerksam wurde, hat uns in seinen Schriften
eine schöne Uferpredigt aufbewahrt, wie sich von einem
Manne von Geist erwarten läßt; ein anderer Uferprediger
aber schloß seine dürre Heringspredigt, da die Leute über
einen schönen Heringszug unruhig wurden, in der größten
Verwirrung: „Nun der Herr erfülle eure Herzen
mit Heringen, und eure Netze mit Gnaden.
Amen." Unser deutsches Wort Herr scheint das Wurzel=
wort zu seyn von dem Hering abstammt; folglich sind
gewisse Vergleichungen zu Recht beständig! Ob es einen
Heringskönig gibt, der an der Spitze des Heeres ein=
herziehen und noch einmal so groß als andere gemeine
Heringe mit vergoldetem Kopf und röthlich glänzendem
Körper seyn soll, habe ich nicht erfahren können. Die
Wallfische sind ihre Verfolger, und schwerlich hat je

ein Heringskönig einen Wallfisch herausgefordert, und Holländer noch weniger, die noch größere Verfolger des Herings sind; nach ihnen kommen die Britten — Franzosen, Schweden und Dänen — die Deutschen kaufen die Heringe lieber.

Von Witte schifft man in zwei Stunden nach Hiddensoe, ein Inselchen von vier Stunden Länge und Einer Stunde Breite, mit 500 Seelen. Von ihrem Backenberg übersieht man sie ganz, und im ehemaligen Kloster lebt der Eigner der Insel und auch der Prediger. Witte, das größte Dorf darauf, ist von armen Fischern bewohnt, deren Hütten von Torf mit Rasen gedeckt sind — die Kindheit der Baukunst, wenig verschieden von dem Bienenkorb des Caffern und der Jurte des Kamtschadalen! Torf und Kuhmist sind ihr Holz, und der Rauch mag sehen, wo er ein Loch findet: der Rauch des Herdes, wie der stinkende Qualm des Tabaks, der aus des Fischers Pfeifenstummel von 3 — 4" emporwallet, im eigenen Gärtchen gepflanzt. — Nach Zöllner ist hier die Sitte, bei Familientrauer die Vorhänge des Himmels- oder Ehebettes abzumachen, und obgleich das Gesinde in Einer Kammer schläft, soll man doch nichts von unehlichen Geburten wissen. Die armen Leute nähren sich, nächst Viehzucht und Landbau, meist von Fischerei. Das weibliche Geschlecht kommt nie von seiner Hufe, die Männer aber schiffen in alle Welt, müssen aber für die Erlaubniß vier Thaler unterthänigst entrichten — immer noch gnädiger, als der empörende Sterbfall, der schon einen der XII. Bauern-Artikel vom Jahr 1525 ausmacht." Seemänner möchten die Leute immer bleiben, ob wir gleich Zeiten sahen, wo sie fragten: „Was geht Ew. Gnaden mein Sack an?"

Jeder Bewohner, der nicht verunglückt, kommt sicher wieder nach seinem Hiddensoe, das ihm dat söte Länneken heißt, das süße Ländchen! Hält nicht auch der weit armseligere, durch Nordpol-Kälte zum Zwerg zusammengeschrumpfte Esquimo seine traurige arktische Region, die

höchstens ·Fische und der Hund mit ihm theilen, für ein
Eden, das er nicht vertauschen möchte für alle Genüsse
tropischer Länder, wie der Lipparote seine dürftigen
vulkanischen Inselchen, die jedoch unter einem Klima liegen,
wo Korinthen reifen und der Malvasier? Aber der Grönländer lacht über Malvasier, wenn er Thran saufen kann,
und der Hiddenseer plakt sich als armer Fischer und
Schiffer und würde vielleicht, wenn hier die in Pappeln ver-
wandelten Schwestern des Phaëthon Bernstein weinten,
kaum ihre Schiffermütze oder Jacke unterhalten! Und wer
dächte nicht an St. Kilda, wo die Leutchen bei Ankunft
fremder Personen oder Waaren jedesmal von einem zehn-
bis vierzehntägigen Catarrh ergriffen werden, wie anderwärts von der Neugierigkeit? Nennen nicht auch die
Malthefer ihren kahlen Felsen il fiore del mondo? *) und
richten ihren Blick dahin wie Ulysses auf Ithaca? Amor
Patriae **) ist eine der größten Wohlthaten des Himmels!
Nur Vaterlandsliebe vermag den Aelpler an kahle Berge
zu fesseln und den Westphalen an seine flachen Moorgefilde.
Die armen Neuländer in Amerika verpflanzen die Eigen-
namen ihrer Heimath auf fremden Boden — so süß ist der
Zauber des Vaterlandes in bloßer Erinnerung. Ohne Erinnerung an Dießseits scheint mir sogar das Jenseits
geschmacklos! was freilich Theologen besser wissen müssen.
Der Mensch hat zwei Vaterlande, das der Geburt und
das des Schicksals; aber in der Regel liebt man die
gute Mutter mehr als den strengen Vater, sehnt sich,
wie Homers Griechen nach der Rückkehr: „φιλην ἐς πα-
τρίδα γαιαν" ***), und stirbt in Italien, wie Virgils
Argiver —

                              coelumque
aspicit, et dulces moriens reminiscitur Argos! †)

_____

*) Die Blüthe der Welt.
**) Die Vaterlandsliebe.
***) Nach der süßen Vaterlands-Erbe.
†) Blicket zum Himmel und denkt noch sterbend an's heimische
Argos.

577

'Auf Rügen ist es noch der Mühe werth Prediger
zu seyn; denn sie stehen in patriarchalischem Ansehen, wie
das Geschichtchen von der glücklichen Ohrfeige beweist.
Ein Prediger zu Hiddensöe unterrichtete den dummen Jungen eines Müllers, daher es nicht an Ohrfeigen fehlte —
der Junge ging zur See, kam reich zurück, und besuchte
mit seinem Knaben den Prediger, der ihn nicht mehr
kannte; „Herr Pastor! haben Sie die Güte meinem Söhnchen eine tüchtige Ohrfeige zu geben‟
Der Prediger stutzte, der Mann gab sich zu erkennen, versicherte seinen ganzen Wohlstand den Ohrfeigen zu verdanken, und da sein Sohn so dumm sey, wie er ehemals,
so verspreche er sich von seiner Segenshand die ersprieß-
lichsten Folgen. Kosaken scheinen jetzt noch allein solchen
einst Küche und Keller beseligenden Glauben zu haben —
alle Einquartierten küßten den Predigern die Hand,
nannten sie Vater, und das brachte ihnen, wo nicht
Himmelssegen, doch manches Gläschen Branntwein!
Unsere Schullehrer wären noch reicher, wenn ihre
Schüler so erkenntlich wären, als jener Seemann, und
ich begreife nicht, wie die Alten auskommen konnten. Die
Ohrfeigen und Maulschellen kosteten sie freilich
nichts; aber der schwäbische Schulmeister Häberle ver-
brauchte während seiner 50jährigen treuen Amtsführung,
noch eine Menge Lineale, drei Dutzend Bibeln, Ka-
techismen, Gesangbücher und Grammatiken, al-
lerwenigstens, die er stets zur schnellen Handhabung der
Disciplin in der Hand hatte! Zur Zeit der Schläge war
Alles gründlicher — die Natur selbst gibt uns einen
Fingerzeig — wir schlagen uns selbst vor den Kopf, wenn
wir etwas nicht wissen, was wir hätten wissen können und
sollen, und nun erst die derben Schläge einer Respects-
Person! Ich kann es Oestreich nicht verargen wenn es
in diesem Punkte möglichst beim Alten bleibt, und bei
der Schranne!

Von Bergen ging ich nach Potbus (bei dem Busch), das am Abhange eines waldigen Hügels recht angenehm liegt, mit dem ½ Stunde entfernten Seebade, das eine Allee und Anlagen mit dem Städtchen verbinden. Die Natur scheint mir hier schöner als zu Dobberan, aber das Seewasser hat zu wenig Salz. Der Fürst Potbus hat viel für das Bad gethan, aber wenn es auch Dobberan überflügelt, wird es Ritzebüttel überflügeln können? Es ist anerkannt, daß das Wasser der Nordsee specifisch schwerer ist, stärker angreift, und unsere nervenschwache Zeit, welcher Landbäder nicht mehr genügen, wird natürlich die stärkeren Bäder vorziehen, bis sie überstärkt in's Erbbad eilet, oder in's Fegefeuer. Die Gewässer der Ostsee sind wegen der vielen sich hier mündenden Flüsse so wenig salzig, daß sie vielleicht ganz süß wären, ohne die Stürme der kräftigen Nordsee, die sich diesem bloßen Meerbusen mittheilen, das Wasser ist leichter, daher segeln die Schiffe langsamer, die Wellen fallen kürzer und niederer, folgen sich aber schneller, Ebbe und Fluth ist so unmerklich, wie im Mittelmeer, und die Tiefe so unbedeutend, daß die Ostsee schon oft in strengen Wintern zugefroren war. Dieses Baltische Meer (vom friesischen Belt, Einbruch des Meeres) ist 150 Meilen hin preußisch, Preußen aber dennoch so wenig Seemacht als Oestreich, man müßte denn einige bewaffnete Fahrzeuge Strälsunds Seemacht nennen!

Das Bad Potbus, jetzt Friedrich-Wilhelms-Bad, hat den Reiz der Neuheit — und in dem schönen Schloß des Fürsten findet man vaterländische Alterthümer und schöne Gemälde. Wer nicht in offener See oder in Badekarren à 7½ gr. baden mag, kann in marmornen Wannen und schönen Zimmern für 15 gr. baden, aber wohnen kann man nur im Städtchen. Die table d'hote zu vier Schüsseln kostet 15 gr., ebensoviel das Zimmer täglich — und nun erst Wein, Frühstück, Abendtisch, Trinkgelder? Nach dem Bade muß man fahren. — O

bleibt zu Hause. Landsleute! stärket euch ehrlich und red=
lich in einheimischen Wildbädern, oder auch Soolbä=
dern, die dem Seewasser nahe kommen — ein voller
Beutel ist der Gesundheit noch zuträglicher, hundert Me=
lancholien haben ihren Sitz lediglich im Beutel, und nicht
alle Melancholiker sind so humoristisch, daß sie behaupten,
den Teufel im Beutel zu haben, und wenn Neugierige
hineingucken, und Nichts sahen, lachend erwidern: „das
ist eben der Teufel!"

Ein guter Fußgänger wandert von Potbus nach dem
waldigern Vorgebirge Granitz, wo man, an einem
Jagdschloß des Fürsten vorüber, nach einem kleinen Bel=
vedere kommt, von dem man sich nur mit Mühe trennen
kann; — aber an das Wort, een Feldwegs (immer ¼ Meile)
muß man sich nicht so genau kehren. Wer die Eigenthüm=
lichkeiten Rügens ganz will kennen lernen, muß auch die
dritte Halbinsel Mönkgut besuchen, die einst dem Kloster
Elbena gehörte. Sie ist in Ansehung der Naturschönheiten
die uninteressanteste, aber das Fischervolk, ohne Verkehr
mit Menschen, hat noch die meisten Eigenthümlichkeiten
in Sitten, Sprache und Kleidung. Ihr Pastor schreibt
vielleicht, wie Zimmermann in Hannover und an Höfen
über die Einsamkeit schrieb, mitten in seiner Einsamkeit,
ein Werk über die Geselligkeit. Nicht bloß die Manns=
personen, sondern auch die Mädchen können hier auf die
Freierei gehen, was sie Jagd nennen (se stellt na em
ut), wenn sie nämlich ein Erbgut haben, und sie thun
es natürlich mit besserem Erfolge, als jene Predigers=Töch=
ter in Franken, denen die sorgsame Mutter, so oft sie
einen fremden Herrn einher reiten sahe, zurief: „Mädle!
geschwind, pudert euch, guckt r'aus, es reit
einer d'Staige rauf!"

Die Fürsten Putbus leiten ihre Abkunft von den
alten Fürsten Rügens ab, ihre Einkünfte sollen 20,000
Thaler betragen, was viel ist für das arme Rügen, wo
¾ der Bewohner leibeigen sind, und der Adel den

37*

größten Theil der Insel besitzt. Dem Fürsten gehört auch
das Eiland Wilm, in dem Meerbusen Bodden, das man
mir als sehr reizend geschildert hat. Vielleicht ist jetzt unter
Preußen die Leibeigenschaft aufgehoben, und billig sollte
Ehren-Geistlichkeit in christlicher Liebe dem Adel
mit gutem Beispiel vorangehen, da sie hier dem Adel fast
gleich steht, sich aber mehr im Titel Doctor, als in
einem Von zu gefallen scheint. Es gibt hier Pastorats-
Bauern, wie in Liefland und Curland, über die sie
Patrimonial-Gerichtsbarkeit haben, der Pfarrhof
heißt Wiedem, d. h. geheiligtes Gut, was immer
hin seyn mag — nur nicht Patrimonial-Gerichtsbarkeit des Adels und der Pastoren, sonst bleibt das
durch die Leibeigenschaft entstandene Sprüchwort ewig
wahr: „de Buur is n' Schelm van Natur." Aber die
Pastoren werden wohl sprechen, wie anderwärts: „Ich
wollte wohl, aber ich darf meinem Nachfolger
Nichts vergeben!"

Rügen zählt 27 Pastorate, und unter den Predigern
muß man die eigentlich Gebildeten suchen. Ihre Woh-
nungen gleichen Edelsitzen unter den dürftigen Hütten der
Bauern, meist ein grüner Rasenplatz mit Linde vor dem
Hause, hübsche Gärten und Lauben mit Weinreben, allerwärts Einfachheit, Reinlichkeit, Gastfreiheit, und etwas
Idyllenartiges. Sie haben mehr als der gute Vicar of
Wakefield, der mit 40 Pfund so vergnügt war, den
Seinigen und den Wissenschaften lebte, und auch mehr
als Pastor Adams, der in der Einfalt seines Herzens zu
London Glück zu machen hoffte, mit seinen — Predigten im Mantelsack. Pastor auf Rügen wäre mein
höchster Wunsch, wenn ich Theolog geworden wäre. Der
Sohn des Pastors wird gewöhnlich sein Nachfolger, und
ist keiner da, so heirathet die Wittwe oder Tochter des
Verstorbenen einen Candidaten, und das heißt conservi-
ten — so sind diese Pastoren wahre Erbpfarrer, und
leben ein patriarchalisches Leben. Die vier Pastoren auf

Sagard, Bobbin, Altenkirchen und Wyk heißen scherzweise die Vierfürsten, und so muß man ihnen ein Bischen Orthodoxie zu gute halten, und wer wollte der Pfarr-Wittwe, der am Trauungs-Tage ihrer Tochter einfiel, daß sie ja selbst noch conservirt genug sey, um zu conser-viren, nicht verzeihen, wenn sie dem hochzeitlich geklei-deten Kandidaten zurief: „ik will den Herrn süllst!"

Den Pastoren auf Rügen können es die unsrigen nicht nachthun, so gerne sie vielleicht wollten, und sich vielleicht selbst das Conserviren gefallen ließen, wenn sie sich anders nicht schon auf der Universität nach einer Gehülfin umgesehen haben, die nm sie sey, wie es auch die Bibel haben will — aber unsere Küster könnten die Rügischen nachahmen — nicht in Hochzeit, Tauf- und Leichen-Carminibus — sondern in Fertigung von Leichen-steinen; die Kunst unserer Steinmetzen würden sie leicht erreichen. Die Sprache ist etwas vom pommerischen Plat-ten unterschieden. Sie sagen von einem, der gegen die Kälte Handschuhe trägt; n'hanscher Keerl, halber Keerl — was würden sie zu unseren Elegans sagen, die mitten im Sommer sie tragen, einen an der Hand, den andern elegantissime in der Hand? Von einem in Verlegenheit sagen sie: „de kam recht in de Brummelbeeren," denn die sich gerne anhäkelnden Brombeersträuche ranken hier allerwärts. — Der Platz für das Reserve-Futter in der Scheune heißt der Hill (Heilig). Staakt dat up de Hill! und so rufen sie auch einem jungen allzuhitzigen Liebhaber zu: Staak wat up de Hill!" Der Großknecht nimmt mit dem Jungknecht förmlichen Ritterschlag vor, gibt ihm im Angesicht Aller eine Maulschelle, und spricht: „So Keerl! dat lyd van my, un von keenem annern!" — Von einer derben Ohrfeige sagen sie: „he gaw am eenen dügtigen Audi," so wie für „das ist lange her — „dat is van Anno een her"—und beweisen, daß sie auch Latein verstehen. Aber wie kommen diese Deutschen zu den Worten, wenn sie nicht gerne vom

Düwel sprechen, Dat di de Dütscher! di shall de Dütscher! Jetzt, wo sie nicht mehr Schweden angehören, werden sie es doch wohl bleiben lassen? Das Na spielt eine große Rolle: „Na — geh he mit God — na, blive hesund! Der weibliche Beistand (in Schwaben Kriegsvogt) heißt hier Tred up (Auftreter), und ein ausgezeichneter trefflicher Mann (l'homme par excellence) Sehrmann. Wären alle Excellenzen solche Sehrmänner, wir hätten — nicht bloß Sterne — wir hätten den Himmel selbst auf Erden!

Was nächst der Natur an Rügen fesselt, ist die alte Einfachheit. In den armen Fischerhütten wohnen noch alte Tugenden, die überhaupt in Hütten leichter gedeihen, als in Palästen, und auf den Pastoraten wohnt alte Gastfreiheit, die natürlich verschwinden muß, je mehr sich die Gäste vermehren; ich küsse die Hand zweier Pastoren auf gut Oestreichisch. Im hohen Alterthume gab es keine Wirthshäuser, wie noch heute im Morgenlande, ja man konnte nicht wissen, ob hinter dem Incognito nicht gar — ein Engel stecke, von denen wir jetzt gar nichts mehr hören. Einfach ist die Nahrung dieser Insulaner, Bier (Oele) ihr gewöhnliches Getränke, und der Rundgesang hat mir gefallen:

> Haus Naber, ik hewe ju dat to gebröcht,
> helt ji mal dumen un finger dran,
> He, kuke maal drinn — —
> noch Oele, noch Oele, noch Oele darinn!

Dieses letztere wird so lange wiederholt, bis rein ausgeleert ist, dann zeigt der Zecher sein leeres Glas und singt:

> He kuke maal drinn — —
> niks Oele, niks Oele, niks Oele darinn!

Bisher kannte ich unter allen Bischöfen den am besten, der aus Burgunder, Pomeranzensaft und Zucker erzeugt ist, hier lernte ich auch einen Erzbischof kennen,

der aus Rheinwein, gerösteten Pomeranzen und Zucker
hervorgeht, mehr als Bischof, wohl aber nur ein Luxus
der Stadt Bergen ist, und vielleicht der zweiten Stadt
Gars, wenn man einen Ort von 900 Seelen für eine
Stadt will gelten lassen. Die fruchtbarste Gegend ist
um Gingst, daher sie das Paradies heißt, und von
da geht man am besten nach der Insel Ummanz, die
so bedeutend ist als Hiddensoe, den besten Flachs Rügens
liefern soll, und reiche Seevögel-Jagd hat, wie die
umliegenden kleinern Inselchen. Die Bewohner nennen ihr
Inselchen das Land, sich die Upländer, alle übrigen
sind ihnen Van-Länder, ohne Land, und ein Mann
vom Lande heirathet nie eine ohne Land. Wie viele
Ummanzer gibt es nicht außer Ummanz?

Rügen ist schön, aber für ein Paradies doch das
Klima zu kalt... Rauhe Ostwinde, Stürme und Nebel
umlagern das hochgelegene Land, der Winter ist lang und
strenge, vom Frühling gar keine Rede, und selbst im Som=
mer die Witterung unbeständig, der Tag heiß, der Abend
kühl. — Nebel verbreiten sich selbst in der schönen Jahrs=
zeit über die Insel, und nur der Herbst ist angenehm. Die
Insel hat keinen Fluß, nur Bäche und einige Landseen,
Kunststraßen gibt es nicht, und die Wege sind wie überall
im Norden, d. h. schlecht. Die Erde ist fruchtbar, üppig
der Getreide=Wuchs, blühend die ganze Pflanzen=Welt —
aber dieses Klima — diese Abgelegenheit — manche Oede
— die geringe Zahl Gebildeter — ich möchte doch nicht
Pastor loci seyn, und bleibe im Schwabenlande!

Rügen ist das Vaterland Arndts, und hier empfing
auch Hakert die Weihe zur Kunst und Landschaftsmalerei;
man findet mehrere seiner Jugend=Arbeiten, z. B. die
Stubbenkammer, und Stücke, die er aus Italien zum
Andenken sandte. Hier dichtete Kosegarten als Pastor
zu Altenkirchen, und mag bei den häufiger gewordenen
Lustreisen nach seiner Insel so gut unter dem Fluche der
Celebrität gelitten haben, als das Weimarer Kleeblatt.

Kosegarten war es auch, der die treffliche pommer'sche
Chronik des Kanzow der Vergessenheit entrissen hat.
Der beste Begleiter auf Rügen ist Grümbke, oder Indi-
genas Streifzüge durch Rügenland.

Rügen ist und bleibt der schönste Punkt des deutschen
Nordens, und ist das, was im Süden der Bodensee,
das Traunviertel und Vater-Rhein. Was an Er-
habenheit der Berge und üppiger Natur fehlt, ersetzt das
erhabene Meer, und ist der Altvater ruhig und langweilig,
so findet man stets Leute, die von Stürmen und Schiff-
brüchen wenigstens erzählen können, und von ihm so
viel Böses zu sprechen wissen, als mancher Mann von seiner artigen Frau, und mancher Diener von seinem bewunderten Herrn! Und wenn sie erst vom Waffeln der
Schiffe sprechen? Sie sehen nämlich die Schiffe umgehen in dunklen Luftgefilden, und ihr Glaube ist so
stark, als der Gespenster-Glaube — sie sehen Häuser
waffeln (wafian, sächsisch = sich hinundherbewegen), ja
sie sehen Menschen waffeln — alles Waffeln ist Vor-
bedeutung des Untergangs. Recht sinnvoll ist das Volks-
Mährchen, daß die vielen Todtenhügel in der Geisterstunde
umgegraben würden von Hagestolzen, und zwar mit
Nähnadeln (als ob es immer von ihnen abhinge, eine
eigene Näherin im Hause zu haben!), und geheuer ist es
um kein Grab! Fürchtet euch nicht, ihr Kleingläubigen,
vor den Wohnenden in Gräbern — wie ihrer, harret eurer
der Tod! oder wie ich so eben eine schwäbische Mutter
ihren kleinen Wagehals warnen höre: „Wart' du mußt
ins Kirchenlöchle!" Hagestolze sind schon hienieden bestraft, wenn sie alt werden, und fremde Nähnadeln — mit Gold aufwiegen müssen. Mit der
Wonne der Wehmuth schiffte ich von Rügen zurück nach
Stralsund —

Lebe wohl mit deinen heiligen Bergen,
Mit deinen säuselnden Hainen,

Mit deinen freundlichen Töchtern,
Mit deinen gastlichen Hüttnern,
O lebe, lebe, lebe wohl!

Neunundzwanzigster Brief.

Reise nach Meklenburg, Dobberan.

Unter allen Straßen, die von Berlin auslaufen, ist wohl die nach Hamburg die besuchteste, 70 Stunden weit — aber so wie Sand, Sümpfe, Fichtenwälder, traurige Krüge gegen Ost und Süden den Weg unangenehm machen, so auch gegen West und Norden. Wenn wir auch nach der Wind-Rose 32 Gegenden, statt 4, annehmen wollten, auf keiner würden wir auf Rosen wandeln! und Wind, woran es nicht fehlt, bringt zu Lande leider nicht weiter! Mich haben indessen die dem Südbewohner ungewohnten Birken- und Weiden-Alleen manchmal unterhalten, und selbst die fallgerechten Häuser der alten kleinen Städte, deren Giebel sich einander ganz vertraulich nähern, wie es Nachbarn gebühret; lauter Städte, als ob sie der erste Städte-Erbauer Henoch gebauet hätte. Reiset man umgekehrt von Hamburg nach Berlin, so muß nothwendig die Schönheit dieser Stadt dadurch gewinnen. Statt Menschen begegnet man Schweinen und Gänsen, und im Meklenburgischen auch Wild. Man wird wohl thun, sich in diesem Sandmeer im Wagen zu verproviantiren, denn in den Krügen gibt es nichts, als schlechtes Brod, schlechten Schnaps, schlechten Käse und Kümmel. Recht bezeichnend ist übrigens das norddeutsche Wort Krug für Gasthaus!

Fehrbellin gewährt historisches Interesse, und an

der Stelle ,wo der große Kurfürst die Schweden schlug, hat
Rochow ein Denkmal errichtet. Es war die erste Großthat
der Brandenburger, vollführt durch ungeübte Truppen gegen
sieggewohnte Schweden, und rasch, wie Friedrich, war der
Kurfürst aus Franken herbeigeeilet. In unsern Tagen
würde man freilich nur von einem Gefechte sprechen,
aber dieses Gefecht hatte große Folgen, sicherte seine Staaten, und setzte ihn in Besitz Pommerns. Stallmeister
Froben, der bemerkte, daß der Feind nach des Kurfürsten Schimmel schoß, drang ihm sein Pferd auf, und eine
Kanonenkugel streckte ihn zur Erde, er verdiente auch ein
Denkmal. Man hat in unsern Tagen diese edle Aufopferung bezweifelt, die freilich unsern Tagen nicht ähnlich
siehet, aber auffallend bleibt es immer, daß der Haupt-
schriftsteller Pufendorf nichts davon meldet. In dieser
Schlacht ließ sich der Landgraf von Hessen-Homburg durch
seine Hitze verleiten, ohne Befehl die Schweden anzugreifen — Derfflinger aber machte Alles wieder gut, und da der
Kurfürst die geschlagenen Feinde nicht verfolgen wollte, rief
er: Ei wat! mit de Eier in de Pann, eh Kieken ut
kommen!

Königshorst liefert Berlin Butter, Käse und Torf,
und Ruppin, das seit dem Brande eine der schönsten
Städte der Mark geworden ist, und gutes Bier hat, bleibt
seitwärts, wie das berühmtere Rheinsberg, einst Friedrichs und später des Prinzen Heinrich Aufenthaltsort.
In der Nähe Ruppins schläft auf seinem väterlichen Landgute Wustrau der alte Zieten, und hat in der Kirche
ein schönes Denkmal. Rheinsberg liegt am Rhin, der freilich
kein Rhein ist, und an einem See, im Schlosse sind schöne
Plafond-Gemälde von Pesne; das Städtchen ist regelmäßig gebaut, der Garten aber natürlich jetzt verfallen.
Hier lebte der große Mann als Jüngling, entfernt von
seines Vaters ewigen Rechts um, links um, Eins,
Zwei, Drei — den Wissenschaften, Künsten und geselliger Freude, ja machte sogar Schulden — wer hätte hin-

ter der Inschrift seiner Wohnung: „Friederico tranquilli-
tatem colenti" *) damals den Eroberer Schlesiens gesucht,
wo er seinem Suhm schrieb: „Mon Historien pourra s'epargn-
ner beaucoup de peine et de papier, on peut décrire
ma vie en trois mots — Exercices, voyages et
Rheinsberg?" **) Fouqué hatte Befehl, dem Kronprinzen
Punkt 9 Uhr das Licht auszulöschen, und gehorchte, aber
dann zündete er seinen Taschen-Wachsstock an: „der König hat mir nicht befohlen mein Licht auszulöschen," und so wechselte jeden Abend das officielle
Auslöschen mit dem Privat-Anzünden des Wachs-
stockes.

Friedrichs Hof zu Rheinsberg, so verschieden von dem
spätern zu Potsdam, lernt man am besten aus Biele-
felds Briefen kennen; den Prinzen beschäftigte zunächst
Wolfs Philosophie, wie den Prinzen Alexander die Philosophie
des Aristoteles — als sie aber den Thron bestiegen, mußten
sie freilich ganz andere Dinge treiben; jedoch verließ diesen
nie die Liebe zu Homer und den Dichtern, wie Friedrich
die Liebe zu den Franzosen und den freilich nur in galli-
schem Gewande ihm zugänglichen Alten! Beide aber haben
noch keinen Homer gefunden! Das Interessanteste zu Rheinsberg war mir die von Prinz Heinrich den Helden des 7jähri-
gen Kriegs errichtete Pyramide. Sie hat etwa 50' Höhe und
26 Medaillons mit den Namen der 28 Krieger, die sich
vorzüglich auszeichneten.

Von Kyritz kommt man nach Perleberg und
Lenzen, denen ein Satyriker die schönen Namen muß aufgeheftet haben, und seitwärts bleibt Wittstock, wo Banner und Wrangel die kaiserlich-sächsische Armee unter Hatzfeld schlugen, die Ehre der schwedischen Waffen wieder her-

---

*) Friedrich, dem Freund der Ruhe.
**) Mein Geschichtschreiber kann sich viel Mühe und Papier
   ersparen, er kann mein Leben in drei Worte fassen: Uebun-
   gen, Reisen und Rheinsberg.

stellten, aber auch den lieben Frieden weiter entfernten. Der
Preußische Adler weicht jetzt dem Büffels-Kopf,
aber nicht die Sandsteppen, und die Schlagbäume vermehren sich, nicht zur Beförderung des Postfluges, obgleich an
den Pferden zu sehen ist, daß wir in Mecklenburg
sind. Zu Lünthern und Boitzenburg, wo die Elbe, wie zu
Dömitz, das Mecklenburgische kaum berührt, und sogleich
mit zwei Zöllen honorirt ist, wird Alles freundlicher und
reinlicher, man glaubte sich an Hollands Gränzen, wenn
die Hügel nicht wären. Bergedorf mit seinen engen,
unsaubern Gassen, Buden und Menschen-Gedränge gibt
uns einen Vorschmack Hammoniens, die man auf der
Höhe von Escheburg in grauem Nebel erblickt — immer
mehr, je näher man kommt, lüftet sie ihren Schleier von
Torf- und Steinkohlen-Qualm — endlich erscheint die
Fürstin der Elbe, mit Altona zusammengeschmolzen und
umgeben von einem Wald von Masten — sie gebietet
Ehrfurcht!
   Mein Weg nach Mecklenburg führte von Stralsund
über Barth, wo Spalding Prediger war, ehe er nach
Berlin kam — Damgarten und Ribnitz, das erste
Mecklenburgische Städtchen, nach Rostock, dessen Thürme
sich auf der flachen Heide in weiter Ferne zeigen. Die
Warnow, die aus mehrern kleinen Seen kommt, und
bei Bützow schiffbar wird, öffnet sich unter Rostock, als
ein schöner Busen bei Warnemünde, der Hafen des 1½
Meilen entfernten Rostocks. Rostock ist immer noch eine
Handelsstadt zweiten Ranges am baltischen Meer, mit
17,000 Seelen, Mecklenburgs eigentliche Megalopolis. Warnemünde hat aber wenig Anziehendes, obgleich Vergnü-
gungs-Ort der Rostocker, und kann höchstens diejenigen
interessiren, die noch wenig an der See gewesen sind. Der
Hafen ist von so geringer Tiefe, daß größere Schiffe auf
der Rhede sich lichten müssen, macht aber dennoch Kosten
genug.
   Rostock hat ungemeine Aehnlichkeit mit Lübeck, al-

terthümlich und dennoch freundlich, aber nicht so reinlich.
Der schöne Blüchers Markt (sonst Hopfenmarkt) ist ein an=
sehnliches Viereck, und der mit Linden besetzte Wall gibt
wie der Mühlendamm einen angenehmen Spaziergang,
von wo man Warnemünde und die Ostsee erblickt. Ro=
stock ist nur recht lebhaft am Pfingst= oder Pferde=
Markt, der vierzehn Tage dauert, und den Rostockern
eine neue Lebens=Periode ist, gleich willkommen den Ber=
liner Moden, wie den Aerzten; was Gallomanie
in Deutschland, scheint mir in Meklenburg Berlinomanie
zu seyn. Trotz des Handels mit Getraide und Rostocker
Aepfeln, die es ausführt, und der Weine, Liqueurs, und
Colonie=Waaren, die es einführt, geht es stille zu, und
noch ganz reichstädtisch. Die Universität wird
kaum 100 — 150 Studierende, meist Einheimische und
Theologen zählen. Im Mittel=Alter aber spielte Rostock
als Hansestadt eine Rolle, hatte viele Kämpfe mit den
Herzogen, und noch jetzt manche Gerechtsame vor andern.
Wenn man von Hamburg kommt, glaubt man, daß Schlaf
und Tod hier ihre Wohnung gemacht haben. Die Marien=
kirche, wo Hugo Grotius ruhet, dessen großen Einfluß
auf die praktische Welt wir nicht vergessen wollen, wenn
seine Werke gleich jetzt im Staube ruhen, wie Er — be=
sitzt einige gute Gemälde, und das Wahrzeichen ist die
geheiligte Zahl VII, denn Rostock hat nachstehende Merk=
würdigkeiten: VII Thore, VII Straßen vom Markte aus,
VII Thüren an der Marienkirche, VII Glocken, VII Brücken,
VII Thüren am Rathhause und VII alte Linden im Rosen=
garten. — Unsere Redensart das sind Siebensachen:
von unmerkwürdigen Merkwürdigkeiten, mag daher rühren.
Es ist auch eine Seebade=Anstalt hier, die von vielen dem
kostbarern und berühmteren Aufenthalt zu Dobberan vor=
gezogen wird. Rostock heißt Urbs rosarum; weit ange=
messener dem Klima, als Rosen, sind aber die balsamischen
Ausdünstungen der — Schlehenblüthen! Schulze schrieb

seine bezauberte Rose am Rhein und von Rosen=
essenz habe ich nichts vernommen.

Rostock ist die Vaterstadt Laurenbergs, unseres
ersten Satyrikers, neben Rachel — und Sprengels.
Der Professor orientalium Lychsen — vielleicht der erste
jüdisch=talmudisch=rabbinische Gelehrte Deutschlands, daher
er auch Juden zu bekehren suchte, aber, meines Wissens,
keinen einzigen bekehrt hat — war das Orakel des In=
und Auslandes, wenn es arabische oder muhamedische
gelehrte Anstände gab, und daher einer der eitelsten Ge=
lehrten, weil er einer der undenkendsten war. Zu Rostock
lehrte Eulenspiegel den versammelten Schneidern Et=
was, was sich auch Gelehrte und Staatsdiener merken
sollten, wie unsere Stände: „wenn ihr die Nadel ein=
gefädelt habt, so vergeßt nicht den Knopf,
sonst sind alle Stiche vergebens!".

Die meiste Ehre hat Rostock von — Blücher, den
sie auch wieder ehrte, Blücher, den wir Marschall Vor=
wärts nennen, die Britten Conqueror of the Tyrant *)
und die Italiener il gran Generale coi bassi (Schnurr=
bart)**); französische Kehlen können den Namen kaum
herauswürgen, nannten aber die Ruthe la Bluchere.
Blücher, wenn es ihm nach gegangen wäre, hätte trotz seiner
grauen Haare in Frankreich wie Josua gehauset, der Alles ver=
tilgte mit der Schärfe des Schwertes und die Könige zu
Dutzenden aufknüpfen ließ an Bäume! Die Stände Mek=
lenburgs errichteten ihrem Landsmann die Bildsäule von
Marmor, gefertigt von Schadow; der Held hat in der vor=
gestreckten Rechten den Marschallsstab, die Linke ist am
Griffe des Schwerts, der linke Fuß vorwärts, das Ge=
wand eine tunica, und von den Schultern wallet ein ma=
lerischer Mantel; die Inschrift ist: „dem Fürst Blücher

---

*) Den Ueberwinder des Tyrannen.

**) Den großen General mit dem Schnurrbarte.

von Wahlstatt die Seinen," und auf der Rückseite:
„Im Harren und Krieg, im Sturz und Sieg be=
wußt und groß, so riß er uns vom Feinde los."
Ich wüßte noch eine Inschrift aus Suetons Nero: „tale
monstrum 14 annos perpessus, terrarum orbis, tandem destituit. *) Ob man auch zu Helena noch vom
Husaren=General sprach? Blücher, Canitiem galea pre-
mens **) — war 1816 in seiner Vaterstadt, groß
war sein Genuß, und einer seiner Schulkameraden, Se=
nator Löwenhagen, den er Du wie zuvor nannte, stam=
melte: „Durchlaucht;" Sey kein Narr," unterbrach
ihn der treuherzige Held, „oder glaubst du, daß ich
einer geworden sey?"

Das Interessanteste für den Fremden in Meklenburg
möchte wohl Dobberan seyn, vier Stunden von Rostock,
am Fuße waldigter Hügel, unser ältestes deutsches
Seebad vom Jahr 1794; das phlegmatische Volk nennt
Dobberan kürzer Brahn. Britten hatten längst Seebä=
der, längst kannte man ihre Kraft in Deutschland theo=
retisch — aber in Deutschland braucht es Zeit, bis Theorie
in Praxin übergehet, und D. Vogel verdiente hier ein Denk=
mal. Der Boden um Dobberan ist undankbar, aber man
ist in der Nähe des Meeres, der Häfen von Trabemünde,
Warnemünde und Wismar; man sieht stets Schiffe, macht
Abstecher nach Rostock, Schwerin, Ludwigslust, und die
schönste und belohnendste Partie ist nach — Rügen. Ueber=
raschend ist die Aussicht von Dietrichshagen (eine
Meile, wo ein Pächter wohnt) auf Wismar und halb
Meklenburg, Holsteins Küsten und die Inseln Femern,
Laland und Rügen; recht durchdringende Augen mit einem
achromatischen Dollond haben gar die Spitzen von Ko=
penhagen sehen wollen, der Dollond hatte Geld geko=

---

*) Endlich erhob sich das Land gegen das Ungeheuer, nach=
dem es 14 Jahre lang sein Joch getragen.

**) Auf das graue Haupt den Helm setzend.

ket! Morgens spaziert man auf dem Camp (Markt),
trinkt, und geht dann in den englischen Park. Die Gäste
sind zwar meist Meklenburger, da aber der Großherzog sich
selbst unter sie mischet, und schon manchen plumpen Obotriten, der ahnenstolz, wie Baron d'Etange, kaum Neben-
menschen, sondern nur Hintermenschen kennen wollte, be-
schämet hat, so herrscht das Regis ad exemplum: to-
tus componitur Orbis. *) Wer zu Dobberan über Andere
Klage führt, greife zuvor in eigenen Busen!

Es ist Schade, daß Dobberan einen unverbesserlichen
Hauptfehler hat — es ist Eine Stunde entfernt von
der See, indessen gefiel es dem Britten Nugent, der die
bekannten Reisen durch Meklenburg schrieb, so wohl,
und zwar zu einer Zeit, wo noch wenig für das Bad geschehen war, daß er da sterben wollte, und das ist wahrlich mehr, als man vom kränksten Kurgast erwarten kann.
Vielleicht war es derselbe humoristische Nugent, der im
Parlamente bei der Bill, daß man die Nachtwächter
zwingen solle, bei Tage zu schlafen, um Nachts desto
wachsamer zu seyn, aufstand, und bat, daß man die Bill
auch auf ihn ausdehnen möchte, denn die Gicht verhindere ihn am Schlafe, bei Tage, wie bei Nacht!

Dobberans alte Kloster-Ruine gleicht einer römischen Wasserleitung, und die gothische Kirche enthält
viele Monumente, und abenteuerliche Grabschriften, die aber sehr unleserlich geworden sind. Das Büchlein Ueber Dobberan, das jeder Kur-Gast kennt, hat
letztere aufgenommen, die meist im Geschmack nachstehen-
der sind:

Auf den Herzog Magnus:
Auf dieser Welt hab' ich meine Lüst,
Allein mit kalter Schaale büßt,
Hilf Herr mir in den Freudensaal,
Und gib mir bie ewige kalte Schaal!

---

*) Nach des Fürsten Beispiel richtet sich alle Welt.

Die zweite verräth ganz den alten Obotritischen Edelmann, und steht in der Bülow'schen Kapelle:

Wick, Düvel! wick wiet van my,
ik scher mir nieg een Hoor um di,
ik bin ein Meklenburger Edelmann,
wat giet di Düvel myn Supen (Saufen) an?
ik sup mit myn Heer Jesu Christ,
wenn du Düvel ewig dörsten müst,
und drink mit ihm soet kohle Schal,
wenn du sitzst in de Höllenquaal.
drum rat ik, wick, loop, renn un go,
Coft by den Düvel ik to schloh!

Unter den alten Gemälden stellte eines einen Mann vor, der zur Kirche will, aber vom Teufel zurückgehalten wird: „Kumm mit in de Krog (Schenke), in de Kerk is Volks genog! Ein Holzschnitt stellt auch den Teufel vor, der einen Mönch, mit einer Frau unter der Kutte, barsch wie ein Mauthner fragt: Quid habes hic frater? — vade mecum...*) So steht auch neben dem kranken Hiob die Frau, auf einem andern Stück spielen Teufel zum Tanz auf — die vier Evangelisten werfen das Wort Gottes in eine Mühle, die übrigen Apostel malen, und Bischöfe fangen das Mehl auf in Kelchen! Gar viele solcher drolligen Stücke altdeutschen Humors sind im 30jährigen Krieg zu Schanden gegangen, so wie ähnliche Naivitäten im Speisesaale des alten Schlosses!

Dobberans Mönche kamen, achtzig Kutten stark, von Ameluxborn, und brachten, neben ihrer Blut-Hostie, zu der stark gewallfahrtet wurde, eine Menge Reliquien mit: das Schurzfell Dessen, der das Kalb schlachtete bei dem Mahle des verloren gewesenen Sohnes, Loths Salzsäule, einen Zehen des großen Christophs, das Scheermesser der Delila, den Schemel, der Elias den Hals brach, etwas

---

*) Was hast du da, Bruder? Komm mit mir.

Heu von der Krippe — vom Fisch des Tobias und von
Judas Gedärmen, Petri Netz, einen Fetzen vom Rock des
armen Lazarus und von Josephs Mantel, den Potiphar
selbst abgerissen hatte, den Stein der Zipora zur Beschnei-
dung, etwas Flachs vom Spinnrad der heiligen Jungfrau
und Kinderhäubchen von Jesus. — Sie beteten sogar den
berühmten heiligen Damm 15' hoch, 100 breit und
eine Stunde lang, rein zusammen — Mönche beteten
lieber, als daß sie arbeiteten — und so verdanken ihnen
noch heute die Curgäste die schönen Petschaften, Stock-
knöpfe, Uhrgehäuse 2c., die zu Schwerin aus diesen ver-
schiedenartigen Steinen gefertiget werden. Der drollige
Volks-Glaube an dieses Wunder der Mönche machte, nächst
ihren Heiligthümern, diese Kutten fett, wie das Rindvieh
in den nahen Hollsteinischen Marschländern!

Dobberan ist ein regellos und meist neu erbauter Flecken von 2000 Seelen in einem lachenden Waldthale, von
dessen Hügeln man immer etwas sieht — Städte, Meer,
vorüberfliegende Seegel, vorzüglich vom Buchenberg,
noch mehr vom Jungfernberg und Dietrichshagen.
Außer den Gastwohnungen ist ein schönes herzogliches
Schloß, von dem die Fahne wehet, wenn der Großherzog da ist, und am Theater stehen die Worte: „Erkenne
dich selbst!" Die frischen Seefische entschädigen
doch für manche andere Entbehrung, und Pythagoräer
verlieren einen Hauptgenuß der Seebäder. Man kann
hier sogar auf die Schwanen-Jagd gehen, am Coven-
ter Landsee, Niemand will sie aber haben singen oder
oder gar rührende Elegien auf ihren Tod anstimmen
hören, wie es die Alten hörten. . . . Ich hatte mir
hier einige Schwanenfedern gekauft, die seltner sind
als Gansfedern, aber immer besser als die Rabenfe-
dern! Der Schwan ist ein herrliches Sinnbild des innern und äußern Welt-Menschen — sein Fleisch ist schwarz
und seine Federn schneeweiß!

Dobberan gehört unter die Bäder, die nur für Rei-

che find, der Tisch ist natürlich nordisch, rothe und weiße
Franzweine (Rheinweine scheint man weniger zu lieben) wechseln mit Bischof, Erzbischof und Cardinal, ja
viele sind nur mit Königspunsch zufrieden! Glücklicher Weise braucht der — Arme, der nicht aus Wohlleben, sondern aus — Hunger und Kummer krank wird,
eher Brod, als Wasser, oder gar Seebäder! — selbst für
die Mittelklasse sind solche vornehme Bäder nicht, wo
es auch gerne Kranke am Geiste gibt. „Transeundum
est!" Uebrigens führt das große Bade-Gebäude die Inschrift der Bäder Antonius: Curae vacuus hunc locum
adeas, ut morborum vacuus abire possis, nam hic non
curatur, qui curat. *)

Dobberan (deutsch Schönstadt) verdient seinen Namen, die weißen Häuser, die Kloster-Ruine und altgothische Kirche, das Grün der herrlichen Buchen, das schöne
Schloß, und in der Ferne das Meer, machen den lieblichsten Eindruck. Man darf immer 12—1500 Gäste rechnen. In staatswirthschaftlicher Hinsicht hat es für das
geldarme Mellenburg doppelten Werth, zieht Fremde herbei, und hält die Einheimischen ab von fremden Bädern.
König Pharao hat auch hier einen Thron; den man ohne
Jacobinismus den schändlichsten Thron nennen darf, denn
er will nicht Weihrauch und Gehorsam, sondern klingende
Münze. Am Strande können jedoch Nichtspieler noch glän-
zendere Dinge finden, wenn gerade die Meereswogen über
die vielfarbigen Steinchen aller Art gerollt sind; es ist
auch Sitte zum Andenken welche zu sammeln und das
Sprüchwort zu Recht beständig: „Goldreich kommt man
nach Dobberan, und kehrt wieder nach Hause stein-
reich!" Von andern Bädern bringt man gar nichts
mit, oder gar — schlimme Dinge!

Jeder nicht kranke Gast sieht sich natürlich im Wei-

---

*) Ist schon im 2ten Bande verdeutscht.

38 *

lenburgiſchen ein bischen um, Roſtock iſt der nächſte Aus⸗
flug, dann Wismar, das aber ſtiller und weniger bedeu⸗
tend iſt, denn es wird kaum 8000 Seelen zählen. Wis⸗
mar, einſt feſt und mehr als jetzt, war im Beſitz der Krone
Schweden bis 1803, wo es an Meklenburg verkauft wurde,
und ſein Handel beſteht meiſt in Landes⸗Erzeugniſſen; der
Hafen, Wallfiſch genannt, iſt gut, und vor demſelben
liegt die bedeutende Inſel Poel, die mehrere Dörfer zählt.
Weiterhin am Geſtade iſt der ſchöne Park des v. Brok⸗
dorf, Schwanſee. Einem ächten Doctor utriusque iſt
vielleicht die Bibliothek des Mevius merkwürdig, und
der Polyhiſtor Morhof; mich intereſſirte das Grab
Wrangels. Wismar ſoll der geſundeſte Ort Deutſch⸗
lands ſeyn, hatte aber beſonderes Mißgeſchick mit ſeinen
Thürmen, die bei Belagerungen abgeſchoſſen wurden, und
den letzten nahm ein Sturmwind mit, als gerade eine
Commiſſion ſeine Schadhaftigkeit unterſuchen wollte! Hoch⸗
löbliche Commiſſion ſahe ſich zwar um ihre Dieten ge⸗
bracht, rettete aber dafür das Leben!

Auf dem Wege von Wismar nach Schwerin kommt
man durch das Dorf Mecklenburg, wo das fabelhafte Me⸗
galopolis geſtanden haben, und nicht bloß der Name Meck⸗
lenburg, ſondern auch das Wort Mäkler (Unterhänd⸗
ler) herrühren ſoll, was aber wohl von machen (maken)
kommt — savoir faire. Man zeigt die Ueberreſte, eines
Thurms — oder einer Burg, die vielleicht ſo groß und
ſtark war, daß man ſie Michelburg nannte (denn im
Altdeutſchen bedeutete Michel groß und ſtark). Die Meck⸗
lenburger ſelbſt ſind ein ſo kräftiger Menſchenſchlag, daß
ſie ſich alle Michel dürften taufen laſſen. Uebrigens kann
man ſich bei manchem vielleicht empfehlen, wenn man un⸗
ter dem Megalopolis des Mittelalters — nicht Conſtan⸗
tinopel — ſondern Mecklenburg verſteht, wie in Holland
und Weſtphalen, wenn man die blank geſcheuerten
Teller und Schüſſeln bewundert, die ohne Arges
neben den Nachttöpfen prangen! Ein neuerer Rei⸗

senber behauptet, daß man den Mecklenburger leicht an
seiner Liebe zum Zucker erkenne, der selbst über Braten gestreut würde. Mir ist dergleichen nicht vorgekommen, und das thut auch kein Michel; aber am Frohn-
Dienst kann man den Mecklenburger erkennen, ohne Lavater zu seyn! Ich wundere mich, auf kein Dorf Michel-
bach gestoßen zu seyn, deren wir im Süden eine Menge
zählen, selbst ein Michelstadt, das vielleicht der Erzengel
Michael, der sich mit dem Teufel selbst herumgebalgt hat,
baute, und wo Kirmessen gefeiert werden, auf denen
man den deutschen Michel am besten studiren kann!

Schwerin (Wendisch Thier-Garten), die Residenz des Großherzogs, hat eine malerische Lage an dem
schönen großen See, der sich drei Meilen weit erstreckt,
mit mehreren Inseln. Es wohnen hier die meisten Juden,
deren Anzahl ungefähr zu 3000 angegeben wird, die Stadt
mag 12,000 Bewohner zählen. Es ist eine der breitersten
Städte, die ich kenne, die altgothische Residenz auf einer
Insel, und der alte Dom und Schloß-Garten gefallen,
noch mehr aber freilich Ludwigslust (vier Meilen) mitten in einem mit Alleen durchhauenen Wald, der mit
Wild sehr belebt scheint; das Städtchen zählt 3000 Seelen. Man findet hier eine treffliche Schweizerei, einen
Wasserschatz, wie zu Nymphenburg, Canäle, Ruinen,
Springwasser, Wasserfälle, und das schöne Mausoleum
der im 19. Jahre verstorbenen Großfürstin Helene Pau-
lowna, das ihre Asche und einst auch die ihres Gemahls
aufbewahret. Merkwürdig sind auch die Büsten — weder
von Metall noch Marmor, weder von Holz noch Stein,
sondern von Pappe mit Firniß überzogen; selbst die
Leuchter in der Kapelle sind von übersilberter Pappe, und nachahmungswerth, da man Massiv-Silber
besser brauchen kann extra Ecclesiam *) und dergleichen
Kirchensilber Sacrilegiis **) am besten vorbeuget! Eine Vier-

*) Außerhalb der Kirche. **) Kirchenraub.

telstunde von Schwerin soll auch ein Weingarten seyn, wohl der nördlichste des Vaterlandes.

Im Schlosse ist eine schöne Sammlung altgermanischer und slavischer Alterthümer, die dem Publikum noch bekannter werden wird (wenn es nicht schon geschehen ist). Grabow hat seine Hauptnahrung durch die Nähe von Ludwigslust, und Malchin und Sternberg verdienen wohl nur gesehen zu werden, wenn etwa der Landtag versammelt ist, was jedes Jahr geschieht. Zu Ludwigslust sollen auch herrliche Gemälde seyn, die ich verhindert war, zu sehen; die eigentliche Gemälde-Gallerie aber zu Schwerin hat, neben Niederländern, eine Madonna von Maratti und einem reuigen Petrus von Kupeczky, und unter den Familienstücken und Bildnissen zeichnen sich fünfzig von Donner aus, der hier Hofmaler war. Hugo Grotius von van Dyk, und die Bildnisse Karls XII. und Peters I. interessirten mich am meisten. Ueberraschend ist der Anblick Schwerins auf den letzten Höhen von Güstrow, dieser alten Residenz, die in ihrem Dome viele Grabmäler der Herzoge hat; in den glühenden Farben der Abendsonne hatte ich den Anblick, und staunte, denn ich glaubte, nur die Natur des Südens vermöge solche Pracht-Gemälde zu liefern; nimmt man nun noch etwas Vaterlandsliebe dazu, so kann man sich auch im Norden wohl gefallen.

Güstrow, eine Stadt von 7000 Seelen, ist das St. Denis der Herzoge, der Sitz des Hofgerichts, das alte Schloß aber zum Zwangs-Arbeitshause eingerichtet, die Wollenmärkte stark besucht, und Güstrow vielleicht der geselligste Ort im ganzen Großherzogthum. Der Lieblingsort der Einwohner ist die schöne Insel, wo es einem Badegast von Dobberan gar wohl gefallen haben muß, nur meinte er, man müsse ein tüchtiges Titel-Organ mitbringen. Mecklenburg soll noch immer ein Paradies hienieden für die Advokaten (die vielen Patrimonial-Gerichte machen es erklärbar), dafür aber auch im eigentlichen Paradiese dort oben nur Einer zu finden seyn, S. Jves. — Die Herren, die Frieden stiften, befinden sich wie billig im Wohlstande, und sind reicher als Aerzte, weil die Zunft Pfuscher zuläßt, und die Patienten, vermöge der Cautelar-Jurisprudenz — pränumeriren. — In Frankreich sind die JCti *) κατ᾽ ἐξοχήν schwarz gekleidet mit weiten Kirchen-Aermeln, als ob sie Alles in die Tasche stecken wollten; bei uns fällt das weg, da wir nicht plaidiren, sondern Alles im Schlafrocke am Schreibtische bequemer abfertigen. Sonderbar wäre doch, was ein Reisender behauptet, daß man in Mecklenburg wegen Unvermögens, und wegen Paternität angeklagt, und in beiden Fällen für sachfällig erklärt werden könne? Wie glücklich wäre die Welt, wenn es gar keine Advocaten — und keine Aerzte gäbe! Die Vermehrung der Herren Rechts-Consulenten in Gegenden, wo man die Herren sonst kaum kannte, ist nie ein gutes Zeichen, ob ich gleich besser von ihnen denke, als Johnson. — Multi sunt advocati sed pauci electi **) gilt von allen Ständen — und ich habe im Bade selbst Einen kennen lernen, der die Grabschrift verdient, die ein Client einem seiner Collegen setzte:

> Hier liegt ein Mann in Wort und That
> Rechtschaffen, obgleich Advocat;
> Fällt dieser in des Teufels Krallen,
> So gnade Gott den andern allen!

Zu Parchim an der Elde (ob das Project, sie schiffbar zu machen, ausgeführt wurde, ist mir unbekannt) ist das gemeinschaftliche Ober-Appellations-Gericht, und Bützow Sitz des Criminal-Gerichts. Parchim, mit 5000 Seelen, ist alt, hat aber hübsche Promenaden, darunter Philomelenslust — und auch ein artiges Bad, ½

---

*) Juris Candidati, Advokaten.
**) Viele sind berufen (Advokaten), aber wenige auserwählt.

Stunde von der Stadt, wohin Alleen führen. Bützow,
das 1716 fast ganz abbrannte, wollte man durch eine
Universität unter die Arme greifen, zumalen der Herzog mit Rostock gespannt war, aber sie gedieh nicht, und
zwei Universitäten wären auch zu viel gewesen. Auf der
Warnow treibt die Stadt starken Holzhandel nach Rostock,
und ihr Name soll eigentlich Bucephalia heißen, weil das
alte Bußow von einem General des großen Alexanders
zum Andenken des großen Bucephalus soll erbauet worden seyn. Schon darum hätte die Stadt nicht zur Universität getaugt! Nach Parchim, Engels Vaterstadt, und
nach Bützow bin ich nicht gekommen, und auch nicht nach
Neubrandenburg — ohne es zu bedauern; aber das muß
ich bedauern, daß ich nicht nach Neustrelitz gekommen bin,
der Residenz der andern Linie des Hauses Mecklenburg.
Altstrelitz (Schütz), ein ehemaliges Jagdschloß, ist alt, unbedeutend in morastiger Gegend, ein wahres Juden-Nest
—, aber Neustrelitz, eine Stunde davon, soll hübsch und
regelmäßig gebaut seyn, mit 5000 Seelen, vom Markte
acht gerade Straßen wie Strahlen eines Sterns auslaufen,
Garten und Schloß höchst angenehm, und auch eine Sammlung obotritischer Alterthümer zu sehen seyn . . . . . Zu
Hohenzieritz, einem fürstlichen Landsitz, starb bekanntlich Louise, die Königin Preußens, in der Blüthe ihrer
Jahre, ohne die Freude ihres Gatten, den neuen Glanz
der Monarchie, und die Erhebung des Volks zu erleben,
dessen Stolz Sie war!

Zu Prillwitz am Tollensee, 1½ Stunden von Neustrelitz, fand man zu Ende des 17ten Jahrhunderts einen
großen Kessel voll kleiner metallener Götzenbilder, die
nach Neustrelitz gebracht wurden. Die meisten hatten nur
6″, der Haupt-Götze Radegast aber war 14″ hoch, mit
Runenschrift, einem Löwenkopf, auf dem ein Vogel sitzt,
und dem Namen Rhetra, dem Hauptort des Götzendien-
stes, mehrere Opfermesser und Opferschalen waren noch
im Kessel, und Alles beschädiget durch Feuer. Mirow

mit keinem alten Schlosse ist eine große Brauerei für ganz Alt- und Neustrelitz, und Fürstenberg ein wahrer Butterberg, wo alle überflüssige Mecklenburger Butter zusammenfließt, um auf der Havel nach Berlin zu schwimmen; jährlich sind 9 Buttermärkte und setzen gewiß 12,000 Centner Butter ab. Wenn der afrikanische Butterbaum hier fortkäme? man wüßte nicht, wohin vor lauter Butterbemmen!

Boitzenburg, dessen Elbe-Zoll 40,000 Thaler tragen soll, woran Strelitz mit 9000 Thaler betheiligt ist, treibt lebhaften Handel nach Hamburg, hat ein starkes berühmtes Bier, genannt Biet de Keerl; das rothe Haus an der Elbe, wo die Fähre landet, ist wohl so stark besucht, als weiland das rothe Haus zu Frankfurt, wenn auch nicht von Großen, und seine Lage gewiß schöner noch, als die Zeil; und in der Elbe gibt es treffliche Lachse; oft über 30 Pfund, die man im rothen Hause zu Frankfurt nicht hatte. Dömitz am Zusammenfluß der Elbe mit der Elde ist die einzige Veste Mecklenburgs. Unweit des Malchiner Sees liegt das schöne Rittergut Remplin, dem Fürsten von Schaumburg-Lippe gehörig, weiterhin Teterow, Mecklenburgs Schilda, und bei Schlemmin die verfallene Hohenburg auf der höchsten Höhe des Landes 542', nach dem Runeberg von 640', hart an Preußens Gränze. Nirgendswo muß es mehr Schwarzwild geben, als um Stargard, und nirgendswo so viel Störche als zu Zeppelin. — Man rühmt auch die schönen Rittergüter, deren von Moltke und Plessen zu Wolde und Ivenac. Zu Spitz soll nach Jahn ein Wegweiser stehen, den ein ehemaliger Comitial-Gesandter setzen ließ: "Eine halbe Meile von Teterow, 65½ Meilen von Regensburg." Teterows Nähe mag es entschuldigen.

Alle Gränzen begünstigen den Schleichhandel — je mehr Mauthen, desto trefflicher das demoralisirende Schmuggeln! Große Staaten erschweren gerne durch Zölle den Handel der kleinern, und diese erleichtern wieder

ßen Contebande = Handel in die größern, während beide
Theile offenbar besser fahren würden bei einem billigen
Handels=Vertrage. Mecklenburgs Binnenhandel er=
schweren die schlechten Landstraßen und der Mangel an
Wasserstraßen oder Canälen; indessen soll doch die Han=
dels=Bilanz für M. seyn, und die jährliche Ausfuhr à 3½
Mill. Thlr. die Einfuhr von Fabrikaten und fremder
Waare decken. Man sieht in Meklenburg mehr p r e u ß i=
s c h e s als einheimisches Geld, wie in Sachsen, rechnet
aber dennoch nach M a r k e n und S c h i l l i n g e n. Zu
Sommersdorf, unweit W a r e n am See Müriß, erblickte
Vater V o ß das Licht der Welt, und wurde, nachdem er
sich mühsam durch die Schule gearbeitet hatte, H a u s=
l e h r e r bei einem edlen Herrn zu Penzlin, der ihm jähr=
lich 60 Thaler gab — der K o c h aber hatte 80 Thaler! Ich
kenne ein noch neueres Beispiel, wo der deutsche Secretair
100 Reichsthaler hatte, der f r a n z ö s i s c h e Koch aber —
400 fl. ohne sein noch bedeutenderes Refas!

Die Stelle, wo T h e o d o r K ö r n e r fiel, bezeichnet
ein einfaches von seinen Waffenbrüdern errichtetes Denkmal
unter einer schönen Eiche bei Wöbbelin. Unser Tyrtäus
hat sich selbst ein Denkmal errichtet in seiner L e y e r und
S c h w e r t, wie Lützows ewig denkwürdiger begeisterter
Freischaar; aber auch dem eisernen Denkmal fehlt Leyer
und Schwert nicht, und der wohl verdiente Eichenkranz.
Körners Kriegslieder begeisterten die Schaaren, wie
einst Spartaner die Lieder des Tyrtäus, die Neufranken
der Marseiller Marsch und das ça ira, die Britten Rule
Brittania und God save the King. Wir sollten mehr
Rücksicht nehmen auf gute V o l k s l i e d e r, wenn gleich
noch für jetzt Rule Germany so komisch klänge, als der
Gesang der Schneider=Gesellen: „A u f, a u f i h r B r ü=
d e r u n d s e y d s t a r k! ça ira!“

Das Großherzogthum Mecklenburg macht eine liebliche
Ausnahme von den norddeutschen Sandflächen, seine Kü=
sten sind erhaben, der Boden fruchtbar, vorzüglich längs

den Küsten und den Flüssen, die schönen Laub-Waldungen
gefallen doppelt nach den ewigen Nadelhölzern, und die
vielen Landseen, (worunter der Müritzer, Schweriner,
Malchiner, Dassover, Plauer-, Sterneberger-, Kummerover-;
Krakowisch-; Kölpin-, Schaal-, Stepenitz-, Tollensee ꝛc. bedeutend sind, neben den Flüssen Peene, Warnow, Recknitz,
Elbe ꝛc.) gewähren Abwechslung. Die Gegend um den
Malchiner-See heißt — die Mecklenburger Schweiz.
Wegen dieser vielen Gewässer ist die Luft feucht, die Witterung veränderlich, aber Landwirthschaft, Hornvieh- und
Schafzucht blühen, noch besser steht es um die Pferde-
zucht; Schweine und Gänse sieht man überall, und auch
ziemlich Wild. Die Pferde sind kleiner als die Holsteiner,
aber stärker und lebhafter, daher treffliche Reitpferde,
die für Deutschlands Klima am besten passen, die schönsten sah ich zu Berlin.

Wenn man von den Sandwüsten Brandenburgs, oder
den Heiden Hannovers kommt, muß Mecklenburg gefallen,
denn es ist ein steter Wechsel von Waldhügeln und fetten
Wiesenthälern, Saatfeldern, Gehölzen und hellen Seen
mit ländlichen idyllischen Hütten. Was hier Heiden
genannt wird, sind keine Lüneburger Heiden, sondern weite
Holzungen, die zwar menschenleer sind, aber sehr ergiebig
an Bau-, Nutz-, Brennholz, Wild, Weiden, besetzt
mit Förster- und sonstigen Wohnungen, Krügen, Glashütten, Theeröfen ꝛc. Das Großherzogthum selbst ist ein
schön gerundetes Ganzes, die kleinen Theile in den Marken abgerechnet, aber an Manufakturen und Fabriken scheint man noch so wenig gedacht zu haben, als an
Canäle, so schlecht auch die Landstraßen sind; ist ja noch
nicht einmal die Ostsee mit der Elbe verbunden, was
mittelst des Schweriner-Sees leicht seyn müßte, und Wall-
stein schon im Plane hatte. Der Landtag hat jedoch in
der neuesten Zeit den nützlichen Plan wieder aufgenommen,
dessen Ausführung wohl 1 Mill. Thlr. erfordern dürfte;
durch Actien ginge es wohl am leichtesten. Die Haupt-

schwierigkeit ist, daß der Schweriner-See viel höher liegt,
als die Ostsee; es würden wenigstens 10 Schleußen angelegt werden müssen, und so eine Schleuße ist ein Gegenstand von 100,000 Thalern. Die Hauptfabriken scheinen
Brantweinbrennereien! Zum Bergbau fehlt das
Materiale, und selbst die Saline zu Sülze deckt nicht
das Bedürfniß. Schön ist es, daß man ein neuangelegtes
Dorf, zu Ehren des verdienten Salinarius zu Heidelberg
Langsdorf genannt hat. Wege und Posten sind nicht
besser als im übrigen Norden, und da Alles noch dabei verdammt theuer ist, so suchen Reisende Mecklenburg in
der Regel zu umgehen, oder spuden sich, wie man im
Norden spricht. Schlechte Wege und theure Preise sind so
gut als das alte Droit d'Aubaine in Frankreich, um
Fremdlinge — hausscheu zu machen; und Mecklenburg
würde noch weit unbekannter seyn, als es ist, ohne das
Seebad Dobberan!

Die ältesten bekannten Bewohner Mecklenburgs, die
Obotriten und Wilzen, lehrte erst Carl der Große
dem übrigen Deutschland kennen, ihr Fürst wohnte in
dem räthselhaften Megalopolis, und eine schöne Christin
bekehrte 973 den Fürsten Mitroi, der aber wieder abfiel,
und so erneuerten sich die Erbfehden mit den Sachsen.
Heinrich der Löwe brachte den Fürsten Niclot, von
dem das jetzige großherzogliche Haus abstammt, wieder in
den Stall der Kirche, aber in Karls wilder Manier, das
Land wurde darüber zur Oede, die wendische Sprache
verschwand sogar, aber die slavische Dynastie erhielt
sich, die einzige, die noch auf deutschem Boden regiert;
seit die Piasten in Schlesien und die Herzoge Pommerns
ausgestorben sind, in Erbverbrüderung mit Brandenburg. Fürst Niclot sagte zu Heinrich: „Dein Gott im
Himmel sey dein Gott; sey du unser Gott, verehre du jenen, wir wollen dich verehren;" aber der
Eroberer gesteht selbst, daß er die Abgaben dieser Wenden, außer dem Zehnten, stark vermehrt habe ob eorum

nequitiam (ihrer Schlechtigkeit wegen) — und leider! erbte
dieser Glaube fort. In welchem Ansehen Heinrich der
Löwe stand, beweist das alte Reimlein:

> Hinric de Ley un Albrecht de Baar,
> darto Friederic mit sine roden Haar,
> dat weren dre Herrn,
> de kunden de Welt verfehrn!

Primislaus II. war der letzte König der Obotriten,
und der erste Fürst Mecklenburgs († 1178), mit dem die
Geschichte heller zu werden anfängt. Man theilte, wie
allerwärts, und so gab es bald Fürsten zu Mecklenburg,
Rostock, Parchim, Werle, Stargard und Güstrow, die
jedoch Erwerbungen machten, wie 1359 die ganze Grafschaft Schwerin, und im westphälischen Frieden die Bis-
thümer Schwerin und Ratzeburg — bis es 1701 endlich
zu den zwei noch blühenden Linien kam, Schwerin und
Strelitz. Im Mittelalter spielte Graf Heinrich von
Schwerin eine weit kühnere Rolle, als Herzog Leopold von
Oestreich, da er Richard Löwenherz gefangen nahm; er
entführte den dänischen König Woldemar II. nebst Gefolge
aus Fühnen, wo er ihm ein Jagdmahl gegeben hatte,
schlug ihn zu Schwerin in Fesseln, und entließ ihn nur,
unter Entsagung alles Lehnsnexus, um 45,000 Mark Silber, den Schmuck der Königin und 100 ritterliche Waf-
fenrüstungen! Im 30jährigen Krieg entsetzte der Kaiser
die beiden Herzoge, weil sie es mit den Dänen hielten,
was sie wohl thun mußten, und Waldstein wurde — für
die starken Summen, die ihm Ferdinand II. schuldete, wegen seiner Werbungen — Herzog von Mecklenburg, ließ
sich mit großem Pomp zu Güstrow huldigen, aber Gustav Adolf verdarb ihm den Spaß, Reichsfürst zu bleiben, und Reichs-Admiral der Ostsee!

Die Linie Schwerin besitzt den größern Landesantheil. = 228 Qu. Meilen, mit 440,000 Seelen und 2½
Millionen Gulden Einkünften, meist Domainen; die Schul-

den sollen 7 Millionen Reichsthaler betragen; Strelitz hat nur 52 Qu. Meilen mit 76,000 Seelen und 700,000 fl. Die einfachste Eintheilung Mecklenburg=Schwerins wäre wohl die Eintheilung in die 6 Militärdistrikte zum Behuf des Landsturms 1813, ausgedehnt auf andere politische Verhältnisse: Warnow=, Ostsee=, Elbe=, Recknitz=, Elbe= und Müritz=Kreis. Die Hauptbestandtheile von M. Strelitz sind: die Herrschaft Stargard und Ratzeburg. Die geringe Bevölkerung Mecklenburgs in einem so weiten, und nicht unfruchtbaren Lande, das an der See liegt, muß auffallen. Was ist Schuld? die traurige Hörigkeit zunächst, und dann Mangel an Fabriken, die Ausländer herbeiziehen. Das Großherzogthum ist fast reines Ackerland, hat keine bedeutenden Städte, und verhältnißmäßig wenig Dörfer, da die Gutsbesitzer größern Vortheil dabei finden, ihre Bauern — zu legen, d. h. eine Zahl Landwirthe aus dem Besitz ihrer Güter zu werfen, und in bloße Häusler zu verwandeln, die vom Taglohn leben müssen! Wie gefällt dieses zwar gemilderte aber noch nicht ganz abgeschaffte Obotriten= Recht im 19. Jahrhundert? Bereits Vater Homer's göttlicher Schweinhirt Eumaeos sagte: „Ein Tag als Knecht benimmt dem Menschen schon die Hälfte seiner Tugend." Nur bei Freiheit und Eigenthum veredelt sich der Gesellschaftsmensch.

Es springt in die Augen, daß der Adel verarmt, wo Leibeigenschaft fortherrscht, sobald die Cultur eine gewisse Höhe erreicht hat. Schon Baco sagte: „die Edelleute sind Eichen, unter denen die kleinen Bäumchen nicht aufkommen;" es sind Adler — Lerchen aber besser. Die Mecklenburger Dörfer sind meist klein, schlecht gebaut und schlecht bevölkert, und man bemerkt es wohl, wo ein humaner Edelmann unter seinen Gutsbauern lebt — der Adel selbst sieht das Gute davon ein — diejenigen ausgenommen, die sich allzusehr an das Mecklenburger Wappen halten, aus den Zeiten

Radagaſt's, der einen Büffelskopf hatte. In jenen Zeiten mag mancher Edelmann dem Boucanier Weſtindiens geglichen haben, dem der Sklave, der Sonntags die Häute des erlegten Rindviehes nach dem Ufer tragen mußte, bemerkte: „Aber Gott ſelbſt hat ja geſagt: Sechs Tage ſollſt du arbeiten, und am 7ten feiern. Aber ich ſage dir, 6 Tage ſollſt du Stiere erlegen helfen, und am 7ten ihre Häute ans Meer tragen!" Vielleicht ſteht der Mecklenburgiſche Büffelskopf in Verbindung mit Nebucadnezer und dem ägyptiſchen Apis, und die Leibeigenen ſangen, wie die Prieſter des Apis bei ſeinem Grabe:

Notre boeuf est au tombeau,
Nous en aurons un plus beau! *)

Unſere beſſere Zeit hat das alte Kopfgeld, womit die Armuth noch die Kette bezahlen mußte, die ſie feſſelte, nachgelaſſen, die alten Hottentotten-Kraale, wo dieſe Unterthänige vegetirten, haben ſich in reinlichere Menſchen-Wohnungen verwandelt, die Baronen ſehen nach und nach ihre Bauern mehr als Weſen ihrer Gattung an — aber die Frohndienſte? noch ſtehen ſie ſehr leſerlich geſchrieben auf der Stirne des Mecklenburgers. Leibeigenſchaft oder Hbrigkeit hinterläßt Spuren, wie die Sklaverei im Morgenlande, wo nichts verbeſſert — nicht einmal etwas ausgebeſſert wird; man baut da weder neue Wohnungen, noch pflanzt man Bäume, man macht weder Abzugsgraben, noch cultivirt mehr Feld, als unumgänglich nöthig iſt — endlich wird Alles Wüſtenei, und nach dieſem Maßſtabe richtet ſich auch die Bevölkerung. Sein bischen Geld vergräbt man, oder ſteckt's in Strumpf, und wie ſollte man pflanzen, wo man kaum, trotz der großgünſtigen Er-

---

*) Unſer Ochs liegt im Graben,
Bald werden wir einen ſchöneren haben.

taubniß, sich selbst fortpflanzen mag, obgleich der
Schöpfer selbst das::Seyd fruchtbar, und mehret
euch, ins Herz und Blut geschrieben hat; Gesellschaft,
Staat und Freiheit können einmal nicht zusammen=
gehen, und die Mehrzahl gleicht mehr oder weniger den
Gefangenen, nur die Aufseher sind frei — man
sollte daher nicht so viel von Freiheit fabeln. Das Lob der
Gesundheit vor einem Krankenbette ist ein schlechter Trost
für den Kranken — und wenn man einmal Schaf ist,
so ist das „Leide und dulde!" besser, als das Murren,
daß man nicht Löwe oder Tiger ist, wenn nur nicht die
Karbatsche, wie einst in Liefland, das ganze Corpus
juris ausmacht, oder gar die Sclaverei in der bewunderten
Welt der Alten, wo der Mensch andern Menschen nichts
mehr war, als was — unsere Hausthiere!

Mecklenburg gehört zu den fruchtbarsten norddeutschen
Staaten, das leicht, statt 476000 Seelen (wenn anders die
Angabe nicht zu hoch ist), wenigstens Eine Million zählen
könnte, — ohne das jus trium liberorum einzuführen —
denn bei vernünftiger National=Oekonomie braucht es keiner
künstlichen Bevölkerungs=Mittel und der Mensch gleicht
einer Waare, die, wenn sie gut abgeht, auch gut verarbeitet
wird, aber die Laßbauern! Wahrlich mit dem Adel
muß es zu Ehren unserer Zeit anders werden, jedoch nicht
mit dem Adel allein, sondern auch mit den Städten,
(etwa 46) und selbst Kaufleuten und Advocaten; die
zu große ungebaute Besitzungen haben. Der Kornhandel
auf der Ostsee nach England, Frankreich rc. hat abgenom=
men, die Ostsee=Provinzen, und so auch Mecklenburg
würden sich am besten darüber trösten können, wenn sie
die innere Consumtion vermehrten, die durch Vertheilung
der allzugroßen Ländereien und durch Begünstigung der Manu=
facturisten entstehen würde. Hamburg und Lübeck bleiben stets
schlimme Nebenbuhler, und die größern nordischen Staaten
brauchen ohnehin keine M. Mittler. Die Großherzoglichen Do=
mainen mögen 4/10 des Landes betragen, die des Adels 5/10

und die der Städte ¹/₁₀. Es ist indessen ein schöner Vorzug der sonst sonderbaren Verfassung, daß weder der Bürgerliche, noch der Ausländer vom Ankauf der Rittergüter ausgeschlossen ist, und so nimmt die Zahl der bürgerlichen Gutsbesitzer mit jedem Jahre zu, und die der Adeligen ab. Wird der Bauer noch Eigenthümer, so muß sich dessen physische und moralische Cultur von selbst verbessern. Ein Mecklenburger selbst sagt von den Schulstuben auf den Dörfern, daß die Pferdeställe auf den Rittergütern weit reinlicher und geordneter wären! Richte man also einstweilen jene wenigstens nach diesen — aber Stallmeister haben 500 Thaler — Schulmeister kaum 50 Thaler. Steht es anderer Orte mit dem Schulstande besser? Noch lange nicht, wie es seyn sollte, und der Schullehrer, wichtiger als der Prediger, ist noch lange nicht in die gebührende Ehre und Besoldung gesetzt. Wie lange ist es, daß noch der Schullehrer dem Pfarrer das war, was der Amtsdiener dem Amtmann? und wenn Sonntags dieser an die Tafel seines Land-Edelmanns gezogen wird — wer hat je daran gedacht, daß jener Gleiches verdiene? Und der Gehalt? man scheint sich den Satz gemerkt zu haben, daß nach Frank die Ausdünstung junger Leute wohlthätig für die Gesundheit seye und verjüngen solle; je enger, niederer, voller die Schulstube, desto dichter ist die Lebensluft, folglich kann sie als pars Salarii angeschlagen werden, und Gesundheit ist unschätzbar!

Mecklenburg erwarb sich durch die ewigen Händel mit Ritterschaft und Landschaft den Titel „das Streitländlein," woran die Menge der Advocaten ihren guten Antheil nehmen mochte, und Wetzlar und Wien sich auch nicht übel standen. Im nordischen Kriege vermehrte Schwerin die Truppen bis auf 14000 Mann, und auf Klagen gab es Reichs-Execution, und der Herzog wurde der Regierung entsetzt. Der zahlreiche Adel machte Mecklenburg auch zur wahren adeligen Vorrathskam-

mer für den deutschen Süden, wie Deutschland zur Vor-
rathskammer von Prinzessinnen für ganz Europa.
Ritterschaftliche Familien sollen 112 seyn, und der adeligen Güter 594, beinahe die Hälfte des Landes! Kein Wunder, wenn der Adel auswanderte. und so gerne nach dem
Süden ging! Würtemberg nahm auch viele auf, jetzt aber,
wo wir einheimischen Adel zur Genüge haben, der
doch süddeutscher denkt und handelt, hoffe ich, wird
man jene Obotritischen Herrn nicht mehr so weit bemühen,
sie selbst werden. so klug seyn, sich der Landwirthschaft
zu befleißigen, und einen schönen Wald, Acker, Wiesen und
Obstbäume für solider zu halten als einen — Stammbaum oder Hofdienst; die Scharlach-Uniform mit schwar-
zem Sammt und großen goldenen Epauleten bleibt ihm ja!
    Mecklenburg ist ein weites Flachland, die Küsten be-
gränzen Sanddünen, und durch die Mitte zieht sich ein
Landrücken nach der Elbe, nördlich aber ist es abgedacht,
mit vielen Gewässern ohne rechtes Gefälle, daher die vielen Seen. Ein Friedrich hätte längst Canäle gezogen,
und trocken gelegt, Mecklenburg zählte längst dann,
neben Zerschlagung der vielen allzugroßen Rittergüter — Eine Million Menschen! Ueberall in Deutschland scheint mir, Viehzucht und Ackerbau ausgenommen,
der Kunstfleiß höher zu stehen, die hier nur auf die
nöthigsten Gewerbe beschränkt ist. Die Haupt-Ausfuhr
besteht in Getraide (20,000 Lasten in guten Jahren);
Hafer, Gerste, Butter, Käse, meist nach Preußen, und
Rostocker-Aepfel nach dem Norden, etwas Holz auf der
Elbe, Wolle, Flachs, Tabak, Pferde, Schweine, fette Hämmel, Gänsebrüste, Schinken, Würste, Erbsen, Linsen 2c. Die
Ausfuhr soll der Einfuhr im Durchschnitt gleichkommen, wenn
die Getraidepreiße nicht zu niedrig stehen. Das Volk lebt
meist von Kartoffeln und dürrem Obst, von Weißkraut,
Rüben und Pferdebohnen! Die Faba equina ist ein
herrliches Pferdefutter — Matrosen, die es oft härter
haben als Gäule, werden auch damit abgespeist — aber

Landvolk? ich habe gelegentlich mitgespeist — und danke schönstens. Man kennt das Bohnen=Verbot des Pythagoras, und wie die Philologen sich die Köpfe darüber zerbrochen haben; die beste Erklärung bleibt immer, daß der dunkle Philosoph damit sagen wollte: „Mische dich nicht in Staats=Geschäfte" (die Wahl zu Aemtern geschahe durch Bohnen), und so kann man die Mecklenburger Fabii ihre Bohnen ruhig essen lassen!

Mecklenburg hatte im 30jährigen Kriege, im nordischen und 7jährigen Kriege viel auszustehen, und zuletzt nahm es noch Napoleon in Beschlag! Jetzt sieht Mecklenburg erfreulichern Zeiten entgegen, sogar, die — Aufhebung der Leibeigenschaft ist tandem aliquando. 1820 öffentlich ausgesprochen worden, aber der' nahrungslose Hörige will auch dotiret seyn; folglich müssen die guten Folgen — erst folgen. Mecklenburg wird blühen, wenn der kleinere Landmann auf den zahlreichen Rittergütern sich so gut seines Lebens freuen kann, als auf den groß= herzoglichen Domainen, wo dessen Loos auf die humanste Weise bestimmt worden ist, und dadurch der Landeskassen sich am ehesten füllen. Die Regierung hat Ausländer zum Güter=Ankauf eingeladen, aber leider! verzehren diese die Einkünfte auch wieder im Auslande! Längst leuchtete Holstein in Ansehung der möglichsten Vernichtung der alten Feudalität vor — und jetzt auch Preußen — beides Nachbarn, und Mecklenburgs humane populäre Fürsten sollten es jetzt nicht auch so weit bringen können? Es müssen durchgreifendere Maßregeln ergriffen werden, als die Verordnung von 1811 ist, welche Staatsbeamten und Höflingen mehr Religiosität und häufigern Genuß des heiligen Abendmahls einschärfet, und den Großherzogen wünsche ich Männer, wie Kanzler D. Wiedemann war, der stark wider die Werbungen für Frankreich sprach — der Herzog drohte mit Absetzung und Verhaft, Wiedemann aber erwiderte: „den Kanzler können Sie mir nehmen, aber nicht den Doctor,"

und zog nach Lübeck! Solche Männer werden schon bessere
Verhältnisse herbeiführen zwischen den Cavaliers und
Roundheads!

Die Mecklenburger sind ein schöner starker Menschen=
schlag, man stößt noch auf lockige blonde, ächte Nachkömm=
linge der Leute, deren aurea Caesaries den römischen
Zierbengeln so willkommen war; die Sprache ist platt.
Verdammt phlegmatisch, langsam, kalt und schwerfällig
erscheint das Volk, wie es bei diesem Clima, der groben
Nahrung, und der Pest der Gesellschaft, den Folgen der
Leibeigenschaft, kaum anders zu erwarten ist. Der preuß=
sische Nachbar pflegt auch den Mecklenburger für so ein
Bischen dumm und einfältig zu halten, weil er aller=
dings weniger gewandt, und etwas schwerfällig er=
scheint, und erscheinen muß bei diesem Himmelsstrich und
seiner Lebensweise, denn er lebt fast allein dem Acker=
bau, bei Mehlspeise, Kartoffelbrei, Pferdebohnen und
Dünn=Bier. Geräuchertes Fleisch wechselt mit gesalzenem,
Butter=Brod mit Käse, und das Gemüße schwimmt im
Fett, und alles in reicher Menge. Solche Esser — erschei=
nen auch gerne grob und derbe, und die platte Sprache
muß wie in Pommern, den Schein noch vermehren — aber
es ist doch mehr Schein, und altdeutsche Bieder=
keit macht Alles wieder gut. Man hört wenig von gro=
ßen Verbrechen — von Mord und Todtschlag — höchstens
von Diebereien, wo Pferdediebstahl oben ansteht, und
über Luxus kann in Mecklenburg im Ganzen genommen
nicht Klage seyn. Man beschuldigt im Norden selbst den
Adel jener Fehler, und etwas könnte daran seyn, da so
viele gleichfalls sich der Landwirthschaft widmen — aber
im Süden dachte man anders, wie wären sonst so viele
Mecklenburger an Höfen? Was das schöne Geschlecht an=
gehet, so scheint mir am ganzen Ufer der Ostsee das Clima
dem Teint eben nicht günstig, die rauhen Winde rauben
der Haut ihren Sammt, und tragen das Roth zu stark
auf — Rosen und Lilien können da nicht gedeihen! Sie

werden auch leicht zu fett, oder um galanter zu sprechen, bekommen zu viel Embonpoint! mais — Brantome, der so übel von Damen gesprochen hat, lehrt in einem eigenen Capitel: qu'il ne faut jamais parler mal des Dames! *)

Mecklenburg hat noch keine ständische Verfassung im heutigen Sinne, daher auch keinen öffentlichen Finanz-Etat, und die Staatsschuld wird zu sechs Millionen Thalern angegeben. Die Ritter vertreten ihre Leibeigne, wie jede Stadt ihre Bürger, und das wichtige Landmarschall-Amt ist erblich bei den Familien Lützow, Mahlzahn und Hahn. Der Adel, der Thaers rationelle Landwirthschaft aus dem Grunde versteht, verstand bisher auch vollkommen die minder rationelle Art, mit Hörigen umzugehn, und früher auf ziemlich grelle Art. Diese Hörigen waren vor der Revolution nicht besser als Kartoffelsäcke, und wurden gedroschen, wie Kornbunde. Die lange Gewohnheit machte, daß diese Obotritischen Menschen und Menscher selbst nicht einmal sich nach größerer Freiheit sehnten, da der Gutsherr für Alles sorgte, für Stall und Strohsack, für Kittel und Baarfüße, für Futter und Dünn-Bier, und nicht selten auch für — Kinder. Ich habe nicht erfahren können, ob die Ehe der Hörigen mit einem eignen uneblen Wort bezeichnet worden, wie etwa im Mittelalter, wo sie nicht Matrimonium, sondern nur Contubernium genannt wurde!

Und doch kenne ich im Süden noch weit schmählichere Leibeigenschaft und Hörigkeit, wo der Jude Grundstücke kaufen darf, die er nicht selbst bewirthschaftet, sondern zerschlägt, und theilweise an arme Landleute verkauft. Schon dadurch macht er großen Profit, nun läßt er noch den Kaufpreis auf dem Gütchen stehen gegen Prozente, die nichts weniger als landesüblich sind — er gibt noch Vieh und Kleidungsstücke — hält der Arme nicht mit den

_____

*) Daß man nie übel von den Damen sprechen müße.

Wucherzinsen ein — er kann es kaum bei aller Arbeit —
so zieht der Jude das Gütchen wieder an sich, und ruinirt
damit den zweiten und dritten! Der Hörige des Adels ist
immer noch besser daran, selbst der Sclave in den Colonien!

Mecklenburg-Schwerin erhielt in der großen deutschen
Erbtheilung 1803 für seine zwei Canonicate am
Straßburger Dom-Capitel die enclavirten sieben Dörfer
des Spitals Lübeck, eine Rente von 10,000 Thalern auf
die Rhein-Octroi, und den Titel Großherzog. Im
siebenjährigen Krieg erklärte sich Mecklenburg aus Haß
wegen gewaltsamer Werbungen gegen Preußen, und hatte
vom Herrn Erbbruder viel auszustehen — im Teschner
Frieden erhielt es für seine Ansprüche das Jus de non
appellando, wovon jedoch die Stände keinen Gebrauch
machen ließen, folglich kam es in der großen Erbtheilung
1803 immer noch gut weg, und unendlich besser als
Herzog Albrecht, der Kaiser Carl IV. große Opfer brachte,
und dafür des heiligen Römischen Reichs Erb-
vorschneider wurde! Der Herzog war einer der letzten
Fürsten, die zum Rheinbund traten, und rühmlichst der
Erste, der sich lossagte von Frankreich. Mecklenburg-Stre-
litz entsagte zu Gunsten Preußens der ihm jenseits des
Rheins versprochenen Vergrößerung mit 10,000 Seelen, gegen
einige preußische Enclaven und eine Million Thaler, womit
wohl die Staatsschuld getilget werden könnte. Es
war gut, sonst hätten wir auch noch ein Rhein-Meck-
lenburg.

Das Contingent beträgt 4300 Mann, Schwerin hält
ungefähr 3000 Mann — Strelitz nur 100 nebst 35 Husaren als Landjäger, denn das gehässige Wort Gensd'armes soll aus deutscher Sprache verbannt seyn. Möchte
das Auflagen- und Militär-System im deutschen Vaterlande allerwärts so wenig drückend, und allerwärts solche
Väter des Vaterlandes seyn, wie die Großherzoge von
Schwerin und Strelitz sind. Unerwähnt darf auch die
eigene lobenswerthe Versorgungs-Anstalt unver-

heiratheter Töchter des Adels in den vier Klöstern oder Stiftern Dobbertin, Malchow, Ribniz und Rostock nicht bleiben — in allem 239 Stellen, worunter 20 bürgerliche seyn werden. Zur Reformationszeit sollten sie für alle seyn, aber es ging damit, wie mit den Canonikaten an Domstiftern; der Bürger wurde verdrängt vom Adel, selbst wenn er pro gradu disputirt hatte und ein Herr Doktor war. Wir wollen den Adel nicht verdrängen — nicht einmal von Abwechslung sprechen — aber von gleicher Theilnahme wird man sprechen dürfen?

Von Schwerin ging ich über Gadebusch und Ratzeburg nach Lübeck. Ratzeburg, ehemals Bißthum, wie Schwerin, gehört nur dem kleinsten Theile nach zu Mecklenburg (nur der Palmberg und Domhof), alles Uebrige ist Lauenburgisch oder Dänisch. Ratzeburg ist ein liebes angenehmes Städtchen von 2000 Seelen in recht malerischer Lage am waldumgränzten See, aus dem die Wakenitz nach der Trave und Lübeck fließt, folglich dem Städtchen eine bequeme Wasserstraße nach dieser Hansestadt und der Ostsee verschafft. Im Dom stehen am Altar eilf Apostel von getriebenem Silber, wovon der zwölfte in alle Welt gegangen ist, daher ein schauderhafter Theologen-Fluch an der leeren Stelle steht, schauderhafter als der des Bischofs Ernulf im Tristram Shandy, oder die Flüche der heiligen Alten auf den Siebenhügeln! Neben diesen christlichen Alterthümern zeigt man auch die ausgegrabenen Götter der Obotriten aus dem Tempel zu Rhetra, den Kriegsgott Radegast, und Sieba, die Venus der Wenden, die natürlich nicht von Praxiteles seyn kann. Campe nennt das liebliche Ratzeburg doch allzuwitzig eine glatte glänzende Schüssel mit Krebsen, und Petersilien umher! Krebse sind Insekten, daher wundert mich, daß Campe nicht von Kerbthieren gesprochen hat!

Unter den alten Bischöfen Ratzeburgs kommen drei

aus der Familie Blücher vor in den Jahren 1256 bis
1367. Unser Blücher verrichtete nur militärische Wunder,
jene aber, wie sich nicht anders erwarten läßt, geistlich
heilige Wunder. Bischof Ulrich gab einst der Armuth so
viel Korn, daß der Haushofmeister die Späterkommenden
abweisen mußte, — weil der Speicher leer sey, der Bischof
befahl ihm, doch noch einmal nachzusehen — und siehe
der Speicher war so gestopft voll Korn, wie gegenwärtig
die Speicher der Herrschaften bei den niedrigen Frucht=
preisen, und um die Rubriken Schwand und Mäuse=
fraß bekümmerte er sich ohnehin nicht. Bischof Wipert
war so jung, als man ihn wählte, daß der Papst die
Bestättigung verweigerte — siehe! da bekam der junge hoch=
würdige Herr über Nacht — graue Haare, und der
heilige Vater erkannte den Finger Gottes!

Man wird mich hoffentlich nicht mißdeuten, wenn ich
von diesen frommen Bischöfen hinweg unmittelbar das
Grab eines Erzschelmen besuchte, dessen kleines
Werkchen eines der ersten — nicht geistlichen Bücher
war, das mir als Knabe in die Hände fiel. Millionen
Menschen, die von Leibniz nie etwas gehört, geschweige
gelesen haben, kennen es besser, als die hoch = und tiefge=
lehrtesten Gelehrten, ob es gleich lachend und in der Mut=
tersprache Dinge sagt, die mehr Verstand enthalten, als
hundert lateinisch=griechische Folianten — dieser Erzschelm ist
Till Eulenspiegel. Fast alle Nationen haben ihren Eu=
lenspiegel. Aesop war der Eulenspiegel der Griechen und
Römer, Bertholdo der der Italiener, Maitre Gonin
der der Franzosen, die eigentlich mehr tours d'Espéigel
(Eulenspiegeleien) haben, und auch Britten sind nicht leer,
aber Eulenspiegel ist versteckt hinter ihrem Howleglass —
alle aber stehen tief unter unserm Herrn Timotheus, vulgo
Till. Nur Democrit stand höher, der neben seinem
lustigen Humor auch wissenschaftliche Kenntniß besaß, aber
dennoch von den Abderiten, wo nicht für einen Narren,
doch für einen Sonderling gehalten wurde, obgleich Hip=

pokrates erklärte, daß er der Gescheiteste aller Abderiten sey!

Till soll im Braunschweigischen geboren (vielleicht hat
er gar Schöppenstädt in den übeln Ruf gebracht) und
1350 zu Möllen gestorben seyn, hat aber weit wahrscheinlicher gar nicht gelebt, ob sich gleich sieben Städte,
wie wegen Homers, um die Ehre seine Geburtsstadt zu
zu seyn gestritten haben. Indessen wird doch der Name
Vhlenspegele in mehreren Dortmunder Urkunden gefunden. Gerade weil an der Kirchenmauer zu Möllen
vormals ein Grabstein mit Eule und Spiegel stand,
zweifle ich am Daseyn des Lachers, und glaube, daß die
altdeutschen Schwänke nur unter seinem Namen gesammelt
sind. Sie erschienen zuerst in plattdeutscher Sprache 1483,
dann hochdeutsch 1519 vom lustigen Franziskaner Murner,
und zuletzt in allen europäischen Sprachen. Vergebens
fahndete ich nach einem plattdeutschen gedruckten
Eulenspiegel, da sein Bild gestochen und gemalt
hier ausgeboten, und vermuthlich auch lebendig zu finden seyn wird, aber das Büchlein war ich nicht so glücklich aufzutreiben. Der Geist führte mich nach dem nur
drei Stunden von Ratzeburg entfernten Möllen, das tief
im Grunde und an einem See liegt; aber der Grabstein
ist nicht mehr, selbst die alte Linde ist gefallen in wilder
Kriegszeit, und zu Wachtfeuern gebraucht worden, in die
sonst jeder einen Nagel zu schlagen pflegte, wie zu Wien
in Stock am Eisen, als ob jeder die eigne Narrenkappe
am Grabe eines Mannes aufhängen wollte, der nichts weniger als Narr war, wenn er je gewesen ist. Ob die hölzerne Trinkkanne noch vorhanden ist mit einer so
engen Oeffnung, daß die Nase darüber hinwegsehen mußte,
wie bei Champagnergläsern, die der Storch erfunden hat —
weiß ich nicht. Eulenspiegel soll sie haben machen lassen,
weil man ihm nachsagte: „er habe stets die Nase in
der Kanne!"

Armer Till! die Welt ist jetzt so ernst und klug, daß

sie deine luftigen Streiche dir übler nimmt, als sie
schlechte übel nehmen würde, die du meines Wissens
nie begangen hast! Die Höfe haben die öffentlichen
Narren en titre d'Office *) abgeschafft, die zuviel
Wahrheit zeigten — die Fürsten nahmen sie einst mit
in ihre Geheime-Raths-Sitzungen, und Claus
Narr wurde in der sächsischen Landestheilung sogar zu
80,000 Thalern angeschlagen — uns — ist der altdeutsche Humor, der zwar oft unfein und selbst schmutzig,
aber gewiß gediegener und kräftiger war, als jetzt, viel
zu derbe, wie die Wahrheit, und nur das Volk beken-
net sich noch einfältig zu seinem Narren, und du, mein
lieber Till! stehst oben an, was mich freuet. Du bist
hinüber, lustiger Bruder! und wäre ich reich, ich errichtete
dir in meinem Park ein Grabmal, da das zu Möllen eingegangen ist, neben andern Denkmälern, an welche die-
nigen, die solche errichten könnten, am wenigsten denken
— dir errichtete ich aber das schönste, denn du lehrtest
mich mehr, als die ernstesten, tiefgehendsten Philosophen
— die Kunst an Sachen und Personen die beste oder lu-
stigste Seite herauszusuchen, das beste Recept gegen
den Teufel der üblen Laune! und alles Brastes,
der das Herz verzehret! Und ist die Eule nicht noch heute
der Vogel der Minerva so gut als zu Athen, mit ihrer
nachsinnenden Physiognomie, Liebe zur Stille und Einsamkeit, und selbst Lichtscheue? Diese findet in unserer
mystischen Zeit so viele Nachahmer, daß wir gar wohl
von Eulen-Philosophie sprechen dürften, schlechter
wahrlich als des guten alten freisinnigen Till — Eu-
lenspiegelei!!

*) Von Amtswegen.

Dreißigster Brief.

Streiferei im Herzogthum Holstein.

———

Bekanntlich ist der König der Dänen wegen Holstein, das zu 135 Quadratmeilen mit 360,000 Seelen geschätzt ist, und wegen Lauenburg, das ihm zur Entschädigung für Norwegen wurde, Mitglied des Bundes der Deutschen, aber Holsteiner selbst nennen sich lieber Dänen, wie die Vorpommern Schweden, was einen Deutschen gegen diese Deutsche verstimmen kann und gegen seine Verfassung. Lauenburg beträgt nur 22 Quadratmeilen mit 56,000 Seelen, und besteht aus vier Aemtern, Ratzeburg, Lauenburg, Schwarzenbeck und Steinhorst. Der König bezieht aus diesen deutschen Ländern, denen er ständische Verfassung zugesichert hat, gegen drei Millionen Gulden, und sein Contingent beträgt 3,600 Mann. Das Herzogthum Schleswig gehört zwar nicht mehr zu Deutschland, ist aber noch heute mehr deutsch als dänisch, hat hie und da recht schöne Gegenden, und erst hinter Kolbingen in Jütland geht es Dansk zu. Ganz Dänemark gehörte eigentlich zu Deutschland von Naturrechts wegen, wie Niederlande und Schweiz, oder Portugal zu Spanien, und Italien sich selbst. Es gäbe sicher weniger Kriege, wenn Staaten die Natur befragten, und wir hätten wahrscheinlich nur zehn Nationen in Europa, wenn die Nationen befragt würden. Dänen sind fortgesetzte Norddeutsche, und ihre Inseln der deutsche Archipel, den Vater Ocean im Zorne bildete, und die Cimbrer nöthigte auszuwandern. — Aber hier ist mein Thule, und wahrscheinlich auch das Thule der Alten! Lauenburg, das bis 1689 eigene Herzoge hatte, ist kein gesegnetes Land, Holstein viel ähnlich, und was am südlichen Ufer der Elbe liegt, Hannover geblieben. Die Marschen an der Elbe aber sind fruchtbar; um den Raße burger See, und an der Stecknitz wird viel Obst gebaut, das nach Rußland geht, und der sogenannte Sachsenwald liefert schöne Eichen und Buchen. Lauenburg, die Stadt, liegt an der Poststraße von Berlin nach Hamburg, auf einer angenehmen Anhöhe, mit 3000 Seelen und einem verfallenen Schloß; hier mündet der Stecknitz=Canal in die Elbe, der Canal zwischen Lüneburg und Lübeck ist aber für Lauenburg noch wichtiger. Der Elbezoll soll 74,000 fl. tragen — trägt selbst der Sundzoll nicht mehr als 160,000 Thaler. Aber auf den Canälen geht es so langsam zu, daß viele das Fuhrwesen auf der Achse vorziehen. Das Lauenburgische zählt nicht weniger denn 22 Rittergü= ter (daher die geringe Bevölkerung), und die Dörfchen Bülow und Bernstorf sind die Stammorte zweier berühmten Familien, wovon die letztere für Dänemark wichtig geworden ist. Oheim und Neffe, als Minister, gründeten, neben Stollberg und Oeder, die Freiheit und das Eigenthumsrecht des Landmannes, wo man anderwärts noch gar nicht an diese Hauptquelle des Wohlstandes dachte, und ein Feudal=Baron schrieb: „J'ob- serve mes villageois, ces sont des boefs, qui labourent, puis vont à la messe et au cabaret et s'en retournent à leurs étables." *) Oheim und Neffe wurden entlaß= sen, weil Leibarzt Struensee höher steigen wollte, um — auf dem Schaffot zu fallen!

Holstein, Carl des Großen Nord-Albingia, vor den Thoren Lübeck's und Hamburgs, schildern viele Reisende als eine nördliche Schweiz, wozu sie allein Milch, Butter und Käse verleiten konnte, Risbek aber, der nie einen Fuß auf holsteinische Erde setzte, verkleinert es...

---

*) Meine Bauern sind Ochsen, die arbeiten, nachher in die Messe und die Schenke gehen, und dann wieder zurück= kommen in ihren Stall.

An die Schweiz konnte ich hier einmal nicht denken, so oft ich mir auch zu Hause das Gewölbe am Horizont als Alpen denke, und die Dünste im Thal — als Genfersee, wohl aber viel an die Hünengräber, in Troja's Ebenen, von denen Vater Homer so schöne Fabeln erzählt, und bei welchen Alexander weinte, daß er keinen Homer finden werde. Holstein ist im Ganzen eine weite Heide, hie und da trauriger als die Lüneburger, und der östliche Theil allein mag schön genannt werden wegen seiner Seen und Hügel, deren Anblick aber die leidigen Kniken (lebendige Hecken) gar oft verstecken. Der Westen ist wenigstens fett, aber die Mitte des Landes eitel Sand, Heide und Moorland, das Clima rauh, die veränderliche Witterung nicht angeschlagen, eine Folge der Lage zwischen zwei Meeren. Der September ist der angenehmste Monat, den daher Klopstock den nordischen May nennet. Und nun erst die Moor-Wege oder Mord-Wege? Man überläßt hier den Wagenrädern die Sorge, die Granitsteine einzustampfen, und wenn darüber selbst die Federn der Taschenuhr springen sollten; folglich muß ich der Ableitung des Namens Holstein beitreten — Hohl (der Teufel) de Steene!

Nirgendswo, selbst auf der Lüneburger Haide nicht, macht man so viele Kreuz- und Quer-Züge, und man sieht oft, wie auf Flüssen, den Ort vor der Nase, ist aber noch lange nicht zur Stelle. Das scheußliche Holsteiner Landmeer zieht durch den ganzen Cimbrischen Chersones hinab bis zur Landspitze Skagen, und man kann sich hier verirren, wie mitten auf dem Meere. Die Geleise sind so schmal, daß die Pferde nothwendig lahm oder beinschädig werden müssen. Man sagt von englischen Pferden, daß sie seit der Mode des Schweifstutzens ihre Füllen mit einigen Wirbelbeinen weniger im Steiße zur Welt förderten — vielleicht ahmen die Holsteinischen Pferde nach, und bringen einen Vorderfuß und einen Hinterfuß um einige Zoll länger oder kürzer, als die beiden

andern, so ginge es dann besser im Geleise. Der gemeine
Mann trägt Holzschuhe, und so erspart er sich Husten
und Schnupfen, und noch das Leder obendrein. Gewiß
nimmt es kein Reisender den Cimbern übel, daß sie
Gallien und Italien vorgezogen, hätten sie sich nur nicht
von den Teutonen getrennet, und darüber mehr Land
erhalten, als sie verlangten, das ihnen Niemand mehr streitig machte!

Ob wohl schon der Raum berechnet worden ist,
den die vielen lebendigen Hecken der Cultur rauben,
wie die allzubreiten Kunststraßen und allzuvielen Vicinal-
Wege? Diese Hecken verhindern noch den Luftzug, der
Schnee häuft sich um sie her, und schmilzt später, der
Schatten schadet den Pflanzen, Millionen Insecten nisten
da, zerstören die zarten Wurzeln der Saaten, und Marder und Wiesel wohnen in den Erdwällen, wie in sichern
Burgen neben einem ungeheuren Vogel-Heer. Nirgendswo habe ich so viele Raben und Krähen beieinander
gesehen, als in Holstein; es wundert mich, daß nicht mehr
Britten dieser weiten Rookery zu Gefallen reisen, da sie
so viel melancholisches Vergnügen an dem Gekrächze finden,
daß sie eigne Colonien auf ihren Landsitzen anlegen. Ist
die Nutzung des Gehölzes zu Reifern, Faßreifen und die
Haselnuß Entschädigung? Es ist gut, wenn man nach
Holstein reiset, die Worte Pope's zu erwägen: Blessed,
who exspects nothing, for he shall never be disap-
pointed! *)

Unerwartet traurig war der Weg bis Segeberg
(Siegberg), das sich um seinen Kalkberg herumzieht, der
hier einem Riesen gleicht, ob er gleich nur 200' hoch ist,
vorüber Oldesloe, der einzigen Saline des Dänischen Staates. Nun aber erscheinen die schönen Landseen

---

*) Wohl dem, der nichts erwartet, denn seine Hoffnung wird
nicht zu Schanden.

nud waldigen Hügel, und die Krone ist der Ploen See,
bier Meilen im Umkreis, der reizendste Fleck Holsteins,
der sich mit jedem süddeutschen messen darf. Ploen
liegt auf einer Erdzunge, zwischen dem großen und kleinen
See, der auch Bischofssee heißt, wie die kleine Insel
Bischofswerder, wo der berühmte Heidenlehrer Vicelin
unter einer großen Buche lebte; beide Seen verbindet
das Swentine Flößchen. Auf einer Anhöhe stolzirt das
alte herzogliche Schloß, Dörfer, Hügel, Wälder gruppiren
sich um den schönen See, in dem einige romantische Inselchen liegen, deren eines von einer Gärtner Familie bewohnt
wird. Den Ascheberg an diesem See hat Hirschberg
geschildert, und die Gelehrten haben ihn gar zum Olymp
der Asen erhoben. Graf Ranzau schuf die Anlagen,
der zuerst die Leibeigenschaft aufhob 1739, und nach
einer Generation verdoppelte sich die Bevölkerung auf seinen
Gütern, 1760 befanden sich 200 Menschen da, und 28
Jahre später 1050! Die Aufhebung ist keine Gnade, sondern
Pflicht, denn es ist ein verjährter Mißbrauch, vi, clam, et
precario *) entstanden — eine Pflicht, die sich sogar belah-
net . . . Graf Ranzau baute auch zu Dersau eine Schwei-
zerhütte für den verfolgten Maitre Jean Jacques, der aber
die Einladung nicht einmal beantwortete. Mit Recht nannte
ihn Md. d'Epinay, deren Hermitage im Thale von Montmorency der Misanthrop vielleicht auch ausgeschlagen hätte
ohne seine verliebte Complexion. — Mon Ours, **)
Ich kann meinem Jugend-Liebling alle Sonderbarkeiten
verzeihen, nur nicht, daß der Verfasser des Emil seine
fünf Kinder — ins Findelhaus schickte!

Die Wasserwelt um Ploen muß jedem unverdorbenen
Auge gefallen, wie schon die vielen Landgüter um den See beweisen, wo auch der treffliche Graf von Schmettau lebte, (er

---

*) Durch Gewalt, heimlich und ohne Rechts-Titel.
**) Mein Bär.

ſtarb' 1794) — und nun erſt eine Luſtfahrt auf dem See?
der See liefert auch die berühmten Rauchaale — aber
ich glaube doch eine länger hier weilende Städterin hatte
nicht Unrecht zu ſagen: „Man müßte Fiſch oder
Halbfiſch ſeyn, um ſich zu gefallen." Sagte
nicht ſelbſt jener neapolitaniſche Karthäuſer von ſeiner
Götter-Ausſicht — Transeuntibus? *) Es herrſcht zu wenig
Leben auf dieſem ſchönen weiten See von Ploen, und auf
den übrigen ohnehin, deren Holſtein vielleicht über hundert
zählet. — An dieſem See ſtiegen an einem ſchönen Früh-
lingstage aus dem Schilfe Milliarden Ephemeren wie
Rauchſäulen empor — tanzen den ganzen Tag hindurch
und Abends — ſind ſie nicht mehr. Hinter Lüdgenburg
erblicken wir das heilige Meer — arbeitende Fiſcherböte;
ſchimmernde Segel — die Inſeln Femern und Langeland.
— Und wenn erſt Sonne oder Mond herabſchauen auf
die unermeßliche Fläche? Have!

Eine Fahrt nach Kiel iſt die zweite ſchöne Partie,
die ganze Umgegend maleriſch, ſelbſt üppig — die ſchön
gebaute Stadt, die Waldhöhe Düſternbrook mit einer
Obſtbäume-Pflanzung — ein Werk Hirſchfelds — der
Holſteiniſche Canal, und die keilförmige Bucht, von
der wahrſcheinlich Kiel ſeinen Namen hat: Es iſt hier
viel Schiffbau, der Hafen lebendig und der Handel bedeutender als die Univerſität, die kaum 200 Studierende
zählt, meiſt Inländer. Der Name Kiel könnte auch
vom unterſten Grund-Balken des Schiffs kommen —
von den Federkielen der Univerſität kommt er einmal
nicht. Ich feierte hier das Andenken Hirſchbergs, und
gewiß jeder Gartenfreund mit mir. Er entſchlief
1792 zu Düſternbrock, wo er ſeine 6 letzten Jahre zuge-
bracht hatte, ſo ſanft, als ſein ganzes Leben war. Sein
Landleben und ſein Winter gewähren noch jetzt Genuß,

---

*) Für den vorübergehenden Wanderer.

fein bleibendes Denkmal. Aber mehr als Watelet und
Delilles Jardins oder l'homme des Champs ist feste
Theorie der Gartenkunst, die den Sinn dafür in
ganz Deutschland erweckt hat. Gewiß ist es eine edlere
Freude ein Stück Erde um seine Wohnung zu verschönern,
als in Wäldern zu jagen oder Ritter-Gelage zu feiern
— und le luxe de l'Agriculture, *) wie Delille die Gartenkunst nennt, besser als anderer Luxus. In Hinsicht des
ästhetischen Eindrucks schwingt sie sich sogar über der Bau-
und Maler-Kunst zu stehen, denn sie ist eine wirkliche
Landschaftsmalerei, ächte Poesie; und war das Paradies
etwas Anderes als ein Garten? Wenn die Dichter
auch nicht zu höhern Dingen begeisterten, so sind sie schon
schätzenswerth, wenn sie auch nur Liebe zum einfachen
Landleben einflößen, wie Thomson und S. Lambert
durch ihre Jahreszeiten, und Delille!

Kiel zählt 9000 Seelen, seine Sprotten (eine Art
kleiner Heringe von 4 — 5*) und Muscheln gehen durch
ganz Norddeutschland, und die Bäume vor den Häusern
erinnern an Holland, wie mehreres. Das alte Schloß ist
der Universität eingeräumt, und der Garten im altfranzö-
sischen Geschmack dient zur Promenade. Zur Nachtigallen Zeit wird im Park ein Wächter gehalten, was
Nachahmung verdient. Ich liebe die holländische Sitte,
die tilia hollandica vor die Häuser und in die Straßen
zu pflanzen, und begreife Sir Marschall nicht, der
solche abscheulich findet — rus in urbe!**) Die Bäume sind
noch lange kein rus, und da deren Blätter die Luft reinigen,
so ist so etwas rus in Städten sogar gut in physischen,
wie in moralischer Beziehung. Philomele sollte
allerwärts so heilig seyn, als in Aegypten die Ibis, sy

*) Der Luxus des Landbaues.
**) Das Land in der Stadt.

C. J. Webers sämmtl. W. VI.
Deutschland III.

Holland, der Storch und die Pennsylvanien die Krähe — aber sie ist selbst Schuld, warum kleidet sie sich nicht geistlich, wie die Schwalbe, und schwalbet? — Ohne Nachtigall kann ich mir keinen schönen Frühlingsabend und kein Mainfest denken. — Plinius schön hat Philomele so meisterhaft geschildert, als Buffon und Marini, und Luther singt:

    Die beste Zeit im Jahr ist mein.
    Da singen alle Vögelein.
    Vorgn die liebe Nachtigall,
    Macht Alles fröhlich überall,
    Sie ist die rechte Sängerin,
    Der Musicen ein Meisterin.

Gewiß! mehr als Catalani und van weit weniger Umständen, und wenn Alle Sonntag höhere Gage bezieht, als ein Minister, so singt Philomele — umsonst.

Niemand sucht wohl zu Kiel eine so reiche Gemäldesammlung von 1200 Gemälden, im Besitze eines Privatmannes, Herrn Schmidt, und ohne die Revolution wäre es auch nicht möglich. Schade! wenn die Sammlung, die neben Niederländern auch mehrere gute Italiener hat, verslittert werden sollte, das reiche aber kunstarme Hamburg sollte sie kaufen. Wenn man bei guter Tageszeit von Kiel absährt — die Poststraße führt ohnehin durch die traurige Heide über Bramstädt und Neumünster — so kann man vor Thorschluß wieder in Hamburg seyn.

Der berühmte Holsteiner Canal beginnt eine Stunde von Kiel bei Friedrichsort, zieht sich dann über Rendsburg, (Reinholdsburg), eine starke Veste auf einer Eider-Insel, an deren Thoren die Worte stehen: Eydora S. Rom. Imp. terminus *) — und mittelst der Eider über Eiderstatt, Friedrichsstadt und Tönningen nach der Nordsee. Die Ehre der Idee gebührt dem Grafen Schimmelmann, und der General Wegner führte sie aus 1777 — 84. Der

-----

*) Die Eyder, Gränze des h. römischen Reichs.

Kanal ist fünf Meilen lang mit sechs Schleußen, oben von 100', in der Tiefe von 10' Breite, und die Einfahrt zieren zwei Marmor-Obelisken mit der Inschrift: Patriae et Populo. Dieser Kanal erspart einen Umweg von 300 Seemeilen durch das Kattegat, folglich Zeit, Kosten und Gefahren, und doch soll der Zoll kaum die Zinsen der 2½ Millionen decken, die er kostete? Ob die kurze Land-fracht auf verbessertem Wege nicht wohlfeiler käme, als die Kanal-Schneckenfahrt von 2½ Tagen? Wir sind hier an der Gränze Deutschlands, überall zwackte man an des heiligen R. Reichs Gränze, und wahrscheinlich hätten es die Dänen nicht besser gemacht, wären sie mäch-tiger gewesen — so blieb hier allein Carls des Großen Gränze unangefaßtet. Die Eider blieb die Gränze, wie die sinesische Mauer, die aber freilich etwas länger ist — 700 deutsche Meilen, gut gegen nomadische Reiter, aber eine reitende Artillerie der Russen würde sie wenig geniren!

Von Kiel geht regelmäßig ein Paketboot nach Kjö-benhaven (Kaufmannshafen), vulgo Kopenhagen, und ist Neptun gut gelaunt, so landet man daselbst nach 30 Stunden; die Hamburger Briefpost braucht gewöhnlich 60 Stunden. Wohl gelüstete mich, die scandischen Brüder zu besuchen, das halbdeutsche Kopenhagen, das von Klop-stock besungene Hellebeck, den Sund mit den hier sich jagenden Segeln (ein Schiff mit vollen Segeln ist schon ein erhabener Anblick, und nun auf einmal hunderte, die sich hier oft bei widrigem Wind anhäufen!), die maleri-schen Küsten Dänemarks und Schwedens — die Ruinen von Tycho Brahe's Uranienburg, Stockholm, dessen Lage einzig ist — eine schöne Stadt, Seen, Inseln, Ostmeer, Paläste, Kirchen, Hafen und dann wieder armselige Hüt-ten zwischen nackten Felsen in wilder Alpen-Natur, und dann das Vaterland Holbergs, diese Schweiz des Nordens, die so selten besucht ist, und die Hauptstadt Christiania, von deren Lage Coxe und Küttner so be-

40 *

geiſtert ſprechen. Die Geſchichte der Normänner ſchon
beflügelt die Imagination, die jetzt Schweden angehören,
aber noch immer freie Männer ſind, mehr als Schweizer, und die Schweden ſelbſt ſind die Franzoſen des
Nordens. Ihr Name ſchon tönt mir lieblich, wahrſcheinlich Jugendeindruck, von dem ich mir jetzt keine
Rechenſchaft zu geben weiß. Lieblich tönt mir das Wort
Morgenland — ich gerieth frühe hinter morgenlän-
diſche Reiſebeſchreibungen — aber auch das Wort Bur-
gund, wovon ich abermals keinen Grund anzugeben weiß,
denn damals wußte man wenig von Champagner und
Burgunder, die ich erſt ſpäter an ihren Quellen kennen
lernte — gerne hätte ich den ſcandiſchen Brüdern perſön-
lich aufgewartet, aber die Eider ſollte auch meine
Gränze bleiben, ſo wollten es die Nornen —

    Deficiente pecu — deficit omne nia! *)

Die ſchönen Anlagen von Schierenſee, wo der
geiſtvolle ruſſiſche Staatsminiſter v. Saldern ſich ein
Elyſium ſchuf, alterten ſchon, als ich ſie ſahe, aber im
Schloſſe mit der Inſchrift: Non sibi sed posteris **) —
war noch ſein Bildniß im Schlafrock und Pelz-Mütze —
ein hübſches Mädchen reicht dem behaglich im Lehnſtuhl
vor ſeinem Schreibtiſch ſitzenden Sohne Epicurs Chocolade, und er ſchmunzelt, wie der alte Kammerherr neben
der Provençalin in Thümmels Reiſen —

    — — — Beglückte Zeit! wir wußten,
  Sie auch zu brauchen, Herr! Kein Mädchen in der Stadt,
  Das wir nicht kannten — — Transeat —
  Cum caeteris — jetzt kommt mein Huſten!

Ob aber hier der ſtolze, heftige, hochfahrende ruſſiſche Mi-

---

  *) Geld im Beutel iſt gut Latein!
    Wem es fehlt, muß wieder heim.
 **) Nicht für ſich, ſondern für die Nachwelt.

nister in seinem Wohnhause mit der Inschrift: Tranquil-
litati — Ruhe gefunden habe? möchte ich bezweifeln, er
fühlte wahrscheinlich selbst die Wahrheit Dessen, was er
auf seine Kapelle setzen ließ: Quietem si quietus!*)

Von hier über Preez nach Eutin begleiten uns
überall lachende Gefilde, Seen und Parks, die Hirschfeld so schön schilderte, aber auch wieder Gegenstände, die
traurig stimmen, the dark and narrow house **). Die
Hünengräber neben Opfer-Altären, von ungeheuren Granitmassen, die in Vierecken aufrecht stehen —
Helden-Hügel von 10—15' Höhe und 100—300' im
Umfange mit Aschenkrügen, Waffen, Geräthen und Ge-
schmeide tief im Innern der Todtenkammer, überwachsen
mit Moos und überschattet von grauen Eichen! Auf den
Opfer-Altären Thors und Wodans schlachteten im
Winter 1813 Kosaken, Baschkiren und Bewohner des
Kaukasus — holsteinische Rinder, Schafe und Schweine
— immer besser als was die Druiden hier schlachteten —
Menschen — Feinde, vielleicht auch eine gestrandete
Iphigenia! Der Gebildete denkt an die Edda, an Balders
Tod, an Lodbroks Todesgesang, an die Walkyren, die
Odins Helden nach Walhalla leiteten und ihnen die Hörner reichten, gefüllt mit Meth — Ossian und seine
Natur-Bilder. Auf dem Hügel steht einsam ein Baum,
und bezeichnet den schlummernden Connal. — Es kräuselt
im Winde sich das Laub, und bestreuet des Todten Grab;
graue Steine sagen: „Hier ruht ein Krieger, und von
ferne rauschet die See." Kein Wunder! wenn hier die
Geister der Abgeschiedenen dem Jäger erscheinen, der einsam über die Heide schleicht. The Sons of the feeble
pass over it, and not know that the Mighty lie there,

---

*) Ruhe findest du, wenn du selbst ruhig bist.
**) Das finstere und enge Haus.

the ghosts swam on gloomy clonds — riders of the
storm — silent is the plain of Death!*)

Heroische Zeiten könnten nicht heroisch seyn, wenn
sich nicht Schwärmerei und Aberglauben einmischte. Die
warmblütigen Griechen glaubten jedes Mährchen von ihren
Achilles, und Ulysses, und sahen die Schatten derselben
neben Hector und Protesilaus herumwandeln in den Ebenen
Troja's — die kaltblütigern Schotten sehen Fingals Geist
im Sturme, und wie Cuthullins Jagd vom Berge fällt,
und hören und fühlen die Stimme seiner Harfe. — So
sind in den Gegenden Holsteins Ossian und Byron gefeierte
Namen, denn der ernste düstere Charakter nordischer Natur,
der trübe rauhe Himmel eines in Nebel gehüllten und von
den Wogen der Nordsee umrauschten Landes, stimmt zu
Klagetönen, und macht empfänglicher für sie, als der heitere, lieber lachende Süden, der die traurigen Druiden und
Nebelgestalten Ossians und Byrons gar nicht kennt, und
sich höchstens in die Phantasien Walter-Scotts verliebt, so
dick sie auch kommen! Der Selbstmord der Britten
— ist er nicht klimatisch, unterstützt von den Genüssen des
Luxus, dem endlich vor allen Genüssen ekelt? In der
Sprache der Miamis und anderer im Norden Amerika's
herumziehender Nomaden ist Schlaf, Kälte, Tod fast
gleichlautend, und dieß läßt sich am besten erklären im
deutschen Norden!

Die Gegenden um Ploen, Preez und Eutin bleiben aber darum doch kleine nordische Arkadien. Ploen
kennen wir bereits, und Preez an der Poststraße, vormals
Nonnenkloster und jetzt Fräuleinstift, hat eben so viele Reize;
es sollen vierzig Stiftsdamen seyn, die aber ihre 1000

---

*) Die Söhne der Schwachen wandern vorüber, sie wissen nicht,
daß hier Mächtige liegen — die Geister schwimmen auf
dunkeln Wolken — Reiter des Sturmwinds, still ist die
Ebene des Todes.

Thaler lieber in Städten oder im Schoße ihrer Familien
verzehren, als in dieser lieblichen Einsamkeit, die sie den
Schustern überlassen, deren fast ebensoviele hier seyn
sollen als Häuser. Die Gegend um das kleine Städtchen
von 3000 Seelen heißt die Probstei, 1½ Quadratmeilen, wo 6000 Seelen leben mögen, und das vornehmste
Dorf Schönberg, in der Nähe der Ostsee, verdient
ganz keinen Namen. In dieser Gegend nahm schon 1791
Schullehrer Plett die Kuhpockenimpfung vor, da er
von den Milchmädchen erfahren hatte, daß sie durch
Ansteckung der nicht gefährlichen Kuhblattern vor Men-
schenblattern geschützt wurden. — Dr. Jenner kam erst 6
Jahre später in England darauf, und Plett ist vergessen —
deutsche Erfindung mußte erst durch einen Britten geheiligt
werden, dem das Parlement 30 Pf. bewilligte — der
deutsche Schullehrer ging — leer aus!

Die Probsteier scheinen ein eingewandertes wendi-
sches Völkchen zu seyn. Sonst vermieden sie jede Ver-
mischung mit Nichtprobsteiern, die sie Höllische nannten,
(Butenminschen), und ihre Nationalfarbe war roth — jetzt
hat sich Alles geändert, wie die alten Hochzeit- und Lei-
chengebräuche; aber ihre Leibspeise haben sie beibehalten:
de suure Suppe von Fleisch, Klößen, Kartoffeln,
Wurzeln und Essig, und so ist auch ein anderer Leibge-
brauch in viridi usu (im Schwang — die nächtlichen
Besuche: „Man Deerens (Dirnen) gan."

       So sprak Adam tor Deeren,
       du sbüllst di nig verfeeren —
       lat ein Been van minen knaken
       dar wöllen wi nog meer van maken!

Eutin, vier Meilen von Kiel, ist so klein und niedlich, daß man einem poetischen Geist leicht verzeihen kann,
wenn er den Namen von εὐδία abzuleiten suchte, wenn
es gleich vom Platten ut und in kommt, anspielend
auf die Kleinheit des Orts, wo man aus und in zugleich seyn könnte. Man begreift, wie Voß, der hier

als Rector, lehte, neben Jacobi und Stollberg (von
denen wohl der schöne Spaziergang am See den Namen
Philosophen-Gang erhalten hat) zu seinen Liedern,
Idyllen, und Luise sich begeistern konnte. Sein Homer aber, der dem Urbilde so nahe kommt, als Pope
sich davon entfernet, trug ihm kein Twikenham — der
gute liebe Voß lebt ja in Deutschland... Er ging 1826
hinüber, und wer ersetzt Ihn? Voß, den ächten Humanisten, an dem sich Philolog Heyne so schwer ver-
sündigte! den Freund der Wahrheit, Feind aller Unfreien,
und kühnen Vertheidiger alles Guten und der Vernunft?

> Ihr Völker auf aus träger Nacht!
> Schon dämmert Morgenhelle!
> Ja! blinz' und tob' du Eulenzunft —
> Das Wort soll leuchten und Vernunft!

Das Eutiner Ländchen, 8 Quadratmeilen mit
19,000 Seelen, vormals Bißthum Lübek, seit 1803 Erb-
fürstenthum Oldenburgs, ist ein wahrer Natur-Park, wo
man arkadisch dem Ackerbau und der Viehzucht lebt; die
50,000 Thaler Einkünfte sollen für die Verwaltung auch
wieder aufgeben, und der Herzog von Oldenburg, Vater,
war der wahre Patriarch dieses Ländchens. Das Schloß
ist alt, aber der Garten einer der wenigen ächtenglischen
Parks in Deutschland, am fischreichen Eutiner See, der
eine Insel hat mit Garten, Fasanerie und Alleen. Das
Städtchen zählt 2600 Seelen. In der schönen Jahrszeit
findet man hier stets Hamburger, Lübeker, Kieler und
Ploener-Gäste. Sielbek liegt nur eine Stunde von Eutin auf einem Hügel, von dichtem Wald umschlossen am
Kellersee, der zwar kleiner, als der Ploener, aber lieblicher ist. Ganz Deutschland kennt Sielbek aus Hirschfeld, und das Allerheiligste dieses Arcadiens ist der
kleine See Ugley, in einem abgelegenen Waldehälchen
mit einer Försterwohnung. Gleich idyllenartig ist der Pari-
nerberg (300') mit seiner Aussicht auf Eutin, Ploen,
Lübek und die Ostsee, die wie ein heller Streifen am

Horizont schimmert, wie der Bodensee von der Burg Mä-
neburgs.

Das ist Alles, was ich von Holstein flüchtig gesehen
habe, und wohl das Schönste; ich sahe nur Eine Seite,
die östliche, und kann nichts machen, wenn man mir
Einseitigkeit vorwerfen sollte. Glücksstadt, die Hauptstadt
Holsteins sieht man auf der Elbereise, nach Ritzebüttel, eine
der niedlichsten Städte mit 5000 Seelen; sie ist klein, aber
überall Wohlstand und holländische Reinlichkeit; im kleinen
Elbehafen herrscht Leben, es sind die Landes-Collegien hier,
und die alten Festungswerke längst in schöne Gärten verwandelt. Es ist Schade, daß Glücksstadt in einer so
vertieften morastigen Gegend steckt, daher nicht nur das
Wasser schlecht ist, sondern auch Altona dieser alten Hauptstadt Holsteins leicht den Rang ablaufen konnte. Altona
ist die ansehnlichste dänische Stadt nach Kopenhagen!

Altona, von Hamburg nur durch einen Graben getrennt,
der es von der berüchtigten Vorstadt, dem Hamburger
Berge, scheidet, aber durch schöne Alleen wieder damit verbunden, liegt erhöht am Elbeufer, reinlich, gut gebaut, heiter, mit 30,000 Seelen, worunter 3000 Juden seyn mögen. Auf dem mit Linden besetzten Platz Palmaille,
wie Hamburg keinen aufzuweisen hat, steht ein deutsches
Theater, und ein französisches Caffeehaus, und der Reisende gefällt sich zu Altona zehnmal besser, als in dem
finstern schmutzigen Hamburg. Es wuchs durch Freiheiten und Toleranz der weisen dänischen Regierung
zur Handels- und Fabrikstadt der deutsch dänischen Staaten, und wurde die glücklichste Nebenbuhlerin der stolzen
Hammonia, die sie Altona, Allzunahe nannte, daher
auch der Hamburger Pöbel heute noch die Dänen ver-
abscheuet, und sie Schukkelmeyer nennt, d. h. Schmugg-
ler. Die Brauereien, Zuckerrafinerien und Thransiedereien
sind von Bedeutung, und dreißig Buysen gehen auf den
Heringsfang, oder die große Fischerei, die ihnen, wie
den Holländern in höherm Grade, der Heringsblick ge-

währt, in mehr als Einem Sinne Silberblick — während die Glückstädter der kleinen obliegen, wie in der Schiffersprache der Wallfischfang heißt. In Altona lebten auch Unzer, Dusch und der talentvolle Struensee, der seinen Doktorhut nicht mit der Grafenkrone vertauschen, oder vorsichtiger hätte seyn sollen. Struensee eilte seinem Zeitalter voran — das bringt Ehre, aber oft Unglück — Beer hat ihn auf die Bühne gebracht, und in konstitutionellen Staaten erregt dieses Drama sicher Theilnahme. Struensee und alle Ehrgeizigen gleichen dem Irion, der statt der Inno eine Wolke umarmt — und wenn er auch keine Centauren in die Welt sitzt, doch vom beleidigten Jupiter in Tartarus geschleudert, und mit Schlangen an ein Rad gefesselt wird, vom Sturmwinde herumgetrieben, in ewigen Kreisen!

Nach Bramstede, dem einzigen Gesundbrunnen Holsteins, bin ich nicht gekommen, und so auch nicht nach Pinneberg, nicht nach Bysum, dem holsteinischen Schilda, und auch nicht nach Tremsbüttel und Itzehoe, wo Christian Graf von Stollberg, und Müller lebten. Letzterer bezog eine kleine Pension von Dänemark, und auch Graf Ranzau unterstützte den einfachen Mann, dessen Siegfried von Lindenberg und andere Komische Romane, bei der deutschen Dürftigkeit in diesem Fache, Achtung verdienen, und gewiß viele neuere Romane überleben werden. Vergessene Romane aus meiner Jugendzeit, und die älter sind, als ich, sind mir jetzt wieder schlaffördernde Mittel in langen Winternächten, und die angestrichenen Stellen machen mich oft lächeln. Holbergs geschwätziger Barbier, der sogleich anfing: „Als ich von Kiel nach Hadersleben reiste, eine Reise, die ich nie vergesse — ein Hutmacher war mit uns ꝛc." — ist Sprüchwort geworden, und hat mich abgehalten, dahin zu reisen.

Holsteins ältere Geschichte ruht in Dunkelheit. Hier wohnten die eigentlichen Sachsen, denen Carl der Große

einen Markgrafen setzte an der Eider. Die Nachkommen
des Grafen von Schaumburg hielten sich bis 1459; ihnen
folgte König Christian I, von Dänemark, Holstein wurde
Herzogthum, die Nebenlinie mit der Krone vereint 1773,
und die Herzoge bestiegen schwedische und russische Throne,
Der Adel Holsteins ist zahlreich, für die armen Fräuleins bestens gesorgt in den Stiftern zu Itzehoe, Preez
und Uetersen, und die Namen Bernstorff und Ranzau werfen ihren Glanz auf den ganzen Adel; ein Ranzau mordete jedoch auch seinen Bruder, um zu succediren,
büßte mit ewigem Gefängniß, und Dänemark nahm Besitz von der Grafschaft = 2 Quadratmeilen 9000 Seelen,
24,000 Thlr. Einkünfte, mit Ausnahme der Herrschaft
Breitenberg, die jetzt Castell-Rüdenhauser gehört. Christian Ranzau war der erste Reichsgraf in seiner Familie, 1650. Ein anderer Ranzau war französischer General
(† 1650), der nur Ein Auge, Ein Ohr, Einen Fuß und
Eine Hand mit ins Grab genommen hat, so tapfer war
er! Graf Schlitz, genannt Görtz, waltete einst auch
hier als Minister, und wurde zu Stockholm enthauptet.
In Schweden geschahe ihm offenbar Unrecht; ob aber
seine Ehre, die Moser zu retten suchte, auch in Holstein
gerettet werden könnte? daran ist zu zweifeln, wenn man
Fäll Samml. 1. B. gelesen hat. . . . Görtz war wenigstens lange kein Bernstorff!

Holstein ist und bleibt die schönste Perle in Dänemarks Krone, oder der Dotter im dänischen Ei, das kein
Straußenei ist. Wer kennt nicht die Holsteiner Pferde?
manches ist schon mit 400 Thalern bezahlt worden, und
6000 Holsteiner, die jährlich für Remonte der schweren
Cavallerie und Kutschenpferde ausgehen, bringen wenigstens eine Million Thaler ins Land. Wer kennt nicht die
Mastochsen (die jedoch auch Jütland liefert) und ihr
Pökelfleisch? auch Eiderstädtische Schafe werden gesucht und ihre Wolle. Hoch steht die Landwirthschaft, noch höher die Viehzucht, und ihre Epoche beginnt

mit Aufhebung der Leibeigenschaft, Werl Bernstorffs,
Leider sind Bernstorffe selten! Das Land wäre längst Arcadien, wenn Edelleute sich zu ihren Gutsbauern so ver-
hielten, wie Arner von Bonal in — Lienhard und Gertrud. Wo aber noch Hörigkeit herrschet, da antwortet
ein leibeigener Bote mit bleichem eingefallenen Gesicht
auf Asmus Frage: „Seyd Ihr krank?" schmerzhaft
lächelnd: „Ach nein! so sehen wir Alle aus!"

Die bescheiden so genannten Milchkammern sind
räumliche Säle, kühl, luftig, und reinlich wie Wohnzimmer; das Herz muß einem Landwirth lachen, wenn er so
2 — 300 Milchbütten in langer Reihe stehen sieht.
Der hohe Wohlgeschmack der Milch rührt von sorgfältiger
Abnahme des Rahms vor der Säuerung, und
dieß wirkt, nächst holländischer Reinlichkeit, zurück
auf die Güte der Butter und des Käses, wie die guten Milchspeisen auf den Charakter der Holsteiner. Viele
Holsteiner, Mecklenburger und Ostfriessischen Käse werden
für holländische ausgegeben, für Texler, Edamer,
Leidner c., wie manche schwäbischen Käse für Schwei-
zerkäß — Mundus vult decipi, ergo decipiatur!

Ob es nicht Vorurtheil ist, daß wir die Milch zum
Caffee, Thee und Chocolade zuvor absieden? In Italien und Frankreich thut man es nicht, und sicher verliert
die Milch dabei, wie der Kaffee durch das Rösten der
Bohne die beste balsamische Kraft. Eine tüchtige Kuh gibt
12—20 Kannen Milch und jährlich 150—400 Pfund
Butter, ihr jährlicher Ertrag ist zu 24 Thalern angeschlagen. Ueber dem Melken dieser Kühe scheinen die Holsteiner so ins Melken hineingekommen zu seyn, daß sie
auch die Schafe melken, wodurch aber die Wolle so
wenig gewinnt, als die Milch im Süden, wo man die
Kühe anspannet, und gar nichts von dem Sprüchwort der
Platten zu wissen scheint: de Koie vor Ossen spannet,
mag sine Peerde melken. Von dem fruchtbaren Sa-
mos sagten die Griechen gar, daß daselbst die Hühner

Milch gäben! Ob sie die Buttermilch bloß den Schweinen geben, wie in England? Zu 20 Kühen rechnet man eine Milchmagd, die oft noch, um nur die auf der Weide gemolkene Milch nach Hause zu bringen, einen vierbeinigten Esel zum Gesellen hat, neben ihrem Zweibeinigten! Sie können kaum fertig werden mit dem Milchvorrath, und mit der Pflege ihres Viehes, — und in Noahs Arche wurde doch die Wartung aller Thiere durch acht Menschen bestritten ein volles Jahr hindurch? Manchem Reisenden schadet es gewiß nicht, wenn er bei diesen Milchwirthschaften nur so viel lernt, daß eine sanftmelkende Hand weit mehr Milch dem Euter entlockt, als eine unsanfte grobe Faust! Mich wundert, daß in Holstein die Kuh nicht heilig ist, wie in Indien — wo man ihren Urin sogar trinkt zur Sündenreinigung, und auf dem Todtenbette einen Kuhschwanz in die Hände nimmt zur Erleichterung der Reise nach dem Paradiese.

Nicht wenig verschönern die — schönen Heerden die fetten Triften, obgleich die Kühe lange keine Schweizerkühe zu seyn scheinen; die Vollstiere aber sind wahre Riesen, wie Bison und Moschusstier. Sie sind so gefährlich, als in der Schweiz, oder die Büffel in Italien, und verbittern manchem Spaziergänger die Freude. Sollte man in Holstein das römische fenum in cornu habet, longe fuge*) nicht kennen? Die Schafböcke sind noch gefährlicher, man versieht sich zu ihnen kein Arges, so wenig als zu den Gänserichen, die wenigstens schon Kinder mißhandelt haben — so übermüthig macht Alles die fette Weide Holsteins. Ein boshafter Gänserich, furchtbar wie der Vandalen Held Genserich, hat schon oft mit einem Amtsgesicht einen friedlichen Wanderer nicht übel gezwickt, die ganze Heerde ihren Chef nicht im Stiche lassend, ist zischend zugefahren wie Schlangen, und

---

*) Fliehe, er hat Heu auf dem Horn.

wenn auch der Wanderer mit einem tüchtigen Prügel am
Ende Sieger blieb — was war's? ein Sieg über Gänse!
Die Hitze, welche Hunde wüthend macht, wirkt auch
auf die Viehheerde, ihre Wuth nennt man das Durch-
brechen. Unter furchtbarem Gebrülle stürzt sie plötzlich
durch die Knicks in die Getraidefelder, über Wall und
Graben, und tritt Alles nieder, ganze Gemeinden: Mit
Knütteln müssen sich dem gehörnten Feinde entgegenstellen,
wenn der Hirte das Ding nicht zeitig genug wittert.
Neben der Landwirthschaft steht die Teichfischerei, und
geringere Bauern haben oft gegen 100 Bienenkörbe.
In ganz Holstein stieß ich auf keinen Bettler!

Holstein ist eine wahre Heimat der königlichen Eiche
und Buche, ihre hohen Stämme stehen oft da wie Säulen, zwischen welchen man in die Umgegend blickt, und
in das Gluthmeer eines schönen Abendhimmels; es braucht
gerade keine glühende Imagination, um sich nach den
glücklichen Inseln der Südsee zu versetzen, oder zwischen die
schlanken Stämme der Palmen, und die hinter den Bäumen hervorblitzende Abendsonne erregt Ehrfurcht, wie Moses
Dornenbusch, der zu brennen schien, und nicht brannte.
Im Wald Vogelsang bei Breeze soll eine große Eiche stehen, deren Stamm 44' im Umfange hat, es gibt häufig Buchen-
Zwillinge und Drillinge aus Einer Wurzel — ja es soll
Fünflinge geben von gleicher Höhe und Stärke. Schön
ist auch der Menschenschlag, die Männer wie diese
Bäume, und das weibliche Geschlecht von blühender angenehmer Bildung. Sie leben glücklich unter einer sanften
Regierung, der Landmann ist wohlhabend und geachtet, wie
in England und der Schweiz, Rang und Geburt werden nicht
über Kenntnisse, Verstand und Sitten gesetzt. Wenn den
Reisenden die schönen Heerden, fetten Weiden, üppige
Fruchtfelder und altdeutsche Wälder freuen, so freuen ihn
doppelt heitere und freie Menschen, deren Volks-
feste schon ihr Wohlbefinden bezeugen, und aus Wohlbe-

finden geht von selbst Vaterlandsliebe und höherer Sinn hervor.

Der Anbauer oder Gärtner, der Winzer und Obstbaum=pflanzer ꝛc. sind vielleicht größere Wohlthäter des Vater=landes, als der Krieger und Geschäftsmann, der mit Orden prangt, und wo ist der Orden für Landes=Cultur? Ein Orden vom Pfluge, Obstbaum, Traube ꝛc. wäre er nicht sinniger als ein S. Michels=, S. Andreas=, S. Jacobs=Orden oder gar vom Hosenbande? Procul profani! die ihr von Jedem, der einige Stufen unter euch, oder gar vor euren Gerichtsschranken steht, topftiefe Bücklinge, gesenkte Blicke und Demuth bis zum großen Zehn erwartet, selbst wenn ihr bißig und grob seyd — hier findet ihr eure Leute nicht, die aber mir gefallen, so daß ich wünschte, es möchten alle Deutsche recht bald so werden! Anfangs stieß ich mich an das Norddeutsche: Sie möchten bezaalen so und so viel — es ist façon de parler, wie in Holland und England auch, folglich so wenig eigentlich grob als das Du der Kinder. Schwerlich gibt es ein deutsches Land, wo der Landmann so geehrt wäre wie in Holstein — der Sohn des Raths wird ohne Anstand Müller, der Sohn des Predigers Bauer, wie umgekehrt der Sohn des Bauern Rath, Prediger und Arzt; auch bürgerliche mit Verdiensten erhalten den Kammerherrnschlüssel, und sitzen ohne geadelt zu seyn neben der Tochter des Königs!

Holstein ist beutsches Land, mit Deutschland neuer=dings verbunden, und was wäre Dänemark ohne seine deutsche Provinzen, und insularische Lage, die es zur Marine hinlenkt? Dänemark zählt zwar 2400 Q. Meilen mit 1½ Millionen Menschen und fünf Millionen Thaler Einkünfte (neben großen Schulden und Papiergeld), Würtemberg eben so viele Menschen auf nur 359 Q. Meilen. Wenn mich je nach Kronen gelüsten könnte, so gelüstete mich eher noch nach der Krone Würtembergs, als nach der traurigen Mark der Dänen, sammt ihren

Inseln, ihren Colonien und ihrer Seemacht, zusammenge-
schrumpft wie Sachsen durch versäumte Aufmerksamkeit
auf den Wechsel der Zeit-Umstände. Wer sah nicht den
Bodensee vor dem ganzen Cattegat oder Katzenloch?
Wie ist es möglich, daß der arme phlegmatische Däne
gleich den sclavischen schweinischen Polaken kein größeres
Schimpfwort kennt, als „du Tydsker!" etwa weil die
Landarmee meist aus deutschen Söldnern besteht,
die Minister Deutsche waren, und Struensee sogar die
dänische Sprache verdrängen wollte? Sie sollten es
schon wegen der Gesellschaft der Dänen-Freunde
an der Donau — unterlassen — die ihnen jedoch unbekannt seyn kann. Man kann sich ärgern, oder lachen, und
an die Worte eines Dänen zu Paris denken, der einem
Ritter vom heiligen Geist sagte: chez moi l'Esprit est
un Elephant *) — oder an den, der einem Gesandten seiner
Nation die Anzeige machte, daß auf einer Bude des Pontneuf gestanden habe: „Ici on coupe les oreilles aux
Danois" *) — aber dennoch Arndts Meinung seyn, daß
der ächte deutsche Reisende, statt nach Frankreich, Schweiz
und Italien zu rennen, die scandinavischen Brüder besuchen
sollte, wo sich mehr Germanisches erhalten hat, als
in Deutschland selbst — Tapferkeit, Einfachheit, Redlichkeit und Freiheitssinn neben hoher Gastfreiheit:
„Wo Platz im Herzen, da findet er sich auch
in der Hütte." Die sanfte, geordnete, obgleich unumschränkte dänische Regierung, die so lange als möglich
Frieden erhielt in den Stürmen der Revolution —
und zuerst den Neger-Handel abschaffte — verdient
hohe Achtung, wie ihre Preßfreiheit, die mehr Gutes
wirkte, als eingeschüchterte Landstände. — Ihre jährliche

---

*) Bei mir zu Hause ist der h. Geist ein Elephant! (weil
die Dänen statt des h. Geist-Ordens einen Elephanten-Orden
haben.)

**) Hier schneidet Man den Dänen (dänischen Doggen) die
Ohren.

Titelsteuer, wünschte ich zur Entschädigung für die Beschränkung jener, auch in Deutschland eingeführt, wie in den Niederlanden die Bedienten-Täre, und bei uns — die Hundesteuer! Von Holstein ging auch die nützliche Anstalt der Spar- und Leihkassen 1796 aus, und die Anlegung von Armen-Colonien, wie die zu Friedrichsgabe, 3 Meilen von Altona, in unurbaren ungetheilten Distrikten; verdiente sie nicht volle Nachahmung z. B. in Baiern und Hannover?

Holstein hat eigene Reize, und ist die Speisekammer Norddeutschlands, seine Butter süßer, als der Brief, den der Prophet Hesekiel speisen mußte, an Honig fehlt es auch nicht, und so ist man Emanuel. Manchen, die den Thrangeruch nicht scheuen, munden auch die Möven, und noch mehr ihre Eier, dunkelgrün mit braunen Flecken — sie gleichen den Kibizen-Eiern; der Vogel selbst, größer als eine Taube, ist grün und weiß, lebt in Haufen, wie Raben und Krähen, verführt aber ein weit größeres Geschrei als jene, wenn sie sich sammeln. Ob man seine schönen weißen Brustfedern benützt? Man könnte die Möven Meertauben nennen, und die Aegypter hätten sie so gut als den Ibis in spätern Jahren vergöttert, denn sie reinigen das Land von Insekten, von den Larven des Maikäfers. Unter Holsteins Genüße rechne ich auch die Austern, die an den Mündungen großer Flüsse immer am schmackhaftesten sind, wie von Colchester, von Cancal, vom holländischen Seeland und von der Adria. Eine Auster an ihrer Geburtsstätte und 60 Meilen davon, verhalten sich wie Mineral-Wasser an der Quelle, und aus schlecht verpichten Krügen; daher war die Indigestion, die ich mir im Rocher de Cancal zu Paris holte, wo man alle möglichen Seefische und Schalthiere frisch hat — verzeihlich, und soll gewiß die letzte seyn. In Holstein, Schleswig und Jütland siehet man meist, wie in Frankreich, Holzschuhe, und so behält der

C. J. Weber's sämmtl. W. VI.
Deutschland III.

41

gemeine Mann nicht nur trockne Füße, während der Reiche,
der auf Leder geht, an Flüssen und Husten leidet, sondern
die Holzschuhe machen auch viele 1000 Häute überflüssig,
die ins Ausland gehen. Wer keine Holzschuhe trägt, den
darf ein Deutscher ohne Weiteres — deutsch anreden.

Holsteins Andenken hat sich mir später gar oft erneuert, wenn ich mit sechs schönen Holsteinern à
petite journée*) meinem vormaligen Souverain, der mit
Extra-Post vorausflog an den größern Hof, nachreiste —
und bleibt mir so unvergeßlich, als der Maître d'Hôtel in
meinem Gefolge. Er war ein stattlicher, stets modisch gekleideter Franzmann, der aber nie deutsch lernte; nie fand
er sich mehr geschmeichelt, als wenn ihn die Gastwirthe
für einen großen Herrn hielten, und nur dann kam er zur
Besonnenheit, wenn ich es so weit trieb, daß er dem Wirth
selbst sagen mußte: „Ick nit Herr bin!" Der Mann
wäre fähig gewesen, bei dem Mahle zu Chantilly, wo
die Maree nicht zu rechter Zeit eintraf, sich selbst zu ent-
leiben, wie sein großer College Vatel. Er ging nach dem
Tode unseres Souverains mit gespicktem Beutel in sein
Vaterland, wo er als Caffetier noch lebt; ich — ich war
zu jung, zu großherzig, redlich, vielleicht auch zu leichtsinnig, — und kam zu kurz, nie so recht attentus ad rem,
wie einem homme d'affaire zusteht — wenn ich auch
gleich die Anhänglichkeit nicht so weit trieb, das in einem
versiegelten Schächtelein zu überreichen, was Combabus
überreichet hat — die sechs schönen Holsteiner aber
versanken gar in den — Schulden-Pfuhl!

Du Land voll blauer spiegelheller Seen,
Voll Barden-Eichen, waldumkränzten Höhen,
Wo Rosen und Jasmines Düfte wehen,
Viel edle Schlösser hoch und herrlich stehen,
Auf fetten Triften reiche Heerden gehen,
Leb wohl, leb wohl, ich denke ewig dein,
Ihr Freunde dort vergeßt nicht mein!

---

*) In kleinen Tagreisen.

Einundbreißigster Brief.

Die Hanfe-Städte.

Wer die Geschichte der Hanfe, eine der glänzend-
ften Epochen deutscher Geschichte, kennt, dem müssen die
Ueberreste davon, unsere drei freien Hanseftädte, doppeltes
Intereße gewähren; hier darf der Deutsche stolz auf seine
Nation seyn, wie sie einst war, und auch noch heute
sind Hamburg, Lübeck und Bremen keine deutsche
— sondern europäische Städte. Wie in der alten
Welt der Bund der phönizischen Städte, an deren Spitze
Tyrus stand, so der Hansebund im Mittel-Alter, der
den Handel ins Große trieb, früher als der Süden. Von
der Oftsee ging dieser Großhandel erst an die Niederländer
über, und von da nach Oberdeutschland; selbst den Levante-
Handel trieb die Hanfe über Conftantinopel, und Nowogo-
rod. Wahrlich die Denkmäler dieser deutschen Städte-
Verbrüderung haben so viel Intereße, als die Säulen des
Hercules, (in der Kindheit der Schiffart so viel als jetzt
Oft und Weftindien) und die Monumente der Griechen
und Römer. Dieser Kaufmannsbund erscheint mir würdiger, wenn auch weniger reich, als die Oftindische Compagnie, da Tippo Saibs Emblem ein Tieger war,
der einen Britten würgt!

Der Lombardenbund gab wohl die erste Idee zum
rheinischen und hanseatischen Bunde; und
jener war wieder Abglanz der alten römischen Municipali-
täten. In Deutschland zwang das noble Faustrecht
oder die Rechtlosigkeit zu engern Verbindungen, und
da der Adel und die Geistlichkeit schon lange zuge-
griffen hatten, so griffen zuletzt auch die Städte zu,

wirkten aber weit wohlthätiger auf die Cultur des Vaterlandes. Die Hanse scheint in der Mitte des 13. Jahrhunderts nach und nach entstanden zu seyn; und zwar zu
London, wo die Cölner ein Warenlager (Gildhall) hatten, denen Bremen, Hamburg, Lübeck und Braunschweig
nacheiferten. Die Gesammthanse wurde im Nordosten,
was die Araber, Venedig, Genua, Florenz, Pisa im
Mittel- und schwarzen Meer; die Zahl der Städte, wenn
wir die zugeordneten zählen, ging über hundert! Die
Hanse übte ein drückendes Monopol, wie später Niederländer und Britten, und so trat dann ein, was schon
oft eingetreten ist, jede mißbrauchte Gewalt richtet sich
selbst zu Grunde!

Es scheint, die Hansen dachten nie an einen bleibenden selbstständigen Handelsstaat, wie Alexander. — An Colonien konnten sie noch weniger denken,
da das Zeitalter der Colonien noch nicht gekommen war,
wahrscheinlich aber hätten sie nicht wie die Griechen,
sondern sicher, wo nicht wie fanatische Spanier, doch nicht
besser als Pisaner, Genueser, Venediger — Holländer und
Britten gehandelt. Die Auftritte hanseatischer Herren
Commis im norwegischen Bergen, und ihr Hänseln
beweist sattsam, was der Kaufmann ist, wo er herrschen
darf! Die Hansen versprachen zwar einander mit ganzen
'to hope to bliven — ihr Verband scheint aber so schlaff
gewesen zu seyn, als der Reichs-Verband, eine Stadt um
die andere trennte sich — schon vor dem 30jährigen Kriege,
und zuletzt hielten nur noch Hamburg, Lübeck, Bremen
und Braunschweig zusammen. Der letzte Hansetag war
1660, wobei zwar nichts ausgemacht, aber doch ein stattlicher Receß unter Lübecks Siegel ausgefertiget wurde,
wobei Niemand etwas gewann, als die — Kanzlisten.
Wer kann wider Gott und Nowogrod! Es scheint bei der
Hanse, wie bei neuern Handels-Compagnien gegangen zu
seyn, und man kennt la Bourdonnais Antwort auf den
Vorwurf, daß er seine Privatangelegenheiten besser besorgt

habe, als die der Compagnie. „Dorten," sagte er, „konnte ich mich nach meinen eigenen Einsichten richten, hier mußte ich Eure Instruktionen befolgen!"

Aber Achtung vor dem Bunde in seiner Blüthe! Der Bürgermeister von Lübeck, der Doge der Hanse, empfing Gesandtschaften von Königen, die Hanse beherrschte die Ostsee sandte Flotten nach Lissabon, eroberte Liefland und schrieb nicht nur Schweden und Dänemark Frieden vor, sondern selbst Holländern und Britten. Woldemar antwortete zwar auf eine Kriegs-Erklärung:

Seven un seventig Hänse,
Un seven un seventig Gänse
Bieten (beißen) mi nit di Gänse
Frag ich nit een Snar di Hänse;

aber er mußte flüchten, und im Frieden ganz Schonen auf 16 Jahre der Hanse überlassen zum Ersatz der Kosten! Der Scepter des ganzen europäischen Großhandels war in der Hand der Hanse, wie jetzt in der Großbrittaniens und die Schätze Asiens und Afrika's gingen durch ihre Canäle — wir sind jetzt wahre Krämer. Krämer lassen sich vom Publikum ernähren, und schreien am meisten über schlechte Zeiten, Abgaben und Noth, wenn sie nicht mehr auf die alte Weise fuggern dürfen; aber der Großhändler und eigentliche Kaufmann ernähret das Publikum. Le Trident de Neptune est le Sceptre du Monde! *)

Hamburg, Lübeck und Bremen hat schon die Natur zu Handelsstädten gestempelt, da sie an den Mündungen der Elbe und Weser, und in der Nähe der Meere liegen, der wahren Handelsstraßen. Ihre geographische Lage eignet sie ganz zu Zwischenhändlern zwischen

---

*) Der Dreizack Neptuns ist das Scepter der Weltherrschaft

dem Norden und Süden, und sie sind im höheren Maß
stabe zur See, was Frankfurt und Leipzig auf dem
Lande sind, und Augsburg und Nürnberg waren.
Wären Venedig und Genua frei, ihre Lage würde sie
wieder zu dem machen, was sie waren, wie Cadir, und
das non plus ultra — wäre Constantinopel, wenn
es dem civilisirten Europa angehörte, aber eben darum
kann es nie — Hauptstadt der Griechen werden,
wenn Old England die Hansestadt der beiden Hemisphären
bleiben will! Mercurius residirt längst nicht mehr im
Olymp, sondern zu London; aber in Napoleons ungeheurer
Macht wäre es gestanden, ihn da zu verjagen — nicht
durch seine Continentalsperre oder Landung von Bou-
logne, sondern durch Eroberung Nordafrika's und
Cultivirnng der herrlichen Küsten, statt der Ver-
heerung des bereits cultivirten Europa's! Caffee, Zucker,
Gewürze, Baumwolle, Seide 2c. kämen uns dann nicht
viel höher als Fleisch, Honig, Getraide, Flachs und Dat-
teln — das Mittelmeer wäre wieder, was es zur Zeit der
Römer war!

Unsere drei freien Hansestädte, die des großen Bundes
Namen verewigen, wie zu London der Stahlhof, und zu
Antwerpen das hanseatische Haus, brachte in unserer verhängnißvollen Zeit Napoleon, auf eine seiner ganz würdige
Weise, um ihre Freiheit, bis die verbündeten Frie-
densfürsten ihnen, neben Frankfurt die Freiheit wieder
gaben, die für den europäischen Gesammthandel
wichtig ist.

Schon früher hatte sie die grande Republique als
gute Melkkühe betrachtet und zu gezwungenen Anleihen
vermocht. Es ist mir nicht bekannt, wie viel sie und
Frankfurt Milch hergeben mußten; aber schon zu Rastadt
nahmen sich die französischen Gesandten ihrer besonders an,
„weil sie die Freundschaft Frankreichs zu schätzen wußten!" Es war gerade die härteste Zeit, wo
Franzosen sie bis auf's Blut melkten, wo das tolle Con-

tinentalſyſtem ihnen die Quellen ihres Wohlſtandes, folglich
ihr Futter entzogen hatte!

Handel gedieh ſtets beſſer in ganz freien Verfaſſungen,
als in Monarchieen, und es gereicht den Monarchen zur
Ehre, daß ſie ſelbſt davon überzeugt zu ſeyn ſcheinen. Der
Handel iſt in Monarchieen wohl eben ſo ſicher in unſern
Zeiten — aber die Handelsleute nicht ſo geehrt — es
gibt da noch geehrtere Stände — ein Hauptgrund —
doch — das Warum? — läßt ſich nicht wohl in Monarchieen gründlich erläutern. Genug die Hanſen ſind wieder
frei — London, Amſterdam, Lyon, Marſeille, Bordeaux, Trieſt, Livorno ꝛc. ſind nicht frei, und noch be-
deutendere Handelsſtädte! Vielleicht hingen ſie weniger am
Intereſſe des Vaterlandes, wenn ſie frei wären? Doch die
Regierungen, die Nürnberg, Augsburg und Cöln, nicht
zu verachtende Handelsſtädte — nicht frei ließen, die
Hanſen aber wieder frei machten, müſſen es beſſer ver-
ſtehen! Ich wünſche ſogar, daß der Vorſchlag des Herrn
Daus „Ueber die Zukunft Amerika's“ durchgehen
möge, der Amerika neuerdings und zwar gleicher vertheilt,
ſelbſt Deutſchland bedenkt — Oeſtreich mit 2000 Qu.Mei-
len, Preußen mit eben ſo viel, und jede Hanſeſtadt mit
100 Qu.Meilen! Ob aber Amerika, das nicht mehr
das Amerika des fünfzehnten Jahrhunderts iſt, auch ſo denkt?
that is the question!*)

Handel iſt eine Lebensquelle der Staaten, und
ſein erſtes Geſetz Freiheit, dann kommt Credit. Der
Handel macht die Nationen frei, wenn auch nicht immer
die Individuen. Die Hanſen ſind politiſch frei —
aber moraliſch frei ſind ſie weit weniger als andere
Städte, wo der Götze des Goldes weniger verehrt wird—
doch gewiſſermaßen macht der Handel auch Individuen
frei, denn wenn Alles im Staate leidet, leidet doch der

---

*) Das iſt die Frage.

Kaufmann am wenigsten, er wirft seine Last auf die Waaren, und dem einzigen Hauptnachtheil, der Concurrenz,
weiß der Kluge möglichst auszuweichen. Die Nothwendigkeit erzeugt den Austausch des Ueberflüssi-
gen gegen das Nöthige — jeder Verkehr setzt ein doppeltes Ueberflüssige voraus, das Fundament der Gesellschaft, und ihr erstes Bedürfniß, und daher steht es
gegenwärtig mit dem Handel so schlecht, folglich auch mit
der Gesellschaft. Indessen vermehrt Geld das nutzbare
Eigenthum — durch Zinsen — eine neue Quelle des
Auskommens auch ohne Arbeit — eine willkommene
Finanzquelle durch Capitaliensteuer — selbst Staatsschulden werden eine Art von National-Reichthum,
und die vielen Kostgänger des Staats sind wenigstens nützlich für raschern Geld-Umlauf!

Der Handel, oder der Waarenzug von einem
Platz zum andern (denn es läßt sich allerdings nicht
wohl begreifen, wie ein armer Taglöhner, Sonntags in
der Schenke, sein Ueberflüssiges gegen das Nothwendige
umtausche), zog die Welt aus ihrer Barbarei, die alte
wie die neuere, und bald ging man vom Nöthigen zu
Gelüsten. Wollust und Geiz brachten den Handel
zur Vollkommenheit. Hätte Carthago über Rom gesiegt,
wir hätten eine ganz andere Weltgeschichte, und wären
sicher früher gereift. Der Handel verbreitet Aufklärung
und Wohlseyn unwillkürlich, mag der Händler auch
den Vögeln gleichen, die Pflanzensamen weiter verbreiten
bloß durch Verdauung. Meroe und Axum waren die
ersten bekannten Sitze des Völkerverkehrs mit Arabien und Indien, und dadurch die Sitze der ersten Cultur. Austausch der Waaren erzeugt gelegentlich Austausch der Ideen, obgleich die Phönicier schon so gut zu
verheimlichen verstanden, als Portugiesen, Spanier
und Holländer, daher wir nichts Gewisses von Salomons
Ophir wissen. Machen nicht selbst Landkrämer ein Geheimniß daraus, woher sie ihren Kneller beziehen?

Der Kaufmann steht zwischen der bloß verzehrenden und hervorbringenden Klasse mitten inne, als Vermitt= ler. Mit allzuviel Handel im Kopf entsteht zwar gerne eine gewisse geistige Leere, die schon der Apostel bemerkt haben muß, der da sagte: „Was hülfe es dem Menschen, wenn er die ganze Welt gewänne, und nähme Schaden an seiner Seele;" aber ohne Handel fiele die Welt selbst. Ich habe vielen kaufmännischen Diners beigewohnt, wie Hof= und diplomatischen Diners, muß aber die letztern vorziehen, zumalen doch die meisten von der Fiction einer persönlichen Repräsen= tation ihres Fürsten zurückzukommen scheinen. — Dor= ten aber ist der Pythagoräische Rechentisch allzu= sehr sichtlich, und der Geist stirrt auf die goldene Re= gel, vulgo Regula Detri, auf die Regula Multiplex und Regula Coeci — doch das gilt nur Individuen — der Handel selbst geht seinen Naturgang, und ohne ihn fielen wir in die erste Kindheit der Welt zurück, wie der Mensch ohne Umgang leicht in Geistesleere ver= sinkt, was man auf Dörfern nicht bloß an den Schafen bemerken kann, sondern selbst an den Hirten!

Das Mittelalter sahe im Regenten nur den Hel= den und Krieger — nur Alexander den Eroberer, nicht den Gründer Alexandriens, und den Mann, der wie Kai= ser Joseph, seine verschiedenen Völker zu vermischen= suchte — keinen Staatenbeglücker oder Vater des Vaterlandes; und, so sahe es auch im Kaufmann nur den eigennützigen Krämer, der Düten drehet und Schwefel= hölzchen verkauft. Der Adel ging daher verloren, wenn man Handel trieb, der Ritter warf den Pfefersack nieder, und behandelte ihn nicht besser, als den Juden auch, jeder Landesherr verzollte ihn wie Vieh. Wäre dem nicht so gewesen, hätte man sich in der Ritterwelt schwer= lich des Worts Ellen, ellenhaft bedient für Kraft und kräftig. Und sahen nicht selbst die Philosophen der Alten Kaufmannschaft als eine Feindin der Tugend an?

steht nicht Aristoteles unter seinem Schüler, wenn er nur Griechen als Menschen, die Eroberten als Sclaven ansieht? Handel verderbt die Sitten, ruft Plato; besser Minotaurus frißt die Athener, als wenn sie Seemacht werden! fragt nicht der sonst so gescheidte Ulpian (L. 9. §. 10. de poenis), ob man zur Strafe jemand zum Handel zwingen dürfe? und spricht nicht der heilige Chrysostomus, der goldene Mund, allen Kaufleuten — die ewige Seligkeit ab? Und doch handeln wir alle — die Fürsten handeln mit Land und Leuten, der Adel mit den Erzeugnissen seines Gutes, der Gelehrte mit Papier, Politiker, Dichter, Verliebte und die, welche die Sagen der Zeit posttäglich liefern — mit Lügen — der Jurist mit Gesetzen, der Arzt mit Recepten, und womit die Geistlichkeit so lange handelte und noch jetzt gern handeln möchte, mag ich gar nicht sagen!

Unsere Zeiten erst sahen recht deutlich ein, daß der Herkules der Phönicier — die Quelle des Nationalreichthums ist, nach Ackerbau und Viehzucht, mag auch der Handel in's Große von Seeräuberei ausgegangen seyn, und von Phöniciern, die bekanntlich Nachbarn der Juden waren — mag es noch so viele Sineser geben, die dreierlei Wage führen, eine für Einkauf, die andere für Verkauf, und die dritte rechte für die, die aufmerken — der Großhandel bleibt die dritte Quelle des Staatsreichthums. Unsere Zeiten verstatteten das vernünftige Laissez nous faire mehr oder weniger, bis die Revolution ausbrach, ein Maximum festsetzte, das man mit Recht la Guillotine du Commerce français nannte, und Mars Napoleon gar die lebendige Guillotine des europäischen Handels wurde. Die Britten allein konnten lachen über sein Continental-System, wie über Kanonen, wo das Kaliber nicht paßt, und Pulver und Kugeln fehlen! Der Handel gleicht den natürlichen Quellen, die meist versiegen, wenn man ihren Lauf ändern will, und

Napoleons Auto da fé englischer Waaren war lächerlicher als das Auto da fé der Kirche!

Die eigentliche Handelspolitik ist nicht älter, als die Regierung der englischen Betty — bis dahin folgten die Regierer ihren Juristen, die Roms Gesetze kannten, aber nicht Staatsweisheit, und nicht bedachten, daß Rom selbst nie den Geist des Haudels kannte. — Man folgte den Vorurtheilen der Feudal-Welt, ja selbst den Theologen, denn Jesus sagte ja: „Leihet, daß ihr nichts dafür hoffet." — Aber Handel fliehet die Orte, wo man ihn drückt, und Handelsauflagen drücken nur Cultur, Kunst fleiß und Erzeugniß. — Ganz umumschränkte Handels freiheit taugt zwar so wenig als vollkommene Gleichheit des Volks Israel, so lange es Volk Israel bleibt, und zwar aus denselben Gründen — das ganze Gesetz Mosis war gegen dir Herzens-Härtigkeit gerichtet, wie der Apostel sich ausdrückt, die Sittlich-Unmündigen machen überall die Mehrzahl, daher unbedingte Freiheit, wie ewiger Friede — Ideal bleibt. — In so ferne gibt es aller dings eine Handels-Politik, die durch Zölle den Handel leitet (nicht sich dadurch bereichern will), die ihn begünstiget, und allenfalls auch verhindert, daß nicht über Einem Reichen Tausende arm bleiben, oder werden; aber unsere Mauthsysteme im Innern gehören sicher nicht zur Handels-Politik, wohl aber eine Allgemeine Zolllinie an den Gränzen des Bun des und eher kein deutscher Handel! Zoll und Mauth läßt sich vor der Vernunft nur als Verthei digungsmittel rechtfertigen, wie der Krieg, und durch unsere Mauthsysteme in deutschen Bundesstaaten, die lauter Gränze sind, gleichen wir einem Manne, der sich selbst die Glieder unterbindet, damit sein Blut nicht circulire und mit dem es — nicht recht richtig ist! Es sind Extreme, wie das Extrem der Alten, die den Handel verachteten, und das Extrem neuerer Zeiten, wo wir den

Handel so schätzten, daß es Handelskriege gab, und
aus dem Handel — Händel wurden!

Unsere Großhansen sind die Zwischenhändler des
großen Binnenlandes, dem es gleich wichtig ist, seine
Einfuhr-Artikel auf die sicherste und leichteste Art zu
erhalten, als seine Erzeugnisse schnell und zu möglichst
guten Preisen abzusetzen. Colonial-Waaren sind
einmal Bedürfnisse geworden, Luxus-Waare, wie
Medicinal-Waare, und so auch die Erzeugnisse der Nachbarn. Hanseaten sind Kaufleute, folglich allerdings Fac-
toren des monopolisirenden Englands. Indessen
ist Bremen weit mehr Factor für Amerika, als für England, Lübeck weit mehr für Rußland und Schweden,
Hamburg aber noch am ersten, jedoch muß England mit
Spanien, Nord- und Süd-Amerika theilen. Die Revolution
Frankreichs hat ihren Handel gehemmt, die Revolution Süd-
Amerika's wird ihn wieder heben. Die Hansen sind Zwischenhändler, und wenn sie an der Verarmung Deutschlands arbeiten, ist es nicht unsere Schuld, daß wir uns
jener Bedürfnisse nicht zu entschlagen wissen? Die Alten
waren größere Narren als wir, was Gewürze und
Weihrauch, Perlen, Edelsteine und Seiden
betrifft, wir verschmähen aber solche auch nicht, und übertreffen sie, weil wir noch Pocellain, Thee, Caffee,
Zucker und Tabak hinzufügten während der Augustissi-
mus Roms weder Glas vor seinen Fenstern, noch ein
Hemd auf seiner Haut hatte! So lange wir jene Entbehr-
lichkeiten suchen, und keine Verbote vorliegen, so handeln die
Hansen, wie alle Handelsleute, wo etwas zu gewinnen ist,
da sind sie wie die Juden, daher die Frage allerwärts:
„Aach hie?“ Die Frage des Holländers: „Is dar wat bi?“
muß man — nicht mit Hamlets Frage verwechseln:
„to be or not to be!“ *)

---

*) Seyn oder nicht seyn.

Napoleons Auto da fé englischer Waaren war lächerlicher
als das Auto da fé der Kirche!

Die eigentliche Handelspolitik ist nicht älter, als die
Regierung der englischen Betty — bis dahin folgten die
Regierer ihren Juristen, die Roms Gesetze kannten,
aber nicht Staatsweisheit, und nicht bedachten, daß Rom
selbst nie den Geist des Handels kannte. — Man folgte
den Vorurtheilen der Feudal-Welt, ja selbst den Theologen,
denn Jesus sagte ja: „Leihet, daß ihr nichts dafür
hoffet." — Aber Handel fliehet die Orte, wo man ihn
drückt, und Handelsauflagen drücken nur Cultur, Kunstfleiß und Erzeugniß. — Ganz unumschränkte Handels-
freiheit taugt zwar so wenig als vollkommene Gleichheit
des Volks Israel, so lange es Volk Israel bleibt, und
zwar aus denselben Gründen — das ganze Gesetz
Mosis war gegen die Herzens-Härtigkeit gerichtet, wie der
Apostel sich ausdrückt, die Sittlich-Unmündigen machen
überall die Mehrzahl, daher unbedingte Freiheit, wie ewiger Friede — Ideal bleibt. — In so ferne gibt es allerdings eine Handels-Politik, die durch Zölle den
Handel leitet (nicht sich dadurch bereichern will), die
ihn begünstiget, und allenfalls auch verhindert, daß
nicht über Einem Reichen Tausende arm bleiben, oder
werden; aber unsere Mauthsysteme im Innern gehören
sicher nicht zur Handels-Politik, wohl aber eine
Allgemeine Zolllinie an den Gränzen des Bundes, und eher kein deutscher Handel! Zoll und
Mauth läßt sich vor der Vernunft nur als Verthei-
digungsmittel rechtfertigen, wie der Krieg, und durch
unsere Mauthsysteme in deutschen Bundesstaaten, die
lauter Gränze sind, gleichen wir einem Manne, der
sich selbst die Glieder unterbindet, damit sein Blut nicht
circulire und mit dem es — nicht recht richtig ist! Es
sind Extreme, wie das Extrem der Alten, die den Handel
verachteten, und das Extrem neuerer Zeiten wo wir den

habe, als die der Compagnie. „Dorten," sagte er, „konnte ich mich nach meinen eigenen Einsichten richten, hier mußte ich Eure Instruktionen befolgen!"

Aber Achtung vor dem Bunde in seiner Blüthe! Der Bürgermeister von Lübeck, der Doge der Hanse, empfing Gesandtschaften von Königen, die Hanse beherrschte die Ostsee, sandte Flotten nach Lissabon, eroberte Liefland und schrieb nicht nur Schweden und Dänemark Frieden vor, sondern selbst Holländern und Britten. Woldemar antwortete zwar auf eine Kriegs-Erklärung:

> Seven un seventig Hänse,
> Un seven un seventig Gänse
> Bieten (beißen) mi nit di Gänse
> Frag ich nit een Suar di Hänse;

aber er mußte flüchten, und im Frieden ganz Schonen auf 16 Jahre der Hanse überlassen zum Ersatz der Kosten! Der Scepter des ganzen europäischen Großhandels war in der Hand der Hanse, wie jetzt in der Großbrittaniens, und die Schätze Asiens und Afrika's gingen durch ihre Canäle — wir sind jetzt wahre Krämer. Krämer lassen sich vom Publikum ernähren, und schreien am meisten über schlechte Zeiten, Abgaben und Noth, wenn sie nicht mehr auf die alte Weise fuggern dürfen; aber der Großhändler und eigentliche Kaufmann ernähret das Publikum. Le Trident de Neptune est le Sceptre du Monde! *)

Hamburg, Lübeck und Bremen hat schon die Natur zu Handelsstädten gestempelt, da sie an den Mündungen der Elbe und Weser, und in der Nähe der Meere liegen, der wahren Handelsstraßen. Ihre geographische Lage eignet sie ganz zu Zwischenhändlern zwischen

---

*) Der Dreizack Neptuns ist das Scepter der Weltherrschaft.

Napoleon sagte 1806 den Hanseaten zu Posen: „England muß fallen, die ganze Handelswelt auf
den Staub des vierten Jahrhunderts zurück —
Linnen gegen Vieh, Korn gegen Wolle, mag
man mich Nero und Caligula nennen."— Hätte
Er es nur machen können! Kostbarer als alle Reichthümer Indiens wäre die Einfachheit der Hindus! Das
Merkantil-System ist weniger solide, als das einsei-
tige, physiokratische System, das Industrie-Sy-
stem aber nimmt auf Alles Rücksicht, was Ertrag gewährt. Ackerbau und Viehzucht, Hopfen und Weinberge
und Landes-Manufakturen genügten allerdings der Natur,
und wären Reichthümer zu unsern Füßen, die nie verloren gehen. Die Hanse hatte nur Hafen, Schiffe, und
etwas Fabrikate, aber kein Land — und fiel; Venedig
hatte Land, aber wenig, der Baum ohne Wurzel verdorrte;
England hat viel Land — aber im Verhältniß zu seinem Welthandel? und ohne Colonien? Bei seinen
Guineen-Haufen könnte ein zweiter spanischer Gesandte, wie dorten bei Venedigs Zechinen-Haufen, unter
den Tisch gucken und fragen: „Aber sind sie hier
gewachsen?"

— Jede Sucht ist der Moralität nachtheilig, und zwischen Käufer und Verkäufer ist eine Art Kriegszustand,
laut Sirach: „Wie ein Nagel in der Mauer zwischen zwei Steinen, so steckt die Sünde zwischen Käufer und Verkäufer," wenngleich über
jedem sinesischen Kaufladen stehen soll: Pou-hou, d. h.
„Hier wird nicht betrogen." Wenn man vollends
gar sieht, wie kaufmännische Philosophie, vorzüglich im
Unglück der Völker, im Kriege, den schändlichsten Wucher,
nur Benutzung der Conjunkturen nennet — wenn
der Amsterdamer Byland 1638 nach Antwerpen Munition sendet, und sich damit zu rechtfertigen glaubt: „Kann
ich etwas gewinnen, so wage ich meine Segel
ins höllische Feuer, und myn Heer Satan soll

gut bedienet werden." Wenn man an die Seeräu-
berstaaten denkt, die ihre Fortdauer bloß der Handels-
Eifersucht verdanken (vielleicht auch die Türken), an die
Handelskriege, oder gar an den schwärzesten aller
Händel, der mit Negern, die daher auch den Teufel weiß
malen, so möchte man wünschen, daß Vater Ocean sich
in lauter Aecker, Wiesen und Wälder verwandeln möchte!
Aber Alles hat zwei Seiten — die Moral muß auch
an die Gefahr beim Handel denken, an seine
Abhängigkeit von den Elementen, vom Credit,
von der Ehrlichkeit Anderer, und von der Veränderlichkeit der Preise — Koopmans Good is Ebb' un
Flood — Kooplüde, Looplüde! Darf man ihnen verargen, wenn sie fest an der Maxime halten: Business will
be done in a regulary way, d. h. Handel leidet
keine Freundschaft, und unter „Wenig Profit"
das Nunquam satis**) verstehen? Lübecks Handel fiel, als
die Britten nach Rußland segelten, und noch früher die
Osterlinge, oder preußisch-liefländischen Städte sich von
der Hanse trennten, und wie stände es um Hammonia,
wenn England fallirte? Man kann es also doch den By-
landen nicht ganz verargen, wenn sie eher darauf sehen,
wie es um ihre Bücher steht, als um die Nation — und
lehrt nicht Phocion-Mably: l'Amour de la Patrie est
subordonné à l'Amour de l'Humanité?*)

Nirgendswo schwingt Fortuna so schnell ihr Rad, als
im Handel, und der Kaufherr, der heute Millionen besitzt,
dessen Schiffe das Meer bedecken, und dessen prächtige
Equipage durch die Straßen donnert, kann morgen als
Bettler herumschleichen. Nicht Fleiß, nicht Vorsicht vermögen das Rad aufzuhalten, Dionysius Schwert hängt
über den Häuptern der Gold-Ameisen, die in unsern Zeiten

---

*) Die Liebe zum Vaterlande ist untergeordnet der Selbst-
Liebe.
**) Nie genug.

noch überdieß die alte Marime vergeffen: Keep your Shop,
and your Shop will keep you,*) und damit anfangen, womit
unſere Alten aufhörten — mit Bequemlichkeit und Genuß!
Speculation iſt das große Wort — der erſte Gedanke
beim Erwachen, der letzte vor Einſchlafen, und der Gegenſtand des Traumes. — Solche Leute—überhandeln ſich
auch gerne, d. h. ſpeculiren über ihre Kräfte hinaus, und
das iſt gerade das, was in der gelehrten Welt — über-
ſtudieren heißt... Nur Sturm und Wind vermag die
Kaufmänniſche Majeſtät, die man nur zu London und
Amſterdam, und kaum im Abglanze bei unſern Hanſen
kennen lernt, zu beugen — nur Sturm und Wind:

> durch den der Herr der Erben
> die Krämer beugt, daß ſie nicht Fürſten werden!

Das Manuſcript aus Süddeutſchland nennet unſere Hanſen deutſche Barbaresken, die auf
Koſten von ganz Deutſchland ſich bereicherten, und
ſchimpft ſie als Wiederhall ſeines Abgottes, der doch
der größte Barbareſke war, den die Welt ſeit Timur
geſehen hat — er nennt ſie in moderner Grobheit Mäkler Englands und Hors d'Oeuvres des Vaterlandes!
Andere haben ſie die Parzen genannt, die den Lebens-
faden des deutſchen Handels von engliſcher Wolle ſpinnen,
und noch einmal Deutſchlands Furien werden könnten in
der Hölle der Armuth! Und doch waren dieſe Hanſeaten
die Erſten, die das Schwert zogen für Deutſchlands Er-
löſung, ſobald durch die Annäherung der Preußen und
Ruſſen die Möglichkeit gegeben war? Freiwillig opferten
ſie Gut und Blut auf dem Altare des Vaterlandes, und
ſchlugen den Feind, während ſüddeutſche Völker noch im
Bunde mit ihm gegen das Vaterland fochten! Die han-
ſeatiſche Legion iſt unſterblich, und mir wird bei
jenem Raiſonnement, wie die Norddeutſchen ſprechen,
ganz flau!

---

*) Haltet euern Laden, und euer Laden wird euch halten.

In den Hansestädten herrschte. stets die größtmöglichste politische Freiheit, um die man sie wohl im übrigen Deutschlande beneiden dürfte, und sicher hätten weit mehrere dorten ihren Aufenthalt gewählt ohne das rauhe Klima, und andere Kleinigkeiten, die so sonderbar mit jener abstachen, worunter religiöse Nichtfreiheit oben anstand. In allen Reichsstädten galten die schwarzen Männer, die so gerne ihre himmlische Sphäre verlassen, und in der irdischen herumirren, weit länger, als anderwärts, aber hier vorzugsweise. Ihr Schweigen wäre verdienstlicher gewesen, als ihre heiligen Reden. Noch im Jahr 1706—1707 waren zu Hamburg große Unruhen, indem die Prediger Mayer und Krummholz die Unzufriedenheit der Bürger mit dem Magistrate zur Flamme anbliessen, so daß 12,000 Mann Kreistruppen einrücken mußten! Die Ehrwürdigen wurden eingesperrt B. R. W. Die Hansen waren bis auf unsere Zeiten die wahren Antipoden der Venediger. Siamo Venetiani e poi Christiani![*])

In diesen Hansestädten ist noch allein der alte Patriotismus, der Staatsämter lediglich als Ehrensache, als Ehrenämter ansieht, und solche übernimmt ohne alle Rücksicht auf Besoldung, ja selbst oft mit Aufopferung eigenen Vermögens. Wie beschämend für viele Staatsdiener größerer Staaten, die mit der reichsten Besoldung nie genug haben, und stets Zulagen haben wollen!! Sowie ehemals Adel und Geistlichkeit glaubte, das Volk sey nur da um Ihretwillen, so scheinen es jetzt viele Beamte (oder die Angestellten, wie die Söhne Merkurs sprechen—vorzugsweise aber ihre Damen) zu glauben; noch immer golden gegen die, qui castra sequuntur![**])

In diesen Hansestädten, wo man noch so viel Alterthümliches findet, finden sich auch noch viele alterthümliche löbliche Sitten, die den Philosophen an

---

[*]) Seyen wir zuerst Venetianer und dann erst Christen.
[**]) Soldaten.

ziehen, worunter zunächst wohlthätige Stiftungen
gehören, Vaterlandsliebe und Sorge, den Hinterbliebenen mehr zu hinterlassen, als — Gestank!
Reiche Kaufleute machten sich nie viel aus der Geburt
— aber — ein wahrer Widerspruch — viel aus Titeln,
was doch nachgelassen zu haben scheint. Vielleicht geben
unsere Handelsstädte das Signal zu Abschaffung des erbärmlichen Hoch-, Hochwohl-, Wohl-, Hochedel- und
Edelgeboren ꝛc., aber wundern würde ich mich nicht,
wenn sie dafür substituirten. „Steinreicher, Schwer-
reicher, Mittelreicher, Reicher, Wohlhabender
Herr! denn Gold steht hier einmal oben an, und
Gold und der Tod sind die größten Freiheits- und
Gleichheitsmänner! — „Wie steht der Cours?"
sind die Worte des ächten Kaufmanns, dem schon der Todes-
engel über dem Haupte schwirrt. Ich habe sie nie um ihr
Gold beneidet, wohl aber um einen andern Cours, um
ihre schönen Reisen, wobei sie ihre Geschäfte machen,
und dennoch allen Genuß von Reisen haben könnten,
wenn sie Sinn für Höheres und Vorkenntnisse
mitbrächten, und die meisten nicht reisten, wie die Briefe
im Felleisen! Sie sind die wahren fahrenden Ritter des Mittelalters, und kommen mit ihrem Geld
weiter, als die Ritter mit Schild und Lanze! In keiner deutschen Stadt, selbst nicht zu Wien und Berlin,
trifft man so viele durch Reisen gebildete Männer als zu
Hamburg, und noch weniger jene altdeutsche Sorge für
die Nachwelt, von der die Neualtdeutschen wohl gar
sprechen, wie Polichinell: „Was hat denn die Nachwelt
für mich gethan?"

Man kann den Charakter der drei Hansen mit den
Nationen vergleichen, mit denen sie am meisten ver-
kehren. Der Hamburger ist stolz, trocken, verschwenderisch, wie der Britte, seine Stadt ist aber auch die
erste Handelsstadt Deutschlands! und das brittische à Plomb

verzeihlich: der Bremer ist verschlossen, phlegmatisch, sparsam, wie der Holländer — der Lübeker frugal, arbeitsam, aber dabei frohsinniger und gefühlvoller, wie der baltische Nordländer; alle drei aber sind voll Anhänglichkeit und Liebe für die Vaterstadt. Noch haben sie an den Höfen gemeinschaftliche Residenten und Consuln in Nord- und Süd-Amerika — zu Archangel und zu Alexandrien, zu Bergen und Cadix 2c. und ein — gemeinschaftliches Oberappellations-Gericht zu Lübek mit ihrer vierten freien Schwester Frankfurt, die alle drei Schwestern an Schönheit weit übertrifft, Hamburg in Ansehung des Reichthums am nächsten steht, und durch Lage und Verhältnisse mehr, als jene ältern Schwestern — französische Sitte liebt!

Auf Lübeks Schild, auf ehr'nem festen Grunde,
Erheben krönend Hamburgs Thürme sich;
Und Bremen legt als Siegel zu dem Bunde,
Den Schlüssel drauf — bestehn soll's ewiglich!
Und Frankfurt ist die Bundesstadt,
Daher sie auch — die Adler hat!

Im Mittelalter war der Name Hans — großer Hans, von einem großen Herrn gebraucht, nichts weniger als verächtlich; folglich nannte man von ihrer Verbindung (Hanse) die Mitglieder auch Hansen, und der Handelsrichter hieß Hansgraf, der Scharfrichter aber Meister Hans! Der jetzt verächtliche Name Hans mit seinen vielfachen Zusammensetzungen, Fabelhans, Prahlhans, Schmalhans, Hansdampf, dummer Hans kommt wohl eher von Johannes, da dieser heilige Name so allgemein wurde, so wie man im Norden eine alberne Johanna auch dumme Jütte nennet. In meiner Gegend sagt man sogar von einer derben Dirne: „das ist ein rechter Hannes; in mehreren hochadeligen Familien ist Hans als uralter Familienname noch geachtet, und die Familie der Hansdampfe die zahlreichste und berühmteste aller Familien, daher der Hammelburger, der sich doch auf Geschichte

versteht, selbst die Erfindung der Dampfboote einem
der Hansdampfe zuschreibt. In — unadeligen Familien ist das Superlativ von Hans nur allzuüblich —
Hansa ... und selbst die Hausen sind wenigstens
manchmal — Hansen, ergriffen vom Glanze kaufmän-
nischer Gold und Silber-Majestät; aber wahrlich sie sind
es weniger, als hie und da die Hansen des Binnenlandes, zu denen sie sich verhalten, wie Seehandel zu
Landhandel, und Kaufmannschaft zur Krämerei. Schön
ist es, daß der Unterschied zwischen Kaufmann und Krämer
nicht so groß und drückend ist, wie in England zwischen Mer-
chant und Shopkeeper, Negociant und Marchand, und
im deutschen Süden scheint man noch weniger davon zu
wissen; natürlich am allerwenigsten in Städten, wo es
gar keine Kaufleute gibt, und alles nur Krämer
ist, jedoch mit dem Titel wohlrenommirter Kaufmann! Der Titel Rath imponirte bisher, seit aber
auch sie Stadträthe geworden sind, bewegen sie sich
weit freier, nicht blos in ihrem Laden — sondern auch
in der Gesellschaft, was ich wohl leiden könnte, wenn
nur nicht in der Regel der gehörige Grad von Bildung
fehlte. Der Kaufmann hat geistige Kräfte in Bewegung zu setzen, der Krämer höchstens sein Sprach-
Organ, und kann gedeihen, wenn er auch sich dem nähert,
was in der Kaufmannsprache, die gerne italienisch einmischt,
Brutto heißt!

Ich habe in unsern Hansestädten recht liberale
Männer kennen lernen, mögen auch andere nur die Maske
davon tragen, und das Einmaleins da sitzen, wo Kopf
oder Herz sitzen sollte, wie bei den Hebräern, die Denken
und Rechnen mit Einem Worte ausdrücken — es gibt
Ausnahmen, oder sollte ich allein so glücklich gewesen
seyn, auf Ausnahmen zu stoßen? Hier sind Großhändler,
und diese verhalten sich zu Landkrämern, wie Cäsar zu
den Seeräubern Ciliciens. Handels-Geist ist allerdings
ungesellig, aber ist es nicht auch Adelsgeist — Solda-

ten=Geist? Gelehrten=Geist? aller und jeder Ka=
stengeist? Viele Häuser (Comptoirs) sondern sich ab
durch ihr Geschäft, wie die alten Ritterburgen durch Zug=
brücken, darum hatte aber doch der berüchtigte Trenk,
der zu Hamburg eine Einladung annahm, und sodann
um eine gewisse Summe bat gegen Wechsel, auf die Rede:
„Aber wir kennen Sie nicht?" höchst Unrecht zu er=
widern: „Ich kenne Sie auch nicht, und daher
mag ich auch nicht bei Jhnen essen." Jch habe bei
einem Banquier gegessen, der Millionen commandirt, ob
man mir gleich auf den präsentirten Wechsel eines Fürsten
gesetzt hatte: „Hat keinen Fonds!" Geschäfte ver=
langen Ordnung, und Ordnung ist besser als Flott=
leben, wobei sich die ersten Erwerber im Grabe herum=
drehen würden, wenn sie sehen könnten, wie die Seeligen
Erben mit ihrer Firma umspringen.

In großen Handelsstädten, wo Alles nur nach dem
Gewinn berechnet, und nach Geld selbst der innere
Werth und die äußere Ehre des Menschen ge=
schätzt wird, wo die Söhne schon im 12 — 14ten Jahre
in Kaufläden gesteckt werden, ohne alle weitere als
höchstens Sprachbildung, da kann nur wenig Sinn
für das Bessere, Edlere und Höhere im Menschen seyn,
es gibt nur arithmetische Thiere, denen die Zahlen
heiliger sind, als dem Pythagoras. Die alten Juristen,
ob sie gleich selbst in diesem Spital krank lagen, wie an=
dere reine Facultäts=Männer — rechneten sie daher auch
unter die personas miserabiles, ohne recht daran gedacht
zu haben, wie viel sie damit sagten — solche Menschen
kann freilich nichts rühren, als allenfalls ein Schlag.
In allen Handelsstädten heißt es —

O Cives! Cives! quaerenda pecunia primum est,
Virtus post nummos *) —

*) Schaffet euch Gold ihr Freunde, und füllet mit Thalern die
Tasche.
Tugend ist schlechter als Geld.

659

Man muß schon zufrieden seyn, wenn nur die Tugend nicht ganz fehlt, mag sie auch hinter dem Gelde hergehen. Ehrlich währt am längsten, jener Hebräer aber meynte freilich: „weil's nicht viel gebraucht wird." Geld bleibt die wahre Conditio sine qua non *)! und in diesen Seestädten, wo sie das Ochsenfleisch aus dem Grunde einzusalzen verstehen, muß man es nicht so genau nehmen, wenn auch zarteres Fleisch zu stark mit Salz gerieben wird!

Ich gestehe, daß ich Hauptstädte, die keine Handelsstädte sind, vorziehe, und Höfe, Corps diplomatiques, Soldaten und Räthe mit Sternen und Bändern doch noch lieber sehe, als jene Leutchen mit jenem Horazischen Motto : Omnia sunt venalia **) in Handelsstädten, je kleiner, desto schlimmer; so wie Weiber weit mehr knikkern, als Männer, da sie nur mit kleinen Sümmchen zu schaffen haben; so kniken natürlich auch die mehr, die den Pfeffer lothweise verkaufen, als die, die Schiffe nach den Molukken schicken, und die, die zu Lande zu einem Von gekommen sind, sind stolzer, als die, die Schiffe auf der See haben! Gute Wechsel sind dem Kaufmann die interessantesten aller Schriften, Geld sein zweites Ich, oft sein besseres Ich, und wenn die Gelehrten heute noch über die Moral-Principien streiten, der Kaufmann ist im Reinen — das seinige ist das Tausch-Princip. „Rechte Wage, rechte Pfunde, rechte Scheffel, rechte Kannen" sprach der Herr — „Aber sind wir Israeliten?" entgegnen die Kaufleute. „Neun Prozent, das Aeußerste," rief Israel und schrieb zum Ueberfluß in die Stubenthüre des Offiziers 9 — „Aber Israel! Gott im Himmel muß sich über den Wucher irgern, wenn er die 9 sieht." — „Gott behüt! von Oben hält er die neun für eine sechs!"

*) Das wahre Lebenselement.
**) Alles ist verkäuflich.

. In Handelsstädten haben mich die zu Millionen sich hinaufgerechneten arithmetischen Thiere so wenig geärgert, als der stolze Puter oder Pfau im Hühnerhofe, vielmehr belustiget und wahrhaft unterhalten. Schon ihre Sprache gewährt Interesse. Der Mann ist gut, wenn er Kredit oder Vermögen hat, wäre er auch der schlechteste Kerl. — Sie reden durch Wir, selbst Krämer und armselige Büchleins-Verleger, wie große Herren, nennen sich Freunde, was aber so wenig sagen will, als ein Unterthäniger oder Gehorsamer Diener. Eine Kaufmannsfrau schrieb: „Sie haben mir gestern zu wenig gegeben, für das Sümmchen mögen Sie mich nochmals beliebig erkennen." Wenn man nun diese Worte in der Bibelsprache nähme? „Wir haben Sie mit so und soviel belastet," geht an, wir sind so frei die Anweisung auf — zu entnehmen — ist freilich undeutsch, aber wie edel klingt es nicht, wenn jener Banquier der Familie eines bei seinem Hausbau verunglückten Arbeiters mitleidig sagt: „Ihr lieben Leute, hier habt ihr den ganzen Wochenlohn, obgleich euer lieber Mann und Vater schon vor drei Tagen vom Gerüste gefallen ist." Wie gut, daß die göttliche Vorsehung nicht der kaufmännischen Provision gleichet! Der Krämer eines Landstädtchens, wo sie so gerne unter ihrer Ladenthüre sich spreizen im Neglige, mit langer Tabakspfeife, behaglich wie Holländer, und steif wie der hölzerne Mohr mit der thönernen Tabakspfeife auf dem Laden — schrieb einem Beamten: „Es ist meinem Herzen süß, Ew. mit diesem schönen Schweizerlaib aufzuwarten, der fünf Gulben kostet, wobei ich nichts gewinne, als das hohe Bewußtseyn, Ihrem Geschmack eine Freude zu machen. Sich damit 2c." Es ist nicht möglich so zu schreiben ohne Mitglied einer Lesegesellschaft zu seyn!

Aber unsere drei Hansestädte gewähren dem Reisend vorzüglich dem aus Süden, hohen Genuß, wenn er Ka leute zu nehmen weiß, wie sie genommen werden müss

und überall sind, folglich ein Mann von Welt sie auch
nehmen wird. Sie gehören mit zu den intereffanteften
Punkten des weiten Vaterlandes, himmelweit verschieden
von den Städten, die man in Schwaben — Seestädte
nennt — und daher hat es mich gefreuet, daß Wilmans
zu feinen schönen Ansichten Frankfurts und des
Rheins auch noch die Ansichten der drei Hanseftädte hinzugefügt hat, die selbft zu Zimmerverzierungen dienen können. Wer diese unfere Hanfeftädte näher kannte,
bedauerte fie gewiß von ganzer Seele, als fie Napoleon in
feine Kreuzschule nahm, wovon kein Wörtchen fteht
in Valentin Wudrians Original-Kreuzschule! Hätte
Götze noch gelebt, er hätte geprebigt, wie ein zweiter He-
fekiel. „Wente du bist vul wrevels geworden van dy-
ner groten Hanteringe, unde hefst dy versündiget,
an dyn Herte vorhevet, darüme dat he sprekt: de
Waterstrom is myne, un ik byn ydt, de yt deyt —
darumme will ik een Schowspel van dy maken, alle
de dy kennen, werden syk aver dy entseeten, denn
ki byn de Here!"

Zwei und dreißigfter Brief.

Die freie Hanfeftadt Hamburg.

Groß und erhaben ift der Anblick Hamburgs, wenn
man von Harburg, im Glanz der Abendfonne, hinüber-
fchiffet in die erfte Handelsftadt Deutfchlands; Altona und
die Königin der Hanfe fließen in Eins zufammen, die
Elbe ift ein Meer, überfäet mit grünen Infeln, Thürme
und Schiffs-Maften ftarren empor, überall flatternde Se-

gel und Wimpel, überall Luftgärten, überall Leben und
Wirken zu Wasser und zu Lande. Die Elbe, durch einige
Dutzend Inseln getheilt, die theils der Stadt, theils Hannover angehören, darunter der Billwerder, dessen 100
Windmühlen ihre Riesenarme in der Luft bewegen, mag
hier immer zwei Stunden Breite haben, und die vielen
Krümmungen des Fahrwassers, Ebbe und Fluth, Wind
und Wetter machen, daß man drei Stunden zur Ueberfahrt braucht, wenn es gut geht, folglich hat man alle
Zeit sich umzuschauen. Ich kenne keine deutsche Stadt,
die trotz der wenig Thürme, so viel Eindruck machte, ausgenommen Wien, aber nur zu oft verschleiert Torf- und
Kohlenqualm die Fürstin der Elbe, wie die Königin der
Themse. Ein Reisender sagt: Lange bedachte ich mich,
warum der Rhein mich nicht so anziehet, als die Elbe,
der Rhein ist ein Mann, die Elbe ein Weib, eine Spielerei mit der und die, wenn auch die Kunst dem Marmor
nicht den Vorzug gäbe!

Hammonia bekommt noch einen Hauptreiz, den Wien
nicht haben kann, dadurch, daß, außer der Wasserwelt,
von allen Seiten, von denen man sich ihr nähert, recht
erbärmliche Gegenden sind, vorzüglich die Lüneburger und
Holsteiner Heiden. So gefällt Bordeaux, weil man
sich zu Lande nur durch die traurigen Landes nähern kann,
so gefällt Amerika, in noch höherm Maßstabe, durch die
Monotonie des Schifflebens, und des weiten Wasserrau-
mes zwischen beiden Hemisphären nach 5—6 wöchentlichen
See-Reveries, oder vollends gar das Cap, wenn etwa
Stürme sechs Monden lang den Indienfahrer herumge-
worfen haben, er nun wieder festen Boden unter den Füßen
fühlt, und ihn das herrliche Gemüß, das frische Fleisch,
der vin de Constance und die reine Capluft erquicken, die
freilich Hamburg fehlt. Sicher gehen auf Rechnung
der langen Seereisen die poetischen Schilderungen mancher
Inseln, z. B. Juan Fernandez, Tinian und Taiti; je
schlechter die Heide unseres Lebens ist, desto sehnlicher

blicken wir nach dem beffern Lande, und je toller 'das
Wetter gewefen,' defto beffer fchmeckt uns das Mahl in
einer warmen Stube! Hammonia gefället, wie das gelobte Land dem Volke Ifrael, das Mofes vierzig Jahre
lang in Wüsten herumgeführt hatte, um ihrer Sünden
willen, als Vorbild, daß wir nur durch Trübfale in's
Himmelreich gelangen! Es war die harte Erziehungs-
Methode Jehova's, bei der Ifrael mehr lernte, als bei
aller Weisheit der Aegypter, fowie wir in der Einfam-
keit mehr, als im Weltgetümmel lernen, und im Unglück mehr als im Glück! Indeffen ift die Mofiszahl
40 eine runde, heilige fymbolifche Zahl, wie 7, die
man nicht gerade wörtlich nehmen muß, wir halten es
ja noch fo mit dem Verfprechen: binnen 14 Tagen oder 4 Wochen! und verftehen darunter eben eine
lange Zeit.

Prächtig ift der Anblick Hamburgs, gelagert am rechten Elbeufer, da wo fich Alfter und Bille mit dem prächtigen Strome vereinen, aber das Innere — ift traurig! Wehe dir Hammonia, wenn voreilige Fremdlinge
von deinem Aeußern auf dein Inneres fchließen, vom
Wohnort auf Denkart! Es ift eine alte Schöne, die in
der Nähe nicht gefallen kann, wenn auch gleich neue Gebäude befferer Art nicht fehlen. Die Straßen, Neuwall,
Admiralitätsftraße und den Steinweg ausgenommen, find enge, krumm, finfter, fchmutzig, nicht
verfchieden von den übrigen großen und kleinen altgothi-
fchen Städten, und wahren Judenneftern Niederfachfens
und Weftphalens. Ein fchweres Clima zwifchen zwei Meeren, und dem kleinen Meer der Elbe laftet auf ihr bei
den vielen Canälen (Fleeten), worüber 84 Brücken gehen, man könnte Hamburg eher Deutfchlands Venedig
nennen, als Lindau, wenn nur die Häufer ein bischen ita-
lienifch ausfähen, und unter den Brücken ein Rialto wäre
— nicht Eine Brücke, wie zu Frankfurt, Regensburg,
Prag oder Dresden, und die Fleeten, meift von der Alfter

gefüllt, verbreiten keine Wohlgerüche. Merkel übertreibt zwar: „Man kann eine Karte der Stadt nach den verschiedenen Gestanksarten illuminiren, und kein Fleckchen wird weiß bleiben," aber richtig ist, man sehnt sich und selbst Hamburger aus der alten, finstern, geräuschvollen Freistadt hinaus auf die Landhäuser, und Hamburg riecht man von weitem! Aber Paris riecht man noch weiter, selbst London, die reinlichste aller Großstädte, eingehüllt, wie Homers Götter in — Steinkohlen-Dunst! Und doch kenne ich einen noch üblern Dunstkreis, den mit Knoblauchsduft geschwängerten Dunstkreis der schweinischen Städte Italiens, und von Moskau versichert Claproth, daß man es mehrere Werste weit rieche. Man möchte sich in seine Dose verkriechen = doch Städte sind in gar vielen Dingen Gegensatz des Landes, am meisten aber, was die Luft betrifft — wer möchte in Städten mit Kleist singen?

> Komm Luft! mich anzuwehen,
> Du kömmst vielleicht von ihr!

Die meilenbreite Elbe imponirt, der Rhein hat höchstens 2000' — aber Größe und Großheit sind zweierlei. Ich möchte schon darum nicht in Hamburg wohnen, weil es an Raum fehlt, selbst Wohlhabende unbequem wohnen, und die theuerste Stadt Deutschlands ist sie ohnehin. Die arbeitende ärmere Klasse nistet in Twieten (Zwischengäßchen), Gängen und Höfen, wohin den Wohlhabenden selten Geschäfte führen, gewisse kleine Privatgeschäfte ausgenommen — ja — in dunklen, feuchten Kellern, und muß sich bei hohem Wasserstand flüchten. Zu Hamburg tritt man, wie zu London, die Armuth mit Füßen, zu Wien und Paris wandelt sie über den Köpfen der Reichen. Nürnberg, Augsburg, Ulm, Frankfurt ꝛc. sind auch recht alte Reichsstädte, aber welch' ein Unterschied! Zu Hamburg leben viele Tausende in Löchern ohne Licht und Luft unter der Erde schon vor dem

Tode! Es ist recht gut, daß die Leurchen da geboren wer=
den, und andere der lucri bonus odor fesselt. Berlin
hat ein weit milderes Clima noch als Hamburg — es hat
keinen Hof, aber Aeolus scheint hier Hof zu halten —
ewige Nebel seinen Thron zu umlagern, und das Jahr
hat wenigstens 265 trübe Tage gegen 100 heitere!

Hamburg ist die erste Handelsstadt Deutsch=
lands, und in Hinsicht der Bevölkerung und des Reich=
thums die dritte deutsche Stadt, vielleicht selbst nach
London und Amsterdam, die dritte Handelsstadt Europens,
deren Verfassung, wie die Emsigkeit ihrer Bürger,
hohe Achtung verdient. Sie ist eigentlich Welthandels=
stadt, ein wahrer Bienenkorb und Ameisenhaufen, wo
die größtmöglichste Thätigkeit auf den möglich kleinsten
Raum zusammengebrängt ist; zu gewissen Zeiten übertrifft
sie Wien an Lebendigkeit, und wenn zu Leipzig und Frank=
furt Messen sind, so ist hier alle Tage Messe. Sie dehnt
sich wohl eine Stunde weit am nördlichen Ufer der Elbe
hin, wo die Flußfahrt aufhört, und die Seefahrt anfängt,
obgleich der Strom erst fünf Meilen weit unter der
Stadt sich mündet. Hamburg zählt über 110,000 Seelen,
in einem Umfange von zwei Stunden, worunter 5—6000
beschnittene Juden seyn mögen. Hamburg ist für sie
ein Klein=Jerusalem, mehr als Frankfurt — und
das Große Jerusalem — Amsterdam. Auf dem Ge=
biete der Stadt von 7 Quadratmeilen werden 30,000 Men=
schen leben, und das Einkommen soll 3,800,000 Mark
seyn, neben einer Staatsschuld von 80 Millionen; es schwebt
über ihren Finanzen — tiefes Geheimniß .. Nürnberg
hatte ein ganz anderes Gebiet und ganz anderes Einkom=
men, aber Hamburg hatte keine — Patrizier. Die
Bürger hassen Zutrauen, und in einem so kleinen rei=
nen Handelsstaat läßt sich die Nichtöffentlichkeit
des Finanzstaats einigermaßen entschuldigen — in unsern
constitutionellen Monarchien ist weit mehr Oeffentlichkeit.

Hamburg ist eine der interessantesten Städte Deutsch=

lands, und für den Philosophen vielleicht die Erste. In Hamburg ist jeder frei, sobald er seine Freiheit nicht auf Kosten öffentlicher Ruhe sucht, folglich kann man hier den Menschen am leichtesten studieren. Es gibt nur Bürger, Einwohner und Dienstboten. Der Bürger ist der Adel, und der hohe Adel der von seinen Mitbürgern gewählte Senator. Der Bürgermeister darf in seinen Anreden an die versammelte Bürgerschaft die Worte: Vielgeliebte Mitbürger nicht fehlen lassen, und da die Häuser nichts weniger als prächtig sind, so kommt kein Publicola in den Fall, sein Haus abbrechen zu lassen, um den Neid des Volks zu besänftigen. — Wer Bürger werden will, muß sogar auf den Adel verzichten, und wer Bürger bleiben will, darf sich nicht adeln lassen — das etwaige Von ist das holländische van, und heißt hier nichts, wenn es je etwas heißen kann. Wenn wir die Auftritte betrachten, die im Mittelalter in andern Reichsstädten, Strasburg, Nürnberg, Speier 2c. vorfielen, so müssen wir die Vorsichtigkeit der Hamburger Gesetzgeber bewundern, die in ihrem Stadtrecht 1270 die Regel aufgestellt: Es soll kein Ritter oder rittermäßige Person in dieser Stadt oder ihrem Weichbilde wohnen! Der Kaufmannsstand ist der erste Stand, alle übrige hangen von ihm ab, wie er selbst wieder vom Handel, Fabriken und Schifffahrt. Nach dem Kaufmann kommt der Gelehrte, denn Gesetzgebung und Verwaltung, Erziehung, Religion und Krankheiten machen ihn unentbehrlich; das Leben in der Idee ist dem Staate so viel werth, als das Leben im Comptoir, wenn es auch das Comptoir nicht ganz begreifen sollte. Aerzte müssen sich in diesem Clima, in diesen finstern, engen, ungesunden Straßen und Wohnungen und in dieser Stadt des Wohllebens so trefflich befinden, als die Doctoren und Licentiaten, die in Senat kommen. Die Aerzte erhalten Neujahrs-Geschenke — sie sollten billig etwas davon abgeben an die Röche. Doctoren sind frei von der Bürgerwache, aber ich fand

doch in einem Hamburger Adreßbuch das Gelehrten-
Verzeichniß hinter dem der Litzenbrüder, Steinkoh-
lenmesser, Frachtfuhrleute und andern Handlangern der
hohen Kaufmannschaft!

Thätigkeit ist die erste Tugend, Gewinn das
höchste Glück; und zu dem Gefühle des Reichthums
kommt noch das der Freiheit. Nur Adam und Eva
wurden aus der Hand Gottes gefüttert. — In der alten
Welt mußten die Menschen arbeiten, weil sie Sclaven
waren, in der neuen, weil sie Sclaven ihrer eigenen Bedürfnisse sind, und des Wohllebens. Ist es ein Wunder,
wenn Fremdlinge von Derbheit der Hamburger sprechen? Der ungebildete Hamburger thut allerdings
breiter noch, als der Frankfurter Bruder, der Mann
mit der Faust, das Weib mit der Zunge, und der Karrenschieber stößt den ihn irrenden Grafen oder Ordensritter
so gut in den Koth, als den Bettler; mit ihren Fuhrwer-
ken ohne Pferde verdienen sie mehr, als wenn sie Equipage hielten. Diese Karrenschieber, die auch wie Gäule
sich anstrengen, sind die Sachsenhäuser Hamburgs,
und ich wünschte mir ihre Kraft. Sie sind recht höflich,
wenn sie einen neugierigen Frager mit dem Sprüchwort
abfertigen: „een Hun int' fleet,“ ein Huhn im Canale.
Basedow half einst einem solchen Karrenschieber, der dankbar fragte: Wer er sey? ich bin der große Basedow.
„O Heer! so groot is he doch nick, wi heft hier grö-
tere Kerls, as he!“ — Das Volk liebt und kennt nur
Sinnen-Genuß, und strotzt von Gesundheit, ist aber
dabei gutmüthig und bereitwillig, wenn gleich derbe. De
Pott (Topf) ist in seiner Sprache hundertfaches Symbol,
und zwar das Gefäß in Unehren; de Pott is aff!
„das Spiel ist aus!“

Der Hamburger ist noch von altem Schrot und
Korn, nicht eigentlich grob, und derbe sind auch im
Süden die niedern arbeitenden Klassen, wenn man sie in
ihrer Arbeit störet, von der sie leben müssen, vorzüglich in

großen Handels - oder Fabrikstädten — stört sie ein Müßiggänger, so greift er in die Triebräder der großen HandelsMaschine, und verstaucht sich natürlich die Finger. Wer mit einem stolzen air einem Hamburger mit einem „Hör Er mal" in die Quere kommt, kann leicht das schönste Plattdeutsch hören. — Man stößt auf weit mehrere verdrüßliche stumme Gesichter, als im freundlichern Süden, das ist unläugbar, und wer nicht davon angesteckt seyn will, thut wohl an Oelnschlägers Aufwärterin zu denken: „Warum so übler Laune? was ist ihr begegnet?"—„Weiß denn der Herr, ob ich nicht immer so bin?"

Sonst konnte man den norddeutschen Charakter am besten in Hamburg studieren, in jenen Zeiten, wo sie noch die Menschen nur in zwei Klassen theilten, Hamger und Buttenminschen. Der Verfasser der Wochenschrift „der Patriot" richtete sein erstes Blatt: „An alle meine Mitmenschen in und außer Hamburg," und damals glaubten viele Hamburger, daß an den Butten (Außen) Minschen nicht viel wäre! Aber die vielen Fremde, vorzüglich Emigranten, haben, nächst der Zeit so vieles verändert, daß ich sorge, selbst das liebliche Plattdeutsch gehe zu Grabe! Sonst rief der Hamburger seinen Leuten He oder So zu, man hört es so wenig mehr, als das holländische Jy, denn es wäre so altmodisch, als die reichsbürgerliche Einfachheit in Tafel und Kleidung, oder „mein Weib," was man noch hie und da in Schwaben hört. Welcher Hamburger wäre noch so ungalant, seine Frau eenen Block am been zu nennen, und welche Frau hätte noch so wenig von Damen gehört, um die Schlußformel der Großmütter zu brauchen, wenn das Gesinde nicht folgte: „Der Heer will dat hebben!" Die güte alte Zeit, wo Friedrich Wilhelm I. nicht weiter in seinen Fritz drang, dem Thron zu entsagen, als dieser erklärte: „Ja! wenn Ew. Majestät öffentlich gestehen, daß ich nicht Ihr eheleiblicher Sohn sey," ist

dahin! Damals unterblieben in Familien hundert Dinge,
als man noch fleißig communicirte. „Wäre ich
heute nicht zu Gottes Tisch gegangen, so wollt'
ich" — Und Dienstboten waren auch noch ehrlicher, als
sie noch jedes Vierteljahr beichteten und allen im Hause
die Hand boten: „Habe ich Sie beleidiget, so verzeihen Sie." — Was in Wien die Passauerinnen, Linzerinnen sind in Hamburg die hübschen Lüneburger Stubenmädchen, denen man leicht verzeihet. — Aber jetzt, wenn
zwischen zwei Herzen in engster Verbindung zur Abneigung
noch rohe Sitten hinzukommen, gibt es Scenen, die selbst
Höllen-Breughel nicht malet — ihres Hübners biblische Historien werden sie wohl schwerlich mehr lesen;
vielleicht aber doch in die Zeitung setzen: „Sie ist nicht
mehr, meine theure vierzig Jahre lang besessene Frau."

In Hamburg herrscht wahre Gastfreiheit, wenn
auch gleich das Abfüttern empfohlener Reisenden mehr
zum bon ton gehört, als auf geistigem Interesse be-
ruhet. Forster, der Vater, wurde in einem reichen Hause
so gut bewirthet, daß er den andern Tag um ein Anlehen
von 200 Thaler bat, und — man lachte ihm ins Gesicht.
Aber wer hatte hier Recht? ich glaube der Kaufmann.
Wenn man Geld verlangt, bekommen auch andere — den
Husten. Noch schmerzhafter mag Lavatern das Hamburger Phlegma gewesen seyn. Der schwärmerische Seher
kam von Bremen, wo man ihn wie einen Heiligen empfangen hatte, daher wollte er hier nicht fahren, „damit
niemand zu Schaden komme," der Wirth sagte
ihm: „Sie können zum Galgen fahren, und
keine Katze wird Ihnen nachsehen," der Heilige erbebte, nahm einen Wagen, aber auch beim Ein-
steigen den Kutscher beim Zopf, um seine Physiognomie
zu sehen: „Ja! du bist ein ehrlicher Kerl!" der ehrliche Kerl entgegnete: „Ihn sollte auch das Donnerwetter erschlagen, wenn er anders meyne." Der

Mann Gottes schüttelte den Staub oder Hamburger Koth
von seinen Füßen, und verließ zeitig die im Argen liegende
Hammonia!

Hamburg ist eine wahre **Stadt des Genusses**,
wie Wien, nur in **derberer** Manier. Die Elbe liefert
Lachse, die Nordsee Austern und Hummer, die Ostsee Dorsche, Holstein Rindfleisch, Lüneburg Wildpret, Westphalen
Schinken. Der Seehandel liefert russischen Caviar, west-
indische Schildkröten, stimulirende Vogelnester — die köstlichen Südfrüchte und Weine Portugals und Frankreichs.
Wer sollte nicht in Hamburgs Vorrathskammern — **Bauch**
werden? Schmaus auf Schmaus und Einladungsbillette
vier Wochen voraus, wie die Engagemens auf Winterbäl-
le. Bourienne in seinen Memoiren spricht gar von einer
Einladung von **sechs Monden** voraus — da ich nur
8 Tage zu Hamburg war, kann ich nicht aus Erfahrung
sprechen — vielleicht heißt es aber jetzt zu Hamburg, wie
zu Erfurt — **so war's!** In den reichen Häusern speist
man erst 4 — 5 Uhr, und nur die untern Klassen beobachten noch die von der Natur gesetzte Mittagsstunde, wie
den Sonntag und Festtag auch; bei Reichen ist jeder Tag
Sonntag, beim gemeinen Mann aber Pfingsten und Lämm-
lein, Martini und Gans, Bußtag und Schöpsenbraten un-
zertrennlich. Man kann zu Hamburg **englisch**, **französisch** und **deutsch** speisen, im Ganzen aber speist man
immer — **Hamburgisch**, und wenn man eine Rechnung
übertrieben findet, so kennen die Aufwärter auch das große
englische Losungswort: it's a mistake *)! Wenn man nicht
gerade Kaufmann ist, lebt sich's aber doch zu Wien angenehmer, um die Hälfte wohlfeiler, und auf jeden Fall weniger — **schiffsmäßig!**

Hamburg ist in der That ein Tempel des Bauches
und in Ansehung der **Seefische, des Eingesalzenen,**

---

*) Es ist ein Verstoß.

Geräucherten und Geböfelten mehr als Wien!
Selbst in der Auswahl der Weine möchte es den Vorrang haben, ungarische und italienische Weine abgerechnet.
Hamburg zeichnet sich aber auch durch geistige Genüsse
aus, denn der Hamburger reiset viel, und steht im Punkte
der Cultur weit über dem ächten Wiener. Das Wappen
der Stadt besteht bekanntlich aus drei weißen Thürmen im
rothen Felde, in der Handwerksburschen-Welt aber war das
Wahrzeichen der Esel am Dom, der auf dem Dudelsack
blies mit der Umschrift: De Weld heft sik omgekehrt,
drumm hebb ik armer Esel pipen lehrt. Ein anderes
Wahrzeichen, das noch besteht, ist besser: „Ich will dir von
Hamburg das Wahrzeichen sagen, es ist ein großer — verdorbener Magen.“ Ob man die Magenbürste kennt,
diese würdige Erfindung italienischer Mönche, die dabei
steinalt wurden? Alles, was keine Knochen hat, ist nur
„lichte Spys!“

Wohl den Städten, wo geschmaußt, aber auch die
höfliche platte Entschuldigung berücksichtiget wird: de Vor-
baden (bothen) will de Nabaden nich inlaten! Man thut
es zu Wien, Prag, Frankfurt, München und überall, wo
man — es hat! Wo Wohlstand ist, ist auch Ueppigkeit,
die sich immer zuerst an das Physische hält, und wer
Hamburg vorzugsweise zum deutschen Magen machte,
kannte Oestreich nicht, wo man jedoch schwerlich dem Frauenzimmer nach Alter und Stand vorschrieb, wie sie höflich
das Zundthigen ablehne. Die Jungfrau soll sprechen:
Ik war schon wat kriegen — die Frau: ik bin wol versehen — die Wittwe: ik bin daran wol west, und die
Matrone: ik hebbe myn Bekummst (Genüge)! Es ist
noch die Frage: Ob gegenwärtig der Frankfurter Magen nicht stärker ist, seit Ehren Davoust den Hamburgi-
schen so barbarisch geieget hat? In allen unsern Reichsstädten von einiger Bedeutung herrschte Wohlleben, selbst
in dem so mißhandelten Nürnberg, wie hätte sonst der

Nürnberger Kaufmann-Ingolstätter das schöne geistliche
Lied dichten können: „Ich bin mit dir, mein Gott,
zufrieden," was Reiche am besten singen können! Immer vernünftiger als arm zu leben, um — reich zu sterben.
— Neben diesem Wohlleben steht auch Mildthätig-
keit, die in Hauptstädten und Residenzen weniger herrscht.
Bonvivans sind in der Regel gutherzig, und daher trifft
man hier Wohlthätigkeits-Anstalten in Menge, musterhafte
Armen-Anstalten, und keine Bettler belästigen oder beleidi-
gen das Auge, was der Hamburger Polizei nothwendig
schwerer fallen muß, als einem monarchischen Staate.
Mildthätigkeits-Anstalten sind der schönste Gebrauch des
Reichthums, und Hamburg hat die Ehre, vielen deutschen
Städten als Muster voran gegangen zu seyn. Jetzt kann
man täglich mit dem Dampfboot nach Harburg und
Magdeburg kommen; von Curhaven geht regelmäßig ein
Paketboot nach England, ein Dampfboot liefert für 7 — 9
Dukaten in 56 Stunden nach London, und nach Berlin
geht ein Eilwagen in 43 Stunden. Diese Anstalten
zähle ich auch unter — die Mildthätigkeits-An-
stalten!

Hamburgs Name kommt wahrscheinlich von der Hohenburg Carls des Großen, und da bei der Stadt das
Dörfchen Ham liegt, und Ham Wald bedeutete, so hieße die
Stadt eigentlich Waldenburg. Die alten Gelehrten leiteten den Namen gar von Jupiter Hammon ab, andere
von Schinken, der holländisch Ham heißt; es gab auch ein
adeliges Geschlecht v. Ham. Das Scharrthor verewigt
den Namen des Apostels des Nordens, des heiligen An-
garius, und die Arme-Sünder-Gasse und der
Düvelsoort könnten leicht einen Satyriker verleiten, den
meisten Straßen diese Namen beizulegen, da bereits der
Name Rosengasse nichts weniger als von Rosen, sondern
von Unrath und Mist herrührt, und der Name Lilienstraße
vom ehemaligen Schindanger und den weißen Gerippen!

Hamburg hatte einst viel von Normännern und

Wenden auszuſtehen, unter den Grafen von Holſtein (daher die däniſchen Anſprüche) wurde es durch Geld, Bier und Rheinwein immer freier, brachte Dörfer an ſich, demüthigte im Bunde mit Lübeck die ritterlichen Nachbarn, ſchleifte ihre Raubneſter, und knüpfte die Gefangenen an die nächſten Bäume V. R. W.*) Nur mit den Dänen ging es ſchwerer, und Hamburg, obgleich unter Kaiſer und Reich, mußte ſtets zahlen. Altona that Hamburg weit mehr Schaden, als Fürth Nürnberg, woran aber die Herren ſelbſt Schuld waren, durch die Intoleranz ihrer veralteten Zionswächter und Capitoliums-Gänſe. Am heftigſten drangſalirte Dänemark im Jahre 1679 die gode Fründe, wo es ſogar zum Bombardement kam, das mit einem Vergleich und Geld endete. Hamburg ließ eine Spottmünze prägen mit der holländiſchen Inſchrift: „Der König von Dänemark iſt vor Hamburg geweſen, was er ausgericht, iſt auf der andern Seite zu leſen,“ und da ſtand — Nichts! aber Hamburg wurde dennoch erſt völlig frei im Gottorper Vertrag von 1768 — welchem nach das alte Hamburg die jüngſte freie deutſche Stadt wäre!

Von der Furcht vor den Dänen rührte der ſo läſtige frühzeitige Thorſchluß, den man auch für die Stadt-Caſſe und Polizei nützlich fand — ſelbſt die Poſtdepeſchen wurden mit Stricken über die Mauer gezogen, — und der ſchönſte Genuß in den Gärten war dadurch geſtört. Jetzt kann man bis zwölf Uhr gegen billiges Sperrgeld einpaſſiren. Ich erinnere mich noch ſehr gut, daß in mehreren Städten Süddeutſchlands die Thore auch während des Gottesdienſtes geſchloſſen wurden, was in den Fehdezeiten Sinn hatte und vielleicht noch heute in der Schweiz. Es war einem Reiſenden eben ſo ärgerlich, der laut ſeines Paſſes frei und ungehindert paſſiren ſollte, und damals gab es noch Predigten von vollen Stunden! Keine Stadt zählt ſo viele Landhäuſer, und die Städter haben die eigentlichen Landleute umher

*) Von Rechtswegen.

45*

verdrängt. Man genießt das Land doppelt, wenn man die
Woche über wie in ein Gefängniß gesperrt, arbeitete. In
¾ Stunden habe ich Hamburgs Wälle umgangen, welche
Aussichten bieten, die man hier nicht suchte; eine Stelle
heißt auch Kikut, hochdeutsch Lug ins Land, oder franzö-
fisch Belle vue. Was die Vorstädter für Wien sind,
find hier die Juden, lebendig wie Queckfilber, daher viele
Reisende von 10—12000 sprechen, obgleich nur die Hälfte
da ist, und unter diesen wieder gar viele von Altona!

Wenn man von Harburg herüberschifft, kommt man
an das Blockhaus, wo zwar nach dem Charakter gefragt, aber doch nicht Wagen und Koffer durchwüh-
let wird — und dann steigt man am Baum ans Land,
der interessanteste Fleck Hamburgs für den, der zuvor nie
in einer Seestadt war, und Schiffe und Seewesen nur
aus Homanns Atlas kennet! Dieser Baum ist der
Hafen, und mehr als das Wiener Schoanzerl, der sogenannte Rummelhafen hat zwanzig Fuß Fahrwasser,
kann folglich die schwersten Meerschiffe aufnehmen, deren
manchmal gegen tausend sich sammeln. Der Hafen scheint
zu klein zu seyn für die vielen Schiffe .... Die Fluß-
schiffahrt von Sachsen und Böhmen her ist schon bedeutend,
bedeutender die von Berlin und Magdeburg her, aus Hannover, Meklenburg und Holstein, und nun erst die zur
See — Hamburg hat 200 eigene Schiffe in See — und
1824 liefen 1819 fremde Seeschiffe ein und 1812
gingen wieder aus. Man dürfte den Hafen, wie einst die
Griechen den von Constantinopel — das goldne Horn
nennen. Hier weht die weiß und roth gestreifte Flagge R.
Amerikas neben Albions Blutpanzer, die weiße Flagge
neben dem Lamm-frommen Stadtwimpel, wie die Pa-
penburger neben einem Weltumsegler, hier höret man ein
rauhes nordisches Liedchen, dorten eine sanfte harmonische
Canzone, hier schallet uns ein derber plattdeutscher Willkomm entgegen, und dorten ein gallisches foudre, brittisches
God dam'n, oder nordisches Jobiens mat, und im Takel-

werk eines Westindiers hängen Mohren, schwarz wie der
Teufel! Der Anblick gefällt, wenn man auch eigentliche
Seehäfen gesehen hat, wie die hohe Betriebsamkeit der Menschen an den Ufern eines Flusses, dem Hamburg Alles verdankt, der aber, trotz aller Eindeichungen, wieder ihr
schlimmster Nachbar ist. Damen aber will ich vor einer
Spazierfahrt im Hafen warnen, und vor dem Willkomm
der Matrosen (der nichts weniger als böse gemeint ist),
wenn sie nicht die lustige Geistesgegenwart der Königin
Betty haben. Whore! Whore!*) riefen auch ihr die Matrosen, und sie — „Well! you all are my dear chil-
dern.**)!" Das Englische schlägt überall vor, und die
Sprache der Britten scheint selbst häufig Zwischenspra-
che zu seyn, wie anderwärts die beliebte Sprache Italiens.

In ganz Deutschland gibt es keinen so lebhaften Markt
als hier an jedem Morgen, den so viele Hamburger ver-
schlafen. Der Strom wimmelt von Schiffen, die Gemüse,
Früchte aller Art, Fische, Milch, Butter, Blumen etc. führen, und nur der Anblick einer auslaufenden Kauffah-
rer Flotte von 40—50 Segeln von der Höhe von Blankenese ist noch interessanter; schon Ein großes Schiff mit
vollen Segeln ist ein erhabener Anblick — es schwebt über
der Tiefe der Geist Gottes, den er dem Menschen einge-
blasen hat, und nur der Anblick des in die Luft fliegenden französischen Admiral-Schiffes l'Orient mit 120
Kanonen in der Nachtschlacht von Abukir mag noch erhabener gewesen seyn! Man wird wohl manchmal 2000
Schiffe rechnen dürfen, die jährlich aus der See anlangen,
und man begreift, wie die Jugend hier auf Robinsona-
den verfallen kann. Ist der Hafenlärmen vorüber, so
beginnt der Stadtlärmen, der merkantilische Tumult in
den Straßen, und der Matrosenton des Volks. Oft betrachtete ich vom Baumhause, wo Wirthschaft ist, Elbe,

---

*) Hure, Hure.
**) Ganz gut, und ihr seyd meine lieben Kinder.

Hafen und Inseln, ohne nach dem Riesen zu fragen, der sich hier sehen ließ und abgemalt ist, oder nach den getrockneten Crocodilen, Meerkrebsen, Seefischen und dem ausgestopften Grönländer in seinem Canot, bedauerte aber jedesmal, daß gerade hier am lebhaftesten Fleck die erbärmlichsten Häuser stehen! Welcher Unterschied von Rotterdam!

Was Vormittags der Baum, ist Nachmittags die Börse, der tägliche Hauptmarkt Deutschlands, wo tausende von Stimmen rauschen, wie ein Wasserfall; so mag es dorten um Pfingsten gesauset und gebrauset haben, als die Apostel versammelt waren! Das Gebäude selbst war so alt und schlecht, als Hamburgs Curia; oder seine Caffehäuser, jetzt aber steht eine Börsenhalle daneben, die Lvids Caffehaus an der Themse übertrifft und so voll ist, als zu London und Amsterdam — man findet sich auf der Börse, bestellt sich auf die Börse, selbst Reisende und Nicht-Kaufleute, die kein Geschäft abzumachen haben. Man findet Erfrischungen, und alle mögliche Journale und Zeitungen (nur noch keine ostindische, sinesische, amerikanische und australische); auch ist hier ein Concert- und Tanzsaal. Das Einbeckische Haus ist auch ein großes öffentliches Gebäude mit dem Rathskeller, der aber jetzt einem Privatmann gehört — am Eingang sitzt Bacchus, gibt aber nur Wasser von sich, und im Innern ist ohnehin keine Rede von Bier mehr. Ob wohl auf dem Baumhause die alten Stockfisch- und Ochsen-Mahlzeiten noch gehalten werden? Angenehmer ist gewiß für den Fremden die Patriotische Gesellschaft, und die Erholung. Man rechnet nach Marken und Schillingen. Ein Ducaten ist = 7 Mark 8 Schillinge, deren 16 eine Mark machen, und dies nennt man Courant, im Gegensatz der veränderlichen Mark banco; 3 Mark sind = 1 Thaler.

Der berühmte Jungfernstieg ist ein mit drei Reihen Linden besetzter Spaziergang, oder Alsterdamm, 400 Schritte lang, auf der einen Seite gutgebaute Häuser, auf der andern das Alster-Bassin, belebt durch Lustfahrzeuge,

Schwäne, Musik, Erfrischungs-Buden und Erhitzungs-
Nymphen. — Abends trägt der Jungfernstieg wahrlich sei-
nen Namen mit Unrecht, und um Mittag ist er wenigstens
die Pantoffel-Börse. Die Nymphen der Alster verlassen
zuletzt das bunte Gewimmel, das bis gegen Mitternacht
dauert, singend und heiter, wenn es paarweise geschehen
kann, demissis auribus *) — wenn sie allein gehen. Im
Sommer wird hier gebadet, und im Winter die Kunst
Tialfs geübt, für die Klopstock so eingenommen war.
Das Schlittschuhlaufen lasse ich eher gelten, als die
Abendpartien in einem Clima, wo der Frühling
Nachwinter, der Herbst Vorwinter, und selbst der
Sommer der veränderlichsten Witterung unterworfen ist.
Solche Abend-Promenaden passen nach Hamburg so wenig
als die Balcons, eher nach Frankfurt, dem die Han-
sen auch etwas von ihrer holländisch-englischen
Reinlichkeit könnten zukommen lassen. Ueberhaupt
sollten in diesem rauhen Clima die leichten Franzosen-
Moden verbannt seyn und dafür alle Frauen — Hosen
tragen! Auf dem vielbesuchten Jungfernstieg sind auch
die besuchtesten Gasthöfe: London, Petersburg, Hannover,
Römischer Kaiser ec., und die Buchhandlung des trefflichen
Perthes ist ein Vereinigungs-Punkt für Literaturfreunde,
wie einst am Rastadter Congresse der Buchladen Schölls,
vulgo Deker. Die Freunde nennen beide noble Buchhändler, wie sie selten gefunden werden! Noblesse dans
l'ame **) ist allerwärts selten, und mit solcher pflegt man
nicht merkantilisch zu handeln!

Das Theater am Gänsemarkt ist besser in seinem
Innern, als Aeußern (seit 1827 steht ein schöneres Theater-Gebäude auf dem Platz an der Dammthorstraße), und zur
Zeit des großen Dramaturgen und eines Schröders, zu
dessen Grabmal auf St. Petri-Kirchhof gewiß jeder Thea-

---

*) Mit hängenden Ohren (betrübt).
**) Adel der Seele.

terfreund wallet, war es vielleicht das beste Deutschlands.
Die Britten nannten Garrick ihren Roscius — Schröder
war unser Garrik, und wenn er als Lear auftrat, konnte
man auch sagen: he outdid his usual outdoings *)! oder
ihm das Lob zollen, das Garrik von einem Taubstummen
so wohl gefiel: „his face was a language **)!" Das fran=
zösische Theater, auch Apollo=Theater genannt,
ist billig eingegangen, wenn auch zwei Theater nicht ohne=
hin zu viel gewesen wären, und der damit verbundene
Apollo=Saal kann natürlich kein Apollo=Saal von Wien
seyn. In der nämlichen Straße ist auch der Saal der
Musen! Die Musen sind gar oft von ihren eigenen Söh=
nen geschändet worden, aber hier müssen sie gar einem
Amsterdamer Musico den Namen leihen, wo Phry=
nen aller Art ihr Wesen treiben, wie in der sogenannten
Bacchus=Halle auch, wo man sie eher suchte. Recht
eigentlich aber ist der Hamburger Berg der Venus
Cloacina gewidmet, wo Matrosen ihre Houris finden, und
einen Himmel voll Geigen. Ursprünglich hieß der Berg
Feensberg (Feindesberg), weil hier die Dänen lagerten,
und hieraus wurde ein Venusberg, der immer noch
für Feindesberg gelten mag. Auch die Bühne von
Altona besuchen die Hamburger stark um — der Be=
wegung willen! Große Städte sind keine Sittenschu=
len, und Hamburg ist noch überdies Seestadt, verdient
daher keinen Vorwurf, wenn die Venus der Pflanze Dia-
naea muscipula gleicht, oder dem Kupfer, mit dem sie
dasselbe Zeichen hat, und Kupfer — vergiftet! Ja!
schon gar Viele haben vom Hamburger Berge aus Rei=
sen antreten müssen, an die sie nicht von Ferne dach=
ten, im glücklichsten Fall mit dänischen Werbern!

---

*) Er übertraf sich selbst.
**) Sein Gesicht war eine Sprache.

Einen Vorwurf möchte ich Hamburg machen, daß die Gesetze nicht strenger sind gegen Bankerotte. Man sieht es unsern Gesetzen an, die das weibliche Geschlecht betreffen, daß Weiber nicht mit im Rathe saßen, wie den englischen, daß England Kaufmannsstaat ist — wäre letzteres etwa auch hier der Fall? Ich weiß, daß die Fälle der Schuld und Nichtschuld oft schwerer auszumitteln sind, als in eigentlichen Criminalfällen, und die sogenannten Schwindler bona fide schwindeln — aber offenbare leichtsinnige Verschwender, Kaufleute oder Nichtkaufleute — die Redlichen Hab und Gut unverschämter rauben, als Diebe in der Nacht, Fallimente für bloße Rechnungsfehler (fallo) halten, ohne Umstände 3—4mal die Bank brechen, im zwölften Wetteifer, und so oft es gehen will, leichtsinnig und lachend sprechen: „dat is flegten gan," und — wenn sie sich nicht up de lappen geven, d. h. durchgehen, den Weibern untern Pelz kriechen, wie man zu sagen pflegt, — und reicher sind, denn zuvor: sollten wenigstens mit öffentlicher Verachtung gestraft und in keiner rechtlichen Gesellschaft geduldet werden! Indessen sind sie, meines Wissens, doch von Staatsämtern ausgeschlossen. B. R. W. „Millionäre hängt man nicht" sagte jener Armeelieferant zu Conde. Nicht Alle können sich bei Fallimenten trösten, wie Hebel, der sein ganzes Honorar von mehreren 1000 fl. verlor, und sagte: „Ich habe nichts verloren, denn das Geld habe ich nie gesehen, und das Papier, das ich dafür bekam, habe ich noch!"— „Ich werde mich mit meinen Gläubigern setzen," spricht groß ein Ueberspeculant, und man kann ihn fragen: Aber wo werden Sie Stühle genug hernehmen? Es ist Schade, daß das Schweizergesetz nicht allerwärts eingeführt ist, das nicht nur den Bankerottirer, sondern auch seine Söhne von allen öffentlichen Stellen ausschließt, so lange nicht alle Schulden getilgt sind, oder das — Gesetz Neapels, nach welchem

der Fallit den Pranger umfaffen, und laut rufen mußte:
dedo bonis, worauf die fonderbare Edictalladung folgte,
daß man ihm die Hofen abthat, und feinen nackten
Hintern zeigte. Zu Triefte verliert der Bankerottirer
das Recht auf feine Theaterloge. Am beften wäre — das
alte eingegangene, aber unfern leichtfinnigen Zeiten wert
nöthigere Werkhaus zu Nürnberg, worüber die Innfchrift ftand:

> Wer feine Seide hat gefponnen,
> Und mehr verthan, als er gewonnen,
> Der gebe ein zu diefer Thür,
> Und fpinne nun Tabak dafür.

Das Stadthaus ift, nächft dem Waifenhaufe,
das fchönfte Gebäude Hamburgs, wo der K. K. Gefandte
zu wohnen pflegte, und im Saale fieht man jetzt Tifchbeins großes Gemälde, den Einzug der Ruffen und bewaffneten Bürger unter Bénningfen im Mai 1814. Vom
alten Dom des heiligen Ansgarius, der Hannover bis
zur Revolution gehörte, ift feine Spur mehr, — der Domplatz geebnet und leer noch zur Zeit — und fo wird auch
das Grabmal eines Ritters nicht mehr feyn, fo einfach
als Guftav Adolfs Stein — die alten Stiefel des
Reiters! Die fchöne Michaels-Kirche vertritt die
Stelle, ein Werk Sonnins, der noch im 85ften Jahr
einem Reifenden das Denkmal feines Genius zeigte, und
heiter mit ihm den Thurm erftieg am Vorabend feines
Todes! Von diefem Thurme hat man das trefflichfte Panorama, und Tifchbeins Altarblatt ift herrlich: Chriftus
entfteigt dem Grabe, und die Wächter ftürzen nieder, ge-
blendet von dem ihn umgebenden Glanz. Aber, aber in
den unterirdifchen weiten Hallen diefes fchönen Tempels
wohnen — die Todten mitten in der fo bevölkerten engen Stadt! Die Peterskirche ift voll Denkmäler,
Heilige, Bilder und Gemälde älterer Zeiten, und darunter eine hölzerne Beate mit einem Buche im Beutel,

ein förmliches Bibliev, in dem aber unsere Großmütter
Andachtsbücher führten, statt der Almanache, des
Geldes und der Spielkarten... Fraubasen werden sie freilich auch gewesen seyn, und Dinge beklatscht
und geordnet haben, die mit dem Andachtsbuch nichts gemein hatten, daher Bocksbeuteleien!   —
   Die Kirchen Hamburgs erfreuen auch ein holländisches
Trommelfell mit — Glockenspiel, und auf den Markt-
plätzen ergötzen das Auge tabakräuchelnde Weiber,
die ich jedoch auch im Mecklenburgischen und auf der Heide
gesehen habe. Gewiß ist aber dem Europäern des 16ten
Jahrhunderts, als sie in der Neuen Welt rauchen sahen,
oder unsern Deutschen des 17ten Jahrhunderts, als sie die
rauchenden Schweden für Besessene hielten, die Rauch
und Flammen schon hienieden speien mögten, das Ding
nicht sonderbarer vorgekommen, als dem Süddeutschen
solche rauchende Grazien!
   Die S. Catharina-Kirche ist vielleicht Orthodoxen die wichtigste, denn hier stand der unsterbliche lutherische Dominicaner und Don Quixotte der Erbsünde und des Teufels, der große Christophel aller Orthodoxen — und wer hätte nicht längst errathen, daß ich von
dem Herrn Senior und Hauptpastor Götze spreche?
Hier ist Er in effigie zu sehen, und unter dem Bilde des
wahren Christophels belehren uns die Reime, daß dieser
Fleischkoloß symbolisch für den wahren Christen
zu nehmen sey, dem die Last des Evangeliums leicht ist,
der Riesenbaum in seiner Hand bedeute das Wort
Gottes, die Laterne die Predigt desselben, und das
rothe Meer die sündhafte Welt! Der heftige und
stolze Hauptpastor trug redlich zum Aufkommen Altonas
bei, mithin zum Verfall seiner Stadt, er schlug die Kanzel à la Hudibras nicht nur, sondern verstand sich auch
auf die supplosio pedis,*) wie es Cicero vom Redner ver-

---

*) Stampfen mit den Füßen.

langet; und doch rührte er schwerlich in der bestbezahltesten
Leichenrede sein Publikum, wie Corporal Trimm das sei=
nige in der Küche bei der Todespost. „Are we not here
now"*) rief er, und stieß seinen Stock perpendiculariter
auf den Boden, als Symbol der Festigkeit und Gesund=
heit — and are we not — hier warf er seinen Hut
auf den Boden — gone in a moment**)?" Götze entging
++ zwar nicht dem Spotte, eine treue Copie erschien einst
auf einem Maskenball, und Dreier schickte gar einen
Britten, dem Minna von Barnhelm so wohlgefallen
hatte, daß er sich nach dem Verfasser erkundigte, zu die=
sem Hauptpastor — aber der Hauptpastor blieb, was er
war, und es gab nicht leicht einen Schiffer, der sich nicht
in sein Kirchengebet einschließen ließ, und dafür Caffe,
Zucker und Tabak opferte. Das Epigramm hat daran
nicht gedacht:

    Sanior et Senior scis quo discrimine distent?
       Non quivis Senior Sanior esse solet. ***)

  In allen Reichsstädten, wo das Veraltete länger
nachhielt, saß auch Ehren=Geistlichkeit länger denn ander=
wärts an Gottesstatt, auf Papstthronen — und
in der Jakobi=Kirche sitzen sogar zwei Pastoren mit
Jesu zu Tische, und die Apostel müssen sie bedienen.
An dieser Kirche stand ein Prediger, der 1661 starb und
hundert Götze aufwiegt, Joh. Bälth. Schuppius, dessen
Schriften kein Freund des altdeutschen gediegenen Humors
ungelesen lassen wird. Und so war auch der Hauptpastor
an der Michaeliskirche — Rambach — ein ganz anderer
Mann, als Götze († 1786), der, so Gott will, unser letz=
ter Polemiker gewesen ist, aber doch Söhne hinterlassen

---

*) Stehen wir nicht da!
**) Und sind wir nicht fort in einem Augenblick.
***) Ein unübersetzliches Wortspiel zwischen Hochwürden und
    würdiger Mann; nicht jeder „Hochwürden" (Pfaffe) ist
    darum auch ein würdiger Mann.

hat, die, finster genug, denken dem Arbeiter seinen Sonn=
tag zu verbittern, und glauben nur da werde gesündiget,
wo man dazu geiget. Götze witterte überall Ketzereien,
legte überall seine Lanze ein, erklärte alle Andersdenkende
für Socinianer, und so auch einen seiner Collegen, da=
her dieser von vielen gemieden wurde; nur nicht von jenem
ehrlichen Hamburger, der da sagte: „Was Socinia=
ner? ich weiß gewiß, daß er ein Hannovera=
ner ist" — die würdigste Grabschrift, die der Zelote selbst
noch zu lesen das Vergnügen hatte, setzte ihm Göckingk;

> Der Papst Hammoniens liegt unter diesem Stein,
> Im Himmel wird er Socrates den Heiden
> So wenig als den Ketzer Albert leiden.
> Gibt also Gott ihm keinen Himmel allein,
> So wissen wir nicht, wo er wird bleiben.

Nur die in den fünf Kirchspielen angesessenen Bürger
haben Sitz und Stimme in der gesetzgebenden Versamm=
lung, nicht die in der Vorstadt und dem Stadtgebiet —
sie bilden fünf Regimenter mit eigenem Banner — S. Pe=
ter roth, S. Jacob weiß, S. Niclas gelb, S. Michael
grün und S. Catharine blau — ja der alte — Hambur=
ger Witz vertheilte unter seine fünf Kirchspiele sogar die
fünf Sinnen: S. Petri das Gehör wegen des Glocken=
spiels, S. Nicolai den Geschmack, denn hier ist der
Hopfenmarkt und Fleischscharren — S. Catharina den
Geruch, denn hier werden Zwiebel und Knoblauch
verkauft — S. Michael das Gesicht wegen der Thurm=
aussicht, und S. Jacob das Gefühl, denn hier ist der
Ochsenmarkt; in diesem Kirchspiel ist auch die Kapelle
der heiligen Gertrud, die einzige Hamburgerin, von
der man mit Gewißheit weiß, daß sie heilig war: oder
der heilige Vater, der sie heilig sprach, müßte sich auf
Heilige schlechter verstehen, als die Schlächter auf Ochsen.
Sonst schlachtete jede Familie ihren Ochsen als Winter=
vorrath, die Schlachtzeit war der Hamburger Fa=

schlug, und der, der das Gewicht des Ochsens durch
Auge und Hand richtig zu schätzen wußte, wurde gerühmt
wegen seines Ochsenverstandes! Das geschlachtete
Thier lag verziert wie auf einem Paradebette, mit pa=
piernen Manschetten und Blumen, Vettern und Basen
kamen zur Ochsenvisite, und nicht selten rief das Mädchen
dem Hauspatron: Kam de Heer mal herdal (herunter),
de will n'Ossen sehn!

Ein älterer Schriftsteller sagt: „Ausländer wollen eine
galante Politesse desideriren, wodurch sich andere engagirt
machen, aber Leute, die Kopf und Hände stets voll Af=
fairen haben, können nicht sowohl auf Galanterie reflecti=
ren, als auf eine wohlanständige Gravität, wie man sol=
ches an dem Habit obrigkeitlicher Personen, und anderer,
selbst Frauen sehen kann, die nicht leichtlich in anderen
Farben, als in ehrbarem Schwarz erblickt werden." —
Die Senatoren gehen bei feierlichen Anlässen noch in Per=
rüken, Wolkenkragen und spanischen Mänteln zu Rathe,
und in dieser Tracht begleiten auch reitende Stadt=
diener die Leichen; man muß nothwendig bei diesen
Hamburger Spaniern, ohne Hüte, mit Pumphosen,
und Bratspießen an der Seite, an den Barbier von
Sevilla denken. Sie sind lächerlich, aber auch die Se=
natoren? Eine Amtskleidung stimmt ernst und
aufmerksam, und spricht zum Volke. Jene spanische
Amtskleidung, verglichen mit unsern Civiluifor=
men (die nur halbe Uniformen sind, damit man ja
der vollen Uniform nicht zu nahe komme, daher auch die
Degen nur eine Civilfigur machen, um die Feder
nicht zu vergessen), repräsentiret die alte ehrenfeste Würde
der Väter des Volks, diese aber nur den leichten Zeitgeist
des 19ten Jahrhunderts — lieber die alten schwarzen
Ehrenkleider und spanische Tracht, die wenig=
stens Ernst ist!

Es gibt noch so allerlei Reliquien reichsstädti=
scher Volksbeuteleien, worunter die, wenn auch mo=

berirten Tãuf=, Hochzeit= und Leichen=Ceremo=
nien. Sonst folgte den Leichen der Reichen eine unge=
heure Reihe schwarzbemäntelter Bürger in gehörigen Di=
stanzen, die Zahlung erhielten (den Herrn Bürger=
meister ausgenommen), der Sarg von Mahagoni war
mit Silber beschlagen — Alles stand im Verhältniß zu
dem Pomp, der 1000 Mk. kostete und selbst die Wasser=
Eimer wurden schwarz bemalt, worüber oft, wenn der
Maler nicht zur Hand war, Wassersnoth unter den Le=
bendigen entstand. Das Ansagen bei Taufen, die Wo=
chenbetts=Trinkgelder, und die bei=Schmause=
reien kosteten keine geringe Summen das Jahr über,
manche Diener in guten Häusern dienten sich auf 4—500
Thaler, und begehrten ihren Abschied, wenn die Herrschaft
zu wenig Gesellschaft gab! Das Ansage=Mädchen
meldete auch die glückliche Entbindung ihrer lieben Frau
von einem todtgebornen Töchterlein. — Man erzählt
von einer alten Jungfer, die ihr ganzes Vermögen von
18,000 Mark bei ihrem Leichenbegängniß aufgehen
ließ! Dem ist nicht mehr so, und hoffentlich werden auch
die Gottesäcker aus der Stadt geschafft seyn? Be=
gegnet auch einem der sogenannte Himmelswagen un=
ter Posaunenstößen des Todesengels auf dem Thurm,
so hat man ja die Freude, nicht darinnen zu liegen! Das
Wort Himmelswagen erregt angenehme Ideen —
aber fahren denn alle Hamburger in Himmel? Das
Wort Leichenwagen wäre doch besser und ließe die Sache
unentschieden. Noch ist auch die allgemeine Beichte
nicht eingeführt, sondern Privatbeichte neben gar vie=
len Predigten und Festtagen, die anderwärts nicht
mehr sind. Das heilige Ministerium besteht aus einigen
20 Predigern, auch ist eine engelische Kirche hier, die
immer 14—1500 Seelen zählen mag.

Unter den Gebildeten in Hamburg herrscht ein
Ton, der mir gefallen hat, eine gewisse Gleichheit, die
man natürlich in Residenzen nicht findet, und stößt man

auch auf Geldaristokraten, so vergißt man sie leicht über der vorherrschenden Aristokratie guter Sitten und Bildung; daher setzten sich von jeher viele Ausländer hier in Ruhe, und dachten wie Voltaire zu Geneve, daß es doch schön sey zum Souverain sagen zu können: Venez demain dinor chez moi, si vous plait! *) Mir sind auch solche Orte bekannt, wo man aber zu einem nächtlichen Einbruch, der indessen nur eine Weste kostete, weil Lärmen entstand — nur lachte, obgleich der Thäter bekannt war. Ich selbst hätte zu Hamburg caet. par. leben wollen, wenn mein Wesen nicht allzusü blicher Natur wäre, so, daß ich das kaiserliche Wien dem republikanischen Hamburg vorziehen müßte. Der südliche Himmel hat solche Reize, daß ich keinen Augenblick zweifle jeder Lazzarone würde sich weigern, Gouverneur von Sibirien zu werden, selbst mit Macaroni Besoldung nicht!

Die Emigranten (10,000 an der Zahl) scheinen das Volk, namentlich die Dienstmädchen, ein- bischen zuviel — civilisirt zu haben, die Lüdje Maids! sie vertheuerten Alles, Caffe, Zucker, Tabak und die Waare ausgenommen, die Combabus und Abeillard entbehren konnten. Ist die Restauration Rainvilles mit der schönen Aussicht Ersatz für das verbreitete Sitten-Verderbniß? Loben aber muß man ihre Industrie. Zu London brachte sich ein Marquis damit fort, daß er Lektionen gab im Salatmachen, und hier ein Chevalier, daß er sich von allen Kaufleuten Proben ihrer Spezereiwaaren ausbat, es einigemal wiederholte, und dann damit einen eigenen Handel anfing. Zu Hamburg lebten Emigranten von jeder Gattung, und auch der witzige Rivarol. Er sprach einst im Kreise hoher Noblesse: „Nous avons perdus tout, nos droits et notre fortune, **)" und ein Duc

---

*) Wollen Sie morgen nicht mit mir zu Mittag essen?

**) Wir sind um Alles gekommen, um unsre Rechte und unser Vermögen.

murmelte: „Nous! nous! c'estle Pluriel, que je trouve Singulier!"*) Dieser Duc gehörte einmal gewiß unter die; jenigen Emigranten, von denen man sagte: „Sie lebten 25 Jahre im Auslande, und haben nichts ver; gessen, aber auch nichts gelernt!"

Dreiunddreißigster Brief.

Fortsetzung. Ritzebüttel und Helgoland.

Die Verfassung Hamburgs ist das Muster einer guten republikanischen Verfassung, die gesetzgebende Macht volksthümlich und sanft, und die vollziehende strenge. Das Ruder des Staats ist durch Wahl in den Händen von vier Bürgermeistern und 24 Senatoren, neben vier Syndiken, deren Stellen lebenslänglich sind; die Hälfte Kaufleute, die andere Hälfte Rechtsgelehrte. Jene 28 sind in Senatu, die Syndici und Secretäre aber nur de Senatu! Nicht der Senat, sondern eine Bürgerdeputation oder die Kämmerei hat den Schatz. Das Collegium der Ober; alten von 15 Gliedern ist der Mittler zwischen Senat und Bürgerschaft, wie Roms Tribunen. Nie hörte man seit dem Rezeß von 1712 etwas von R. G. Processen, und Hamburg war nie die Melkkuh der Reichsge; richte. Von den Franzosen lernte Hamburg die Vor; theile eines eigenen Tribunal de Commerce kennen, und seit 1816 besteht ein eigenes Handelsgericht. Die Bürgerschaft und Collegien nennen den Rath ehrbar — Individuen hochedel, hochweise, und der Bürger; meister heißt Magnificenz, was sich noch eher hören läßt, als bei Universitätskanzlern im schönsten Talar und Baret! Zu einer vollzähligen Bürgerschaft gehören etwa

---

*) Wir? wir? das ist eine Mehrfältigkeit, die ich ganz ein; fältig finde.

200 Glieder, und der Bürger findet noch ein Ehren-
zeichen im alten — schwarzen Mantel, was mir
nicht mißfällt, und wenn nicht mehrere Bürger zur Versammlung kommen, so geschieht dieß — nicht aus Gleichgültigkeit, sondern im Vertrauen. Ob noch der
sonderbare Unterschied zwischen Senatoren cum gradu et
sine herrscht, und jene Hochweisheiten, diese aber nur
Wohlweisheiten sind? Bei der Gradus-Geschichte fällt mir
stets das einfältige Barbiersweib ein, der die Doctorsfrau
mit Stolz sagte: „Mein Mann hat einen Gradum;"
sie scheint etwas Latein verstanden zu haben, die Barbiers-
frau aber nur deutsch, folglich mußte sie auf den Gegensatz
krumm verfallen: „Meiner ist auch nicht krumm!"
Das Militär des kleinen Freistaates besteht aus 1000
Mann, und das Contingent beträgt 1400. Ihr General
war sonst ein Ausländer mit dem Titel Excellenz, wenn
gleich der Bürgermeister nur Magnificenz war. Hier
kommt noch neben dem Bürgermilitair von 6 —
Mann ein uniformirtes Corps Nachtwächter zu 400 Ma
Dieß scheint viel, aber Janhagel hat hier etwas Secna
Hamburg, das den Tag über so geräuschvoll ist, Son
tags ausgenommen, wo es so stille zugeht, als zu Lont
ist es auch Nachts durch jene Schaarwächter
Spritzenleute, die große mit Eisen beschlagene St
führen, und durch Rasseln ihre Wachsamkeit bezeug
Kein Offizier oder Student kann so rasseln, selbst die al
Universitäts-Schnurren nicht. Sie sind eigentlich Feu
Wächter, die Feuer-Anstalten trefflich, und am Bau
ist eine sogenannte Wasser-Wache, die den Stand
Elbe beobachtet, ist Gefahr, so gibt eine Kanone das
chen, daß es nun Zeit sey in Kellern, Gewölben und
vielen unterirdischen Wohnungen — einzupacken!
Hamburg hatte vor der Revolution über 250 eig
Schiffe in der See, die meist nach der pyrenäischen H
insel handelten, aber auch Grönlands-Fahrer; Linnen
der Hauptartikel, und alle Deutsche dorten Hamburge

wie in Oestreich Schwaben. Wer nie in den Seehäfen
Englands, Hollands und Frankreichs gewesen ist, mag sich
eine Kauffahrtei-Fregatte zeigen lassen, deren Bau 50,000
Thaler kostet, und die eine Million Pfund trägt. Ein solches
Schiff dauert dreißig Jahre, wenn es gebraucht wird, vor
Anker aber verzehrt es die Zeit früher, und dieß ist auch
der Fall mit dem Menschen. Man pflegt auch die Hamburger Admiralitäts-Jacht zu sehen, mit 12 frieb-
fertigen Kanonen, die nur Hamburger Toasts bei großer
Gelegenheit verherrlichen. Sie ist in England erbaut worden, und kostete 5000 Pfund. Hamburger behaupteten
man hätte sie besser in Hamburg selbst erbaut, und ein
patriotischer Schiffbauer sagte einem Prediger, der jene
offenbare Anglomanie in Schutz nahm: „Warum haben
Sie das neue Gesangbuch nicht auch in England machen lassen?"

Hamburg kam empor nach Zerstörung der Städte Pommerns und Bardewiks und durch die Hanse — aber
worauf gründete sich sein Handel? Auf Bier, das jetzt
kaum mehr genannt und vom Branntwein heruntergestochen wird, aber im Mittelalter über Land und Meer
ging. Man wachte daher sorgfältig über die Bierprobe,
und mißrathenes wurde gewraket, d. h. obrigkeitlich weg-
geschüttet, während unsre Bierwirthe ihr schlechtes Bier,
vorher abzusetzen suchen, ehe sie das bessere angreifen,
und so selbst Schuld sind, wenn Weintrinker keine
rechte Biertrinker werden wollen, und einen Schoppen
schlechten Landwein à drei Kreuzer dem noch schlechtern
Krug Bier à 2½ Schoppen um sechs Kreuzer vorziehen.
Noch treiben von 531 alten Brau-Erben nur etwa 100
Brauerei, und in einigen Kirchen wird das Bier Gott
empfohlen, was in unserm Süden weit nöthiger wäre!
Mit der sinkenden Brauerei verlegte man sich erst auf
Tuchmanufakturen, Schiffsbau, Zucker- und
Thransiederei, Cattundruckerei, Tabaksfabriken 2c.
chemische Präparate, Vitriol-, Salmiak-Fabriken — und

44 *

wenn die Stadt auch längst die Fabriken mit andern thei=
len muß, so erseßt ihr der Zwischen = und Wechsel=
handel den Verlust. Selbst während der französischen
Schreckenszeit ging die Zuckersiederei ihren Gang,
wie das Bökeln des Rindfleisches, das damit zu=
sammenhängt, weil man zur Zuckerläuterung — Blut
braucht; es sollen jährlich 80 Millionen Pfund Zucker
raffiniret werden. Zucker und Fleisch sind dahier wohlfeil,
auch Milch, Obst, Gemüße, und selbst die Weine Bordeaux. Dafür haben die Hamburger weder Stein noch
Holz, die Pfosten an Häusern und Wegen sind Wall=
fischknochen, wie zu Berlin alte eiserne Kanonen=
läufe! Aber wer nicht grönländischer Natur ist, und
eine Nase hat, der halte sich entfernt von den — Thran=
siedereien!

Der ächte Hamburger hat nur Sinn für sein Ham=
burg, sein Handel und Gewerbe, und so dachte jener
Strumpffabrikant gar nichts Arges, der auf die eine Seite
seines Schildes setzte: „Hier macht man Kinder,"
und auf die andere, „und Mannsstrümpfe," gerade wie
der Pariser Hundescheerer Nicola: „Nicola tond les
chiens" *) auf einer Seite seines Schildes und auf der
andern: „et sa femme aussi!"*) Der Reiche Handels=
herr gilt hier allein, jener Karrenschieber sagte seinem
entlaufenen Sohn, der als stattlicher Offizier, geschmückt
mit einem halbdußend Orden, vor ihn trat: „Geh Range!
mit deiner buhten Jacke, du könntest jetzt
Stängen=Herr (erster Karrenschieber) seyn!" Ham=
burg ist mehr, als Tyrus, Sidon und Carthago, reine
Handelsstadt, wo man sich in der Regel aus den
Musen so wenig macht, als aus den Leuten von Di=
stinction mit Sternen und Bändern; aber die Bibliothek
ist dennoch bedeutend, das Johanneum, dem seit 1802 der
1827 verstorbene verdiente Gurlitt vorstand, gut, wie

---

*) **) Nicola scheert Hunde — und sein Weib auch.

das Gymnasium, und die seit 1768 bestehende Handels-
schule, die erste ihrer Art, die man Büsch verdankt,
von Haß Schulmeister ist todt, der an seine Schulstube
schrieb:

> Ihr Kinder vergeßt das Holzgeld nicht,
> Denn das ist eure erste Pflicht!

In Hamburg fehlt es auch nicht bei Privaten an
schönen Bücher-, Kunst- und Naturalien-Sammlungen,
aber erfahren konnte ich nicht, wo ein ehemaliges Wunder
Hamburgs hingekommen sey, die Schlange mit sieben
Köpfen, wofür Bürgermeister Sprenkelson 10,000 Mark
bezahlt haben soll. Linné erklärte sechs Köpfe für ächte —
Wieselköpfe, und eilte aus Hamburg. Darum sollen
sich aber andere Gelehrte nicht abhalten lassen jetzt nach
Hamburg zu reisen, und Sitzer und Zerstreute thun sogar
wohl hieher zu kommen, besser noch als nach Wien, (wo
man nachsichtiger ist) um Aufmerksamkeit zu lernen. Man
muß in den engen stets vollen Straßen überall Augen
haben, bald vor- bald rückwärts, bald links, bald rechts
springen, oder sich an eine Haustreppe flüchten vor den
Wagen, hiezu ein halbdutzend Lastträger-Püffe, und man
lernt nicht nur aufmerken, sondern hat auch Bewegung, und diese gibt neue Spannkraft! Reisende
Gelehrte können leicht Sprünge machen, leichter als der
Hamburger, denn sie hindert nur selten — der Bauch.....

In einer Handelsstadt geht Alles aufs Praktische,
folglich verlangt man dieß auch von den Gelehrten — bloße
Theoretiker fahren hier nicht gut, können aber auch
hier lernen — eine zweite Spannkraft! Zu Hamburg
denkt und spricht man frei — daher stoßen Hamburger oder Leute, die lange da gelebt haben, anderer Orten
leicht an, wo man gewisse Dinge nicht sagen, höchstens nur
denken darf!

Zu Hamburg lebten stets ausgezeichnete Männer, wie
Hagedorn, Klopstock, Karsten, Gerstenberg, Büsch,

Siebeking, Barthels, Kirchhof, Volkmann, Bode, Ebeling, Hensler, Dusch, Unzer, Meyer꞉c, den alten Hübner nicht zu vergessen, der sicher nützlicher wirkte, als Haupt-Pastor Götze, ebenso Reimarus, Lehrer am Gymnasium, wenn er gleich, neben seinem bürgerlichen Buch: die vornehmsten Wahrheiten der natürlichen Religion und über die Triebe der Thiere, die berüchtigten Fragmente schrieb, die Lessing als einen Fund in der Wolfenbüttler Bibliothek herausgab. Wir wollen auch nicht vergessen — den ehrlichen Sänger Brokes mit seinem irdischen Vergnügen in Gott. Er war Naturfreund, sein dickleibiges Buch hat viel Gutes, mag man auch lächeln, wenn er unter den Beweisen für die Güte und Allmacht Gottes sagt —

> Es läßt recht artig und recht süß,
> Wenn die Bien an beiden Hinterbeinen
> Die gelben ledernen Wachshöschen weiß.

oder einen Hühnerhof beschreibt:

> Wie lebhaft, angenehm und niedlich
> Ist das Gewühl der Hühner, wie verschieblich
> Ist ihre Farb und Form! wie fröhlich ihr Geschrei!
> Wie emsig all ihr Thun! wie kräftig wohnt der Hahn
> Mit einem Helm, mit Sporen angethan,
> Bald der, bald jener Henne bei!

Hier lebte auch lange Dumouriez, der trotz Londons Steinkohlenluft alle berühmten Generale der Republik überlebte († 1824) und allen Franzosen in Deutschland zum Muster dienen kann, denn er lernte — Deutsch und hatte es zu Mergentheim 1793 begonnen, wo er zu bleiben wünschte; wäre er bei Neerwinden gefallen, so stünde sein Name neben dem des Epaminondas. Er war nicht so reich, als man ihn machte, und die Dose mit Louis Bild, die er dem National-Convente überreicht haben soll, weil er nichts von einem Ver-

räther besitzen wollte, sahe ich selbst in seiner Hand. Hier
lebte auch Hauptmann Archenholz, dessen Geschichte
des 7jährigen Kriegs gewiß noch gelesen werden wird,
wenn man sein England und Italien nicht mehr
lieset; seine Minerva wird der, der einst die höchste Auf=
gabe der neuen Geschichte — die Revolution schildert,
gut gebrauchen können, besser als seine brittischen An=
nalen, denn England war einmal sein Steckenpferd, und
der Historiker darf nicht auf Steckenpferden reiten. Ob
auch des Herrn Etats=Rathes v. Schirach politisches
Journal? das ist die Frage, es rentitre aber wie eine
Zeitung, und so wie er die Politik beschirachte, be=
schirachte er auch die Regierung König Carls VI. und
erhielt dafür — den Adel. Unzer wird leben, wo nicht
in seinem humoristisch geschriebenen Arzt und kleinern
Schriften, doch in der Antwort, die er einem stolzen Han=
delsherrn gab; dieser zeigte ihm auf seinem Landgute
einen Stall: „Hier wohnt mein Doktor, und ich
befinde mich trefflich bei seinen Recepten."
Unzer sah einen Esel und sagte: „dieser Doctor kann
Ihnen auch allein verschreiben, was Ihrer und
seiner Natur gemäß ist!" Eselsmilch ist vielen
Schwachen wahre — Muttermilch!

Ueber Klopstocks Wohnung, der von 1774 bis an
seinen Tod 1803 hier lebte, und manchen Reisenden herbei
zog, steht: „Die Unsterblichkeit ist ein großer Ge=
danke‘ und sein ähnliches Bild mit dem so freundlichen
Zuge um die Lippen ziert den Saal der Lesegesellschaft, wo
auch Tischbeins schöne Leserin hangt. Sie scheint einen
Roman zu lesen — aufgelöst in süßen Empfindungen
weiß sie wahrscheinlich vor lauter Gefühl am Ende nichts
von dem, was sie gelesen hat. Der Sänger des Messias,
der Freiheit und des Vaterlandes, den Md. Staël le David du nouveau Testament*) nennet, ruhet aber zu Ot=

---

*) Den David des neuen Testaments.

tenſen, das faſt ganz mit Altona zuſammenflieſſet, neben
ſeiner Meta unter einer ſchönen Linde. Ob auf dem Monumente, ſtatt der langen Inſchrift, und dem „Saat von
Gott geſäet dem Tage der Garben zu reifen“ nicht einfacher und ſchöner geweſen wäre: „Hier ruhet Klopſtock?“
Klopſtock, der gefeierte Dichter, hätte darben und
den Dichtertod Cervartes, Miltons, Buttlers ꝛc. ſterben
müſſen, ohne die Penſionen Dänemarks und Badens, und
erſtere wäre ihm faſt verkümmert worden, da ein königlicher Etatsrath, — vielleicht war es Knigge's Etats-Rath
v. Schafskopf, — meinte, derjenige, der den erſten Hering ein-
ſalzte, verdiene doch mehr Achtung — der König aber erwiderte: „Er liebt wohl Heringe?“ Höchſt feierlich
war des Dichters Leichenzug, unter Glockengeläute und
Trauer-Muſik ſetzte ſich der ungeheure Zug in Bewegung,
wenigſtens 100 Wagen folgten dem Sarge, auf dem ſeine
Werke und ein Lorbeerkranz lagen, alle Geſandte ſchloſſen
ſich an, Trauerflaggen wehten von den Schiffen, und zu
Altona empfing ihn der Magiſtrat und das Militär —
weißgekleidete Mädchen ſtreuten Blumen in das Grab,
und ſangen die Ode, die Unſterblichkeit!
Voltaire, der Abgott der Franzoſen und ſo vieler
Französlinge, hatte keine ſolche Leichenfeier zu Paris! Voltaire, dem Sulzer den Meſſias gab, ſagte: Je connois
bien le Messie, c'est le fils du Père et le frère du S.
Esprit, mais pourquoi un nouveau Messie? personne
ne lit plus le vieux *). — Klopſtock's Meſſias konnte nicht
für den Dichter der Henriade ſeyn, die ſo tief unter dem
Meſſias ſteht, als ſeine Tragédies unter Shakespear —
und wenn erſt der dürre Spötter mit Klopſtock auf dem
Harold Haarfagar hätte in die Wette reiten, mit ihm
ſchlittſchuhlaufen oder rauchen ſollen? Der Eindruck des

---

*) Ich kenne den Meſſias wohl, er iſt der Sohn Gottes des
Vaters und der Bruder des heil. Geiſtes; aber wozu einen
neuen Meſſias. Niemand will mehr den Alten leſen.

Messias hängt vorzüglich davon ab, wie man über den —
Messias denkt, der Gegenstand selbst ist wohl für keine
Epopöe recht geeignet, und mir selbst Milton mehr, als
jene Frohleichnams-Procession; Homer und Virgil haben mich nie ermüdet, ich ziehe die Oden vor, voll
Vaterlands- und Freiheitsliebe im ächt deutschen Character,
und höre lieber Händels Messias, der in der religiösen Musik das ist, was Raphaels Verklärung in der
Malerei — daher auch Klopstock in der Ode „Wir und
Sie" die stolzen Ausländer anredet: -

      Wen haben sie, der kühnes Flugs,
      Wie Händel, Zaubereien tönt!
      Das hebt uns über sie!

Klopstock ist der häßlichste Dichter-Name, zumalen wenn
es Klopfstock geschrieben wird — aber verbindet der barba
rische Name nicht Mittel und Zweck. — Das Ziel des Weisen? Klopstock bleibt immer der hohe Genius, der deutscher Poesie die Bahn brach, wenn auch gleich Alexander
den Messias schwerlich unter seinem Kopfkissen neben seinen Degen gelegt, oder in die kostbare Chatoulle des Darius
verschlossen hätte!

Zu Ottensen haben nun auch die von Ehren Davoust
in der Weihnachts Nacht 1813 ausgetriebenen Hamburger,
1138 an der Zahl, die hier verkümmerten, ihr Denkmal,
und das Monument Adolphs IV. Gräfen v. Schauenburg
auf dem Adolphsplatz ist ein zweites verdientes Denkmal,
das ihm die dankbare Hammonia setzte. Die Stadt hat
keine schönen öffentlichen Plätze, daher hat der neue Domplatz
und Adolphsplatz doppelten Werth; jener ist Paradeplatz,
und dieser mit Bäumen besetzt hat nun in seiner Mitte
das Denkmal, das sich in der Nähe recht gut ausnimmt.
Aber warum hat man mehr den Mönch, als den Helden im Auge gehabt? war der Tag, an dem Adolph ins
Kloster ging, wichtiger als der Tag der Schlacht von Bornhövde? Adolph gelobte in jener Schlacht Geistlicher zu werden, und hielt Wort, er bettelte sogar als Franziskaner

einst Milch zusammen zu Kiel, als seine Söhne im präch=
tigsten Ritteraufzug daher eilten, schämte sich, und ver=
barg seinen Milchtopf unter die Kutte — aber plötzlich
gedachte er der Armuth Christi, und goß den ganzen Milch=
topf über sich aus, damit Jeder sähe, was er getragen habe!

Schrecklich war das Schicksal des guten Hamburgs
in unserer schmachvollen Franzosen=Zeit! Genug hatte es
schon von den Dänen und den in Hannover stehenden Fran=
zosen erbuldet, — nun erklärte sie noch der Allmächtige
zum Neuen Jahr 1813 zur bonne ville! Tettenborns Ko=
saken brachten zwar wieder Freiheit — aber nun kamen
Davoust und Vandamme, Dänen und Franzosen, die Stadt
ward außer dem Gesetz erklärt, 48 Millionen Pfund
Strafe angesetzt, alle Achtung vor Völkerrecht und Mensch=
lichkeit bei Seite gesetzt, und zuletzt noch — die Bank
geraubt! Der Verlust Hamburgs vom November 1806—
30. Mai 1814 ist berechnet auf 140 Millionen Mark banco!

Mit dem Jahr 1810 hatte der korsische Weltüberwin=
der die Maske ganz fallen lassen — der eigene Bruder legte
seine Dornenkrone nieder, und mit Einem Federstrich wur=
den Holland, Oldenburg, Hannover und die Hansestädte
mit dem Grand Empire vereinet, England mußte der
Sündenbock seyn, und Schmeichler und Schwärmer riefen:
„Wo werden die weisen Pläne des großen Man=
nes noch enden?" Alles, was England schaden, Frank=
reich aber nutzen konnte, war Recht, und Recht Drit=
ter kannte der Große kaum dem Namen nach. Frank=
reichs Nordgränze war nun die Trave, und hätte das
Universalgenie, das nie wahre Fürsten=Größe kannte,
— denn in ihm war etwas Unheimliches und Dämoni=
sches, wenn er gleich glaubte, sein Stern leuchte ihm
vor, wie dem ächten Kindlein — hätte das Kriegsgenie
nicht den dummen Streich des Darius wiederholet, der
auch schon nach dem Lande der Scythen zog, so wäre jetzt
Frankreichs Gränze an der Weichsel. Preußen hätte
er als Garantie gegen Rußland einverleibet, wie Holland

wegen England, das von Wassern, Schiffen und Seehelden gedeckt, französisches Pulver noch weniger zu fürchten brauchte, als Rußland! Quem volunt perdere Dii confundunt*)!

Der gekrönte Wütherich wüthete in ganz Europa, und sein Nachbild war Ehren Davoust in dem unglücklichen Hamburg, das letzte aber schrecklichste deutsche Opfer! Die Trabanten des Corsen entgingen der Volksgerechtigkeit, was Deutschen Ehre macht, aber wahrlich sie hätten — Laternenpfähle wohl verdient. Davoust, viele Marschäle, und selbst der, der sie dazu machte, gingen von dem Grundsatz aus: Reichthum ist die Quelle alles Uebels, der richtig ist — aber sie selbst glaubten so wenig daran, als die dreifach gekrönten Alten auf den sieben Bergen! Frankreichs Satrapen hatten alle Zeit fett zu werden an den Brüsten Germaniens, und kamen glücklich mit ein bischen Angst davon, statt daß man ihnen gesegnete Mahlzeit hätte wünschen sollen, wie Hermann Varus Römern, sie flohen zum Theil über eben dieses Varusfeld, an Wodans Opfer-Altären und den Grabhügeln der Römer vorüber sains et saufs**). Davoust und Vendamme hätte man geschmolzen Gold in Rachen gießen sollen, wie dorten die Parther dem Crassus, und, ich hoffe, daß die Hamburger und Bremer wenigstens ihre Fleischerhünde Davoust und Vendamme nennen werden, wie die Pfälzer einst die ihrigen Melac!

Beispiellos bleibt Davoust's Benehmen, seine zahllosen Menschenopfer und nutzlose Verheerungen, sein Mordbrand und Wegnahme der Bank, die Ausweisung der Bewohner in der schrecklichsten Kälte, das Erschießen, Einkerkern und der völlige Ruin unserer ersten Handelsstadt. Viel Hartes mußte Davoust auf Befehl seines Despoten thun, aber Er selbst gefiel sich in dieser Härte, wie hätte er sonst auf Vorstellungen sagen mögen: „Vous n'avez rien en propre, rebelles, que vous êtes, votre peau mê-

---

*) Wen die Götter verderben wollen, den machen sie verstockt.
**) Mit heiler Haut.

698

me appartient à L'empereur?"*) Er hätte vielleicht
gnädiger gehandelt, wenn er diese Rebellen geradezu —
gebraten hätte à la Iroquoise!**) Ist über den Schrecklichsten aller Napoleonsknechte Gericht gehalten worden?
Nein! Nur durch Vergleich erhielt Hamburg 500,000
Pfd. Renten auf dem großen Buche. Viel wurde zerstört,
Vieles aus reinem Muthwillen und Haß — nur die nächste
Generation sieht Bäume und Gärten wieder, wie sie waren. Die einzige wohlthätige Zerstörung ist das Nieder-
reißen der Häuser vor dem Theater und der Festungswerke.
Diese Werke waren unnütz, denn Hamburg erforderte eine
Garnison von 20,000 Mann, wenn es vertheidigt werden
sollte, und die Wälle waren ohnehin längst zu Spazier-
gängen, Bauten und Gärten eingerichtet. Die Vorstädte
S. Georg und der Hamburger Berg sollen am meisten
gewonnen haben. Die Gesundheit des überpölkerten Hamburgs hat also gewonnen, vielleicht finden selbst die är-
mern Klassen Raum, ihre feuchten Kellerlöcher zu verlassen, die Rhachitis wird verschwinden, und die Hamburger
doppelt die Inschrift des Altonaer Thores schätzen. Da
pacem Domine in diebus nostris!***) Die ungeheure
Epoche Napoleons liegt hinter uns wie ein böser Traum!
    Die berühmte Brücke, die längste Brücke, die
1½ Meilen lang in schnurgerader Linie über die beiden
Elbedarme und Insel Wilhelmsburg in einer Stunde nach
Harburg hinüberführte, ist auch nicht mehr. Sie war zu
schnell, zu wenig solide gebaut, und konnte nicht bleiben, wenn man sich auch über ihre Erhaltung mit Hannover hätte vergleichen können. Dieses Weltwunder stand
binnen 83 Tagen vollendet da; das Holz nahm man, wo
man es fand, und den Schweis und die Thränen der Arbeiter rechnete Davoust so wenig, als die noblen Ritter,

*) Ihr habt kein Eigenthum, Aufrührer; Alles was ihr seyd,
   selbst die Haut auf eurem Leibe gehört dem Kaiser.
**) Nach Art der Chirokesen.
***) Gib Frieden, o Herr, in unsern Tagen.

wenn Gefangene und Fröhnder ihre Burgen bauen muß.
ten. Cäsars Brücke hatte kaum den vierten Theil Länge,
aber seine Soldaten mußten das Holz in den Wäldern
hauen und die Brücke bauen — — hier mußten die Hamburger Alles thun, und die Neu-Römer sahen bloß zu.
Kein Wunder, wenn das Volk diese Brücke Teufelsbrücke nannte! Wir haben mehrere Teufelsbrücken —
nach meiner Ansicht ist die Strasburger die Haupt-
Teufelsbrücke, aber die Hamburger hat ganz bestimmt ein
Teufel erbaut, schlimmer noch, als sich Luther und der
Hauptpastor den Affen Gottes, mit dem sie sich so viel zu
thun machten, gedacht haben!

Die Umgegend Hamburgs, so flach sie auch ist,
gefällt, Dank der Elbe. Zahllose und geschmackvolle Gärten längs der Elbe, Alster und Bille belustigen das Auge,
und an Sonn- und Feiertagen ist hier ein Leben, wie im
Himmel; überall elegante Welt — und was dem Philo-
soppen so wohl thut — überall weltbürgerliche Offenheit, die sich über alle reinmenschliche Verhältnisse
ohne Scheu ausspricht, und keinen polizeilichen Spür-
hund zu fürchten hat! Man spricht da besser, wo
man frei sprechen darf, und hört auch besser — wo ein
Schloß am Munde hängt, gibt es nur finesische Eti-
quette-Wahrheiten, Normal-Ideen, wo kein
Ideenaustausch stattfindet — Wetter-, Theater-
und Tafelgespräche! Hamburg ist eine wahre Gar-
tenstadt, und bald wird der Hamburger einige Stunden
machen müssen, wenn er wirklich auf dem Lande seyn
will. Nach dem Spaziergang auf den Wällen, wo sich
doch Büsch's Denkmal mitten in den Zerstörungen erhalten hat, und nach der Ansicht vom sogenannten Stint-
fange, kommen die Dörfer Ottensen, Eppendorf,
Flotbek, wo man in England zu seyn glaubt, das länd-
liche Harvstehude, ein Lieblingsort Hagedorns, dessen Linde aber der Blitz zerschmettert hat (ob der Dichte-
das ihm zugedachte Denkmal erhalten hat, weiß ich nicht)

das nahe Eimsbüttel und Poppenbüttel mit seinen
Eichen. Dieses ist am ländlichsten, da es von der Stadt
entfernter ist, folglich weniger lärmende Gäste zählt, es
sind hier die Ruinen der Mellenburg, und man macht
Wasserpartien auf der Alster. Wandsbek ist berühmt
durch den Wandsbeker Boten, der aber zuletzt nicht
nur vergaß, daß er sich in Japan das Ohr des Hofmar-
schalls ausbat, weil dieser behauptete, „was Fürsten
gelüste, sey Recht,“ sondern auch ein solcher Urian
und Frömmler ward, daß man kaum böse werden
konnte, wenn ein Franzose aus Asmus — Asinus machte!
Warum nannte sich Claudius — Asmus, das im Norden
soviel sagt, als im Süden Hans, Stoffel oder Michel, und warum dachte er nicht an die Wirthshäuser vor
seiner Nase — an den letzten Heller, und an den grauen
Esel und legte seinen Botenstab früher nieder in die
Hände seines Freundes Hain? Man erzählt sich, daß
der Wirth zum grauen Esel einen alten Fürsten gebeten
habe, sein Bild zum Schild nehmen zu dürfen — schnell
wählte nun sein Nachbar den alten Schild, und jener, der
seine Kunden sich verlieren sah, setzte nun unter das Bild
des Prinzen: „das ist der wahre graue Esel!“

Blankenese (weiße Nase) ist das weiteste Ziel der
Spaziergänge (drei Stunden), ein ächtes Fischerdorf, wo
trotzige Wassermenschen von Fischen und Kartoffeln
leben, sich mit ihren kleinen Smaken in den größten
Stürmen auf die See wagen, und wenn das Jahr um
ist, vielleicht 100 fl. erworben haben; daher erblickt man
in der Regel im Dorfe nur Greise, Weiber und halb-
nackte, bettelnde Kinder. Die Gegend ist nichts weniger
als lieblich, aber einzig die Aussicht vom Sülleberg
bei Blankenese, man erblickt gar keine Elbeufer mehr.
Blankenese sollte billig einige Affen unterhalten, die man
Weißnase genannt hat — sie sind schwarz, haben aber
eine schneeweiße Nase, hervorspringend wie Blankenese!
Indessen wer auf diesem kahlen, rauhen Boden mehr sucht,

als die Elbeausficht, ist selbst ein Affe, der mit langer Nase nach Hamburg zurückkehret, zumalen als Fußgänger!

Alle Dörfer um Hamburg kann man im Grunde Be-luſtigungsorte nennen, wenn man nicht zu viel ver-langt — und alle Elbeufer reizend; ja wer die höhere Poe-ſie der Rhein- und Donauufer nicht kennt, oder die des Mains um Frankfurt, dem erlaube ich ſogar zu ſchwär-men! Schade, daß der Boden ſo ſandig iſt und die Na-tur ſo oft Launen bekommt, wie die Schönen, und ſchmol-let. Schwärmer in dieſen Gegenden mag der Ham-burger Günther zurechtweiſen, der in ſeinen Erinne-rungen ſagt; „Eine Heloiſe an den Elbedeichen zu ſchaffen iſt ſo unmöglich, als eine Odyſſee zu Paris." Düſtere und heitere Stimmung hängt gar viel vom Klima ab. Wie mächtig hat griechiſcher Himmel auf Griechen ge-wirkt? wie verſchieden iſt das Leben unter Palmen und unter Weiden? zwiſchen Piſang und baumartigen Far-renkräutern und dem zwergartigen Heidegeſtrüppe? Wenn dem Norden nichts fehlte, ſelbſt Berge nicht, würde doch ſtets die reine duftende Luft fehlen, der blaue Himmel, die üppige Vegetation des Südens, und die reizenden oder erregenden Kräfte, die Pflanzen und von Kälte be-täubte Thierchen aus ihren Winterklüften hervortreiben, wenn der Frühling lacht — kurz Browns Erregbarkeit, die freilich durch Mißbrauch in Aſthenie übergehet ... Aber der iſt doch ein Thor, der hier an der Elbe den Rheinfall Schaffhauſens vermißt, auf der Heide den Mont-blanc, oder die Ruinen Palmyra's ſucht und ſich den Ge-nuß verkümmert. Und wem iſt im kalten neblichten Nor-den und auf der öden Küſte verwehrt, ſich an den leben-digen Bildern der Natur in Reiſebeſchreibungen von tro-piſchen Ländern zu erwärmen in — Gedanken? eine innere Welt zu ſchaffen?

Die Elbe, die ſich in zwei Arme zwiſchen einer Menge Inſeln theilet, noch ehe ſie Hamburg erreicht, aber unter Altona, Flottbek gegenüber, wieder vereinigt, iſt zwei Stunden wenigstens breit, und wird immer breiter, je näher dem Meere; bei Ritzebüttel z. B. sieht man das holsteinische Ufer nur mit gewaffneten Augen. Und doch ist die äußerste Mündung mit der rothen Tonne noch zwei Seemeilen fern. Diese ungeheure Wasserstraße ist wegen der Untiefen mit Tonnen oder Bojen bezeichnet, die den Schiffern den Fahrweg zeigen, wie die Landstraßen den Frachtfuhren, oder die Stangen und Bäume zur Winterszeit. Für den Schiffer ist die letzte Boje die Gränze der Elbe, aber noch hat kein Geograph bestimmt, wo die Elbe aufhört und das Meer anfängt. Hier maßet sich eine englische Fregatte das Amt der Schlüssel an, so grell, als einst der Papst und mancher Dorfpfarrer. Hier ist ein Titanenkampf zwischen Elbe und Ocean, der wohl gesehen zu werden verdient, wenn man den Maranon nicht sehen kann, und die Elbe ist wenigstens der deutsche S. Lorenz. Diese hohe Scene ist nicht für Nervenschwache, die schon das Geklapper einer Mühle nicht hören können, oder gar jammern über eine zu laute Stimme, und selbst über die meinige — vox humanissima; bei dem Ehrengeschrei maurischer Weiber würden sie in Ohnmacht fallen. — Mich erinnerte die erhabene Scene an die Stelle S. Lambert:

L'Orellane, l'Indus, le Gange, le Zaïre,
Repoussent l'Ocean, qui gronde et se retire.

Die Fruchtbarkeit des Bodens um Hamburg ist erstaunend, aber in dieser Schlammerde muß Alles gedeihen, wie im Delta Aegyptens, vorzüglich in den Vierlanden und auf den Werdern, auf denen ganze Pfarrdörfer liegen. An den Ochsenwerder stoßen die Vierlande, oder vier Kirchspiele-Corslak, Ober- und Untergamme und Kirchwerder, mit dem Städtchen Bergedorf von 2000 S., gemeinschaftlich mit Lübek; bei Kirchwerder ist der Zollenspiker oder die Ueberfahrt nach dem hannöverischen Hoop. Diese Gegenden, etwa

1½ Quadratmeilen mit 12,000 Seelen, haben herrliche Viehzucht, noch bessern Obst= und Gartenbau, und ihre mit Milch und Butter, Obst, Gemüße und Blumen, mit Lachsen, Neunaugen (Briken), Schweinen, Kälbern und Geflügel aller Art beladenen Eber kommen zu hunderten jeden Morgen nach der Stadt. Diese Vierländer haben viel Eigenes in Sitten, Kleidung und Sprache, heirathen nur unter sich, sind in hohem Wohlstande, und wahrscheinlich eingewanderte Nordholländer, daher man sich nicht wundern darf, wenn es Holländisch zugeht. Auffallend ist die Menge Windmühlen in der Gegend — diese Mühlen aber mahlen nur — Wasser, d. h. sie heben das stehende Wasser, um es in die Bille zu schaffen.

Die Vierlande sind das Canaan der Hamburger. Die ganze von der Elbe, Bille und den Canälen durchschnittene Fläche ist ein Paradies der Ceres, Flora und Pomona, in welchem die ländlichen buntgemalten Hütten mit Inschriften, als eben so viele Lusthäuser zerstreut an den Dämmen stehen unter Lauben und Apricosen und Pfirsichen; selbst ganze Erdbeerfelder gibt es, wie um die Stadt des eaux de senteur die Rosen= und Lilienfelder. Gewiß ziehen die Vierländer jährlich 100,000 Mark allein für Erdbeeren, und wie wäre es, wenn ein patriotischer Bontekou das Erdbeerkraut statt des Thee empfähle, und diesen den Britten und Holländern allein überließe? Diese Vierländer, da es ihnen zu weit in die Stadt ist, die Milch immer hinzubringen, mästen damit eine Menge Kälber, die sie in der ganzen Umgegend aufkaufen, und liefern dann veredelte Kälber von 150—100 Pfd. nach Hamburg, ja von 2 Centnern — und so ein Kälberschlegel — ja das ist mir ein — Kälberschlegel! Ebenso halten sie es mit dem Federvieh — ja ihre Industrie soll selbst Blutegel in Polen holen, die dann nach England und Frankreich gehen, und nach Rußland gehen selbst — getrocknete Rosenblätter!

Der reisende Franzose macht die Vierlande auch noch zu einem Hain von Paphos? Es ist nicht zu läugnen, daß es hier Houris gibt, welche die das Fette liebenden Orientalen allen vorziehen würden, „ihr Gesicht ist wie der volle Mond, und ihre Hüften sind wie Kissen.“ Die Sträußermädchen mögen zu Hamburg allerdings auch noch mit mehr handeln, wie Seumes Citronenmädchen. — Niente? Oberkleid, Rock und Strümpfe dieser kerngesunden Sträußermädchen ist meist violett oder braun mit dunklern Bändern, das Mieder roth und grün — unter ihrem Strohhute fallen reiche Haarzöpfe herab, und das Gesichtchen voll Farbe der Gesundheit sieht so naiv und unschuldig drein, daß sie dadurch höchst anziehend und vielleicht gerade — schuldig werden! Es ist schön, daß die Hamburger über ihren boutiques nicht ganz der Bouquets vergessen! Dieu fit la fille, l'homme la femme!*) und ein Rosenfest von Salency wäre au seiner Stelle! Es gehört gerade keine orientalische Imagination dazu, um sich auf den Blumenmarkt Marseilles zu träumen, wenn gleich der Cours fehlet!

Alma mater **) war in diesen Gegenden mit der magischen Zierde des Weibes, die Oken so unzart Milchhuden nennt — nur allzu freigebig, und wenn ich Rubens niederländische Fleischgrazien je schön gefunden hätte, so würde ich — die Hamburgerinnen schön nennen, da sie so artig seyn können, und neben ihrem guten Deutsch und meiner lieben platten Sprache eben so gut französisch und englisch sprechen, obgleich Eine Zunge schon mehr als genug wäre bei ihrem Geschlechte. In Hamburg ist Alles zu haben, nur das nicht, was manche Schöne, von der die Platten sagen: platt as en Pannekooke, und die den Ausruf beherziget hat: wat können nich n' paar Titten maaken! — Hier zuerst lausen würde, sie brauchen keinen Heller auszugeben für Culs

*) Gott machte Jungfern, der Mann macht Frauen.
**) Die gute Mutter-Natur.

et Gorge de Paris und Rouge! — Von Herzen gerne
hätte ich meiner schlanken Freundin zum Andenken etwas
von dem Ueberfluß dieser Hamburgerinnen, und so ein
paar sphärische, statt der ebenen Zwillinge prima
Sorte mitgebracht, wenn es möglich zu machen gewesen wäre!

Das Amt Ritzebüttel oder Curhaven—gleichviel,
denn beide trennt nur ein Fahrweg —ist die äußerste nordwestliche Gränze Deutschlands, eine Meile eingedeichten
Landes mit 4200 Seelen, die Korn, Hülsenfrüchte, Rüb-
saamen 2c. bauen, Viehzucht und Fischerei treiben, Torf
stechen und Muschelkalk brennen. Das Amt von dreizehn
Ortschaften kostet Hamburg mehr als es erträgt, ist aber
an der Elbemündung wichtig, als Stützpunkt seines See-
handels, Winterhafen und Quarantäne-Anstalt. Hier
wohnt ein Senator im alten Schlosse der Raubritter von
Lappe, die Seeräuberei mit Landraub nobel vereinten, und
auch Hamburg befehdeten, folglich weit mehr als Lappa-
lien trieben, bis man mit einem Stück Geld die edlen
Lappen beruhigte. Hier sind die kühnen Wasserbauten
für den Reisenden das Merkwürdigste, der gewaltige Strom
und das noch gewaltigere Meer, wo Fluth auf Fluth sich
oh'n Ende drängt, und will sich nimmer erschöpfen und
leeren, als wollte das Meer noch ein Meer gebären. —
Wallfische und Sirenen gibt es nicht, aber Seefische aller Art, und gelegentlich sieht man auch einen
lebendigen Seehund, der sich auf den Sandbänken sonnet.
Der Amtmann heißt Gouverneur, hat Wache vor seiner
alten Burg, und, was die alten Burgen nicht hatten, sogar Kanonen, womit aber nur ankommende Schiffe —
freundlich begrüßt werden. Senator Abendroth,
ein alter Universitätsbekannter, gab uns die beste Beschreibung dieses interessanten Flecks, von dem viel Tausende
das Meer zum Erstenmale sehen, und dann — nie
wieder. Seine Bescheidenheit hat von seinen Verdiensten
um das Amt geschwiegen — auch von seiner Güte gegen

45 *

die Badgäste und Reisende; aber gewiß lasen Viele mit mir in Freude, daß Ritzebüttel erleuchtet war, als er 1824 wieder dahin kam, und seine Anwesenheit ein wahres Volksfest.

Jeden, der nur Ufer kennt, deren Wasser durch Weidenkoppen in Respekt gehalten wird, muß staunen, wenn er hier die Wasserbauten eines Woltmanns sieht, die sich zwei Meilen weit hinziehen, jährlich 50,000 Mark zu unterhalten, und schon Millionen kosteten... Hier spielen die Wellen mit Felsblöcken von 2 — 3000 Pfd., wie mit Strohhalmen. Es gehört Muth dazu, auf dem Bollwerk Alte Liebe zwischen dem Badehaus und Leucht-thum einen Sturm auszuhalten, ob man gleich vollkommen sicher ist. Das Werk erbebet, eine Welle nach der andern zerschellet an diesem Menschenwerk, sich auflösend in hochspritzenden Schaum, das Geschrei der Möven, dieser Boten des Unglücks, vollendet die furchtbaren Accorde des erzürnten Oceans, und das Toben des Rheinfalles ist nur Waschbecken-Tumult; es ist fürchterlich schön. Hier lese man Falconer's Shipwreck; noch mehr Genuß aber gewährt das schöne Gedicht: La Navigation Poëme en VI. Chants par J. Esménard. Paris Ed. II. 1806 gr. 8.

Diese Gegend hat nicht das Mindeste von den Naturreizen des Südens, oder gar Westindiens, statt der prächtigen Flamingo nur weißgraue Möven, und statt Zuckerrohr, Caffee und Baumwollen-Pflanzungen nur Sandhafer — aber man begreift nun vollkommen die Möglichkeit, wie ein Orkan einen Schooner mit 11 Mann von der See über ein Felsenriff hinweg, eine englische Meile weit, auf den hohen Strand werfen konnte, so daß sich die Mannschaft bei Tagesanbruch staunend im Grünen und zwischen Bäumen fand, wohlbehalten. Wer nie am Meeresufer saß, die Jagd der Wellen sah, aus blauer Ferne sich herwälzend Woge über Woge, und dann zerschellend am Felsen in weißem Schaume — nie hörte das Rauschen und Toben der Wogen im Sturme — nie das göttliche Element anstaunte im frierlichen Untergange der

Sonne oder im sanften Lichte des Mondes — der entbehrt
viel und versteht nicht, was Plinius mit wenig Worten
sagt: O Mare! O littora! Er begreift auch nicht den
Abscheu der Aegypter vor diesem furchtbaren Elemente,
daher es ihnen das Bild des Typhon (Teufels) war,
Feind des Osiris. Von dieser Furcht mögen die Hebräer
ihre komische Wasser scheu geerbt haben. Man begreift,
wie Pinzon beim Anblick der Mündung des Maranon,
fragen konnte: Mare au non?*) daher der Name — und
begreift auch die komische Schilderung eines neuern Reisenden von einem Seesturm: „Wenn es möglich wäre,
10,000 Trompeter auf dem Vordertheil und 10,000 Tromm-
ler auf dem Hintertheil unseres Schiffes musiciren zu lassen, in der Mitte würde man nichts davon gehört haben
vor dem furchtbaren Geheule des Oceans!" Unsere Land-
winde, die uns einen Hut vom Kopfe und einen Shawl
vom Nacken nehmen oder den Regenschirm zerreißen, sind
leichte Zephyre gegen so einen Orkan, vor dem der
alte Ocean bebet und Dreimaster in den Abgrund sinken!
    Bei den vielen stets durch den Eisgang veränderten
Sandbänken sind hier Lootsen durchaus nothwendig, feste
und bewegliche Signale, Baaken und Seetonnen,
und noch das Feuer- oder Signalschiff. Es sind
drei solcher Feuer, zu Curhafen, Neuwerk und Helgoland;
das Kohlenfeuer ist theurer als das Lampenfeuer,
und die Kosten des Oels und der Wächter vermehren noch
die wilden Gänse und Enten, die vom Licht angezogen gegen die Spiegelscheiben fliegen, wie die Mücken
gegen das Licht im Zimmer, diese verbrennen sich sim-
plement, jene aber stoßen nicht nur die Köpfe ein, sondern auch die Scheiben, und so eine Scheibe kostet drei bis
vier Carolins, das ist mehr als eine Scheibe, die der
Niemand bei uns einstößt, daher sie oft Monate lang
nicht wieder hergestellt wird.

———————

*) Meer oder nicht.

Zu Curhaven geht Alles so englisch zu, daß ein
Ununterrichteter leicht sich in England selbst glauben
könnte. Während des Revolutionskrieges, wo die Ueberfahrt von Helvetsluis nach Harwich nicht anging, bildete
sich eine Communikation, die man beibehalten hat; und
wer Lust hat, kann für 5—6 Pfd. Sterling wöchentlich
zweimal binnen 48 Stunden (manchmal jedoch erst nach
acht Tagen) auf freiem brittischen Boden wandeln,
wo aber nichts frei ist, als die Luft, und nichts polirt
als der Stahl. Glückliche Whims! sich einzubilden
frei zu seyn, und hochcultivirt, und wenn auch das
Wohlseyn von hundert Millionen Menschen dem von
einer Million aufgeopfert werden sollte, wie es im Mittelalter Adel und Clerus auch zu halten pflegten. Auch
ein Amsterdamer Dampfboot läuft wöchentlich zweimal hier ein.

Ritzebüttel oder Curhafen mit 2000 Seelen ist
eines unserer berühmtesten Seebäder. Längst kannten Engländer die Kraft der salzigen Fluthen, Lichtenberg machte
1793 uns Deutsche aufmerksam, nannte Curhafen ausdrücklich, aber Mecklenburg gründete zuerst sein Dobberan 1794, Travemünde und Norderney folgten,
Hamburg aber erst 1816. Im Sommer 1817 zählte man
schon 600 Gäste. Ein Seebad verhält sich zum Fluß-
oder Quellenbad, wie das Meer zum Fluß, nicht allein
die Salztheile und reichen Schwängerungen des Seewassers
mit animalischen Stoffen, nicht bloß die stets lebendigen
Wogen und die Seeluft thun Wunder, sondern die eigene
electrische und magnetische Strömung, der man
auch das Leuchten des Meers zuschreibt, die aber noch
problematisch ist. Das erste Gefühl im Seebad ist
nicht behaglich, Kälte, Schauer, Herzklopfen, beengte
Brust — aber bald folgt solches Wohlbehagen, daß man
seinen Karren, der einem Schafpferch gleicht, segnet,
wie das Schaf, da wo Wölfe sind, wenn es kein Schaf
wäre, den Pferch segnen würde mit dem darin ruhenden

Schutzgott und deffen Water unter dem Pferch: Man
entsteigt dem Meere mit einem Hochgefühl, das nur der
Spanier Nunnez im höhern Grade empfunden haben mag,
als er von den Höhen Panamas das Südmeer entdeckte,
und, um es für Spanien in Besitz zu nehmen, sich —
darin badete!

Diese Badekarren werden von einem Pferde bis zu
einer Tiefe von 3' in die See gezogen, am Hintertheil ist
eine Art Zelt und eine Treppe angebracht, und so entkleidet man sich ungesehen, und steigt hinab in die Fluthen
— und wieder herauf. Da Damen doppelte Vorsicht dabei gebrauchen, so darf man sich nicht wundern, wenn man
— keine Anadyomene dem Schoose purpurner Wellen
entsteigen siehet! Ueber das Schicksal des Jonas hat schon
Lichtenberg die Badenden beruhiget; Fische, die Propheten
fressen, waren nur im Alterthum, wie Propheten, Meer-
Märnchen und Meer-Weibchen — die Fische haben umgekehrt das Propheten-Schicksal zu erwarten, ohne Hoffnung wieder ans Licht zu kommen wie Jonas. Nach der
See hat man ½ Stunde, man kann aber auch, wie viele
Furchtsame thun, ein Wannenbad im Hause haben, was
sich aber freilich zum Seebad verhält, wie das Lesen einer
Reise zur Reise selbst, oder ein Soolbad von Schwäbisch
Hall zu Dobberan, eine doch allzupoetische Vergleichung!
Und wer erst Schwimmer ist? oder gar leichter als See-
wasser, wie Moccia und Cola Pesce, der auf dem Meer
wandelte, gleich unserm Herrn und Meister?

Das Badgebäude unweit des Leuchtthurms ist schön,
umgeben von englischen Anlagen, der Anblick des Meeres,
der segelnden Schiffe, und des regen Fischerlebens so er-
freulich, als Ebbe und Fluth, die man gar nicht kennt,
wenn man nur die Ostsee oder das Mittelmeer gesehen hat.
Held Alexander und sein Heer staunten daher, als sie solche
zum Erstenmale erblickten in den indischen Gewässern; nach
der Ursache haben sie schwerlich geforschet, und alle Weisheit Indiens hätte sie auch wohl nicht im Monde

gesucht. Ist dem so? oder der Einfluß des Mondes auf
Ebbe und Fluth, auf Kröpfe, Wahnsinnige und die Monate
der Frauen ꝛc. Ueberrest astrologischer Grillen? Gesättigt
vom Anblick geht man nach dem Eichenwäldchen Broks-
walde (½ Stunde, das der Dichter Brokes als Amtmann
anlegte) oder auf die Jagd der Möven; der schlechteste
Schütze trifft hier, wie der, der unter einen Flug Spatzen
schießt, und andere machen Jagd auf die Tausende von
Seegeschöpfen, die bei der Ebbe im Sande wimmeln,
und schon den Gleichgültigsten zum Naturaliensammler
gemacht haben. Ich rechne zu den Genüssen des Bades
noch die Gelegenheit, die ich nie versäumte, mit eigentlichen Seeleuten mich zu unterhalten, die sich zu
Landleuten verhalten, wie Seekarten zu Landkarten, und von ihrem Schiff pör. Sie (She) sprechen wie
von einer Geliebten. Sie gleichen alle mehr oder weniger
Jean Bart. Louis XIV. sagte ihm: „Ich mache Euch zum
Befehlshaber eines Geschwaders." — Sire! daran thun
Sie ganz recht — war die Antwort, die dem König gefiel.
Er rauchte sogar Tabak in dem Vorzimmer; „das ist Jean
Bart," sagte Louis den bestürzten Höflingen. Selbst einen
Admiral lernte ich kennen, der aber nichts weniger als
admirabilis war, daher man wohl besser thut, Amiral
zu schreiben, zumal das Wort vom arabischen Amir, Herr,
kommt. Er vertheidigte etwas, was mir in dem freien
England das Tragikomischste unter allem Tragikomischen er-
scheint: the Pressing of Seamen!*)

    Das Bad hat auch einen fischreichen See, worauf
Gondeln sind, Musik und Tanz, so viel man will, und
auch den von Gott verfluchten Pharao. Der Tisch ist
zwar norddeutsch gut, aber auch norddeutsch
theuer. Indessen, wo ist es in Bädern wohlfeil? Oekonomie wohnt nur auf dem Lande oder im eigenen Hause,
und es ist billig, daß ein Landthier auch etwas zahle für

---

*) Das Matrosenpressen.

Seewaffer, Seeluft und Seeanficht. Man macht Spazierfahrten zu Lande nach dem nahen Hadeln und auch nach der Insel Neuwerk über das Watt, wo zur Zeit der Fluth dann wieder Schiffe segeln. Man macht kleine Seefahrten, und ein kleiner Katzenjammer, der bald überstanden ist, ist der Gesundheit zuträglich. Hinter den Dünen (¼ Meile) liegt in der Elbemündung die Insel Neuwerk, eine Meile im Umfange, mit einem Dutzend Häuser und 50 Bewohnern — und selten vergeht ein Jahr, daß auf dem Watt, oder dem von der Fluth verlassenen Zwischenraum, der stets tiefe, wässerige Stellen behält, hier Prirle genannt — nicht allzukühne oder unvorsichtige Menschen umkommen, zumal wenn Nebel herrschen, oder bei heftigen Winden und Mondsveränderungen die Fluth schneller ankommt und den Wanderer übereilet — wie der Tod rollen die Wogen hinter ihm her, das schnellste Pferd vermag nicht zu entlaufen, und er findet sein Grab in den Wassern. In diesen Nordgegenden sucht man dem Meer Land abzugewinnen, in der südlichen Adria aber, namentlich zu Venedig, umgekehrt dem Lande Meer. Auf Neuwerk kann man sich am besten den Durchgang der Kinder Israel durch's rothe Meer anschaulich machen. Der Meerbusen bei Suez ist nach Niebuhr lange nicht so breit, als die Insel von Ritzebüttel entfernt liegt, und wenn Moses seine Gegend so gut kannte, als die Neuwerker, so ging Alles ganz natürlich zu, Pharao aber verpaßte die Ebbe, und die Wolkensäule Mosis war vielleicht ein Nebel, der auch schon manchem Neuwerker das Leben kostete, wie Pharao und seinem Heer.

Die weiteste aber interessanteste Fahrt ist nach der zehn Meilen entfernten Insel Helgoland (insula sancta), dem Pharos Hamburg's, und der äußersten nordischen Schildwacht Deutschlands. Ihre Bewohner sind lauter Fischer, Lootsen und Schleichhändler, vertraut mit allen Klippen, Sandbänken und Gefahren, von denen der Name Heili-

genland unmöglich kommen kann, und sie werden durch
Britten, die seit 1807, statt der Dänen, sich hier ein-
nisteten, schwerlich Heilige geworden seyn. Wahrscheinlich
kommt der Name von den alten brittischen Glaubens-
boten, die hier die Bekehrung Deutschlands anfingen,
den heiligen Wilibrod an der Spitze, der gegen den heiligen
Hain wüthete, wie S. Bonifacius zu Geismar. Vielleicht
war dieser heilige Hain des Tacitus castum nemus,[*]
den andere auf Rügen suchen, denn die Nordsee war den
Römern bekannter als die Ostsee. Man zeigt noch den
Platz, die Sapskule; wo der Friesenkönig Rudbod getauft werden sollte, da ihm aber die künftige Glückseligkeit
im Paradiese vorge stellt wurde, und daß seine Vorfahren ewig in der Hölle braten müßten, so sprang er wieder aus der Sapskule ungetauft. „Ich will lieber
zu meinen Vorfahren kommen!“ Man segelt in
sechs Stunden nach Helgoland, kommt am andern Tage
wieder zurück, und kann sagen, daß man in England
gewesen sey, wie der Schneider in Frankreich, der zu
Straßburg schneiderte.

Helgoland erscheint in weiter Ferne wie ein schwarzer Punkt, den Matrosen weit früher sehen, als die
Gelehrten mit der besten Brille. Von der Morgensonne
beleuchtet, verwandelt sich der Punkt in eine Batterie, weiß
und roth, als ob sie hessisch wäre; die Täuschung ver-
schwindet, Möven empfangen uns in Schaaren, statt der
Wohlgerüche, die den Indienfahrer, und auch den,
der sich den hierischen Inseln nähert, schon von Ferne
betäuschen — die Wogen brechen sich schäumend am Felsen, das Ganze erregt eher furchtbaren als angenehmen
Eindruck — nichts als ein kahler Felsen und Sand — kein
Grün erfreuet das Auge — überall rauhe Seenatur! und
so auch die Bewohner. „Sie sind entweder auf dem Meer,“
sagt ein älterer Schriftsteller, „oder im Kruge, und nur

---

[*] Keuscher Hain.

die Furcht zu ersaufen, läßt sie die Kirche besuchen — sie
gehen besoffen auf den Fischfang, und so fangen oft die
Fische den Fischer — nur ungerne hören sie die Sonn-
abendglocke, und die Jugend kortelt (gürtelt) des Sonntags öffentlich!" Jugend hat keine Tugend, und —
Seeleute haben viele Aehnlichkeit mit Wöchnerinnen, kaum
ist die Gefahr vorüber, so fangen sie wieder von vorne an;
— Es sind, wie wir in Franken und Schwaben sprechen
— Elementskerl!

Die Helgoländer, 34,000 Seelen, sind friesischen
Stammes, und noch herrscht hier, wie auf den kleinen
Eilanden an der holstein-schleswigischen Küste, die Sprache
der Friesen, wovon ich einmal nichts verstanden habe, ob
ich gleich plattdeutsch zu verstehen glaube. Eine uralte recht vernünftige Sitte untersagt den Männern eine
Ausländerin zu freien, weil sonst die einheimischen Mädchen,
bei den Gefahren zur See, sitzen bleiben könnten. Die
Männer sind fast stets zur See, die Weiber bestellen Feld
und Küche, dreschen und mahlen das Getraide und müssen
alles besorgen. Der Mann ist auf der See in seinen langen, schweren Stiefeln — zu Lande ruhet er und geht
daher nur in Pantoffeln. Der Menschenschlag ist schön,
halbe Riesen, hochblond, Nachkommen der alten Normänner, das gewöhnliche Schifferkleid braun; im Staate
schwarz, die Weiber lieben alle roth und gelb — und alle
ihre Insel, denn sie sind immer noch freie Leute, da
sie — arm sind, daher es auch weder Diebe noch Advokaten gibt. Nächst der Fischerei (Schellfische
und Hummern, die ich mir auch habe schmecken lassen,
neben einem Ahnbolk, d. h. Kuchen von Mehl, Eiern,
Butter, Milch, Rosinen, Pflaumen, Gewürze und einigen
Möven) ist der Haupterwerb das Lootsenwesen, wo
die Blankeneser ihre Nebenbuhler sind. Die Lootsen nach
der Elbe, Weser und Eider müssen Kenntnisse haben, und
werden so gut geprüft als unsere Kandidaten, erhalten statt Diploms eine Medaille, den sogenannten Boot-

fenpfenning, und werden zur Nüchternheit, Bil-
ligkeit und Bescheidenheit aufgefordert, was
auch bei unsern Kandidaten auf dem Festlande gar nicht
überflüssig wäre!

Der Felsen Helgoland, ½ Stunde Umfangs, besteht
aus dem obern Theil, genannt das Land, 200' hoch,
wohin eine Treppe führt; hier wohnen die Wohlhabenderen
in etwa 300 niedern Häuschen von Backsteinen — unten
aber auf den Dünen die Aermern, die oft vom Wasser
leiden, wo aber, das meiste Leben herrscht. Ein Canal
trennt den Felsen von der Sandinsel, die nur von
Caninchen bewohnt ist, die sich Winters von Fisch-
gräten nähren sollen; sie sind Gegenstand der Jagd,
und so auch die Zugvögel. Wenn so ein Schwarm
Krammetsvögel, Schnepfen, Lerchen ꝛc. sich niederläßt, wo
gerade die Gemeinde in der Kirche ist, so eilt Alles hinaus,
selbst der Prediger verläßt die heilige Stätte, und nimmt
statt der Bibel — die Flinte, was auch außer Helgoland
schon geschehen ist. Die Felseninsel, die im neunten Jahrhundert neun Kirchspiele und zwei Klöster gehabt haben
soll, muß jetzt fast Alles vom Festlande holen, das Meer
hat ihre Aecker und Wiesen längst verschlungen, daher weder Pferde noch Rinder, sondern nur Schafe gehalten werden,
die kaum soviel Gras finden, als nöthig ist, und gepflöckt
werden, damit sie nicht in die See fallen. So ein mit
dem Hinterfuß an einen Pfahl gebundenes Thier, das nur
so weit umhergraset, als es der Strick erlaubt, ist das
schönste Sinn- oder Lehrbild zu dem Worten: „Laß mich
mein beschieden Theil Speise dahin nehmen,“
oder auch des in die Staatsmaschine gesperrten Menschen! So binden die Mütter in den Alpen ihre Kinder
an Bäume, wo sie miteinander an Abgründen spielen,
während die Eltern ihre Kartoffel hacken, oder Gras sammeln.
Die Helgoländer bauen höchstens etwas Gerste, Hafer und Gemüße. Das Meer gräbt täglich am Grabe des Ueberrestes
von Helgoland, die Dünen oder das Vorland aber ge-

winnen stets mehr Fuß, Helgoland muß frühe oder spät im
Meer sein Grab finden! Das Vorland aber ist ihre
Hoffnung!

Helgoland hat zwei Naturhäfen, die aber schlecht
sind, geschützt von Batterien. Die sonst von Hamburg
unterhaltene Feuerblüse unterhalten jetzt, wie billig,
die Britten mit Steinkohlen gegen Feuer- oder Baken-
geld, und man soll sie Nachts sechs Meilen weit sehen
können. Diese Blüse oder Leuchtthurm ist vielleicht,
nach dem von Eddingstone, der schönste, den es gibt, mit
ächt brittischem Aufwand erbauet, ganz massiv, die Wen-
deltreppe ganz von Eisen, wie die Gallerie; der kolossale Lustre, von 24 argantischen Lampen, verbreitet wahren
Sonnenglanz, kostet aber auch manche Winternacht 400 Pfd.
Steinkohlen; die Häuser Helgolands selbst dienen den
Schiffern so gut als der Leuchtthurm zu Kennzeichen, daher Alles so bleiben muß, wie es ist; selbst wenn ein Haus
abbrennt, wird sogleich ein ganz ähnliches wieder auf
die Stelle gebaut, damit das Fehlende keinen irreführe.
Helgoland ist eine wahre Warte für Alle, die nach der
Elbe, Weser, Eider oder Jahde schiffen, die Leutchen erkennen die Schiffe auf sechs Meilen, und während ein
ungeübtes Auge nur noch einen schwarzen Punkt siehet,
wissen sie schon Nation und auch oft Namen des Schiffes.
Die — Vitalienbrüder oder Seeräuber des Mittelalters kannten den Werth dieses Punktes so gut schon, als
die französischen Capers und die Britten!

Helgoland kann man zur Zeit der Ebbe umgehen,
jedoch nicht ohne Gefahr, da öfters Felsenstücke und Steine
herabrollen, besser ist es daher, die Insel zur Zeit der Fluth
im Boote zu umschiffen; wer beides nicht kann, begnüge
sich mit den möglichst getreuen Ansichten vor dem Buch,
das van der Decken 1826 über Helgoland herausgegeben
hat. Hier und an den Ufern der Nordsee sollen sich noch

Reliquien des Strandrechts finden, und man vom letzten Schiffbruch, wie der Bauer von einer guten oder
schlimmen Aerndte sprechen, oder Doctor und Apotheker von
einer ungesunden Jahrszeit — ja wohl gar beten, „daß
der Herr den Strand segne?" Es wäre so traurig
für Menschenehre, als das droit d'Aubaine, das
Abzugsgeld und der Sterbfall!

Nie war wohl mehr Leben auf Helgoland als zur Zeit
der Continentalsperre, ungeheure Magazine von Colonial-
waaren fanden sich hier, die man einzuschmuggeln
suchte, und noch einmal so viel Menschen als jetzt, neben
einer starken Garnison, von der nur noch der Commandant da ist, der jetzt die erste Instanz macht. Es
muß hier so lebhaft gewesen seyn, als einst zu Ormus im
persischen Meerbusen, und jetzt eine Leere, wie in einer
Congreßstadt, wo der Patron der Britten, der Gnome
Spleen, mit bleiernem Scepter herrschet, wenn man ihn
nicht ersäuft in Rhum, gin, brandy, wisky und grog ....*)
Dieser nackte, sonst kaum genannte Felsen sah Könige und
Fürsten, Minister und Generäle, berühmte Gelehrte und
Künstler — Gustav IV., Artois, Berry verlebten hier Monate, auch Braunschweigs Heldenschaar ruhte hier. In
dieser Aerndtezeit hatte Helgoland Geld wie Heu, ein
Zimmerchen mit Bette kostete täglich einen Dukaten, die
Lebensmittel standen im Verhältnisse, durch Ein- und
Abladen verdienten selbst Weiber und Kinder Geld, wobei
aber schwerlich die Sitteneinfalt der Insulaner wird
gewonnen haben. Hätte man diese Epoche zu einer schönen Anstalt für ein Seebad benutzt, wer weiß, ob Helgoland nicht das erste Seebad geworden wäre an deutscher Küste?

Helgoland ist jetzt englisch, kostet aber den See-

*) Alle Arten von Branntwein.

717

despoten weit mehr, als es werth ist, wie Gibraltar, und
vielleicht selbst Malta, aber Gibraltar ist der Schlüssel
zum Mittelmeer, Malta, ein sicherer Standpunkt für die
Flotten, um Italien, die Küsten Nordafrika's und den
Levantehandel zu bewachen, und Helgoland ist der beste
Punkt zur Beherrschung des Holsteiner Canals, der Elbe,
Weser und des ganzen Handels der Hanseaten oder der
armen Deutschen! O Lord! Helgoland gehört dem Gold-
lande, das die Alten nur die Z i n n i n s e l n nannten, und
— der S i r e n e, die ihren abschreckenden thierischen Theil
geschickt unter den Fluthen versteckt, und mit der menschlichen Hälfte noch heute so viele bezaubert, wenn gleich
Viele wie der große Mann zu Rochefort die großmüthige
Schöne recht gerne umschifften, wenn es möglich wäre.
Die Schlange des Paradieses soll i t a l i e n i s c h gesprochen
haben, jetzt würde sie e n g l i s c h zischen, und ich wünschte,
daß wir so d e u t s c h sprechen könnten, als Gott der Vater
gesprochen haben soll, wie er die Sünde fortjagte! Helg-
land ist von N a t u r - R e c h t s w e g e n d e u t s c h, das Meer,
in dem es liegt, heißt sogar das d e u t s c h e Meer. What,
you Dogs! is it your's? — God dam!*) Helgoland wäre
deutsch, wären wir — N a t i o n!

Helgoland bleibt eine der interessantesten Partien,
die ein Kurgast oder Reisender im deutschen Norden
machen kann. Auf Helgolands Felsen ist man — wie
auf dem Verdeck eines Linienschiffes, und genießt der
S e e l u f t, die so stärkend ist als ein S e e b a d — der
Festländer ist in einer neuen Welt, wo er aber schwerlich
zu b l e i b e n wünscht, ... trotz des Climas, das recht
gelinde seyn soll. Helgoland ist schlimmer als S. Helena,
denn es ist die Einförmigkeit selbst, kaum so viel Gras
als die Schafe brauchen, nur ein einziger Baum, ein
Maulbeerbaum im Garten des Predigers, keine frische,
gute Quelle, kein Bach, nur Cisternen-Wasser, keine Aus-

---

*) Wie, ihr Hunde, es soll euch gehören. Wahrlich...

sicht 'als immer und ewig das Meer und ewige Stürme.
Hamburger Gutschmecker beklagen den englischen Besitz
Helgolands, denn die feinen Seefische werden in England
besser bezahlt, als zu Hamburg, vorzüglich die Hummer. Keiner, der zwölf Pfund hat, läßt sich mehr blicken
— wer indessen bloß Flußkrebse kennt, läßt sich auch mit
geringern begnügen — und der Magen der Hamburger
gewinnt sicher dabei. Von dieser Felseninsel fliegt die
Phantasie leicht nach S. Helena, wohin Fouché durch
Polizeikunststücke den Helden unserer Zeit brachte, und der
größte Polizeiminister bleibt. Auf Helgoland, das uns
näher liegt, möchte ich jeden Gewalthaber stellen, der die
ewige Wahrheit verkennet, daß nicht rohe Gewalt,
sondern der Geist die Völkermassen beherrschet, und den
zertrümmert, der ihm zu trotzen wagt, wie Napoleon!
S. Helena hat, nach Forster, keine Gewitter — doch
hat dort das größte Gewitter, das zehn Jahre lang über Europa schwebte, sich entladen in den Schoß der Erde! Die
Insel Corsika war die Wiege — die Insel Elba das Reich
und Helena das Grab Dessen, dem die ganze Erde zu
klein schien, und dessen Geständnissen in der Verban-
nung gar sehr die meisten Selbstgeständnisse zum
Vortheil des Bekenners gleichen, und am meisten seinen
Bulletins zum Ziel seiner Allmacht!

Und nun wieder zurück nach Curhaven und noch einmal zu dem Schauspiel, wo der vier bis fünf Meilen
breite Strom mit der Nordsee kämpfet, Meereswogen und
Elbewogen zusammenheulen bei ihrer Vermählung, wie
wohlgesittete Bräute, und an den Dämmen und Ufern
sich auflösen in den schönsten Schaum, der Venus erzeugte.
Wahrlich das Geheul des Sturmes und das Brüllen der
Wogen ist so majestätisch, als Donner und Blitz am
schwarzen Himmelsgewölbe, ja noch majestätischer, weil
es lebendiger ist, eine verborgene Harmonie! Singen nicht
die meisten Singvögel im Käfig am liebsten, wenn Regen,
Wind und Sturm um Dächer und Fenster toben? Ich

gedachte der tapfern Hessen, die nach Amerika mußten (nachdem sie Friedrich zuvor bei Minden als Waare hatte verzollen laſſen!); sie erſchraken an der Mündung der Weſer ſchon, und glaubten ſich vom Abgrunde verſchlungen. Vor dem verwundeten Mars, der vor Troja brüllte wie 10,000 Mann, hätten ſie ſich weniger entſetzt! Wenn hier zwei geſcheiterte Nothrechts-Philoſophen auf Einem Brette ſäßen, ſtatt vor ihrem Bücherbrette, und dieſes Brett nur Einen tragen könnte — ihr Streit würde summarissime entſchieden ſeyn. Uebermaß von Unglück macht ſo egoiſtiſch, als Glück, wie der ruß. Feldzug 1812 bewieſen. Ich begreife, wie Soldaten ſich nach dem Kriege ſehnen, da ich das Soldatenweſen im Felde kenne; aber nie habe ich ganz begreifen können, wie Seemänner, vorzüglich Matroſen, die es härter haben als Fuhrmannsgäule, die See als Heimath anſehen mögen — ſie ſehnen ſich nach ihrem Schiffe, wie das Kind nach dem Elternhauſe, und betrachten die Erde, wie eine fremde Stadt — he sailed from port, and was never heard of more.*) Das Meer berauſcht ſie — es gibt eine Seetrunkenheit. — Seeleute ſind für jedes andere ruhigere Geſchäft verloren — ſie bedürfen ſtarker Gemüthsbewegungen, wie Spieler.. ;.. Wenn wir Landthiere ſeekrank werden bei dem kürzeſten Aufenthalt auf der See, werden Seeleute, wenn ſie allzulange nicht in See ſtechen können — landkrank. So begreifen die, die keine andere Häfen kennen, als die der Töpfer macht, durchaus nicht, wie viel Seligkeit in der Redensart liegt: „Im Hafen ſeyn“ — es liegt ſo viel Seligkeit darinnen als im wilden Mittelalter in dem Ausdruck: „Binnen unſern Mauern oder auf unſerer Burg!“

Deutſche, deren Umſtände Badereiſen erlauben, ſollten Curhaven ja beſuchen, Dobberan und andere Seebäder an der Oſtſee gewähren lange nicht dieſen Genuß; nur einmal, ſo wie Holland — dann verdenke ich wenigſtens Rei-

---

*) Er ſegelte fort, und nie mehr ward etwas von ihm gehört.

nein, wenn er die Landbäder des Taunus und Schwarz-
waldes vorzieht. Jeder sollte dann aber auch die kleine
Fahrt nach Helgoland nicht schonen, wie so Viele thun, um
eine Seereise gemacht zu haben. Wenn man auch keine
Epopöe schreibt, wie Orpheus von dem großen Wagestück
der Argonauten, so bekommt man doch anschauliche
Ideen vom Seewesen, vom Seeleben und See-
schiffen, dem Meisterstück des Menschenverstandes und
der Welt der Neuern; schwerlich denkt sich ein Festländer,
daß es Stricke geben könne, wie z. B. ein Ankertau
von einigen 20" im Umfange, Anker zu 5—6000 Pfund
und ein ausgerüstetes Linienschiff von 120 Kanonen, das
über fünf Millionen Pfund zu tragen hat, und beweglich ist
wie ein Fischernachen? Ein brittisches Linienschiff würde
alle carthagischen und römischen Flotten in Grund bohren!
Man wird selbst Seereisen und Schiffbrüche mit
weit mehr Geschmack und Theilnahme vorlesen anhören.
Vielleicht gibt es auf der kleinen Fahrt gar einen kleinen
Sturm, wo der Jünger ruft: „Hilf Herr! wir verderben," und der Steuermann lachend entgegnet: „O ihr
Kleingläubigen! wie seyd ihr so furchtsam?"
das macht die Reise noch interessanter, und die erhabenen Worte Cäsars fühlbarer: Quid times? Cäsarem ve-
his! *) Wir haben Festländer, die, wenn sie sich je auf
einen Fluß wagen, denjenigen schon für kühn halten, der
im Nachen sich nicht niederläßt, sondern aufrecht stehen
bleibt, und so wollen wir den Gesandten nicht auslachen,
der, von Peter G. an Bord gerufen, zitterte und bebte. Peter
rief ihm lachend zu: Niæ bons! (Bange nicht!) Auf alle
Fälle setzt es kleine Stürme in der eigenen kleinen
Welt, denen man am zweckmäßigsten vorbeugt mit einem
Fläschchen China und Pomeranzen-Essenz. — und fürchtet
sich einer bei der weiten Seereise vor dem Schaarbock,
so kann er Sauerkraut und Zucker in die Tasche
stecken. Es gibt keinen komischern Anblick, als

*) Was fürchtest du? wisse, du führst Cäsar.

So ein Stürmchen, wo —
Der Eine weint, der Andere lacht —
Der Eine flucht, der Andre betet, ein Dritter Jesus
Maria und Joseph ruft, wie die Alten Castor und
Pollur!

wo alle Mobilien mobil werden, und die ganze werthe Schiffs-
Gesellschaft in corpore — sich übergeben muß! — Die
Selbsthülfe der Natur pflegt nicht appetitlich zu seyn,
wie wir auch auf unsern Kirchweihen sehen können. Aber
dafür ist wieder reiche Entschädigung! So groß die Wonne
ist, wenn man aus einem Bergwerk wieder an die frische
Luft und Sonne tritt, so wonniglich und einzig ist das
Gefühl, wieder festen Boden unter den Füßen zu haben,
wo aller Katzenjammer auf der Stelle vergehet — ein
wahrer Sonntag Quasi modo geniti, Lätare und Jubilate.
Die Seeluft lehrt auch, was Hunger ist, besser als
unser Sprichwort: „Der Hunger ist ein Unger!"

Mehr als einmal habe ich den alten Vater Ocean im
Zorne erblickt an sehr verschiedenen Gestaden, und sein
Quos ego *) zu Ohren genommen; aber komisch ist es doch,
wenn die Dichter von Bergen rollender Wogen sprechen,
wie die Leiermänner bei Butterbemme und Bier, Käse und
Brod von Ambrosia und Nektar, oder wenigstens vom
Rheinweine. Gongora übertrifft alle: „Bald erhoben sich
die Wogen zum Himmel, als ob sie die Sterne verlöschen
wollten, wir fürchteten, das Feuer möchte vollends verzehren, was das Wasser bisher verschonet hatte — bald eröffnete sich die Tiefe mit tausend Schlünden, und wir sahen
den Tod zu den Füßen Pluto's!" — Seeleute aber, nennen
das Meer, wenn keine hohle Wellen gehen, selbst wenn
sie wegen der Winde die Segel einziehen — bloß ebene
See! — Seeleute, welche Stürme nicht bloß vom Festlande aus kennen, wie meine Wenigkeit, versicherten, daß
die größten Meereswogen, selbst wenn sie in Barren rollen, höchstens 20 — 30' erreichten; — aber auch solche Wo-

*) Toben.

46*

gen, wenn ihr ganzer Wassersturz das Schiff gehörig trifft,
können zum Verderben führen! Landstürme habe ich leider! mehrere erfahren, Seestürme nur gesehen, nie erfahren, und ich glaube, daß man im Sturme selbst solchen
weniger genießen kann, als in Sicherheit, gerade wie das
erhabene Schauspiel eines tobenden Vulkans. Suave, sagt
Lucretius, turbantibus aequora ventis e terra magnum
alterius spectare laborem *) — aber alle überstandenen
Stürme haben etwas Angenehmes. Seereisen ins
Große hat mir leider! das Schicksal nicht verstattet, und
daher weiß ich nicht, ob ich Recht habe, solche Landreisen vorzuziehen — sie sind wohlfeiler und bequemer
als Landreisen — im Grunde eben so sicher — die Seeluft stärkt — Seeleute sind einfache Naturmenschen —
und man macht auf Schiffen weit dauerndere Bekanntschaften und Freundschaften als zu Lande. Die See hat
mir hohen Genuß gewähret, je mehr ich Landthier bin —
am angenehmsten aber ist der Genuß Amphitritens
selbst, der dreimal mehr stärket als ein Mineralbad. Die
Umarmungen Aphrodites schwächen, Amphitrite stärket,
daher eilen in unserer Zeit so Viele in ihre Arme! Das
Schauspiel eines Seesturmes allein verdient eine Reise, die
Menschenzunge hat keine Worte für den Kampf der Elemente und den wilden Wogentanz, und nur wenn man
so ein erhabenes Schauspiel gesehen hat, begreift man Freund
Horaz:

> Illi robur et aes triplex
>   circa pectus, qui fragilem truci
>   commisit pelago ratem
>   primus!**)

---

*) Angenehm ist's, wenn das Meer von wilden Wogen ge-
      peitscht wird
   Ruhig vom Lande zu schauen der Schiffer große Beschwerden.
**) Stein und dreifaches Erz hatte der im Busen, der zuerst
   den Wogen anvertraute das zerbrechliche Fahrzeug.

... ain ...

... ...

Vier und dreißigster Brief.

Die freie Hansestadt Lübeck.

———

Die Gegend zwischen Hamburg und Lübeck ist so öde und traurig, daß man zu schlafen sucht — aber vergebens; das Steinpflaster rüttelt Alles zusammen, wie gemacht für Hypochonder. Auf dem weiten Wege von Straßburg bis Wien kommen nicht die Hälfte Stöße, als hier auf sieben Meilen nordischer Erde; man glaubt, es sey darauf ange= legt, um alle priora durch die posteriora hinausstoßen zu lassen! es sind aber Rücksichten, die man auf die schwer= beladenen Frachtwagen nimmt, und der flüchtige Rei= sende ist Nebensache, ein hors d'oeuvre, wie auf Wasser= und Land-Diligencen. Der Wagen hielt zu Schönberg Mittags, und ich muß doch etwas geschlummert haben, weil ich nichts von dem von Andern erwähnten abscheulichen Dorfe bemerkt habe, das daher Neers heißen soll (im A....). Ich vergaß Wagen, Weg und Stöße über den ewi= gen Ah mon Dieu! einer Französin, und dem wechselnden Diable, peste und foudre ihres Landsmannes — dem rauhen Blixem eines Holländers, dem jammernden O mai! eines Hebräers, und eine fromme Köllnerin rief so viel Jesus, Maria und Joseph, daß ich nicht einmal Ge= legenheit gehabt hätte, ein schwäbisches Herrgottsaker= ment dazwischen zu bringen! Und gar nicht zu denken war an das Reiselied in dem gottgeheiligten Sing = und Bethopfer christ=evangelischer Herzen oder in dem hohenlo= hischen Gesangbuch

Vor Straß=nräubern mich bewahr,
Vor Wassersnoth und Diebsgefahr,
Vor wilden Thieren, Fall und Brand
Vor Stößen und vor Sünd und Schand!

Lübeck liegt zwischen der Trave und Wackenitz, wie
auf einer Insel, und die vielen Thürme zeigen sie schon
in weiter Ferne. Die Stadt hat ein weit alterthümlicheres
Ansehen als Hamburg und Bremen, die vielen Alleen um,
her geben ihr auch etwas ungemein Angenehmes, wie die
breitern gerädern Straßen und größere Plätze; die hollän,
dische Reinlichkeit, reinere Luft und größere Einfachheit
nehmen doppelt für Lübeck ein, wenn man — Hammonia
so eben verlassen hat. Vielleicht wäre die Stadt weniger
alterthümlich, wenn die Baulust nicht auf G a r t e n h ä u,
s e r verfallen (die mir die m o d e r n ste n Häuser zu seyn
scheinen) und die alte Bauart nicht so bequem, wäre für
Kaufmannsgut. In den hellen geräumigen untersten Stö,
cken ist ein Fenster am andern, einem Pitt müßte das Herz
lachen, wenn er hier eine Fenstertaxe machen dürfte, und
die Thürme sind auch alterthümlich, aber freilich n i c h t
k l a s s i s c h. In R e s i d e n z s t ä d t e n spreizen sich die Fa,
çaden der Häuser weit in die Straßen, und ist oft nichts
dahinter — in unsern alten H a n d e l s s t ä d t e n zeigen
die Häuser nur die schmale G i e b e l s e i t e. — haben aber
viel Solidität und Tiefe!

Zu Lübeck ist Alles weit ruhiger und stiller als zu
Hamburg, das Leben weit einfacher, mäßiger, nach alter
Vätersitte, daher Lübeck auch kein s t e h e n d e s T h e a t e r
hat. Der alte Lübecker sitzt noch unter seiner D e e l e
(Hausraum) auf steinerner Bank vor der Thüre, unter
Weib und Kindern, im Schlafrock und Pantoffeln, und
schmaucht gemüthlich sein Abendpfeifchen, wie der Hollän,
der unter seiner tilia hollandica vor seinem bemalten rei,
nen Häuschen, und auch unsre Handwerker vor 40 — 50
Jahren noch, die jetzt im Wein, oder Bierhause sitzen!
R u h e und O r d n u n g s l i e b e ist der Charakter der Ein,
wohner, und daher schützt auch die neuentstaubenen liebli,
chen Anlagen um die alterthümliche Stadt die bloße In,
schrift: „B ü r g e r s i n n s c h ü t z t d i e s e P f a n z u n g e n.“
Alles nähert sich noch der alten Einfachheit, einfach,

wie das Stadtwappen, halb weiß halb roth, und Fruga-
lität, die für wahren Lebensgenuß das ist, was die
Vernunft für die Phantasie, veredelt den Charakter, und
ist die Mutter vieler Tugenden. Ich muß die Gastfreund-
lichkeit der Bewohner rühmen, die natürlich da eher zu
Hause seyn kann, wo noch wenig Prunk und Luxus herrschet, und welcher gebildete Reisende sollte nicht die Familie v. Robbe kennen? Gewiß nehmen Viele mit mir den innigsten Antheil am Fall des Hauses — Prozesse verkümmerten das Leben der Familie — Dorothea Schlözer oder
Mad. Robbe sah ihre Kinder hinwegsterben, und sie selbst
starb zu Avignon 1825. Schöne Formen und liebliche Gesichtchen habe ich zu Lübeck gesehen, selbst in den niedern
Klassen, Alles durch niedliche Kleidung gehoben und alle
von frischer Farbe, wie zu Hamburg. Männer wollten
behaupten, daß die alte Einfachheit beim weiblichen Geschlecht sich verliere, und Schade wäre es, wenn damit auch
die mütterliche Sorgfalt bei den wöchentlichen Winterbällen
verloren ginge, wo um zehn Uhr Alles zu Ende seyn mußte,
daher sie mit Recht — Gesundheitsbälle hießen!
Baggesen vergleicht einen modernisirten Lübecker — mit
Shakespears Cäsar, übersetzt von Voltaire! Und der Kirchhof
um den Dom ist Abends ohnehin ein Rendezvous von Solchen, die weder an Kirche, noch weniger ans Grab denken!
Lübeck versetzt mehr als Nürnberg und Augsburg in
jene Zeit, die man lieb haben muß, jene gute alte Zeit,
mit ihrer frommen Einfalt, stillem Fleiß und alter Redlichkeit. Schade! daß das schöne Denkmal glänzender Vergangenheit, der Hansesaal im Rathhause, wo auch die
Börse ist, wegen Baufälligkeit eingehen mußte, wie zu
Augsburg der Confessionssaal. Schade wäre doch,
wenn die alten Gemälde auch mit verschwunden wären,
z. B. der Einzug K. Matthias, mit drei Narren in
seinem Gefolge, die aber doch wie Narren gekleidet waren! Die ausgebälgten Löwen hat der Zahn der Zeit
häßlich benaget, und der Stadtweinkeller ist in gleich

betrübten Umständen. Der Steckniztkanal, auf dem sich Lübeck und Hamburg die Hände reichen, fällt auch in die
Blüthezeit der Hanse, und darum ist solcher auch verfallen. Aber au Wohlthätigkeitsanstalten aus jenen
Zeiten giebt Lübeck seinen Schwestern nichts nach, und so
mag die Stadt immerhin an Kunstsachen arm seyn,
wie das Zeughaus an Waffen, Lübeck gebietet dennoch Achtung, und seine alten Thore und Wälle, Kirchen und Häuser, und ganzes Wesen versetzen uns in die Zeit seiner
Größe!

Nach einer Taxationsurkunde von 1620 waren die
höchsten Beiträge zum dänischen Krieg die Lübischen —
Bremen zahlte 1½ Tonnen Goldes, Hamburg 3½, Lübeck
aber 5½. An den Thürmen des Holsteiner Thores sieht
man noch die Haken, an die man Wollen- und Hopfen-
säcke gegen Kugeln und Mauerbrecher zu hängen pflegte.
Lübeck war das Haupt der Hansestädte, empfing Gesandtschaften; schloß Frieden und Krieg, lenkte das Gleichgewicht
Europens; gewann Seeschlachten, besaß Bornholm, und
soll 50,000 wehrhafte Bürger gehabt haben, was
wohl zu viel seyn möchte; aber 200,000 Seelen wird man
annehmen dürfen — jetzt nur 25,000. Der ganze Freistaat
hat 42,000 S. auf 6 QMeilen mit 400,000 fl. Einkünften, und 4 Millionen Schulden! Hamburg zählt 1800
Schiffe jährlich, Bremen 1000, Lübeck schwerlich die Hälfte!

Von dem ersten Lübeck, an der Schwartau, ist keine
Spur mehr, das jetzige auf der kleinen Anhöhe an der
Trave baute Graf Adolph von Holstein 1140, und trat
es an Heinrich den Löwen ab. Schnell blühte die Pfle-
getochter des mächtigsten Fürsten seiner Zeit auf, treu dem
unglücklichen Herrn, bis König Friedrich I. sie eroberte;
König Friedrich II. machte sie zur Reichsstadt, und der
Sieg über die Dänen bei Bornhövde (1237) sicherte die
Unabhängigkeit des nordischen Carthago. Im Grunde aber
ist der eigentliche Gründer Lübeck's — der Häring an den
Küsten Schonens, der sich da verlor, und nun führten sie

dafür Kreuzfahrer, wie Häringe, nach Palästina! Aus
der Mildthätigkeit der Lübecker und Bremer Bürger, deren
Segeltücher die Kranken vor Akon deckten, ging der hoch-
adelige Deutsche Orden hervor, was manchem Ritter
so unadelig schien, daß er es leugnete. Das Haupt der
Hanse sank nur mit dem Fall der Hanse! Das Lübische
Recht war so berühmt, als das von Soest, Freiburg, Cöln,
Magdeburg 2c., und wurde von vielen freiwillig angenommen. Unsere Städte machten die ersten Gesetzsamm-
lungen, sie liebten mehr als der Adel Freiheit und
Recht, minder stürmisch als die Lombarden, immer unter Gehorsam gegen Kaiser und Reich, daher sind sie eine
der schönsten Erscheinungen in jenen Feudal- oder fatalen Zeiten!

Der Senat Lübecks besteht aus vier Bürgermeistern
und sechszehn Senatoren, die Bürgerschaft aus zwölf Collegien, deren jedes eine Stimme hat, und noch sprechen
die Gerichte nach dem Lübischen Rechte. Der Bürgermeister ist Magnificenz, der gelehrte Senator ein Hoch-
weiser, der kaufmännische Wohlweiser. Die Stadt
hat 200 Soldaten, neben Bürgermilitär und Landwehr,
das Contingent aber beträgt 400 Mann. Das Oberappellationsgericht ist den vier freien Städten gemeinsam. Es
kursirt hier mehr dänisches Geld, als Lübisches, der dänische Ducate = 6 Mark, der Shilling Danske aber nur
½ Shilling lübisch; 48 Shilling oder 24 gr. gehen auf
den Thaler oder 3 Mark. Lübecks Name soll von Luiby,
dem König der Wilsen, herrühren; Andere leiten ihn von
sächsischen, von Carl G. vertriebenen Colonisten ab, die von
Lübbecke, zwischen Lippe und Weser, kamen, wieder Andere von Löwenwic, vicus Heinrichs des Löwen ab (aber
der Name ist älter als Heinrich), und rechte Patrioten
sprechen gar von — Liebchen, womit das Sprichwort
sonderbar contrastirt: he cet ut, as de Dood van Lübeck!

Lübecks Handel ist schon lange nicht mehr, was er war, die Einverleibung in das traurige Grand Empire vernichtete ihn vollends, jetzt aber handelt man wieder mit dem hohen Norden zunächst, und dann mit England, Frankreich und Spanien, es ist mehr Commissions-, Speditions- und Frachthandel. Die vorzüglichsten Fabriken sind Fries- und Kartenfabriken, lackirte Blechwaaren, Forte-Piano rc. Der innere Verkehr geht auf platten Schiffen auf der Steck- nitz nach Lauenburg, der Stecknitz-Canal ist der älteste Canal Deutschlands — vielleicht Europa's v. J. 1391 — 98, auf der Trave nach Oldenslohe und nach Holstein, Hamburg, Mecklenburg und dem Reiche auf der Achse. Sie verführen Getreide, Wein, russische Erzeugnisse, Colo- nialwaaren und fremde Fabrikate, eigene Produkte sind Tabak, Zucker, Puder, Leder und Branntwein. Ein rei- sender Franzose übersetzte das auf der Achse (sur l'es- sieu) sur la rivière Achse. *) Achsel wäre noch bes- ser gewesen, da so viele Landfrachten der Wanderer auf den Achseln weitergefördert werden; derselbe machte aus den kleinen schwarzen Schafen der Haide, genannt Haidschnuken, un peuple sauvage nommé Haid- snuk! **) Doch was ist das gegen einen andern Lands- mann, der zu Preßburg rief: „Mon Dieu! est ce que nous sommes déja a Petersbourg? je ne la croyois pas si proche de Vienne ***).

Lübeck hatte auch seine Patrizier, die Cirkel- gesellschaft, aber sie quälten die Stadt nicht, wie an- dere, und sind meist ausgestorben. Das Domkapitel ist auch nicht mehr, und fremder Geburtsadel liebt die Städte nicht, wo Geldadel das Uebergewicht hat. Das Amt, die Leute mittelalterlich zu quälen, übernahmen die Bischöfe,

---

*) Am Flusse Achse.

**) Ein wildes Volk, Haidschnuken genannt.

***) Mein Gott! sind wir denn schon in Petersburg? ich glaubte diese Stadt nicht so nahe bei Wien.

Noch gab es nach 1631 einen Kuno von Hofmann, der Nachts Fuhrleute auf der Straße niederwarf, aber enthauptet wurde, jedoch inr Marstall in der Stille. Alle Städte, wo Bischöfe waren, Bremen, Münster, Cöln, Mainz, Worms, Augsburg, Speier, Straßburg 2c. hatten, wie Kaiser und Könige mit den Päpsten, ihre liebe Noth mit jenen heiligen Männern, die bald ihre S e e l f o r g e so leicht fanden, daß sie sich auch zum Zeitlichen herabließen; kaum hatten sie den R i n g am Finger, der sie mit der reichen geistlichen Braut vermählte, so behandelten sie solche als Ehefrau, und ihre Liebe hatten die M a i t r e s s e n Sinnlichkeit, Habsucht und Herrschsucht; die ganze Clerisei kränkelte in diesem Spitale. Lübeck duldete sonst keine J u d e n, die sich im nahen Dorfe M o i s l i n g aufhielten, mit der französischen Herrschaft aber nisteten sie auch in der Stadt, und werden jetzt wohl schwerlich mehr ausgenistet werden.

Der a l t e Dom der Bischöfe Lübecks gehört seit 1813 der Stadt, sie erhielt ihn gegen Abtretung einiger Dörfer an Mecklenburg zur Entschädigung, nebst der Halbinsel Priwal, gegenüber Travemünde und einem kleinen Landesbezirk vom Bisthum Lübeck — derselbe ist sehenswerth theils wegen seines alten Altargemäldes, eines der merkwürdigsten von unbekannter Hand und der Leidensgeschichte in 24 Gruppen, theils wegen der bischöflichen Grabmäler.... Unter diesen ist das Grab des Canonicus R a b u n d u s, der jedesmal durch Klopfen den nahen Tod eines Domherrn verkündigte. Stets fand sich im Chor und Stuhle desjenigen, der dem Tode geweihet war, eine w e i ß e R o s e, und so auch einst in stallo Dm. Rabundi, zornig schleuderte er solche in den Stand des Nachbarn, aber der Engel des Todes ließ seiner nicht spotten, und zur Strafe, daß ein Canonicus so wenig Verlangen nach dem Himmel habe, mußte er dreimal in seinem Grabe dem k l o p f e n, der fort sollte. Rabundus klopfte manchmal dermaßen, daß es auf dem ganzen Domplatz wie d r e i K a n o n e n s c h ü s s e

Klang, und selbst die Hauptwache in Schrecken gerieth, jedoch tapfer rief: Ins Gewehr!

Noch interessanter als der Dom ist die Marienkirche, die erste Sehenswürdigkeit Lübecks, die den fünften Rang verdient nach den Domen zu Wien, Cöln, Freiburg und Ulm. Das Innere imponirt noch mehr als das Aeußere, es sind mehrere Holbeins und Gemälde aus der altdeutschen Schule da, und auch ein Todtentanz von 25 Gruppen mit nicht mehr leserlichen plattdeutschen Reimen von 1463, aber mehrmals aufgefrischt, wobei viel verloren ging, wenigstens die naiven platten Reime, denen ein Hans Balhorn hochdeutsche unterlegte, steif und geistlos — wie naiv war nicht die Rede des Kindes:

O Dood wo shal ik dat verstan?
ik shal dansen, un kan nit gan

Den Tanz beginnen zwei Gerippe, deren eines die Flöte bläßt, dann folgen alle Stände, und all tanzen nach der Pfeife des Todes, woher vielleicht unsere Redensart rühret, und gut wäre, wenn man bei rauschenden Bällen an diesen Fiedler dächte, der nicht mit Catarrhen und heißern Hälsen sich abspeisen läßt! Der Tod sagt z. B. einer alten Jungfer im neuen Reime:

Warum wollt ihr mir den letzten Tanz versagen?
Die Jungfern pflegen sonst kein Tänzchen auszuschlagen.

Antwort:

Ich folge, weil ich muß, und tanze, wie ich kann.
Ihr Schwestern! nehmet euch bei Zeiten einen Mann.

Es war eine Lieblingsvorstellung unserer guten Alten, von der freilich der griechische Geschmack nichts wußte, aber ich bin überzeugt, daß diese Bilder eben so gut, wenigstens humoristischer, auf den schweren Schritt vorbereiten, als Platons oder Mendelsons Phädon. Unter den Grabmälern zeichnet sich das neuere des Bürgermeisters Peters aus. Die künstliche Uhr zeigt nicht nur die Himmels-

Veränderungen bis 1875, sondern Schlag 12 machen auch
die Kurfürsten K. K. Majestät ihre Aufwartung, und von
Automaten kann man die tournure der Hofcavaliers
so wenig erwarten, als von Volksdeputirten die grace der
Ritter, mit der sie vor den Thron treten, und dem Könige
schwören! Christus öffnet das Thürchen. — sie machen
ihren Kratzfuß, der Herr segnet sie, und dann spazieren sie
wieder. eben so steif hinaus unter Engelsposaunen; die
Figuren, die Freund Hain tanzen läßt, fügen sich mit weit
mehr grace seinem tel est notre bon plaisir!*)

An den beiden Seiten dieser Uhr sind noch die Pas-
sionsgeschichten en bas reliefs, und die Maus unter dem
Abendmahltisch hat die Ehre Wahrzeichen Lübecks zu
seyn. Possierlich ist die Kreuzigung, wo ein Engel den
frommen Schächer von Psyche entbindet, durch den Mund
in Gestalt eines Schmetterlings, die Seele des Unbußfer-
tigen aber holt ein gar drolliges Teufelchen aus seinem
Ohr! Wußte der Künstler die Worte nicht: „Nicht was zum
Munde eingehet, verunreinigt den Menschen, aber das
was ausgeht?" In der Sacristei sind zwei treffliche
Perugino, die heilige Catharina und Olav, der das Christenthum in Norwegen einführt, neben den alten herrlichen
Gemälden im Chor. Neben einer eroberten dänischen Fahne
hangen die Fahnen der hanseatischen Jugend, die sie 1814
— 15 so ruhmvoll trugen, nebst den Namen derer, die für
das Vaterland gefallen sind. Lübeck fehlt es nicht an Kirchen, aber die Kirchhöfe oder Begräbnißplätze sollten nicht mehr in der Stadt seyn, was jedoch in einem
Freistaat eigene Schwierigkeiten haben mag. Die guten
Hansen verstanden sich stets besser auf Handel, als auf Kunst
und Geschmack, und so gibt es denn geschmacklose Denkmäler genug, aber das allergeschmackloseste ist doch wohl
das eines Senators, der in seinem Kirchenstuhle ermordet
wurde, daher der Rath die eiserne Walze, mit der man
dem Mörder das Eingeweide aus dem Leibe haspelte, über

*) So wollen wir's.

dem Stuhle einmauern ließ, wie in belagerten Städten —
die Bomben!

In dieser Marienkirche will ein Britte, der den German Spy *) (London 1740, deutsch 1764, 8.) schrieb, eine
kleine Kette von 3 bis 4 Gliedern als Confistorial-
maß gesehen haben, und meint, wenn die Länge des Ma-
ßes vom triumphirenden oder eigentlich streitbaren
Zustande zu verstehen, Niemand leicht Gefahr gelaufen,
und ein hochpreisliches Consistorium recht billig und mäßig zu Werke gegangen sey. Vielleicht hatte das Gemälde
in der Cätharinenkirche, wo die Reformatoren um ein Licht
sitzen, das der Teufel, der Papst, ein Cardinal und Mönch
unterm Tische hervor auszublasen sich bemühen, zur Nach-
sicht bewogen... Ich selbst sahe das Maß, das der Britte
Standard of Virility nannte, nicht, und mein Führer schien
mir zu ernst, um darnach zu fragen — aber richtig ist,
daß sich ehemals die hochwürdigen Consistorien, wie die
Casuisten, um Dinge bekümmerten, die lediglich vor das
forum des Physiologen gehören, und es gab allerdings
solche Consistorialmaße. (V. Valentin Pandect. me-
dico legal.) Vermuthlich waren sie laeta materies, wie
bei den Alten Cynismus und Obscönität, und noch
heute in kanonischen und Criminalvorlesungen die Rubriken matrimonium und delicta carnis, weniger schlimm
als der berüchtigte Congreß der französischen Gesetzgeber! Die Natur scheint einmal alle juristischen Beweise in hisce materiis delicatissimis **) erschweren zu wollen, sonst hätte sie uns wohl organisirt wie die — Hunde
und Wölfe, oder die ganz eigene Begattungsmusik
verliehen, die sie den Katzen gegeben hat!

Die Quergasse vom Domkirchhof nach der Mühlgasse
heißt das Fegefeuer; eine andere Halbentzwei und
Diebsteege; auch gibt es Hundegasse, Hasenpforte,

---

*) Deutschen Spionen.
**) Bei so delikaten Materien.

Teufelsſtraße und Engelsgrube. Vor dem Burgthore liegt Jeruſalemsberg, ein künſtlicher Hügel mit
ehrwürdigen Eichen, den ein frommer Pilger in der nämlichen Weite anlegte von der Jacobskirche, als man von
Salomons Tempel nach Golgatha hat. Hier ſteht jetzt
ein Denkmal des 1813 gefallenen Majors v. Arnim. Die
alten Wälle Lübecks ſind in hübſche Spaziergänge verwandelt, und man umgeht die Stadt bequem in 1½ Stunde.
Sonſt pflegte man am Petritag auf dem Markte die
falſchen Maße zu verbrennen, unter Läuten der Schandglocke, was jetzt, vermuthlich wegen Feuersgefahr, unterbleibt, denn ich kann mich nicht überzeugen, daß die Welt
ſeitdem ehrlicher geworden ſey. Das Vogelſchießen
geht ſeinen Gang, aber die Familienfeſte bei Ein
ſchlachtung eines holſteiniſchen Ochſens ſcheint man zu bürgerlich zu finden, wie im Süden die Metzelſuppen beim
Schlachten eines fetten Schweins. Unſern ſüdlichen Schweinen widerfuhr jedoch lange nicht die Ehre nordiſcher Och
ſen, wo der Hausherr ſelbſt die Art ſchwang und der Ochſe
im Vorhauſe mit einem Halskragen, wie ein Nürnberger Rathsherr oder Frankfurter Paſtor, und mit Man
ſchetten an allen Vieren, womit ja vor vierzig Jahren auch
wir an Händen und Knien geziert waren, die lange Halskrauſe nicht gerechnet, — zwiſchen Gueridons paradirte,
als ob es ein castrum doloris *) wäre irgend eines verewigten Großen!

Wenn gleich der Handel beſſer lohnt als Wiſſen
ſchaft und Kunſt, und die Stadt ſchon geſunken war,
als die Kunſt blühte, ſo können wir dennoch Lübeck als
Vaterſtadt der Mosheim, Dreyer, Bieſter, Overbeck und des Malers Kneller nennen; Gerſtenberg
lebte hier, der liebe Villiers, und dann das Wunderkind Heineken. Vom Maler Overbeck, den man ſelbſt

----

*) Trauergerüſte.

zu Rom den Raphael Lübeck's nennt, ist eine Madonna hier — das schlafende Kind ruht im Schoße — es liegen mehrere Blumen umher, die die Mutter für ihr Kind pflückte, und es hat eine auserwählt, mit der es entschlafen ist — eine Passionsblume. In einer plattdeutschen Bibel von 1494 auf der Catharinenbibliothek ist zu dem „Er soll dein Herr seyn" noch beigesetzt: „di to pinigen unde to plagen!"

Der merkwürdigste Lübecker bleibt Wollenweber, hingerichtet 1537. Dieser Bürgermeister war kein Verbrecher, aber voll Ehrgeiz und Verwegenheit, sein Unglück war, um einige Jahrhunderte zu spät gekommen zu seyn, der Ausgang gegen ihn, aber sein Blick dennoch der richtigere. Die Hanse konnte nur bestehen, wenn der Norden niedergehalten, und Holland die Ostsee versperrt blieb. Wollenwebers Genie, Muth und Wirken verdiente ein besseres Schicksal, die Vaterstadt und die Verbündeten verließen ihn, und den ächten Patrioten trifft kein anderer Vorwurf, als der, daß er die Kräfte Lübeck's und seine Mittel nicht richtiger berechnet hatte, was schon selbst Bürgermeistern in kleinen Städten begegnet ist bei Fruchtkauf oder Baulichkeiten. Die griechischen Freistaaten hätten den gelinden Ostracismus über ihn gesprochen, den ich in Schutz nehme, denn in ächten Freistaaten können selbst Tugenden gefährlich werden; Rom hätte sicher die schrecklichen Bürgerkriege nicht erlebt, hätte es den Ostracismus über seine Tribuni verhängt, und hätte man Citoyen Buonaparte nicht bloß päpstlich gebannet, wie viel Jammer wäre Europa ersparet worden? selbst der Bann nach Elba war nur päpstlich, erst der nach St. Helena stiftete Ruhe. Uebrigens ist es eine Fabel, daß Wollenweber die seiner Vaterstadt verpfändete Insel Bornholm hingegeben habe für einen Tanz mit der schönen Königin Dänemarks, so wie ein alter Graf Hohenlohe einen schönen Wald, der aber unter dem Tanz

auch die gewöhnlichen Accessoria, oder Successoria*) ver=
standen zu haben scheint.

Ein anderer Bürgermeister Bröms verewigte sich
nicht bloß durch die sogenannten Brömserthaler, die
höchst selten sind, sondern auch dadurch, daß er den Senat
bestimmte, den zu ihnen vor Christiern geflüchteten großen
Gustav Wasa — nicht auszuliefern, sondern viel=
mehr zu unterstützen. Meimbomius historische
Schriften verdienen noch heute Achtung — mit dem man den
Philologen Meibomius nicht verwechseln muß, der
gelesen hatte, daß zu Bologna ein vollständiger Petro=
nius aufbewahrt werde, sogleich die Post nahm, und wei=
ter nichts fand, als das vollständige Gerippe eines heiligen
Petronius, der die Reise freilich nicht verdiente. So
redete Schurzfleisch einen reisenden Drathzieher grie=
chisch an — als einen Thrazier. Meibomius sammelte die
Musiker der Alten, Christine berief ihn, nöthigte ihn ein
Concert im Geschmack der Alten aufzuführen, und eine
griechische Arie zu singen — Collega Naudäus mußte
dazu griechisch tanzen — Alles lachte, und Arzt Bour=
delot, der den ganzen Spuk angegeben hatte, erhielt von
Meibomius eine Ohrfeige, die ein alter Gladiator nicht
stärker hätte geben können! Und wer hätte nicht den Na=
men Hanns Balhorn gehört? Johann Balhorn war ein
Lübecker, der eine Fibel herausgab, wo aus dem gesporn=
ten Hahn ein ungespornter gemacht war, neben dem einige
Eier liegen, und doch setzte er auf den Titel: verbettert
van Jan Balhorn. Zur Strafe für diese Unverschämt=
heit muß seine Seele ewig wandern, von einem Recen=
senten zu dem andern! vorzüglich in die lieben schwarzen
Leutchen, die da sprechen: Wir wollen ihn hauen!

Das stille Lübeck erlebte vom 6. — 7. November 1806
schreckliche Tage, als Blücher, vereint mit dem Herzog
von Weimar und Braunschweig und 30,000 Mann, sich in

---

*) Anhängsel und Folgen.

die unglückliche Stadt warf, die seit Jahrhunderten keinen
Krieg mehr gesehen hatte — und dasselbe Schicksal erlebte,
wie Fürst Hohenlohe bei Prenzlau, mit dem vereint beide
nach Stettin hätten kommen mögen, wenn Blücher den
Befehl Hohenlohe's, zu ihm zu stoßen, und den Nacht-
marsch zu wagen, befolgt hätte. Statt nach der Oder flüchtete er sich in diesen Winkel, in das unhaltbare Lübeck, um
seine Niederlage auf wenig Tage zu verzögern, und
brachte namenloses Verderben über eine neutrale schuldlose
Stadt, wie über das neutrale Mecklenburg. Franzosen
und Preußen plünderten — der Schaden ist auf 12 Millionen geschätzt — und die Todtenopfer vor und nach?
Blücher wurde bald darauf ausgewechselt gegen den General Victor — das war doch ominös! Der edle Bernadotte rettete Lübeck noch vor Bomben. „Keine Bomben,“
rief er, „wir zwingen sie mit Kanonen.“ Hamburg
schickte der ausgehungerten Stadt, die 70,000 Mann ernähren sollte, so lange Lebensmittel, bis sie ihrer groß-
müthigen Schwester selbst sagte: „es ist genug.“ Neuen
Jammer erlebte Lübeck 1813, als die Kosaken sich wieder
entfernten und die schlimmen Gäste wieder kamen, begleitet von Dänen!

Herrlich sind die Armenanstalten Lübecks, denen
man die aufgehobenen Klöster widmete. Im Irren-
hause, wo die Franzosen ihren Namen aufs Schändlichste
brandmarkten ('S. Villiers' Briefe), lebte ein Wahnsinniger, dessen ich gedenken muß. Ein armer Handwerker
hörte eine Predigt über den heiligen Geist, eine
Taube des Küsters setzte sich auf seinen Kopf, und nun
glaubte er, der heilige Geist habe sich mit allen Federn
auf ihn herabgelassen, ließ sein Handwerk liegen, las bloß
in der Bibel, verbrannte täglich Gott zum Brandopfer
und süßen Geruch alte Lumpen, Leder, Wolle, so daß die
Nachbarn über den ewigen Gestank klagten, und man
fand, daß der arme Mann, weit entfernt, den heiligen
Geist empfangen zu haben, sich zum Narrenhaus eigne

Hätte er nicht besser gethan, wie Andere in jener Predigt
— zu schlafen? und sollte man nicht in unserer mysti=
schen Zeit an jedem Pfingstfest die Geschichte dieses
Mannes vorlesen zur Belehrung der Kopfhänger, und zur
Warnung vor allen Salbadern auf der Kanzel?
Die Helden der beiden größten Meisterstücke der Dicht=
kunst sind zwar auch Narren — aber nicht alle Narren
Don Quixotte und Orlando.

Die Umgegend Lübecks ist flach und dürftig, aber doch
nicht reizlos durch die lebendige Wasserwelt, Wälder, Wie=
sen und freundliche Dörfer. Die Aussicht von der Bastion
Bellevue, an den Thoren und vom Jerusalemsberge
suchte man hier nicht, und überall sind Alleen und Gärten.
Eine Allee führt in einer Stunde nach Israelsdorf in
einem kleinen Gehölze, wo es aber Mücken mehr als Vö=
gel zu geben scheint, und so auch nach Gen in und den
Fischerbuden, die aber keine Fischerhütten sind, sondern
drei recht hübsche Häuser mit Tanzboden. Auf dem Lachs=
wehr aber gibt es keine Lächse mehr, da sie aus der Trave
selbst verschwunden sind. Von Marly aus nimmt sich Lü=
beck am besten aus, der Garten selbst aber ist verödet.
Man macht auf den bequemen Stuhlwägen, die nun
auch im Süden sind, Landfahrten nach Swartau, Eutin
und Ploen, und Wasserfahrten auf der Wackenitz nach dem
lieblichen Ratzeburg, ein wahres Bild der Ruhe! Leute,
die es nicht unter ihrer Würde finden, zu Eulenspiegels
Grabe zu wallen, gehen auch wohl von da nach Möllen,
eine Meile weiter, da ja nach vielen Gräbern gewallfahrtet
wird, die weit unbedeutender und noch weit ungewisser sind!
Die Hauptpartie bleibt aber Travemünde!

Travemünde, zwei Meilen, ist ein kleines, niedli=
ches Städtchen mit drei Gassen, 1000 Seelen und Wällen;
Kanonen, Schanzen und Besatzung aber sind verschwunden,
am Kai stehen hübsche Gasthöfe von Bäumen beschattet,
man genießt eine Schüssel Dorsche, badet sich, und fährt nach
dem Leuchtthurme, um das gränzenlose Meer zu schauen

— aber hier, wo die Küsten Holsteins und Mecklenburgs
vor Augen liegen, gibt die Ostsee nur einen halben Begriff vom erhabenen Reiche Poseidons, wie alle Binnen-
meere, selbst wenn jener sein Quos ego *) brüllt, kennt
man ihn nicht, wenn man ihn nicht an der Nordsee hat
zürnen sehen! Die Ostsee hat überhaupt zu wenig Tiefe,
und nur schnelle kurze Wellen, die aber desto gefährlicher
sind, so daß hier bei Stürmen selbst brittische Matrosen
nicht mehr pfeifen. Von Wasserhosen oder See-
wirbeln habe ich nichts gehört, die wohl mehr den südlichen Meeren angehören, und schon manches Schiff mit
Mann und Maus in Abgrund gedrückt haben. Kein Meer
ist so oft gefroren, als die seichte Ostsee, so daß man
wie zu Lande auf die dänischen Inseln und die scandinavischen und liefländischen Küsten kommen kann.

Travemünde ist der Hafen Lübecks — daher man auch
hier in schlaflosen Nächten erfahren kann, wie der Wind
steht, wie in andern Städten die Stunde — aber die
große Sandbank, Platte genannt, schadet viel. Alles ist
für das Seebad geschehen, was sich in diesem dürren Sandboden thun läßt — ein Bad, eine Fahrt nach dem Leuchtthurme, und man ist fertig nach verzehrten Dorschen,
denn ohne sie wäre man zu Rom gewesen, ohne den Papst
gesehen zu haben, hinter dem so Viele her sind, Keiner aber
hat ihn noch fressen können, selbst Napoleon nicht. Meine
Dorsche in eigener Travemünder Brühe waren herrlich; und ich gedachte der Täuschung in einem französischen
Seehafen, wo ich einst aus Neugierde une matelote **) forderte — klein gehackte Fische aller Art kalt mit Pfeffer,
elendem Essig und eben so viel Zwiebeln als Fisch — ich
übergab das Gericht, wohin es gehörte — einem Matro-
senmagen! Die Lage des Orts ist ausnehmend gesund,
und drei Pastoren hintereinander feierten hier ihr Jubiläum!

---

*) Seine Wuth ausläßt.
**) Un matelot, ein Matrose, une matelote, eine Fischspeise.

In Travemünde kann man sich jede Woche nach Riga, das ganz deutsche Stadt und der erste Hafen der Ostsee ist, einschiffen, fünf Ducaten in der Kajüte, eine Ducate auf dem Verdeck, und in 10 — 14 Tagen landet man, wenn es gut gehet — in St. Petersburg. Wohl hätte ich die Reise nach den Ufern der Newa, nach der prachtvollen Stadt Petersburg, wo Europa und der Orient zusammenstoßen —, und dem Riesenstaate, den Storch als ein Eldorado schildert, machen mögen (wovon man hier spricht, wie von einer Spazierfahrt nach Lübeck)! Gar zu gerne hätte ich den höhern Norden besucht, trotz seines weißen und grünen Winters reicht er manche hyperboräische Blume — gerne hätte ich — die kolossale Stadt gesehen, den prächtigen Newa-Kai von Granit mit seinen stolzen Pallästen, den Petersplatz mit der berühmten Reiterstatue des großen Mannes, die Admiralität mit ihrem vergoldeten Thurm, den Winterpallast mit der Eremitage und ihren Schätzen der Kunst, den Marmorpallast, die Jsaaks- und Neu-Casanische Kirche, und dann wieder einpacken wollen. — Könnte man zur See die Zeit so bestimmen, wie zu Lande, wer weiß was damals geschehen wäre? so muß ich mich aber nun damit begnügen, das Panorama von St. Petersburg zu Prag gesehen zu haben, das so täuschend war, als das von Paris, wo einst ein Pudel von der Balluſtrade herabsprang, um nach seinem Hotel zu laufen, das er erkannt hatte! Und habe ich nicht mehr als einmal die größte Merkwürdigkeit Petersburgs gesehen? Kaiser Alexander? Der edle Genius, der den feurigsten Willen besaß, aus dem, was bisher mehr Ostentation war, Wirklichkeit zu machen, ist der Erde entflohen zu Taganrog, wo er den Abend seines Lebens einst in Ruhe zu beschließen dachte. Mehrmals hatte ich das Glück den liebenswürdigen Monarchen zu sehen, und selbst sprechen zu hören, aber nie bemerkte ich das, was eine neuere Reiseschreiberin bemerkt haben will: „Auf der Station, wo Sc. Majeſtät umſpannen ließen, leuchtete noch

der Abglanz Seiner Huld aus allen Gesichtern!"
Es ist viel, selbst wenn die Dame eine Sekunde darauf
an die Station kam, und wenn wir auch gleich etwas
Aehnliches von Moses lesen, da er vom Sinai herabstieg,
so ist doch wahrscheinlicher, daß die Dame — kranke Augen gehabt hat!

Zu Lübeck sprachen mir ungemein viel von Schlözer, den ich noch im Grabe hoch verehre, und dessen jüng-
ster Sohn hier russischer Consul ist. Er war ein Enthu-
siast des Reisens, der mich vielleicht ansteckte. Eine Reise
nach dem Orient war ihm fixe Idee geworden, er glaubte
zu Petersburg seinen Zweck zu erreichen, und schiffte
sich hier ein. Fatal war diese Reise (1761), von der er
gerne sprach, denn nicht öfter als viermal kam das Schiff
zurück nach Trapemünde, aber gerade fatale Reisen sind
die angenehmsten in der Erinnerung. — Er lernte auf dieser Seereise Dichter und Reisebeschreiber besser verstehen —
die Kraft des Menschen verehren: „Der Kerl kann
ausstehen, wie ein Pferd," sagt man — umgekehrt: „der
Gaul kann ausstehen, wie ein Matrose" — sich familia-
risiren mit dem Tode — und das Tabakrauchen!
Jetzt tritt letztere Fatalität der Gelehrten, die vor einer
Generation nur auf Universitäten einzutreten pflegte,
schon auf Gymnasien und niedern Schulen ein!

> Aetas parentum, pejor avis, tulit
> Nos nequiores, mox daturos
> Progeniem vitiosiorem! *)

Vom Leuchtthurme genießt man gerne das erhabene
Schauspiel der untergehenden Sonne, aber nicht lange kann
man der glühenden Thetis ohne Augenwehe ins Angesicht
schauen, wenn sie ins Meer hinab steigt, um sich nach der

---

*) Immer schlimmer wird die Welt, wir sind schlechter als un-
sere Großväter, noch verderbter als wir werden unsere Kinder seyn.

heißen Tagereise abzukühlen — und noch weniger bei ihrem
Levée *) — die See ist ganz Feuer, in jeder Woge eine
Sonne. Man sieht Newtons Sonnengespenst, und alle
Farben, wie ein Auge, das krank ist, lange auf einen
Punkt hinsiehet, oder einen Schlag erhalten hat; welche
Farben Buffon couleurs accidentelles **) nennet. Es
gibt Seen in Menge, aber nur eine See, selbst in unserer Sprache — die Majestät eines Sonnenauf- und Untergangs am Meer ist erhabener als vom höchsten Berge,
und der Wunsch so Vieler das Meer zu sehen (wie Alpen)
höchst natürlich. Es war auch ein sehnlicher Wunsch un-
sres Schiller, den unermeßlichen Ocean zu sehen, der
so oft dichterisch vor seinen Augen wogte, und er sah ihn
nie! Vorzüglich wünschte er sich an die Adria, glaubte aber
1500 Thaler dazu zu brauchen — mit der Hälfte hätte
sich's trefflich abmachen lassen, und sein Verleger ihm wohl
das Sümmchen vorstrecken können; noch besser wäre er gefahren, wenn er selbst seine Werke gesammelt hätte à la
Wieland und Göthe! Ich hätte eine Ode von Schiller
lesen mögen an das Meer, oder auf die Höhe von
Optschina! Malouet ist lange kein Schiller, aber da
er die See kannte, so sind seine Quatre parties du jour
à la mer ***) so gelungen, als die Seestücke des Claude
Lorrain. Zimmermann muß die See auch nicht gekannt
haben, sonst hätte er gewiß der Einsamkeit auf dem
Meere gedacht, wo keine Einmischung der Erde die hohen
Betrachtungen störet, die dieses Element einflößet, und die
stärkende Seeluft den Geist so heiter stimmet, wie die
funkelnden Gestirne, ungetrübt vom Dunstkreis der Erde —
daher Seeleute so offen, heiter und gerade sind, und gleich-
müthig wie der Stoiker, sie sind das Spiel aller Elemente,

---

*) Sonnenaufgang.
**) Zufällige Farben, (Falsche Lichter.)
***) Die vier Tageszeiten am Meer.

der Winde, der Felsen, der Wellen — und selbst des
Feuers, eingesperrt in eine hölzerne Maschine mit Pulvermagazin! Zimmermann hätte dann auch der Langeweile
gedacht, die in Seehäfen herrschet, wenn der Wind fehlet,
der Gespräche von Wind und Wetter, um die sich
Alles drehet, und des Hurrah der Abfahrt!

Der Ocean ist und bleibt ein großer Anblick für jedes
tiefere Gemüth, daher selbst das große Landungethüm viele
seiner Bilder vom Meere nahm, das ihm doch imponirt
haben muß.... Man begreift, wie Homer den Ocean zum
Vater der Götter, und Thales das Wasser zum ersten
Princip machen konnte — das Räthsel scheint gelöset, wenn
wir am Ufer stehen, aber nur um ein größeres an die
Stelle zu setzen: Wir sehen die Unermeßlichkeit vor uns,
und nun wird sie noch unermeßlicher, denn unser schwaches
Auge sieht von dem Unermeßlichen kaum einen Cirkelab-
schnitt von 2400 Klaftern! Meere und Himmel fließen in
einander, und verwirren, wie — der Gedanke Ewigkeit. Wie die Welle des Meeres sich nicht losreißen kann
vom ewigen Element, und wieder zurücksinkt, so ist jeder
Mensch Eins mit dem All — ein einzelner Augenblick des
gesammten Daseyns! „Wer möchte nicht lieber," ruft Thümmel, „im freien Weltmeere begraben seyn, als im verschlos-
senen Sarge unter einer drückenden Erde, dem Spielplatz
der Eitelkeit, der Laster und künstlichen Bedürfnisse!" Wenn
man einmal todt ist, wird's wohl einerlei seyn!

Viele haben sich schon ein Landgütchen am Meere
gewünscht — ich selbst einst — aber der Anblick des Meeres in Ruhe — langweilet bald, und im Aufruhr
wird es sogar widrig. Zur Abwechslung in der Einförmigkeit sind daher Seenebel und ihre stets veränderlichen
täuschenden Gestalten schön, im Sturme oder in den
Vorzeichen desselben aber gewährt es noch am meisten
Interesse, wie gewisse Charaktere. In meinen Augen
ist eine schöne Sternennacht weit erhabener, rühren-
der und gemüthlicher — und wenn man auch außer der

Venus und dem großen Bären oder Wagen keines der
Sternbilder zu nennen weiß — die Nacht mit ihrem Ster-
nenmantel bedeckt alles Irdische — hier Ruhe und Stä-
tigkeit, dorten ewiges Treiben, Schäumen, Toben, Brüllen
und Zerstören. Die Wogen gleichen den Menschlein, sie
treiben und verfolgen sich mit ekelhafter Leidenschaft, plötzlich verlöscht ihre Spur im Grabe, wie die Woge am Gestade! Der gestirnte Himmel und die Alpen erhei-
tern, der Ocean schlägt schon nach den ersten Tagen nieder — weit besser ein Landgütchen im stillen Thale!
und wenn es die beschränkteste Aussicht hätte und ein holländischer Bauten plaazen wäre. Mit dem Meer geht es
gerade wie mit der Geliebten, angebetet — geliebt — be-
freundet — wenn die Progression nicht noch tiefer geht —
Julie, Julchen, Julie, Juliana — Frau — He, Heh!
Wir verlangen nach der grünen Erde, wie das Kind nach
dem Schoße der Mutter, die Musik der Vögel ist doch
wohl mehr als die Musik der Wellen, die sich am Schiffe
oder Felsen brechen — das Farbenspiel der Erde doch etwas
weniger monoton, als das des Oceans, wie Fische einförmiger als Landthiere — und das Leben der Matrosen einförmiger, als das unserer Landleute — sie selbst
jubeln Land! Land! Ein stilles Landgütchen gleichet
dem Weisen am Abend seines Lebens, das Meer aber und
seine Stürme dem verliebten Jüngling und dem ehrgeizigen Manne! Dem Reisenden ist jedoch wegen der
Nähe der See, ohne andere Gründe, unter allen drei
Hansen der Lübecker Hans der liebste!

Fünfunddreißigster Brief.

Die freie Hanseestadt Bremen

hat, wie Lübeck, durch ihr Alterthümliches (sie bestand schon
vor den Kämpfen der Franken mit den Sachsen) viel Anziehendes, und manche altdeutsche Sitte der Väter; aber früher
ließ der Steindamm vor der Stadt den Reisenden fast
bereuen, daß er auf der Haide geflucht hatte, die das
Sprichwort erzeugte: dat geit so lyk as de Weg na Bremen — Mächtige Stöße erinnerten den Schlafenden, auf
das sich nähernde Bremen gehörig zu achten, jetzt aber
achtete man noch mehr Bremen, daß es auf französischen
Grund fortgebauet und durch seine Kunststraßen auf dem
nachtheiligsten Boden gezeigt hat, daß es ein wohlhabender
und wohlregierter, kleiner Freistaat sey!

Bremen wird von der Weser in die Alt - und Neustadt getheilt, wozu noch eine Vorstadt kommt, und der
Fluß, der zu Münden kaum 300' breit ist, an seiner Mündung aber 1½ Meilen, mag hier 600' Breite haben. Die
alten Wälle sind in höchst angenehme Spaziergänge verwandelt, viele Häuser und so auch die Börse neu, die
alten Wohnungen holländisch reinlich — und der schönste
Platz ist der mit Linden besetzte Domhof, wo auch das
Stadthaus (vormals bischöflicher Palast, verschieden
vom Rathhaus) und das Museum steht; der Schüt-
ting (ein altscandinavisches Wort für Versammlungs-
ort) ist das Versammlungshaus der Kaufleute, und das
Museum hat nicht nur eine ansehnliche Bibliothek, sondern
auch ein schönes Naturalienkabinet, reich an Vögeln, denn
kein Bremer Schiffer kehrt leicht aus fernen Gegenden heim,
ohne sein vaterländisches Museum zu bedenken, und wenn
Süd-Amerika frei seyn wird, liefern sie vielleicht auch Mu-
lattinnen, schön, wie Stedmanns Johanna. Herzog Friedrich von Würtemberg würde sich gewaltig wundern, wenn
er jetzt wieder nach Bremen käme, das er in seiner Reise

(1592) eine ungesunde, unflätige, stinkende Stadt
nennet?

Bremen — dessen Namen von Brombeeren herkommen
soll (wahrscheinlich aber von Brahm, Fähre), nach Andern gar von Bremsen oder Bremen, die bekanntlich
von den Naturhistorikern unterschieden werden, beide aber
vom altdeutschen Wort bremen, bremsen, d. h. stechen.—
hat nur ein kleines Gebiet von 5 Quadratmeilen mit
55,000 Seelen, wovon 40,000 auf die Stadt kommen, und
seine Staatseinnahme soll 300,000 Thaler betragen, neben
drei Millionen Schulden, die die Stadt vor der Revolution
gar nicht kannte. Das Contingent beträgt 485 Mann,
wovon nur 300 Mann unterhalten werden, neben einem
Landdragoner-Corps und einem Bürgermilitär von 2800
Mann. Das Gebiet längs den beiden Ufern der Weser ist
fast ganz Marschland, auch die kleinen Flüßchen Wumme
und Ochtum bewässern es. Ohne Eindeichung wäre Alles
Sumpf und Moor, so aber sieht man die schönsten Wiesen mit Hornvieh, wie es Holland und die Schweiz
nicht schöner aufzuweisen haben, und der arglose Ausdruck
„Bürger-Viehweide" macht lächeln. Man rechnet
nach Thalern und Groschen, wozu noch zur Vermehrung
des bunten deutschen Münzwesens Flinrichs und
Schwaaren kommen, den Thaler = 72 Groot, Flinrich
= 4 Groot, und Schwaaren gehen 360 auf den Thaler.
Die Weserbrücke, wo die Wassermühlen und
Wassermaschinen sind, mag für einen öffentlichen
Platz gelten, denn sie ist stets voll Bremer und voll Frucht-
säcke. Das Wappen der Stadt ist ein Schlüssel, denn
Bremen ist der Schlüssel zur Weser, und da es mit See-
fischen, Käse und Thran handelt, so stößt sich kein ächter
Bremer an dem Geruch dieser Handelsartikel, der kein
Wohlgeruch ist. Hier überzeugt man sich, daß das Ta-
baksschnupfen doch auch sein Gutes hat — selbst das
Rauchen... Rabener glaubte einen Hofmeister zu em-
pfehlen, der 50 fl. nebst frei Bier und Tabak hatte, wenn

er heisetzte: „Raucht nur Bremer!" Bremer ist wahrer
Knaster gegen den Geruch der Seefische, und wer nie auf
einem Fischmarkt einer Seestadt war, weiß gar nicht, wie
viel in unserer Redensart liegt: das sind faule Fische!
Bremen behauptet zwischen den beiden Hanse-Schwe-
stern das Medium tenuere beati *). Sie ist weniger
lebhaft als Hamburg, und weniger stille als Lübeck; weniger Reichthum bei Einzelnen, aber desto allgemeinerer Wohlstand, weniger große Spekulationen, aber desto solidere,
weniger Luxus, aber darum kein Mangel an dem, was
zu den Comforts gerechnet wird. Die Bremer sind schlichte
unverdorbene alte Deutsche, aber man muß sie kennen —
Jost van Bremen ist gar nicht aus der Luft gegriffen,
man kann ihn noch heute in der Schlacht, d. h. Hafen
und Börse finden; er ist steif und reichsstädtisch, macht
aber Alles gut durch Thätigkeit, Ordnungsliebe, Reinlichkeit, Fleiß und Vaterlandsgeist — er ist der deutsche
Holländer. Gewiß saßen früher die Bremer Handelsherren auch in hochrothen oder sattgrünen Schlafröcken und
schwarzen Perrüken vor der Thüre, steif wie ihre Tabakspfeifen von Gouda, halb leblos, in beneidenswerther See-
lenruhe, als wollten sie sich in die Ewigkeit hinüberrau-
chen — und ernst wie die Senatoren Roms auf ihrer
Sella curulis, **) bis sie die Gallier am Bart zupf-
ten! Es war Höflichkeit, dem Gast die gestopfte Pfeife
selbst anzurauchen, und sauber am Rockzipfel abgewischt zu
überreichen.
Bremen blühte mit dem von Carl M. gestifteten Bißthum, und die Bischöfe neckten die Stadt nicht wenig,
die bereits unter den Ottonen ziemlicher Freiheit genoß.
Adam Bremensis macht ihr alle Ehre, weniger aber
Erzbischof Adalbert, der Bremen in ein kleines Rom
umzuwandeln alle Lust hatte, in einen nördlichen heiligen

*) Die goldene Mittelstraße.
**) Rathsstühlen.

Stuhl an der Weser, und des guten Heinrichs IV. Schicksale verantworten muß. — Die Stadt erwehrte sich der
geistlichen Herren mit Glück, daher die Erzbischöfe nicht mehr
gerne in Bremen waren, sondern meist zu Bremervörde residir-
ten. Die Bremer waren in den Kreuzzügen und an den
Küsten Lieflands so thätig als die Lübecker, gewannen
die Liven mit Meth und Wein: „se schenketen do,
und waren vro," sagt die Chronik, was vernünftiger war
als Kreuz und Schwert! und durch Geld erhielten
sie ein Regale um das andere von den Bischöfen; auch
hatten sie eine Faktorei auf Island. Im Hasenkrieg
gegen Warcmar fochten 50 Bremer unter ihrem Bürgermeister Dettenhusen, von denen die Chronik sagt: „de Radt
hadde se anerin gekleidet, dat man se desto better
kennen konnte" — also schon 1361 Uniformen? In
ihrer Fehde mit den Friesen machten sie die Gebrüder Dedo
und Gerold gefangen, Dedo wurde enthauptet, und Gerold küßte den bleichen Mund seines Bruders, der Rath
bot ihm gerührt Aufnahme und Leben, aber stolz sagte der
Edeling den Bürgern: „Ich bin ein edler Friese,
eure Pelzer und Schusters-Töchter sind nicht
für mich," und starb; jetzt sind unsere Edelinge herablassender, und düngen recht gerne ihre magern Felder mit
dem unreinen Blute bürgerlicher Töchter. An einer Ecke
des Doms steht ein Mann mit langen Haaren, ein Richt-
schwert vor ihm — das ist Gerold.

Nächst den Händeln mit dem Domkapitel und den
Grafen von Hoya wüthete auch Bürgerkrieg zwischen dem
alten und neuen Rathe, doch ließ man es nie zu einem
Geschlechter-Regiment kommen. Indessen gab es
doch Patricier, die sich genug herausnahmen, z. B.
den Vorkauf auf dem Markte verlangten, worüber
1307 Arend von Gröpingen, der einen schönen Hecht
zur Kindtaufe gekauft hatte — todtkrank im Bette — ermordet wurde, dessen Denkmal in der St. Ansgarikirche
zu sehen ist. Im 15. Jahrhundert gab es wieder inne-

ren Krieg, und der ehrliche Bürgermeister Basmer,
ein unter Sorgen für die Vaterstadt ergrauter Greis,
wurde das Opfer — sein Sohn klagte, die Stadt kam in
die Acht, der Sohn wüthete selbst gegen Unschuldige, end=
lich versöhnte ihn das Basmer Kreuz, das noch steht,
und die Grabschrift: „Hier liegt der unschuldige
Basmer." Bei der Sekularisation des Bisthums zwackte
schon Braunschweig an der Stadt, und Schweden drang=
salte sie noch mehr — ihre unbestrittene Reichsfreiheit
ist nicht älter als 1731 — endlich kam gar der Typhon
Frankreichs, verleibte Bremen seinem Departement der
Wesermündung ein, und die Departements=Behörden und
der Titel Bonne ville *) waren kein Ersatz für den gestör=
ten Handel. Kein Wunder, wenn Bremer als Hanseaten
so patriotisch um sich schlugen. Frankreich rückte seine
Gränze immer weiter, ohne die Nachbarn zu befragen:
„Es setzt sich selbst seine Gränzen," sprach Talley=
rand, „eitler Dämme nicht achtend, wie der
Ocean." Aber es gibt einen Gott, der spricht zum
Ocean: „Bis hieher und nicht weiter!"
    Bremen hat eben keine ausgezeichneten Kirchen,
indessen ist in der St. Ansgarikirche Tischbeins schönes
Altarblatt: „Lasset die Kindlein zu mir kommen" — und
auch der Dom, wo der Apostel der Bremer, St. Willehad,
mehrere Bischöfe und Rathsherren ruhen, nicht uninteres=
sant, obgleich der dumme Eifer der Reformatoren die äl=
testen Denkmäler fortgeschafft hat, damit die Wände so
recht kaltvernünftig leer da stehen möchten. Die Grab=
schrift eines ächten Domvikars Stein:

Unter diesem Stein liegt ein anderer Stein,
Gott wolle der Seele gnädig seyn —

ist nicht mehr; Stein mag zu denen gehört haben, die
einst Ostern schon an Oculi feierten, daher der Spottvers:

----

*) Gute Stadt.

Asini Bremenses cantaverunt. Resurrexi,
Cum Populus Dei cantavit: Oculi mei*)!
Aber der Mönch, an einen Bischofsstuhl geschnitzt, ist noch
da, der einer beichtenden Nonne die Hand auflegt, und
der Teufel guckt mir einer ächten Harlekinsmine hervor
mit einem Zettel in der Hand: „ego consideravi!“ **) In
dieser Kirche ruht auch K n i g g e, der das beliebte Buch:
„U e b e r   d e n   U m g a n g“ schrieb, und doch so wenig mit
den Menschlein umzugehen wußte, daß er im 43sten Jahre
starb, erschöpft durch Leiden des Körpers und des Geistes,
daher ihm auch das Volkslied gelang: „J c h   h a b e   v i e l
g e l i t t e n   i n   d i e s e r   s c h ö n e n   W e l t 2c.“ Er hatte das
l ä n g s t e   K i n n, das ich je sahe, und wenn er ein l a n =
g e s   G e s i c h t machte, wozu er gar oft Veranlassung gab
und erhielt, machte er auch das längste Gesicht, das man
sehen konnte. Knigge schrieb Vieles und unter seinen Ro=
manen wird man P e t e r   C l a u s, die R e i s e   n a c h
B r a u n s c h w e i g, W u r m b r a n d t 2c. noch lange gerne
lesen. Unfern von seinem Grabe kniet der Senior S c h u l t e
zwischen Jesus und Maria, worüber der leichtsinnige Knigge
vielleicht spöttelte, und blickt u n e n t s c h l o s s e n, wie die
Inschrift sagt, bald nach den Vulnera filii, bald nach
den Ubera matris — ***) Knigge wäre entschlossener ge=
wesen! Das Z e u g h a u s sahe ich nicht (kleine Staaten
kommen mit Gold und Silber weiter, als mit Blei und
Eisen), folglich auch nicht Uffenbachs Ritter, dessen hölzer=
nes Pferd, wenn man ihm den Schweif aufhebt — thut,
wie ein lebendiges — was hier guter Hafer macht, macht
dort ein versteckter Blasebalg!
Für viele Reisende ist der sogenannte B l e i k e l l e r

---

*) Die Esel von Bremen sangen schon Resurrexi (feierten
schon Ostern), während das übrige Volk noch sang Oculi
(den Sonntag Oculi feierte).
**) Ich hab's gesehen.
***) Bald nach den Wunden des Sohns, bald nach dem Bu=
sen der Mutter.

im Dom (man goß da die Orgelpfeifen) die größte Merk
würdigkeit Bremens, wo mehrere durch den starken Luftzug
ausgetrocknete Leichen gezeigt werden, alle ohne histori
sches Interesse; zwei schwedische Offiziere des dreißigjähri
gen Krieges, eine noch ältere englische Dame, Lady Stan-
hope, ein im Duell gebliebener Student, ein an den
Blattern gestorbenes Kind, und neben andern gleichfalls
wohl erhaltenen Thierkörpern, Wiesel, Vögel 2c. ein Schiefer
decker, der vom Dache fiel und noch die Spuren seiner
Angst im Gesichte haben soll. — Da ich meine Augen
gläser vergessen, und an demselben Tage gerade eine sehr
trockene Imagination hatte, so kann ich nichts über diese
stereotypische Mimik sagen, aber etwas Schauer
liches hat es, Todte zu sehen, die sich selbst zu ihren
Leichensteinen machen, und daher erkläre ich mir auch,
warum Wachsfiguren Verstorbener, je ähnlicher
sie sind, desto widrigern Eindruck hinterlassen, denn es ist
einmal der alte Bund: Mensch du mußt sterben,
du bist Erde und sollst wieder Erde werden.
Noch schauerlicher muß das Todtenschiff im Eismeer gewe
sen seyn, das Capitain Warrens stilliegend zwischen
Eisbergen sahe. Er bestieg solches und fand in der Cajüte
einen Todten mit der Feder in der Hand vor seinem Tage
buch sitzend, seine letzten Zeilen waren: am 11ten Nov.
1762 — seit 17 Tage im Eise eingeschlossen — gestern
erlosch das Feuer — keine Hülfe mehr — Ueberall fand
Warrens Leichen, auf dem Boden und in den Hängmatten —
tief ergriffen eilte Warrens von diesem Orte des Entsetzens,
um nicht gleicher Gefahr zu unterliegen!
Viele gehen daher lieber nach dem Rathskeller —
— ein ächter Deutscher sympathisirt stets mit dem Keller,
um das Wort der zwölf Apostel (die Rheinwein
fässer sind darnach benannt) zu vernehmen, und
selten ist der Keller leer, obgleich die Fässer jetzt ziemlich
leer seyn mögen. Man begnügt sich mit neuerem Wein,
und der alte wird nur mit Erlaubniß Ihro Wohlweis

heiten gereicht, wie die Schwarzreiterl am Königssee, und
die Bücher der K. Bibliothek zu Wien erga Schedam —
denn die wenigsten würden es beim bloßen Pütjen (Kosten)
bewenden lassen; die Geschenke an durchreisende Großen
sind in Abgang gekommen mit dem Abgange des Weins.
Die Aerzte aber wenden sich, nicht ohne Erfolg an die
zwölf Apostel, und sie haben hier schon größere Wunder
gethan als in ihrem Leben. Das Allerheiligste dieses Kellers
in dem alterthümlichen Rathhause, unter dessen basreliefs
auch das Wahrzeichen Bremens ist (eine Henne
mit ihren Küchlein unter ihren Flügeln oder die Liebe)
— heißt die Rose, denn es ist eine große Rose abgebildet
mit der Warnung, daß man nicht weiter trage, was hier
gesprochen werde (sub rosa). Auf dem Rathhause herrscht
ohnehin dieses weise Gesetz, und selbst ein Rathsdiener,
den die Gemahlin des Herrn Bürgermeisters aushunzte,
daß er sie nicht aufmerksam gemacht habe auf die Dintenflecken an der Halskrause des Herrn, erwiderte: „Was auf dem Rathhause vorgefallen, muß ver-
schwiegen werden." Die guten Bremer erzeigten mir
die Ehre ihres Kellers, und so will ich weiter nichts sagen,
als daß ich den 1783ger weit dem 1624ger vorziehe, wenn
es gleich das berühmte publicistische annus decretorius
ist, und selbst 1811 und 1822, denn man muß auch seine
Zeit ehren. Es steht auch anderswärts mit alten Rhein-
weinen, wie mit Sir Cuttlers alten seidnen Strümpfen,
an denen er die Löcher so lange mit Zwirn zustopfte,
daß die Gelehrten zuletzt darüber streiten mußten: Ob die
Cuttlerischen Strümpfe von Seide oder Zwirn seyen? Müßen sich ja selbst hochfürstliche Mundweine nach den
Jahrgängen richten, oft gar nach dem Hofküfer! und
erst gar — Besoldungs-Weine! Wer nie in diesem
Rathskeller war, halte sich an Hauffs Phantasien
im Bremer Rathskeller, der die ganze Nacht dorten zubrachte und dermaßen zechte, daß ihm zuletzt die zwölf

Apostel, Bachus und Jungfer Rose, ja selbst der große
Roland erschienen, und mit ihm commetcirten!
Solche Schwaben, die den edelsten Rhein‑Nektar wie
Neckar‑Wasser hinunter laufen lassen, könnten leicht den
Rath veranlassen, weniger gastfrei gegen Reisende zu
werden!

Die Bremer haben immer für gute Weinkenner
gegolten, und schon der alte German Syp erzählt, daß einst
im Rathskeller über einen gewissen Nebengeschmack eines
Weins Streit entstanden sey, der Eine habe von Eisen,
der Andere von Ledergeschmack gesprochen, und bei
Reinigung des Fasses haben sich Schlüssel am ledernen
Riemen gefunden. Die Hamburger, die jetzt so feine Wein‑
kenner sind, mußten ihnen weit nachstehen, ein Kellerjunge,
den sein boshafter Geselle bei der Ausschwefelung eines
großen Fasses Canarien‑Sect erstickt haben mochte,
faulte bis auf die Knochen im Fasse, und von die‑
sem Sect tranken gerade die Hamburger am liebsten.
Gleichen Geschmack hatten die Matrosen, die den Leichnam
Nelsons in einem Rumfaß nach London brachten; nicht
ein Tropfen Rum war mehr im Fasse, als es geöffnet
wurde, so fleißig hatten sie — den Admiral ange‑
zapft.

Die Fabriken der Bremer sind weniger bedeutend,
als ihr Seehandel, und auf der Weser spielen sie ohne‑
hin die erste Rolle. Die bedeutendsten Fabriken sind Ta‑
baksfabriken — dann Zuckerfabriken, Lohgerbereien — B
und Branntwein ꝛc. Sie haben über 200 Schiffe in
die nach der Ostsee, mehr aber nach der pyrenäischen H
insel gehen, nach Großbritannien und selbst nach Amer
dessen Ausdehnung mit der Freiheit der Colonien nicht
berechnen ist. Der Herings‑ und Wallfischfang ist u
unbedeutend, auch spediren sie viele Güter auf der A
über Stade nach Hamburg; ausgebreitete Geschäfte wer
in Linnen, Wollen, Getreide, vorzüglich aber
Weinen gemacht. Portwein und Porter, u

Beefsteak, ist das Genießbarste zu Bremen, und so wie
viele hier gebraute Weine für Bordeaux gelten
müssen, so auch das Bremer Bier für Porter — und
warum nicht? Ich kenne ächt englischen Porter, habe aber
den Bremer Porter eben so gut gefunden, und es war
offenbarer Handwerks-Neid eines Britten, der vom Bremer Porter sagte: Addatur pix et parum salis, et erit
potus infernalis! *)

Seit 1824 ist die Weserschiffahrt frei und der
Wasserzoll für das Schiffspfund zu einem Thaler-zwei
Groschen gesetzt, woran Preußen, Hannover, Kurhessen,
Braunschweig, Lippe und Bremen pro rata Theil haben,
nach dem Muster der Dresdner Convention wegen freier
Elbefahrt vom Jahr 1821 — sonst aber gab es auf der
Weser von Münden bis Bremen (9—10 Tage dauert die
Fahrt) nicht weiter, den Elsfleter Zoll nicht gerechnet, als
22 Zölle, fast auf jede Meile einen Zoll! Es ist wahrlich
Zeit, daß man auch auf Rhein, Main und Donau Gleiches
ausdehne. Auf der Weser können große Schiffe nur bis
Brake, oder auch Elsflet kommen, kleinere bis Vegesack, wo sie dann löschen, und das Gut auf leichtern Booten
nach Bremen bringen, das von der Mündung acht Meilen entfernt ist. Vegesack ist der eigentliche Hafen Bremens, am
Zusammenfluß der Lossum und Weser, 2 Meilen von Bremen,
mit 1800 Seelen; der Name soll vom Feegen der Ma-
trosenbeutel herrühren, und hier fangen auch die Tonnen in dem Fahrwasser der Weser an, und die Braken
bis hinunter ans Meer; jetzt bekommt Bremen einen eigenen Hafen an der See, Bremerhaven, gegenüber dem
großen oldenburgischen Dorf Blexum. Mit dem Jahr
1827 begannen die Bauten, und die Unternehmung ist für
Bremens Handel von hoher Wichtigkeit. Man macht häufig Lustpartien nach Vegesack; ja ächte Bremer halten da

---

*) Noch ein wenig Pech und Salz darunter, so ist's ein wah-
res Höllengebräu.

ihre ganze villeggiatura, und haben nicht Unrecht. Es ist hier ein Bad, und die Natur schöner als um Bremen, die höhern Ufer der Weser, die Waldungen, Landhäuser, und einzle Gehöfte, die Seeschiffe und das weidende schöne Vieh, das an die silberweißen und so prächtig gehörnten Ochsen Ungarns erinnert — geben ein schönes niederländisches Landschaftsgemälde, und wo keine Eichen und Linden sind, sind doch Erlen und Weiden, die in einer den Ueberschwemmungen ausgesetzten Gegend Naturwohlthat sind. Die Bremer sind genügsam, und so ist ihnen Wegesack, Lilienthal, vormals berühmtes Nonnenkloster, Oberneuland, Blumenthal rc. ein Bajä und S. Magnus — Gebirgsland! Vandamme brannte Lilienthal nieder, wobei die Sternwarte des Amtmanns Schrötter gleichfalls litt, die Franzosen des 7jährigen Kriegs hatten es aber geschonet, weil das Wappen des Orts — eine Lilie ist. Für des Süddeutschen Auge sind die zerstreuten Dorfhütten nach altdeutscher Sitte nicht unangenehm — sie unterhalten das patriarchalische Leben, und wenn auch dadurch die Wege zur Kirche und Schule weiter werden, so werden es auch die — zum Kruge! Bremerlehe am Ausfluß der Weser, in Gestalt einer Sense gebaut (Lehe plattdeutsch Sense), ist durch Unfälle sehr herunter gekommen, und die uralte Kirche dem heiligen Dionysius geweihet, der Heilige soll hier enthauptet und begraben worden seyn. Ob sich S. Denis bei Paris dieß gefallen läßt? Das Kirchensiegel stellt den Heiligen vor mit dem Kopf unter'm Arm, muß aber nichts von dem Il n' y a que le premier pas qui coûte gewußt haben, denn der Heilige ohne Kopf wandelt an der Hand eines Freundes, und so ist das Wunder doch etwas erträglicher!

Ohne die Weser und die schönen Heerden auf der Weide wäre die Umgegend Bremens sehr traurig — nichts als Moor- und Geestland, elende Gasthöfe, phlegmatische Postillons, und gleich phlegmatische Pferde, man ruft mit Voltaire: „Quel chien de pays!"*) Selbst ein deutsches Sprüchwort sagt von dem ganzen Lande oder Herzogthum Bremen: „es ist ein alter abgeschabter Mantel mit goldener Verbrämung." Dieses weite Land zählt auch nur drei Städte: Bremen, Stade und Burtehude. Bremen gefiele sicher weniger, so wie Hamburg, ohne seine traurige Umgegend, und jetzt liegt die alte düstere gothische Stadt mitten in englischen Anlagen, die von einem Weserufer zum andern im Halbkreise herumlaufen, und ist weit gesünder und freier, wie sein Weserhandel, dem das preußische Zollwesen eher förderlich als hinderlich ist. Aber die Weser soll stark ver-sanden zwischen der Stadt und Vegesak? Die Namen der Weserschiffe sind so sonderbar als die der Donau, die größten von 120' heißen Böke, die mittlern After- oder Hin-terhang, die kleinen Bullen, und alle drei Arten zu-sammen machen eine Mast!

Der Senat, genannt die Wittheit (Weisheit), besteht aus vier Bürgermeistern und 24 Senatoren, getheilt in vier Sectionen; das Präsidium wechselt halbjährig. Seine Weisheit zeigte der Rath ganz gewiß, daß er über das (nun abgetragene) Thor in Stein hauen ließ: „Bremen wess gedeohtig, lat nit mer in, du söst öhrer mägtich!" und wenn er betrachtete, was unter Salomons Urtheil steht: Amor, timor, odium, et proprium commodum, pervertunt saepe judicium,**) so handelte er gewiß auch gerecht. Und wie klug benahm sich nicht der Bürger-meister Schmidt im siebenjährigen Kriege? Bremen sollte 40,000 Thaler zahlen, französische Commissäre saßen schon am Rathstische, um das Geld einzustreichen — langsam wurde die Summe gezählt — Zeit gewonnen, Alles gewonnen — die von Schmidt erwartete Rettung wollte nicht kom-

---

*) Was für ein Hundeland!
**) Liebe, Furcht, Haß und Eigennutz.
Bestechen oft des Richters Spruch.

men, er fing alſo Streit an, warf in verſtellter Hitze den Tiſch mit dem Gelde um, in oratoriſcher Geſtikulation — das Zählen fing von Neuem an — es kam Hülfe, und die Commiſſarien zogen ab mit leerer Hand. In unſerer Groſchen- und Sechſer-Zeit wird durch Zählen noch mehr Zeit gewonnen, oder — verloren!

Der ſteinerne Roland, 18′ hoch, iſt weiß ange-ſtrichen, daher man auf ſeinem Mantel auch den Löwen und Wolf, die ſich um ein Stück Fleiſch ſtritten, nebſt der Inſchrift; een jeder dat ſyne kaum mehr heraus-bringt. Dieſer Roland, einer der ſchönſten Norddeutſch-lands, hält in der Rechten ein Schwert, und in der Linken den Schild mit dem kaiſerlichen Wappen und den Reimen: Vryheit do ik nu openbar, de Carl un mannig· vorst verwahr, deser Stat gegeven hat, des danket Gode is myn rath. Zu ſeinen Füßen liegt ein ent-haupteter Miſſethäter, und hinter ſeinem Rücken iſt eine Laterne, daher ein witziges Bremer Sprüchwort, ſtatt „Große und geſcheidte Männer werden auch hinter das Licht geführt" ſpricht: Man hangt auch dem Roland de Leuchte vor den Eers!

Es ſcheint im Norden müſſen ſich die Bremer ſo viel gefallen laſſen, als die Nürnberger im Süden, es iſt Sprüchwort „ik bin keen Bremer" — und doch haben beide ungemein viel Gutes; ſolid, ruhig, häuslich, patriotiſch genießen ſie ächtes Bürgerglück, und häusliche Freuden, wie in Ifflands Familienſtücken. Für jenes ungerechte Sprüchwort mag ſie ein anderes entſchädigen, deſſen ſich die Platten bedienen, wenn ſie ein Kind liebkoſend beim Kopf in die Höhe heben — ik will die Bremen ſeen laten! — Ich hörte die Bremer lieber plattdeutſch ſprechen, als franzöſiſch und engliſch. Sie ſind nicht ganz mit der Zeit fortgeſchritten, aber Bremen liegt auch recht iſolirt, alle ſind unter einander verwandt, und ſo iſolirt ſich auch der Bremer, und verläßt nur ungerne ſeine Stadt: „Oſt, Süd, Nord, Weſt, Bremen beſt!"

Vor 100 Jahren besuchte Ufenbach zu Bremen den Prediger Haas, und sagt, „dieser habe sich vor ihm nicht nur angekleidet, sondern sogar s. v. sein Wasser abge= schlagen." Nun! Büsch zu Hamburg machte es wenig besser in unsrer Zeit. Ein Reisender, der sich seine Woh= nung zeigen ließ, fand im Vorplätze einen Mann in ähnlicher Verrichtung an der Wand, und fragte: „Ist Herr Büsch zu Hause?" Der Mann sahe um, ohne sich stören zu lassen, und sagte: „Ich bin Büsch, aber Eines nach dem Andern." Noth hat kein Gebot. Lomonossoo pflegte seine Trauerspiele einem jungen Diener vorzulesen, der zuletzt schluchzte — „weine nicht, das Rührendste kommt nach," sagte er — und jener trippelte immer mehr und sprach „Ach! Herr! ich muß p . . . . ."

Das Theater an den Wallanlagen, die viel Reize haben, führt die Inschrift: Interpone tuis interdum gau= dia curis .. *) Die Geistlichkeit verhinderte das Auf= kommen, so lange es gehen wollte (auch die Wein= und Bierschenken sollen protestiret haben), aber mit Abts Gesellschaft und Knigge's Liebhabertheater war sie geschla= gen, und das Publikum, das sich bis dahin in Scheunen, Buden, Reitbahnen und benachbarten Dörfern Hannovers hatte genügen lassen, erhielt 1792 ein eigenes Theater. In allen Reichsstädten widersetzte sich Ehrengeistlichkeit dem Theater am längsten, und doch ging das Theater vom Gottesdienst aus, in Griechenland wie in Rom, und selbst bei uns durch die sogenannten Mysterien — die er= sten Comödianten waren Priester, und Plutarch leitet sogar den Namen von θεος **) ab! Dieses Theater und das Museum haben offenbar zur Aufklärung beigetragen und zur Geistesbildung, die Jost van Bremen sind seltener geworden, und der Fremde gefällt sich jetzt ungleich besser,

---

*) Laß von Zeit zu Zeit Genuß mit Arbeit abwechseln.
**) Gott.

als früher. Ich habe Holberg im Verdacht, daß er seinen
einst so beliebten politischen Kannegießer nicht umsonst Hermann Breme nannte! Dafür malt er ihn auch
wieder großmüthig, und läßt seiner Frau, die Rache üben
wollte, erwidern: „Der Bürgermeister vergißt,
was dem Kannegießer wiederfahren ist!" Nach
der neuen Rangordnung hat der Doctor als solcher —
gar keinen Rang, und es thut mir Leid um die Doc-
tors-Fabriken, ob es gleich von der Aufklärung Bremens Zeugniß gibt. Nach dem Senator galt ehedem der
Doctor viel, und das verräth doch immer Schätzung der
Wissenschaften. Holberg würde jetzt Bremen nicht mehr
so stille finden, und weit weniger Doctores als zu Frankfurt, folglich nicht mehr sagen können, Bremen müßte die
gelehrteste Stadt Deutschlands seyn, wenn man keinen
Unterschied annähme zwischen Doctor und Doctus.

Und ist Bremen nicht die Vaterstadt des trefflichen
Historikers Heeren und der Astronomen Olbers und
Schrötter? Alles, was nicht Reichsstadt und Universität
ist, will heut zu Tage an den armen Doctoren sich reiben,
als ob sie bloße Perrüken, Zöpfe und Haarbeutel
wären, die aus der Mode gekommen, und daher freute
mich die Satisfaction, die sie erhielten, als 1814 Blücher
und Wellington, Friedrich Wilhelm III. und Alexander
Doctoren zu Oxford geworden sind, sogar ohne Dissertationen geschrieben oder bezahlt zu haben! Wenn auch
Aerzte durch viele Lieferungen immer berühmter werden,
so wird doch kein Scharfrichter mehr Doctor durch vieles
Köpfen und Hängen — und in Würtemberg nennt man
Leute, die, wie man einfältig genug spricht, Nichts sind,
Herr Doctor, wie ehemals Herr Magister. Alexander Hales hieß Doctor irrefragabilis, [*]) Th. v. Aquino Dr.
angelicus, [**]) Bonaventura Dr. seraphicus, [***]) sie

[*]) Der unwiderstehliche.
[**]) Der engelgleiche Doctor.
[***]) Der seraph-gleiche.

sind dahin; aber Doctoren wie Duns Scotus, Lullus
und Occam haben wir noch; sie hießen subtilis, illumina-
tus und singularis! *) Indessen ist doch die anschei=
nende Tautologie „der gelehrte Herr Doctor",
keine, wie mir Menage zu beweisen scheint, der irgendwo
le docte Morel **) hatte drucken lassen, und unter die
Errata setzte: „Lisez: le Docteur Morel." ***)

    Hans Caspar — Lavater würde sich jetzt schwer=
lich mehr zu Bremen gefallen; denn er fände keine Leute
mehr, die ihn für den heiligen Johannes hielten, vielleicht
nicht einmal mehr alte Tanten, die, gewöhnt an Mül=
lers geistliche Erquickungsstunden und himmlischen
Liebeskuß, auch nach dem Kuß des Züricher Apostels
verlangten, und gelobten, sich nimmer zu waschen, um den
geistigen Liebeshauch des Schweizer Seelenbräutigams nicht
zu verlöschen, und immer und ewig von den Aussich=
ten in die Ewigkeit sprachen, ohne Anstalten zu treffen,
sich persönlich davon zu überzeugen. Gewiß ist jener eif=
rige Reformirte längst eines Bessern überzeugt, der seinem
lutherischen Nachbar durchaus die Weide versagte: „Nein!
nie sollen durch meine Schuld lutherische Kühe
reformirtes Gras fressen!" O Jost van Bremen!
Doch — hatten wir nicht selbst einen römischen König, der Jost
hieß, wenn gleich aus Mähren? und gab es nicht in dem
weit größern Staat Holland, dem Original der Bremer, die
Parteien der Hoes und Cabliaus, die über der Frage
entstanden: Ob der Cabliau die Angel (Hocken) fange,
oder die Angel den Cabliau? Gab nicht noch ein Geist=
licher aus Porentru einige Vues de Bienne ****) wieder zu=

---

*) Der scharfsinnige, erleuchtete, einzige.
**) Der gelehrte Morel.
***) Lies: der Doktor Morel.
****) Ansichten von Biel.

rück, als' er hörte, daß die Gegenden reformirt
seyen, trotz der Versicherung der Maler sey gut ka-
tholisch?

Sechsunddreißigster Brief.

Die niedersächsische oder plattdeutsche Sprache

wird nicht bloß in Niedersachsen und Westphalen bis tief
nach Holstein und Schleswig hinein gesprochen, sondern
zieht sich auch an der Ostsee durch Mecklenburg und Pommern bis nach Preußen und Liefland. Ihre Kenntniß ist
hochwichtig für unsre allgemeine deutsche Sprache,
für Geschichte, alte Urkunden, Inschriften und
Gesetze, für Juristen, Aerzte, Geistliche und Schullehrer,
die mit dem Volke zu thun haben, und für den Reisenden
in diesen Gegenden ohnehin. Wenn der Hochdeutsche die
Pferde um ¼ auf Sechs bestellt, so ist der Niederdeutsche
unschuldig, wenn er eine ganze Stunde später kommt,
denn een Veertl up ses heißt ein Viertel über Sechs.
Sie ist die Mutter der holländischen und englischen
Sprache, die Schwester der dänischen, schwedischen
und isländischen, die wir ohne große Mühe mittelst
des Plattdeutschen verstehen, so wie die Wenden und
Böhmen den Polen und Russen, die auch wir noch werden verstehen lernen müssen, so wie einst spanisch unter
Carl V. und den Ferdinanden! ... Hätte Johnson Plattdeutsch verstanden, sein berühmtes Wörterbuch hätte weniger Fehler. Alle Worte, die Lebensbedürfnisse ausdrücken, sind im Englischen deutsch, und Alles was Gegenstände
des Luxus und der Tafel betrifft, sind französisch, folglich
ist die Antwort, die Dutens' Bedienter gab, als' ihn dieser
fragte, wie er es denn anfinge sich den Deutschen ver-
ständlich zu machen, begreiflich: „Ich spreche schlecht

Englisch zu den Leuten, und sie machen Deutsch
daraus!"

Und doch wird das Plattdeutsche im Norden immer mehr
vernachlässigt, und im Süden ist sie dem Deutschen frem-
der, als Griechisch und Latein, Französisch, Englisch und
Italienisch, diese zweite Hauptmundart deutscher
Sprache, die nach ihrer Aehnlichkeit mit der Parsen-und
Sanskritsprache vielleicht noch älter ist als die hel-
lenische, und einmal gewiß älter als die lateinische!
Reicher als die Hochdeutsche ist sie ohnehin, und unsere
Altdeutschen waren weiter, als die römische Eitelkeit oder
Unwissenheit angenommen hat! Tacitus Tuisco und
Man leben noch in plattdeutscher Sprache; deutsch
heißt noch heute düdsk — ein deutscher Mann en düdsk
Man. Wir sollten die plattdeutsche Sprache nicht so
vernachlässigen, denn auch im Hügel- und Gebirgs-
land wohnen viele — Plattköpfe!

Viele Vorwürfe des Auslandes gegen die Härte
deutscher Sprache fielen hinweg, wenn diese sanfte, reiche,
weiche und doch kräftige, naive Ursprache, statt der härtern
Hochdeutschen, veredelt, Schriftsprache und Sprache der
Gebildeten geworden wäre. Noch heute thäten wir besser,
die Hochdeutsche aus der reinen sassischen Urquelle zu
bereichern, als mit neu erfundenen schlecht gebildeten
Wörtern. Gewiß fiele die sanftere niederdeutsche
Sprache dem Ausländer minder schwer als Hochdeutsch,
das er mit weit mehr Mühe lernt, als die französische,
spanische, italienische, Töchter der Römersprache, so wie
ungefähr die slavischen Sprachen. Wir sollten den Ausländer wahrlich bei Sprachfehlern am allerwenigsten auslachen, denn unsere Ursprache ist schwer, weil sie beug-
samer als die englische, poetischer und bestimmter als die
französische, und weit philosophischer ist als die italienische
— kurz so gut als Griechisch. Nie sehe ich eine
deutsche Sprachlehre, ohne dem Himmel zu danken,
daß ich schon deutsch gelernt habe von meiner Frau Mutter!

Beide Hauptmundarten unſerer Sprache ſcheinen ſich
gebildet zu haben, als die deutſchen Einzöglinge (aus Aſien)
ſich an der Donau theilten, und rein klimatiſch zu ſeyn
— das Niederdeutſche iſt ſanft und weich, platt wie das
nordiſche Flachland — das Hochdeutſche rauh und hart
wie die Berge und Wälder des Südens; die häufigen
Kriege am Rhein und der Donau mögen noch zur gebie-
teriſch rauhen Härte mit beigetragen haben. Kaiſer und
Fürſten ſprachen platt bis auf Carl V., und erſt zur
Reformationszeit überflügelte die oberdeutſche Sprache die
niederdeutſche durch die vielgeleſenen Schriften Luthers,
und mehr noch durch die aus Oberſachſen verſchriebenen
Prediger, und die wenigen in platter Sprache vorhande-
nen Bücher und Volksdichter, deren ältere Literatur jedoch
kaum der gleichzeitigen hochdeutſchen an Reichthum
nachſtehen dürfte. Ich rechne es mit zu den nachtheiligen
Folgen der Reformation, daß das Platte nicht Schrift-
ſprache und ſo ausgebildet worden iſt, wie das Hochdeutſche, und noch mehr würde ich es bedauern, wenn es
nach und nach ganz verdrängt werden ſollte, wie es den
Anſchein hat. *) Das ſaſſiſche Meiſterwerk Reineke de
Fos (Lübek 1498. 4. — oft aufgelegt, am beſten von
Scheller, 1826. 8.) verdient allein, daß man das Platte
ſtudiere, ſo wie der Don Quixotte, daß man Spaniſch
lerne. Das Thema iſt noch heute nur allzu praktiſch: Im
Weltlauf triumphiren Ränke und Schlauheit
über das Recht — Reineke aller Laſter voll, und ſchon
unterm Galgen wird dennoch Reichskanzler. Wer
mit ſolchen Reineken ſelbſt zu thun gehabt hat, lieſet es
mit doppeltem Intereſſe, der heitere Witz des goldenen
Büchleins verſöhnt aber wieder mit dem Leben.

---

*) Willkommen ſind gewiß jedem Deutſchen, der das Vater-
   land ſchätzt, Schellers Bücherkunde der nieder-
   deutſchen Sprache, Braunſchweig 1826. 8, und ſeine
   Ausgaben plattdeutſcher Schriften. — Anmerk. des Verf.

Wult du weten der Werlde staß
So kop dit Bock, dat is rad!

Die Sprache, der Platten hat so etwas Trauliches und Gemüthliches, so etwas altdeutsch Ehrliches und Biederes, daß ich nicht ohne Vorliebe von ihr sprechen kann. Kein Hof und keine Academie hat diese Natursprache beschnitten, verfeinert, und dadurch unbedeutend gemacht, kern- und kraftlos; sie ist kein verdorbenes Hochdeutsch, wie Viele wähnen, sondern die deutsche älteste Ursprache der Sassen. Es ist unmöglich, in platter Sprache Unwissenheit und Geistlosigkeit zu verbergen, wie in der beliebten Sprache Galliens, die so viele Wendungen und Phrasen für die Conversation hat, daß selbst der Schwachkopf eine Zeitlang für einen Mann von Geist gelten kann bloß mit den richtig accentuirten Monsieur — Madame — tant pis — tant mieux — Eh bien, mais — mon Dieu! est-il possible?*) Daher wurde sie auch die Leibsprache der Höfe!

Meinem Ohre klingen einmal die hochdeutschen Doppellauter lange nicht so schön, als die einfachern der Platten: Mul für Maul, Hus für Haus, Lude statt Leute . . . Del, Frede, Buk, Beene, Vür, Leve, Lop, ok, Ogen, Spise, für Theil, Friede, Bauch, Beine, Feuer, Liebe, Lauf, auch, Augen, Speise ꝛc. Von unserm ch wissen sie noch weniger, und gewiß klingt ik, maken, Saken, Sassen, Flass, Ossen ꝛc. sanfter, als ich, machen, Sachen, Sachsen, Flachs, Ochsen ꝛc., zumalen wo das ch tief aus dem Schlunde hervorgeholet wird, wie früherhin alle Süddeutschen gethan haben mögen und die Schweizer noch. Selbst unsere Zischlaute sind unangenehmer; der Platte verwandelt das ß und Z in t, und sagt Water, Holt, Tinn ꝛc. für Wasser, Holz, Zinn ꝛc. Wörtel, Tunge, Tidt, Thosage, Teynde für Wurzel, Zunge, Zeit, Zusage, Zehnten ꝛc. Auch unser

*) Mein Herr, meine Frau, desto schlimmer, desto besser. Gut; aber mein Gott! ist's möglich?

pf ist dem Platten zu hart, er sagt für Kopf, Kampf,
Pfeiffe, Krebse: Kop, Kamp, Pipe, Krevete. Ihr Hei,
Er, verdroß mich nie, und bei ihrem Sei (Sie) dachte ich
lächelnd an Säue!

Mein erstes Plattdeutsch hörte ich zu Göttingen, und
Lork war das erste unverständliche Wort, das mir ein
kleiner Junge zuwarf, den ich vom Trottoir gestoßen hatte,
Kröte. Damals kannten wir die Riesen-Schildkröte noch
nicht, welche die Vorsehung zu Elba und S. Helena auf
den Rücken legte, weil sie alle ihre Mitgeschöpfe nur als
Kröten ansahe, und auch so nannte. Der Prophet Elisa
ließ zweiundvierzig Knaben, die ihn bloß Kahlkopf genannt hatten, von Bären zerreißen — ich lernte Plattdeutsch.
Die Göttinger Bürger, wenn er auch mit seinem Herrn
Burschen hochdeutsch spricht, mischt doch stets sein eck,
mand, seggen, leever, Mäken und Swincken mit ein,
und jenes Lork belustigte mich soviel, als das Wort Biest
(Bestie) im Munde der Aufwärterin, womit alle Platten
so freigebig sind, als die Franzosen mit ihrem Bête. Sie
könnten leicht, da Vieh wie Vee ausgesprochen wird,
aus der schönsten Fee ein Biest machen! Mein Haus-
wirth war so gefällig bei'm Abendpfeifchen ganze Predigten
Sackmanns, der zu Anfang vorigen Jahrhunderts zu
Limmern bei Hannover noch plattdeutsch predigte,
vorzupredigen. Eine seiner Leichenreden steht im Journal
v. u. f. D. 1785. 86., weit komischer aber war eine Predigt vom Beelzebub. Einige lustige Brüder veranlaßten einen Perrükenmacher, der Aehnlichkeit hatte mit
dem zu Hannover anwesenden Schweden-König Friedrich I.,
den König zu Limmern zu repräsentiren, um den guten
Sackmann verwirrt zu machen, der aber Wind davon haben
mochte — der Pseudokönig kam mit Gefolge, setzte sich der
Kanzel gegenüber, und nicht lange, so verließ der Prediger
seinen Text und sprach: „Seit mal leeven Kinner! Beelzebub kummt mi so vör as de Keerl da gegen mi över
— ik sholl glöven he wäre de König van Sweden un.

is een Perrükenmaker ut Hannover! Du dummer Beelzebub, du wollst mi ohlen Man tom Narren maaken,
Du donnerscher Haarklöver Du? Der Pudergott konnte
sich nicht schnell genug erheben, denn die ihren Prediger
liebende Gemeinde hätte ihn, wo nicht gekreuziget, doch
gewiß durchgegeißelt. Seine Predigten machten bleibenden Eindruck, denn er schrie, daß gewiß manchem noch
am Montag die Ohren gellten!

Meinem wackern Hausphilister verdanke ich, daß ich
Plattdeutsch nicht nur verstehen, sondern auch geläufig
sprechen lernte, was mir später Dienste that. Am besten
spricht man es wohl zwischen Hamburg und Kiel. Ich
sammelte mir auch mehrere plattdeutsche Bücher, aber eine
Bibel in plattdeutscher Sprache (und Götze gibt
doch 24 Ausgaben an, die letzte von 1621, womit, Kleinigkeiten abgerechnet, die sassische Sprache aufhörte Schriftsprache zu seyn, denn nun warf der 30jährige Krieg
Alles untereinander!) erhielt ich erst vor einigen Jahren
in einer Frankfurter Auction, Magdeburg 1554 Fol. mit
Holzschnitten. Kinderling hat in seiner Preisschrift: Geschichte der niedersächsischen oder plattdeutschen Sprache,
die im Druck erschienenen Bücher verzeichnet, Scheller
noch ausführlicher — aber keine Grammatik der
plattdeutschen Sprache — sollte es keine geben? Ich
kenne nur den erst 1329 erschienenen Versuch einer plattdeutschen Sprachlehre, insonderheit der meklenburgischen
Mundart von Musäus. Neustrelitz. 8.

Die Sprache ist die beste Characteristik eines
Volks, und so wie die französische Sprache reich ist
an versüßenden sanft deckenden Redensarten, so ist die
Platte noch weit mehr gerade ut, als die hochdeutsche,
so wie die holländische, nachdrücklich derbe, aber
bieder und ehrlich, wie die Leute, die sie sprechen. Der
Dichter des Theophilus ruft, wie man bei gar vielen
neuern Producten rufen muß:

Ah! wat was ik fro,
Do ik sag finito libro!

und die Platten sagen scherzwåse: Wo heet dat XI. Ge-
bood? „Lat di nig verblüffen" mit Recht, aber wie sie
wieder sagen können: Wol syk drüket, de kummt up,
begreife ich nicht ganz, da Beugek nichts weniger als
ihre Sache ist. Eine der herrlichsten Verwunderungs-
formeln ist ihr heb ik min Dage, vor lauter Verwunderung bleiben die Worte stecken nig seen or hört! Die
Zeiten der Frühreife, die fast keinen Unterschied mehr machen zwischen Kindern und Erwachsenen (daher diese noch
weniger den Alten) und dadurch zu einer solchen erwachsenen Unverschämtheit gelangen, daß man Herodes
Manches verzeihen, und wenigstens das Pfefferfest
ernstlicher nehmen möchte, gefallen den Platten am wenig-
ßen, und daher sagen sie von solchen: „Nig I un nig Fi"
was auch vom Luxus gilt: „nicht zu viel und nicht
zu wenig." Einen dreisten Menschen nennen sie Een
Ga-to!

Wer Gott vertraut,
Brav um sich baut,
Geht nimmermehr zu Schanden!

Wie herrlich ist die Antwort der Platten an ihren
König Friedrich Wilhelm auf sein Abschiedsschreiben nach
dem Tilsiter Frieden (wenn auch apokryph?): „Dat hart
woll uns breken, as wi Dinen Ausgeed lesen — so
was wi lewt, t'is nig dine Shuld, dat de Generale
un Ministers, na dem Erlag van Jena to bedon-
nert un to verbistert weren um de verstrüweten
Sgaren to us herto Stüren to'm nejen Kamp. Liv un
Leven hetten wi dran gewagt. In unsern Adern slüt
nog vürig dat Blod der alten Cherusker, wi sund stolt
darup Hermann un Wittekind unse Landslüte to noe-
men, op unserm Grunde ligt dat Winfeld, wo unse
Voerfaren de finde so slogen, dat se dat Upstan ver-
gaten. Unse Landknegte hevt mark in de Knoken, un

ere Seelen sünd nog nit anfreeten, unse Wive sögt
selbst ere Goeren (Kinder), unse dogter sünd keene
Apen, un de Tidgeest hat over us sine Pestlugt nog
nit utgoten. Koen wi upstan tegen den isernen Arm
der Nodlods? (Schicksal) God ata us bi — Leve wol
ole goode Honig!"

Ju dem Redensarten der Platten spielen ihre Leib-
speisen, Getränke und Gemüse natürlich ihre Rollen.
Sie sagen: dat is Spek un Swinflesh = dat is einerlei,
dat is een anner tabac = dat klingt anders, up is de botter all = es ist aus, dar is nit veel botter bi, hest du
een botterbrod verdeent? dat will nig bottern = dabei
kommt wenig heraus, wenn de botter up is, is Sme-
ren ut. Gewiß höflicher ist ihr ik will di wat — bottern
als unsere gleichbedeutende Redensart im Süden! Ob
wohl Sane für Rahm aus dem Saanen-Thal der Schweiz
herkommt? Die fünf Finger heißen Lütje Heine, Gold-
finger = Langeley und der Zeigefinger (von der Alten
Skyte Schützen-Finger genannt) heißt Botterliker, der
Daumen aber Lüskenknikker Läusefnicker! Im Winter, wo
die Butter zu hart, im Sommer, wo sie zu weich und dann,
wenn sie gar keine haben, heißt es de botter is dull!
Und welche Genügsamkeit liegt in ihrem Reimlein:

Veel better smekt us Kohl un Spek
As grooten Herrn de Sneppendrek!

Aechte Bier-Redensarten sind: Seht wat dat
Beer deit — spöttische Verwunderung über einen Heftigen,
wenn dat Beer in den Manne, is de Verstand in der
Kanne — dat is upn Beerbänken segt — dat is stark
Beer — selbst der Mond, wenn er später kommt, goit to
beer! Buttel ist ein ursprünglich deutsches Wort (Bottle),
woraus die Franzosen bouteille gemacht haben, wir soll-
alfo, wo man nicht Flasche sagt, Buttel! Buttel! rufen.
Butte im Süden stammt wohl von derselben Wurzel
und Bottel lebt in Niedersachsen, Niederlanden und Eng-

land — wenn das Buttelbier gepfropft aufschäumt, so
bottelt es! Trinkgeld heißt Beergeld! Man sagt vom
Bier-Anstechen updohn, und so sagen sie auch vom Heurathen eene Frow updohn — noch witziger aber bleibt
ihr ik bin nig so dumm as de Heer — lange Pause —
meent! Die Wurst hat gleiche Rolle wie Butter und
Bier — daher auch jener Platte die beiden, die über die
Größe der Erfindungen der Druckerei oder der
Malerkunst sich stritten, auslachte: „die Kunst Würste
zu machen" sey wohl wichtiger. —

> Müt man riden oder föhren,
> Un kan' nit veel Tüt verlören,
> Dann is Worst de beste Kost.
> O! plegt dann de Gast to spreken,
> Gode Worst is hoch to reken,
> Höchster as en Eyerkok!
>
> Hat de Michel Ordre krägen,
> Antosnallen sinen Dégen,
> La to kommen tot Revue,
> Stikt he sik in sinen Räntzel,
> Eene Stange Lausewenzel,
> Un en dike Worst daby.
>
> Kohl un Worst segt mal Minschen?
> Kann man sik wat betters wünschen,
> Fehlt nit botter in de Krug,
> Smekt veel better as rosinen,
> Hans, de Knegt fängt an to grienen,
> By Brod un Worst to sinem Sluk!

Int Norden geht man nicht so verschwenderisch mit
den Hühnern um, als im Süden, oder gar zu Wien
und Prag, wie nachstehende Redensarten beweisen: he
hett Höner, er ist wohlhabend, dar sin Höner, da sind
Mittel, is Höneken rin todt? warum so traurig? we
heft nog mit eenanner een Honken to plükken, wir
haben noch was miteinander auszumachen. Min Höneken
ist Schmeichelwort, wie Herzel und Schatzerl! Un-

übertrefflich ist das Wort Snaken für Plaudern, Snak
süster Plaudertasche, Caffeschwester, zumalen wenn die
Wurzel in Snak kleine Schlange gesucht wird; Snik snak
— snakish lächerlich — wat Snak' is' dat? Von Schmeich=
lern sagen sie; wor de Kloke van Leder, un de Knepel
een Vosswanz, hört man die Släge nit .wyt. Er thut
nichts umsonst, dat deit he nig' nm döver Nöte (Nüsse)
halven. Lange zuvor, ehe Napoleon die Ems=, Weser=
und Elbe=Mündungen seinem papiernen Grand Empire
einverleibte, fagten sie: Spitze Näs un spitz Kinn, dar
sitt' de Düvel in! Noch aus der Schwedenzeit kommt
die Verwünschung: De soll den Swed kriegen! jetzt
setzen sie wohl für Swed—Davoust und Vandamme!
Gar Vieles haben die Platten mit dem Eers zu
thun, der bei ihnen so ehrlich ist, als bei den feinern
Franzosen der Cul. Overeers rücklings, Dreyeersen, aus
Hoffart im Gehen den Steiß drehen — rükeersen, rück=
wärts gehen, den Eers in de Hand nehmen, fortgehen,
he weet aller Eersen Upgang — ein Neugieriger, Nase=
weiser, se hängt alles up den Eers, sie wendet Alles auf
Kleider, een sittend Eers heft veel to bedenken, sitt
up den Eers, so loopt daar keene Maus in — he hett
een Hupen Eers Gebreken, er hat immer was zu klagen,
he het ut kaket (cacare), es ist aus mit ihm, de kaken
will moot den Eers daar to don, wer den Zweck will,
muß auch das Mittel wollen. Wie gemacht für unsere
Schmierer und Dintenkleffer ist das unfeine Wort Black-
schitter; Dinte heißt Blak (schwarz, englisch), das Volk
spricht aber gleichviel von rothem, blauem, grünem Blak.
Komisch, wenn gleich sehr unfein, ist ihre Redensart von
einem weinerlichen Menschen: „wat ener wenet, dat pis=
set he nig' — pissen geit vor Danzen" — und noch
komischer — wenn gleich noch unfeiner: „den Eers to
kneipen" — sterben.
Die Platten haben den dreckigen Cynismus,
nach alter Väter Sitte, beibehalten, wie die Britten den

erotiſchen, daher auch die Frauen die Tafel verlaſſen
müſſen, wenn der Becher kreiſet, that they have the
liberty totake Bawdery *) — und Montigne ſagt ohne
Anſtand: aſſis sur le trone ou sur l'escabeau on est
toujours sur le Cul! **) Der Philoſoph weiß, daß ſich
die ganze Welt um die Priora, wie um die Posteriora
drehet, und was Götz von Berlichingen dem Bundes⸗
hauptmann zuruft, iſt dem platten Bauern, im Süden
weiter nichts als eine kräftige Verneinungsformel,
wie im Norden das shit em wat, oder en ohlen Dr. . . .
Selbſt in der plattdeutſchen Bibel, wo Luther ſagt: „Ehud
ſtieß dem König das Schwert in den Bauch, daß der
Miſt von ihm ging,“ heißt es, dat de Drek van
em gink. Recht züchtig komiſch aber iſt im Platten das
Wort Brödern für Hoden, die Reineke aus den Zähnen
des Wolfs rettet, nachdem er ihm mit ſeinem vollge⸗
pißten Schwanz in die Augen ſchlug. Und hat das
Reimlein nicht viel Naives und Gutmeinendes:

<blockquote>
Kakken und Sorgen
Kummt alle Morgen,
Sorgen will wi laten stan,
Kakken sinen Gang shall gaan!
</blockquote>

Gefallen haben mir die Redensarten verdoctert für
verzweifelt, Quik steert (Bachſtelze) für eine Unruhe, wer
hett de Leverung (Lieferung) hett? Wer war der Arzt
des Seligen? ik heet Marcus, ich wills merken, Gods
Word van Lande, Landpfarrer, is dat n' He or n' Se?
Männchen oder Weibchen? en Stük van de Gelegenheit,
der Steis vom gebratenen Geflügel, se will in't Kloſter
dor twe poor Tüffeln vorm Bed stan, ſie will heirathen,
achter ut Krazzen, eine linkiſche Verbeugung — es kummt
em an as dem Buren dat Aderlaten etc. Met der Tyd

---

*) Daß ſie ungehindert Boten reißen können.
**) Magſt du auf dem Throne oder auf einem Schemel
ſitzen, immer ſitzeſt du auf deinem H. . . .

(Zeit) kümmt Johannes int' Wammes. — Von einem der
keine Waden hat, sagen sie: he liegt mit de Störken
(Störchen) im Process ... und bei einer unüberlegten
Bitte: Moder leent mi ju Dogter! Drükenpennig, Filz,
höflicher als Luthers Laufer, hadersch zänkisch, herber-
gig gastfrei, klapperich geschwätzig, Waschet Geschwätz,
twyvelmödig Minsch Zweifler, woraus Süddeutsche eher
Zwiebelliebhaber machen dürften. Aecht holländisch
ist: Is dar wat bi? ist dabei zu gewinnen? und trefflich:
Lat de Achter porten (Hintern) open stan, un de Doctor syner wege gan! ein Recept aller Recepte. Von diesen Herren haben die Platten nicht die besten Ansichten —
he lacht sik tom Doctor, sagen sie zu einem wohlbehal-
tenen lustigen Mann — sprechen von hendoctern hin-
sterben und ein altes Volkslied reimet:

> Heer Doctor Meliss,
> Besee he de Piss,
> Sin 4 Shilling sind em wi

Im Holsteinischen hört man, wie in Holland: wo
beleevt? was beliebt? as ju beleevt, ja selbst Latein, he
dit sik Bene — myne Conscientie bit mi nit:
Mein Gewissen beißt mich nicht. Bengel ist so wenig
Schimpfwort, als Bube im Süden, beides bedeutet einen
jungen Gesellen. Wi wöllt man en bittjen börnen, sagt
der Postillon vor dem Kruge, aber nur die Pferde börnen oder trinken, der Kerl aber sauft Schnaps wie
Wasser! Herrlich finde ich den Ausdruck Grammatjen
Pak für zänkische Leute, wenn ich an unsere alten Philologen denke, und so auch een duller Greke für
wunderlichen ungeselligen Kauz! Der Ausdruck Jand-
tag'en für Lärmen und Zanken ist auch nicht übel, unser
Wort Predigen und Priester kommt vielleicht weniger von praedicare, als von praaten schwatzen, wie
Schulfuchs von schulen schielen, aus der Zeit, wo
sie pedantisch hinterm Buche weg auf die Schüler lauerten,
um mit dem baculo über sie herzufahren. Um der ge-

wichtigen Redensart willen up den olden Man denken
verzeihet vielleicht selbst manche Alte die Grabschrift:

> Hier liegt use Olen,
> Wi hebt se di God bevolen,
> Du hast se in diner Rast,
> O halt se vast!
> Wente shol se wedder upstan,
> So mosten wi van Hus un Hove gan.

die immer weit höflicher ist, als unser Volkslied:

> Unsre alte Schwiegermutter ist ein alter Tunder,
> Kaum ist sie im Himmel g'west, kommt sie wieder runter!

Am weitesten entfernt sich das Platte vom Hochdeutschen in dem Sprüchwort: mees Ebers as Poggen,
mehr Störche als Frösche (wie im Mittelalter Adel und
Bauer), und so auch in den Wörtern geeschet berufen,
drade sobald, mank gy unter euch, vaken oft, caff
Spreu, kule Grube, Aekerken Eichhörnchen, Stert
Schwanz, moje Jungens hübsche Jungen, quadt böse,
Ventken Knabe, Vent Jüngling (nicht von infans, sondern dem alten Fant=Diener, das sich im italienischen Fante
erhalten hat), Pracher ein Armer, oder Bettler — telen
gebären, erzeugen. Wi synt Lehm, Herr, du bist unse
Pötter, wir sind Thon, du bist unser Töpfer. Myne
Ledtmate synt als een Scheme, meine Gliedmassen syn
als ein Schatten, de Herr hat se in de Rapouse geven, der Herr hat sie dem Verderben übergeben. —
Komisch läßt uns wie im Holländischen Manches wegen
der Aehnlichkeit des Lautes — der Deutsche denkt bei
Schepzel Geschöpf, Ham Schinken, Snaps Maul
weit eher an Schöps, Hammel und Schnaps, und bei
letterlyk an liederlich eher als an literarisch.
Ungemein komisch kam mir in einer Predigt zu Amsterdam der öftere Ausruf vor: „O Dood! waar is u Prickel?
O Tod! wo ist dein Stachel?" weil ich nur an Prügel
und Briken dachte, und was muß man erst mit ein
bischen Latein bei der Stelle denken, de Fouten (Fehler)

in het book overgebleeven heb ik met de P e n (Feder)
gecorrigeert?

Unter die Platten haben sich selbst franzöfifche
Worte, vermuthlich im fiebenjährigen Kriege, eingefchli=
chen, ohne daß fie es felbft wiffen. So fagen fie he maa-
ket veele Baselmaans (Baisemains), ihr krakeelen (ha=
dern) kommt ficher von querelle, und ein Bremer fagte
der Frau, da ein Franzofe Wein, Braten und Geld forderte:
„we mötten doch der infamen Canaille wat given.‟
„Comment? infame Canaille! infame Canaille‟ rief der
Franzofe in Wuth, und der Bremer meinte, der Franzofe
müßte doch d e u t f ch verftanden haben. Sie fprechen von
Matronecken mein Fräuchen, Dame, wie bei gewiffen
Naturlauten unreiner Art von teter feter — offenbar
Matrona und teter foedor, alfo fprechen fie auch L a t e i n.
und hätten fie wie der S ch w a b e ein verdächtiges billet
doux *) mit der Unterfchrift f i d e l B e r g e r **) ge=
funden, fo wären fie auch damit zum Commandanten
gelaufen, und hätten gebeten den Offizier F i d e l b e r g e r
auszuquartiren. Sie fprechen auch: de See ward kalm
(ruhig), de Kranke ward all kalm — von diefem Wort
und muse, nachdenken, kommt unfer C a l m ä u f e r — der
im Stillen nachfinnt — nicht von Camaldulenser!

Gar wohl gefielen mir die Redensarten, womit fie
fich den Tod und das menfchliche Elend geringer vormalen,
als es ift — he is wol daran, er ift todt, vorbi kommen
geftorben, he hat fik up den Rüken gelegt, Feyeravend
gemaakt! Die Fifcher und Schiffer an der Nord= und
Oftfee erfaufen nicht, fondern bliven up de See, fe find
verwehet — fo wie der Soldat i m F e l d e b l e i b t, oder
a u f d e m B e t t e d e r E h r e, der Hernhuter heimgeht,
der Holländer hemmelt (himmelt) und die Vornehmen m i t

---

*) Liebesbriefchen.
**) Dein treuer Schäfer.

Tobe abgehen, seelig, hoch- und höchstseelig in
Gott ruhen!

In dieser Ursprache der alten Saffen haben sich viele
Wurzelwörter erhalten, die im Hochdeutschen verloren
sind. Wir sprechen noch von Anlöthen, lothrechten Linien, vom Loth oder Senkblei, von Kraut und Loth,
aber das Wurzelwort müssen wir in der holländischen und
englischen Sprache suchen, wo Load noch Blei heißt.
Wir sprechen von Schildpat, Padde; Pogge, Kröte,
hat sich aber verloren. Wir sagen noch Fürst, das Wort
first aber, der Erste, hat sich nur im Englischen erhalten,
und die Frankfurter sagen noch Conftabler, statt Artilleristen,
was von Gunsteller (Gun Schießgewehr) herrührt, wie der
Name ihrer Bleiden-Gaffe von den Bleiden oder
Wurfmaschinen, ehe man Kanonen kannte. So sagen wir
Flinte, aber das Wort flint für Feuerstein haben wir nicht
mehr, so wie bode (vorbedeuten) sich nur im Englischen
erhalten hat, woher die beliebten Vorboten des Volks
kommen, und nicht von Nuntius, Bothe. Hochzeit kommt
nicht daher, daß es hohe Zeit ist zur Trauung zu schreiten, sondern von dem saffischen Hoog Freude — wie Fine,
Abgabe, Steuer, daher der Name der lieben Finanzwis-
senschaft. Glau heißt helle, scharf, vorzüglich von den
Augen, und so wäre die schönste Verdeutschung des Home-
rischen γλαυκῶπης Ἀθήνη — nicht blauäugig — sondern
geradezu glanäugig!

Noch heute heißt Haupt. Hov, daher kommt Hof
oder Sitz des Regenten, und daher sollten die Media-
tisirten nicht mehr von Höfen sprechen, und ihre gelehrten Hofräthe sie darauf aufmerksam machen! Hieß das
Haupt Hüv, so ist die Erklärung der Liti, Hintersassen,
am natürlichsten — noch heute heißt Lit und Leden
Glied, Glieder! Mit Iron (Eisen) erklärt sich die Ir-
mensäule besser, als durch Hermann, wie viele Namen
auf bold, kühn, z. B. Leopold, Löwenkühn. Wir sagen
auch Augenlied, lied heißt Deckel; Queckfilber von

quik, lebendig; quak, zittern, Quäcker; der Fluß Main, Haupt=
fluß, von main, vornehm; Racker, rack, foltern — wir spre=
chen von Getreide schroten, shred heißt klein schneiden —
Schinbbein und Schinder von skin, die Haut; Wallnuß
von Wall, Mauer, wo man sie gewöhnlich pflanzte —
Spring, die Quelle, hat sich auch nur im Englischen erhal=
ten. Vás heißt fest oder vest, daher Vassen — Vasal=
len — Viele nennen die Schwemmen Weten, wie sie
Schustersahle und Schusterskneif sagen, ohne vom
englischen wet (naß), awl oder knife zu wissen. Ober=
deutsche sprechen von Böhnhasen, ohne von Bün (Haus=
boden, Bühne) gehört zu haben, wo die Unzünftigen ver=
stohlens unterm Dache arbeiten, und wie Viele haben nicht
schon in Asmus Rheinweinland kräftigst eingestimmt:

> Da tanzt der Gukuk und sein Küster
> Auf ihm die Kreuz und Quer

ohne zu denken: Was soll der Küster? So heißt im Nor=
den scherzweise der Wiedehof, der sich früher sehen läßt,
als der Pfarrer Gukuk.

Gar viele Redensarten sind aus dem Wasserleben
hergenommen, wie bei Holländern; und natürlich können
wir im Hochdeutschen keine Wörter haben, die das See=
wesen betreffen. Sie sagen hy kam up syn Anker to
land von einer wunderbaren Errettung, achter het Net
vischen, er greift es verkehrt an, se dot niets dan laden
und lossen von einem jungen fruchtbaren Weibchen, he
sit hem in het Vaarwater er geht ihm ins Gehege, se is
de Linie vorby von einer Schönen, die 30 vorüber ist.
Se holten vast as Pik un Teer — he ligt vor't lesto
Anker, er ist gefährlich krank. Die Redensart: „Er hat
sein Schäfchen ins Trockene gebracht" ist sicher
niederdeutsch, und Schäfchen aus Schepken (Schiff=
chen) entstanden, was mehr Sinn hat. Das Wort Höv
für Haupt sagt uns, daß Hof von Haupt herkommt, und
Höfe für Häupter gelten, wie Od für Gut, Odling Guts=
besitzer, woraus Ebling, Adelig geworden, was also

auch der **Bauer** ist. Man pflegt das Wort **Bökelfleisch** von Beughel, dem ersten Herings-Einpökler, abzuleiten, andere von **Bock** weil es **bockelt**, es kommt aber von **Pecken**, d. h. lange an einer Stelle seyn, als ob **Pech** festhalte. Der nordische Adel hatte einst auch das **Vorrecht, Ochsen zu mästen — ein wahres Ochsenprivilegium!**

Es klingt uns komisch, wenn wir in der plattdeutschen Bibel lesen z. B. von der Schöpfung **Bevederte, Gevögelte** (Gefiederte), dat is Knoke van mynen Knoken, (Bein von meinem Bein), und wie **Noah** in syne Kyste (Arche) nam den He un syne See, was naiver klingt, als **Luthers** Männlein und Fräulein. Komisch klingt uns Engele un Düvele, de Düvele gelövens ok unde tzettern — Verfloket sy wol he undekt dat Dekelse synes Vaders — und die Betheurung God do my dit un dat! oder: Aus der Tiefe rufe ich Herr zu dir „Ut der depen Külen krijölk ik, Heer to di!" Abraham sagt bei dem Besuche des Engels zur Sara: „Snelle di" (Eile), und komisch klingt: ik hebbe erer nenen nüverle nen Leid gedan;" ich habe ihrem keinen niemals kein Leid gethan. Die Antwort des kranken Weibleins, die Jesu so wohl gefiel, hätte ihm Plattdeutsch noch besser gefallen — doch eten de Hündeken van de Krümeken. Unsere Krumme und Kruste oder das Innere und Aeußere des Brodes sind ächt englisch, he that keeps nor crust nor crum! Lear.

Plattdeutsche Worte sind im Norden die ersten Lippenlaute der Kinder, denn es ist die Sprache des Gesindes, und daher die Vorliebe der Erwachsenen — Plattdeutsch ist die Sprache der Vertraulichkeit zwischen Mann und Frau, Anverwandten und Gesinde, dem man wohl will; kein festeres Bindungsmittel zwischen Herrn, Diener und Hörigen, als ihre Sprache, wie Montesquieu zu Brede, und im Pays de Vaud viele Gutsbesitzer gar wohl wußten, und Patois sprachen. Im Norden sind die

meiſten bilingues, *) wie in der Schweiz oder im ſüdlichen
Frankreich, wo das patois leichter mittelſt des italieniſch
Sprechens verſtanden wird, als mittelſt der franzöſiſchen
Bücherſprache. Ueberall iſt man willkommen, wenn man
die Landesſprache verſteht, und ſo befindet ſich denn auch
der Reiſende im Norden beſſer, wenn er Plattdeutſch ver=
ſteht und ſpricht, und der ohnehin verſchloſſene Landmann
öffnet ſich ihm weit leichter. Plattdeutſch iſt die ſüßeſte
und naivſte, traulichſte, gemüthlichſte und ehrlichſte deutſche
Sprache, ſelbſt wenn ſich zwei Platten z a n k e n, muß der
Oberdeutſche glauben ſie ſagten ſich S ü ß i g k e i t e n. Es
iſt Jammerſchade, daß dieſe Sprache ausſterben muß, da
nicht nur keine B ü ch e r mehr in ihr geſchrieben werden,
ſondern ſie auch aus G e r i ch t e n und von der K a n z e l
verbannt iſt, und vorhandene Handſchriften in Bibliotheken
vermodern — dieſe geſchmeidige ſanfte Sprache —

Ein Pfeifchen zu ſtopfen, heet de Lippe wat foppen,
Im Plattdeutſchen het et — e n P i p k e n to s t o p p e n —
Nun Pfeiffer pfeif auf, ſegt de hochdütſche Mann,
Nu P i p e r pip u p — hört better ſik an!

und noch zarter iſt ihr:

Van Pipen up de Lippen, komt Frundſhap under de Slippen!

Unſere deutſche Urſprache ruht auf eigener Baſis, nicht
auf Latein, und die p l a t t d e u t ſ ch e Sprache iſt der Haupt=
ſchacht, in den wir hinabſteigen müſſen, wenn wir das
Hochdeutſche bereichern wollen, ſie iſt vorzüglich reich an
techniſchen Ausdrücken, vortrefflichen bildlichen Redensarten
und überraſchenden Wendungen, und nichts geht über ihr
N a i v e s; erſt nach ihr kommen die P r o v i n z i a l d i a=
l e k t e, vorzüglich die O b e r d e u t ſ ch e n, die Adelung nicht
kannte. Die verfeinerte ſ ä ch ſ i ſ ch e S p r a ch e aber im

---

*) Reden die meiſten zwei Sprachen.

Munde eines Hannoveraners, Braunschweigers, Liefländers oder gar eines schönen Mädchens ist —

Lingua toscana in bocca romana! *)

---

*) Toskanische Sprache in römischem Munde. (Italienisches Sprichwort für die beste Aussprache des Italienischen.)

Ende des dritten Theils.

ning Source UK Ltd.
Keynes UK
041834250219

'8UK00011B/919/P